आर. गुप्ता® कृत

पॉपुलर मास्टर गाइड

FCI

भारतीय खाद्य निगम

मैनेजर/मैनेजमेंट ट्रेनी

PHASE-I

भर्ती परीक्षा

- मैनेजर (जनरल/डिपो/मूवमेंट/अकाउंट्स/टेक्निकल)
- मैनेजर (सिविल/इलैक्ट्रिकल/मैकेनिकल इंजीनियरिंग)
- मैनेजर (हिन्दी)

RPH संपादक मंडल

द्वारा संपादित

रमेश पब्लिशिंग हाउस, नई दिल्ली

प्रकाशक

ओ॰पी॰ गुप्ता, **रमेश पब्लिशिंग हाउस**

प्रशासनिक कार्यालय

12.H, न्यू दरियागंज रोड, ऑफिसर्स मेस के सामने,
नई दिल्ली.110002, ✆ 23275224, 23245124

EMail: info@rameshpublishinghouse.com
For Online Shopping: www.rameshpublishinghouse.com

विक्रय केन्द्र

• बालाजी मार्किट, नई सड़क, दिल्ली.6 ✆ 23253720, 23282525
• 4457, नई सड़क, दिल्ली.6 ✆ 23918938

पुस्तक कोडः R-2039

ISBN: 978-93-88642-36-1

मूल्यः ₹ 460

मुद्रकः दीपक ऑफसेट, दिल्ली

अनुक्रमणिका

Scheme of Phase-I Online Exam

The online test will comprise of Phase-I and Pahse II exams. The online test of Phase-I shall be common irrespective of the post. The test structure for Phase-I Online test is as follows:

Sr. No.	Name of the Test	No. of Qs.	Max. Marks	Duration (minutes)	Medium of examination
1	English Language	25	25	15	English
2	Reasoning Ability	25	25	15	Bilingual (English and Hindi)
3	Numerical Aptitude	25	25	15	Bilingual (English and Hindi)
4	General Studies* comprising of Indian History, Indian Economy, Geography & General Science up to Class 8th level-20 questions Current Affairs-5 questions	25	25	15	Bilingual (English and Hindi)
		100	100	60	

* *The nature of questions will be such that they do not require specialized study of any discipline.*

Note: In the Phase-I of online test, the test will be Objective type (Multiple Choice Questions). Each question will carry equal 01 (one) mark.

- For each wrong answer, there will be negative marking of one-fourth (1/4) of the mark assigned to that question. If a question is left blank, *i.e.* no answer is marked by the candidate; there will be no negative marking for that question. The marks obtained in Phase-I will **Not** be reckoned in final merit ranking.

□□□

सैम्पल पेपर (हल सहित)

भारतीय खाद्य निगम (FCI)

मैनेजर/मैनेजमेंट ट्रेनी (Phase-I) भर्ती परीक्षा

ENGLISH LANGUAGE

Directions (Qs. No. 1-8): *Read the following passage and answer the following questions based on the given passage. Some of the words are highlighted which would help you to answer some of the questions given.*

A good night's sleep is utmost essential for overall good health. It is the time when the body rests, rejuvenates and recovers. An adult requires 7 to 8 hours of peaceful and quality sleep per day. Sleep deprivation can be defined as inability to complete the **sufficient** sleep-time required by the person.

Research has shown that even one night of sleep deprivation is equivalent to being intoxicated. Intentional sleep deprivation is mostly seen in young people and teenagers who prefer entertainment over sleep. Many workaholics also consider sleeping as a waste of precious time which is not true. Many a time because of work commitments such as working in night shifts or long hours may also interfere with quality sleep that an individual requires. Medical issues such as chronic illnesses, depression and sleep disorders such as obstructive sleep apnea can also be the reason for sleep deprivation.

You probably already have some understanding of the benefits of rest—and the costs of not getting it. Sleep allows us to consolidate and store memories, process emotional experiences, **replenish** glucose (the molecule that fuels the brain), and clear out beta-amyloid (the waste product that builds up in Alzheimer's patients and disrupts cognitive activity).

The most common sign and symptom of the fact that one is sleep deprived is fatigue, lethargy and feeling sleepy throughout the day. Other symptoms include mood disorders; sleep deprivation may lead to increasing irritability, desire to stay alone, rapid mood swings and more. Lack of sleep will also cause psychomotor instability meaning the person will find it difficult to focus and stand still at a place. Sleep deprivation will also cause issues with sight and hearing. An affected person may experience burning sensation in eyes, tingling and redness of eyes, light flashes and even hallucinations. He or she may also find it difficult to gauge distance at which a sound is originating. Other signs and symptoms of sleep deprivation include tingling sensations on the body, disorganization of thought and much more.

Negative effects of sleep deprivation are many. It affects both physical and mental health of a person negatively. The most common effect of sleep deprivation is drowsiness, tiredness, mood swings, irritability and reduced alertness. Although scientific knowledge of the physiological effects of sleep deprivation is relatively recent but researchers now believe that sleep deprivation can lead to disorders such as depression. Both short term sleep deprivation and chronic long term sleep deprivation can be very dangerous for the health as it has a direct impact on functioning of both heart and brain of an individual. Sleep loss also blunted activity in brain regions that normally **induce** social engagement. During sleep, regeneration of neurons happens in the cerebral cortex. Thus in a sleep deprived individual the brain fails to function optimally.

The simplest and easiest way to treat sleep deprivation is sleep more. Be it acute or chronic condition, a quality good night's sleep will help an individual ____(A)____ effectively. Fighting stress, eating a healthy and a balanced diet, avoiding alcohol are some other dos for a good night's sleep. Certain medications can also interfere with one's sleep thus consult your medical professional about the same. Exercising or indulging in an activity such as jogging, walk or swimming can also help one sleep better. Avoid usage of electronic gadgets before bedtime as they can interfere with one's sleep. Spending time in natural sunlight, Yoga, meditation and breathing exercises can also help one sleep better at night. Treating underlying medical cause if any will also help one sleep better and avoid sleep deprivation.

1. According to the passage, which among the following statements is true?

A. Sleep allows us to enhance our ability of acquiring knowledge and process emotional experiences.

B. An adult can function properly only with a quality sleep of 5-6 hours a day.

C. Sleep deprivation can be cured only with a help of a medical professional.
D. Both (A) and (B)
E. All are true

2. What is/are the cause(s) of incompetency in a sleep deprived individual's brain?
   (*i*) Clearing out of beta-amyloid that disrupts cognitive activity.
   (*ii*) Sleep deprivation leads to drowsiness, tiredness and reduced alertness.
   (*iii*) Reduction in the regrowth or repair of nervous tissues, cells or cell products in the cerebral cortex.
   A. Only (*i*) B. Only (*iii*)
   C. Both (*i*) and (*iii*) D. Both (*i*) and (*ii*)
   E. All (*i*), (*ii*) and (*iii*)

3. Choose the most suitable phrasal verb to fill the given blank (A) to make the sentence grammatically and contextually correct.
   A. drop back B. break out
   C. come forward D. bounce back
   E. fall out

4. Which among the followings is **true** according to the context of the passage?
   A. Fighting stress, eating a healthy and a balanced diet, avoiding alcohol cures depression
   B. Sleep deprivation means a state caused by inadequate quantity or quality of sleep.
   C. Sleep deprivation has negative effects on all the five senses of human body.
   D. Treating prolong and underlying medical cause can cause sleep deprivation.
   E. All are true

5. How can one safeguard oneself from sleep deprivation?
   (*i*) Getting regular exercise during the day.
   (*ii*) Refraining from using electronic devices right before bed.
   (*iii*) Limiting the consumption of alcohol.
   A. Only (*i*) B. Only (*iii*)
   C. Both (*i*) and (*iii*) D. Both (*i*) and (*ii*)
   E. All (*i*), (*ii*) and (*iii*)

Directions (Qs. No. 6 & 7): *Choose the most suitable word that depicts the meaning of the highlighted word.*

6. **SUFFICIENT**
   A. Many B. Adequate
   C. Restricted D. Limited
   E. Wanting

7. **INDUCE**
   A. Hasten B. Inspire
   C. Encourage D. Advocate
   E. Evaluate

8. Which of the following word depicts the **opposite** meaning of the given word **REPLENISH**?
   A. Restore B. Exhaust
   C. Recharge D. Accelerate
   E. Modify

Directions (Qs. No. 9-13): *In the following questions, a sentence is divided into four parts. Choose the part of the sentence which may contain a grammatical error in it. If all the parts of the sentence are grammatically correct and contextually meaningful, choose option (E) i.e. "no error" as your answer choice.*

9. Slicing a cake between pieces (*a*)/ is a fun tradition that many (*b*)/ newlyweds like to (*c*)/ incorporate into their ceremonies. (*d*)/ No Error (*e*)
   A. (*a*) B. (*b*)
   C. (*c*) D. (*d*)
   E. (*e*)

10. She had stayed up (*a*)/ all night because (*b*)/ she had received (*c*)/ bad news. (*d*)/ No Error (*e*)
   A. (*a*) B. (*b*)
   C. (*c*) D. (*d*)
   E. (*e*)

11. He as well as (*a*)/ his friends (*b*)/ were going (*c*)/ for picking. (*d*)/ No Error (*e*)
   A. (*a*) B. (*b*)
   C. (*c*) D. (*d*)
   E. (*e*)

12. The coaching industry in India (*a*)/ plays a pivotal role, (*b*)/ as it contributes significant (*c*)/ revenue to the education sector. (*d*)/ No Error (*e*)
   A. (*a*) B. (*b*)
   C. (*c*) D. (*d*)
   E. (*e*)

13. If I don't (*a*)/ turn on my (*b*)/ air conditioner, my (*c*)/ house was hot. (*d*)/ No error (*e*)
   A. (*a*) B. (*b*)
   C. (*c*) D. (*d*)
   E. (*e*)

Directions (Qs. No. 14-17): *In the following question, sentences are given with a part in bold. The given phrase in the bold may or may not contain an error. The options following can replace the incorrect phrase. The correct phrase that is to be replaced will be your answer. If the sentences are correct then select 'No improvement required' as your answer.*

14. Everything is funny, as long as it **is happening too** somebody else.
   A. has been happening for
   B. is happening to
   C. was happening too
   D. could have happened to
   E. No improvement required

15. They recommend this book even though **they himself had** never read it.

A. they themselves had B. they themself has
C. it itself had D. one oneself has
E. No improvement required

16. This is the house **that Jack built it.**
A. that Jack is building it
B. which Jack built it
C. whom Jack built
D. that Jack built
E. No improvement required

17. **In no way do I** agree with what you're saying.
A. In no way I do B. In no way I don't
C. No way I don't D. Do I in no way
E. No improvement required

Directions (Qs. No. 18-21): *In each of the questions given below a sentence is given with three words in bold. Choose the option which gives the correct sequence of these words to make the sentence grammatically and contextually correct.*

18. The U.P. ordinance not only **conflict** (*a*) guaranteed fundamental rights but is also in **violates** (*b*) with **existing** (*c*) personal laws.
A. *abc* B. *bac*
C. *cab* D. *acb*
E. None of these

19. The **deficit** (*a*) changes in the sector brought in through the three laws have **aggravated** (*b*) the trust **abrupt** (*c*) of the government.
A. *abc* B. *cab*
C. *bac* D. *cba*
E. None of these

20. The Chinese Communist Party initially **aftermath** (*a*) nationalism as a co-option **embraced** (*b*) in the **strategy** (*c*) of the Tiananmen Square massacre.
A. None of these B. *cab*
C. *abc* D. *bca*
E. *cba*

21. The Supreme Court has been asking States to **reservation** (*a*) quantifiable data to **justify** (*b*) their levels of **produce** (*c*).
A. None of these B. *cab*
C. *acb* D. *bca*
E. *cba*

Directions (Qs. No. 22-25): *In the question given below, some sentences/phrases are given which have to be arranged in a proper sequence. Select the option which best defines the proper sequence and arranges the sentence in an appropriate way.*

22. (*a*) Sidestepping debate
(*b*) And discussion in Parliament
(*c*) Discontent over the
(*d*) Is a result of
(*e*) New farm laws
A. *deabc*
B. *edabc*
C. No rearrangement possible
D. *aebdc*
E. *cedab*

23. (*a*) Population-level vaccination plans
(*b*) For COVID-19
(*c*) Expecting from
(*d*) The outcomes we are
(*e*) It is crucial to define
A. *bcaed* B. *cabed*
C. *edcab* D. *dcabe*
E. No rearrangement possible

24. (*a*) WHO must
(*b*) Work alongside
(*c*) China in quickly
(*d*) Origins of the virus
(*e*) Uncovering the
A. *ebcda* B. *caebd*
C. *ebacd* D. *acdbe*
E. *abced*

25. (*a*) Public activity should
(*b* Be available
(*c*) To the public
(*d*) Only information
(*e*) Bearing a nexus to
A. *deabc*
B. *edabc*
C. No rearrangement possible
D. *aebdc*
E. *cedab*

संख्यात्मक अभियोग्यता (Numerical Aptitude)

26. ट्रेन A 36 किमी./घंटा की गति से चलते हुए ट्रेन B को 20 सेकंड में पार करती है, ट्रेन B की गति ज्ञात कीजिये (किमी/घंटे), यदि ट्रेन A और B की लम्बाई का योग 600 मी. है और दोनों ट्रेन विपरीत दिशा में जाती हो।
A. 72 किमी./घंटा B. 54 किमी./घंटा
C. 48 किमी./घंटा D. 108 किमी./घंटा
E. 81 किमी./घंटा

27. A, ₹ X किसी व्यवसाय में निवेश करता है। चार महीने बाद B, ₹ 2X के साथ इनमें शामिल होता है और A अपना निवेश दुगुना कर देता है, यदि वर्ष के अंत में कुल लाभ ₹ 13950 है तो A का लाभांश ज्ञात कीजिये।
A. ₹ 7250 B. ₹ 7750
C. ₹ 8750 D. ₹ 6750
E. ₹ 7050

28. एक व्यक्ति एक धनराशि को दो स्कीम में 2 : 3 के अनुपात में चक्रवृद्धि ब्याज पर क्रमशः 20% प्रति वार्षिक और 10% प्रति वार्षिक से निवेश करता है, यदि व्यक्ति को दोनों स्कीम से दो वर्षों बाद ₹ 1208 कुल ब्याज मिलता है तो व्यक्ति द्वारा निवेशित राशि ज्ञात कीजिये।

A. ₹ 6000 B. ₹ 4800
C. ₹ 5000 D. ₹ 4500
E. ₹ 4000

29. एक आयत की लम्बाई और एक वर्ग की भुजा का योग 72 मी. है, यदि आयत का परिमाप 84 मी. और आयत की चौड़ाई 18 मी. हो तो वर्ग की भुजा का माप मी. में ज्ञात कीजिये।

A. 48 B. 36
C. 54 D. 60
E. 30

30. A, B और C द्वारा अकेले कार्य पूरा करने में लिए गये समय का अनुपात क्रमशः 4 : 6 : 3 है, यदि सभी तीनों मिलकर कार्य को 8 दिनों में पूरा करते हैं तो कितने दिनों में A अकेले समान कार्य के तीन-चौथाई भाग को पूरा करेगा?

A. 12 B. 30
C. 15 D. 24
E. 18

निर्देश (प्र. सं. 31-35): *निम्न प्रश्नों में, दो समीकरण x और y हैं, आपको दोनों समीकरण को हल करना है और उत्तर देना है।*

A. यदि $x > y$
B. यदि $x < y$
C. यदि $x \geq y$
D. यदि $x \leq y$
E. यदि $x = y$ या x और y के मध्य कोई संबंध नहीं है

31. I. $2x^2 - 3x + 1 = 0$
II. $2y^2 - 5y + 3 = 0$

32. I. $x^2 + 21x + 110 = 0$
II. $y^2 + 17y + 72 = 0$

33. I. $x^2 = 4$
II. $y^2 - 6y + 8 = 0$

34. I. $x^2 + 9x - 22 = 0$
II. $2y^2 - 7y + 6 = 0$

35. I. $6x^2 + 5x + 1 = 0$
II. $15y^2 + 11y + 2 = 0$

36. एक गाँव की जनसंख्या पहले वर्ष में 10% कम होती है और फिर दूसरे वर्ष में 20% बढ़ जाती है, दूसरे वर्ष के अंत में गाँव की जनसंख्या ज्ञात कीजिये यदि दो वर्ष पहले यह 15,000 थी।

A. 16180 B. 16200
C. 16320 D. 16360
E. 16480

37. एक दुकानदार एक शर्ट को क्रय मूल्य से 50% अधिक अंकित करता है और इस पर $11\frac{1}{9}\%$ और 10% की क्रमिक छूट देता है। यदि अर्जित लाभ और छूट के मध्य ₹ 200 का अंतर है तो शर्ट का अंकित मूल्य ज्ञात कीजिये।

A. ₹ 2100 B. ₹ 3000
C. ₹ 2400 D. ₹ 3600
E. ₹ 3300

38. एक नाव की धारा के प्रतिकूल गति धारा की अनुकूल गति से 5 किमी./घंटे अधिक है तथा शांत जल में नाव की गति का धारा की गति से अनुपात 19 : 5 है तो नाव द्वारा धारा के अनुकूल 42 किमी. और धारा के प्रतिकूल 31.5 किमी. तय करने में लिया गया समय ज्ञात कीजिये।

A. 7½ घंटे B. 8 घंटे
C. 9 घंटे D. 9½ घंटे
E. 10 घंटे

39. एक पात्र में दो लिक्विड P और Q का मिश्रण 5 : 3 के अनुपात में है, यदि 16 लीटर मिश्रण निकाला जाता है और लिक्विड Q से बदला जाता है तो लिक्विड P से लिक्विड Q का नया अनुपात 1 : 1 हो जाता है तो पात्र में मिश्रण की आरंभिक मात्रा ज्ञात कीजिये।

A. 80 लीटर B. 60 लीटर
C. 70 लीटर D. 48 लीटर
E. 96 लीटर

40. A की वर्तमान आयु का B की वर्तमान आयु से अनुपात 8 : 5 है तथा B और C की वर्तमान आयु का औसत 35 वर्ष है। यदि पांच वर्ष पूर्व A और B की आयु का योग 55 वर्ष है तो A और C की वर्तमान आयु के मध्य अंतर ज्ञात कीजिये।

A. 12 वर्ष B. 5 वर्ष
C. 9 वर्ष D. 8 वर्ष
E. 4 वर्ष

निर्देश (प्र. सं. 41-45): *निम्न लाइन ग्राफ 2019 में छह व्यक्तियों (A, B, C, D, E और F) द्वारा शेयर पोस्ट (फोटो + विडियो) की कुल संख्या को दर्शाता है, डेटा का ध्यानपूर्वक अध्ययन कीजिये और प्रश्नों के उत्तर दीजिये।*

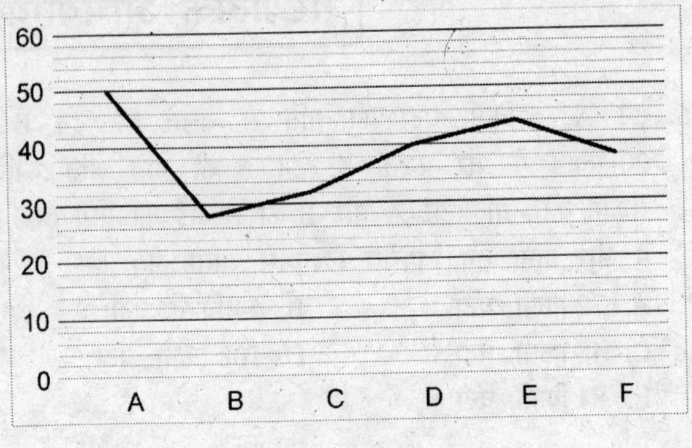

41. C द्वारा शेयर की गयी कुल पोस्ट D द्वारा शेयर की गयी कुल पोस्ट से कितने प्रतिशत कम है?

A. 20% B. 25%
C. 15% D. 10%
E. 30%

42. जनवरी 2020 में B और F द्वारा शेयर की गयी कुल पोस्ट पिछले महीने की तुलना में क्रमशः 12 और 15 अधिक है, तो जनवरी 2020 में B और F द्वारा शेयर की गयी कुल पोस्ट की संख्या ज्ञात कीजिये।

A. 95 B. 91
C. 93 D. 97
E. 99

43. A, C और F द्वारा शेयर की गयी पोस्ट की औसत संख्या ज्ञात कीजिये।

A. 42 B. 48
C. 40 D. 36
E. 44

44. E द्वारा शेयर की गयी कुल फोटो उसके द्वारा शेयर की गयी कुल विडियो से चार अधिक है तो E द्वारा शेयर की गयी कुल विडियो ज्ञात कीजिये।

A. 24 B. 20
C. 28 D. 22
E. 30

45. यदि B द्वारा शेयर की गयी कुल फोटो का कुल विडियो से अनुपात 5 : 9 है तो B द्वारा शेयर की गयी कुल फोटो ज्ञात कीजिये।

A. 10 B. 18
C. 12 D. 14
E. 16

निर्देश (प्र. सं. 46-50): *निम्न प्रश्नों में प्रश्न-चिह्न के स्थान पर क्या आएगा?*

46. $(? \div 5 \div 7) \times 14 + 112 = 420$

A. 710 B. 720
C. 660 D. 770
E. 750

47. $(?)^{(4\times16 \div 32+1)} + 12^2 = 360$

A. 4 B. 6
C. 8 D. 2
E. 3

48. 128 का $50\% + \frac{\sqrt{16}}{2} \times 4 = ? + 10$

A. 64 B. 62
C. 60 D. 56
E. 82

49. $\frac{\sqrt[3]{1331}}{11} + \sqrt{81} + ? = 27$

A. 19 B. 18
C. 17 D. 16
E. 15

50. $(14)^2 + 179 + (5)^2 = (?)^2$

A. 10 B. 20
C. 30 D. 40
E. 22

तार्किक क्षमता (Reasoning Ability)

निर्देश (प्र. सं. 51-55): *निम्नलिखित जानकारी का ध्यानपूर्वक अध्ययन कीजिए और नीचे दिए गए प्रश्न का उत्तर दीजिए।*

आठ बक्से एक-दूसरे के ऊपर रखे गए हैं। बॉक्स U और T के बीच केवल दो बॉक्स रखे गए हैं। T और बॉक्स R के बीच केवल एक बॉक्स रखा गया है। बॉक्स R और V के बीच केवल दो बॉक्स रखे गए हैं। बॉक्स V को R के नीचे रखा गया है। S और Q के बीच तीन बॉक्स रखे गए हैं। S और Q दोनों को बॉक्स T के ऊपर रखा गया है। बॉक्स W को बॉक्स B के नीचे रखा गया है। बॉक्स S और बॉक्स P के बीच एक से अधिक बॉक्स नहीं रखा गया है।

51. बॉक्स T और बॉक्स S के बीच कितने बॉक्स हैं?

A. कोई नहीं B. एक
C. दो D. तीन
E. तीन से अधिक

52. निम्नलिखित में से कौन-सा बॉक्स, बॉक्स Q के ठीक ऊपर रखा गया है?

A. W B. U
C. R D. T
E. इनमें से कोई नहीं

53. निम्नलिखित बॉक्स में से कौन-सा बॉक्स सबसे नीचे रखा गया है?

A. W B. U
C. R D. T
E. इनमें से कोई नहीं

54. निम्नलिखित में से कौन-सा बॉक्स, बॉक्स P के ठीक नीचे रखा गया है?

A. W B. U
C. R D. T
E. इनमें से कोई नहीं

55. बॉक्स W और बॉक्स R के बीच कितने बॉक्स हैं?

A. कोई नहीं B. एक
C. दो D. तीन
E. तीन से अधिक

निर्देश (प्र. सं. 56-59): *निम्नलिखित जानकारी का ध्यानपूर्वक अध्ययन कीजिए और नीचे दिए गए प्रश्न का उत्तर दीजिये।*

छह व्यक्तियों को उनके भार के अनुसार बाएं से दाएं घटते क्रम में व्यवस्थित किया जाता है। E सबके बीच सबसे भारी नहीं है। A, F और C से भारी है। F, B और D से भारी है, लेकिन E से भारी नहीं है। B और C सब में सबसे हल्के नहीं हैं। A केवल F से ठीक भारी नहीं है। E, C से अधिक भारी है, जो सभी के बीच तीसरा सबसे भारी नहीं है। दूसरे सबसे हल्के व्यक्ति का भार 17 किग्रा. है। B और C का कुल भार 44 किग्रा. है। दूसरा सबसे भारी व्यक्ति, दूसरा सबसे हल्का व्यक्ति से दोगुना भारी है। C, F से ठीक हल्का है। सभी व्यक्तियों का कुल भार 150 किग्रा. है।

56. F का संभावित भार क्या हो सकता है?

A. 30 किग्रा. B. 38 किग्रा.
C. 24 किग्रा. D. 25 किग्रा.
E. इनमें से कोई नहीं

57. F से भारी व्यक्तियों की संख्या, ____ से हल्के व्यक्तियों की संख्या के समान है?

A. A B. C
C. D D. B
E. इनमें से कोई नहीं

58. यदि D, B से 10 किग्रा. हल्का है और F, C से 5 किग्रा. भारी है तो A का भार कितना है?

A. 23 किग्रा. B. 43 किग्रा.
C. 30 किग्रा. D. 32 किग्रा.
E. इनमें से कोई नहीं

59. निम्नलिखित पाँच में से चार एक निश्चित तरीके से एक समान हैं अतः एक समूह बनाते हैं। इनमें से कौन उस समूह से संबंधित नहीं है?

A. E-C B. F-A
C. D-C D. B-D
E. F-B

निर्देश (प्र. सं. 60-63): *इन प्रश्नों में, कथनों में विभिन्न तत्वों के बीच संबंध दर्शाया गया है। कथनों का निष्कर्ष दिया जाता है।*

उत्तर दीजिए

A. यदि केवल निष्कर्ष I सत्य है
B. यदि केवल निष्कर्ष II सत्य है
C. यदि या तो निष्कर्ष I या II सत्य है
D. यदि न तो निष्कर्ष I और न ही II सत्य है
E. यदि निष्कर्ष I और II दोनों सत्य हैं

60. कथनः $F > R \geq T = E > W \leq Q$
निष्कर्षः I. $E < F$ II. $Q \geq T$

61. कथनः $W = G \geq H \geq T = C \leq V \leq B$
निष्कर्षः I. $T < G$ II. $C = G$

62. कथनः $K > I \geq G > F \leq T < R$
निष्कर्षः I. $K > T$ II. $R > F$

63. कथनः $K < G \leq D < C > R \leq Y$
निष्कर्षः I. $C > G$ II. $K < D$

निर्देश (प्र. सं. 64-67): *निम्नलिखित जानकारी का ध्यानपूर्वक अध्ययन कीजिए और नीचे दिए गए प्रश्न के उत्तर दीजिए।*

आठ व्यक्तियों A, B, C, D, E, F, G और H का जन्म 4 अलग-अलग वर्षों अर्थात् 1956, 1957, 1958 और 1959 में दिसंबर के 14वें या 23वें दिन हुआ था लेकिन जरूरी नहीं कि उसी क्रम में हों। E का जन्म सम संख्या वाले वर्ष में हुआ था लेकिन वह सभी में सबसे बड़ा नहीं था। E और D के बीच दो या दो से अधिक व्यक्तियों का जन्म हुआ। H का जन्म, D के ठीक बाद हुआ था। H के पहले जितने व्यक्तियों का जन्म हुआ, उतने ही व्यक्तियों का जन्म भी B के बाद हुआ हैं। G का जन्म F के पहले हुआ और A के बाद हुआ है और उनका जन्म समान दिन पर हुआ है।

64. C से पहले कितने व्यक्तियों का जन्म हुआ?

A. एक B. कोई नहीं
C. दो D. चार से अधिक
E. चार

65. निम्नलिखित में से किस वर्ष B का जन्म हुआ था?

A. 1956 B. 1959
C. या तो 1956 या 1959 D. 1957
E. 1958

66. A और F के बीच कितने व्यक्तियों का जन्म हुआ?

A. तीन B. पांच
C. दो D. एक
E. इनमें से कोई नहीं

67. निम्नलिखित पाँच में से चार एक निश्चित तरीके से एक समान हैं अतः एक समूह बनाते हैं। इनमें से कौन उस समूह से संबंधित नहीं है?

A. D B. B
C. E D. C
E. H

निर्देश (प्र. सं. 68-70): *नीचे दिए गए प्रत्येक प्रश्न में कुछ कथनों के बाद दो निष्कर्ष दिए गए हैं। आपको दिए गए कथनों को सत्य मानना है, भले ही वे सामान्य ज्ञात तथ्यों से भिन्न प्रतीत होते हों। सभी निष्कर्षों को पढ़िए और फिर तय कीजिए कि दिए गए निष्कर्षों में से कौन-सा, सामान्य ज्ञात तथ्यों को अनदेखा करते हुए, दिए गए कथनों का तार्किक रूप से अनुसरण करता है।*

68. कथनः केवल कुछ फोटो वीडियो हैं।
केवल कुछ फ्रेम वीडियो हैं।
सभी फ्रेम कैमरा हैं।

निष्कर्षः
I. सभी फोटो के फ्रेम होने की संभावना है।
II. कुछ फोटो कैमरा नहीं हैं।

A. यदि दोनों निष्कर्ष I और II अनुसरण करते हैं।
B. यदि केवल निष्कर्ष II अनुसरण करता है।
C. यदि केवल निष्कर्ष I अनुसरण करता है।
D. यदि न तो निष्कर्ष I और न ही II अनुसरण करता है।
E. यदि या तो निष्कर्ष I या II अनुसरण करता है।

69. कथनः केवल कुछ सिटी टाउन हैं।
कोई टाउन विलेज नहीं है।
सभी विलेज ब्लॉक हैं।

निष्कर्षः
I. सभी सीटी विलेज हो सकते हैं।
II. कुछ ब्लॉक टाउन नहीं हैं।
A. यदि दोनों निष्कर्ष I और II अनुसरण करते हैं।
B. यदि या तो निष्कर्ष I या II अनुसरण करता है।
C. यदि केवल निष्कर्ष I अनुसरण करता है।
D. यदि न तो निष्कर्ष I और न ही II अनुसरण करता है।
E. यदि केवल निष्कर्ष II अनुसरण करता है।

70. कथनः कुछ बर्ड ईगल नहीं हैं।
कुछ ईगल पैरेट हैं।

निष्कर्षः
I. कुछ पैरेट बर्ड हैं।
II. कोई पैरेट बर्ड नहीं है।
A. यदि केवल निष्कर्ष I अनुसरण करता है।
B. यदि या तो निष्कर्ष I या II अनुसरण करता है।
C. यदि दोनों निष्कर्ष I और II अनुसरण करते हैं।
D. यदि न तो निष्कर्ष I और न ही II अनुसरण करता है।
E. यदि केवल निष्कर्ष II अनुसरण करता है।

निर्देश (प्र. सं. 71-73): *निम्नलिखित जानकारी का ध्यानपूर्वक अध्ययन करें और नीचे दिए गए प्रश्नों के उत्तर दें।*

आठ व्यक्ति D, E, F, G, M, O, P और S एक के बाद एक कुछ वस्तु खरीदते हैं लेकिन जरूरी नहीं कि वे इसी क्रम में हों। F से पहले अधिकांश दो व्यक्ति वस्तु खरीदते हैं। D और F के बीच केवल एक व्यक्ति वस्तु खरीदता है। P, S से ठीक पहले वस्तु खरीदता है। P और D के बीच एक व्यक्ति वस्तु खरीदता है। M, E से पहले खरीदता है और O, G से पहले और E के बाद खरीदता है।

71. D के बाद कितने व्यक्ति वस्तु खरीदते हैं?
A. कोई नहीं B. दो
C. तीन से अधिक D. एक
E. इनमें से कोई नहीं

72. निम्नलिखित में से कौन G के ठीक बाद वस्तु खरीदता है?
A. E B. F
C. O D. P
E. इनमें से कोई नहीं

73. यदि सभी व्यक्तियों को D से शुरू करते हुए ऊपर से नीचे वर्णमाला के क्रम में व्यवस्थित किया जाता है, तो ज्ञात कीजिए कि कितने व्यक्ति समान स्थिति (D को छोड़कर) पर ही रहेंगे?
A. एक B. कोई नहीं
C. दो D. चार
E. चार से अधिक

निर्देश (प्र. सं. 74 & 75): *निम्नलिखित व्यवस्था का ध्यानपूर्वक अध्ययन कीजिए और नीचे दिए गए प्रश्नों के उत्तर दीजिए।*

3 9 1 8 1 2 5 8 6 3 6 4 2 5 2 8
5 2 6 4 5 1 4 9 4 7 3 2 7 2 5 9

74. यदि उपरोक्त व्यवस्था से सभी सम अंक हटा दिए जाते हैं, तो निम्नलिखित में से कौन-सा अंक व्यवस्था के दाएं ओर से दसवां होगा?
A. 9 B. 5
C. 1 D. 3
E. 7

75. उपरोक्त व्यवस्था में ऐसे कितने 1 हैं, जिनमें से प्रत्येक के ठीक बाद एक पूर्ण वर्ग है?
A. कोई नहीं B. एक
C. दो D. तीन
E. तीन से अधिक

सामान्य अध्ययन (General Studies)

76. भारतीय राष्ट्रीय कांग्रेस की स्थापना _______ के द्वारा 1885 में की गई थी।
A. एलेन ओक्टेवियन ह्यूम B. लॉर्ड डफरिन
C. बदरुद्दीन तैयबजी D. एनी बेसेंट
E. फिरोज शाह मेहता

77. 'स्वराज्य हमारा जन्मसिद्ध अधिकार है और हम इसे लेकर रहेंगे'—यह नारा _______ ने दिया था।
A. लाला लाजपत राय B. महात्मा गाँधी
C. बाल गंगाधर तिलक D. जवाहरलाल नेहरू
E. एस.सी. बोस

78. _______ ने सन् 1914 में घरेलू शासन आंदोलन के लिए काम करना शुरू कर दिया था।
A. महात्मा गाँधी B. जवाहरलाल नेहरू
C. एनी बेसेंट D. बाल गंगाधर तिलक
E. सरदार पटेल

79. सन् 1916 में मुस्लिम लीग और कांग्रेस में आपसी समझौता हुआ और _______ पर हस्ताक्षर किए गए।
A. बंगाल समझौता B. कलकत्ता की संधि
C. स्वशासन अधिनियम D. लखनऊ समझौता
E. गांधी-इरविन समझौता

80. रौलेट एक्ट के खिलाफ शांतिपूर्ण विरोध के लिए 13 अप्रैल, सन् 1919 को बैसाखी के मेले के अवसर पर लोग ______ पर इकट्ठा हुए थे।

A. बंगाल
B. पटना
C. जलियाँवाला बाग
D. लखनऊ
E. इनमें से कोई नहीं

81. उच्च न्यायालय के न्यायाधीश के पद पर नियुक्ति के लिए एकवकील के लिए पेशेवर अभ्यास की न्यूनतम आवश्यक अवधि कितनी है?

A. 5 वर्ष
B. 10 वर्ष
C. 15 वर्ष
D. 20 वर्ष
E. 7 वर्ष

82. खान सुरक्षा विभाग भारत में किस केंद्रीय मंत्रालय के अधीन है?

A. खान मंत्रालय
B. श्रम और रोजगार मंत्रालय
C. पर्यावरण, वन और जलवायु परिवर्तन मंत्रालय
D. स्वास्थ्य और परिवार कल्याण मंत्रालय
E. इनमें से कोई नहीं

83. 2018 में किस योजना के जरिए, भारत में बीमा के साथ राष्ट्रीय स्वास्थ्य सुरक्षा की शुरूआत की गई थी?

A. प्रधानमंत्री मातृत्व वंदना योजना
B. जननी योजना
C. आयुष्मान भारत
D. राष्ट्रीय पेंशन योजना
E. इनमें से कोई नहीं

84. इनमें से कौन आर.बी.आई. की अनुषंगी है?

A. नेशनल हाउसिंग बैंक
B. आई.सी.आई.सी.आई.
C. एस.बी.आई.
D. एस.आई.डी.बी.आई.
E. इनमें से कोई नहीं

85. भारत में निम्नलिखित में से कौन-सी वस्तु आवश्यक वस्तु अधिनियम, 1955 के तहत सूचीबद्ध नहीं है?

A. दवा
B. पेट्रोलियम
C. उर्वरक
D. खाद्य मशीनरी
E. इनमें से कोई नहीं

86. भारत में "ऑपरेशन फ्लड" ______ से संबंधित है।

A. जल संरक्षण
B. दुग्ध उत्पादन
C. बाढ़ बचाव
D. अपराध निवारण
E. इनमें से कोई नहीं

87. भारत में ज्ञानपीठ पुरस्कार ______ से संबंधित है।

A. शास्त्रीय संगीत
B. साहित्य
C. शास्त्रीय नृत्य
D. सिनेमा
E. विज्ञान

88. ______ परिस्थिति-विज्ञान की एक शाखा है जिसमें किसी व्यक्तिगत जीव या एक ही प्रजाति के उसके पर्यावरण के जीवित और गैर-जीवित कारकों की परस्पर क्रिया का अध्ययन किया जाता है।

A. रासायनिक पारिस्थितिकी
B. ऑटो पारिस्थितिकी
C. अनुवांशिक पारिस्थितिकी
D. पुरापारिस्थितिकी
E. इनमें से कोई नहीं

89. पारिस्थितिक-तंत्र में ऊर्जा का स्रोत ______ है।

A. ऑक्सीजन
B. डी.एन.ए.
C. सूर्य
D. भूवैज्ञानिक भंडार
E. इनमें से कोई नहीं

90. इनमें से वायुमंडल की कौन-सी परत पृथ्वी की सतह के सबसे निकट है?

A. ट्रोपोस्फीयर
B. स्ट्रेटोस्फीयर
C. मेसोस्फीयर
D. थर्मोस्फीयर
E. इनमें से कोई नहीं

91. ______ प्रजातीकरण तब होता है जब एक प्रजाति दो अलग-अलग समूहों में पृथक होती है जो एक-दूसरे से अलग होती हैं।

A. विस्थानिक
B. पेरिपैट्रिक
C. पैरापैट्रिक
D. सिमपैट्रिक
E. इनमें से कोई नहीं

92. पाक जलडमरूमध्य ______ के बीच स्थित है।

A. भारत और श्रीलंका
B. भारत और संयुक्त अरब अमीरात
C. उत्तर कोरिया और दक्षिण कोरिया
D. तुर्की के एशियाई और यूरोपीय भाग
E. इनमें से कोई नहीं

93. निम्नलिखित में से किस देश से होकर कर्क रेखा ***नहीं*** गुजरती?

A. मैक्सिको
B. म्यांमार
C. भारत
D. ब्राजील
E. इनमें से कोई नहीं

94. फॉकलैंड द्वीपसमूह को लेकर फॉकलैंड विवाद ______ के बीच है।

A. मैक्सिको और यू.एस.ए.
B. उरुग्वे और अर्जेंटीना
C. यू.के. और अर्जेंटीना
D. उरुग्वे और पराग्वे
E. इनमें से कोई नहीं

95. निम्नलिखित में से कौन-सी नदी बंगाल की खाड़ी में ***नहीं*** गिरती है?

A. महानदी
B. कृष्णा
C. कावेरी
D. नर्मदा
E. इनमें से कोई नहीं

96. माउंट गिरनार गुजरात के ______ जिले में स्थित है।

A. मेहसाना
B. जूनागढ़
C. खेड़ा
D. पोरबंदर
E. इनमें से कोई नहीं

97. निम्नलिखित में से कहाँ नाभिकीय ऊर्जा संयंत्र ***नहीं*** है?

A. नरौरा
B. कुडनकुलम
C. कैगा
D. रामपुरा आगुचा
E. इनमें से कोई नहीं

98. क्योटो प्रोटोकॉल ______ से संबंधित है।
A. व्यापार
B. जलवायु परिवर्तन
C. सुरक्षा
D. प्रत्यर्पण
E. इनमें से कोई नहीं

99. इनमें से कौन-सा देश यूरोपीय संघ (ई.यू.) का सदस्य ***नहीं*** है?
A. ऑस्ट्रिया
B. तुर्की
C. बेल्जियम
D. फिनलैंड
E. स्पेन

100. निम्नलिखित क्रिकेटरों में से किसकी आत्मकथा का नाम "281 एंड बियॉन्ड" है?
A. युवराज सिंह
B. वी.वी.एस. लक्ष्मण
C. सचिन तेंदुलकर
D. हरभजन सिंह
E. एम.एस. धौनी

उत्तरमाला

1	2	3	4	5	6	7	8	9	10
A	B	D	B	E	B	C	B	A	A
11	**12**	**13**	**14**	**15**	**16**	**17**	**18**	**19**	**20**
C	E	D	B	A	D	E	B	D	D
21	**22**	**23**	**24**	**25**	**26**	**27**	**28**	**29**	**30**
E	E	C	E	A	A	B	E	A	E
31	**32**	**33**	**34**	**35**	**36**	**37**	**38**	**39**	**40**
D	B	D	E	E	B	B	B	A	B
41	**42**	**43**	**44**	**45**	**46**	**47**	**48**	**49**	**50**
A	C	C	B	A	D	B	B	C	B
51	**52**	**53**	**54**	**55**	**56**	**57**	**58**	**59**	**60**
E	C	A	B	D	A	B	D	D	A
61	**62**	**63**	**64**	**65**	**66**	**67**	**68**	**69**	**70**
C	B	E	C	B	A	E	C	E	B
71	**72**	**73**	**74**	**75**	**76**	**77**	**78**	**79**	**80**
E	D	D	B	B	A	C	C	D	C
81	**82**	**83**	**84**	**85**	**86**	**87**	**88**	**89**	**90**
B	B	C	A	D	B	B	B	C	A
91	**92**	**93**	**94**	**95**	**96**	**97**	**98**	**99**	**100**
A	A	D	C	D	B	D	B	B	B

व्याख्यात्मक उत्तर

26. माना ट्रेन B की गति s किमी/घंटा है।
प्रश्नानुसार,

$$20(36+s)\times\frac{5}{18} = 600$$

$$3600 + 100s = 10800$$

$$100s = 7200$$

$$s = 72 \text{ किमी./घंटा}$$

अतः ट्रेन B की गति = s किमी./घंटा = 72 किमी./घंटा

27. A और B के लाभ का अनुपात = $(X \times 4 + 2X \times 8) : (2X \times 8)$

$$= 20X : 16X = 5 : 4$$

इसलिए, A का लाभांश = $13950\times\frac{5}{9}$ = ₹ 7750.

28. माना व्यक्ति द्वारा निवेश की गई धनराशि = ₹ $10x$
20% वार्षिक दर पर 2 वर्षों के लिए समतुल्य चक्रवृद्धि ब्याज

$$= 20+20+\frac{20\times 20}{100} = 44\%$$

10% वार्षिक दर पर 2 वर्षों के लिए समतुल्य चक्रवृद्धि ब्याज

$$= 10+10+\frac{10\times 10}{100} = 21\%$$

प्रश्नानुसार,

$$10x\times\frac{2}{5}\times\frac{44}{100}+10x\times\frac{3}{5}\times\frac{21}{100} = 1208$$

$$\frac{176x}{100}+\frac{126x}{100} = 1208 \Rightarrow x = ₹\ 400$$

अभीष्ट राशि = ₹ 4000.

29. प्रश्नानुसार,

$$2(l + 18) = 84$$
$$2l = 48$$
$$l = 24 \text{ मीटर}$$

इसलिए, वर्ग की भुजा का माप

$$= 72 - 24$$
$$= 48 \text{ मीटर।}$$

30. A, B और C के क्षमता का अनुपात = 3 : 2 : 4

इसलिए, माना कुल कार्य = $(3x + 2x + 4x) \times 8 = 72x$ इकाई

अभीष्ट दिन = $72x \times \frac{3}{4} \times \frac{1}{3x} = 18$ दिन।

31. I. $2x^2 - 2x - x + 1 = 0$

$2x(x - 1) - 1(x - 1)$

$x = \frac{1}{2}, 1$

II. $2y^2 - 2y - 3y + 3 = 0$

$2y(y - 1) - 3(y - 1) = 0$

$y = \frac{3}{2}, 1$

$x \le y.$

32. I. $x^2 + 10x + 11x + 110 = 0$

$x(x + 10) + 11(x + 10) = 0$

$x = -10, -11$

II. $y^2 + 9y + 8y + 72 = 0$

$y(y + 9) + 8(y + 9)$

$y = -9, -8$

$x < y.$

33. I. $x = \pm 2$

II. $y^2 - 2y - 4y + 8 = 0$

$y(y - 2) - 4(y - 2) = 0$

$y = 2, 4$

$x \le y.$

34. I. $x^2 + 9x - 22 = 0$

$x^2 + 11x - 2x - 22 = 0$

$(x + 11)(x - 2) = 0$

$x = -11, 2$

II. $2y^2 - 7y + 6 = 0$

$2y^2 - 4y - 3y + 6 = 0$

$2y(y - 2) - 3(y - 2) = 0$

$(y - 2)(2y - 3) = 0$

$y = 2, \frac{3}{2}$

कोई संबंध नहीं है।

35. I. $6x^2 + 5x + 1 = 0$

$6x^2 + 3x + 2x + 1 = 0$

$3x(2x + 1) + 1(2x + 1) = 0$

$x = -\frac{1}{2}$ या $-\frac{1}{3}$

II. $15y^2 + 11y + 2 = 0$

$15y^2 + 6y + 5y + 2 = 0$

$3y(5y + 2) + 1(5y + 2) = 0$

$y = -\frac{2}{5}$ या $-\frac{1}{3}$

कोई संबंध नहीं है।

36. अभीष्ट जनसंख्या = $15000 \times 0.9 \times 1.2 = 16200.$

37. माना शर्ट का क्रय मूल्य = ₹ $100x$

तब, अंकित मूल्य = ₹ $150x$

विक्रय मूल्य = $150x \times \frac{8}{9} \times \frac{9}{10}$

= ₹ $120x$

लाभ = ₹ $20x$

दी गई छूट = ₹ $30x$

प्रश्नानुसार,

$$10x = 200$$
$$\Rightarrow \quad x = 20$$

अंकित मूल्य = ₹ 3000.

38. माना शांत जल में नाव की गति x किमी./घंटे है और धारा की गति y किमी./घंटे है।

प्रश्नानुसार,

$$(x + y) - (x - y) = 5$$
$$\Rightarrow \quad y = 2.5 \text{ किमी./घंटे}$$
$$x = 2.5 \times \frac{19}{5}$$
$$= 9.5 \text{ किमी./घंटे}$$

अभीष्ट समय = $\frac{42}{(9.5 + 2.5)} + \frac{31.5}{(9.5 - 2.5)} = 8$ घंटे

39. माना पात्र में लिक्विड P और Q की आरंभिक मात्रा क्रमशः $5x$ और $3x$ है।

इसलिए,

$$\frac{5x - \frac{5}{8} \times 16}{8x} = \frac{1}{2}$$
$$5x - 10 = 4x$$
$$x = 10$$

मिश्रण की आरंभिक मात्रा = (5 + 3) × 10 = 80 लीटर।

40. माना A और B की वर्तमान आयु $8x$ वर्ष और $5x$ वर्ष है।

अब, C की वर्तमान आयु = $35 \times 2 - 5x = (70 - 5x)$ वर्ष

प्रश्नानुसार,

$$(8x - 5) + (5x - 5) = 55$$
$$x = 5$$

अभीष्ट अंतर = $(70 - 5x) - 8x = 5$ वर्ष।

41. अभीष्ट प्रतिशतता $= \frac{40-32}{40} \times 100 = 20\%$.

42. कुल पोस्ट की संख्या = (28 + 12) + (38 + 15) = 93.

43. अभीष्ट औसत $= \frac{50+32+38}{3} = 40$.

44. माना E द्वारा शेयर की गई कुल विडियो = x

इसलिए, E द्वारा शेयर की गई कुल फोटो = $(x + 4)$

प्रश्नानुसार,

$$x + x + 4 = 44$$
$$2x = 40$$
$$\Rightarrow x = 20.$$

45. B द्वारा शेयर की गई कुल फोटो $= 28 \times \frac{5}{14} = 10$.

46. $(? \div 5 \div 7) \times 14 = 308$

$$\Rightarrow ? \times \frac{1}{5} \times \frac{1}{7} \times 14 = 308$$
$$\Rightarrow ? = \frac{308 \times 35}{14}$$
$$\Rightarrow ? = 22 \times 35$$
$$\Rightarrow ? = 770.$$

47. $(?)^{(4\times16 \div 32+1)} + 12^2 = 360$

$$\Rightarrow (?)^{\left(4\times\frac{1}{2}+1\right)} + 144 = 360$$
$$\Rightarrow ?^3 + 144 = 360$$
$$\Rightarrow ?^3 = 216$$
$$\Rightarrow ?^3 = (6)^3$$
$$\Rightarrow ? = 6.$$

48. 128 का $50\% + \frac{\sqrt{16}}{2} \times 4 = ? + 10$

$$\Rightarrow 128 \times \frac{50}{100} + \frac{4}{2} \times 4 = ? + 10$$
$$\Rightarrow \frac{128}{2} + \frac{4}{2} \times 4 = ? + 10$$
$$64 + 8 = ? + 10$$
$$? = 62.$$

49. $\frac{\sqrt[3]{1331}}{11} + \sqrt{81} + ? = 27$

$$\Rightarrow \frac{11}{11} + 9 + ? = 27$$
$$\Rightarrow 1 + 9 + ? = 27$$
$$\Rightarrow ? = 17.$$

50. $(14)^2 + 179 + (5)^2 = (?)^2$

$$\Rightarrow 196 + 179 + 25 = (?)^2$$
$$\Rightarrow (?)^2 = 400$$
$$\Rightarrow ? = 20$$

प्रश्न संख्या 51-55 के लिए

दी गई जानकारी के अनुसार

बॉक्स
S
P
U
R
Q
T
V
W

51. बॉक्स T और बॉक्स S के बीच 4 बॉक्स हैं।

52. बॉक्स Q के ठीक ऊपर बॉक्स R को रखा गया है।

53. बॉक्स W को सबसे नीचे रखा गया है।

54. बॉक्स P के ठीक नीचे बॉक्स U को रखा गया है।

55. बॉक्स W और बॉक्स R के बीच तीन बॉक्स हैं।

प्रश्न संख्या 56-59 के लिए

दी गई जानकारी के अनुसार

$$A > E > F > C > B > D$$
$$34 \quad\quad 27 \;\; 17$$

56. 34 > 30 > 27.

F का संभावित भार 30 किग्रा. हो सकता है।

57. F से भारी दो व्यक्ति हैं = C से हल्के दो व्यक्ति हैं।

58. D = 17 – 10 = 7, F = 27 + 5 = 32.

59. प्रत्येक समूह के बीच में एक व्यक्ति है।

60. **I.** $E < F$ (सत्य) **II.** $Q \geq T$ (असत्य)

61. **I.** $T < G$ (सत्य) **II.** $C = G$ (सत्य)

62. **I.** $K > T$ (असत्य) **II.** $R > F$ (सत्य)

63. **I.** $C > G$ (सत्य) **II.** $K < D$ (सत्य)

प्रश्न संख्या 64-67 के लिए

दी गई जानकारी के अनुसार

वर्ष	महीना	दिनांक	व्यक्ति
1956		14	D
		23	H
1957		14	C
	दिसंबर	23	A
1958		14	E
		23	G
1959		14	B
		23	F

64. C के पहले दो व्यक्ति का जन्म हुआ।

65. B का जन्म 1959 में हुआ।

66. A और F के बीच तीन व्यक्तियों का जन्म हुआ।

67. D, B, E और C का जन्म 14 दिसंबर को हुआ लेकिन H का जन्म 23 दिसंबर को हुआ था।

प्रश्न संख्या 71-73 के लिए

दी गई जानकारी के अनुसार

व्यक्ति
M
E
F
O
D
G
P
S

71. D के बाद 3 व्यक्ति, वस्तु खरीदते हैं।

72. व्यक्ति P, G के ठीक बाद वस्तु खरीदता है।

73.

व्यक्ति
D ×
E ✓
F ✓
G ×
M ×
O ×
P ✓
S ✓

4 व्यक्ति समान स्थिति पर ही रहेंगे।

74. व्यवस्था से सभी सम अंक हटाने के बाद
3911535551973759,
अतः व्यवस्था के दाएं ओर से दसवां अंक = 5.

75. केवल एक
$\Rightarrow$ "1 $(2)^2$"
$\Rightarrow$ "1 4".

पिछले प्रश्न-पत्र (हल सहित)

भारतीय खाद्य निगम

FCI—PHASE-I, ऑनलाइन भर्ती परीक्षा, 2019*

तार्किक क्षमता (Reasoning Ability)

निर्देश (प्रश्न संख्या 1 से 5 तक): *निम्नलिखित सूचनाओं का ध्यानपूर्वक अध्ययन करें और नीचे दिए गए प्रश्नों के उत्तर दें।*

आठ व्यक्ति A, O, H, X, E, Y, G और M एक गोलाकार मेज के चारों ओर बैठते हैं, लेकिन आवश्यक नहीं कि इसी क्रम में हों। सभी केन्द्र की ओर मुँह किए हुए हैं।

G और H के बीच दो व्यक्ति बैठते हैं। M, G के ठीक दायीं ओर बैठता हैं। O और E के बीच तीन व्यक्ति बैठते हैं। E, H के दायीं ओर दूसरे स्थान पर बैठता है। A, X के दायीं ओर तीसरे स्थान पर तथा Y के ठीक दायीं ओर बैठता है।

1. G और X के बीच कितने व्यक्ति बैठे हैं?

A. एक
B. तीन
C. चार
D. दो
E. इनमें से कोई नहीं

2. निम्नलिखित में से कौन व्यक्ति O के ठीक दाएं बैठा है?

A. A
B. X
C. G
D. H
E. इनमें से कोई नहीं

3. निम्नलिखित में से कौन व्यक्ति X के ठीक बाएं बैठा है?

A. H
B. E
C. Y
D. M
E. इनमें से कोई नहीं

4. निम्नलिखित में से कौन व्यक्ति H के सामने बैठा है?

A. G
B. M
C. X
D. O
E. इनमें से कोई नहीं

5. निम्नलिखित में से कौन-सा कथन सत्य है?

A. X और G के बीच तीन व्यक्ति बैठे हैं
B. G, A के ठीक दायीं ओर बैठा है
C. E, O के दायीं ओर तीसरे स्थान पर बैठा है
D. E, Y के ठीक बायीं ओर बैठा है
E. सभी सत्य हैं

निर्देश (प्रश्न संख्या 6 से 10 तक): *नीचे दिए गए प्रत्येक प्रश्न में कुछ कथन निष्कर्ष/निष्कर्षों के समूह I और II का अनुसरण करते हैं। आपको सभी कथनों को सत्य मानना है, भले ही वे सामान्यतः ज्ञात तथ्यों से भिन्न प्रतीत होते हों और फिर निर्णय लें कि दिए गए दो निष्कर्षों में से कौन-सा कथन में दी गई जानकारी का तार्किक रूप से अनुसरण करता है।*

6. कथन : केवल कुछ आम केले हैं।
सभी केले लीची हैं।

निष्कर्ष : I. सभी आम लीची हैं।
II. कुछ केले आम नहीं हैं।

A. यदि केवल निष्कर्ष II अनुसरण करता है
B. यदि न तो I न ही II अनुसरण करता है
C. यदि I और II दोनों अनुसरण करते हैं
D. यदि केवल निष्कर्ष I अनुसरण करता है
E. यदि या तो I अथवा II अनुसरण करता है

7. कथन : केवल कुछ कप प्लेट्स हैं।
केवल कुछ प्लेट्स बोतल हैं।

निष्कर्ष : I. सभी बोतल कप हैं।
II. सभी प्लेट कप हो सकते हैं।

A. यदि केवल निष्कर्ष II अनुसरण करता है
B. यदि न तो I न ही II अनुसरण करता है
C. यदि I और II दोनों अनुसरण करते हैं
D. यदि केवल निष्कर्ष I अनुसरण करता है
E. यदि या तो I अथवा II अनुसरण करता है

8. कथन : सभी मेमोरी लैपटॉप्स हैं।
सभी लैपटॉप्स हार्ड डिस्क हैं।
केवल कुछ हार्ड डिस्क कॉपी हैं।

निष्कर्ष : I. सभी कॉपी मेमोरी हैं।
II. सभी हार्ड डिस्क कॉपी नहीं हैं।

A. यदि केवल निष्कर्ष II अनुसरण करता है
B. यदि न तो I न ही II अनुसरण करता है
C. यदि I और II दोनों अनुसरण करते हैं

* Online exam held on 31/5/2019.

D. यदि केवल निष्कर्ष I अनुसरण करता है
E. यदि या तो I अथवा II अनुसरण करता है

9. कथन : कुछ बन्दूक बुलेट्स हैं।
सभी बुलेट्स राइफल हैं।
सभी राइफल पिस्टन हैं।

निष्कर्ष : I. कुछ बुलेट्स पिस्टन हो सकते हैं।
II. कुछ बन्दूक राइफल हैं।

A. यदि केवल निष्कर्ष II अनुसरण करता है
B. यदि न तो I न ही II अनुसरण करता है
C. यदि I और II दोनों अनुसरण करते हैं
D. यदि या तो I अथवा II अनुसरण करता है
E. यदि केवल निष्कर्ष I अनुसरण करता है

10. कथन : कुछ सेन्टर्स वेन्यूज हैं।
सभी सेन्टर्स प्रयोगशाला हैं।
कोई प्रयोगशाला स्थान नहीं हैं।

निष्कर्ष : I. सभी वेन्यूज स्थान नहीं हैं।
II. कोई स्थान सेन्टर्स नहीं हैं।

A. यदि केवल निष्कर्ष II अनुसरण करता है
B. यदि न तो I न ही II अनुसरण करता है
C. यदि I और II दोनों अनुसरण करते हैं
D. यदि या तो I अथवा II अनुसरण करता है
E. यदि केवल निष्कर्ष I अनुसरण करता है

11. 'Reaction' शब्द में अक्षरों की व्यवस्था में ऐसे कितने अक्षर युग्म हैं जिनके बीच अक्षरों की उतनी ही संख्या है जितनी अंग्रेजी वर्णमाला में अक्षरों के बीच है?

A. तीन B. तीन से अधिक
C. एक D. दो
E. इनमें से कोई नहीं

निर्देश (प्रश्न संख्या 12 से 16 तक): *निम्नलिखित सूचनाओं का ध्यानपूर्वक अध्ययन करें और दिए गए प्रश्नों के उत्तर दें।*

सात व्यक्ति A, B, C, D, E, F, G उत्तर की ओर मुँह किए हुए पंक्ति में बैठे हैं। सभी अलग-अलग आयु के हैं–9, 11, 13, 15, 18, 19, 25 लेकिन आवश्यक नहीं कि उसी क्रम में हों। F एक छोर पर बैठा है। F और E के बीच केवल दो व्यक्ति बैठे हैं। G की आयु 3 का गुणज है। C, A के बाएं ओर दूसरे स्थान पर बैठा है। F की आयु एक पूर्ण वर्ग है जबकि E की आयु एक अभाज्य संख्या है। D, A के दाएं दूसरे स्थान पर बैठा है। G, D का निकट पड़ोसी नहीं है। B, F के दाएं नहीं बैठा है और उसकी उम्र 5 का गुणज है। D की आयु, G की आयु की आधी है। C सबसे दूसरा छोटा है जबकि A, E से छोटा है।

12. कौन D के दाएं दूसरे स्थान पर बैठा है?

A. A B. G
C. F D. E
E. इनमें से कोई नहीं

13. 13 वर्ष के उम्र के व्यक्ति और B के बीच कितने लोग बैठे हैं?

A. चार B. दो
C. तीन D. एक
E. इनमें से कोई नहीं

14. निम्न में से किस व्यक्ति की उम्र 19 वर्ष है?

A. F B. D
C. C D. E
E. इनमें से कोई नहीं

15. यदि G, 13 वर्ष से उसी प्रकार संबंधित है जिस प्रकार A, 19 वर्ष से संबंधित है, तो निम्न में से कौन उसी पैटर्न का पालन करते हुए B से संबंधित होगा?

A. 19 वर्ष B. 17 वर्ष
C. 25 वर्ष D. 11 वर्ष
E. इनमें से कोई नहीं

16. E के निकट पड़ोसियों के बीच उम्र का अंतर क्या है?

A. तीन B. चार
C. पाँच D. छह
E. इनमें से कोई नहीं

निर्देश (प्रश्न संख्या 17 से 21 तक): *निम्नलिखित प्रश्न दिए गए पाँच संख्याओं पर आधारित हैं :*

451 685 254 723 132

17. यदि हम बाईं ओर से अवरोही क्रम में सभी संख्याओं को व्यवस्थित करते हैं तो कितने संख्याओं की स्थिति अपरिवर्तित रहती है?

A. एक B. कोई नहीं
C. तीन D. दो
E. तीन से अधिक

18. यदि हम प्रत्येक संख्या के प्रथम और तीसरे अंक को परस्पर बदल देते हैं, तो कितनी संख्याएँ सम संख्या बन जाती हैं?

A. कोई नहीं B. तीन
C. दो D. एक
E. तीन से अधिक

19. यदि हम प्रत्येक संख्या के प्रथम और द्वितीय अंक को परस्पर बदल देते हैं, तो निम्नलिखित में से कौन-सी संख्या तीसरी सबसे बड़ी संख्या बन जाती है?

A. 451 B. 685
C. 254 D. 723
E. 132

20. यदि हम प्रत्येक संख्या के दूसरे और तीसरे अंक को परस्पर बदल देते हैं, तो कितनी संख्याएँ विषम संख्या बन जाती हैं?

A. एक B. कोई नहीं
C. दो D. तीन
E. तीन से अधिक

21. बाएं से दूसरी संख्या के तीसरे अंक और दाएं से तीसरी संख्या के दूसरे अंक का कुल योग क्या है?

A. 10 B. 8
C. 9 D. 11
E. इनमें से कोई नहीं

निर्देश (प्रश्न संख्या 22 से 26 तक): *निम्नलिखित सूचनाओं का सावधानीपूर्वक अध्ययन करें और दिए गए प्रश्नों के उत्तर दें।*

एक निश्चित कूट भाषा में–

"Today is our market" को "nx hv cp kj" के रूप में कूटबद्ध किया जाता है।

"Can they go market" को "cn vk lm cp" के रूप में कूटबद्ध किया जाता है।

"Is India our country" को "py hv nt kj" के रूप में कूटबद्ध किया जाता है।

"Our India go happy" को "kj nt tj vk" के रूप में कूटबद्ध किया जाता है।

22. निम्नलिखित में से "Happy" का कूट कौन-सा है?
A. tj
B. nx
C. hv
D. py
E. cp

23. निम्न में से कौन "Our Nation" का कूट हो सकता है?
A. kj vk
B. mi kj
C. py hv
D. kj cp
E. tj vk

24. यदि "You can today" को "po nx lm" के रूप में कूटबद्ध किया जाता है, तो निम्नलिखित में से कौन "They is you" के रूप में कूटबद्ध किया जाता है?
A. po hv lm
B. cn po lm
C. hv lm ky
D. cn hv po
E. po cp kj

25. निम्नलिखित में से "India is our market" का कूट है?
A. nt kj vk cp
B. nt hv kj cp
C. hv cp tj cn
D. nx cp vk kj
E. py tj cp kj

26. निम्नलिखित में से कौन "They happy" का कूट है?
A. lm tj
B. hv lm
C. cn tj
D. cp vk
E. या तो A या C

27. यदि '÷' का अर्थ '+', '+' का अर्थ '–', '–' का अर्थ '×' तथा '×' का अर्थ '÷' है, तब $15 - 24 \times 12 \div 6 + 4 = ?$ का मान क्या होगा?
A. 19
B. 32
C. 25
D. 28
E. इनमें से कोई नहीं

निर्देश (प्रश्न संख्या 28 से 30 तक): *निम्नलिखित सूचनाओं का सावधानीपूर्वक अध्ययन करें और दिए गए प्रश्नों के उत्तर दें।*

परिवार के पाँच सदस्य B, D, L, K और M हैं, जिसमें दो विवाहित जोड़े हैं। L, D का दामाद है। M, K की बहन है। B, K की माँ है। L, M का पति नहीं है।

28. L के साथ B का संबंध क्या है?
A. माँ
B. पुत्री
C. सास
D. बहन
E. इनमें से कोई नहीं

29. यदि T, M का पति है, तो T के साथ K का संबंध क्या है?
A. माँ
B. साली
C. चाची
D. बहन
E. इनमें से कोई नहीं

30. परिवार में कितनी महिला सदस्य हैं?
A. तीन
B. दो
C. चार
D. या तो A या B
E. इनमें से कोई नहीं

निर्देश (प्रश्न संख्या 31 से 35 तक): *निम्नलिखित सूचनाओं का सावधानीपूर्वक अध्ययन करें और दिए गए प्रश्नों के उत्तर दें:*

आठ व्यक्ति A, B, C, D, P, Q, R और S आठ अलग-अलग महीनों यानी मार्च, अप्रैल, मई, जून, जुलाई, अगस्त, सितम्बर और अक्टूबर में अपना वेतन ले रहे हैं। सभी सूचनाएँ आवश्यक नहीं कि उसी क्रम में हों। A को उस माह में वेतन मिलता है, जिसमें 31 दिन होते हैं लेकिन जुलाई के बाद। A और R के बीच दो व्यक्तियों को वेतन मिलता है। C को D के ठीक पहले और उस माह में जिसमें 30 दिन होते हैं, वेतन मिलता है। Q और B के बीच उतने ही व्यक्तियों को वेतन मिलता है जितना B और P के बीच के व्यक्तियों को मिलता है। S को Q के ठीक पहले वेतन मिलता है।

31. निम्नलिखित में से कौन व्यक्ति R के ठीक बाद वेतन प्राप्त करता है?
A. B
B. C
C. P
D. S
E. इनमें से कोई नहीं

32. B और Q के बीच कितने लोगों को वेतन मिल रहा है?
A. दो
B. एक
C. तीन
D. तीन से अधिक
E. इनमें से कोई नहीं

33. निम्नलिखित में से किस माह में D वेतन प्राप्त करता है?
A. मार्च
B. अप्रैल
C. मई
D. जून
E. इनमें से कोई नहीं

34. निम्नलिखित में से किसे अगस्त माह में वेतन मिलता है?
A. B
B. D
C. P
D. Q
E. इनमें से कोई नहीं

35. निम्नलिखित पाँच में से चार किसी निश्चित तरीके से एक जैसे हैं जो एक समूह से हैं, उस एक का पता लगाएँ जो उस समूह से संबंधित नहीं है?
A. P-D
B. P-B
C. B-C
D. R-Q
E. A-S

संख्यात्मक अभियोग्यता (Numerical Aptitude)

निर्देश (प्रश्न संख्या 36 से 45 तक): *निम्नलिखित प्रश्नों में (?) के स्थान पर क्या आना चाहिए?*

36. $\sqrt{12.25} \times 18 - (?)^2 = (6)^2 + \sqrt{4}$
A. 7
B. 6
C. 5
D. 4
E. 3

37. (1250 + 1725) ÷ (825 + 365) = ?
A. 1.5
B. 2.5
C. 1
D. 2.25
E. 2.75

38. $\sqrt{625} \div \sqrt{16} \times 6 = 300$ का ?%
A. 15
B. 12.5
C. 17.5
D. 10
E. 8.5

39. $26 \times 15 + 310 - (15)^2$ = ? का 25%
A. 1600
B. 1800
C. 1900
D. 1500
E. 1700

40. $\sqrt{81} \times \sqrt{625} + 1225 = (?)^2 - 150$
A. 50
B. 45
C. 35
D. 30
E. 40

41. $4900 \div 28 \times 444 \div 12 - 6450 = (?)^2$
A. 6
B. 7
C. 5
D. 4
E. 8

42. 250 का 38% – 560 का 85% + 13 × ? = 61
A. 34
B. 26
C. 12
D. 28
E. 32

43. $2\frac{1}{9} \times 1\frac{2}{19} \div 2\frac{1}{3} - \frac{1}{2} = ? - 1\frac{1}{2}$
A. $\frac{5}{2}$
B. 4
C. $\frac{3}{2}$
D. $\frac{1}{2}$
E. 2

44. $\sqrt{?} \times 12 - 1650$ का $26\% + 19 = 13 \times 34$
A. 4900
B. 5041
C. 5329
D. 5476
E. 5625

45. $575 \times 24 \div 8 - (5)^3 = (?)^2$
A. 40
B. 45
C. 50
D. 55
E. 35

46. 25% छूट के बाद किसी वस्तु का विक्रय मूल्य ₹ 450 है। यदि क्रय मूल्य ₹ 320 है, तो अंकित मूल्य वस्तु के क्रय मूल्य से कितना प्रतिशत अधिक है?
A. 92.5%
B. इनमें से कोई नहीं
C. 74.5%
D. 87.5%
E. 83.5%

47. एक दो अंकीय संख्या के दोनों अंकों का योग 11 है। यदि संख्या के अंकों को पलट दिया जाता है, तो प्राप्त संख्या वास्तविक संख्या से 45 अधिक हो जाती है। वास्तविक संख्या ज्ञात करें।
A. 65
B. 56
C. 83
D. इनमें से कोई नहीं
E. 38

48. A अकेला 6 दिनों तक कार्य करता है और फिर कार्य छोड़ देता है तथा शेष कार्यों को B, 12 दिनों में पूरा करता है। यदि A द्वारा अकेले कार्य करने में लगा समय और B द्वारा अकेले कार्य को पूरा करने में लगे समय का अनुपात 3 : 2 है, तो B द्वारा अकेले किया गया कार्य का समय ज्ञात करें।
A. 12 दिन
B. 16 दिन
C. 24 दिन
D. इनमें से कोई नहीं
E. 18 दिन

49. A और C की वर्तमान आयु का औसत 29 वर्ष है। C, B से 8 वर्ष छोटा है। A की वर्तमान आयु और B की वर्तमान आयु का अनुपात 6 : 5 है। B की वर्तमान आयु ज्ञात करें।
A. 32 वर्ष
B. 36 वर्ष
C. 28 वर्ष
D. 30 वर्ष
E. 16 वर्ष

50. उर्ध्वप्रवाह और अनुप्रवाह में नौका द्वारा तय की गई दूरी का अनुपात 4 : 3 है। अनुप्रवाह में लगा समय और उर्ध्वप्रवाह में लगा समय क्रमशः 2 घंटा और 4 घंटा है। यदि शांत जल में नौका की गति 15 किमी./घंटा हो, तो धारा की गति ज्ञात करें।
A. इनमें से कोई नहीं
B. 2 किमी./घंटा
C. 3 किमी./घंटा
D. 5 किमी./घंटा
E. 6 किमी./घंटा

निर्देश (प्रश्न संख्या 51 से 55 तक): *निम्नलिखित प्रश्नों में (?) के स्थान पर क्या आएगा?*

51. 800, 544, 416, 352, ?, 304
A. 324
B. 320
C. 308
D. 300
E. 328

52. 11, 12.1, 14.3, 17.6, 22, ?
A. इनमें से कोई नहीं
B. 32.4
C. 27.5
D. 24.5
E. 27.6

53. 12, 11, 21, 62, ?, 1234
A. 347
B. 247
C. 251
D. 281
E. 321

54. 16, 9, 11, 26, ?, 912
A. 82
B. 112
C. 92
D. 96
E. 102

55. 48, 24, 72, 18, 90, ?
A. 9
B. 12
C. 21
D. 18
E. 15

निर्देश (प्रश्न संख्या 56 से 60 तक): *दिए गए अनुच्छेद का अध्ययन करें और इस पर आधारित प्रश्नों के उत्तर दें।*

वर्ष 2017 में कुल 840 व्यक्ति (पुरुष + महिला) एक गाँव में रहते हैं। दो प्रकार के व्यक्ति हैं—वे जो शाकाहारी हैं और दूसरे जो मांसाहारी हैं। 120 पुरुष शाकाहारी भोजन करते हैं जो कुल पुरुष (शाकाहारी + मांसाहारी) का 30% है। मांसाहारी पुरुषों की संख्या और महिलाओं की संख्या का अंतर 180 है।

कोई भी (शाकाहारी + मांसाहारी) दोनों भोजन नहीं करते हैं।

56. मांसाहारी भोजन करने वाली महिलाओं की संख्या से कितने प्रतिशत अधिक/कम संख्या उन पुरुषों की संख्या है, जो शाकाहारी भोजन करते हैं?
A. 20%
B. 25%
C. 15%
D. 10%
E. इनमें से कोई नहीं

57. मांसाहारी भोजन करने वाले पुरुष और शाकाहारी भोजन करने वाली महिलाओं का औसत क्या है?
A. 260
B. 245
C. 310
D. 210
E. 225

58. शाकाहारी व्यक्तियों (पुरुष + महिला) की संख्या और मांसाहारी व्यक्तियों (पुरुष + महिला) की संख्या में क्या अंतर है?
A. 100
B. 90
C. 60
D. 80
E. 120

59. यदि 2018 में, मांसाहारी महिलाओं की संख्या में 20% की कमी आती है, तो 2018 में शाकाहारी महिलाओं की संख्या ज्ञात करें।
(मानें कि महिलाओं की संख्या नियत है)
A. 360
B. 340
C. 350
D. 370
E. इनमें से कोई नहीं

60. मांसाहारी भोजन करने वाले व्यक्तियों की कुल संख्या तथा शाकाहारी भोजन करने वाली महिलाओं की कुल संख्या के बीच का अनुपात है?
A. 17 : 9
B. 17 : 19
C. 9 : 17
D. 19 : 17
E. 11 : 13

61. एक मिश्रण में शराब और जल का अनुपात 5 : 1 है। 5 लीटर जल और मिलाने पर शराब और जल का अनुपात 5 : 2 हो जाता है। मिश्रण में शराब की मात्रा है :
A. 20 *l*
B. 22 *l*
C. 24 *l*
D. 26 *l*
E. 25 *l*

62. किसी राशि पर 3 वर्ष के लिए 20% प्रतिवर्ष पर चक्रवृद्धि और साधारण ब्याज का अंतर 176 है। 10% प्रतिवर्ष की दर से राशि पर 2 वर्ष के बाद साधारण ब्याज ज्ञात करें।
A. 225
B. 250
C. 275
D. 300
E. 350

63. A, B और C एकसाथ मिलकर क्रमशः ₹ 12,000, ₹ 12,000 और ₹ 8,000 निवेश कर एक व्यवसाय आरंभ करते हैं। B केवल '*x*' महीनों तक कार्य करता है जबकि C वर्ष के पूरा होने के '*x*' माह पूर्व में व्यवसाय छोड़ देता है। यदि ₹ 3200 के वार्षिक लाभ में से '**A**' को ₹ 18000 मिला, तो '*x*' का मान ज्ञात करें।
A. 2
B. 8
C. 6
D. 4
E. 5

64. पाइप A और पाइप B एकसाथ 18 मिनट में एक टंकी भर सकते हैं। पाइप B, पाइप A से 50% अधिक कुशल है। टंकी की क्षमता ज्ञात करें, यदि दिया गया हो कि पाइप **A** टंकी को 6 लीटर/मिनट की गति से भरता है।
A. 150 *l*
B. 225 *l*
C. 240 *l*
D. 180 *l*
E. 270 *l*

65. तीन प्राकृतिक संख्याएँ दी गई हैं। यदि किसी भी दो संख्याओं का औसत और शेष तीसरी संख्या का योग क्रमशः 56, 46 और 50 हैं, तो दी गई तीनों संख्याओं का योग ज्ञात करें।
A. 70
B. 72
C. 74
D. 76
E. 78

निर्देश (प्रश्न संख्या 66 से 70 तक): *चार अलग-अलग महीनों (मार्च, अप्रैल, मई और जून) में चार अलग-अलग व्यक्तियों (A, B, C और D) द्वारा बेची गई वस्तु संबंधी जानकारी दी गई सारणी में है।*

व्यक्ति	माह			
	मार्च	अप्रैल	मई	जून
A	153	121	90	92
B	102	85	140	117
C	80	124	118	51
D	90	113	112	85

66. मई महीने में व्यक्ति A द्वारा बेची गई वस्तुओं की संख्या सभी महीनों में व्यक्ति D द्वारा बेची गई वस्तुओं की कुल संख्या का कितना प्रतिशत है?
A. 20%
B. 12.5%
C. 22.5%
D. 37.8%
E. 28.28%

67. अप्रैल माह में व्यक्तियों A और C द्वारा एक साथ बेची गई वस्तुओं की संख्या का मई माह में व्यक्ति B द्वारा बेची गई वस्तुओं की संख्या के साथ अनुपात क्या है?

A. 7 : 4
B. 2 : 7
C. 7 : 11
D. 5 : 11
E. इनमें से कोई नहीं

68. सभी चार महीनों में व्यक्ति B और व्यक्ति D द्वारा बेची गई वस्तुओं की औसत संख्या में क्या अंतर है?

A. 21
B. 19
C. 24
D. 18
E. 11

69. जून में A और B द्वारा एकसाथ बेची गई वस्तुओं की कुल संख्या अप्रैल माह में C और D द्वारा बेची गई वस्तुओं की कुल संख्या से कितनी अधिक या कम है?

A. 32
B. 39
C. 33
D. 28
E. 22

70. C द्वारा जून में बेची गई वस्तुओं की संख्या अप्रैल में B द्वारा बेची गई वस्तुओं की संख्या से कितना प्रतिशत अधिक/कम है?

A. 40% अधिक
B. 66.67% कम
C. 66.67% अधिक
D. 40% कम
E. 20% कम

ENGLISH LANGUAGE

Directions (Qs. No. 71-78): *Read the following passage carefully and answer the questions given below it. Certain words/phrases have been printed in bold to help you locate them while answering some of the questions.*

Sheela and Jairam were a poor old couple. Their only **possession** was one cow. Once, Jairam fell very sick. Soon all their money was used up in buying medicines and they realised that they would have to sell their cow in order to bear the rest of the expenses. Sheela decided to go to the market and sell the cow. She set off, leading the cow by a rope. On the way, she met four young men. They were the local bullies who enjoyed **teasing** and tormenting old people. When they saw old Sheela with her cow, they decided to play a trick. One of them sneaked up behind her, untied the cow and tied a goat in its place. Sheela had been walking immersed in thought, worried about Jairam. Suddenly she heard a goat bleat behind her. She turned around and was surprised to see that her cow had vanished. She was leading a goat to the market. The four bullies came up to her and said, "There is magic in the air these days. See, it turned your cow into a goat." Poor Sheela walked on with the goat. After a little while, the boys untied the goat and tied a rooster in its place. The rooster crowed and Sheela was surprised again. The goat had turned into a rooster! The four bullies shouted, "Magic in the air, Grandma." She resumed walking with the rooster in tow. After a few minutes the boys crept up again, untied the rooster and tied a log of wood in its place. A few moments later Sheela realised that she was dragging a log of wood with a rope. Again, the bullies shouted, "Magic in the air, Grandma." After a few minutes, the boys untied the log of wood too and ran away with it. When Sheela finally reached the market, she found that she had nothing but a rope in her hand. She came back home dejected as she had lost the cow. She told Jairam the whole story. He immediately understood what had happened. "Make chapatti, vegetable and kheer for lunch tomorrow," he said. "Cook for atleast four people. I will come home with some guests. As soon as they come you must say, 'I cooked what the rabbit told me. Come, eat your lunch.' Leave everything else to me," Jairam reassured her. The next morning Jairam went and borrowed two identical rabbits from a friend. He left one at home, tied the other one with a string and started walking towards the market with it. On the way he too met the four bullies. 'Hey Grandfather they yelled, "Your wife's cow vanished yesterday. Where are you taking this rabbit now?" Jairam sighed sadly and said, "This rabbit is like my son. It obeys everything I say. But now I am sick and we need money, so I am going to sell it in the market." The four bullies were surprised when they heard this. "Does it really understand what you say, Grandfather?" they asked. Jairam replied, "Of course it does. Here, watch me." Jairam turned towards the rabbit and said, 'Hop home and tell Sheela to make chapattis, vegetable and kheer for four people." Then he untied the string ______(A)________. He turned towards the four boys and said, "Come home and have lunch with me." When they reached his house his wife welcomed them and said, "I cooked what the rabbit asked me to cook. Come, eat your lunch." She served the chapattis, vegetable and kheer to all of them. The four bullies were stunned when they saw the rabbit sitting in the corner. They told Jairam, "We will buy your rabbit." Jairam pretended to think and said, "It is very precious to me." The four bullies immediately offered him a higher price. Jairam showed some reluctance. The moment he agreed to sell the rabbit, they paid him the money and left with the rabbit immediately. The four bullies decided to test the rabbit's abilities. They had been blackmailing a landlord for money. So they told the rabbit, "Go and tell the landlord to bring us the money within ten minutes." The rabbit hopped off. They waited for an hour but the landlord did not come with the money. They marched to his house and yelled, "Give us the money and our rabbit." The landlord had been waiting for a chance to teach these bullies a lesson. He ordered his strongest bodyguard to give them a good thrashing. Bleeding and bruised they went back to Jairam's house and said, "You fooled us. Return our money at once." Jairam simply smiled and said, "The money has disappeared! There is magic in the air."

71. Why did Sheela and Jairam decide to sell the cow?
A. They had spent all their money on Jairam's sickness and needed more money
B. Sheela wanted to buy a rooster and they needed money for that
C. They were fed up of the four bullies and wanted to teach them a lesson
D. They wanted to invite the four bullies for lunch and needed money for buying the ingredients
E. They owed money to the landlord

72. Why was Jairam reluctant to sell the rabbit?
A. He only pretended to be reluctant in order to fool the bullies
B. He was fond of the rabbit and did not want to sell it to the bullies
C. He wanted to gift the rabbits to the Landlord
D. He knew that the bullies would not take good care of the rabbit
E. Ho wanted to sell the rabbit in the market and got a better price for it

73. Which of the following maybe an appropriate title to the passage?
A. Magic in the air
B. Never steal a cow
C. The strongest bodyguard
D. The smart bullies
E. The obedient rabbit

74. What did Sheela do after reaching the market empty handed?
A. Determined to earn money, she managed to sell the rope that she was left with.
B. She returned home and narrated the whole incident to her husband
C. She bought two rabbits and devised a plan to get back at the bullies
D. She went to the landlord and complained about the bullies
E. She went home and cooked lunch for her husband and herself

75. Which of the following phrases can fill in the blank (A) to make a contextually meaningful and grammatically correct sentence?
A. only came out for food when he was sure that the tiger was asleep
B. and lived in a burrow beneath the ground
C. and picked up a box of fur dye and went home to perform the instructions
D. often voiced these thoughts to other rabbits
E. and let the rabbit hop away

76. Why were the four bullies surprised when they were talking to Jairam?
A. They knew that Jairam was sick and had not expected to see him
B. They had not expected Jairam to invite them for lunch
C. They could not believe that the rabbit could understand and obey Jairam
D. They know that Jairam did not own a rabbit and were surprised to see him with one
E. They could not believe that Jairam knew the rabbit's language

Directions (Qs. No. 77-78): *Choose the word / group of words which is most similar in the meaning to the word / group of words printed in bold as used in the passage.*

77. TEASING
A. Mocking
B. Destroying
C. Shouting
D. Warning
E. Rejection

78. POSSESSION
A. Control
B. Power
C. Custody
D. Expropriate
E. Belonging

Directions (Qs. No. 79-86): *Read each sentence to find out whether there is any grammatical or idiomatic error in it. The error, if any, will be in one part of the sentence. The number of that part is the answer. If there is 'No error', the answer is (E). (Ignore errors of punctuation, if any.)*

79. Trying to make sense (A)/ of the sudden clash of ideas (B)/ is hard to do in (C)/ the maelstrom of Indian politics. (D)/ No error. (E)

80. The policeman asked the man (A)/ if the purse he had lost (B)/ contain five (C)/ thousand rupees (D)/ No error (E)

81. One of my friend (A)/ is both a novelist (B)/ and a poet (C)/ of repute (D)/ No error. (E)

82. No sooner he left the office (A)/ than it started (B)/ raining heavily (C)/ to make him completely wet. (D)/ No error. (E)

83. I am accustomed with (A)/ hard work and (B)/ I generally do not (C)/ get tired easily. (D)/ No Error (E)

84. When I receive (A)/ the letter, the date (B)/ for the interview (C)/ was already over. (D)/ No error. (E)

85. I promise (A)/ to teach you (B)/ everything you (C)/ need to know. (D)/ No Error (E)

86. River water pollution (A)/ is often (B)/ indicate by (C)/algae distribution (D)/ No error (E)

Directions (Qs. No. 87–91): *Rearrange the following six sentences (a), (b), (c), (d), (e) and (f) in the proper sequence to form a meaningful paragraph; then answer the questions given below them.*

(*a*) He immediately acknowledged Mohan's good work and invited him to his home for dinner.

(*b*) One day a wealthy merchant sent his son's bicycle to the shop for repair.

(*c*) The next day the merchant came to claim the bicycle and noticed that it was shiny.

(*d*) After repairing the bicycle, Mohan cleaned it up and made it look new.

(*e*) Once upon a time, there was a boy named Mohan who worked as an apprentice in a bicycle shop.

(*f*) Other apprentices in the shop laughed at Mohan for doing unnecessary work.

87. Which of the following should be the SECOND sentence after rearrangement?
A. (*a*) B. (*b*)
C. (*c*) D. (*d*)
E. (*e*)

88. Which of the following should be the THIRD sentence after rearrangement?
A. (*a*) B. (*b*)
C. (*c*) D. (*d*)
E. (*e*)

89. Which of the following should be the FIRST sentence after rearrangement?
A. (*a*) B. (*b*)
C. (*c*) D. (*d*)
E. (*e*)

90. Which of the following should be the LAST (SIXTH) sentence after rearrangement?
A. (*a*) B. (*b*)
C. (*c*) D. (*d*)
E. (*f*)

91. Which of the following should be the FOURTH sentence after rearrangement?
A. (*a*) B. (*b*)
C. (*c*) D. (*d*)
E. (*f*)

Directions (Qs. No. 92-96): *Each question below has one blank, which is indicating that something has been omitted. Find out which option can be used to fill up the blank in the sentence in the same sequence to make it meaningfully complete.*

92. The witness __________ the victim's account in the court of law.
A. dragged B. kidnapped
C. deleted D. confirmed
E. developed

93. You will need to drain the central heating system before you __________ the radiator.
A. Replace B. Refund
C. Drains D. Disappeared
E. Hampers

94. He may follow any road his mind wishes to follow or __________ to the teachings of any guide or guru.
A. adhere B. kindle
C. jolt D. instigate
E. haggle

95. If someone __________ you, they draw attention away from you by being more attractive or interesting.
A. execute B. arrange
C. originate D. upstage
E. controlled

96. Although I have been taking medicine for two weeks, I still cannot get rid of this __________ cough.
A. abjure B. brittle
C. persistent D. amplify
E. ancillary

Directions (Qs. No. 97-100): *The following questions consist of a sentence. Three words of the sentences are marked in bold, who may or may not be correctly spelled or can be grammatically incorrect. Choose the option which gives the word which is incorrectly spelled or makes the sentence grammatically incorrect. If there is no misspelled or grammatically incorrect word in the sentence then choose (E), i.e., 'No correction required' as your answer. If there is an error in the sentence apart from the given bold words then choose option (D), i.e., None of these.*

97. Google has **announced** that it would stop providing its Android **software** to Huawei, the Chinese **telicom** company.
A. announced B. software
C. telicom D. None of these
E. No correction required

98. India is **better** than most **others** cricket playing **countries** of the world.
A. better B. others
C. countries D. None of these
E. No correction required

99. For the new finance minister, the **immediate** challenge is to **revitalize** the slowing down **economic** growth rate:
A. immediate B. revitalize
C. economic D. None of these
E. No correction required

100. Consumers can **boycot** retail **establishments** that have poor safety records or that clearly lack **safeguards** to prevent violence.
A. boycot B. establishments
C. safeguards D. None of these
E. No correction required

उत्तरमाला

1	2	3	4	5	6	7	8	9	10
B	D	A	E	E	D	A	B	C	C
11	**12**	**13**	**14**	**15**	**16**	**17**	**18**	**19**	**20**
A	C	B	D	C	B	D	B	C	D
21	**22**	**23**	**24**	**25**	**26**	**27**	**28**	**29**	**30**
A	A	B	D	B	E	B	C	B	A
31	**32**	**33**	**34**	**35**	**36**	**37**	**38**	**39**	**40**
D	A	C	E	B	C	B	B	C	E
41	**42**	**43**	**44**	**45**	**46**	**47**	**48**	**49**	**50**
C	A	E	B	A	D	E	B	D	C
51	**52**	**53**	**54**	**55**	**56**	**57**	**58**	**59**	**60**
B	C	B	B	E	A	C	D	A	D
61	**62**	**63**	**64**	**65**	**66**	**67**	**68**	**69**	**70**
E	C	D	E	D	C	A	E	D	D
71	**72**	**73**	**74**	**75**	**76**	**77**	**78**	**79**	**80**
A	A	A	B	E	C	A	D	E	C
81	**82**	**83**	**84**	**85**	**86**	**87**	**88**	**89**	**90**
A	A	A	A	E	C	B	D	E	A
91	**92**	**93**	**94**	**95**	**96**	**97**	**98**	**99**	**100**
E	D	A	A	D	C	D	B	E	A

व्याख्यात्मक उत्तर

प्रश्न संख्या 1 से 5 के लिए :

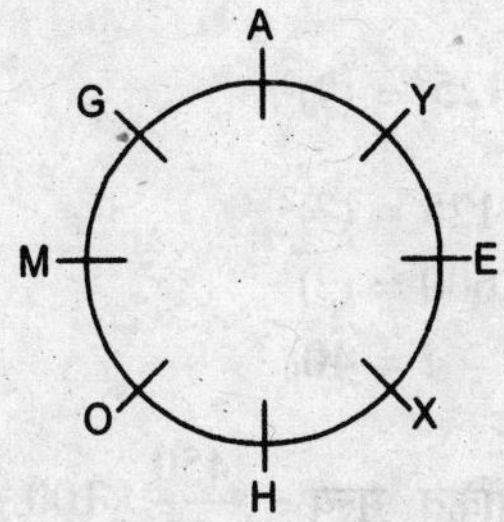

6. 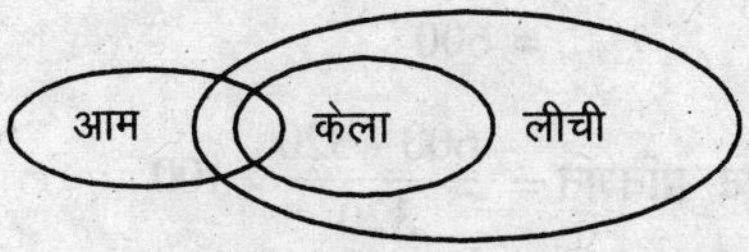

7. 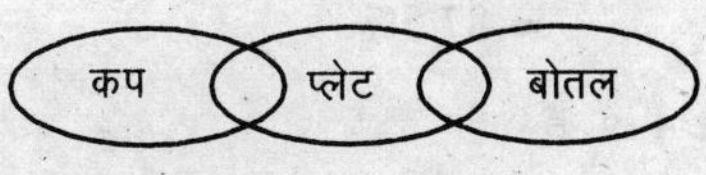

8. 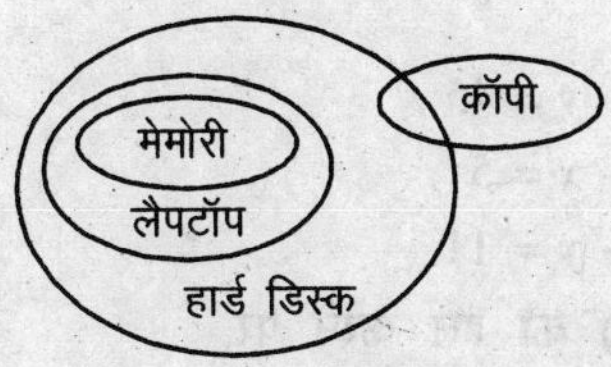

9. 

10. 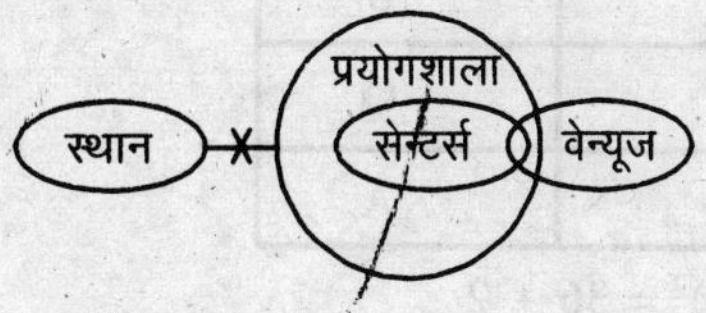

11. 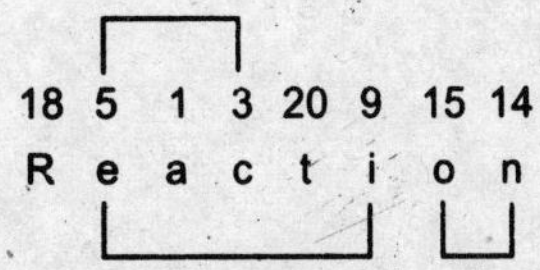

प्रश्न संख्या 12 से 16 के लिए :

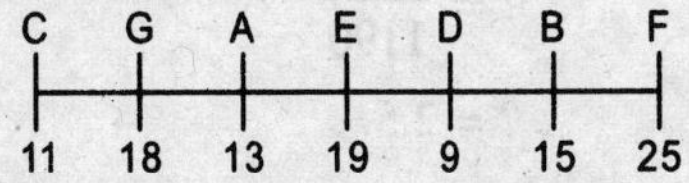

प्रश्न संख्या 22 से 26 के लिए :

शब्द	कूट
Our	kj
Go	vk
Market	cp
India	nt
Is	hv
Today	nx
Can/They	km/Cn
Country	py
Happy	tj

28. 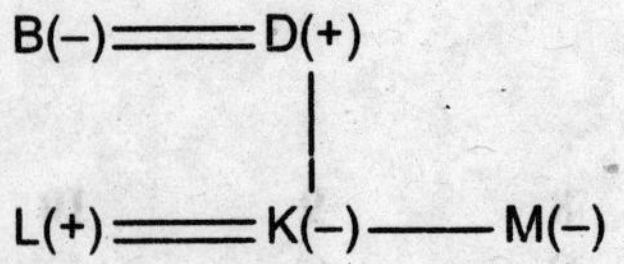

29. 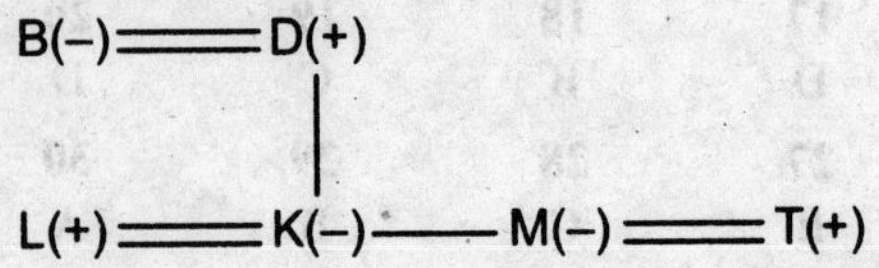

30. 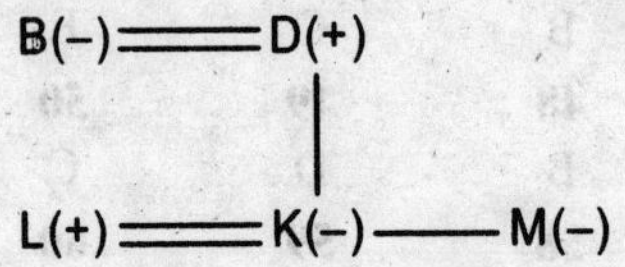

प्रश्न संख्या 31 से 35 के लिए :

माह	व्यक्ति
मार्च	P
अप्रैल	C
मई	D
जून	B
जुलाई	R
अगस्त	S
सितम्बर	Q
अक्टूबर	A

36. $3.5 \times 18 - (?)^2 = 36 + 2$

$63 - 38 = (?)^2$

$25 = (?)^2$

$? = 5$

37. $? = \dfrac{2975}{1190}$

$? = 2.5.$

38. $\dfrac{25 \div 4 \times 6}{3} = ?$

$? = 12.5.$

39. $(390 + 310 - 225)4 = ?$

$(700 - 225)4 = ?$

$475 \times 4 = ?$

$? = 1900.$

40. $9 \times 25 + 1225 + 150 = (?)^2$

$225 + 1225 + 150 = (?)^2$

$? = \sqrt{1600}$

$? = 40.$

41. $4900 \times \dfrac{1}{28} \times 444 \times \dfrac{1}{12} - 6450 = (?)^2$

$\Rightarrow \quad 6475 - 6450 = (?)^2$

$\Rightarrow \quad \sqrt{25} = ?$

$\Rightarrow \quad ? = 5.$

42. $\dfrac{38}{100} \times 250 - \dfrac{85}{100} \times 560 + 13 \times ? = 61$

$\Rightarrow \quad 95 - 476 + 13 \times ? = 61$

$\Rightarrow \quad 13 \times ? = 61 + 381$

$\Rightarrow \quad ? = 34.$

43. $\dfrac{19}{9} \times \dfrac{21}{19} \times \dfrac{3}{7} - \dfrac{1}{2} = ? - \dfrac{3}{2}$

$1 - \dfrac{1}{2} = ? - \dfrac{3}{2}$

$? = 2.$

44. $12 \times \sqrt{?} - \dfrac{26}{100} \times 1650 + 19 = 13 \times 34$

$12\sqrt{?} - 429 + 19 = 442$

$12\sqrt{?} = 871 - 19$

$\sqrt{?} = \dfrac{852}{12} = 71$

$? = 5041.$

45. $575 \times \dfrac{24}{8} - 125 = (?)^2$

$1725 - 125 = (?)^2$

$1600 = (?)^2$

$? = 40.$

46. अंकित मूल्य $= \dfrac{450}{75} \times 100$

$= 600$

अभीष्ट प्रतिशत $= \dfrac{600 - 320}{320} \times 100$

$= 87.5\%.$

47. माना संख्या $10x + y$ है

प्रश्नानुसार,

$10y + x - 10x - y = 45$

$y - x = 5 \quad \ldots(i)$

$x + y = 11 \quad \ldots(ii)$

समीकरण (i) और (ii) को हल करने पर,

$x = 3$

और $y = 8$

अतः संख्या = 38.

48. माना A और B अकेले क्रमशः $3x$ और $2x$ दिन में कार्य समाप्त करते हैं

प्रश्नानुसार,

$$\frac{6}{3x}+\frac{12}{2x} = 1$$

$$x = 8$$

अतः B अकेले 16 दिन में कार्य पूरा कर सकता है।

49. A और C की एकसाथ कुल आयु = 58 वर्ष

माना A और B की आयु क्रमशः $6x$ वर्ष और $5x$ वर्ष है

अतः C की वर्तमान आयु = $5x - 8$

प्रश्नानुसार,

$$5x - 8 + 6x = 58$$

$$x = 6$$

B की वर्तमान आयु = 5×6

= 30 वर्ष।

50. माना नाव द्वारा धारा की प्रतिकूल तथा अनुकूल तय दूरी क्रमशः $4x$ और $3x$ किमी. है और धारा की चाल y किमी./घं. है।

प्रश्नानुसार,

$$\frac{4x}{15-y} = 4$$

$$4x + 4y = 60 \quad ...(i)$$

$$\frac{3x}{15+y} = 2$$

$$3x - 2y = 30 \quad ...(ii)$$

समीकरण (i) और (ii) को हल करने पर,

$$x = 12$$

$y = 3$ किमी./घं.

धारा की चाल = 3 किमी./घं.

51.
$800 - 256 = 544$
$544 - 128 = 416$
$416 - 64 = 352$
$352 - 32 = 320$
$320 - 16 = 304.$

52.
$11 + 1.1 = 12.1$
$12.1 + 2.2 = 14.3$
$14.3 + 3.3 = 17.6$
$17.6 + 4.4 = 22$
$22 + 5.5 = 27.5$

53.
$12 \times 1 - 1 = 11$
$11 \times 2 - 1 = 21$
$21 \times 3 - 1 = 62$
$62 \times 4 - 1 = 247$
$247 \times 5 - 1 = 1234.$

54.
$16 \times 0.5 + 1 = 9$
$9 \times 1 + 2 = 11$
$11 \times 2 + 4 = 26$
$26 \times 4 + 8 = 112$
$112 \times 8 + 16 = 912$

55. 48 24 72 18 90 [15]

÷2 ×3 ÷4 ×5 ÷6

प्रश्न संख्या 56 से 60 के लिए :

पुरुषों की कुल संख्या जो शाकाहारी हैं = 120

पुरुषों की कुल संख्या (शाकाहारी + मांसाहारी)

$$= \frac{120}{30}\times 100 = 400$$

पुरुषों की संख्या जो मांसाहारी हैं

$= 400 - 120$

$= 280$

महिलाओं की कुल संख्या

$= 840 - 400$

$= 440$

महिलाओं की कुल संख्या जो मांसाहारी हैं

$= 280 - 180$

$= 100$

महिलाओं की संख्या जो शाकाहारी हैं

$= 440 - 100$

$= 340$

56. अभीष्ट प्रतिशत = $\frac{120-100}{100}\times 100$

= 20%.

57. अभीष्ट औसत = $\frac{280+340}{2}$

= 310.

58. अभीष्ट अंतर = $120 + 340 - 280 - 100$

= 80.

59. 2018 में महिलाओं की अभीष्ट संख्या जो शाकाहारी हैं

$$= 340+100\times\frac{20}{100}$$

= 360.

60. अभीष्ट अनुपात = $(280 + 100) : 340$

$= 380 : 340$

$= 19 : 17.$

61. माना शराब और जल क्रमशः $5x$ और x ली. है।

अब, $$\frac{5x}{x+5} = \frac{5}{2}$$

$\Rightarrow \quad 10x = 5x + 25$

$x = 5$

$\Rightarrow \quad 25 : 5 \mid 25 : 10$

मिश्रण से पहले | मिश्रण के बाद

शराब की मात्रा = 25 *l*.

62. माना राशि = ₹ 250

20% वार्षिक दर पर 3 वर्ष का चक्रवृद्धि ब्याज

$$= 250 \times \left(\frac{12}{10}\right)^3 - 250 = 182$$

20% वार्षिक दर पर 3 वर्ष का साधारण ब्याज

$$= \frac{250 \times 3 \times 20}{100} = 150$$

अन्तर = 182 − 150

= 32 → 176

$\Rightarrow$ राशि $= \frac{176}{32} \times 250 = 1375$

अभीष्ट ब्याज $= \frac{1375 \times 2 \times 10}{100} = 275.$

63. लाभ का अनुपात ⇒

A	:	B	:	C
12 × 12	:	12 × *x*	:	8 × (12 − *x*)
36	:	3*x*	:	2(12 − *x*)

प्रश्नानुसार, $\frac{36}{60+x} = \frac{1800}{3200}$

$\Rightarrow \quad 60 + x = 64$

$\Rightarrow \quad x = 4.$

64. माना पाइप A टैंक को *x* मिनट में भर सकता है।

⇒ पाइप B टैंक को भर सकता है

$$x \times \frac{100}{150} = \frac{2x}{3}$$

प्रश्नानुसार, $\frac{1}{x} + \frac{3}{2x} = \frac{1}{18}$

$\Rightarrow \quad \frac{5}{2x} = \frac{1}{18}$

$\Rightarrow \quad x = 45$

टैंक की क्षमता = 45 × 6

= 270 *l*.

65. माना तीन संख्याएँ क्रमशः *a*, *b* और *c* हैं

प्रश्नानुसार,

$$\frac{a+b}{2} + c = 56$$

$\Rightarrow \quad a + b + 2c = 112 \quad ...(i)$

$$\frac{b+c}{2} + a = 46$$

$\Rightarrow \quad b + c + 2a = 92 \quad ...(ii)$

$$\frac{c+a}{2} + b = 50$$

$\Rightarrow \quad c + a + 2b = 100 \quad ...(iii)$

समीकरण (*i*), (*ii*) और (*iii*) को जोड़ने पर

$4(a + b + c) = 304$

$\Rightarrow \quad a + b + c = \frac{304}{4} = 76.$

66. अभीष्ट प्रतिशत

$$= \frac{90}{90+113+112+85} \times 100$$

= 22.5%.

67. अभीष्ट अनुपात = (121 + 124) : 140

= 245 : 140

= 7 : 4.

68. अभीष्ट अन्तर

$$= \frac{102+85+140+117}{4} - \frac{90+113+112+85}{4}$$

$$= \frac{444}{4} - \frac{400}{4}$$

= 111 − 100

= 11.

69. अभीष्ट अन्तर

= 124 + 113 − 117 − 92 = 28.

70. अभीष्ट प्रतिशत $= \frac{85-51}{85} \times 100$

$$= \frac{34}{85} \times 100$$

= 40% हानि।

सामान्य अध्ययन
(GENERAL STUDIES)

1

भारत का इतिहास

प्राचीन भारत

सिंधु घाटी सभ्यता

- सिंधु सभ्यता की खोज 1921 ई. में दयाराम साहनी ने की।
- सिंधु घाटी की सभ्यता का नामकरण, हड़प्पा नामक स्थान, जहाँ यह संस्कृति पहली बार खोजी गई थी, के नाम पर हड़प्पा संस्कृति भी किया गया है।
- हड़प्पा संस्कृति का काल निर्धारण लगभग 2600 और 1900 ई.पू. के बीच किया गया है।
- हड़प्पा सभ्यता प्राक्ऐतिहासिक अथवा कांस्ययुगीन थी। इस सभ्यता के मुख्य निवासी भूमध्यसागरीय एवं द्रविड़ थे।
- हड़प्पा संस्कृति का भौगोलिक विस्तार वृहद था। यह उत्तर में कश्मीर के माण्डा से दक्षिण में ताप्ती नदी के मुहाने पर स्थित भगतराव तथा पश्चिम में बलूचिस्तान के सुत्कागेंडोर से पूर्व में पश्चिमी उत्तर प्रदेश के आलमगीरपुर तक विस्तृत है।
- भारत में हड़प्पा सभ्यता के सर्वाधिक क्षेत्र गुजरात, राजस्थान, हरियाणा तथा पंजाब में प्राप्त हुए हैं।

नगर योजना

- हड़प्पा सभ्यता नगरीय सभ्यता थी जहाँ नियोजित जल–निकास प्रणाली भी विकसित थी।
- नगर दो भागों में विभाजित हैं–ऊपरी तथा निम्न भाग। ऊपरी भाग दुर्गीकृत है जिसमें राजकीय इमारतें, खाद्य भंडार गृह एवं स्नानागार आदि निर्मित हैं तथा निम्न भाग में सामान्य बस्ती अवस्थित थी।
- भवनों का निर्माण पक्की ईंटों से हुआ है। प्रत्येक घर के अंदर स्नानागार भी होता था।
- मोहनजोदड़ो से एक विशाल स्नानागार भी मिला है।
- मोहनजोदड़ो सिंधु नदी के किनारे जबकि हड़प्पा रावी नदी के तट पर अवस्थित है।
- मोहनजोदड़ो से प्राप्त अन्नागार संभवतः हड़प्पा सभ्यता की सबसे बड़ी इमारत है।

धार्मिक व्यवस्था

- हड़प्पाई मुहर संभवतः हड़प्पा अथवा सिंधु घाटी सभ्यता की सबसे विशिष्ट पुरावस्तु है। सेलखड़ी नामक पत्थर से बनाई गई इन मुहरों पर सामान्य रूप से जानवरों के चित्र तथा चित्राक्षर लिपि प्राप्त होती है। लिपि प्रायः बाईं से दाईं ओर है।
- मोहनजोदड़ो से कांसे की नर्तकी की मूर्ति मिली है।
- मोहनजोदड़ो से प्राप्त एक मुहर पर तीन मुख वाले देवता की मूर्ति मिली है। उनके चारों ओर हाथी, गैंडा, चीता एवं भैंसे की आकृति मिलती है। देवता की पहचान 'पशुपतिनाथ' के रूप में हुई है।
- हड़प्पा की मुहरों पर सबसे अधिक एकशृंगी पशु का अंकन मिलता है।
- मनका निर्माण की कर्मशाला चन्हुदड़ो और लोथल में प्राप्त हुई है।
- हड़प्पा सभ्यता से मातृदेवी की मृण्मूर्तियां अधिक संख्या में मिली हैं। लिंग पूजा की प्रथा भी प्रचलित थी। सिंधु सभ्यता में मंदिर के अवशेष नहीं मिले हैं।

आर्थिक जीवन

- कृषि के प्राचीनतम साक्ष्य मेहरगढ़ से प्राप्त हुए हैं।
- कोल्डीहवा (बेलन घाटी) से चावल की कृषि का साक्ष्य मिला है।
- हड़प्पा सभ्यता की प्रमुख खाद्य फसल गेहूँ और जौ थी।
- लोथल एवं रंगपुर से चावल के साक्ष्य मिले हैं।
- हड़प्पा संस्कृति के लोग काले रंग के चित्रित लाल मिट्टी के बर्तन प्रयोग करते थे।

वैदिक काल

- आर्यों की सामाजिक–सांस्कृतिक तथा आर्थिक व्यवस्था वैदिक संस्कृति के रूप में जानी जाती है। आर्यों के बारे में जानकारी मुख्यतः वेदों–ऋग्वेद, यजुर्वेद, सामवेद एवं अथर्ववेद से मिलती है।

- वैदिक काल को दो भागों में विभाजित किया जाता है– ऋग्वैदिक काल (1500–1000 ई.पू.) और उत्तर वैदिक काल (1000–600 ई.पू.)।

ऋग्वैदिक काल (1500–1000 ई.पू.)

- आर्यों के निवास के विस्तृत क्षेत्र को 'सप्तसैन्धव' प्रदेश कहा गया। इस क्षेत्र में सात प्रमुख नदियाँ प्रवाहित हैं। ये नदियाँ हैं–सिंधु, सतलज, रावी, चिनाब, झेलम, व्यास तथा सरस्वती।
- सप्तसैन्धव प्रदेश को ब्रह्मावर्त भी कहा गया है।
- ऋग्वैदिक समाज ग्रामीण कबीलाई समाज था; सामाजिक संरचना समतावादी तथा वर्णविहीन थी।
- परिवार पितृसत्तात्मक था परन्तु महिलाओं को उचित सम्मान प्राप्त था।
- परिवार के मुखिया को कुलप कहा जाता था।
- आर्यों की प्रशासनिक इकाई आरोही क्रम से निम्नलिखित पाँच भागों में बंटी थी–कुल, ग्राम, विश, जन, राष्ट्र।
- जन के अधिपति को राजा कहा जाता था।
- ग्राम के प्रधान को ग्रामणी कहा जाता था।
- राज्याधिकारियों में पुरोहित एवं सेनानी प्रमुख थे।
- सभा, समिति तथा विदथ जनप्रतिनिधि संस्थाएँ थीं। इन संस्थाओं में राजनीतिक, सामाजिक, धार्मिक तथा आर्थिक प्रश्नों पर विचार किया जाता था।
- राजा युद्ध में कबीले का नेतृत्व करता था। युद्ध के लिए गविष्ठि (गायों की खोज) का प्रयोग किया गया है।
- राजा का चयन किया जाता था।
- ऋग्वेद में दाशराज्ञ युद्ध का वर्णन है जिसमें भरत जन के स्वामी सुदास ने रावी नदी के तट पर दश राजाओं के संघ को हराया था।
- इन्द्र ऋग्वैदिक आर्यों का सबसे महत्वपूर्ण देवता था जिसे पुरन्दर कहा गया है। वरुण, सूर्य, मित्र, अग्नि, इत्यादि अन्य प्रमुख देवता थे।
- ऋग्वेद में सर्वाधिक पवित्र नदी के रूप में 'सरस्वती' का वर्णन हुआ है।
- गायत्री–मंत्र का उल्लेख ऋग्वेद के तृतीय मंडल में मिलता है।
- ऋग्वेद के 10वें मंडल के पुरुषसूत्र में चतुर्वर्ण– ब्राह्मण, क्षत्रिय, वैश्य और शूद्र की उत्पत्ति के उल्लेख मिलते हैं।
- आर्यों का मुख्य व्यवसाय कृषि एवं पशुपालन था।

उत्तर वैदिक काल (1000–600 ई.पू.)

- उत्तर वैदिक काल में आर्यों ने स्थायी जीवन व्यतीत करना प्रारंभ कर दिया था। इस समय आर्य मुख्य रूप से गंगा–यमुना दोआब में फैल गए थे।
- आर्यों ने पशुपालन की जगह कृषि कार्य को जीवन का प्रमुख आधार बनाया।
- चित्रित धूसर–मृदभाण्ड तथा धातुओं में लोहा इस काल की प्रमुख विशिष्टता हैं।
- उत्तर वैदिक काल में राजा का पद वंशानुगत होने लगा। शासकों ने राजसूय, वाजपेय तथा अश्वमेध यज्ञों के माध्यम से अपनी शक्ति में वृद्धि की।
- इस काल में इन्द्र के स्थान पर प्रजापति सर्वाधिक महत्वपूर्ण देवता हो गए थे। विभिन्न कर्मकाण्डों तथा अंधविश्वासों का विस्तार हुआ जिनका उल्लेख अथर्ववेद में मिलता है।
- पूषण जो ऋग्वैदिक काल में पशुओं के देवता थे अब शूद्रों के देवता के रूप में प्रचलित हो गए।
- उत्तर वैदिक काल में वर्ण विभाजन कर्म मूलक ही था परन्तु धीरे–धीरे यह जन्म मूलक बन रहा था।
- गोत्र नामक संस्था का उदय उत्तर वैदिक काल में हुआ।
- अथर्ववेद में 'सभा' एवं 'समिति' को प्रजापति की दो पुत्रियां कहा गया है। अथर्ववेद के मंत्रों का उच्चारण करने वाले पुरोहित को 'ब्रह्मा' कहा जाता था।
- अथर्ववेद में मगध एवं अंग महाजनपद का उल्लेख है।
- उपनिषदों एवं दर्शनों की रचना शुरू हो गई थी।

धार्मिक आन्दोलन

जैन धर्म

- जैन धर्म के संस्थापक तथा प्रथम तीर्थंकर ऋषभदेव थे।
- जैन परंपरा के अनुसार जैन धर्म में कुल 24 तीर्थकर हुए।
- जैन धर्म के 23वें तीर्थंकर पार्श्वनाथ थे।
- जैन धर्म के मुख्य प्रवर्तक तथा 24वें एवं अंतिम तीर्थंकर महावीर स्वामी थे।

महावीर स्वामी

जन्म	: 540 ई.पूर्व
जन्म स्थान	: वैशाली के निकट कुण्ड ग्राम
पिता	: सिद्धार्थ (ज्ञातृक क्षत्रिय कुल)
माता	: त्रिशला (लिच्छिवी नरेश चेटक की बहन)
पत्नी	: यशोदा
संन्यास ग्रहण	: 30 वर्ष की आयु में (गृह त्याग)
मृत्यु	: 468 ई.पूर्व; 72 वर्ष की आयु, पावापुरी

- वर्द्धमान महावीर ने तीस वर्ष की अवस्था में गृह त्याग दिया तथा 12 वर्षों की कठिन तपस्या के बाद ऋजुपालिका नदी के तट पर जृम्भिक ग्राम में उन्हें ज्ञान प्राप्त हुआ, जिसके बाद उन्हें 'जिन', निर्ग्रंथ, अर्हत तथा केवलिन कहा गया।
- महावीर से पहले पार्श्वनाथ ने चार जैन–सिद्धांत दिए थे। ये हैं–सत्य, अहिंसा, अपरिग्रह तथा अस्तेय। महावीर ने इसमें पाँचवाँ सिद्धांत 'ब्रह्मचर्य' जोड़ा।
- महावीर की मृत्यु के बाद जैन संघ दो भागों में विभाजित हुआ–**दिगम्बर** (भद्रबाहु के समर्थक) तथा **श्वेताम्बर** (स्थूलभद्र के समर्थक)। श्वेताम्बर श्वेत वस्त्र धारण करते हैं, जबकि दिगम्बर पन्थ को मानने वाले वस्त्रों का परित्याग करते हैं।

- जैन धर्म ग्रंथों की रचना प्राकृत भाषा में हुई।
- जैन ग्रंथों को पूर्व या आगम कहा जाता है। इनकी संख्या 12 है।
- जैन धर्म के अनुसार मोक्ष के लिए तीन तत्वों का होना जरूरी है। ये हैं–
  - ❑ सम्यक दर्शन
  - ❑ सम्यक ज्ञान
  - ❑ सम्यक कर्म या सम्यक आचरण
- जैन धर्म में ईश्वर की मान्यता नहीं है।

बौद्ध धर्म

- महात्मा बुद्ध का जन्म 563 ई.पू. में कपिलवस्तु के निकट लुम्बिनी में हुआ था।
- बुद्ध के पिता शुद्धोधन शाक्य गणराज्य के शासक थे। उनकी माता का नाम महामाया था। माता की मृत्यु के बाद मौसी महाप्रजापति ने उनका पालन–पोषण किया।
- बुद्ध के बचपन का नाम सिद्धार्थ था।
- गौतम बुद्ध का विवाह 16 वर्ष की आयु में यशोधरा से हुआ था। इनके पुत्र का नाम राहुल था।
- पुत्र जन्म के कुछ समय पश्चात् ही 29 वर्ष की अवस्था में उन्होंने गृह त्याग दिया।
- आलार कलाम बुद्ध के प्रथम गुरू थे।

महात्मा बुद्ध

जन्म	:	563 ई.पूर्व
जन्म स्थान	:	लुम्बिनी (कपिलवस्तु)
गृह त्याग	:	महाभिनिष्क्रमण
ज्ञान प्राप्ति	:	उरूवेला (बोधगया) (सम्बोधि)
प्रथम उपदेश	:	सारनाथ (धर्म चक्र प्रवर्तन)
मृत्यु	:	483 ई.पूर्व; कुशीनारा (महापरिनिर्वाण)
त्रिरत्न	:	बुद्ध, धम्म एवं संघ

- निरंजना नदी (गया) के तट पर उरूवेला नामक स्थान पर वैशाख पूर्णिमा के दिन सिद्धार्थ को ज्ञान की प्राप्ति हुई जिसके बाद वे बुद्ध कहलाए।
- बौद्ध धर्म के सिद्धांत चार सत्यों पर आधारित हैं जिन्हें **'चार आर्यसत्य'** कहा जाता है, जो निम्नलिखित हैं–
  - ❑ जीवन दुखमय है।
  - ❑ तृष्णा, लालसा, मोह आदि सांसारिक जीवन के कारण हैं।
  - ❑ तृष्णा, लालसा, मोह आदि को समाप्त कर सांसारिक जीवन से मुक्ति पाई जा सकती है।
  - ❑ इसके लिए अष्टांगिक मार्ग का अनुसरण करना चाहिए।
- बुद्ध ने निर्वाण (मोक्ष) प्राप्ति के लिए निम्न **अष्टांगिक मार्ग** बताए–

1. सम्यक दृष्टि	2. सम्यक संकल्प
3. सम्यक वाणी	4. सम्यक कर्म
5. सम्यक आजीविका	6. सम्यक व्यायाम
7. सम्यक स्मृति	8. सम्यक समाधि

त्रिपिटक

- ❑ **सुत्तपिटक**–इसमें बौद्ध धर्म के सिद्धांतों का उल्लेख है।
- ❑ **विनयपिटक**–इसमें बौद्ध संघ के नियमों की व्याख्या की गई है।
- ❑ **अभिधम्मपिटक**–इसमें बौद्ध दर्शन पर प्रकाश डाला गया है।
- महात्मा बुद्ध के महापरिनिर्वाण के बाद बौध धर्म कई सम्प्रदायों में विभक्त हो गया। इनमें प्रमुख हैं–हीनयान तथा महायान।

बौद्ध संगीतियाँ

संगीति	*काल*	*स्थान*	*शासक*	*अध्यक्ष*
प्रथम संगीति	483 ई.पू.	राजगृह	अजातशत्रु	महाकस्यप
द्वितीय संगीति	383 ई.पू.	वैशाली	कालाशोक	साबकमीर
तृतीय संगीति	250 ई.पू.	पाटलिपुत्र	अशोक	मोग्गलिपुत्र तिस्स
चतुर्थ संगीति		कुण्डलवन (कश्मीर)	कनिष्क	वसुमित्र

शैव धर्म

- **लकुलिश** ने पाशुपत शैव सम्प्रदाय की स्थापना की थी।
- शैव धर्म पांच सिद्धांतों पर आधारित है। ये हैं–कार्य, कारण, योग, विधि तथा दुखान्त।
- कश्मीरी शैव सम्प्रदाय के संस्थापक **वसुगुप्त** तथा दक्षिण के लिंगायत सम्प्रदाय के संस्थापक वासवराज थे।
- लिंग पूजा का वर्णन **मत्स्य पुराण** में मिलता है।

वैष्णव धर्म

- वैष्णव धर्म के संस्थापक वासुदेव कृष्ण थे।
- वैष्णव धर्म को पहले भागवत धर्म कहा जाता था।
- मेगास्थनीज ने कृष्ण को हेराक्लीज कहा है।
- अवतारवाद वैष्णव धर्म का आधारभूत सिद्धान्त है।
- विष्णु एवं कृष्ण का एकीकरण नारायण से हुआ है। नारायण के उपासक **पंचरात्रिक** कहलाए।

महाजनपद काल

- आरंभिक भारतीय इतिहास में छठी शताब्दी ई.पू. में 16 महाजनपदों का उदय हुआ। बौद्ध ग्रंथ अंगुत्तर निकाय में पहली बार 16 महाजनपदों की चर्चा मिलती है।
- जनपद का अर्थ एक ऐसा भूखंड है जहाँ कोई 'जन' अपना पाँव रखता है अथवा बस जाता है। इस शब्द का प्रयोग संस्कृत और प्राकृत दोनों में मिलता है।
- अधिकांश महाजनपदों पर राजा का शासन होता था लेकिन गण और संघ के नाम से प्रसिद्ध राज्यों में कई लोगों का समूह शासन करता था, इस समूह का प्रत्येक व्यक्ति राजा कहलाता था। भगवान महावीर और भगवान बुद्ध इन्हीं गणों से सम्बन्धित थे।

महाजनपदों की स्थिति

क्र.स.	महाजनपद	राजधानी	क्र.स.	महाजनपद	राजधानी
1.	मगध	राजगृह	9.	वत्स	कौशाम्बी
2.	अवन्ति	उज्जयिनी	10.	कुरू	हस्तिनापुर
3.	वज्जि	वैशाली	11.	मत्स्य	विराटनगर
4.	कोसल	श्रावस्ती	12.	पांचाल	अहिच्छत्र
5.	काशी	वाराणसी	13.	शूरसेन	मथुरा
6.	अंग	चम्पा	14.	गान्धार	तक्षशिला
7.	मल्ल	कुशीनारा	15.	कम्बोज	राजपुर
8.	चेदि	शुक्तिमती	16.	अश्मक	पोतन

- छठी से चौथी शताब्दी ई.पू. में मगध सबसे शक्तिशाली महाजनपद बन गया।
- मगध पर शासन करने वाला शासकीय वंश हर्यक वंश था। इसके बाद शिशुनाग तथा नन्द वंश ने शासन किया। नन्दों को समाप्त कर मौर्य वंश ने शासन आरंभ किया।
- प्रारंभ में, राजगाह (राजगीर) मगध की राजधानी थी। इस शब्द का अर्थ है 'राजाओं का घर'।
- बिम्बिसार हर्यक वंश का पहला साम्राज्यवादी शासक था। उसकी राजधानी गिरिव्रज (राजगृह) थी।
- बिम्बिसार की हत्या कर उसका पुत्र अजातशत्रु शासक बना।
- अजातशत्रु के बाद उसका पुत्र उदयिन शासक बना। उसने पाटलिपुत्र नगर की स्थापना की तथा उसे अपनी राजधानी बनाया।
- हर्यक वंश के अंतिम शासक नागदासक की हत्या कर शिशुनाग ने शिशुनाग वंश की स्थापना की।
- शिशुनाग का उत्तराधिकारी कालाशोक था। उसके समय में द्वितीय बौद्ध संगीति का आयोजन वैशाली में हुआ था।
- शिशुनाग वंश के अंतिम शासक नंदिवर्धन की हत्या कर महापद्मनंद ने 'नंद वंश' की नींव रखी।
- घनानंद के शासन के दौरान जनता के असन्तोष का लाभ उठाकर चन्द्रगुप्त मौर्य ने चाणक्य की सहायता से मगध पर आधिपत्य कायम किया।

मौर्य साम्राज्य

चन्द्रगुप्त मौर्य

- 322 ई.पू. में चंद्रगुप्त मौर्य ने मौर्य साम्राज्य की स्थापना की।
- चंद्रगुप्त ने 305 ई.पू. में यूनानी शासक सेल्यूकस के साथ संधि की। संधि शर्तों के अनुसार सेल्यूकस ने 500 हाथियों के बदले चार प्रांत काबुल, कन्धार, हेरात एवं मकरान चंद्रगुप्त को दिए।
- सेल्यूकस ने चन्द्रगुप्त के दरबार में अपने राजदूत मेगस्थनीज की नियुक्ति की।
- मेगस्थनीज ने पाटलिपुत्र में रहते हुए इण्डिका की रचना की।
- स्ट्रैबो तथा जस्टिन की रचनाओं में चंद्रगुप्त मौर्य को 'सैण्ड्रोकोट्स' कहा गया है। जबकि एरियन तथा प्लूटार्क ने उसे 'एण्ड्रोकोट्स' कहा है।
- चन्द्रगुप्त मौर्य के मंत्री चाणक्य (कौटिल्य) ने अर्थशास्त्र की रचना की थी।

बिन्दुसार

- चन्द्रगुप्त का उत्तराधिकारी बिन्दुसार बना।
- बिंदुसार के शासनकाल में तक्षशिला में दो विद्रोह हुए प्रथम को अशोक ने दबाया तथा दूसरे विद्रोह को सुसीम ने दबाया।
- सीरिया के शासक एण्टीओकस ने डायमेकस को बिंदुसार के दरबार में अपना राजदूत बनाया।

अशोक

- बिंदुसार का उत्तराधिकारी अशोक था जो 272 ई.पू. में मगध का शासक बना।
- अशोक शासक बनने से पूर्व उज्जयिनी तथा तक्षशिला का गवर्नर था।
- राज्याभिषेक के कई वर्षों बाद 261 ई.पू. में अशोक ने कलिंग पर आक्रमण किया। कलिंग युद्ध में व्यापक हिंसा से उसका मन द्रवित हो गया एवं उसने युद्ध विजय की जगह धम्म विजय की नीति अपनाई।
- अशोक बौद्ध धर्म का अनुयायी बन गया तथा उसके प्रचार–प्रसार में लग गया। अशोक ने अपने पुत्र महेंद्र तथा पुत्री संघमित्रा को बौद्ध धर्म के प्रचार के लिए श्रीलंका भेजा।
- जेम्स प्रिंसेप ने 1837 ई. में अशोक के शिलालेखों को पढ़ने में सफलता प्राप्त की।

शुंग वंश

- मौर्य सेनापति पुष्यमित्र शुंग ने अंतिम मौर्य शासक वृहद्रथ की हत्या कर 184 ई.पू. में शुंग वंश की स्थापना की।
- पुष्यमित्र ब्राह्मण धर्म का समर्थक था तथा उसने दो बार अश्वमेध यज्ञ किए।
- शुंग वंश का अन्तिम शासक देवभूति था, जिसकी हत्या कर उसके सेनापति वसुदेव ने कण्व वंश की स्थापना की।
- कण्व वंश के अंतिम शासक सुशर्मा को सातवाहन शासक सिमुक ने पराजित किया।

हिन्द–यूनानी शासक

- बैक्ट्रिया के शासक डेमेट्रियस ने भारत पर 190 ई.पू. में आक्रमण कर अफगानिस्तान, पंजाब, सिंध के बड़े भूभाग पर अधिकार कर शाकल को अपनी राजधानी बनाया। इसे हिन्द–यवन राज्य कहा गया।
- हिन्द–यूनानी शासकों में मिनान्डर का नाम प्रमुख है जिसने नागसेन से बौद्ध धर्म की दीक्षा ली जो मिलिन्दपन्हों ग्रंथ में संकलित है।
- भारत में सोने के सिक्के सर्वप्रथम 'हिन्द–यूनानी' शासकों ने ही जारी किए।

शक

- यूनानियों के बाद शक आए। शकों की पांच शाखाएं थीं और हर शाखा की राजधानी भारत और अफगानिस्तान में अलग–अलग भागों में थी।

- शक मूलतः मध्य एशिया के निवासी थे और चरागाह की खोज में भारत आए।
- शकों का सबसे प्रतापी शासक रूद्रदामन प्रथम (130–150 ई.) था जिसका शासन गुजरात के बड़े भाग पर था। इसने काठियावाड़ की अर्धशुष्क सुदर्शन झील (मौर्यों द्वारा निर्मित) की मरम्मत करवाई।

कुषाण

- कुषाण वंश का संस्थापक कुजुल कडफिसस था। इसका उत्तराधिकारी विम कडफिसस था।
- इस वंश का सबसे प्रसिद्ध शासक कनिष्क था। कुषाणों की एक राजधानी पुरूषपुर या पेशावर थी और दूसरी राजधानी मथुरा थी।
- कनिष्क ने 78 ई. अर्थात् अपने राज्याभिषेक के वर्ष में एक संवत् चलाया, जो शक संवत् कहलाता है, जिसे भारत सरकार द्वारा प्रयोग में लाया जाता है।

गुप्त साम्राज्य

- गुप्त साम्राज्य के शासनकाल को प्राचीन भारतीय इतिहास का स्वर्णकाल कहा जाता है।
- गुप्त वंश का संस्थापक श्रीगुप्त (240–280 ई.) को माना जाता है।

चन्द्रगुप्त प्रथम

- चंद्रगुप्त प्रथम ने गुप्त सम्वत् की स्थापना 319–320 ई. में की थी।
- चंद्रगुप्त प्रथम गुप्त वंश का प्रथम महान सम्राट था। इसने 'महाराजधिराज' की उपाधि धारण की।
- गुप्त वंश में सर्वप्रथम चंद्रगुप्त प्रथम ने ही चांदी के सिक्कों का प्रचलन करवाया था।

समुद्रगुप्त

- चंद्रगुप्त प्रथम के पश्चात् उसका पुत्र समुद्रगुप्त शासक बना। उसने स्वयं को लिच्छवी दौहित्र कहा।
- समुद्रगुप्त ने आर्यावर्त के 9 शासकों को और दक्षिणावर्त के 12 शासकों को पराजित किया। इन्हीं विजयों के कारण इसे भारत का नेपोलियन कहा जाता है।
- हरिषेण रचित प्रयाग प्रशस्ति से समुद्रगुप्त की विजयों की विस्तृत जानकारी मिलती है।
- समुद्रगुप्त ने 'कविराज' नाम से कई उच्च कोटि की कविताएं भी लिखीं। एक सिक्के पर उसे वीणा बजाते दिखाया गया है।

चन्द्रगुप्त द्वितीय

- चंद्रगुप्त द्वितीय को देवराज और देवगुप्त दोनों नामों से भी जाना जाता है। इसने 'देवश्री', 'विक्रम', 'विक्रमादित्य', 'प्रतिरथ', 'सिंहविक्रम', 'परमभागवत', 'विक्रमांक' आदि उपाधियां धारण कीं।
- चंद्रगुप्त द्वितीय का काल साहित्य और कला का स्वर्णकाल भी कहा जाता है।
- चंद्रगुप्त द्वितीय के शासनकाल में चीनी बौद्ध यात्री फाह्यान भारत आया था।
- चंद्रगुप्त द्वितीय के दरबार में नौरत्न थे–कालिदास, धनवन्तरि, क्षपणक, अमरसिंह, शंकु, बैताल भट्ट, घटकर्पर, वराहमिहिर और वररूचि।

कुमारगुप्त प्रथम

- चंद्रगुप्त द्वितीय का उत्तराधिकारी कुमारगुप्त प्रथम था।
- कुमारगुप्त प्रथम (412–454 ई.) ने नालंदा विश्वविद्यालय की स्थापना की थी।

स्कन्दगुप्त

- स्कन्दगुप्त (454–467 ई.) गुप्त वंश का अंतिम महान शासक था। इसने देवराज, विक्रमादित्य, क्रमादिव्य आदि उपाधियां ग्रहण की।
- स्कन्दगुप्त ने मौर्यों द्वारा निर्मित सुदर्शन झील का पुनरुद्धार करवाया था।
- स्कन्दगुप्त ने पर्णदत्त को सौराष्ट्र का गवर्नर नियुक्त किया था।

गुप्तकाल में प्रशासन

- गुप्त साम्राज्य की सबसे बड़ी प्रादेशिक इकाई 'देश' थी, जिसके शासक को गोप्ता कहा जाता था। 'भुक्ति' एक दूसरी प्रादेशिक इकाई थी, जिसके शासक उपरिक कहलाते थे।
- भुक्ति के बाद विषय नामक प्रशासनिक इकाई होती थी, जिसके प्रमुख विषयपति कहलाते थे।
- पुलिस विभाग का मुख्य अधिकारी 'दण्डपाशिक' कहलाता था।
- कालिदास, हरिषेण, वीरसेन, विशाखदत्त आदि इस युग के प्रसिद्ध विद्वान थे। बौद्ध विद्वानों में असंग, वसुबन्धु, दिग्ङनाग तथा धर्मपाल आदि प्रमुख थे।

गुप्तकाल में सामाजिक-आर्थिक-धार्मिक विकास

- गुप्तकाल में स्त्रियों की दशा पहले से निम्न हो गई। सती–प्रथा की प्रथम घटना का उल्लेख इसी काल में मिलता है।
- गुप्त शासक वैष्णव धर्म के अनुयायी थे।
- गुप्तकाल में मंदिरों तथा मूर्तियों का निर्माण आरंभ हो गया था।
- सारनाथ की बुद्ध मूर्ति, मथुरा की वर्धमान महावीर की मूर्ति, झांसी की शेषशायी विष्णु की मूर्ति, विदिशा की वराह अवतार की मूर्ति, काशी की गोवर्धनधारी कृष्ण की मूर्ति आदि इस युग की मूर्तिकला के प्रमुख उदाहरण हैं।

विज्ञान

- गुप्तकाल में गणित, भौतिक विज्ञान, रसायन विज्ञान, धातु विज्ञान, ज्योतिष एवं चिकित्सा विज्ञान की बहुत उन्नति हुई।
- दशमलव तथा शून्य का अन्वेषण गुप्तकाल में ही हुआ।
- आर्यभट्ट इस युग के प्रख्यात गणितज्ञ एवं खगोलशास्त्री थे। आर्यभट्टीयम इनकी सुप्रसिद्ध रचना है, जिसमें अंकगणित, बीजगणित तथा रेखागणित की विवेचना की गई है। आर्यभट्ट ने सूर्य सिद्धांत नामक ग्रंथ में यह प्रमाणित किया कि पृथ्वी सूर्य का चक्कर लगाती है।
- सुश्रुत और धनवन्तरि इस युग के प्रख्यात वैद्य थे।

गुप्तोत्तर काल

- गुप्त वंश के पतन के बाद कई नये राजवंशों का उद्भव हुआ, उनमें मैत्रक, मौखरि, पुष्यभूति, परवर्ती गुप्त और गौड़ प्रमुख हैं। इन राजवंशों में पुष्यभूति सबसे प्रमुख थे।

हर्षवर्द्धन

- पुष्यभूति वंश का संस्थापक पुष्यभूति था। इनकी राजधानी थानेश्वर थी।
- राज्यवर्द्धन की मृत्यु के बाद 606 ई. में 16 वर्ष की अवस्था में हर्षवर्द्धन थानेश्वर का शासक बना। इसने 'परमभट्टारक' की उपाधि धारण की। हर्ष को शिलादित्य के नाम से भी जाना जाता है।
- हर्षवर्द्धन के शासन की जानकारी बाणभट्ट की रचना हर्षचरित से मिलती है।
- हर्ष और पुलकेशिन–II के बीच नर्मदा नदी के तट पर युद्ध हुआ जिसमें हर्ष की पराजय हुई। इस युद्ध का वर्णन पुलकेशिन–II के एहोल अभिलेख में मिलता है।
- चीनी यात्री ह्वेनसांग हर्षवर्द्धन के शासनकाल में भारत आया।

ह्वेनसांग को यात्रियों में राजकुमार, नीति का पंडित एवं वर्तमान शाक्यमुनि कहा जाता है। वह नालंदा विश्वविद्यालय में पढ़ने एवं बौद्ध ग्रंथ संग्रह करने के उद्देश्य से हर्ष के काल में भारत आया था।

दक्षिण एवं उत्तर भारत के प्रमुख राजवंश

पल्लव वंश

- पल्लव वंश का संस्थापक **सिंहविष्णु** (575–600 ई.) था। इनकी राजधानी कांची थी।
- प्रसिद्ध लेखक भारवि जिन्होंने किरातार्जुनीयम की रचना की थी, सिंहविष्णु के दरबार में रहते थे।
- महाबलीपुरम के एकाश्म मंदिर जिन्हें रथ कहा जाता है का निर्माण पल्लव राजा नरसिंहवर्मन प्रथम के द्वारा करवाया गया था। रथ मंदिरों की संख्या सात है। रथ मंदिरों में सबसे छोटा द्रौपदी रथ है।

चालुक्य वंश (वातापी)

- जयसिंह ने वातापी के चालुक्य–वंश की स्थापना की जिसकी राजधानी वातापी थी।
- वातापी के चालुक्य वंश के प्रमुख शासक थे–पुलकेशिन प्रथम, कीर्तिवर्मन, पुलकेशिन द्वितीय, विक्रमादित्य, विनयादित्य एवं विजयादित्य। इनमें सबसे प्रतापी राजा पुलकेशिन द्वितीय था।

चालुक्य वंश (कल्याणी)

- कल्याणी के चालुक्य वंश की स्थापना **तैलप द्वितीय** ने की थी। इस वंश का सबसे प्रतापी शासक विक्रमादित्य–VI था।
- विल्हण एवं विज्ञानेश्वर विक्रमादित्य–VI के दरबार में ही रहते थे। विज्ञानेश्वर ने मिताक्षरा की रचना की थी।
- विल्हण ने विक्रमांकदेवचरित की रचना की थी। इसमें विक्रमादित्य–VI के जीवन पर प्रकाश डाला गया है।

राष्ट्रकूट

- राष्ट्रकूट राजवंश का संस्थापक दन्तिदुर्ग (752 ई.) था। इसकी राजधानी मान्यखेत थी।
- राष्ट्रकूट वंश के प्रमुख शासक थे : कृष्ण प्रथम, ध्रुव, गोविन्द तृतीय, अमोघवर्ष, कृष्ण द्वितीय, इन्द्र तृतीय एवं कृष्ण तृतीय।
- कृष्ण प्रथम प्रसिद्ध राष्ट्रकूट शासक था, जिसने एलोरा में कैलाशनाथ मंदिर का निर्माण करवाया।
- एलोरा एवं ऐलिफेंटा में गुहामंदिरों का निर्माण राष्ट्रकूटों के समय में हुआ। ध्रुव राष्ट्रकूट वंश का पहला शासक था, जिसने कन्नौज पर अधिकार करने हेतु त्रिपक्षीय संघर्ष में भाग लिया और प्रतिहार नरेश वत्सराज एवं पाल नरेश धर्मपाल को पराजित किया।

चोल

- चोल वंश का संस्थापक विजयालय था। इसकी राजधानी तंजौर थी। विजयालय ने नरकेसरी की उपाधि धारण की।
- राजराज प्रथम ने श्रीलंका पर आक्रमण किया। वहाँ के राजा को पराजित कर एक नया प्रांत 'मुम्मिडचोलमंडलम' बनाया और पोलन्नरूवा को इसकी राजधानी बनाया।
- राजराज प्रथम शैव धर्म का अनुयायी था। इसने तंजौर में राजराजेश्वर शिव मंदिर बनवाया।
- स्थानीय स्वशासन चोल प्रशासन की मुख्य विशेषता थी।

पाल वंश

- आठवीं शताब्दी के मध्य में बंगाल में पाल राजवंश की स्थापना हुई। पाल वंश का संस्थापक गोपाल था।
- गोपाल बौद्ध धर्म का अनुयायी था। इसने ओदन्तपुरी विश्वविद्यालय की स्थापना की।
- पालवंश का सबसे महान शासक धर्मपाल था जिसने विक्रमशिला विश्वविद्यालय की स्थापना की थी।

सेन वंश

- बंगाल में सेनवंश की स्थापना सामन्त सेन ने राढ़ में की थी। सेन वंश की राजधानी नदिया (लखनौती) थी।
- सेन वंश के प्रमुख शासक विजय सेन, बल्लालसेन एवं लक्ष्मण सेन थे।
- लक्ष्मणसेन की राजसभा में गीतगोविन्द के लेखक जयदेव रहते थे।

कश्मीर के राजवंश

- कश्मीर पर विभिन्न शासक वंशों ने क्रमानुसार शासन किया–कार्कोट वंश, उत्पल वंश, लोहार वंश।
- दुर्लभवर्द्धन ने 627 ई. में कश्मीर में कार्कोट वंश (हिंदू वंश) की स्थापना की।
- कश्मीर के मार्तण्ड मंदिर का निर्माण ललितादित्य ने करवाया था।

राजपूत राजवंश

- अग्निकुल सिद्धान्त के अनुसार प्रतिहार, चालुक्य, चौहान तथा परमार की उत्पत्ति आबू पर्वत पर वशिष्ठ के अग्नि कुंड से हुई। यह सिद्धान्त चन्दबरदाई की पृथ्वीराज रासो पर आधारित है।

गुर्जर प्रतिहार वंश

- नागभट्ट प्रथम मालवा के गुर्जर प्रतिहार वंश का संस्थापक था।
- मिहिरभोज प्रतिहार वंश का सर्वाधिक शक्तिशाली एवं प्रतापी शासक था। इसने आदिवाराह की उपाधि धारण की।
- मिहिरभोज की राजधानी कन्नौज थी।
- प्रसिद्ध कवि राजशेखर, प्रतिहार शासक महेन्द्रपाल के दरबार में रहते थे।
- राजशेखर ने काव्य मीमांसा लिखी थी।

चौहान वंश

- चौहान वंश का संस्थापक वासुदेव था। इनकी प्रारंभिक राजधानी अहिच्छत्र थी।
- अजयराज द्वितीय ने अजमेर नगर की स्थापना की और उसे राजधानी बनाया।
- पृथ्वीराज तृतीय इस वंश का अंतिम शासक था।
- चन्दबरदाई पृथ्वीराज तृतीय का राजकवि था, जिसकी रचना पृथ्वीराजरासो है।
- तराइन का प्रथम युद्ध 1191 में हुआ जिसमें पृथ्वीराज तृतीय की विजय एवं मुहम्मद गोरी की हार हुई।
- तराइन का द्वितीय युद्ध 1192 में हुआ, जिसमें गोरी की विजय एवं पृथ्वीराज तृतीय की हार हुई।

परमार वंश

- परमार वंश की स्थापना 9वीं शताब्दी में उपेन्द्र कृष्णराज ने की। इसकी राजधानी धारा नगरी (उज्जैन) थी।
- परमार वंश का सर्वाधिक शक्तिशाली शासक राजा भोज था।
- भोज ने चिकित्सा, गणित एवं व्याकरण पर अनेक ग्रंथ लिखे। भोजकृत युक्तिकल्पतरू में वास्तुशास्त्र के साथ–साथ विविध वैज्ञानिक यंत्रों व उनके उपयोग का उल्लेख है। इसने कविराज की उपाधि ग्रहण की थी।

चंदेल वंश

- 831 ई. में नन्नुक ने बुंदेलखंड में चंदेल वंश की स्थापना की थी। इसकी प्रारंभिक राजधानी कालिंजर (महोबा) थी।
- राजा धंग ने अपनी राजधानी कालिंजर से खजुराहो में स्थानान्तरित की थी। कंदरिया महादेव मंदिर का निर्माण धंग ने ही करवाया।
- चंदेल वंश का सबसे प्रतापी राजा यशोवर्मन था।

मध्यकालीन भारत

- भारत पर आक्रमण करने वाला प्रथम मुस्लिम शासक मुहम्मद बिन कासिम था।
- मुहम्मद बिन कासिम के आक्रमण के समय सिन्ध का शासक दाहिर था। कासिम ने 712 ई. में सिंध पर विजय प्राप्त की। इसने मुल्तान को भी जीता।

महमूद गजनवी

- महमूद गजनवी खुरासान का शासक था।
- महमूद ने 1001 से 1027 ई. तक भारत पर 17 बार आक्रमण किया। उसके आक्रमण का उद्देश्य धन लूटना था।
- महमूद गजनवी ने भारत पर पहला आक्रमण 1001 ई. में शाही राजा जयपाल के विरुद्ध किया था। इस युद्ध में जयपाल पराजित हुआ था।
- महमूद गजनवी ने 1025 ई. में सोमनाथ मंदिर पर आक्रमण किया तथा वहां से प्रचुर मात्रा में संपत्ति को लूटा।
- महमूद गजनवी का अंतिम आक्रमण 1027 ई. में जाटों के विरुद्ध था।

मुहम्मद गोरी

- शिहाबुद्दीन मुहम्मद गोरी ने 1175 ई. में भारत में मुल्तान के विरुद्ध पहला आक्रमण किया।
- मुहम्मद गोरी का दूसरा आक्रमण 1178 ई. में पाटन पर हुआ। यहां के शासक भीम द्वितीय ने गोरी को पराजित किया था।
- तराइन का प्रथम युद्ध 1191 में हुआ जिसमें मुहम्मद गोरी पृथ्वीराज चौहान से पराजित हुआ था।
- तराइन का द्वितीय युद्ध 1192 में हुआ, जिसमें मुहम्मद गोरी ने पृथ्वीराज चौहान को पराजित किया था।
- 1206 ई. में खोखरों के साथ युद्ध में मुहम्मद गोरी मारा गया।
- मुहम्मद गोरी को भारत में तुर्की राज्य का संस्थापक माना जाता है।

दिल्ली सल्तनत

- 1206 से 1526 ई. तक भारत पर दिल्ली सल्तनत के शासकों ने शासन किया।

दिल्ली सल्तनत के राजवंश

गुलाम वंश	1206–1290 ई.
खिलजी वंश	1290–1320 ई.
तुगलक वंश	1320–1414 ई.
सैयद वंश	1414–1451 ई.
लोदी वंश	1451–1526 ई.

गुलाम वंश

- गुलाम वंश की स्थापना 1206 ई. में कुतुबुद्दीन ऐबक ने की। उसने लाहौर को अपनी राजधानी बनाया।
- कुतुबुद्दीन को अपनी उदारता के कारण **लाखबक्श** कहा जाता था।
- कुतुबमीनार की नींव कुतुबुद्दीन ऐबक ने डाली थी।

- ऐबक ने दिल्ली का कुव्वत–उल–इस्लाम मस्जिद एवं अजमेर का ढाई दिन का झोंपड़ा नामक मस्जिद का निर्माण करवाया था।
- 1210 ई. में चौगान खेलते हुए, कुतुबुद्दीन ऐबक की मृत्यु हो गई थी। ऐबक का मकबरा लाहौर में स्थित है।

इल्तुतमिश

- आरामशाह की हत्या करके इल्तुतमिश 1211 ई. में दिल्ली की गद्दी पर बैठा।
- इल्तुतमिश पहला शासक था, जिसने 1229 ई. में बगदाद के खलीफा से सुल्तान पद की वैधानिक स्वीकृति प्राप्त की।
- इल्तुतमिश ने कुतुबमीनार का निर्माण कार्य पूरा करवाया।

रजिया सुल्तान

- इल्तुतमिश ने अपनी पुत्री रजिया को अपना उत्तराधिकारी नियुक्त किया था।
- रजिया दिल्ली सल्तनत की प्रथम तथा अंतिम महिला शासिका थी। 1236 ई. में तुर्की अमीरों ने रूक्नुद्दीन फिरोज को गद्दी से हटाकर रजिया को शासक बनाया।
- रजिया एक योग्य शासक थी परन्तु गैर तुर्कों को सामंत बनाने के रजिया के प्रयासों से तुर्की अमीर उसके विरुद्ध हो गए तथा उसे सत्ता से हटा दिया गया।
- रजिया की हत्या 13 अक्टूबर, 1240 ई. को डाकुओं के द्वारा कैथल के पास कर दी गई।

बलबन

- रजिया के बाद बहरामशाह, मसूदशाह तथा नासिरूद्दीन महमूद शासक बने।
- 1266 ई. में ग्यासुद्दीन बलबन दिल्ली की गद्दी पर बैठा। अपने विरोधियों के प्रति इसने 'लौह एवं रक्त' की नीति अपनाई।
- बलबन ने मंगोलों के आक्रमण से भारत की सफलतापूर्वक रक्षा की।
- सिजदा एवं पैबोस प्रथा की शुरुआत बलबन ने की।
- बलबन ने फारसी रीति–रिवाज पर आधारित नवरोज उत्सव को प्रारंभ करवाया।

खिलजी वंश

- गुलाम वंश के शासन को समाप्त कर 1290 ई. में जलालुद्दीन फिरोज खिलजी ने खिलजी वंश की नींव डाली।
- जलालुद्दीन की हत्या कर 1296 ई. में अलाउद्दीन खिलजी ने शासन पर अधिकार कर लिया।
- अलाउद्दीन अपनी बाजार नियंत्रण प्रणाली के लिए जाना जाता है। उसने मूल्य नियंत्रण के लिए 'दीवान–ए–रियासत', एवं 'शहना–ए–मण्डी' की नियुक्ति की। 'बरीद' तथा 'मुनहिस' गुप्तचर विभाग से संबंधित थे।
- अलाउद्दीन खिलजी ने जमैयत खाना मस्जिद, दिल्ली में अलाई दरवाजा, हौजखास, सीरी का किला इत्यादि का निर्माण करवाया।

तुगलक वंश

गयासुद्दीन तुगलक

- गाजी मलिक उर्फ गयासुद्दीन तुगलक ने 1320 ई. में दिल्ली में तुगलक वंश की स्थापना की।
- उसने दिल्ली के निकट तुगलकाबाद नामक नगर की स्थापना की।
- ग्यासुद्दीन प्रथम सुल्तान था जिसने नहरों का निर्माण करवाया।

मुहम्मद–बिन तुगलक

- गयासुद्दीन की मृत्यु के बाद उसका पुत्र 'जूना खां मुहम्मद–बिन–तुगलक' के नाम से सुल्तान बना।
- मुहम्मद–बिन–तुगलक ने अपनी राजधानी दिल्ली से देवगिरि में स्थानांतरित की तथा इसका नाम दौलताबाद रखा।
- सांकेतिक मुद्रा के अंतर्गत तांबे के सिक्के चलवाए गए जिनका मूल्य चांदी के रुपए टंका के बराबर था। यह प्रयोग विफल रहा।
- इब्नबतूता नामक अफ्रीकी यात्री लगभग 1333 ई. में भारत आया। मुहम्मद–बिन–तुगलक ने इसे दिल्ली का काजी नियुक्त किया। 1342 ई. में सुल्तान ने इसे अपने राजदूत के रूप में चीन भेजा।
- जियाउद्दीन बरनी मुहम्मद बिन तुगलक के दरबार में था।

फिरोजशाह तुगलक

- मुहम्मद–बिन–तुगलक की मृत्यु के बाद तुर्की सरदारों ने फिरोजशाह तुगलक को सुल्तान बनाया।
- फिरोज ने शरीयत के अनुसार स्वीकृत चार कर लगाए–खराज, खुम्स, जजिया तथा जकात।
- फिरोज ने ब्राह्मणों पर सर्वप्रथम जजिया कर लगवाया।
- उसने गरीबों की सहायता के लिए दीवान–ए–खैरात नामक दान विभाग की स्थापना की।
- फिरोज तुगलक ने लगभग 300 नये नगरों की स्थापना की जिनमें हिसार, फिरोजाबाद (दिल्ली), फतेहाबाद, फिरोजपुर आदि प्रमुख हैं।
- तैमूरलंग ने तुगलक शासक नासिरूद्दीन महमूद तुगलक के समय 1398 ई. में दिल्ली पर आक्रमण किया।

सैय्यद वंश

- सैय्यद वंश का संस्थापक खिज्र खाँ था। इसने 1414 ई. में 'रैयत–ए–आला' की उपाधि के साथ शासन संभाला।
- मुबारक शाह के दरबार में याह्या अहमद सरहिन्दी रहते थे जिन्होंने तारीख–ए–मुबारक शाही की रचना की।
- सैय्यद वंश का अंतिम शासक अलाउद्दीन आलमशाह था।

लोदी वंश

- बहलोल लोदी ने 1451 ई. में लोदी वंश की स्थापना की। इसने गाजी की उपाधि ग्रहण की।

- बहलोल लोदी को दिल्ली में प्रथम अफगान राज्य की स्थापना का श्रेय दिया जाता है।

सिकंदर लोदी

- बहलोल का पुत्र निजाम खाँ सिकन्दर लोदी के नाम से 1489 ई. में शासक बना।
- सिकन्दर लोदी ने 1504 ई. में आगरा शहर की स्थापना की।
- इसने आगरा को अपनी राजधानी बनाया।
- इसने भूमि की पैमाइश के लिए प्रामाणिक पैमाना 'गजे सिकन्दरी' का प्रचलन करवाया।

इब्राहिम लोदी

- 1517 ई. में सिकन्दर लोदी की मृत्यु के पश्चात् इब्राहिम लोदी शासक बना। वह दिल्ली सल्तनत का अंतिम शासक था।
- 21 अप्रैल, 1526 ई. में पानीपत की प्रथम लड़ाई में इब्राहिम लोदी बाबर से पराजित हुआ, जिसके पश्चात् लोदी वंश एवं दिल्ली सल्तनत का अंत हुआ।

प्रान्तीय राज्यों का उदय

जौनपुर

- जौनपुर की स्थापना फिरोजशाह तुगलक ने अपने भाई जौना खाँ की स्मृति में की थी।
- जौनपुर स्थापत्य की शर्की कला के लिए जाना जाता है। इसे भारत का सिराज कहा जाता है।

गुजरात

- जफरखाँ ने 1407 में सुल्तान मुजफ्फरशाह की उपाधि धारण कर स्वतन्त्र राज्य की स्थापना की।
- अहमदशाह ने 'अहमदाबाद' नगर बसाया एवं इसे अपनी राजधानी बनाया।

विजयनगर (1335–1614 ई.)

- विजयनगर साम्राज्य की स्थापना हरिहर तथा बुक्का नामक दो भाइयों ने अपने गुरू विद्यारण्य की सहायता से की।
- हम्पी विजयनगर की राजधानी थी।
- विजयनगर पर चार वंशों ने शासन किया। ये हैं–संगम, सालुव, तुलुव तथा आरविडु।

विजयनगर आने वाले प्रमुख विदेशी यात्री

यात्री	वर्ष	देश	शासक
निकोलो कोण्टी	1420 ई.	इटली	देवराय प्रथम
अब्दुर्रज्जाक	1442 ई.	फारस	देवराय द्वितीय
नूनीज	1450 ई.	पुर्तगाल	मल्लिकार्जुन
डोमिंगो पायस	1515 ई.	पुर्तगाल	कृष्णदेव राय

- कृष्णदेव राय विजयनगर का सर्वाधिक प्रसिद्ध एवं सफल शासक था। वह 1509 ई. में शासक बना।

बहमनी साम्राज्य

- 1347 ई. में अलाउद्दीन बहमनशाह ने बहमनी साम्राज्य की स्थापना की तथा गुलबर्गा को अपनी राजधानी बनाया।
- अहमदशाह ने बीदर को बहमनी साम्राज्य की राजधानी बनाया।
- मुहम्मद तृतीय के शासनकाल में रूसी यात्री निकितिन बहमनी राज्य की यात्रा की थी।
- कालान्तर में बहमनी राज्य पांच स्वतंत्र राज्यों में विभक्त हो गया था जो निम्नलिखित हैं–

राज्य	स्थापना वर्ष	वंश	संस्थापक
बीजापुर	1489 ई.	आदिलशाही	युसुफ आदिलशाह
अहमदनगर	1490 ई.	निजामशाही	मलिक अहमद
बरार	1490 ई.	इमादशाही	फतेहउल्लाह इमादशाह
गोलकुण्डा	1512 ई.	कुतुबशाही	कुली कुतुबशाह
बीदर	1526 ई.	बरीदशाही	अमीर अली बरीद

धार्मिक आंदोलन

सूफी आंदोलन

- सूफी दर्शन एकेश्वरवाद में विश्वास करता था। यह एक प्रकार का रहस्यवादी दर्शन था। अजमेर के ख्वाजा मुइनुद्दीन चिश्ती, दिल्ली के शेख निज़ामुद्दीन औलिया और नासिरुद्दीन, फतेहपुर सीकरी के शेख सलीम चिश्ती तथा फरीदुद्दीन गंजशकर प्रसिद्ध सूफी सन्त थे।

सूफी सम्प्रदाय एवं उनके संस्थापक

सम्प्रदाय	संस्थापक	भारत में प्रचारक
चिश्ती	अबू अब्दाल चिश्ती	ख्वाजा मुइनुद्दीन चिश्ती
सुहारावर्दी	जियाउद्दीन अबुलजीव	बहाउद्दीन जकारिया
कादिरी	अब्दुल कादिर	शाह नियामतुल्ला
नक्शबन्दी	बहाउद्दीन	मखदूम जिलानी
शत्तारिया	अब्दुल शत्तार	ख्वाजा बाकीबिल्लाह

भक्ति आंदोलन

- छठी शताब्दी में भक्ति आन्दोलन की शुरूआत तमिल क्षेत्र से हुई, जो कर्नाटक और महाराष्ट्र में फैल गई। भक्ति आंदोलन का विकास 12 अलवार (वैष्णव सन्त) तथा 63 नयनार (शैव सन्त) ने किया।
- दक्षिण में रामानुज, उत्तर में रामानन्द और कबीर, महाराष्ट्र में नामदेव, बंगाल में चैतन्य एवं पंजाब में गुरु नानक भक्ति आन्दोलन के प्रमुख सन्त थे।
- कबीर की शिक्षाएँ बीजक में संगृहीत हैं।

मुगल साम्राज्य

बाबर

- भारत में मुगल वंश की स्थापना बाबर ने 1526 ई. में की। बाबर का जन्म 1483 में फरगना में हुआ था।
- बाबर को अपनी उदारता के लिए 'कलन्दर' की उपाधि दी गई।

- बाबर ने पानीपत के प्रथम युद्ध में तोपखाना का प्रयोग किया तथा युद्ध में 'तुलुगमा' नीति अपनाई।
- बाबर ने तुर्की भाषा में अपनी आत्मकथा 'तुजुक-ए-बाबरी' (बाबरनामा) लिखी।
- बाबर की मृत्यु 1530 ई. में आगरा में हुई।

बाबर द्वारा लड़े गए प्रमुख युद्ध

युद्ध	वर्ष	युद्धरत पक्ष	परिणाम
पानीपत का प्रथम युद्ध	21 अप्रैल, 1526 ई.	इब्राहिम लोदी एवं बाबर	बाबर की विजय
खानवा का युद्ध	17 मार्च, 1527 ई.	राणा सांगा एवं बाबर	बाबर की विजय
चन्देरी का युद्ध	29 जनवरी, 1528 ई.	मेदनी राय एवं बाबर	बाबर की विजय
घाघरा का युद्ध	6 मई, 1529 ई.	अफगान एवं बाबर	बाबर की विजय

हुमायूँ

- हुमायूँ 29 दिसम्बर, 1530 ई. को आगरा में सिंहासन पर बैठा।
- 1533 ई. में हुमायूँ ने दीनपनाह नामक नगर की स्थापना दिल्ली में की।
- अफगान सरदार शेरशाह सूरी ने उसे चौसा (1539 ई.) एवं कन्नौज (बिलग्राम) के युद्ध में 1540 ई. में पराजित कर दिया। परिणामस्वरूप उसे भारत से बाहर शरण लेनी पड़ी।
- शेरशाह की मृत्यु के पश्चात् वह पुनः भारत आया और 1555 ई. में दिल्ली की सत्ता हासिल की।
- 1556 ई. में पुस्तकालय की सीढ़ियों से गिरने के कारण हुमायूँ की मृत्यु हो गई।
- हाजी बेगम ने दिल्ली में हुमायूँ का मकबरा बनवाया।
- हुमायूँ की बहन गुलबदन बेगम ने हुमायूँनामा की रचना की।

शेरशाह

- शेरशाह ने **बिलग्राम युद्ध (1540)** में हुमायूँ को पराजित कर सूर साम्राज्य की स्थापना की।
- शेरशाह की मृत्यु कलिंजर के किले को जीतने के क्रम में 22 मई, 1545 ई. को हो गई।
- शेरशाह का मकबरा **सासाराम** में है।
- डाक प्रथा का प्रचलन शेरशाह द्वारा किया गया।
- पद्मावत की रचना करने वाले मालिक मुहम्मद जायसी शेरशाह के समकालीन थे।
- शेरशाह ने 'ग्रैंड ट्रंक रोड' बनवाई।

अकबर

- अकबर का जन्म 1542 ई. में हुमायूँ के निर्वासन के दौरान, अमरकोट में राणा बीरसाल के महल में हुआ। अकबर की माँ का नाम हमीदाबानो बेगम था।
- अकबर का राज्याभिषेक 14 फरवरी, 1556 ई. को पंजाब के कलानौर नामक स्थान पर हुआ। 1556 ई. में ही पानीपत के द्वितीय युद्ध में हेमू विक्रमादित्य को पराजित किया।
- बैरम खाँ 1556 से 1560 ई. तक अकबर का संरक्षक रहा।
- 1580 ई. में अकबर ने भू-राजस्व के लिए आइन-ए-दहशाला पद्धति लागू की। इसमें उसे राजा टोडरमल का सहयोग मिला।
- अकबर ने मनसबदारी प्रथा लागू की।
- 1605 ई. में अकबर की मृत्यु हो गई।
- अकबर का मकबरा सिकन्दरा में है।
- अकबर के दरबार का प्रसिद्ध संगीतकार तानसेन था।
- अकबर के दरबार का प्रसिद्ध चित्रकार अब्दुस्समद था।
- दसवंत एवं बसावन अकबर के दरबार के चित्रकार थे।
- अकबर प्रसिद्ध सूफी सन्त शेख सलीम चिश्ती का भक्त था।
- स्थापत्य कला के क्षेत्र में अकबर की महत्वपूर्ण कृतियां हैं–दिल्ली में हुमायूँ का मकबरा, आगरा का लाल किला, फतेहपुर सीकरी में शाहीमहल, दीवान-ए-खास, पंचमहल, बुलंद दरवाजा, जोधाबाई का महल, इबादतखाना, इलाहाबाद का किला और लाहौर का किला।
- अबुल फजल दीन-ए-इलाही धर्म का मुख्य पुरोहित था। इसने अकबरनामा ग्रंथ की रचना की।

जहाँगीर

- अकबर का उत्तराधिकारी जहाँगीर था जो 24 अक्टूबर, 1605 ई. को शासक बना।
- जहाँगीर को न्याय की जंजीर के लिए जाना जाता है।
- जहाँगीर ने सिखों के पांचवें गुरु, गुरु अर्जुनदेव को शाहजादा खुसरो की सहायता करने के कारण मृत्युदंड दिया।
- जहाँगीर ने फारसी में अपनी आत्मकथा तुजुक-ए-जहाँगीरी की रचना की।
- जहाँगीर के शासनकाल में प्रथम अंग्रेज मिशन कैप्टन हॉकिंस के नेतृत्व में मुगल दरबार में आया जिसे व्यापारिक अनुमति नहीं मिली।
- जहाँगीर के शासनकाल में 1613 ई. में अंग्रेजों ने सूरत में प्रथम व्यापार केन्द्र की स्थापना की।
- जहाँगीर के समय को चित्रकला का स्वर्णकाल कहा जाता है।
- जहाँगीर के दरबार के प्रमुख चित्रकार थे–आगा रजा, अबुल हसन, मुहम्मद नासिर, मुहम्मद मुराद, उस्ताद मंसूर, बिशनदास, मनोहर एवं गोवर्धन आदि।
- नूरजहाँ का वास्तविक नाम मेहरुन्निसा था।
- नूरजहाँ की मां अस्मत बेगम ने गुलाब से इत्र निकालने की विधि खोजी थी।

शाहजहाँ

- शाहजहाँ 4 फरवरी, 1628 ई. को आगरा में सिंहासन पर बैठा।
- शाहजहाँ के शासनकाल को स्थापत्यकला का स्वर्णयुग कहा जाता है।
- शाहजहाँ द्वारा बनवायी गई प्रमुख इमारतें हैं–दिल्ली का लालकिला, दिल्ली की जामा मस्जिद, आगरा की मोती मस्जिद, ताजमहल इत्यादि।
- शाहजहाँ ने दिल्ली के निकट शाहजहाँनाबाद नगर की स्थापना की और आगरा से राजधानी को यहाँ स्थानांतरित किया।
- शाहजहाँ के पुत्रों में दारा शिकोह सर्वाधिक विद्वान था। इसने भगवद्गीता, योगवशिष्ट, उपनिषद् एवं रामायण का अनुवाद फारसी में करवाया।
- 1658 में औरंगजेब ने शाहजहाँ को बन्दी बना लिया, 1666 में उसकी मृत्यु हो गई।

मुगलकालीन महत्वपूर्ण शासकों के मकबरे

शासक		मकबरा
बाबर	–	काबुल
हुमायूँ	–	दिल्ली
अकबर	–	सिकन्दरा
जहाँगीर	–	शाहदरा (लाहौर)
शाहजहाँ	–	आगरा
औरंगजेब	–	दौलताबाद

औरंगजेब

- औरंगजेब ने आलमगीर की उपाधि से 31 जुलाई, 1658 को आगरा में प्रथम बार तथा 5 जून, 1659 को दिल्ली में दूसरी बार अपना राज्याभिषेक करवाया।
- औरंगजेब ने उलेमा वर्ग की सलाह के अनुसार इस्लामी ढंग से राज किया। इसने गैर मुस्लिम जनता पर (1679 ई.) जजिया कर लगा दिया।
- औरंगजेब को व्यक्तिगत चारित्रिक गुणों के कारण जिन्दापीर के नाम से जाना जाता है।
- इस्लाम नहीं स्वीकार करने के कारण सिक्खों के 9वें गुरु, गुरु तेग बहादुर की 1675 ई. में दिल्ली में हत्या करवा दी।
- औरंगजेब ने दरबार में संगीत पर पाबन्दी लगा दी। इसने नौरोज, झरोखा दर्शन एवं तुलादान पर भी रोक लगा दी।
- औरंगजेब ने **बीबी का मकबरा** का निर्माण 1679 ई. में औरंगाबाद (महाराष्ट्र) में करवाया।

उत्तर मुगल शासक

- बहादुर शाह को **शाहे बेखबर** के नाम से जाना जाता है।
- मुहम्मदशाह के शासनकाल में 1739 ई. में ईरानी आक्रमणकारी नादिरशाह ने दिल्ली पर आक्रमण किया। नादिरशाह मयूर सिंहासन और कोहिनूर हीरा भारत से ले गया।
- शाह आलम द्वितीय के समय अहमदशाह अब्दाली एवं मराठों के बीच पानीपत का तीसरा युद्ध (1761 ई.) हुआ। इस युद्ध में मराठों की हार हुई।
- अंतिम मुगल सम्राट बहादुरशाह जफर ने 1857 ई. के विद्रोह का नेतृत्व किया। यह विद्रोह असफल रहा और उन्हें बर्मा निर्वासित कर दिया गया।

मराठा साम्राज्य

- शिवाजी मराठा साम्राज्य के संस्थापक थे।
- शिवाजी के पिता शाहजी भोंसले और माता जीजाबाई थीं।
- शिवाजी के आध्यात्मिक गुरु समर्थ रामदास थे।
- शिवाजी ने 1656 ई. में रायगढ़ को अपनी राजधानी बनाया।
- औरंगजेब के सेनापति जयसिंह ने शिवाजी को पुरन्दर की संधि (1664 ई.) करने के लिए विवश किया जिसमें शिवाजी के काफी दुर्ग मुगलों के पास चले गए।
- 1674 ई. में शिवाजी ने रायगढ़ के दुर्ग में स्वतंत्र मराठा शासक के रूप में अपना राज्याभिषेक कराया और छत्रपति की उपाधि ली।
- 12 अप्रैल, 1680 ई. को शिवाजी की मृत्यु हो गई।
- शिवाजी के प्रशासन की प्रमुख विशेषता उनके आठ मंत्री थे जिन्हें 'अष्ट प्रधान' कहा जाता था।
- पानीपत का तृतीय युद्ध (1761 ई.) बालाजी बाजीराव के समय ही लड़ा गया था जिसमें अहमदशाह अब्दाली के द्वारा मराठे बुरी तरह पराजित हुए।

सिख शक्ति

सिख गुरु एवं उनसे संबंधित तथ्य

गुरु नानक (1469-1539):	सिख धर्म की स्थापना, आदिग्रन्थ की रचना।
गुरु अंगद (1539-1552):	गुरुमुखी लिपि के जनक।
गुरु अमरदास (1552-1574):	22 गद्दियों की स्थापना।
गुरु रामदास (1574-1581):	अमृतसर की स्थापना।
गुरु अर्जुन देव (1581-1606):	हरमन्दिर साहब (स्वर्ण मन्दिर) का निर्माण।
गुरु हरगोविन्द (1606-1645):	अकालतख्त की स्थापना।
गुरु हरराय (1645-1661):	मुगलों से युद्ध।
गुरु हरकिशन (1661-1664):	कम आयु में निधन।
गुरु तेगबहादुर (1664-1675):	मुगलों से संघर्ष।
गुरु गोविन्द सिंह (1675-1708):	खालसा पंथ की स्थापना।

मैसूर राज्य

- 1761 ई. में हैदर अली मैसूर का शासक बना। इसने डिंडिगुल में आधुनिक शस्त्रागार की स्थापना की।
- हैदर अली ने प्रथम आंग्ल-मैसूर युद्ध (1767-1769 ई.) में अंग्रेजों को पराजित किया एवं मद्रास की संधि की।
- द्वितीय आंग्ल-मैसूर युद्ध में हैदर अली की लड़ते हुए मृत्यु हो गई।
- तृतीय आंग्ल-मैसूर युद्ध (1789-1792 ई.) में अंग्रेज, निजाम और मराठों ने मिलकर टीपू को हरा दिया और उसे श्रीरंगपट्टनम की संधि करनी पड़ी।
- चतुर्थ आंग्ल-मैसूर युद्ध (1799 ई.) के दौरान टीपू सुल्तान की मृत्यु हुई और अंग्रेजों ने मैसूर पर नियंत्रण स्थापित कर लिया।

बंगाल

- मुर्शीद कुली खाँ ने बंगाल के स्वतंत्र राज्य की स्थापना की थी। इसने 1717 ई. में बंगाल की राजधानी ढाका से स्थानांतरित कर मुर्शिदाबाद कर दी।
- 1739 ई. में अलीवर्दी खाँ शासक बना।
- 1757 ई. में प्लासी के युद्ध में अंग्रेजों ने क्लाइव के नेतृत्व में बंगाल के नवाब सिराजुद्दौला को पराजित कर दिया।
- 1764 ई. में बक्सर के युद्ध में मीर कासिम अंग्रेजों से पराजित हुआ।
- 1765 ई. में इलाहाबाद की संधि के साथ बंगाल पर ईस्ट इंडिया कम्पनी का प्रभुत्व हो गया।

आधुनिक भारत

यूरोपीय कम्पनियों का भारत आगमन

- 1498 ई. में वास्को–डि–गामा ने भारत के समुद्री मार्ग की खोज की और कालीकट के समुद्र तट पर उतरा।
- पुर्तगालियों का पहला गवर्नर द् अल्मीडा (1505–1509 ई.) था।
- नौसैनिक शक्ति के आधार पर पुर्तगालियों ने भारत में घोड़े के आयात पर एकाधिकार कायम किया था।
- पुर्तगालियों ने भारत में तम्बाकू की खेती तथा प्रिंटिंग प्रेस का काम आरंभ किया।
- पुर्तगालियों ने अपनी पहली व्यापारिक कोठी कोचीन में खोली।
- डचों ने 1605 ई. में मसुलीपट्टनम में अपनी पहली फैक्ट्री स्थापित की। इसके बाद पुलीकट, चिनसुरा, पटना, सूरत, नागपट्टनम, बालासोर तथा कासिम बाजार में डचों ने अपनी फैक्ट्री स्थापित की।
- 1759 ई. में बेदरा की लड़ाई में अंग्रेजों के हाथों पराजित होने के बाद डच कम्पनी का नियन्त्रण भारतीय क्षेत्रों से समाप्त हो गया।

भारत में यूरोपीय कम्पनियां

कम्पनी	स्थापना वर्ष
पुर्तगाली ईस्ट इण्डिया कम्पनी	1498 ई.
अंग्रेजी ईस्ट इण्डिया कम्पनी	1600 ई.
डच ईस्ट इण्डिया कम्पनी	1602 ई.
डैनिश ईस्ट इण्डिया कम्पनी	1616 ई.
फ्रांसीसी ईस्ट इण्डिया कम्पनी	1664 ई.

- इंग्लिश ईस्ट इण्डिया कम्पनी की स्थापना 1600 ई. में हुई थी। 1611 ई. में दक्षिण–पश्चिम में मसुलीपट्टम में व्यापारिक कोठी की स्थापना की।
- अंग्रेजों ने 1608 ई. में अपनी पहली फैक्ट्री सूरत में स्थापित की।
- 1664 ई. में फ्रेंच ईस्ट इंडिया कम्पनी की स्थापना हुई।

1857 की क्रांति

- 1857 की क्रान्ति को प्रथम स्वतंत्रता संग्राम कहा जाता है। 1857 की क्रांति का प्रारंभ 29 मार्च, 1857 को मंगल पांडे ने बैरकपुर छावनी में किया।
- विद्रोहियों ने 11 मई, 1857 को बहादुरशाह जफर को भारत का बादशाह घोषित किया। इस क्रांति के समय ब्रिटिश प्रधानमंत्री पामर्स्टन था।
- 1857 का विद्रोह असफल रहा परन्तु इसका प्रभाव यह हुआ कि कम्पनी का शासन समाप्त करके ब्रिटिश सरकार ने भारत का शासन प्रत्यक्ष रूप से अपने हाथ में ले लिया। इसके लिए भारत शासन अधिनियम, 1858 पारित हुआ।

1857 के विद्रोह के प्रमुख केन्द्र

केन्द्र	विद्रोही नायक	विद्रोह की तिथि	ब्रिटिश सेनापति
दिल्ली	बहादुरशाह द्वितीय, बख्त खाँ	11 मई, 1857	निकलसन, हडसन
कानपुर	नाना साहब, तात्याँ टोपे	5 जून, 1857	कॉलिन कैम्पबेल
लखनऊ	बेगम हजरत महल, बिरजिस कादर	4 जून, 1857	कॉलिन कैम्पबेल
झाँसी	रानी लक्ष्मीबाई	4 जून, 1857	जनरल ह्यूरोज
जगदीशपुर	कुँवर सिंह	12 जून, 1857	विलियम टेलर, विंसेट आयर
फैजाबाद	मौलवी अहमदुल्ला	जून 1857	जनरल रेनॉर्ड
इलाहाबाद	लियाकत अली	जून 1857	कर्नल नील
बरेली	खान बहादुर	जून 1857	विंसेंट आयर

सामाजिक-धार्मिक आंदोलन

थियोसोफिकल सोसायटी

- इस सोसायटी की स्थापना 1875 ई. में मैडम ब्लावात्सकी एवं कर्नल अल्काट ने न्यूयॉर्क (यू.एस.ए.) में की थी।
- 1882 ई. में इसका अन्तर्राष्ट्रीय कार्यालय मद्रास के निकट अड्यार में स्थापित हुआ। 1893 ई. में एनी बेसेन्ट भारत आईं और थियोसोफिकल आन्दोलन का नेतृत्व सम्भाला।

अलीगढ़ आन्दोलन

- इस आन्दोलन का नेतृत्व सैयद अहमद खान ने किया। 1877 ई. में उन्होंने आंग्ल–मुस्लिम स्कूल की स्थापना अलीगढ़ में की। यह 1920 ई. में अलीगढ़ मुस्लिम विश्वविद्यालय बना।

यंग-बंगाल आन्दोलन

- इस आन्दोलन की स्थापना बंगाल में 1828 ई. में हेनरी विवियन डेरोजियो नामक एंग्लो इण्डियन ने की।

अहमदिया आन्दोलन

- इस आन्दोलन का नेतृत्व गुलाम अहमद ने 1889 ई. में किया।

राष्ट्रीय आन्दोलन

भारतीय राष्ट्रीय कांग्रेस (1885 ई.)

- भारतीय राष्ट्रीय कांग्रेस की स्थापना 1885 ई. में **ए.ओ. ह्यूम** ने बम्बई में की।
- मुंबई में पहले अधिवेशन में 72 प्रतिनिधियों ने भाग लिया था। इसके प्रथम अध्यक्ष व्योमेशचन्द्र बनर्जी थे।
- 1885–1907 ई. के बीच कांग्रेस में उदारवादी नेताओं का प्रभाव रहा, लेकिन आगे गरमपंथी नेताओं की प्रमुखता रही।
- दादाभाई नौरोजी, सुरेन्द्रनाथ बनर्जी, फिरोजशाह मेहता, गोविन्द रानाडे, गोपाल कृष्ण गोखले आदि उदारवादी कांग्रेसी नेता थे।
- बाल गंगाधर तिलक, विपिन चन्द्र पाल तथा लाला लाजपत राय आदि गरमपंथी नेता थे।

बंगाल विभाजन (1905 ई.)

- राष्ट्रीय चेतना का दमन, करने के लिए लॉर्ड कर्जन ने 20 जुलाई, 1905 को बंगाल विभाजन की घोषणा की, जो 16 अगस्त, 1905 से प्रभावी हुई।
- 1905 में बंगाल के विभाजन के विरोध में स्वदेशी आंदोलन प्रारंभ हुआ।

मुस्लिम लीग की स्थापना (1906 ई.)

- मुस्लिम लीग की स्थापना 30 दिसम्बर, 1906 को ढाका में नवाब सलीमुल्ला खाँ एवं आगा खाँ के नेतृत्व में हुई।
- मुस्लिम लीग ने अमृतसर अधिवेशन (1908 ई.) में मुसलमानों के लिए पृथक निर्वाचन मण्डल की मांग की, जिसे 1909 में मार्ले-मिण्टो सुधारों में मान लिया गया।

दिल्ली दरबार (1911 ई.)

- इंग्लैण्ड के सम्राट जॉर्ज पंचम एवं महारानी मेरी के स्वागत में 1911 ई. में दिल्ली में एक भव्य दरबार का आयोजन किया गया।
- इसमें बंगाल का विभाजन रद्द करने तथा भारत की राजधानी को कलकत्ता से दिल्ली स्थानान्तरित करने की घोषणा हुई।

होमरूल आंदोलन (1916 ई.)

- बाल गंगाधर तिलक ने 28 अप्रैल, 1916 को पूना में होमरूल लीग की स्थापना की।
- सितम्बर 1916 में एनी बेसेण्ट ने भी होमरूल लीग की मद्रास में स्थापना की।

गाँधी युग (महात्मा गांधी)

- महात्मा गाँधी का जन्म 2 अक्टूबर, 1869 को गुजरात के पोरबन्दर में हुआ था।
- गाँधी जी 1893 ई. में दक्षिण अफ्रीका गए तथा रंगभेद नीति के खिलाफ आवाज उठाई।
- गाँधी जी 1915 में भारत लौटे तथा 1916 ई. में अहमदाबाद के निकट साबरमती आश्रम की स्थापना की।
- गाँधी जी ने सन् 1917 में बिहार के **चम्पारन** के नील किसानों के समर्थन में सर्वप्रथम 'सत्याग्रह' का प्रयोग किया।
- गाँधी जी ने 1918 में अहमदाबाद मिल हड़ताल के मुद्दे पर हस्तक्षेप किया।
- गाँधी जी ने 1918 में गुजरात के खेड़ा में लगान अदायगी के विरुद्ध आन्दोलन चलाया।

जलियाँवाला बाग हत्याकांड (1919 ई.)

- 13 अप्रैल, 1919 को बैसाखी के दिन अमृतसर के जलियाँवाला बाग में डॉ. सत्यपाल एवं सैफुद्दीन किचलू की गिरफ्तारी के विरोध में एक सार्वजनिक सभा का आयोजन किया गया।
- जनरल ओ डायर ने बिना किसी पूर्व सूचना के हजारों की संख्या में मौजूद लोगों पर गोलियाँ चलवा दी, जिसमें लगभग 1000 लोग मारे गए।
- इस हत्याकांड के विरोध स्वरूप रवीन्द्रनाथ टैगोर ने **नाइट हुड**, महात्मा गाँधी **कैसर-ए-हिन्द** तथा जमना लाल बजाज ने **राय बहादुर** की उपाधि त्याग दी।

खिलाफत आंदोलन (1919 ई.)

- 1919 ई. में मोहम्मद अली तथा शौकत अली ने अखिल भारतीय खिलाफत कमेटी का गठन किया।
- 31 अगस्त 1920 को खिलाफत दिवस मनाया गया।

असहयोग आंदोलन (1920 ई.)

- 1920 ई. में लाला लाजपत राय की अध्यक्षता में हुए कलकत्ता अधिवेशन में असहयोग आंदोलन का प्रस्ताव पारित किया गया।
- अगस्त, 1920 में गाँधी जी ने असहयोग आन्दोलन की शुरुआत की।
- 5 फरवरी, 1922 को चौरी-चौरा की घटना के बाद गांधीजी ने असहयोग आंदोलन स्थगित करने की घोषणा की।

साइमन कमीशन (1927 ई.)

- साइमन कमीशन का गठन 1927 में हुआ तथा 3 फरवरी, 1928 को यह भारत पहुँचा। इस कमीशन के सभी सदस्य ब्रिटिश थे परिणामस्वरूप भारत में इसका व्यापक विरोध हुआ।
- साइमन कमीशन के विरोध में आयोजित आंदोलन का नेतृत्व करते हुए लाला लाजपत राय को पुलिस की लाठियां लगीं और वह गम्भीर रूप से घायल हो गए। बाद में उनकी मृत्यु हो गई।

नेहरू रिपोर्ट (1928 ई.)

- भारतीय संविधान के प्रारूप को तैयार करने के लिए 11 मई, 1928 को पण्डित मोतीलाल नेहरू की अध्यक्षता में 8 सदस्यीय समिति गठित की गई।
- इस समिति ने अगस्त, 1928 में संविधान का प्रारूप तैयार किया। इस प्रारूप को **नेहरू रिपोर्ट** कहते हैं।
- नेहरू रिपोर्ट में भारत को **डोमिनियन स्टेट्स** का समर्थन किया गया था।

पूर्ण स्वराज की घोषणा (1929 ई.)

- दिसम्बर 1929 में हुए कांग्रेस के लाहौर अधिवेशन में **पूर्ण स्वराज** की मांग की गई।
- इस अधिवेशन की अध्यक्षता **जवाहरलाल नेहरू** ने की थी।
- 26 जनवरी, 1930 को पूरे देश में स्वतंत्रता दिवस के रूप में मनाने का निर्णय लिया गया।

सविनय अवज्ञा आंदोलन (1930 ई.)

- गाँधी जी ने वायसराय इरविन के समक्ष 13 जनवरी, 1930 को 11 सूत्रीय प्रस्ताव रखा।
- 5 अप्रैल, 1930 को नमक कानून तोड़कर गांधी जी सविनय अवज्ञा आंदोलन आरंभ किया।
- 12 मार्च, 1930 को गाँधी जी ने 79 स्वयंसेवकों के साथ साबरमती आश्रम से 322 किमी. दाण्डी तट की यात्रा आरंभ की। इस यात्रा का उद्देश्य नमक कानून का उल्लंघन करना था।

प्रथम गोलमेज सम्मेलन (1930–31 ई.)

- प्रथम गोलमेज सम्मेलन का आयोजन 12 नवम्बर, 1930 से 13 जनवरी, 1931 तक लन्दन में हुआ।
- इस सम्मेलन में कांग्रेस ने भाग नहीं लिया परन्तु बी.आर. अम्बेडकर ने दलित वर्ग का प्रतिनिधित्व किया।

गांधी–इर्विन समझौता (1931 ई.)

- 5 मार्च, 1931 को गांधीजी तथा वायसराय इर्विन के मध्य एक समझौता हुआ। इसे **गांधी–इर्विन समझौता** कहा जाता है। समझौते के परिणामस्वरूप कांग्रेस ने सविनय अवज्ञा आंदोलन वापस ले लिया तथा गांधीजी ने द्वितीय गोलमेज सम्मेलन में भाग लेने का प्रस्ताव मान लिया।

द्वितीय गोलमेज सम्मेलन (1931 ई.)

- द्वितीय गोलमेज सम्मेलन का आयोजन दिसम्बर, 1931 में लन्दन में हुआ। गाांधीजी ने कांग्रेस के प्रतिनिधि के रूप में इस सम्मेलन में भाग लिया। यह सम्मेलन विफल रहा।

तृतीय गोलमेज सम्मेलन (1932 ई.)

- 17 नवम्बर, 1932 से आरम्भ तृतीय गोलमेज सम्मेलन में कांग्रेस ने भाग नहीं लिया।
- तीनों गोलमेज सम्मेलनों के दौरान इंग्लैंड के प्रधानमंत्री रैम्जे मैकडोनाल्ड थे।
- इस सम्मेलन में भारत सरकार अधिनियम, 1935 को अंतिम रूप दिया गया।

कम्युनल अवॉर्ड (1932 ई.)

- 16 अगस्त, 1932 को तत्कालीन ब्रिटिश प्रधानमंत्री रैम्जे मैक्डोनाल्ड ने 'कम्युनल अवार्ड' जारी किया। इसमें मुसलमानों, सिखों, ईसाइयों के साथ दलित वर्गों के लिए भी पृथक निर्वाचन पद्धति लागू की गई।
- 'कम्युनल अवार्ड' का विरोध करने के लिए 20 सितम्बर, 1932 को गांधीजी ने यरवदा जेल में आमरण अनशन आरंभ किया। मदन मोहन मालवीय के प्रयासों से 25 सितम्बर, 1932 को बी.आर. अम्बेडकर तथा गाँधीजी के बीच एक समझौता हुआ, जिसमें संयुक्त निर्वाचक मण्डल के अन्तर्गत दलितों के लिए सुरक्षित स्थानों की संख्या बढ़ाकर 148 करने की बात कही गई। इस समझौते को पूना पैक्ट कहा गया।

अगस्त प्रस्ताव (1940 ई.)

- 8 अगस्त, 1940 को तत्कालीन वायसराय लॉर्ड लिनलिथगो ने अगस्त प्रस्ताव की घोषणा की। अगस्त प्रस्ताव के अन्तर्गत भारतीयों को वायसराय की कार्यकारिणी में प्रतिनिधित्व देने की बात कही गई।
- कांग्रेस ने अगस्त प्रस्ताव को अस्वीकार कर दिया।

क्रिप्स मिशन (1942 ई.)

- क्रिप्स मिशन 1942 ई. में भारत आया। इसने युद्ध के उपरान्त भारत को डोमिनियन स्टेटस देने की बात प्रस्तावित की थी।

भारत छोड़ो आंदोलन (1942 ई.)

- गांधीजी के भारत छोड़ो प्रस्ताव को कांग्रेस कार्यसमिति ने 8 अगस्त, 1942 ई. को स्वीकार कर लिया। भारत छोड़ो आंदोलन की शुरुआत 9 अगस्त, 1942 ई. को हुई। इसी आंदोलन में गांधीजी ने **'करो या मरो'** का नारा दिया।
- मुस्लिम लीग ने 'भारत छोड़ो आन्दोलन का विरोध किया। 23 मार्च, 1943 को पाकिस्तान दिवस मनाया गया।

वेवेल योजना (1945 ई.)

- 4 जून, 1945 को वेवेल योजना का प्रस्ताव रखा गया। वेवेल योजना के अन्तर्गत वायसराय की कार्यकारिणी परिषद् को पुनर्गठित करने एवं इसमें सभी दलों को प्रतिनिधित्व देने का प्रस्ताव था तथा युद्ध के उपरान्त भारत को स्वयं संविधान बनाने की जिम्मेदारी दी जानी थी।

कैबिनेट मिशन (1946 ई.)

- 15 फरवरी, 1946 को कैबिनेट मिशन भारत आया। जुलाई 1946 में कैबिनेट मिशन योजना के अन्तर्गत संविधान सभा के सदस्यों का चुनाव हुआ।
- मुस्लिम लीग ने कैबिनेट मिशन योजना को अस्वीकार कर दिया तथा 16 अगस्त, 1946 को प्रत्यक्ष कार्रवाई दिवस की घोषणा की।

माउण्टबेटन योजना (3 जून, 1947 ई.)

- 22 मार्च, 1947 को भारत के अन्तिम ब्रिटिश वायसराय लॉर्ड माउण्टबेटन भारत आए।
- उनके द्वारा 3 जून, 1947 को एक योजना की घोषणा की गई, जिसे 'माउण्टबेटन योजना' के नाम से जाना जाता है।
- माउण्टबेटन योजना के आधार पर ही 'भारतीय स्वतंत्रता विधेयक' ब्रिटिश संसद में 4 जुलाई, 1947 को प्रस्तुत किया गया, जिसे 18 जुलाई को मंजूरी मिली।
- 15 अगस्त, 1947 को भारत को स्वतंत्रता दे दी गई।

❑❑❑

2

भारतीय राजव्यवस्था

भारत का संविधान

- संविधान का निर्माण भारतीय जनता द्वारा चुने गए प्रतिनिधियों की संविधान सभा द्वारा किया गया।
- संविधान सभा का प्रथम अधिवेशन 9 दिसम्बर, 1946 को दिल्ली में हुआ जिसकी अध्यक्षता डॉ. सच्चिदानंद सिन्हा ने की थी।
- 11 दिसम्बर, 1946 को डॉ. राजेन्द्र प्रसाद को संविधान सभा का स्थायी अध्यक्ष नियुक्त किया गया।
- डॉ. भीमराव अम्बेडकर की अध्यक्षता में सात सदस्यों वाली प्रारूप समिति ने संविधान का अन्तिम रूप से निर्माण किया।
- 26 नवम्बर, 1949 को संविधान अंगीकृत किया गया तथा 26 जनवरी, 1950 से इसे सम्पूर्ण भारत में लागू किया गया। इसी कारण 26 जनवरी को गणतंत्र दिवस मनाया जाता है।
- 26 नवम्बर, 1949 को पारित भारतीय संविधान में 22 भाग, 395 अनुच्छेद तथा 8 अनुसूचियां थी।
- वर्तमान में इसमें 12 अनुसूचियां हैं।
- भारतीय संविधान का लगभग दो-तिहाई भाग 'भारत शासन अधिनियम 1935' से लिया गया था।
- संविधान की प्रस्तावना को संविधान की कुंजी कहा जाता है।
- संविधान के 42वें संशोधन अधिनियम 1976 के द्वारा इसमें 'पन्थ निरपेक्ष' तथा 'समाजवादी' एवं 'अखंडता' शब्द जोड़े गए।
- भारतीय संविधान के निर्माण में विभिन्न देशों के संविधान से उनके महत्वपूर्ण तत्व समावेशित किए गए थे।

भारतीय संविधान के स्रोत

राष्ट्र	विविध स्रोत
• संयुक्त राज्य अमेरिका	मौलिक अधिकार, न्यायिक पुनर्विलोकन, संविधान की सर्वोच्चता, न्यायपालिका की स्वतंत्रता, निर्वाचित राष्ट्रपति एवं उस पर महाभियोग, उपराष्ट्रपति का पद, उच्चतम एवं उच्च न्यायालयों के न्यायाधीशों को हटाने की विधि एवं वित्तीय आपात।
• ब्रिटेन	संसदीय शासन प्रणाली; एकल नागरिकता व विधि निर्माण प्रक्रिया।
• आयरलैंड	नीति निर्देशक तत्व, राष्ट्रपति के निर्वाचक मंडल की व्यवस्था, आपातकालीन उपबंध।
• ऑस्ट्रेलिया	प्रस्तावना की भाषा, समवर्ती सूची का प्रावधान, केन्द्र व राज्यों के बीच संबंध तथा शक्तियों का विभाजन।
• सोवियत संघ (रूस)	मौलिक कर्त्तव्य।
• जापान	विधि द्वारा स्थापित प्रक्रिया।
• फ्रांस	गणतंत्रात्मक शासन पद्धति।
• कनाडा	संघात्मक शासन व्यवस्था एवं अवशिष्ट शक्तियों का केन्द्र के पास होना।
• द० अफ्रीका	संविधान संशोधन की प्रक्रिया का प्रावधान।
• जर्मनी	आपातकाल के प्रवर्तन के दौरान राष्ट्रपति को मौलिक अधिकारों से संबंधित शक्तियां।

भारतीय संविधान की प्रस्तावना

''हम भारत के लोग, भारत को एक सम्पूर्ण प्रभुत्व सम्पन्न समाजवादी', पंथ निरपेक्ष', लोकतांत्रिक गणराज्य बनाने के लिए तथा उसके समस्त नागरिकों को सामाजिक, आर्थिक और राजनीतिक न्याय, विचार, अभिव्यक्ति, विश्वास, धर्म और उपासना की स्वतंत्रता, प्रतिष्ठा और अवसर की समता प्राप्त करने के लिए तथा उन सब में व्यक्ति की गरिमा और राष्ट्र की एकता और अखण्डता सुनिश्चित करने वाली बंधुता बढ़ाने के लिए, दृढ़ संकल्प होकर इस संविधान सभा में आज दिनांक 26 नवम्बर, 1949 ई० को एतद् द्वारा इस संविधान को अंगीकृत, अधिनियमित और आत्मार्पित करते हैं।''

नागरिकता

- भारत में एकल नागरिकता का प्रावधान किया गया है।
- भारतीय नागरिकता अधिनियम, 1955 के अनुसार निम्नलिखित में से किसी एक आधार पर नागरिकता प्राप्त की जा सकती है

1. जन्मजात: इसके अन्तर्गत 26 जनवरी, 1950 तथा उसके बाद भारत में जन्म लेने वाला व्यक्ति भारत का जन्मजात नागरिक होगा।

2. वंशानुगत, **3.** देशीयकरण द्वारा, **4.** पंजीकरण द्वारा, **5.** भूमि विस्तार द्वारा।

भारतीय नागरिकता का अंत

- नागरिकता का परित्याग करने पर, किसी अन्य देश की नागरिकता स्वीकार कर लेने पर या सरकार द्वारा इसे छीनने पर नागरिकता का अंत हो जाता है।

मौलिक अधिकार

- जब संविधान का प्रवर्तन किया गया, उस समय मूल अधिकारों की संख्या 7 थी। लेकिन 44वें संविधान संशोधन, 1976 के द्वारा सम्पत्ति के मूल अधिकार को समाप्त करके इस अधिकार को विधिक अधिकार बना दिया गया।
- भारतीय नागरिकों को निम्नलिखित छः प्रकार के मौलिक अधिकार प्राप्त हैं–

1. समता का अधिकार (अनुच्छेद 14-18)

- **अनुच्छेद 14:** विधि के समक्ष समता का अधिकार।
- **अनुच्छेद 15:** धर्म, नस्ल, जाति, लिंग या जन्म–स्थान के आधार पर भेदभाव का निषेध।
- **अनुच्छेद 16:** लोक नियोजन के विषय में अवसर की समता।
- **अनुच्छेद 17:** अस्पृश्यता का अंत।
- **अनुच्छेद 18:** उपाधियों का अंत।

2. स्वतंत्रता का अधिकार (अनुच्छेद 19-22)

- **अनुच्छेद 19:** इसके अंतर्गत ये अधिकार सम्मिलित हैं:
  - *(i)* बोलने की स्वतंत्रता,
  - *(ii)* शांतिपूर्वक बिना हथियारों के एकत्रित होने और सभा करने की स्वतंत्रता,
  - *(iii)* संघ बनाने की स्वतंत्रता,
  - *(iv)* देश के किसी भी क्षेत्र में आवागमन की स्वतंत्रता,
  - *(v)* देश के किसी भी क्षेत्र में निवास करने और बसने की स्वतंत्रता,
  - *(vi)* अपनी पसंद की वृत्ति, व्यवसाय की स्वतंत्रता।
- **अनुच्छेद 20:** अपराधों के लिए दोष–सिद्धि के संबंध में संरक्षण।
- **अनुच्छेद 21:** प्राण एवं दैहिक स्वतंत्रता का संरक्षण।
- **अनुच्छेद 21 (क):** राज्य 6 से 14 वर्ष की आयु के समस्त बच्चों को इस ढंग से जैसा कि राज्य, विधि द्वारा अवधारित करें, निःशुल्क तथा अनिवार्य शिक्षा उपलब्ध करेगा। (86वाँ संशोधन–2002 के द्वारा।)
- **अनुच्छेद 22:** कुछ दशाओं में गिरफ्तारी और निरोध में संरक्षण।

3. शोषण के विरूद्ध अधिकार (अनुच्छेद 23-24)

- **अनुच्छेद 23:** मानव के दुर्व्यापार और बलात् श्रम का प्रतिषेध।
- **अनुच्छेद 24:** बालकों के नियोजन का प्रतिषेध।

4. धार्मिक स्वतंत्रता का अधिकार (अनुच्छेद 25-28)

- **अनुच्छेद 25:** अंतःकरण की और धर्म के अबाध रूप से मानने, आचरण और प्रचार करने की स्वतंत्रता।
- **अनुच्छेद 26:** धार्मिक कार्यों के प्रबंध की स्वतंत्रता।
- **अनुच्छेद 27:** राज्य किसी भी व्यक्ति को ऐसे कर देने के लिए बाध्य नहीं कर सकता है, जिसकी आय किसी विशेष धर्म अथवा धार्मिक सम्प्रदाय की उन्नति या पोषण में व्यय करने के लिए विशेष रूप से निश्चित कर दी गई है।
- **अनुच्छेद 28:** राज्य–विधि से पूर्णतः पोषित किसी शिक्षा संस्था में कोई धार्मिक शिक्षा नहीं दी जाएगी।

5. संस्कृति एवं शिक्षा संबंधी अधिकार (अनुच्छेद 29-30)

- **अनुच्छेद 29:** अल्पसंख्यक वर्गों के हितों का संरक्षण।
- **अनुच्छेद 30:** शिक्षा संस्थाओं की स्थापना और प्रशासन करने का अल्पसंख्यक वर्गों को अधिकार।

6. संवैधानिक उपचारों का अधिकार

- **अनुच्छेद 32:** इसके अन्तर्गत मौलिक अधिकारों को प्रवर्तित कराने के लिए समुचित कार्रवाइयों द्वारा उच्चतम न्यायालय में आवेदन करने का अधिकार प्रदान किया गया है। इस सन्दर्भ में सर्वोच्च न्यायालय को पाँच तरह के रिट (writ) निकालने की शक्ति प्रदान की गयी है। ये रिट निम्नलिखित हैं–
- **बन्दी प्रत्यक्षीकरण:** जब किसी व्यक्ति को अवैध रूप से बन्दी बनाया जाता है, तो सर्वोच्च न्यायालय उस बन्दी बनाने वाले अधिकारी को आदेश देता है कि वह बन्दी बनाए गए व्यक्ति को 24 घण्टे के भीतर न्यायालय में पेश करे। यह आपराधिक जुर्म के मामलों में जारी नहीं किया जा सकता।
- **परमादेश:** यह उस समय जारी किया जाता है, जब कोई पदाधिकारी अपने सार्वजनिक कर्त्तव्य का निर्वाह नहीं करता है।
- **प्रतिषेध:** यह निचली अदालत को ऐसा कार्य करने से रोकता है, जो उसके अधिकार क्षेत्र से बाहर है।
- **अधिकार–पृच्छा:** यह एक व्यक्ति को एक जन कार्यालय में काम करने से मना करता है, जिसका उसे अधिकार नहीं है।
- **उत्प्रेषण:** यह तभी जारी किया जाता है जब एक अदालत या न्यायालय अपने न्याय क्षेत्र से बाहर कार्य करता है। यह 'निषेध' से अलग है और यह कार्य सम्पादित होने के बाद ही जारी किया जाता है।

राज्य के नीति निदेशक सिद्धांत (भाग–4, अनुच्छेद 36 से 51 तक)

- नीति निदेशक सिद्धांत राष्ट्र के प्रशासकों के लिए एक आचार संहिता है।
- इसे न्यायालय द्वारा लागू नहीं किया जा सकता अर्थात् इसे वैधानिक शक्ति प्राप्त नहीं है।

- राज्य के नीति निर्देशक सिद्धांत निम्न हैं–
  - **अनुच्छेद 38:** राज्य लोक कल्याण की अभिवृद्धि के लिए सामाजिक व्यवस्था बनायेगा।
  - **अनुच्छेद 39:** राज्य का यह कर्त्तव्य है कि वह समान कार्य के लिए समान वेतन प्रदान करे।
  - **अनुच्छेद 40:** ग्राम पंचायतों का गठन।
  - **अनुच्छेद 41:** कुछ दशाओं में काम, शिक्षा और लोक सहायता पाने का अधिकार।
  - **अनुच्छेद 42:** काम की न्याय संगत और मानवोचित दशाओं तथा प्रसूति सहायता का उपबंध।
  - **अनुच्छेद 43:** कर्मकारों के लिए निर्वाचन मजदूरी एवं कुटीर उद्योग को प्रोत्साहन।
  - **अनुच्छेद 44:** नागरिकों के लिए एक समान सिविल संहिता।
  - **अनुच्छेद 45:** बालकों के लिए निःशुल्क और अनिवार्य शिक्षा का उपबन्ध।
  - **अनुच्छेद 46:** राज्य की अनुसूचित जातियों, अनुसूचित जनजातियों और अन्य दुर्बल वर्गों की शिक्षा और अर्थ संबंधी हितों की अभिवृद्धि।
  - **अनुच्छेद 47:** पोषाहार स्तर और जीवन स्तर को ऊंचा करने तथा लोक स्वास्थ्य का सुधार करने का राज्य कर्त्तव्य।
  - **अनुच्छेद 48:** कृषि और पशुपालन का संगठन।
  - **अनुच्छेद 48 (क):** पर्यावरण का संरक्षण तथा संवर्धन और वन्य जीवों की रक्षा का प्रयास करेगा।
  - **अनुच्छेद 49:** राष्ट्रीय महत्व के संस्मारकों, स्थानों और वस्तुओं का संरक्षण।
  - **अनुच्छेद 50:** कार्यपालिका से न्यायपालिका का पृथक्करण।
  - **अनुच्छेद 51:** अन्तर्राष्ट्रीय शांति और सुरक्षा की अभिवृद्धि।

मौलिक कर्त्तव्य (भाग–4 (क) में), अनुच्छेद 51 (क)

- मौलिक कर्त्तव्य सरदार स्वर्ण सिंह समिति की अनुशंसा पर संविधान के 42वें संशोधन अधिनियम द्वारा अनुच्छेद 51 (क) के अन्तर्गत अंतःस्थापित किये गये हैं।
- ये न्यायालय के माध्यम से प्रवृत्त तो नहीं कराए जा सकते, किन्तु संविधान के निर्वचन में दिशा दर्शन के रूप में महत्वपूर्ण हैं।
- वर्तमान में मौलिक कर्त्तव्यों की संख्या 11 है, जो इस प्रकार हैः प्रत्येक नागरिक का यह कर्त्तव्य होगा कि–

1. संविधान का पालन करे और उसके आदर्शों, संस्थाओं, राष्ट्रध्वज और राष्ट्रगान का आदर करें।
2. स्वतंत्रता के लिए हमारे राष्ट्रीय आन्दोलन को प्रेरित करने वाले उच्च आदर्शों को हृदय में संजोये रखे और उनका पालन करे।
3. भारत की प्रभुता, एकता और अखण्डता की रक्षा करे और उसे अक्षुण्ण रखे।
4. देश की रक्षा करें और आह्वान किये जाने पर राष्ट्र की सेवा करे।
5. भारत के सभी लोगों में समरसता और समान भ्रातृत्व की भावना का निर्माण करे।
6. हमारी सामाजिक संस्कृति की गौरवशाली परंपरा का महत्व समझें और उसका परिरक्षण करे।
7. प्राकृतिक पर्यावरण की रक्षा और उसका संवर्द्धन करे।
8. वैज्ञानिक दृष्टिकोण और ज्ञानार्जन की भावना का विकास करे।
9. सार्वजनिक संपत्ति को सुरक्षित रखें।
10. व्यक्तिगत और सामूहिक गतिविधियों के सभी क्षेत्रों में उत्कर्ष की ओर बढ़ने का सतत् प्रयास करें।
11. 6 से 14 साल तक की आयु के बच्चे के माता–पिता या अभिभावक अपने बच्चे को शिक्षा दिलाने के लिए अवसर उपलब्ध कराने का प्रयास करेंगे।

संघीय कार्यपालिका

- भारत में संसदीय शासन प्रणाली को अपनाया गया है। संसद के अन्तर्गत राष्ट्रपति, राज्य सभा और लोक सभा आते हैं।

राष्ट्रपति

- राष्ट्रपति देश का संवैधानिक प्रधान होता है। भारतीय संघ की कार्यपालिका शक्तियाँ उसी में निहित हैं। उसका कार्यकाल पांच वर्ष का होता है।

योग्यताएँ

- अनुच्छेद 58 के अनुसार कोई व्यक्ति राष्ट्रपति होने योग्य तब होगा, जब वह–
  1. भारत का नागरिक हो।
  2. 35 वर्ष की आयु पूरी कर चुका हो।
  3. लोक सभा का सदस्य निर्वाचित किए जाने योग्य हो।
  4. चुनाव के समय लाभ का पद धारण नहीं किया हो।

राष्ट्रपति का चुनाव

- राष्ट्रपति का निर्वाचन एक निर्वाचक मंडल के द्वारा होता है।
- निर्वाचक मंडल में राज्य सभा, लोक सभा और राज्यों की विधानसभाओं में निर्वाचित सदस्य शामिल होते हैं।
- राष्ट्रपति का निर्वाचन समानुपातिक प्रतिनिधित्व प्रणाली और एकल संक्रमणीय मत पद्धति के द्वारा होता है।
- राष्ट्रपति के निर्वाचन से संबंधित विवादों का निपटारा उच्चतम न्यायालय द्वारा किया जाता है।
- उच्चतम न्यायालय का प्रधान न्यायाधीश राष्ट्रपति को शपथ दिलाता है।

पद त्याग

- राष्ट्रपति अपना पदत्याग उपराष्ट्रपति को संबोधित अपने त्यागपत्र के द्वारा कर सकता है।
- राष्ट्रपति द्वारा संविधान के प्रावधानों के उल्लंघन पर संसद में उस पर महाभियोग चलाया जा सकता है।

कार्य एवं शक्तियाँ

- **कार्यपालिका सम्बन्धी शक्तियाँ :** महत्त्वपूर्ण अधिकारियों की नियुक्ति व पदच्युति, शासन संचालन सम्बन्धी शक्ति, सैनिक क्षेत्र में शक्ति, इत्यादि।
- **विधायी शक्तियाँ :** विधायी क्षेत्रों का प्रशासन, सदस्यों का मनोनयन, अध्यादेश जारी करने की शक्ति, आदि।
- **आपातकालीन शक्तियाँ :** संविधान में अनुच्छेद 352 से अनुच्छेद 360 तक आपातकालीन उपबंध किए गए हैं। केन्द्रीय मंत्रिपरिषद् के परामर्श से राष्ट्रपति तीन प्रकार के आपात लागू कर सकता है–

(*i*) युद्ध या बाह्य आक्रमण या सशस्त्र विद्रोह के कारण लगाया गया आपात (अनु॰ 352)। (*ii*) राज्यों में सांविधानिक तंत्र के विफल होने से उत्पन्न आपात (अनु॰ 356)। (*iii*) वित्तीय आपात (अनु॰ 360)।

प्रमुख तथ्य

- भारत के प्रथम राष्ट्रपति डॉ. राजेन्द्र प्रसाद थे। वह लगातार दो बार राष्ट्रपति निर्वाचित हुए।
- नीलम संजीव रेड्डी निर्विरोध चुने जाने वाले एकमात्र राष्ट्रपति थे।
- डॉ. एस. राधाकृष्णन लगातार दो बार उपराष्ट्रपति तथा एक बार राष्ट्रपति रहे।
- भारत की प्रथम महिला राष्ट्रपति प्रतिभा पाटिल थीं।
- राष्ट्रपति का पद खाली होने के बाद छः महीने के अन्दर भरा जाना अनिवार्य है।
- राष्ट्रपति का वेतन संचित निधि पर भारित तथा आयकर से मुक्त होता है।

उपराष्ट्रपति

- संविधान के अनुच्छेद 63 के अनुसार, भारत का एक उपराष्ट्रपति होगा। इसका कार्यकाल 5 वर्षों का होता है।
- उपराष्ट्रपति राज्य सभा का पदेन सभापति होता है।
- उपराष्ट्रपति का निर्वाचन संसद के दोनों सदनों के सदस्यों से मिलकर बनने वाले निर्वाचक मंडल द्वारा आनुपातिक प्रतिनिधित्व पद्धति के अनुसार एकल संक्रमणीय मत द्वारा होगा तथा ऐसा निर्वाचन गुप्त होगा। कोई व्यक्ति उपराष्ट्रपति निर्वाचित होने का पात्र तभी होगा जब वह–
  (*i*) भारत का नागरिक हो,
  (*ii*) पैंतीस वर्ष की आयु पूरी कर चुका हो,
- डॉ. एस. राधाकृष्णन भारत के पहले उपराष्ट्रपति थे।
- उप–राष्ट्रपति के चुनाव से संबंधित कोई भी विवाद सर्वोच्च न्यायालय द्वारा निपटाया जाता है।

प्रधानमंत्री एवं मंत्रिपरिषद्

- अनु॰ 74 के अनुसार, राष्ट्रपति को सहायता और सलाह देने के लिए मंत्रिपरिषद् होगी, जिसका प्रमुख **प्रधानमंत्री** होगा।
- प्रधानमंत्री की नियुक्ति राष्ट्रपति करता है तथा अन्य मंत्रियों की नियुक्ति राष्ट्रपति प्रधानमंत्री की सलाह पर करता है।
- मंत्री राष्ट्रपति के प्रसादपर्यंत अपने–अपने पद धारण करते हैं।
- मंत्रिपरिषद् लोक सभा के प्रति सामूहिक रूप से उत्तरदायी होती है।
- राष्ट्रपति मंत्रियों को पद एवं गोपनीयता की शपथ दिलाता है।
- किसी भी गैर संसद सदस्य को मंत्री बनाया जा सकता है, लेकिन उसे 6 मास की अवधि तक संसद का सदस्य हो जाना चाहिए।
- प्रधानमंत्री नीति (NITI) आयोग का पदेन अध्यक्ष होता है।
- संवैधानिक रूप से देश की समस्त शक्तियाँ राष्ट्रपति के हाथों में होती हैं किन्तु उसकी समस्त शक्तियों का उपयोग मंत्रिपरिषद् प्रधानमंत्री के नेतृत्व में संचालित करती है।

विधायिका

संसद

- भारत की केन्द्रीय व्यवस्थापिका को संसद कहा जाता है। भारतीय संसद के तीन अंग हैं–राष्ट्रपति, राज्य सभा और लोक सभा।
- संसद के **उच्च सदन** को राज्य सभा तथा निम्न सदन को **लोक सभा** कहा जाता है।

राज्य सभा

- संविधान के अनुच्छेद 80 के अनुसार, राज्य सभा का गठन 250 सदस्यों द्वारा होता है। इनमें 12 सदस्य राष्ट्रपति द्वारा नाम निर्देशित किये जाते हैं तथा शेष 238 का चुनाव राज्य तथा संघ राज्य क्षेत्रों की विधानसभाओं द्वारा किया जाता है। वर्तमान में राज्य सभा सदस्यों की संख्या 245 है।
- राज्य सभा का कभी विघटन नहीं होता, लेकिन इसके एक तिहाई सदस्य हर दो वर्ष बाद सेवानिवृत्त हो जाते हैं।
- राज्य सभा के सदस्य 6 वर्ष की अवधि के लिए निर्वाचित किए जाते हैं।
- राज्य सभा में उत्तर प्रदेश की सबसे अधिक सीटें (31) हैं।
- राज्य सभा पहली बार 3 अगस्त, 1952 को विधिवत गठित हुई थी।
- राज्य सभा का कोई सदस्य यदि सदन की अनुमति के बिना सदन से 60 दिनों से अधिक अनुपस्थित रहता है, तो सदन में उसका स्थान समाप्त हो सकता है।
- राज्य सभा के सदस्यों का चुनाव अप्रत्यक्ष रूप से होता है।

राज्य सभा का सदस्य होने के लिए अर्हता

1. वह भारत का नागरिक हो।
2. उसकी आयु सीमा 30 वर्ष या उससे अधिक हो।
3. संसदीय विधि द्वारा निर्धारित सभी योग्यताएँ रखता हो।

शक्तियाँ एवं कार्य

- राज्य सभा को यह अधिकार प्राप्त है कि वह संविधान के अनुच्छेद 249 के तहत राज्य सूची के किसी विषय को राष्ट्रीय महत्व का घोषित कर सके।
- केवल राज्य सभा को यह अधिकार प्राप्त है कि वह संविधान के अनुच्छेद 312 के तहत अखिल भारतीय सेवाओं का सृजन कर सके।
- किसी भी धन विधेयक को राज्य सभा में पेश नहीं किया जा सकता।
- लोकसभा द्वारा पारित धन विधेयक को राज्यसभा केवल 14 दिनों के लिए रोककर रख सकती है। वह विधेयक को रद्द नहीं कर सकती।

लोकसभा

- अनुच्छेद 81 के अनुसार, लोक सभा का गठन 5 वर्ष के लिए किया जाता है। वर्तमान में लोकसभा की सदस्य संख्या 543 है। ये सदस्य राज्यों तथा केन्द्र शासित प्रदेशों से निर्वाचित होते हैं। लोकसभा में आंग्ल भारतीय वर्ग के दो सदस्यों के राष्ट्रपति द्वारा मनोनयन की व्यवस्था को 104वें संविधान संशोधन अधिनियम, 2019 द्वारा समाप्त कर दिया गया है।

- लोक सभा के सदस्यों का चुनाव गुप्त मतदान के द्वारा वयस्क मताधिकार (18 वर्ष) के आधार पर होता है।

लोकसभा की सदस्यता के लिए योग्यताएँ

(*i*) भारत का नागरिक हो,

(*ii*) उसकी आयु 25 वर्ष या इससे अधिक हो,

(*iii*) भारत सरकार अथवा किसी राज्य सरकार के अन्तर्गत वह कोई लाभ के पद पर नहीं हो,

(*iv*) वह पागल तथा दिवालिया न हो।

- आपातकाल की घोषणा लागू होने पर विधि द्वारा संसद लोक सभा के कार्यकाल में वृद्धि कर सकती है, जो एक बार में एक वर्ष से अधिक नहीं होगी।
- लोक सभा की दो बैठकों में 6 माह से अधिक का अन्तर नहीं होना चाहिए। लोक सभा की गणपूर्ति या कोरम कुल सदस्य संख्या का दसवाँ भाग होता है।
- संविधान के अनुच्छेद 108 में संसद के संयुक्त अधिवेशन की व्यवस्था है। संयुक्त अधिवेशन की अध्यक्षता लोक सभा अध्यक्ष करता है।
- धन विधेयक के सम्बन्ध में लोक सभा का निर्णय अंतिम होता है। इस संबंध में संयुक्त अधिवेशन की व्यवस्था नहीं है।

लोकसभा अध्यक्ष

- संविधान के अनुच्छेद 93 के अनुसार, लोक सभा स्वयं ही अपने सदस्यों में से एक अध्यक्ष और एक उपाध्यक्ष का निर्वाचन करेगी। लोकसभा अध्यक्ष को **स्पीकर** भी कहा जाता है।
- प्रथम लोक सभा अध्यक्ष **जी.वी. मावलंकर** एवं उपाध्यक्ष **श्री अनंतशयनम आयंगर** थे।
- लोकसभा अध्यक्ष यह निर्णय करता है कि कोई विधेयक धन विधेयक है या नहीं और उसका निर्णय अन्तिम होता है।
- देश की पहली महिला लोकसभा अध्यक्ष मीरा कुमार थीं।

न्यायपालिका

उच्चतम न्यायालय

- अनुच्छेद 124 में उच्चतम न्यायालय के गठन संबंधी प्रावधान किये गये हैं।
- उच्चतम न्यायालय में एक मुख्य न्यायाधीश तथा 33 अन्य न्यायाधीश होते हैं।
- उच्चतम न्यायालय के मुख्य न्यायाधीश तथा अन्य न्यायाधीशों की नियुक्ति राष्ट्रपति द्वारा की जाती है।

योग्यताएँ

(*i*) वह भारत का नागरिक हो।

(*ii*) वह किसी उच्च न्यायालय अथवा दो या दो से अधिक न्यायालयों में लगातार कम–से–कम 5 वर्षों तक न्यायाधीश के रूप में कार्य कर चुका हो।

या

किसी उच्च न्यायालय या न्यायालयों में लगातार 10 वर्षों तक अधिवक्ता रह चुका हो।

या

राष्ट्रपति की राय में पारंगत विधिवेत्ता हो।

न्यायाधीश को हटाया जाना

- उच्चतम न्यायालय का प्रत्येक न्यायाधीश तब तक पद धारण करेगा जब तक वह 65 वर्ष की आयु प्राप्त नहीं कर लेता। इससे पूर्व उसे उसके पद से साबित कदाचार या असमर्थता के आधार पर हटाया जा सकता है।
- कदाचार या असमर्थता के आधार पर हटाये जाने के लिए संसद के प्रत्येक सदन द्वारा अपनी कुल सदस्य संख्या के बहुमत द्वारा तथा उपस्थित और मत देने वाले सदस्यों के कम–से–कम दो–तिहाई बहुमत द्वारा पारित प्रस्ताव को राष्ट्रपति के समक्ष उसी सत्र में रखा जाता है, तब राष्ट्रपति के आदेश से न्यायाधीश को हटाया जा सकताहै।

उच्चतम न्यायालय का क्षेत्राधिकार

- प्रारंभिक क्षेत्राधिकार के अन्तर्गत उच्चतम न्यायालय उसी विवाद को निर्णय के लिए स्वीकार करेगा, जिसमें किसी तथ्य या विधि का प्रश्न शामिल है।
- **अपीलीय क्षेत्राधिकार:** देश का सबसे बड़ा अपीलीय न्यायालय उच्चतम न्यायालय है। भारत के राज्य क्षेत्र के किसी उच्च न्यायालय के निर्णय के विरुद्ध अपील सुनने का उसे अधिकार है।
- **न्यायिक पुनरीक्षण:** उच्चतम न्यायालय को अमेरिका के उच्चतम न्यायालय के समान न्यायिक पुनरीक्षण के रूप में व्यापक शक्तियाँ प्रदान की गई हैं।

उच्च न्यायालय

- संविधान के अनुच्छेद 214 में यह उपबंध है कि प्रत्येक राज्य में एक उच्च न्यायालय होगा।
- प्रत्येक उच्च न्यायालय में एक मुख्य न्यायाधीश सहित अन्य अनेक न्यायाधीश होते हैं जो समय–समय पर राष्ट्रपति द्वारा नियुक्त किये जाते हैं।

योग्यताएँ

(*i*) वह भारत का नागरिक हो।

(*ii*) भारत में कम–से–कम 10 वर्ष तक न्यायाधीश के पद पर कार्य कर चुका हो अथवा किसी उच्च न्यायालय अथवा दो या दो से अधिक न्यायालयों में लगातार कम–से–कम 10 वर्ष तक अधिवक्ता रहा हो।

या

राष्ट्रपति की दृष्टि में प्रतिष्ठित विधिवेत्ता हो।

(*iii*) जिसकी आयु 62 वर्ष से अधिक न हो।

(*iv*) उच्च न्यायालय के न्यायाधीशों की अवकाश ग्रहण करने की अधिकतम आयु सीमा 62 वर्ष है।

उच्च न्यायालय के कार्य एवं क्षेत्राधिकार

1. प्रारंभिक क्षेत्राधिकार
2. अपीलीय क्षेत्राधिकार
3. रिट जारी करने का अधिकार
4. अधीनस्थ न्यायालयों पर नियंत्रण

राज्य की कार्यपालिका

राज्यपाल

- राज्य की कार्यपालिका का प्रधान राज्यपाल होता है, जो मंत्रिपरिषद् की सलाह के अनुसार कार्य करता है।
- राज्यपाल की नियुक्ति राष्ट्रपति करता है।
- राज्यपाल की नियुक्ति 5 वर्षों के लिए होती है। पाँच वर्ष की अवधि से पूर्व भी उसे राष्ट्रपति के द्वारा हटाया जा सकता है।
- राज्यपाल अपने कार्यकाल की समाप्ति के पूर्व भी राष्ट्रपति को अपना त्यागपत्र भेज सकता है।

राज्यपाल के कार्य तथा अधिकार

कार्यपालिका संबंधी

- राज्य के समस्त कार्यपालिका संबंधी कार्य राज्यपाल के नाम से किए जाते हैं।
- राज्यपाल मुख्यमंत्री की नियुक्ति करता है तथा मुख्यमंत्री की सलाह पर मंत्रिपरिषद् के अन्य सदस्यों की नियुक्ति करता है।

विधायी शक्तियां

- राज्यपाल राज्य विधान मंडल का अंग होता है।
- राज्य विधान मंडल का सत्रावसान करने, सत्र बुलाने तथा विधान सभा को विघटित करने का अधिकार है।

राज्यपाल की न्यायिक शक्तियां

- राज्यपाल को उस विषय संबंधी, जिस विषय पर उस राज्य की कार्यपालिका शक्ति का विस्तार है, किसी विधि के विरुद्ध, किसी अपराध के लिए सिद्ध दोष ठहराये गए किसी व्यक्ति के दंड को क्षमा, उसका प्रविलंबन, लघुकरण या परिहार कर सकता है।

राज्य मंत्रिपरिषद्/मुख्यमंत्री

- अनुच्छेद 163 के अन्तर्गत राज्यपाल की सहायता और सलाह देने के लिए एक मंत्रिपरिषद् होती है जिसका प्रधान **मुख्यमंत्री** होता है।
- अनुच्छेद 164 के अनुसार, मुख्यमंत्री की नियुक्ति राज्यपाल करता है तथा अन्य मंत्रियों की नियुक्ति राज्यपाल, मुख्यमंत्री की सलाह पर करता है।
- मंत्रिपरिषद् राज्य की विधान सभा के प्रति सामूहिक रूप से उत्तरदायी होता है। सामान्यतः मुख्यमंत्री अपने पद पर तब तक बना रहता है जब तक उसे विधान सभा का विश्वास प्राप्त होता है।

राज्य विधायिका

विधानपरिषद्

- विधान परिषद् राज्य विधानमण्डल का उच्च सदन होता है।
- विधान परिषद् का सदस्य बनने के लिए न्यूनतम आयु सीमा 30 वर्ष है।
- विधान परिषद् एक स्थायी सदन है। इसका विघटन नहीं होता।
- इसके सदस्यों का कार्यकाल 6 वर्ष का होता है। इसके 1/3 सदस्य प्रत्येक दो वर्ष की समाप्ति पर अपना पद त्याग करते हैं और उनके स्थान पर नए सदस्यों का चुनाव होता है।
- निम्नलिखित छह राज्यों में विधान परिषद् विद्यमान हैं– 1. उत्तर प्रदेश, 2. कर्नाटक, 3. महाराष्ट्र, 4. आंध्र प्रदेश, 5. बिहार, 6. तेलंगाना
- संविधान में विधान परिषद् के लिए एक सभापति (chairman) तथा उप-सभापति (Vice-chairman) की व्यवस्था की गई है।

विधानसभा

- अनुच्छेद 170 के अनुसार, विधान सभा के सदस्यों की संख्या अधिकतम 500 और न्यूनतम 60 होगी। अपवादस्वरूप सिक्किम (32), गोवा (40) एवं मिजोरम (40) हैं।
- विधान सभा में निर्वाचित होने के लिए न्यूनतम आयु सीमा 25 वर्ष है।
- विधान सभा का कार्यकाल 5 वर्ष है, किन्तु राज्य मंत्रिपरिषद् की सिफारिश पर इसे समय से पूर्व भी भंग किया जा सकता है।
- राज्य विधान सभा का सदस्य बनने के लिए आवश्यक है कि व्यक्ति भारत का नागरिक हो तथा उसमें ऐसी अन्य योग्यताएं हों, जो संसद निर्धारित करे।
- संविधान में विधानसभा के लिए अध्यक्ष (Speaker) तथा उपाध्यक्ष (Deputy-Speaker) की व्यवस्था की गई है।

स्थानीय प्रशासन

पंचायती राज

- पंचायती राज का शुभारंभ 2 अक्टूबर, 1959 को नागौर, राजस्थान में हुआ। बाद में इसे आन्ध्र प्रदेश में लागू किया गया।
- पंचायती राज का लक्ष्य लोगों को विकास और योजनाओं से जोड़ना है, ताकि अफसरशाही पर निर्भरता को कम किया जा सके।
- 73वाँ संविधान संशोधन पंचायती राज से संबंधित है। इसके मुख्य प्रावधान निम्नलिखित हैं–
  1. पंचायती राज का ढाँचा त्रिस्तरीय होगा। ग्राम स्तर पर ग्राम पंचायत, प्रखण्ड स्तर पर पंचायत समिति तथा जिला स्तर पर जिला परिषद् के गठन की व्यवस्था की गई है।
  2. इसका निर्वाचन पाँच वर्षों के लिए होता है। समय पूर्व पंचायत के भंग होने पर 6 माह के अन्दर निर्वाचन होंगे।
  3. पंचायती राज संस्था के प्रत्येक स्तर में महिलाओं को एक–तिहाई स्थानों पर आरक्षण का प्रावधान है।

नगरपालिकाएँ

- 74वां संविधान संशोधन अधिनियम, 1993 के तहत भारतीय संविधान के अनुच्छेद 243(त) से 243(य)(छ) तक इसका विशेष उल्लेख है।
- इसके अन्तर्गत तीन प्रकार की नगरीय व्यवस्था का उल्लेख है–
  (1) नगर पंचायत
  (2) नगरपालिका परिषद्
  (3) नगर निगम
- नगरपालिकाओं में महिलाओं के लिए एक–तिहाई स्थान आरक्षित है।
- नगरीय संस्थाओं का कार्यकाल पाँच वर्ष का होता है। विघटन की स्थिति में छह माह के अन्दर चुनाव अनिवार्य होते हैं।

❑❑❑

3

भारतीय अर्थव्यवस्था

- अर्थव्यवस्था एक ऐसा तंत्र या ढाँचा है जिसके अन्तर्गत विभिन्न प्रकार की आर्थिक क्रियाएँ सम्पादित की जाती हैं, जैसे–कृषि, उद्योग, व्यापार, बैंकिंग, बीमा, परिवहन तथा संचार आदि। दूसरे शब्दों में, अर्थव्यवस्था आर्थिक क्रियाओं का एक ऐसा संगठन है जिसके अन्तर्गत लोग कार्य करके अपनी आजीविका चलाते हैं।

भारतीय अर्थव्यवस्था की संरचना

आर्थिक क्रियाओं को तीन भागों में बाँटा जाता है–

(i) **प्राथमिक क्षेत्र** (Primary Sector): प्राथमिक क्षेत्र को कृषि क्षेत्र भी कहा जाता है। इसके अन्तर्गत कृषि, पशु पालन, मछली पालन, जंगलों से वस्तुओं को प्राप्त करना जैसे व्यवसाय आते हैं।

(ii) **द्वितीयक क्षेत्र** (Secondary Sector): द्वितीयक क्षेत्र को औद्योगिक क्षेत्र भी कहा जाता है। इसके अन्तर्गत खनिज व्यवसाय, निर्माण कार्य, जनोपयोगी सेवाएँ, जैसे–गैस और बिजली आदि के उत्पादन आते हैं।

(iii) **तृतीयक क्षेत्र** (Tertiary Sector): तृतीयक क्षेत्र को सेवा क्षेत्र भी कहा जाता है। इसके अन्तर्गत बैंक एवं बीमा, परिवहन, संचार एवं व्यापार आदि क्रियाएँ सम्मिलित होती हैं। ये क्रियाएँ प्राथमिक एवं द्वितीयक क्षेत्रों की क्रियाओं को सहायता प्रदान करती हैं। इसलिए इसे सेवा क्षेत्र कहा जाता है।

अर्थव्यवस्था के प्रकार

विश्व में तीन प्रकार की अर्थव्यवस्था पाई जाती है–

1. **पूँजीवादी अर्थव्यवस्था** (Capitalist Economy): पूँजीवादी अर्थव्यवस्था वह अर्थव्यवस्था है जहाँ उत्पादन के साधनों का स्वामित्व निजी व्यक्तियों के पास होता है जो इसका उपयोग अपने निजी लाभ के लिए करते हैं। जैसे–अमेरिका, जापान, फ्रांस आदि।
2. **समाजवादी अर्थव्यवस्था** (Socialist Economy): समाजवादी अर्थव्यवस्था वह अर्थव्यवस्था है जहाँ उत्पादन के साधनों का स्वामित्व एवं संचालन देश की सरकार के पास होता है जिसका उपयोग सामाजिक कल्याण के लिए किया जाता है। चीन, क्यूबा, रूस आदि देशों में समाजवादी अर्थव्यवस्था है।
3. **मिश्रित अर्थव्यवस्था** (Mixed Economy): मिश्रित अर्थव्यवस्था पूँजीवादी तथा समाजवादी अर्थव्यवस्था का मिश्रण है। मिश्रित अर्थव्यवस्था वह अर्थव्यवस्था है जहाँ उत्पादन के साधनों का स्वामित्व सरकार तथा निजी व्यक्तियों के पास होता है। भारत में मिश्रित अर्थव्यवस्था है।

भारत में आर्थिक नियोजन

- **योजना आयोग** की स्थापना 15 मार्च, 1950 को नियोगी समिति की सिफारिश पर हुई थी। यह एक गैर-संवैधानिक संस्था है। 1 जनवरी 2015 को योजना आयोग को समाप्त कर उसकी जगह नीति (NITI) आयोग का गठन किया गया।
- **राष्ट्रीय विकास परिषद्** (National Development Council) का गठन 6 अगस्त, 1952 को किया गया था। यह योजनाओं को अन्तिम रूप से अनुमोदन प्रदान करती है।

भारतीय अर्थव्यवस्था के लक्षण

भारतीय अर्थव्यवस्था के निम्नलिखित लक्षण हैं–1. प्रति व्यक्ति आय का कम होना; 2. जनसंख्या के एक बड़े भाग का अर्थव्यवस्था के प्राथमिक क्षेत्र में संलग्न होना; 3. तकनीकी पिछड़ापन; 4. पर्याप्त पूँजी का अभाव; 5. त्रुटिपूर्ण सम्पत्ति वितरण; 6. बेरोजगारी की समस्या; 7. अर्थव्यवस्था पर जनसंख्या का बढ़ता प्रभाव

राष्ट्रीय आय

- राष्ट्रीय आय द्वारा किसी अर्थव्यवस्था में प्रतिवर्ष वस्तुओं और सेवाओं के प्रवाह का अनुमान लगाया जाता है।
- एक वर्ष में जो अंतिम वस्तुएं तथा सेवाएं उत्पन्न होती हैं, उनके बाजार मूल्य के जोड़ को राष्ट्रीय आय कहा जाता है।
- स्वतंत्रता के पश्चात् 1949 में भारत सरकार ने प्रोफेसर महालनोविस की अध्यक्षता में राष्ट्रीय आय समिति गठित की थी। इस समिति ने अपनी पहली रिपोर्ट 1951 में तथा अन्तिम रिपोर्ट 1954 में प्रस्तुत की थी।
- उसके बाद से राष्ट्रीय आय का अनुमान केन्द्रीय सांख्यिकी संगठन (CSO) लगा रहा है।
- **सकल घरेलू उत्पाद** (Gross Domestic Product): किसी देश की सीमा के अन्दर किसी भी दी गई समयावधि, प्रायः एक वर्ष में उत्पादित

समस्त अंतिम वस्तुओं तथा सेवाओं का कुल बाजार या मौद्रिक मूल्य उस देश का सकल घरेलू उत्पाद (GDP) कहा जाता है।

- **सकल राष्ट्रीय उत्पाद** (Gross National Product): किसी देश में एक साल के अन्तर्गत जितनी वस्तुओं तथा सेवाओं का उत्पादन होता है उनके मौद्रिक मूल्य को कुल राष्ट्रीय उत्पाद कहते हैं। कुल राष्ट्रीय उत्पाद को निकालने के लिए सकल घरेलू उत्पादन में देशवासियों द्वारा विदेशों में उत्पादित वस्तुओं और सेवाओं के मूल्य को जोड़ दिया जाता है तथा विदेशियों द्वारा देश में उत्पादित वस्तुओं के मूल्य को घटा दिया जाता है।
- **शुद्ध राष्ट्रीय उत्पाद** (Net National Product): सकल राष्ट्रीय उत्पाद में से मूल्य ह्रास की राशि घटा देने के उपरान्त शुद्ध राष्ट्रीय उत्पाद ज्ञात किया जाता है।
- **प्रति व्यक्ति आय** (Per Capita Income): राष्ट्रीय आय में देश की कुल जनसंख्या से भाग देने पर जो राशि प्राप्त होती है उसे प्रतिव्यक्ति आय कहते हैं।

पंचवर्षीय योजनाएँ

- 1 अप्रैल, 1951 से भारत की प्रथम पंचवर्षीय योजना की शुरुआत की गई। तत्पश्चात् वर्ष 2017 तक 12 पंचवर्षीय योजनाएँ लागू की गईं। 31 मार्च, 2017 को 12वीं पंचवर्षीय योजना के पूरी होने के साथ ही देश में पंचवर्षीय योजनाओं की व्यवस्था समाप्त हो गई है। इसके स्थान पर 15 वर्षीय दृष्टिकोण, सात वर्षीय रणनीति व तीन वर्षीय कार्य योजना नीति आयोग द्वारा तैयार की गई है।
- पंचवर्षीय योजनाओं के अतिरिक्त सात वार्षिक योजनाएँ भी बनीं। ये वार्षिक योजनाएँ 1966–67, 67–68, 68–69, 78–79, 79–80 तथा 90–91, 91–92 के लिए बनी थीं।
- 1978–83 के लिए जनता सरकार ने अनवरत–योजना बनायीं थी, परन्तु कांग्रेस सरकार ने 1980 ई॰ में छठी पंचवर्षीय योजना प्रारंभ की।

पंचवर्षीय योजनाएँ

योजना क्रम	योजना अवधि	लक्षित विकास दर	वास्तविक विकास दर	सर्वोच्च प्राथमिकता वाले क्षेत्र
• प्रथम योजना	1951–56	2.1	3.6	कृषि
• द्वितीय योजना	1956–61	4.5	4.27	भारी उद्योग
• तृतीय योजना	1961–66	5.6	2.84	खाद्यान्न एवं कृषि
• चतुर्थ योजना	1969–74	5.5	3.30	कृषि एवं सिंचाई
• पंचम योजना	1974–78	4.4	5.00	जनस्वास्थ्य एवं समाज कल्याण
• षष्टम योजना	1980–85	5.2	5.66	कृषि उद्योग एवं ऊर्जा
• सप्तम योजना	1985–90	5.4	5.8	ऊर्जा, खाद्यान्न एवं मानव संसाधन
• अष्टम योजना	1992–97	5.6	6.50	मानव संसाधन
• नवम योजना	1997–2002	6.5	5.40	सामाजिक न्याय एवं ग्रामीण विकास
• दशम योजना	2002–07	8.0	7.8	रोजगार एवं ऊर्जा
• एकादश योजना	2007–12	9.0	7.9	व्यापक तथा समावेशी विकास
• द्वादश योजना	2012–17	8.0		त्वरित, सतत और समावेशी विकास

भारत सरकार की प्रमुख कल्याणकारी योजनाएँ

कार्यक्रम का नाम	वर्ष	उद्देश्य
• मिड-डे-मील योजना	1995	स्कूली बच्चों को दोपहर का भोजन उपलब्ध कराना।
• स्वर्ण जयंती शहरी रोजगार योजना	1997	शहरी क्षेत्रों में निर्धनता निवारण योजना।
• स्वर्ण जयन्ती ग्राम स्वरोजगार	1999	सामूहिक प्रयास पर बल। सहायता प्राप्त गरीब व्यक्ति को 3 वर्ष में BPL के ऊपर लाना। इसमें छः कार्यक्रमों का विलय कर दिया गया। (*i*) IRDP (*ii*) TRYSEM (*iii*) DWCRA (*iv*) SITRA (*v*) MWS (*vi*) GKY
• कृषि श्रमिक सामाजिक सुरक्षा योजना	2001	कृषि श्रमिकों को जीवन बीमा निगम के सहयोग से सामाजिक सुरक्षा उपलब्ध कराना।
• वाल्मीकि अम्बेडकर आवास योजना	2001	शहरी स्लम आबादी को स्वच्छ आवास उपलब्ध कराने हेतु।
• प्रधानमंत्री स्वास्थ्य सुरक्षा योजना	2003	देश के पिछड़े राज्यों में 6 नए AIIMS अस्पतालों को स्थापित करने हेतु।
• भारत निर्माण योजना	2006	ग्रामीण अवस्थापना, सर्वांगीण तथा व्यापक विकास योजना।
• आम आदमी बीमा योजना	2007-08	भूमि रहित ग्रामीण परिवार के मुखिया या आयअर्जक व्यक्ति की बीमा योजना।
• राजीव आवास योजना	2010	भारत को अगले पाँच वर्षों में स्लम मुक्त बनाना।
• राजीव खाद्य सुरक्षा योजना	2013	देश की 67% जनसंख्या को भोजन की गारंटी का अधिकार देना।
• प्रधानमंत्री जन-धन योजना	2014	ऐसे लोगों का खाता खोलना जिनका पहले से किसी बैंक में खाता न हो।
• अटल पेंशन योजना	2015	असंगठित क्षेत्र के लोगों के लिए मासिक पेंशन।

कार्यक्रम का नाम	वर्ष	उद्देश्य
• दीनदयाल उपाध्याय ग्राम ज्योति योजना	2015	इस कार्यक्रम का उद्देश्य ग्रामीण भारत में सभी घरों को 24 × 7 निर्बाध विद्युत आपूर्ति उपलब्ध कराने है।
• डिजिटल भारत कार्यक्रम	2015	सरकारी सेवाओं को इलेक्ट्रॉनिक रूप में नागरिकों के लिए उपलब्ध कराना हैं और लोगों को नवीनतम सूचना और संचार प्रौद्योगिक से लाभ सुनिश्चित करना है।
• प्रधानमंत्री सुरक्षा बीमा योजना	2015	₹ 12 के वार्षिक प्रीमियम के साथ दुर्घटना बीमा।
• प्रधानमंत्री जीवन ज्योति बीमा योजना	2015	यह मूल रूप से एक वार्षिक आधार पर या समय की एक लम्बी अवधि के लिए होता है। यह पॉलिसी धारक के मृत्यु पर जीवन बीमा कवरेज प्रदान करता है।
• कौशल भारत कार्यक्रम (राष्ट्रीय कौशल विकास मिशन)	2015	2022 तक कम से कम 40 करोड़ कुशल लोगों को प्रशिक्षित करने के लिए संस्थागत क्षमता प्रदान करना है।
• प्रधानमंत्री उज्ज्वला योजना	2016	ऐसी महिलाएँ जो गरीबी रेखा से नीचे जीवनयापन करती हैं, उन्हें मुफ्त एलपीजी कनेक्शन प्रदान करना है।
• प्रधानमंत्री गरीब कल्याण योजना	2020	'कोरोना वायरस' के खिलाफ लड़ाई लड़ने में मदद करना।

मुद्रा एवं बैंकिंग

मुद्रा

- भारत की मुद्रा प्रणाली में धात्विक मुद्रा और कागजी मुद्रा दोनों शामिल हैं।
- धात्विक मुद्रा का नियंत्रण भारत सरकार द्वारा किया जाता है और कागजी मुद्रा का नियंत्रण रिजर्व बैंक ऑफ इण्डिया (आरबीआई) द्वारा किया जाता है।
- सिक्के (धात्विक मुद्रा) भारत की टकसालों में ढाले जाते हैं। कागजी मुद्रा में एक रुपए के नोट के अतिरिक्त अन्य सभी नोट आरबीआई जारी करता है।
- भारत में सिक्कों की दाशमिक प्रणाली 1 अप्रैल, 1957 से लागू हुई।
- रुपया '₹' प्रामाणिक मुद्रा (standard money) है।

बैंकिंग

- बैंकिंग पद्धति पर भारत में विदेशी पूंजी से खुलने वाला पहला बैंक 'बैंक ऑफ हिन्दुस्तान था, जो 1770 में खोला गया था।
- 1806 में बैंक ऑफ बंगाल, 1840 में बैंक ऑफ बम्बई और 1843 में बैंक ऑफ मद्रास की स्थापना हुई।
- इन्हीं तीनों बैंकों को मिलाकर 1921 में इम्पीरियल बैंक ऑफ इण्डिया बनाया गया। इसका राष्ट्रीयकरण 1 जुलाई, 1955 को किया गया और तब इसका नाम बदलकर स्टेट बैंक ऑफ इण्डिया कर दिया गया।
- स्टेट बैंक ऑफ इण्डिया के राष्ट्रीयकरण के समय इसके सहयोगी बैंकों का भी राष्ट्रीयकरण किया गया था, परन्तु बाद में सरकार ने स्टेट बैंक ऑफ सौराष्ट्र तथा स्टेट बैंक ऑफ इन्दौर का स्टेट बैंक ऑफ इण्डिया में विलय कर दिया।
- 1 अप्रैल, 2017 को SBI के सभी 5 सहयोगी बैंकों–स्टेट बैंक ऑफ हैदराबाद; स्टेट बैंक ऑफ बीकानेर एण्ड जयपुर; स्टेट बैंक ऑफ त्रावणकोर; स्टेट बैंक ऑफ पटियाला; स्टेट बैंक ऑफ मैसूर एवं भारतीय महिला बैंक का SBI में विलय कर दिया गया।

बैंकों का राष्ट्रीयकरण

- 50 करोड़ से अधिक पूँजी वाले 14 बड़े व्यावसायिक बैंकों का राष्ट्रीयकरण 19 जुलाई, 1969 को किया गया था।
- 200 करोड़ से अधिक पूँजी वाले 6 अनुसूचित बैंकों का राष्ट्रीयकरण 15 अप्रैल, 1980 को किया गया था।
- न्यू बैंक ऑफ इण्डिया का विलय पंजाब नेशनल बैंक में 4 सितम्बर, 1993 को हुआ था।
- देना बैंक और विजया बैंक का 1 अप्रैल, 2019 को बैंक ऑफ बड़ौदा में विलय हो गया है।
- वर्ष 2020 में ओरिएंटल बैंक ऑफ कॉमर्स और यूनाइटेड बैंक ऑफ इंडिया का पंजाब नेशनल बैंक में, सिंडीकेट बैंक का केनरा बैंक में, आंध्र बैंक और कॉर्पोरेशन बैंक का यूनियन बैंक ऑफ इंडिया में और इलाहाबाद बैंक का इंडियन बैंक में विलय हो गया है।
- भारतीय रुपए का प्रतीक चिह्न '₹' है।

भारतीय रिजर्व बैंक

- भारतीय रिजर्व बैंक की स्थापना 1 अप्रैल, 1935 को 5 करोड़ रुपए की अधिकृत पूंजी से की गई थी। इसका राष्ट्रीयकरण 1 जनवरी, 1949 को किया गया था। इसका मुख्यालय मुम्बई में स्थित है।
- भारत में वित्तीय वर्ष 1 अप्रैल से 31 मार्च तक होता है।
- 5, 10, 20, 50, 100, 500 तथा 2000 रुपए के करेन्सी नोट भारतीय रिजर्व बैंक निर्गत करता है।

भारतीय रिजर्व बैंक के कार्य

1. करेंसी नोटों का निर्गमन
2. सरकारी बैंकर का काम
3. बैंकों के बैंक का काम
4. विदेशी विनिमय को नियंत्रित करना
5. साख नियंत्रण का कार्य
6. आंकड़ों का संग्रहण और प्रकाशन

कृषि

- कृषि भारतीय अर्थव्यवस्था का एक प्रमुख आधार स्तंभ है। निजी क्षेत्र का यह सबसे प्रमुख व्यवसाय है।
- भारत में हरित क्रांति को डॉ. एम.एस. स्वामीनाथन ने सफल बनाया।
- गेहूँ, चना, जौ, सरसों, तोरिया, मटर, रबी की प्रमुख फसलें हैं।
- धान, ज्वार, बाजरा, मक्का, कपास, गन्ना, सोयाबीन, अरहर, खरीफ की प्रमुख फसलें हैं।
- तिलहन, गन्ना, चुकन्दर, चाय, कपास, जूट, मेस्टा, कहवा, तम्बाकू, दलहन, प्रमुख नकदी फसलें हैं।

कृषि के प्रकार

• एपीकल्चर	–	मधुमक्खी पालन
• हॉर्टीकल्चर	–	बागवानी
• फ्लोरीकल्चर	–	फलों की कृषि
• विटीकल्चर	–	अंगूर की कृषि
• वर्मीकल्चर	–	केंचुआ पालन
• पिसीकल्चर	–	मत्स्य पालन
• मैरीकल्चर	–	समुद्री जीवों का उत्पादन
• आर्वरीकल्चर	–	वृक्षों तथा झाड़ियों की कृषि

कृषि क्षेत्र की विभिन्न क्रांतियाँ

• श्वेत क्रांति	दुग्ध उत्पादन
• नीली क्रांति	मछली उत्पादन
• पीली क्रांति	तिलहन उत्पादन
• ग्रे क्रांति	ऊन उत्पादन
• इन्द्रधनुषी क्रांति	समग्र कृषि उत्पादन
• सिल्वर क्रांति	अण्डा एवं पोल्ट्री उत्पादन
• सुनहरी क्रांति	बागवानी उत्पादन

उद्योग

- देश में पहला लौह–इस्पात कारखाना 1874 ई. में कुल्टी (पश्चिम बंगाल) नामक स्थान पर खुला था।
- देश में सबसे प्रथम बड़े स्तर का कारखाना वर्ष 1907 में तत्कालीन बिहार राज्य में स्वर्ण रेखा नदी की घाटी में साकची नामक स्थान पर जमशेदजी टाटा द्वारा स्थापित किया गया था।
- सन् 1948 में प्रथम, 1956 में द्वितीय तथा 1991 में तृतीय औद्योगिक नीति घोषित की गई थी।
- सार्वजनिक क्षेत्र के उपक्रमों को वाणिज्य एवं प्रबंधन की स्वायत्तता देने के लिए नवरत्न एवं मिनीरत्न की संकल्पना सन् 1997 में शुरू की गई थी। यह दर्जा 'केन्द्रीय लोक उद्यम विभाग' द्वारा दिया जाता है। जनवरी 2021 तक कुल 14 कंपनियों को नवरत्न एवं 75 कंपनियों को मिनी रत्न का दर्जा प्राप्त है।
- 21 दिसम्बर, 2009 को सार्वजनिक क्षेत्र की कंपनियों के लिए महारत्न क्षेत्रों का सृजन किया गया। यह कम्पनियाँ अपने कुल निवल मूल्य के 25% तक का निवेश करने के लिए स्वतंत्र हैं। जनवरी 2021 तक कुल 10 कंपनियों को महारत्न का दर्जा प्राप्त है।

भारत का विदेश व्यापार

- भारत का विश्व व्यापार में कुल हिस्सा मात्र 1.4% है।
- भारत के आयात में सर्वाधिक हिस्सा पेट्रोलियम उत्पादों का है।
- भारत का प्रथम निर्यात संवर्धन औद्योगिक पार्क सीतापुर (जयपुर) में स्थापित किया गया है।
- एशिया का प्रथम निर्यात प्रसंस्करण केन्द्र काण्डला में 1965 ई॰ में स्थापित किया गया था।

प्रमुख निर्यात विकास केन्द्र

• **तिरुपुर** : हौजरी एवं बुनाई उद्योग; • **मुरादाबाद** : ब्रासवेयर हैण्डीक्राफ्ट; • **लुधियाना** : भारी मशीनरी तथा हौजरी; • **सूरत** : रत्न और आभूषण; • **पानीपत** : हथकरघा; • **अलेप्पी** : नारियल के रेशे और इससे निर्मित सामान; • **जालन्धर** : खेल का सामान; • **रानीपत (अम्बूर)**: चमड़ा; • **नागपुर** : हस्त उपकरण; • **मेरठ** : खेल का सामान; • **अलीगढ़** : पीतल के ताले; • **आगरा** : चमड़ा फुटवियर; • **खुर्जा** : मिट्टी के बर्तन; • **कांचीपुरम** : रेशम; • **शिवाकाशी** : माचिस; • **अम्बाला** : वैज्ञानिक उपकरण; • **जामनगर** : ब्रास पार्टस्; • **बटाला** : मशीन उपकरण।

भारत की जनगणना 2011

भारत में जनगणना का विधिवत् कार्य 1881 में आरम्भ हुआ। 2011 की जनगणना के अनुसार भारत की कुल जनसंख्या 121,08,54,977 थी। जबकि 10 वर्ष पूर्व 2001 में कुल जनसंख्या 102,70,15,247 थी। वर्ष 2011 की जनगणना के प्रमुख तथ्य निम्नलिखित हैं:–

• कुल जनसंख्या	–	121,08,54,977
• पुरुष	–	62,32,70,258
• महिला	–	58,75,84,719
• कुल जनसंख्या में पुरुषों का प्रतिशत	–	51.53%
• कुल जनसंख्या में महिलाओं का प्रतिशत	–	48.46%
• भारत की जनसंख्या का विश्व जनसंख्या में भाग	–	17.5%
• दशकीय वृद्धि दर (2001-2011)	–	17.7%
• सर्वाधिक वृद्धि दर	–	मेघालय 27.9%
• न्यूनतम वृद्धि दर	–	नगालैंड –0.6%
• सर्वाधिक जनसंख्या वाला राज्य	–	उत्तर प्रदेश (19,98,12,341)
• न्यूनतम जनसंख्या वाला राज्य	–	सिक्किम (6,10,577)
• स्त्री-पुरुष अनुपात	–	943 : 1000
• सर्वाधिक लिंगानुपात	–	केरल, 1084 : 1000
• न्यूनतम लिंगानुपात	–	हरियाणा 879 : 1000
• जनसंख्या घनत्व	–	382 व्यक्ति प्रति वर्ग किलोमीटर
• सर्वाधिक घनत्व	–	बिहार (1,106)
• न्यूनतम घनत्व	–	अरुणाचल प्रदेश (17)
• केन्द्रशासित प्रदेशों में सर्वाधिक घनत्व	–	दिल्ली (11,320)
• केन्द्रशासित प्रदेशों में न्यूनतम घनत्व	–	अण्डमान निकोबार द्वीप समूह (46)
• साक्षरता प्रतिशत	–	73%
• पुरुष साक्षरता	–	80.9%
• महिला साक्षरता	–	64.6%
• सर्वाधिक साक्षरता	–	केरल (94%)
• न्यूनतम साक्षरता	–	बिहार (61.8%)

❑ ❑ ❑

4

भूगोल

हमारी पृथ्वी

पृथ्वी : तथ्य और आँकड़े

• पृथ्वी का द्रव्यमान	5.882×10^{21} टन
• पृथ्वी का घनत्व	पानी की अपेक्षा 5.517 गुणा
• पृथ्वी का आयतन	1.083×10^{11} घन किमी.
• भूमध्यरेखीय परिधि	4.007×10^{4} किमी.
• ध्रुवीय व्यास	12,714 किमी.
• विषुवतीय व्यास	12,756 किमी.
• ध्रुवीय परिधि	4.0×10^{4} किमी.
• अनुमानित आयु	लगभग 4600 करोड़ वर्ष
• भू-पृष्ठ	148,951,000 वर्ग किमी.
• जलीय सतह	361,150,000 वर्ग किमी.
• भू-सतह का सबसे उच्च बिन्दु	माउंट एवरेस्ट (8,848 मीटर)
• भू-सतह का सबसे निम्न बिन्दु	मृत सागर का तट (समुद्र तल से 396 मीटर नीचे)
• महासागर की सर्वाधिक गहराई	फिलीपींस के पूर्व में मेरियाना ट्रेंच (समुद्र तल से 11,033 मीटर नीचे)

सौरमण्डल

• सबसे बड़ा ग्रह	बृहस्पति (Jupiter)	• सबसे अधिक गर्म ग्रह	शुक्र (Venus)
• सबसे छोटा ग्रह	बुध (Mercury)	• रात्रि में लाल दिखाई देने वाला ग्रह	मंगल (Mars)
• पृथ्वी का उपग्रह	चन्द्रमा (Moon)	• सबसे बड़ा उपग्रह	गैनीमेड (Gannymede)
• सूर्य के सबसे निकट ग्रह	बुध (Mercury)	• सबसे छोटा उपग्रह	डिमोस (Deimos)
• सूर्य से सबसे दूर स्थित ग्रह	वरुण (Neptune)	• नीला ग्रह	पृथ्वी (Earth)
• पृथ्वी के सबसे निकट स्थित ग्रह	शुक्र (Venus)	• भोर का तारा	शुक्र (Venus)
• सबसे अधिक चमकीला ग्रह	शुक्र (Venus)	• साँझ का तारा	शुक्र (Venus)
• सबसे अधिक चमकीला तारा	साइरस (Dog Star)	• पृथ्वी की बहन	शुक्र (Venus)
• सबसे अधिक उपग्रहों वाला ग्रह	शनि (Saturn)	• हरा ग्रह	वरुण (Neptune)
• सबसे अधिक ठण्डा ग्रह	वरुण (Neptune)	• विशाल लाल धब्बे वाला ग्रह	बृहस्पति (Jupiter)

विश्व का भूगोल

विभिन्न देशों के राष्ट्रीय प्रतीक

देश	प्रतीक	देश	प्रतीक	देश	प्रतीक
ऑस्ट्रेलिया	कंगारू	कनाडा	सफेद लिली	डेनमार्क	बुलिन
फ्रांस	लिली	जर्मनी	कार्न फ्लावर	भारत	सिंह स्तम्भ
ईरान	गुलाब	आयरलैंड	तीन पत्ती वाली घास	इटली	सफेद लिली
जापान	गुलदाउदी	पाकिस्तान	अर्द्धचंद्र	स्पेन	बाज
यूनाइटेट किंगडम	गुलाब	यू.एस.ए.	सुनहरी छड़ी		

महत्त्वपूर्ण सीमा रेखाएं

- **डूरंड लाइन** : यह भारत और अफगानिस्तान के बीच सीमा के विभाजन को परिलक्षित करती थी। इसका सीमांकन सर मोर्टीमर डूरंड ने 1896 में किया था। अब यह पाकिस्तान और अफगानिस्तान के बीच की सीमा रेखा है।
- **हिंडेनवर्ग लाइन** : यह वह रेखा है जहां से विश्व युद्ध के दौरान जर्मनी की सेना वापस लौट गई थी। यह रेखा पोलैण्ड और जर्मनी के बीच की सीमा रेखा है।
- **मैकमोहन रेखा** : यह भारत और चीन के बीच सीमा रेखा है जिसका सीमांकन सर हेनरी मैकमोहन ने किया था।
- **मैगिनोट रेखा** : यह फ्रांस और जर्मनी के बीच सीमा रेखा है।
- **रेडक्लिफ रेखा** : यह भारत और पाकिस्तान के बीच सीमा रेखा है जिसका सीमांकन सर सिरिल रेडक्लिफ ने किया था।
- **17वां पैरेलल** : यह उत्तरी एवं दक्षिणी वियतनाम के बीच की सीमा रेखा है।
- **38वां पैरलल** : यह उत्तर और दक्षिण कोरिया के बीच सीमा रेखा है।
- **49वां पैरलल** : यह यू.एस. और कनाडा के बीच सीमा रेखा है।
- **अदूर निसे रेखा** : यह रेखा पोलैण्ड और पूर्वी जर्मनी के बीच की सीमा रेखा है जो द्वितीय विश्व युद्ध में खींची गई थी।
- **सिंगफ्रेड रेखा** : प्रथम विश्व युद्ध में फ्रांस और जर्मनी के बीच की सीमा रेखा।

विश्व की प्रमुख नदियाँ

नाम	उद्गम स्थल	गिरने का स्थान	लम्बाई (किमी)	प्रमुख स्थान
नील (विश्व की सबसे लम्बी नदी)	विक्टोरिया झील	भूमध्य सागर	6670	आस्वान बाँध व नासिर झील स्थित है।
अमेजन (आयतन की दृष्टि से विश्व की सबसे बड़ी नदी)	एण्डीज पर्वत	अटलांटिक महासागर	6448	
मिसीसिपी मिसौरी	अलास्का झील	मैक्सिको की खाड़ी	6300	पक्षीपाद डेल्टा बनाती है।
यांग्टिसीक्यांग	तिब्बत का पठार	चीन सागर	5494	
ह्वांग हो	कुललुन पर्वत	चीन की खाड़ी	4840	
कांगो / जायरे	लुआलिया और लुआपुआ का संगम	अटलाण्टिक महासागर	4800	विषुवत् रेखा को दो बार काटती है।
अमूर	शिल्का रूस, आरगून का संगम	टार्टइ स्ट्रेट	4510	चीन और रूस की सीमा बनाती है।
वोल्गा	बल्डाई पठार	कैस्पियन सागर	3700	यूरोप की सबसे लम्बी नदी
डेन्यूब	ब्लैक फॉरेस्ट	काला सागर	2820	बेलग्रेड, बुखारेस्ट, बुडापेस्ट और वियना शहर स्थित है।
सेंट लारेंस	आण्टेरियो झील	सेंट-लॉरेंस की खाड़ी	3058	नियाग्रा जल प्रपात स्थित है।
कोलोरेडो	ग्रैण्ड कंट्री	कैलीफोर्निया की खाड़ी	2333	ह्यूबर बाँध स्थित
नाइजर	गिनी	गिनी की खाड़ी	4800	तेल नदी कहलाती है।
मेकांग	तिब्बत का पठार	दक्षिण चीन सागर	4023	द.पू. एशिया की सबसे लम्बी नदी।
सिन्धु	मानसरोवर झील के पास	अरब सागर	3180	
ब्रह्मपुत्र	मानसरोवर झील	बंगाल की खाड़ी	2900	
डार्लिंग-मर्रे	ऑस्ट्रेलिया आल्पस	हिन्द महासागर	3720	ऑस्ट्रेलिया की सबसे बड़ी नदी।

विश्व की प्रमुख झीलें

झील का नाम	भौगोलिक क्षेत्र	क्षेत्रफल (वर्ग.किमी.)	विशेष तथ्य
कैस्पियन सागर	पूर्व सोवियत संघ तथा ईरान	3,94,299	खारे पानी की सबसे बड़ी झील
सुपीरियर झील	संयुक्त राज्य अमेरिका एवं कनाडा	82,414	ताजे पानी की सबसे बड़ी झील
विक्टोरिया झील	केन्या, युगाण्डा तथा तंजानिया	69,485	
अरल सागर झील	कजाकिस्तान एवं उज्बेकिस्तान	64,457	
ह्यूरन झील	संयुक्त राज्य अमेरिका तथा कनाडा	59,600	
मिशीगन झील	संयुक्त राज्य अमेरिका	57,800	
बैकाल झील	रूस	31,500	यह सबसे गहरी (1940 मी॰) झील है।
ग्रेट बेरियर झील	कनाडा	31,080	
ग्रेट स्लेव झील	कनाडा	28,438	
विनीपेग झील	कनाडा	24,341	
ओण्टेरियो झील	सं.रा. अमेरिका तथा कनाडा	19,529	
टिटिकाका	पेरू-बोलीविया	9,065	यह विश्व की सबसे ऊँची (3811 मी॰) झील है।
आयर झील	ऑस्ट्रेलिया	9,583	

नदियों के तट पर बसे विश्व के प्रमुख नगर

नगर	नदी	नगर	नदी	नगर	नदी
लन्दन (इंग्लैंड)	टेम्स	कैन्टन (चीन)	सीक्यांग	मास्को (रूस)	मस्कोवा
न्यूयार्क (सं.रा.अ.)	हडसन	बर्लिन (जर्मनी)	स्प्री	बेलग्रेड	डेन्यूब
पेरिस (फ्रांस)	सीन	बुडापेस्ट (हंगरी)	डेन्यूब	पर्थ (ऑस्ट्रेलिया)	स्वान
वाशिंगटन	पोटोमेक	बगदाद (इराक)	टाइग्रिस	वियाना (ऑस्ट्रिया)	डेन्यूब
आस्वान (मिस्र)	नील	टोकियो (जापान)	अराकावा	सेंट लुईस (अमेरिका)	मिसिसिपी
शंघाई (चीन)	यांग्टिसीक्यांग	रोम (इटली)	टाइबर	यंगून (म्यांमार)	इरावदी
प्राग	विंतावा	ओटावा (कनाडा)	सेंट लारेंस	सिडनी (ऑस्ट्रेलिया)	डार्लिंग
मैड्रिड (स्पेन)	मैजेनसेस	लिस्बन	टेगस	लिस्बन (पुर्तगाल)	टंगस
अंकारा (तुर्की)	किजिल	लाहौर (पाकिस्तान)	रावी	मॉण्ट्रियल (कनाडा)	सेंट लारेंस
कराची (पाकिस्तान)	सिंधु	बोन (जर्मनी)	राइन	डबलिन (आयरलैंड)	लीफें
काहिरा (मिस्र)	नील	दिल्ली (भारत)	यमुना	ब्यूनस आयर्स (अर्जेंटीना)	लाप्लाटा
शिकागो (सं.रा.अ.)	शिकागो	लिवरपुल (इंग्लैंड)	मर्सी	ब्रिस्टल (इंग्लैंड)	एवन्
बसरा (इराक)	दजला एवं फरात	कीव (यूक्रेन)	नीपर		

विश्व के प्रमुख औद्योगिक नगर

नगर	उद्योग	नगर	उद्योग	नगर	उद्योग
बेलफास्ट	जहाज निर्माण	चेलियाबिंस्क	लोहा इस्पात	बर्मिंघम	लोहा इस्पात
डेट्रायट	ऑटोमोबाइल	एसेन (जर्मनी)	लोहा इस्पात	ग्लासगो	जहाज निर्माण
हवाना	सिगार	हॉलीवुड	फिल्म उद्योग	लॉस एंजिल्स	पेट्रोलियम, फिल्म
कंशास	मांस उद्योग	कोबे	लोहा इस्पात	कीव	इंजीनियरिंग उद्योग
लियोन्स (फ्रांस)	सिल्क उद्योग	मैनचेस्टर	सूती वस्त्र उद्योग	मिलान	सिल्क वस्त्र उद्योग
फिलाडेल्फिया	लोकोमोटिव	प्लेमाउथ	जहाज निर्माण	पिट्सबर्ग	लोहा एवं इस्पात
शेफील्ड (ब्रिटेन)	कैंची, छुरी	सिएटल	वायुयान निर्माण	वेनिस	काँच उद्योग
ब्लाडीवोस्टक	जहाज निर्माण	बेलिंगटन	डेयरी उद्योग	मुल्तान	मिट्टी के बर्तन
ढाका	कालीन उद्योग	म्युनिख (जर्मनी)	लेंस निर्माण	नागोया	जहाज निर्माण

भारत का भूगोल

प्रसिद्ध पर्वत शिखर

पर्वत शिखर	समुद्र तल से ऊंचाई (मीटर में)	पर्वत शिखर	समुद्र तल से ऊंचाई (मीटर में)
1. K_2	8,611 पाकिस्तान के कब्जे में	6. डिस्तगिल सर	7,885 पाकिस्तान के कब्जे में
2. कंचनजंगा	8,598	7. माशेर ब्रुम (पूर्वी)	7,821
3. नंगा पर्वत	8,126	8. नंदा देवी	7,817
4. गशेर ब्रुम	8,068 पाकिस्तान के कब्जे में	9. माशेर ब्रुम (पश्चिम)	7,806 पाकिस्तान के कब्जे में
5. ब्रॉड पीक	8,047 पाकिस्तान के कब्जे में	10. राकापोशी	7,788 पाकिस्तान के कब्जे में

भारत के प्रमुख दर्रे

दर्रे	राज्य/(के. शा. प्र.)	दर्रे	राज्य/(के. शा. प्र.)	दर्रे	राज्य/(के. शा. प्र.)
काराकोरम	लद्दाख	माना	उत्तराखण्ड	जोजिला	लद्दाख
नीति	उत्तराखण्ड	पीरपंजाल	जम्मू-कश्मीर	नाथूला	सिक्किम
बनिहाल	जम्मू-कश्मीर	जैलेप्ला	सिक्किम	बुर्जिल	जम्मू-कश्मीर
बोम्डिला	अरुणाचल प्रदेश	शिपकी	हिमाचल प्रदेश	यांग्याप	अरुणाचल प्रदेश
रोहतांग	हिमाचल प्रदेश	दिफू	अरुणाचल प्रदेश	बड़ालाचा	हिमाचल प्रदेश
तुजु	मणिपुर	लिपुलेख	उत्तराखण्ड		

भारत की प्रमुख नदियाँ

नदी	उद्गम	मुहाना	लम्बाई (किमी.)
सिन्धु	मानसरोवर झील (तिब्बत)	अरब सागर	3100 (भारत में 1114)
सतलज	राक्षसताल	चिनाब	1450 (भारत में 1050)
गंगा	गंगोत्री के पास गोमुख से	बंगाल की खाड़ी	2525
यमुना	यमुनोत्री के पास बंदरपूंछ से	गंगा	1376
चम्बल	महूँ (जानपाव पहाड़ी)	यमुना	1050
गण्डक	धौलाधार पर्वत	गंगा	300
सोन	अमरकंटक पहाड़ी	गंगा	784
ब्रह्मपुत्र	मानसरोवर झील (तिब्बत)	बंगाल की खाड़ी	2900 (भारत में 916)
नर्मदा	अमरकंटक	अरब सागर	1290
ताप्ती	मुलताई (बैतूल)	खम्भात की खाड़ी	720
महानदी	सिहावा के समीप	बंगाल की खाड़ी	890
कृष्णा	पश्चिमी घाट की पहाड़ी (महाबलेश्वर के पास)	बंगाल की खाड़ी	1290
गोदावरी	त्रयम्बक गाँव की पहाड़ी	बंगाल की खाड़ी	1450
कावेरी	ब्रह्मगिरि की पहाड़ी	बंगाल की खाड़ी	760
तुंगभद्रा	कर्नाटक के पश्चिमी घाट	कृष्णा	331
माही	विन्ध्याचल पर्वत	खम्भात की खाड़ी	533

प्रमुख बहुउद्देशीय नदी घाटी परियोजनाएँ

परियोजना का नाम	नदी	लाभान्वित राज्य/केन्द्र शासित प्रदेश
दामोदर घाटी परियोजना	दामोदर	झारखंड, पश्चिम बंगाल
टिहरी बाँध परियोजना	भागीरथी	उत्तराखंड
नागार्जुन सागर परियोजना	कृष्णा	आन्ध्र प्रदेश
कोसी परियोजना	कोसी	बिहार तथा नेपाल
हीराकुड बाँध परियोजना	महानदी	ओडिशा
व्यास परियोजना	व्यास	राजस्थान, पंजाब, हरियाणा, हिमाचल प्रदेश
चम्बल परियोजना	चम्बल	राजस्थान, मध्य प्रदेश
मयूराक्षी परियोजना	मयूराक्षी	पश्चिम बंगाल

परियोजना का नाम	नदी	लाभान्वित राज्य/केन्द्र शासित प्रदेश
तुंगभद्रा परियोजना	तुंगभद्रा	आन्ध्र प्रदेश, कर्नाटक
गण्डक परियोजना	गण्डक	बिहार, नेपाल
फरक्का परियोजना	गंगा, भागीरथी	पश्चिम बंगाल
काकरापारा परियोजना	ताप्ती	गुजरात
नागपुर शक्तिगृह परियोजना	कोराडी	महाराष्ट्र
इन्दिरा गाँधी नहर परियोजना	सतलज	राजस्थान, पंजाब तथा हरियाणा
रिहन्द परियोजना	रिहन्द	उत्तर प्रदेश
महानदी डेल्टा परियोजना	महानदी	ओडिशा
कुण्डा परियोजना	कुण्डा	तमिलनाडु
इडुक्की परियोजना	पेरियार	केरल
कोयना परियोजना	कोयना	महाराष्ट्र
सतलज परियोजना	चिनाब	जम्मू-कश्मीर
रंजीत सागर बाँध परियोजना	रावी	पंजाब
नाथपा-झाकरी परियोजना	सतलज	हिमाचल प्रदेश
शरावती परियोजना	शरावती	कर्नाटक
नर्मदा सागर परियोजना	नर्मदा	मध्य प्रदेश, गुजरात
जवाहर सागर परियोजना	चम्बल	राजस्थान
तुलबुल परियोजना	झेलम	जम्मू कश्मीर
सरदार सरोवर परियोजना	नर्मदा	गुजरात, मध्य प्रदेश, महाराष्ट्र एवं राजस्थान
दुलहस्ती परियोजना	चिनाब	जम्मू-कश्मीर
तिलैया परियोजना	बराकर	झारखंड

राष्ट्रीय उद्यान और अभयारण्य

कुछ महत्त्वपूर्ण अभयारण्यों और उद्यानों के नाम नीचे दिए गए हैं।

- कान्हा राष्ट्रीय उद्यान (म.प्र.)
- जलदापाड़ा अभयारण्य (प. बंगाल)
- मानस अभयारण्य (असम)
- पलामू राष्ट्रीय उद्यान (झारखंड)
- सेमलीपाल राष्ट्रीय पार्क (ओडिशा)
- भरतपुर वन्य जीव अभयारण्य (राजस्थान)
- कॉर्बेट राष्ट्रीय उद्यान (उत्तराखंड)
- डाचीगाम अभयारण्य (जम्मू-कश्मीर)
- नन्दा देवी कस्तूरी मृग वन (उत्तराखंड)
- रणथम्भौर वन्य जीव अभयारण्य (राजस्थान)
- रंगथिट्टू पक्षी अभयारण्य (कर्नाटक)
- डंडेली अभयारण्य (कर्नाटक)
- पेरियार अभयारण्य (केरल)
- गिरि वन (गुजरात)
- मोलेम क्रीड़ा अभयारण्य (गोवा)
- नागजीरा वन्य जीव अभयारण्य (महाराष्ट्र)
- घाट प्रभा पक्षी अभयारण्य (कर्नाटक)
- पेंच राष्ट्रीय उद्यान (महाराष्ट्र)
- सुल्तानपुर सरोवर पक्षी अभयारण्य (हरियाणा)
- मुदमलाई अभयारण्य (तमिलनाडु)
- नाल सरोवर पक्षी अभयारण्य (गुजरात)
- तनसा झील वन्य जीव अभयारण्य (महाराष्ट्र)
- ईराविकुलम राजमल्ली राष्ट्रीय उद्यान (केरल)
- शिवपुरी राष्ट्रीय उद्यान (म.प्र.)
- काजीरंगा अभयारण्य (असम)
- हजारीबाग राष्ट्रीय उद्यान (झारखंड)
- डालमा वन्य जीव अभयारण्य (झारखंड)
- वनकटना वन्य जीव अभयारण्य (उ.प्र.)
- डर्राह वन्य जीव अभयारण्य (राजस्थान)
- चन्द्रप्रभा अभयारण्य (उ.प्र.)
- दुधवा राष्ट्रीय उद्यान (उ.प्र.)
- माउंट आबू वन्य जीव अभयारण्य (राजस्थान)
- सरिस्का क्रीड़ा अभयारण्य (राजस्थान)
- बांदीपुर अभयारण्य (कर्नाटक)
- महावीर अभयारण्य (गोवा-कर्नाटक सीमा)
- वेदान्त-गाल पक्षी अभयारण्य (तमिलनाडु)
- बोरीवल्ली राष्ट्रीय उद्यान (महाराष्ट्र)
- कोट्टीगांव क्रीड़ा अभयारण्य (गोवा)
- वान्धवगढ़ राष्ट्रीय उद्यान (मध्य प्रदेश)
- खगचन्दजेन्दा राष्ट्रीय उद्यान (सिक्किम)
- रोहिया राष्ट्रीय उद्यान (हिमाचल प्रदेश)
- तोदोवा राष्ट्रीय उद्यान (महाराष्ट्र)
- नगर होल अभयारण्य (कर्नाटक)
- बोंडला क्रीड़ा अभयारण्य (गोवा)
- बनारघट्टा राष्ट्रीय उद्यान (कर्नाटक)

परिवहन

रेलवे

महत्वपूर्ण तथ्य

- रेलवे भारत का सबसे बड़ा उपक्रम है।
- भारत में पहली रेलगाड़ी 16 अप्रैल, 1853 को मुंबई और थाणे के बीच (34 कि॰मी॰) चली।
- स्वतंत्रता मिलने के बाद भाप से चलने वाले रेल इंजन बनाने का कारखाना चितरंजन में स्थापित किया गया (26 जनवरी, 1950)। लेकिन अब इस कारखाने में बिजली से चलने वाले रेल इंजन बनाए जाते हैं।
- मार्च 2020 तक देश में रेलवे स्टेशनों की संख्या 7,325 है।
- मार्च 2021 तक भारतीय रेल मार्गों की कुल लंबाई 68,103 कि॰मी॰ है।
- मार्च 2021 तक भारतीय रेल के पास 12,734 इंजन, 79,835 यात्री डिब्बे तथा 3,02,634 माल के डिब्बे हैं।
- मार्च 2021 तक भारतीय रेलवे के कुल रेलमार्ग के लगभग 65.78% भाग का विद्युतीकरण हो चुका है।
- रेल वित्त को 1924-25 से सामान्य राजस्व से अलग रखा जाता था, लेकिन वर्ष 2017-2018 से इसे पुनः सामान्य राजस्व में मिला दिया गया है।
- देश का एकमात्र सबसे पुराना चालू हालत इंजन 'फेयरी क्वीन' है।
- भारतीय रेल की पहली विद्युत चालित गाड़ी 3 फरवरी, 1925 को मुंबई और कुर्ला के बीच चली।
- कोलकाता मैट्रो देश की सबसे पहली और एकमात्र भूमिगत रेलवे है।
- दिल्ली में मैट्रो रेल का चालन 24 दिसम्बर, 2002 को, बेंगलुरु में 20 अक्टूबर, 2011 को, मुंबई में 8 जून, 2014 को, जयपुर में 3 जून, 2015 को तथा चेन्नई में 29 जून, 2015 को शुरू हुआ।
- भारतीय रेल की सबसे लम्बी रेल यात्रा डिब्रूगढ़ से कन्या कुमारी के बीच 4,286 किमी. की है। इस दूरी को तय करने में 82.30 घंटे का समय लगता है।
- गोरखपुर रेलवे स्टेशन का प्लेटफार्म विश्व का सबसे लम्बा प्लेटफॉर्म है। इसकी लम्बाई 1355.4 मीटर है।
- भारतीय रेल की सबसे लम्बी सुरंग जम्मू कश्मीर में बनिहाल एवं काजीगुंड स्टेशनों के मध्य स्थित पीर पंजाल रेल सुरंग है, जो 11.21 किमी. लम्बी है।
- भारतीय रेलवे बोर्ड की स्थापना 1905 में हुई थी।
- भारतीय रेलों के तीन गेज हैं–ब्रॉड गेज, मीटर गेज, और नैरो गेज।
- रेलवे में वातानुकूलित, प्रथम श्रेणी और द्वितीय श्रेणी हैं। तृतीय श्रेणी 1974 से समाप्त कर दी गई।
- देश में कुल 95% स्थानों पर कम्प्यूटर रिजर्वेशन की व्यवस्था है।
- देश में सबसे लम्बा रेल पुल वेम्बानद रेल पुल है। यह केरल में स्थित है।

भारतीय रेलवे के जोन एवं मुख्यालय

जोन	मुख्यालय
1. दक्षिण रेलवे	चेन्नई
2. पश्चिमी रेलवे	मुंबई-चर्चगेट
3. मध्य रेलवे	मुंबई वी.टी.
4. उत्तर रेलवे	नई दिल्ली
5. पूर्वी रेलवे	कोलकाता
6. दक्षिण-पूर्वी रेलवे	कोलकाता
7. उत्तर-पूर्वी रेलवे	गोरखपुर
8. दक्षिण-मध्य रेलवे	सिकंदराबाद
9. उत्तर-पूर्वी सीमान्त	मालेगांव (गुवाहाटी)
10. पूर्व-मध्य रेलवे	हाजीपुर
11. उत्तरी-पश्चिमी रेलवे	जयपुर
12. पूर्वी तटीय रेलवे	भुवनेश्वर
13. पश्चिमी-मध्य रेलवे	जबलपुर
14. दक्षिणी-पश्चिमी रेलवे	हुबली
15. दक्षिण-पूर्व मध्य रेलवे	बिलासपुर
16. उत्तर-मध्य रेलवे	प्रयागराज
17. कोलकाता मैट्रो रेलवे	कोलकाता
18. दक्षिण तटीय रेलवे	विशाखापत्तनम (प्रस्तावित)

सड़क परिवहन

महत्वपूर्ण तथ्य

- भारत दुनिया की सबसे बड़ी सड़क प्रणाली वाले देशों में से एक है।
- मार्च 2021 तक देश में सड़कों की कुल लंबाई 63.71 लाख किलोमीटर है।
- देश के सड़क नेटवर्क में राष्ट्रीय राजमार्ग, राज्यों के राजमार्ग, प्रमुख/अन्य जिला सड़कें और ग्रामीण/देहाती सड़कें शामिल हैं।
- देश में 1,40,995 कि॰मी॰ (मार्च 2021 तक) लम्बे राष्ट्रीय राजमार्ग की जिम्मेदारी केन्द्र सरकार पर है।
- सीमा सड़क संगठन का गठन 1960 में किया गया था।
- देश में राष्ट्रीय राजमार्गों की लंबाई, सड़कों की कुल लंबाई का मात्र दो प्रतिशत है, मगर 40 प्रतिशत सड़क यातायात इनसे होकर गुजरता है।
- देश में महाराष्ट्र में सड़कों की लम्बाई सबसे ज्यादा और सबसे कम लक्षद्वीप में है।
- देश के चारों कोनों को चार या छह लेन के राजमार्ग के एक नेटवर्क से जोड़ने हेतु राष्ट्रीय राजमार्ग विकास परियोजना बनाई गई है। जिसके अन्तर्गत चार महानगरों कोलकाता, दिल्ली, चेन्नई और मुम्बई को 5,882 कि॰मी॰ लम्बे स्वर्ण चतुर्भुज से जोड़ा जाएगा।

जहाजरानी

महत्वपूर्ण तथ्य

- परिवहन क्षेत्र में देश की अर्थव्यवस्था को मजबूत करने में जहाजरानी की प्रमुख भूमिका है। लगभग 95 प्रतिशत माल समुद्री रास्ते से ही ढोया जाता है।
- भारत के संपूर्ण समुद्र तट की लंबाई 7,517 किलोमीटर है।
- विकासशील देशों में भारत के पास व्यापारिक जहाजों का सबसे बड़ा बेड़ा है। भारत व्यापारिक जहाजरानी बेड़े की दृष्टि से विश्व में 16वें स्थान पर है।
- सार्वजनिक क्षेत्र की सरकारी जहाजरानी कंपनी, शिपिंग कारपोरेशन ऑफ इंडिया लिमिटेड की स्थापना 2 अक्टूबर, 1961 को हुई थी।
- भारत में 13 बड़े और 200 अन्य बंदरगाह हैं। बड़े बंदरगाह केन्द्र सरकार के अधीन आते हैं, जबकि अन्य बंदरगाह सम्बद्ध राज्य सरकारों के क्षेत्राधिकार में आते हैं।

देश के बड़े बंदरगाह

1. कोलकाता, 2. मुंबई, 3. जवाहर लाल नेहरू (न्हावासेवा), 4. वी.ओ. चिदंबरनार (तूतीकोरिन), 5. चेन्नई, 6. मझगांव, 7. न्यू मंगलौर, 8. पारा द्वीप, 9. दीनदयाल (कांडला), 10. विशाखापट्टनम, 11. कोच्चि, 12. कामराज (एन्नौर) 13. पोर्ट ब्लेयर

राष्ट्रीय जलमार्ग

जलमार्ग	लम्बाई	विस्तार	नदी
एन डब्ल्यू-1	1629 किमी	इलाहाबाद से हल्दिया तक	गंगा
एन डब्ल्यू-2	819 किमी	सादिया से धुबरी पट्टी तक	ब्रह्मपुत्र
एन डब्ल्यू-3	186 किमी	कोल्लम से कोट्टापुरम तक	चम्पाक्कारा
एन डब्ल्यू-4	1100 किमी	काकीनाडा से मरक्कानम तक	कृष्णा-गोदावरी

वायु परिवहन

सार्वजनिक क्षेत्र की इकलौती विमान सेवा कम्पनी एयर इंडिया का जनवरी 2022 में पूर्ण निजीकरण कर दिया गया है। इस हेतु मार्ग अक्टूबर 2021 में उस समय प्रशस्त हो गया था जब इसके लिए टाटा संस की ₹ 18,000 करोड़ की उच्चतम बोली को सरकार ने स्वीकार कर लिया था तथा इसके 100 प्रतिशत शेयरों की टाटा समूह को बिक्री के लिए शेयर परचेज एग्रीमेंट पर हस्ताक्षर 26 अक्टूबर, 2021 को सम्पन्न किए थे। इससे एयर इंडिया का स्वामित्व एक बार पुनः अब टाटा संस के हाथ में आ गया है। भारी घाटे में चल रही इस एयरलाइंस में अपनी 100 प्रतिशत हिस्सेदारी निजी क्षेत्र को बेचने के लिए इच्छुक निवेशकों से अभिरुचि पत्र (Expression of interest) सरकार ने वर्ष 2020 में आमंत्रित किए थे। देश की अन्य प्राइवेट एयरलाइन्स इंडिगो, विस्तारा, स्पाइस जेट और गो एयर हैं।

देश के प्रमुख हवाई अड्डे

नाम	स्थान	नाम	स्थान
वीर सावरकर अन्तर्राष्ट्रीय हवाई अड्डा	पोर्ट ब्लेयर	छत्रपति शिवाजी अन्तर्राष्ट्रीय हवाई अड्डा	मुम्बई
राजीव गांधी अन्तर्राष्ट्रीय हवाई अड्डा	हैदराबाद	डॉ. बाबा साहेब अम्बेडकर अन्तर्राष्ट्रीय हवाई अड्डा	नागपुर
लोकप्रिय गोपीनाथ बोरदोलोई अन्तर्राष्ट्रीय हवाई अड्डा	गुवाहाटी	श्री गुरु रामदासजी अन्तर्राष्ट्रीय हवाई अड्डा	अमृतसर
इन्दिरा गांधी अन्तर्राष्ट्रीय हवाई अड्डा	नई दिल्ली	जयपुर अन्तर्राष्ट्रीय हवाई अड्डा	जयपुर
दाबोलिम हवाई अड्डा	गोवा	अन्ना अन्तर्राष्ट्रीय हवाई अड्डा	चेन्नई
सरदार वल्लभभाई पटेल अन्तर्राष्ट्रीय हवाई अड्डा	अहमदाबाद	कोयम्बटूर अन्तर्राष्ट्रीय हवाई अड्डा	कोयम्बटूर
श्रीनगर हवाई अड्डा	श्रीनगर	चौधरी चरण सिंह अन्तर्राष्ट्रीय हवाई अड्डा	लखनऊ
बेंगलुरू अन्तर्राष्ट्रीय हवाई अड्डा	बेंगलुरू	लाल बहादुर शास्त्री अन्तर्राष्ट्रीय हवाई अड्डा	वाराणसी
मंगलुरू अन्तर्राष्ट्रीय हवाई अड्डा	मंगलुरू	नेताजी सुभाषचन्द्र बोस अन्तर्राष्ट्रीय हवाई अड्डा	कोलकाता
कोचीन अन्तर्राष्ट्रीय हवाई अड्डा	कोच्चि	बीजू पटनायक अन्तर्राष्ट्रीय हवाई अड्डा	भुवनेश्वर
त्रिवेन्द्रम अन्तर्राष्ट्रीय हवाई अड्डा	तिरुवनंतपुरम	गया हवाई अड्डा	गया
देवी अहिल्याबाई होल्कर अन्तर्राष्ट्रीय हवाई अड्डा	इन्दौर	पुणे हवाई अड्डा	पुणे

❑ ❑ ❑

5

सामान्य विज्ञान

विज्ञान की विविध शाखाएं

नाम	अध्ययन	नाम	अध्ययन
एरोनॉटिक्स	वैमानिकी का अध्ययन	एन्टोमोलॉजी	कीट-पतंगों का अध्ययन
एनाटोमी	मानव शरीर की रचना	फिलाटेली	टिकट संग्रह कला
आर्कियोलॉजी	पुरातत्व अध्ययन	हार्टीकल्चर	बागवानी
एकॉस्टिक	ध्वनि से संबंधित अध्ययन	सीस्मोलॉजी	भूकंप का अध्ययन
		ऑस्टोलॉजी	हड्डियों का अध्ययन
एस्ट्रोनामी	खगोल अध्ययन	जेनेटिक्स	आनुवंशिकी का अध्ययन
एण्टोमोलॉजी	कीटाणुओं का अध्ययन	जूलॉजी	जन्तु विज्ञान
एस्ट्रोफिजिक्स	ग्रह-मंडल का अध्ययन	बायलॉजी	प्राणी विज्ञान
कैलिस्थेनिक्स	व्यायाम विद्या का अध्ययन	जिओलॉजी	भूगर्भ की बनावट का अध्ययन
क्रोनोलॉजी	ऐतिहासिक क्रम का अध्ययन	पैथॉलाजी	रोगों का अध्ययन
बॉटनी	वनस्पति का अध्ययन	फिजिक्स	भौतिक विज्ञान
केमिस्ट्री	रसायन का अध्ययन	बायोकेमिस्ट्री	प्राणी का रासायनिक अध्ययन
सेरामिक्स	चीनी के बर्तनों के निर्माण का अध्ययन	युजेनिक्स	नस्ल सुधार का अध्ययन
इकोलॉजी	जीव एवं पर्यावरण संबंधों का अध्ययन	एटिमोलॉजी	शब्द व्युत्पत्ति का अध्ययन

आविष्कार और आविष्कारक

आविष्कार	आविष्कारक	देश	सन्
वायुयान	ओरविल और विलबर राइट	अमेरिका	1903
बॉल-पाइंट	जॉन जे॰ लाउड	अमेरिका	1888
बैरोमीटर	इवेंजलिस्ता टौरीसेली	इटली	1644
बाईसिकिल	कर्कपैट्रिक मैकमिलन	इंग्लैंड	1839-40
बाईफोकल लेंस	बेन्जामिन फ्रैंकलिन	अमेरिका	1780
बनसेन बर्नर	आर॰ विल्हेम वोन बनसेन	जर्मनी	1855
कार (पेट्रोल)	कार्ल बेन्ज	जर्मनी	1888
सीमेंट (पोर्टलैंड)	जोसेफ एस्पडिन	इंग्लैंड	1824
सिनेमा	निकोलस और जीन लूमियर	फ्रांस	1895
क्लॉक (मैकेनिकल)	आई.सिंग और लियांग लिंग-तसान	चीन	1725
डीजल इंजन	रूडोल्फ डीजल	जर्मनी	1895
डायनेमो	हाइपोलाइट पिक्सी	फ्रांस	1832
इलैक्ट्रिक लैम्प	थॉमस अल्वा एडिसन	अमेरिका	1879
सेफ्टी पिन	वाल्टर हन्ट	अमेरिका	1849

आविष्कार	आविष्कारक	देश	सन्
सिलाई मशीन	बार्थलेमी थिम्मोनियर	फ्रांस	1829
जहाज (भाप)	जे.सी. पेरियर	फ्रांस	1775
जहाज (टरबाइन)	होन. संर सी. पारसंस	इंग्लैंड	1894
स्लाइड रूल	विलियम ऑग्ट्रेड	इंग्लैंड	1621
भाप का इंजन	जेम्स वॉट	इंग्लैंड	1765
स्टेनलेस स्टील	हेरि ब्रियरले	इंग्लैंड	1913
समुद्री जहाज	डेविड बुशनेल	अमेरिका	1776
टैंक	सर अर्नस्ट स्विनटन	इंग्लैंड	1914
टेलीग्राफ	एम. लम्मोंड	फ्रांस	1787
टेलीग्राफ कोड	सैमुअल एफ. बी. मोर्स	अमेरिका	1837
टेलीफोन (परफैक्टेड)	अलेक्जैण्डर ग्राहम बेल	अमेरिका	1876
टेलीस्कोप	हेन्स लिप्परशे	नीदरलैंड्स	1608
टेलीविजन (मैकेनिकल)	जे.एल. बेयर्ड	इंग्लैंड	1926
टेलीविजन (इलेक्ट्रॉनिक)	पी.टी. फार्न्सवर्थ	अमेरिका	1927
थर्मामीटर	गैलिलियो गैलिली	इटली	1593
ट्रांसफार्मर	माइकल फैराडे	इंग्लैंड	1831
ट्रांजिस्टर	बरडीन, शोकले तथा ब्राट्टेन	अमेरिका	1948
टाइपराइटर	पेलेग्रिन टेर्री	इटली	1808
कपड़ा धोने की मशीन (विद्युत)	हर्ले मशीन कम्पनी	अमेरिका	1907
घड़ी	बारथोलोम्यू मैनफ्रेडी	इटली	1462

विटामिन की कमी से होने वाले रोग

विटामिन	रोग	स्रोत	विटामिन	रोग	स्रोत
विटामिन A	रतौंधी	गाजर, दूध, अंडा	विटामिन B_{12}	अरक्तता	कलेजी, अंडा
विटामिन B_1	बेरी-बेरी	दाल, अंडा, मूंगफली	विटामिन C	स्कर्वी	संतरा, टमाटर
विटामिन B_2	मुँह की त्वचा	कलेजी, दूध, मांस	विटामिन D	सूखा रोग	सूर्य का प्रकाश, मछली का तेल
विटामिन B_6	एनीमिया और होंठ फटना	कलेजी, दूध, मांस	विटामिन E	बांझपन	हरी सब्जियाँ, दूध, कलेजी
विटामिन B_7	पेलाग्रा	मछली, अंडा	विटामिन K	रक्त का थक्का जमने में कमी	हरी सब्जी

प्रमुख बीमारियों द्वारा प्रभावित अंग

बीमारी	प्रभावित अंग	बीमारी	प्रभावित अंग
निमोनिया	फेफड़े	टायफाइड	आँत
डिप्थीरिया	श्वसन नलिका	सिफलिस	जनन अंग
मेनिनजाइटिस	मस्तिष्क	आर्थ्राइटिस	जोड़ों की सूजन
एग्जीमा	चमड़ी	पीलिया	यकृत
अतिसार	आँत का अग्रभाग	सुजाक, श्वेत प्रदर	मूत्र मार्ग
प्लूरिसी	छाती	पायरिया	दाँत तथा मसूड़े
गठिया या ट्यूमैटिज्म	जोड़ों में	टिटनेस	तंत्रिका तंत्र, मांसपेशी
कुष्ठ	त्वचा, तंत्रिकाएं	हैजा	आँत, आहार नाल
रिकेट्स	हड्डियाँ	गोइटर (गण्डमाला)	थाइराइड ग्रंथि
काली खाँसी	श्वसन तंत्र	बॉट्यूलिज्म	तंत्रिका-तंत्र
एड्स	सम्पूर्ण शरीर	प्लेग	फेफड़े, लाल रक्त कणिकाएं
रेबीज या हाइड्रोफोबिया	तंत्रिका तंत्र	खसरा	सम्पूर्ण शरीर
कालाजार	रुधिर, प्लीहा व अस्थि मज्जा	हरपीस	त्वचा, श्लेष्मकला
केटेरेक्ट, ग्लाइकोमा, ट्रेकोमा, मायोपिया	आँख	क्षय रोग	शरीर का कोई भी अंग, विशेषकर फेफड़े
		चेचक	सम्पूर्ण शरीर, विशेषकर चेहरा तथा हाथ-पैर

परमाणु शक्ति एवं अंतरिक्ष अनुसंधान

- **परमाणु शक्तिः** अगस्त, 1948 में परमाणु-शक्ति आयोग की स्थापना की गयी। यह परमाणु-शक्ति के शांतिपूर्ण उपयोग पर बल देता है। परमाणु-शक्ति की खोज और विकास के लिए मुंबई के निकट ट्राम्बे (महाराष्ट्र) में भाभा परमाणु-शक्ति अनुसंधान केंद्र (बी॰ए॰आर॰सी॰) की स्थापना की गई है। ट्राम्बे में छः परमाणु भट्टियाँ हैं–(1) 'अप्सरा', (2) 'साइरस', (3) 'जरलीना', (4) 'पूर्णिमा' I, (5) 'पूर्णिमा' II, (6) ध्रुव। देश के सबसे बड़े परमाणु केन्द्र ध्रुव ने 8 अगस्त, 1985 से काम करना शुरू कर दिया है। देश में सात परमाणु विद्युत केन्द्र हैं–(1) कलपक्कम (तमिलनाडु), (2) रावतभाटा (राजस्थान), (3) तारापुर (महाराष्ट्र), (4) नरौरा (उ॰प्र॰), (5) काकरापारा (गुजरात), (6) कैगा (कर्नाटक) और (7) कुडनकुलम (तमिलनाडु)।
- **भारत द्वारा परमाणु विस्फोटः** भारत ने 18 मई, 1974 को प्रातः 8 बजकर 5 मिनट पर राजस्थान के रेगिस्तानी इलाके के पोखरण क्षेत्र में जमीन के 100 मीटर नीचे एक आणविक विस्फोट किया। यह पहला भारतीय परमाणु विस्फोट प्लूटोनियम पर आधारित 100% भारतीय सामग्री, तकनीक व कौशल का प्रमाण था। विशुद्ध अनुसंधान व अध्ययन के लिए किए गए इस विस्फोट ने, जिसका उद्देश्य शांति-कार्यों के लिए अणु शक्ति का प्रयोग करना है, भारत को विश्व की छठी अणु-शक्ति बना दिया। अन्य पाँच देश हैं--संयुक्त राज्य अमेरिका, रूस, इंग्लैंड, फ्राँस व चीन। भारत ने पोखरण में ही पांच परमाणु परीक्षण क्रमशः 11 मई और 13 मई 1998 को किए। भारत ने अभी तक NPT और CTBT पर हस्ताक्षर नहीं किए हैं।
- **अंतरिक्ष अनुसंधानः** भारत में अंतरिक्ष अनुसंधान का कार्य 1969 में स्थापित 'भारतीय अंतरिक्ष अनुसंधान संगठन' (Indian Space Research Organisation—ISRO) के अधीन है। जून, 1972 में अंतरिक्ष आयोग (Space Commission) की स्थापना की गई। थुम्बा इक्वेटोरियल राकेट लांचिंग स्टेशन (केरल में थुम्बा नामक स्थान पर) से बहुत से राकेट सफलतापूर्वक छोड़े जा चुके हैं। इस केंद्र को 1968 में अंतर्राष्ट्रीय सहयोग के लिए राष्ट्र संघ को समर्पित कर दिया गया था। आंध्र प्रदेश में श्रीहरिकोटा नामक स्थान पर सैटेलाइट लांचिंग स्टेशन स्थापित किया गया है।

अन्तरिक्ष में प्रथम

• अन्तरिक्ष उड़ानों से सम्बन्धित नियमों का प्रथम प्रणेता	आइजक न्यूटन
• अन्तरिक्ष में भेजा गया प्रथम कृत्रिम उपग्रह	स्पूतनिक-1 (1957)
• अन्तरिक्ष में जाने वाला प्रथम जीव	'लाइका', एक कुत्ता
• मानव चालित प्रथम अन्तरिक्ष यात्रा	वास्टोक-1 (1961)
• अन्तरिक्ष में प्रथम व्यक्ति	यूरी गैगरिन, सोवियत संघ, (1961)
• प्रथम महिला अन्तरिक्ष यात्री	वेलेन्तीना तेरेश्कोवा (सोवियत संघ, जून 1963)
• अन्तरिक्ष में यान से बाहर विचरण करने वाला प्रथम व्यक्ति	एलेक्सी लियोनोव (सोवियत संघ, जून 1965)
• चाँद पर कदम रखने वाला प्रथम मानव	नील आर्मस्ट्रांग (अमेरिका, 21 जुलाई, 1969)
• चाँद पर प्रथम मानवरहित बग्घी	ल्यूनोखेव-1 (सोवियत संघ, 1970)
• कक्षा में प्रथम अन्तरिक्ष प्रयोगशाला	स्काईलैब (अमेरिका, 1973)
• प्रथम अन्तरिक्ष शटल	कोलम्बिया (अमेरिका, 1981)
• अन्तरिक्ष में प्रथम भारतीय (पुरुष)	स्क्वाड्रन लीडर राकेश शर्मा (13 अप्रैल, 1984)
• अन्तरिक्ष में प्रथम भारतीय (महिला)	कल्पना चावला (19 नवम्बर, 1997)
• प्रथम अमेरिकी महिला अन्तरिक्ष यात्री	सैलीराइड (1983)
• मंगल ग्रह पर पहला अन्तरिक्ष यान	पाथफाइंडर (6 जुलाई, 1997)
• प्रथम महिला जिसने अन्तरिक्ष यान का नेतृत्व किया	एलीन कोलिस (अमेरिका)
• प्रथम मानव रहित अन्तरिक्ष यान	शेन्जू (चीन) 20 नवम्बर, 1999

❑❑❑

6

विविध

भारत एक दृष्टि में

• राजधानी	–	नई दिल्ली
• क्षेत्रफल	–	32,87,263 वर्ग कि.मी.
• क्षेत्रफल की दृष्टि से विश्व में स्थान	–	सातवां
• स्थित	–	भूमध्य रेखा के उत्तर में 8°4′ और 37°6′ उत्तरी अक्षांश और 68°7′ तथा 97°25′ पूर्वी देशांतर के मध्य
• विस्तार	–	उत्तर से दक्षिण तक 3,214 किमी. पूर्व से पश्चिम तक 2,933 किमी.
• भूमि सीमा	–	15,200 किमी.
• समुद्री तट	–	7,516.6 किमी.
• सीमावर्ती देश	–	उत्तर-पश्चिम में पाकिस्तान और अफगानिस्तान, उत्तर में चीन, नेपाल और भूटान, पूर्व में म्यांमार और बंगलादेश, दक्षिण में मन्नार की खाड़ी और पाक-जलडमरूमध्य श्रीलंका से अलग करते हैं।
• प्राकृतिक संरचना	–	मुख्य भूमि चार भागों में विभक्त–विस्तृत पर्वतीय क्षेत्र, सिंधु और गंगा के मैदान, रेगिस्तानी क्षेत्र, दक्षिणी प्रायद्वीप
• प्रमुख नदियाँ	–	(क) **हिमालय समूह** : गंगा, यमुना, सिन्धु तथा ब्रह्मपुत्र; (ख) **दक्षिणी नदियाँ** : कृष्णा, कावेरी, गोदावरी, महानदी, दामोदर, नर्मदा, ताप्ती, पम्बा, पेरियार, पेण्णार, शरावती, नेत्रवती
• जलवायु	–	ऊष्ण कटिबंधीय चार ऋतुएँ–शीत ऋतु, ग्रीष्म ऋतु, वर्षा ऋतु, शरद ऋतु
• जीव-जंतु	–	लगभग 89,451 किस्म के
• जनसंख्या (2011)	–	121,08,54,977
• साक्षरता (2011)	–	73.0%
• राजभाषा	–	हिन्दी
• मान्य भाषाएं	–	22
• राज्यों की संख्या	–	28
• संघ शासित प्रदेशों की संख्या	–	8
• उच्च न्यायालयों की संख्या	–	25

भारतीय संघ : राज्य व संघीय प्रदेश

संघ राज्य एवं संघीय प्रदेश	राजधानी	क्षेत्रफल (वर्ग कि०मी०)	भाषा
भारत	नई दिल्ली	32,87,263	हिन्दी-राजभाषा
राज्य			
आंध्र प्रदेश	अमरावती	1,60,229	तेलुगू
असम	दिसपुर	78,438	असमिया
ओडिशा	भुवनेश्वर	1,55,707	ओडिया
उत्तर प्रदेश	लखनऊ	2,40,928	हिन्दी
केरल	तिरुवनन्तपुरम्	38,863	मलयालम
गुजरात	गांधीनगर	1,96,024	गुजराती
तमिलनाडु	चेन्नई	1,30,058	तमिल
त्रिपुरा	अगरतला	10,492	त्रिपुरी, बंगला
नगालैण्ड	कोहिमा	16,579	अंग्रेजी, सेमा
पंजाब	चण्डीगढ़	50,362	पंजाबी
प. बंगाल	कोलकाता	88,752	बांग्ला
बिहार	पटना	94,163	हिन्दी, मैथिली, भोजपुरी, मगही
मध्य प्रदेश	भोपाल	3,08,000	हिन्दी
महाराष्ट्र	मुम्बई	3,07,713	मराठी
मेघालय	शिलांग	22,429	खासा भारा
मणिपुर	इम्फाल	22,327	मणिपुरी, अंग्रेजी
राजस्थान	जयपुर	3,42,239	हिन्दी, मारवाड़ी
हरियाणा	चण्डीगढ़	44,212	हिन्दी
हिमाचल प्रदेश	शिमला	55,673	हिन्दी, पहाड़ी
कर्नाटक	बंगलुरू	1,91,791	कन्नड़
सिक्किम	गंगटोक	7,096	लेपचा, नेपाली, हिन्दी
मिजोरम	आईजॉल	20,987	मिजो, अंग्रेजी
अरुणाचल प्रदेश	ईटानगर	83,743	बिस्सी, वांची
गोवा	पणजी	3,702	कोंकणी, मराठी
छत्तीसगढ़	रायपुर	1,35,191	हिन्दी
झारखण्ड	रांची	79,714	हिन्दी, संथाली, बांग्ला तथा ओडिया
उत्तराखंड	देहरादून	53,483	हिन्दी, गढ़वाली, कुमायुँनी
तेलंगाना	हैदराबाद	1,14,840	तेलुगू
संघ शासित प्रदेश			
अण्डमान निकोबार द्वीप समूह	पोर्टब्लेयर	8,249	निकोबारी, हिन्दी
चण्डीगढ़	चण्डीगढ़	114	हिन्दी, पंजाबी
दिल्ली	दिल्ली	1,483	हिन्दी, पंजाबी
दादरा और नागर हवेली और दमन और दीव	दमन	603	भीली, गुजराती
पुडुचेरी	पुडुचेरी	480	तमिल, हिन्दी
लक्षद्वीप	कावारत्ती	32	मलयालम
जम्मू-कश्मीर	श्रीनगर (ग्रीष्मकाल में) जम्मू (शीतकाल में)	2,22,236*	कश्मीरी, उर्दू, डोगरी
लद्दाख	लेह	–	लद्दाखी

* पाकिस्तान और चीन द्वारा अवैध रूप से कब्जा किए गए क्षेत्र तथा केन्द्रशासित प्रदेश लद्दाख के क्षेत्रफल सहित।

राष्ट्रीय प्रतीक

- **राष्ट्रीय ध्वज :** भारत का राष्ट्रीय ध्वज **तिरंगा** है। यह आयताकार तीन पट्टियों से बना है। इसमें सबसे ऊपर केसरिया, मध्य में श्वेत और नीचे हरा रंग है। केसरिया शक्ति, श्वेत शांति और हरा समृद्धि का प्रतीक माना जाता है। झण्डे की लम्बाई-चौड़ाई का अनुपात 3 : 2 है। श्वेत पट्टी के मध्य नीले रंग का एक चक्र है। चक्र में 24 तीलियाँ हैं। झण्डा फहराने के संबंध में भारत सरकार ने कुछ नियम बनाए हैं जिनका पालन करना अति आवश्यक है। संविधान सभा ने इसे 22 जुलाई 1947 को अंगीकार किया था।
- **राष्ट्रीय चिह्न :** भारत का राष्ट्रीय चिह्न सारनाथ में अशोक निर्मित सिंह स्तम्भ की अनुकृति है। इस चिह्न में चार सिंह हैं, जो एक दूसरे के विपरीत दिशा में घूम कर बैठे हुए हैं। इन चार में से केवल तीन सिंह दिखाई देते हैं, चौथा पीछे की ओर छिपा हुआ है और दिखाई नहीं देता। नीचे चौरस पट्टी के मध्य में उभरी हुई नक्काशी में एक चक्र है, जिसके दाईं ओर एक सांड़ और बाईं ओर एक घोड़ा है। नीचे मुण्डकोपनिषद से लिया गया सूत्र 'सत्यमेव जयते' देवनागरी लिपि में लिखा गया है। इसका अर्थ है 'सत्य की ही विजय होती है'। सरकार ने राष्ट्रीय चिह्न को 26 जनवरी 1950 को स्वीकृत किया।
- **राष्ट्रीय गीत :** श्री बंकिम चन्द्र चटर्जी द्वारा रचित गीत 'वन्दे मातरम्' को राष्ट्रीय गान के समकक्ष स्थान दिया गया है। उनके विख्यात उपन्यास 'आनन्द मठ' से उद्धृत यह गीत राष्ट्रीय आन्दोलन में एक महान प्रेरणा-स्रोत रहा है। इस गीत को सबसे पहले 1896 में भारतीय राष्ट्रीय कांग्रेस के अधिवेशन में गाया गया था।
- **राष्ट्रीय गान :** रवीन्द्र नाथ टैगोर के गीत 'जन गण मन' को 24 जनवरी, 1950 को राष्ट्रीय गान के रूप में स्वीकार किया गया। यह गीत 'भारत-विधाता' शीर्षक से सर्वप्रथम 'तत्व-बोधिनी' पत्रिका के जनवरी 1912 के अंक में प्रकाशित हुआ था। यह गीत पहली बार 27 दिसम्बर 1911 को भारतीय कांग्रेस के कलकत्ता (कोलकाता) अधिवेशन में गाया गया था। पूरे गीत के 5 पद हैं। इसमें से प्रथम पद को राष्ट्रीय गान स्वीकार किया गया है। इसे गाने का निर्धारित समय लगभग 52 सेकण्ड है।
- **राष्ट्रीय पंचांग :** सरकारी कार्यों में प्रयोग हेतु राष्ट्रीय पंचांग 22 मार्च, 1957 से अपनाया गया है। यह पंचांग शक संवत् पर आधारित है। 78 ई. में प्रारम्भ हुए शक संवत् का पहला महीना चैत्र है और वर्ष 365 दिन का है। इस पंचांग के दिन स्थायी रूप से ग्रेगेरियन कैलेंडर से सम्बद्ध दिनों के अनुरूप बैठते हैं। इस प्रकार सामान्य वर्षों में इस पंचांग का पहला दिन 22 मार्च के दिन आता है और लौंद (लीप) वर्ष में 21 मार्च के दिन।

  राष्ट्रीय पंचांग के माह इस प्रकार हैं: 1. चैत्र, 2. बैशाख, 3. ज्येष्ठ, 4. आषाढ़, 5. श्रावण, 6. भाद्रपद, 7. आश्विन, 8. कार्तिक, 9. मार्गशीर्ष, 10. पौष, 11. माघ, 12. फाल्गुन।
- **राष्ट्रीय पशु :** बाघ (पैंथरा टाइग्रिस-लिन्नायस); **राष्ट्रीय पक्षी :** मोर (पावो क्रिस्टेटस); **राष्ट्रीय पुष्प :** कमल।

संयुक्त राष्ट्र

• स्थापना	:	24 अक्टूबर, 1945
• संस्थापक सदस्य	:	50
• मुख्यालय	:	न्यूयार्क
• वर्तमान सदस्य संख्या	:	193 (इस संगठन का सदस्य बनने वाला अन्तिम देश दक्षिण सूडान है)।
• ध्वज	:	ध्वज की पृष्ठभूमि हल्की नीली है और उस पर श्वेत रंग से राष्ट्र संघ का प्रतीक बना हुआ है।
• कार्यकारी भाषाएँ	:	अंग्रेजी तथा फ्रेंच
• अन्य मान्यता प्राप्त भाषाएँ	:	रशियन, अरबी, स्पेनिश तथा चीनी।

संयुक्त राष्ट्र के लक्ष्य और उद्देश्य

संयुक्त राष्ट्र के कार्यों को तीन भागों में विभाजित किया जा सकता है, यथा–सुरक्षा, कल्याण और मानव अधिकार। संयुक्त राष्ट्र के सदस्य राष्ट्रों से चार कर्त्तव्यों के पालन की अपेक्षा की जाती है कि–(क) वे अपने विवादों को शांतिपूर्वक ढंग से निपटायेंगे, (ख) वे सैन्यबल का प्रयोग नहीं करेंगे, (ग) घोषणा-पत्र के पालन में सहायता करेंगे और (घ) आक्रामक की सहायता नहीं करेंगे। संयुक्त राष्ट्र–जाति, भाषा, लिंग और धर्म का विचार किए बिना सब मनुष्यों के मानवीय अधिकारों को मान्यता देता है।

संयुक्त राष्ट्र के प्रमुख अंग

प्रमुख अंग 6 हैं–**1.** साधारण महासभा, **2.** सुरक्षा परिषद्, **3.** आर्थिक व सामाजिक परिषद्, **4.** अंतर्राष्ट्रीय न्यायालय, **5.** प्रन्यास परिषद्, **6.** सचिवालय

प्रमुख अंतर्राष्ट्रीय संगठन और उनके मुख्यालय

अंतर्राष्ट्रीय संगठन	मुख्यालय	अंतर्राष्ट्रीय संगठन	मुख्यालय
संयुक्त राष्ट्र (UN)	न्यूयार्क	अरब लीग	काहिरा
अंतर्राष्ट्रीय मुद्रा कोष (IMF)	वाशिंगटन डी.सी.	राष्ट्रमंडल (Commonwealth)	लंदन
विश्व स्वास्थ्य संगठन (WHO)	जेनेवा	विश्व व्यापार संगठन (WTO)	जेनेवा
खाद्य एवं कृषि संगठन (FAO)	रोम	अंतर्राष्ट्रीय विकास संघ (IDA)	वाशिंगटन डी.सी.
अंतर्राष्ट्रीय श्रम संगठन (ILO)	जेनेवा	अंतर्राष्ट्रीय पुनर्निर्माण एवं विकास बैंक (विश्व बैंक) (IBRD)	वाशिंगटन डी.सी.
यूनेस्को (UNESCO)	पेरिस	विश्व बौद्धिक संपदा संगठन (WIPO)	जेनेवा
अंतर्राष्ट्रीय न्यायालय	हेग	मुस्लिम राष्ट्रों का संघ (OIC)	जेद्दा
विश्व डाक संघ (UPU)	बर्न	यूरोपियन संघ	ब्रुसेल्स
अंतर्राष्ट्रीय नागरिक उड्डयन संगठन (ICAO)	मांट्रियल	रेडक्रास	जेनेवा
सं॰ रा॰ औद्यो॰ विकास संगठन (UNIDO)	वियना	इंटरपोल (INTERPOL)	लियोन
अंतर्राष्ट्रीय परमाणु ऊर्जा अभिकरण (IAEA)	वियना	एशियाई विकास बैंक (ADB)	मनीला
अंतर्राष्ट्रीय वित्त निगम (IFC)	वाशिंगटन डी.सी.	उत्तरी अटलांटिक संधि संगठन (NATO)	ब्रुसेल्स
सं॰ रा॰ विकास कार्यक्रम (UNDP)	न्यूयॉर्क	आसियान (ASEAN)	जकार्ता
यूनिसेफ (UNICEF)	न्यूयॉर्क	BRICS बैंक	शंघाई
अंतर्राष्ट्रीय समुद्री संगठन (IMO)	लंदन	संयुक्त राष्ट्र व्यापार एवं विकास सम्मेलन (UNCTAD)	जेनेवा
विश्व मौसम विज्ञान संगठन (WMO)	जेनेवा	जी-15	जेनेवा
अंतर्राष्ट्रीय दूर संचार संघ (ITU)	जेनेवा	दक्षेस (SAARC)	काठमांडू

रक्षा

भारत की रक्षा सेनाओं का सर्वोच्च कमाण्डर भारत का राष्ट्रपति होता है। भारत की सशस्त्र सेनाओं में तीन मुख्य सेवाएं हैं–थल सेना, नौ सेना और वायु सेना। तीनों सेनाओं के प्रमुख क्रमशः थल सेनाध्यक्ष, नौ सेनाध्यक्ष और वायु सेनाध्यक्ष होते हैं।

सेना में कमीशंड पद
(Commissioned Ranks)

थल सेना	नौ सेना	वायु सेना
जनरल	एडमिरल	एयर चीफ मार्शल
लेफ्टिनेन्ट-जनरल	वाइस-एडमिरल	एयर मार्शल
मेजर जनरल	रियर-एडमिरल	एयर वाइस मार्शल
ब्रिगेडियर	कमोडोर	एयर कमोडोर
कर्नल	कैप्टेन	ग्रुप कैप्टेन
लेफ्टिनेंट कर्नल	कमाण्डर	विंग कमाण्डर
मेजर	लेफ्टिनेंट कमाण्डर	स्क्वाड्रन लीडर
कैप्टेन	लेफ्टिनेंट	फ्लाइट लेफ्टिनेंट
लेफ्टिनेंट	सब-लेफ्टिनेंट	फ्लाइंग ऑफिसर

थल सेना कमाण्ड :

कमाण्ड	मुख्यालय
पश्चिमी कमाण्ड	चांडी मंदिर (चंडीगढ़)
पूर्वी कमाण्ड	कोलकाता
उत्तरी कमाण्ड	ऊधमपुर
दक्षिणी कमाण्ड	पुणे
मध्य कमाण्ड	लखनऊ
द.प. कमाण्ड	जयपुर
ट्रेनिंग कमाण्ड	शिमला

नौ सेना कमाण्ड :

कमाण्ड	मुख्यालय
पूर्वी कमाण्ड	विशाखापट्टनम
दक्षिणी कमाण्ड	कोच्चि
पश्चिमी कमाण्ड	मुम्बई

वायु सेना कमाण्ड :

कमाण्ड	मुख्यालय
पूर्वी कमाण्ड	शिलांग
पश्चिमी कमाण्ड	नई दिल्ली
केन्द्रीय कमाण्ड	प्रयागराज
दक्षिणी कमाण्ड	तिरुअनंतपुरम
द.-प. कमाण्ड	गांधीनगर
ट्रेनिंग कमाण्ड	बेंगलुरु
मेन्टेनेन्स कमाण्ड	नागपुर

थल सेना प्रशिक्षण संस्थान :

संस्थान	मुख्यालय
नेशनल डिफेन्स एकेडमी (NDA)	खड़कवासला
नेशनल डिफेन्स कॉलिज	नई दिल्ली
इंडियन मिलिट्री एकेडमी (IMA)	देहरादून
डिफेन्स सर्विस स्टाफ कॉलिज	विलिंग्टन
इन्फेनटरी स्कूल	महू
आर्म्ड सेण्टर	अहमदनगर
आर्टीलरी स्कूल	देवलाली

वायु सेना प्रशिक्षण संस्थान :

संस्थान	मुख्यालय
एयर फोर्स एडमिनिस्ट्रेटिव कॉलिज	कोयम्बटूर
एयर फोर्स एकेडमी	हैदराबाद
पैराटूपर ट्रेनिंग स्कूल	आगरा
एयर फोर्स टेक्निकल कॉलिज	जलाहली (बेंगलुरु)
एलीमेन्ट्री फ्लाइंग स्कूल	बिदर

नौ सेना प्रशिक्षण संस्थान :

संस्थान	मुख्यालय
आइ.एन.एस. चिल्का	भुवनेश्वर
आइ.एन., बेन्दुरथी	कोच्चि
आइ.एन.एस. तसिरकार्स	विशाखापट्टनम
इण्डियन नेवल एकेडमी	कोच्चि
आइ.एन.एस. शिवाजी	लोनावाला

आंतरिक सुरक्षा के संगठन

संगठन	स्थापना वर्ष	मुख्यालय
असम राइफल्स	1835	शिलांग
केन्द्रीय रिजर्व पुलिस बल	1939	नई दिल्ली
भारत-तिब्बत सीमा पुलिस	1962	नई दिल्ली
सीमा सुरक्षा बल (BSF)	1965	नई दिल्ली
केन्द्रीय औद्योगिक सुरक्षा बल	1969	नई दिल्ली
तट रक्षक बल	1978	नई दिल्ली
राष्ट्रीय सुरक्षा गार्ड	1984	नई दिल्ली

रक्षा स्टाफ प्रमुख (सीडीएस)

देश में उच्चतर रक्षा प्रबंधन में सुधार लाने के लिए सेवा प्रमुख समतुल्य वेतन और अतिरिक्त सुविधाओं वाले रक्षा स्टाफ प्रमुख (सीडीएस) का पद गठित किया गया है जो फोर स्टार वाले जनरल रैंक का है। रक्षा स्टाफ प्रमुख (चीफ ऑफ डिफेंस स्टाफ) रक्षा मंत्रालय में बनाये जाने वाले सैन्य मामलों के विभाग (डीएमए) के भी मुखिया होंगे और इसके सचिव के रूप में कार्य करेंगे। जनरल विपिन रावत ने 1 जनवरी, 2020 से 08 दिसम्बर, 2021 तक देश के प्रथम सीडीएस के रूप में कार्य किया।

कला एवं साहित्य

भारत में कला और संस्कृति की समृद्ध परंपरा रही है। भारतीय राजे-महाराजे कला और संस्कृति के बड़े पारखी और हितैषी थे। उन्होंने न सिर्फ कला की विविध शाखाओं को आश्रय दिया, उनके फलने-फूलने में मदद की बल्कि कलाकारों, फनकारों को भी भरपूर समर्थन एवं पुरस्कार प्रदान किया। संस्कृति विचारने और क्रिया करने की पद्धति है जो सीखी जाती है अपनायी जाती है। इनमें मूल्य, रहन-सहन के तौर-तरीके, विचारने की पद्धतियां, भाषा, शिक्षा, कलाकारिता, सामाजिक संरचना की संस्थाएँ आदि शामिल हैं।

ललित कला

विजुअल आर्ट के जरिए चित्रों को उकेरने, कर्मकांडों को सामने रखने और भावनाओं को अभिव्यक्त करने की परंपराएं उतनी ही पुरानी हैं जितनी कि प्राचीन भारत की सभ्यता। पत्थरों पर नक्काशी करने और चिकनी मिट्टी के नमूने तैयार करने का कार्य आरंभिक दिनों में विकसित हुआ। बाद में धातु की मूर्तियाँ बनाने, धातु की वस्तुएँ बनाने, चित्रकारी करने और बेल-बूटों की कढ़ाई करने का कार्य विकसित हुआ।

भारत के प्रमुख चित्रकार एवं उनकी कृतियां

अवनीन्द्र नाथ टैगोर	शाहजहाँ का ताज को देखना, बुद्ध और सुजाता, वन साम्राज्ञी, औरंगजेब का बुढ़ापा, भारतमाता आदि।
गगनेन्द्र नाथ टैगोर	माँ से विदा लेते चैतन्य, कल्कि अवतार आदि।
राजा रवि वर्मा	दुष्यन्त को प्रेम-पत्र लिखती शकुन्तला, नायर लेडी, शकुन्तला वियोग आदि।

नन्द लाल बोस	उमा की तपस्या, घायल बकरी को ले जाते भगवान बुद्ध, कृष्णार्जुन, प्रणाम, बसन्त, गोपिनी आदि।
के॰ वेंकटप्पा	हनुमान द्वारा लंका दहन, स्वर्ण मृग, राम और मृग तृष्णा आदि।
जॉर्ज कीट	कृष्ण जन्म, कर्ण जन्म, यम मार्कण्डेय, निराभरण गोपियाँ आदि।
भवेश चन्द्र सन्याल	आश्रयहीन लड़की, गोल मार्केट के भिखारी आदि।
मनीषी डे	नारी-शृंगार, पनघट की ओर, बंगाली शरणार्थी।
अमृता शेरगिल	एलिफेन्ट्स बाथिंग इन ग्रीन पुल, हिल साईड, भारतीय लड़कियाँ आदि।
नारायण श्रीधर बेन्द्रे	स्टेशन पर यात्री, बुद्ध पूजा आदि।
देवी प्रसाद राय चौधरी	लेपचा कुमारी, भौटिया आदि।
शोभा सिंह	हीर-रांझा
सतीश गुजराल	काला चांद

संगीत

भारत में चार प्रकार के संगीत-साज मिलते हैं—तंतु या तार वाले, समीर या वायु वाले, अवनाद अथवा थाप से संचालित होने वाले और घन जिसमें घंटियाँ, मंजीरे, घड़ियाल आदि शामिल हैं। तंतु या तार वाले सामान्य साज हैं जैसे—वीणा, सितार, सारंगी, सरोद, दिलरुबा, इसराज, एकतारा, तानपुरा और मयूरी। वायु संचालित साज हैं शहनाई, बाँसुरी, नादस्वरम, निनकिर्नस और पोंगी। थाप अथवा संघात से संचालित होने वाले साज हैं: तबला, मृदंग, ढोलक, पखावज, घटाम तथा कंजीरा-मंजीरा। करतल, जल तरंग आदि अन्य भारतीय साज हैं।

गायन के क्षेत्र में विष्णु नारायण भातखण्डे, बेगम अख्तर, बड़े गुलाम अली, हीराबाई बरोडकर, भीमसेन जोशी, केसरभाई केलकर, ओंकारनाथ ठाकुर, सिद्धेश्वरी देवी, त्यागराज, विष्णु दिगंबर पलुसकर, पंकज मलिक, एम.एस. सुब्बालक्ष्मी, पंडित जसराज, गंगूभाई हंगल, मल्लिकार्जुन मंसूर, डागर बंधु, डी.के. जयरामन, के.जे. यशुदास, गुलाम मुस्तफा खान, कुमार गंधर्व, के.एल. वसंधा कुमारी, किशोरी अमोनकर, गिरिजा देवी, वी.के. नारायण स्वामी दीक्षित, तानसेन, श्यामा शास्त्री, स्वाति तिरूनल आदि साजपरक संगीत के कुछ दिग्गज कलाकार रहे हैं।

पुस्तकें और उनके लेखक

पुस्तकें	लेखक	पुस्तकें	लेखक
आधे-अधूरे	मोहन राकेश	गीतांजलि	रवीन्द्रनाथ टैगोर
आग का दरिया	कुर्रतुल-एन-हैदर	ग्लिम्पसेज ऑफ वर्ल्ड हिस्ट्री	जवाहरलाल नेहरू
ए मिलियन म्युटिनीज नाऊ	वी.एस. नायपॉल	गोदान	मुंशी प्रेमचंद
ए सूटेबल ब्वाय	विक्रम सेठ	द गॉड ऑफ स्माल थिंग्स	अरुंधति राय
ए पैसेज टू इंग्लैंड	नीरद सी-चौधरी	गोल्डन गेट	विक्रम सेठ
ए वॉयस ऑफ फ्रीडम	नयनतारा सहगल	गोरा	रवीन्द्र नाथ टैगोर
एक्सेशन टू इंस्टिंक्शन	डॉ. आर. मनेकर	द गाइड	आर.के. नारायण
आदि ग्रंथ	गुरु अर्जुन देव	हर्ष चरित	बाणभट्ट
बिट्विन द लाइंस	कुलदीप नैयर	हिंदू व्यू ऑफ लाइफ	राधाकृष्णन
भगवत गीता, महाभारत	वेदव्यास	हितोपदेश	नारायण भट्ट
भारत भारती	मैथिलीशरण गुप्त	हंग्री स्टोन्स	रवीन्द्र नाथ टैगोर
विसर्जन	रवीन्द्रनाथ टैगोर	आई एम नॉट एन आइलैंड	ख्वाजा अहमद अब्बास
ब्रोकन विंग	सरोजिनी नायडू	आईडोल्स	सुनील गावस्कर
बुद्ध चरित	अश्वघोष	लौरिंगिन	वी.के. भट्टाचार्य
बाय्र गाड्स डिक्री	कपिल देव	जूही की कली	सूर्यकांत त्रिपाठी ''निराला''
चंडालिका	रवीन्द्रनाथ टैगोर	जुग बदल गया	सोहन सिंह शीतल
चैमिन	शिवशंकर पिल्लई	जाब्स फॉर मिलियंस	वी.वी. गिरि
चिदंबरा	सुमित्रानंदन पंत	कादंबरी	बाणभट्ट
देवदास	शरत चंद्र	कामसूत्र	वात्स्यायन
डिस्कवरी ऑफ इंडिया	जवाहरलाल नेहरू	कामायनी	जयशंकर प्रसाद
डिवाइन लाइफ	शिवानंद	कपाल-कुंडला	बंकिम चंद्र चटर्जी
गीत गोविन्द	जयदेव	कर्पूर मंजरी	राजशेखर
घासीराम कोतवाल	विजय तेंदुलकर	खाक-ए-दिल	जां निसार अख्तर

शब्द संक्षेप

ABC	ऑडिट ब्यूरो ऑफ़ सरकुलेशन्स	**INSAT**	इण्डियन नेशनल सैटेलाइट
ADB	एशियन डेवलपमेण्ट बैंक	**ISD**	इण्टरनेशनल सब्सक्राइबर डायलिंग
AIDS	एक्वायर्ड इम्यूनो डेफिसियेन्सी सिण्ड्रोम	**JPC**	ज्वाइंट पार्लियामेण्टरी कमेटी
AIIMS	ऑल इण्डिया इन्स्टीट्यूट ऑफ मेडिकल साइंसेज	**Lbw**	लेग बिफोर विकेट
BBC	ब्रिटिश ब्रॉडकास्टिंग कॉरपोरेशन	**NCC**	नेशनल कैडेट कापर्स
BP	ब्लड प्रेशर	**NCERT**	नेशनल काउन्सिल ऑफ एजूकेशन रिसर्च एण्ड ट्रेनिंग
BSF	बॉर्डर सिक्योरिटी फोर्स	**PIN**	पोस्टल इण्डेक्स नम्बर
CA	चार्टर्ड एकाउण्टेण्ट	**RBI**	रिजर्व बैंक ऑफ इण्डिया
CAG	कॉम्पट्रोलर एण्ड ऑडिटर जनरल	**SSC**	स्टाफ सलेक्शन कमीशन
CBI	सेण्ट्रल ब्यूरो ऑफ इन्वेस्टीगेशन	**SSP**	सीनियर सुपरिन्टेण्डेन्ड ऑफ पुलिस
CTBT	कम्प्रेहेन्सिव टेस्ट बैन ट्रीटी	**VAT**	वैल्यू एडेड टैक्स
GIC	जनरल इंश्योरेन्स कॉरपोरेशन	**WHO**	वर्ल्ड हेल्थ ऑर्गेनाइजेशन
HIV	हयूमेन इम्युनो-डेफिशिएंसी वाइरस	**GST**	गुड्स एंड सर्विसेज टैक्स

महत्वपूर्ण दिवस

तिथि	दिवस	तिथि	दिवस
9 जनवरी	प्रवासी दिवस	21 जून	अन्तर्राष्ट्रीय योग दिवस
15 जनवरी	थल सेना दिवस	11 जुलाई	विश्व जनसंख्या दिवस
25 जनवरी	भारतीय पर्यटन दिवस	6 अगस्त	विश्व शांति दिवस, हिरोशिमा दिवस
26 जनवरी	भारतीय गणतंत्र दिवस	10 अगस्त	अंतर्राष्ट्रीय युवा दिवस
30 जनवरी	शहीद दिवस, विश्व कुष्ठ निवारण दिवस (महात्मा गाँधी की पुण्य तिथि)	29 अगस्त	राष्ट्रीय खेल दिवस
		5 सितम्बर	शिक्षक दिवस
1 फरवरी	तटरक्षक दिवस, डाक जीवन बीमा दिवस	8 सितम्बर	विश्व साक्षरता दिवस
4 फरवरी	विश्व कैंसर दिवस	14 सितम्बर	हिन्दी दिवस
22 फरवरी	पल्स पोलियो दिवस	21 सितम्बर	अन्तर्राष्ट्रीय शांति दिवस
8 मार्च	अन्तर्राष्ट्रीय महिला दिवस	27 सितम्बर	विश्व पर्यटन दिवस
15 मार्च	विश्व उपभोक्ता अधिकार दिवस, विश्व विकलांगता दिवस	2 अक्टूबर	गाँधी जयन्ती / अन्तर्राष्ट्रीय अहिंसा दिवस
		3 अक्टूबर	विश्व पर्यावास दिवस
22 मार्च	विश्व जल दिवस	5 अक्टूबर	विश्व आवास दिवस
23 मार्च	शहीद दिवस, विश्व मौसम विज्ञान दिवस	9 अक्टूबर	विश्व डाक दिवस
24 मार्च	विश्व तपेदिक दिवस	16 अक्टूबर	विश्व खाद्य दिवस
7 अप्रैल	विश्व स्वास्थ्य दिवस	17 अक्टूबर	विश्व गरीबी उन्मूलन दिवस
22 अप्रैल	विश्व-पृथ्वी दिवस	24 अक्टूबर	संयुक्त राष्ट्र दिवस
1 मई	मई दिवस (अन्तर्राष्ट्रीय श्रम दिवस)	14 नवम्बर	बाल दिवस
8 मई	विश्व रेडक्रॉस दिवस	19 नवम्बर	अन्तर्राष्ट्रीय नागरिक दिवस
24 मई	कॉमनवेल्थ दिवस	26 नवम्बर	विश्व पर्यावरण संरक्षण दिवस
31 मई	धूम्रपान विरोध दिवस	1 दिसम्बर	विश्व एड्स दिवस
5 जून	विश्व पर्यावरण दिवस	10 दिसम्बर	अन्तर्राष्ट्रीय मानवाधिकार दिवस

खेल जगत

खेलों से जुड़ी शब्दावली

- **बेसबॉल (Baseball):** बेस, टैपर, पिचर, कैचर, डायमंड, पुलआउट, पुटइन, स्ट्राइक, हिटर, पिंच, प्लेट, इन फिल्ड।
- **बास्केटबॉल (Basketball):** बॉल, ब्लाकिंग, शिफ्टिंग, होल्डिंग, हेल्ड बॉल, जम्प बॉल।
- **बैडमिंटन (Badminton):** ड्यूस, ड्रॉप, लेट, स्मैश, लव ऑल, डबल फाल्ट, मिक्सड डबल।
- **बिलियर्ड्स (Billiards):** क्यू, जिगर, पॉट, इनऑफ, इन बॉक, कैनन, ब्रेक, स्कैच, पोस्टमैन नॉक, बॉल लाइन।
- **शतरंज (Chess):** किंग, क्वीन, नाईट, पॉन, रूक, कैशल, बिशप, गैमबिट, चेकमेट, स्टेलमेट।
- **क्रिकेट (Cricket):** क्रीज, एल.बी.डब्लू., ब्रेक, बाई, लेगबाई, नो बॉल, सिली प्वाइंट, सिली मीडऑन, हिट विकेट।
- **हॉकी (Hockey):** बुली, कैरी, कॉर्नर, ड्रिब्बल, हैट्रिक, ऑफसाइड, स्कूप, शार्ट, कॉर्नर, स्ट्रिक, स्ट्राइकिंग।
- **फुटबॉल (Football):** कॉर्नर, किक, डायरेक्ट फ्री कीक, ड्रिब्बल, गोल किक, हैट्रिक, ऑफ साइड, पेनाल्टी किक।
- **गोल्फ (Golf):** पुट, बंकर, कैडी, बॉगी, टी पार, निब्लिक, लिंक्स, बेस्टबॉल, फेरसाम, प्रीमस, ग्रीडहोल्स।
- **वॉलीबॉल (Volleyball):** लव, हीव, बॉली प्वाईंट, सर्विस, ब्लैकिंग, होल्डिंग, डब्बलिंग, बुस्टर, स्पाइकर, ड्यूस।
- **लॉन टेनिस (Lawn Tennis):** ड्यूस, फॉल्ट, डबल फॉल्ट, लेट स्मैश, वॉली, हाफ वॉली, ग्राउण्ड स्ट्रोक।
- **नौकायन (Rowing):** बो, वुकेट, काऊ, फीदर, पैडल, रेगेटा, कॉक्स, ईर्गेमीटर।
- **तैराकी (Swimming):** क्रॉल, ब्रेस्ट स्ट्रॉक।
- **कुश्ती (Wrestling):** हेड लॉक, हीव होल्ड, रीबाउट्स, ए हॉफ नेशेस, ए फुल नेल्सन सीजर।
- **पोलो (Polo):** बंकर, चुकर, मैलेट।
- **वाटर पोलो (Water Polo):** दो एवं चार मीटर लाईन, गोल लाईन, होल्ड, सिंकपुल, बॉलअंडर।
- **निशानेबाजी (Shooting):** मजल, प्लग, बैग, टारगेट, बुल्स आई।
- **खो-खो (Kho-Kho):** क्रॉसलेन, फ्रीजो, पोल, चेज, एक्टिव, चेजर, रनर्स।
- **कबड्डी (Kabaddi):** मार्च लाईन, वकलाईन, बैटिंग ब्लॉक, लाबी, रेडर, एण्टीरेडर।
- **तलवारबाजी (Fencing):** टच

ओलंपिक

- प्राचीन काल में अपने नागरिकों को स्वस्थ एवं फिट बनाए रखने के लिए यूनानवासी प्रतियोगी खेल स्पर्द्धाओं का आयोजन करते थे। जौस देवता के सम्मान में प्रथम ओलम्पिक खेलों का आयोजन ओलम्पस माउंट में ईसा पूर्व 776 में किया गया था। इसके बाद 394 ईस्वी जबकि यूनानी सभ्यता का पतन हो गया, प्रत्येक 4 वर्षों के अंतराल के बाद ओलम्पिक खेलों का आयोजन किया जाता रहा।
- आधुनिक समय में फ्रांस के धनकुबेर पियरे डी कुबर्टिन ने आधुनिक खेलों को पुनर्जीवित किया। प्रथम आधुनिक ओलम्पिक खेल का आयोजन 1896 में एथेंस (यूनान) में किया गया। इसके बाद से विश्व युद्धों को छोड़कर प्रत्येक 4 वर्ष के अंतराल पर ओलम्पिक खेलों का आयोजन होता रहा है। ओलम्पिक खेलों का ध्वज श्वेत रंग का है जिस पर 5 रंगीन छल्ले बने हैं। प्रत्येक रिंग एक महादेश का प्रतिनिधित्व करता है। एक ही वर्ष में ग्रीष्मकालीन और शीतकालीन ओलंपिक खेलों का आयोजन किया जाता है।

एशियाई खेल

- द्वितीय विश्व युद्ध के पश्चात् अनेकों एशियाई देशों ने स्वतंत्रता प्राप्त की। ओलंपिक खेलों की तर्ज पर प्रत्येक चार वर्षों बाद एशियाई खेलों के आयोजन की योजना बनायी गई। भारत ने 1951 में नई दिल्ली में प्रथम एशियाई खेलों का आयोजन किया।

राष्ट्रमंडल खेल

- राष्ट्रमंडल खेल भी प्रत्येक चार वर्ष बाद आयोजित किए जाते हैं उसी वर्ष में जिसमें एशियाई खेल आयोजित होते हैं।
- सभी राष्ट्रमंडल देश (ब्रिटेन के पूर्व उपनिवेश) इसमें भाग ले सकते हैं। प्रथम राष्ट्रमंडल खेल 1930 में हैमिल्टन (कनाडा) में आयोजित हुआ।
- पहले राष्ट्रमंडल खेल, जो 1930 में कनाडा के हैमिल्टन में आयोजित किये गये थे, को "ब्रिटिश अम्पायर गेम" के नाम से जाना गया। 1954 में इनका नाम बदलकर "ब्रिटिश अम्पायर एण्ड कॉमनवेल्थ गेम्स" कर दिया गया। 1970 में एक बार फिर इनका नाम परिवर्तन कर 'ब्रिटिश कॉमनवेल्थ गेम्स' किया गया। वर्ष 1978 से इन्हें कामनवेल्थ गेम्स अथवा राष्ट्रमंडल खेलों के नाम से जाना जा रहा है।

विश्व के प्रसिद्ध कप और ट्राफियाँ

• अमेरिकन कप	याच रेसिंग
• एशेज	क्रिकेट (इंग्लैंड बनाम आस्ट्रेलिया)
• कनाडा कप	गोल्फ (विश्व चैम्पियनशिप)
• कोलम्बो कप	सॉकर
• चैम्पियन ट्रॉफी	हॉकी (पुरुष) विश्व की 6 श्रेष्ठ टीमों के मध्य
• कोरबिलन कप	टेबल टेनिस (महिला) विश्व कप
• डेविस कप	लॉन टेनिस (पुरुष)
• डर्बी	घुड़ दौड़ (इंग्लैंड)
• जुल्स रिमेट कप	सॉकर—विश्व कप (पुरुष)

- किंग्स कप — एयर रेसेज (इंग्लैंड)
- मर्डेका कप — सॉकर (पुरुष) (मलेशिया)
- प्रिंस ऑफ वेल्स कप — गोल्फ (इंग्लैंड)
- रोथमेंस कप — क्रिकेट
- रायडर कप — गोल्फ (इंग्लैंड)
- स्वेथलिंग कप — विश्व टेबल टेनिस (पुरुष)
- थॉमस कप — विश्व बैडमिंटन (पुरुष)
- टुंकु अब्दुल रहमान कप — बैडमिंटन
- उबेर कप — विश्व बैडमिंटन (महिला)
- वाकर कप — गोल्फ (इंग्लैंड)
- विटमैन कप — लॉन टेनिस (महिला)
- विम्बलडन कप — लॉन टेनिस (इंग्लैंड)

प्रसिद्ध खेल मैदान एवं उनसे सम्बन्धित खेल

खेल-मैदान	खेल	स्थान
नरेन्द्र मोदी स्टेडियम	क्रिकेट	अहमदाबाद
इंदिरा गांधी स्टेडियम	इन्डोर गेम	दिल्ली
जवाहरलाल नेहरू स्टेडियम	एथलेटिक्स	दिल्ली
अरुण जेटली स्टेडियम	क्रिकेट	दिल्ली
अम्बेडकर स्टेडियम	फुटबॉल	दिल्ली
शिवाजी स्टेडियम	हॉकी	दिल्ली
नेशनल स्टेडियम	हॉकी	दिल्ली
हेनले स्टेडियम	रेगाटा	इंग्लैंड
नेशनल स्टेडियम	हॉकी	मुम्बई
वानखेडे स्टेडियम	क्रिकेट	मुम्बई
ब्रेबोर्न स्टेडियम	क्रिकेट	मुम्बई
ईडन गार्डन	क्रिकेट	कोलकाता
ग्रीन पार्क स्टेडियम	क्रिकेट	कानपुर
कीनन स्टेडियम	क्रिकेट	जमशेदपुर
नेहरू (चेपक) स्टेडियम	क्रिकेट	चेन्नई
वाराबती स्टेडियम	क्रिकेट	कटक
हेडिंग्ले मानचेस्टर	क्रिकेट	ब्रिटेन
लार्ड्स, ओवल, लीड्स	क्रिकेट	ब्रिटेन
ब्लैक हीथ	रग्बी फुटबॉल	लन्दन
विम्बलडन	लॉन टेनिस	लन्दन
वेम्बले स्टेडियम	फुटबॉल	लन्दन
ब्रुकलैण्ड	फुटबॉल	इंग्लैंड
टिबंकहम	रग्बी फुटबॉल	इंग्लैंड
टेंट ब्रिज	क्रिकेट	इंग्लैंड
एण्ट्री	घुड़दौड़	इंग्लैंड
हरलिघम	पोलो	इंग्लैंड
पर्थ, ब्रिस्बेन, मेलबोर्न	क्रिकेट	आस्ट्रेलिया
यांकी स्टेडियम	बॉक्सिंग	न्यूयार्क
ब्रूकलिन	बेसबॉल	न्यूयार्क
फोरस्ट हिल	टेनिस	न्यूयार्क

पुरस्कार एवं सम्मान

राष्ट्रीय पुरस्कार

- **भारत रत्नः** यह भारत का सर्वोच्च असैनिक सम्मान है। यह कला, साहित्य, विज्ञान एवं खेलकूद के क्षेत्र में अतिविशिष्ट सेवाओं तथा सार्वजनिक क्षेत्र में उत्कृष्टतम योगदान के लिए प्रदान किया जाता है। सरकारी सेवाओं में लगे व्यक्तियों को यह पुरस्कार नहीं दिया जाता।
- **पद्म विभूषणः** यह अलंकरण सभी क्षेत्रों में उल्लेखनीय योगदान के लिए दिया जाता है। सरकारी सेवाओं में लगे व्यक्ति भी इसके पात्र माने जाते हैं।
- **पद्म भूषणः** सभी क्षेत्रों में उल्लेखनीय योगदान के लिए यह उपाधि प्रदान की जाती है। सरकारी सेवाओं में रत व्यक्ति भी इसे पाने के हकदार हैं।
- **पद्म श्रीः** विविध क्षेत्रों में उत्तम कार्य करने के उपलक्ष्य में यह उपाधि प्रदान की जाती है। सरकारी सेवा में लगे लोगों को भी इस उपाधि से अलंकृत किया जा सकता है।

शौर्य पदक

- **परमवीर चक्रः** शत्रु के समक्ष दृढ़ता से वीरता-प्रदर्शन के फलस्वरूप दिया जाने वाला यह सबसे बड़ा पुरस्कार है। यह अत्यन्त वीरतापूर्ण कार्य जल, थल तथा नभ में से किसी भी सेना के कर्मचारी द्वारा किये जाने पर दिया जाता है।
- **महावीर चक्रः** यह दूसरा सर्वोच्च पदक है जो शत्रु के समक्ष अद्वितीय शौर्य प्रदर्शन के फलस्वरूप प्रदान किया जाता है। इस प्रकार का वीरतापूर्ण कार्य थल, जल एवं नभ सेनाओं में से किसी के भी द्वारा किया गया हो सकता है।
- **वीर चक्रः** यह तीसरी श्रेणी का सेना पदक है जो शत्रु के समक्ष वीरता-प्रदर्शन करने के उपलक्ष्य में प्रदान किया जाता है। यह पदक जल, थल और नभ सेना के किसी भी वर्ग के कर्मचारी को वीरतापूर्ण कार्य के लिए प्राप्त हो सकता है।
- **अशोक चक्रः** यह ऐसा पदक है जो जल, थल और नभ कहीं पर भी उत्कृष्ट वीरतापूर्ण कार्य करने अथवा आत्म-बलिदान होने के फलस्वरूप प्रदान किया जाता है। लेकिन इस प्रकार का काम शत्रु के समक्ष होना आवश्यक नहीं। गुणों के आधार पर इस पदक के तीन वर्ग हैं—प्रथम, द्वितीय तथा तृतीय। द्वितीय पदक का नाम कीर्ति चक्र तथा तृतीय पदक का नाम शौर्य चक्र है।

अन्य राष्ट्रीय पुरस्कार/सम्मान

- **ज्ञानपीठ पुरस्कारः** यह पुरस्कार सांस्कृतिक एवं साहित्यिक संस्था 'भारतीय ज्ञानपीठ' द्वारा वर्ष 1965 से प्रदान किया जाता है। प्रत्येक वर्ष यह पुरस्कार संविधान की आठवीं अनुसूची में सम्मिलित 22 भारतीय भाषाओं और अंग्रेजी में से चयनित भारतीय लेखकों को प्रदान किया जाता है। इस पुरस्कार से पुरस्कृत साहित्यकार को 11 लाख रुपए नकद, एक स्मृति चिह्न, एक प्रशस्ति-पत्र तथा वाग्देवी (सरस्वती) की प्रतिमा प्रदान की जाती है।
- **दादा साहब फाल्के पुरस्कारः** इस पुरस्कार की स्थापना भारतीय फिल्म उद्योग के संस्थापक दादा साहब फाल्के की याद में भारत सरकार के सूचना एवं प्रसारण मंत्रालय द्वारा की गई है। इस पुरस्कार की धनराशि 10 लाख रुपए है।
- **जमनालाल बजाज पुरस्कारः** यह पुरस्कार रचनात्मक सामाजिक कार्य क्षेत्र में महत्त्वपूर्ण योगदान, ग्रामीण विकास हेतु विज्ञान एवं प्रौद्योगिकी के उपयोग तथा महिलाओं एवं बच्चों के उत्थान व कल्याण कार्यों हेतु प्रदान किया जाता है।
- **मेजर ध्यानचंद खेल रत्न पुरस्कार (पहले राजीव गांधी खेल रत्न पुरस्कार):** 1992 में स्थापित यह पुरस्कार भारत सरकार द्वारा खेलों में सराहनीय प्रदर्शन करने वाले खिलाड़ियों को प्रदान किया जाता है। इसमें 25 लाख रुपये की धनराशि, एक पदक और एक प्रशस्ति पत्र प्रदान किया जाता है।
- **अर्जुन पुरस्कारः** 1961 में स्थापित यह पुरस्कार भारत सरकार द्वारा विभिन्न खेलों में विशेष उपलब्धि प्राप्त करने वाले खिलाड़ियों को प्रदान किया जाता है। इसमें अर्जुन की काँस्य प्रतिमा, प्रशस्ति–पत्र तथा 15 लाख रुपये की धनराशि और समारोह परिधान प्रदान किया जाता है।
- **द्रोणाचार्य पुरस्कारः** 1985 में स्थापित यह पुरस्कार भारत सरकार द्वारा खेल प्रशिक्षकों द्वारा की गयी उत्कृष्ट सेवाओं के लिए प्रदान किया जाता है। यह पुरस्कार दो वर्गों आजीवन और नियमित में प्रदान किया जाता है। द्रोणाचार्य (आजीवन) में 15 लाख रुपए और द्रोणाचार्य (नियमित) में 10 लाख रुपए गुरु द्रोणाचार्य की प्रतिमा, प्रशस्ति–पत्र, तथा समारोह परिधान प्रदान किया जाता है।

अंतर्राष्ट्रीय पुरस्कार

- **नोबेल पुरस्कारः** इस पुरस्कार का प्रवर्तन सन् 1901 में डाइनामाइट के आविष्कारक अल्फ्रेड बर्नहर्ड नोबेल (1833-1896 ई॰) द्वारा व्यक्त की गई इच्छा के परिणामस्वरूप किया गया था। नोबेल पुरस्कार प्रति वर्ष रसायन शास्त्र, भौतिकी, साहित्य, चिकित्सा, शान्तिप्रोत्साहन और अर्थशास्त्र (अर्थशास्त्र के लिए यह पुरस्कार 1969 से दिया जाना शुरू किया गया) के क्षेत्र में दिये जाते हैं।
- **रेमन मैग्सेसे पुरस्कारः** एशिया महाद्वीप का सबसे बड़ा पुरस्कार फिलीपीन्स के भूतपूर्व राष्ट्रपति की स्मृति में वर्ष 1957 से प्रदान किया जाता है। इसमें एक स्वर्ण पदक तथा नगद पुरस्कार प्रदान किये जाते हैं। इसे एशिया का नोबेल पुरस्कार भी कहा जाता है।
- **शान्ति, निःशस्त्रीकरण व विकास के लिए इन्दिरा गांधी पुरस्कारः** 1986 में स्थापित यह पुरस्कार अन्तर्राष्ट्रीय शान्ति, निरस्त्रीकरण एवं विकास के क्षेत्र में उल्लेखनीय योगदान हेतु प्रदान किया जाता है। इसमें नगद पुरस्कार व साथ में एक स्मृति-चिन्ह दिया जाता है।
- **महात्मा गांधी अन्तर्राष्ट्रीय शांति पुरस्कारः** एक करोड़ रु॰ की राशि का यह पुरस्कार भारत सरकार का सर्वोच्च असैनिक अन्तर्राष्ट्रीय पुरस्कार है जो 1995 में शुरू किया गया था। यह पुरस्कार अहिंसा के जरिए सामाजिक, आर्थिक और राजनीतिक परिवर्तन के लिए काम करने वाले व्यक्ति को दिया जाता है।
- **मैन बुकर पुरस्कारः** ब्रिटेन की संस्था बुकर मैकोनल कंपनी एंड पब्लिशर्स एसोसियेशन के द्वारा यह पुरस्कार 1969 में स्थापित हुआ। यह प्रतिवर्ष दुनियाभर के देशों के किसी लेखक को अंग्रेजी भाषा की उत्कृष्ट रचना हेतु प्रदान किया जाता है।
- **ऑस्कर पुरस्कारः** संयुक्त राज्य अमेरिका की 'नेशनल एकेडमी ऑफ मोशन पिक्चर आर्ट्स एण्ड साइंसेज' द्वारा फिल्म जगत का अत्यन्त प्रतिष्ठित यह पुरस्कार प्रतिवर्ष प्रदान किया जाता है।
- **अन्तर्राष्ट्रीय नेहरू पुरस्कारः** भारत सरकार द्वारा 1964 में स्थापित यह पुरस्कार प्रत्येक वर्ष ऐसे व्यक्ति को प्रदान किया जाता है, जिसने विश्व में अन्तर्राष्ट्रीय सद्भावना और मित्रता का प्रसार करने में उल्लेखनीय भूमिका अदा की हो। वर्ष 1965 में पहला नेहरू सद्भावना पुरस्कार यू थांट (संयुक्त राष्ट्र संघ के तृतीय महासचिव) को प्रदान किया गया था।

❑❑❑

7

वस्तुनिष्ठ प्रश्न

1. भारत के संविधान को कब अपनाया गया था?
A. 15 अगस्त, 1947 B. 26 जनवरी, 1950
C. 26 नवंबर, 1949 D. 15 अगस्त, 1950

2. उपराष्ट्रपति को पद व गोपनीयता की शपथ कौन दिलाता है?
A. भारत का मुख्य न्यायाधीश
B. भारत का राष्ट्रपति
C. लोकसभा का अध्यक्ष
D. भारत का महाधिवक्ता

3. निम्नलिखित में से किसकी नियुक्ति राष्ट्रपति द्वारा नहीं की जाती है?
A. संघ लोकसेवा आयोग के अध्यक्ष
B. राज्य के राज्यपाल
C. उच्च न्यायालय के न्यायाधीश
D. उपराष्ट्रपति

4. राष्ट्रपति किसकी सलाह पर लोकसभा को समयपूर्व भंग कर सकता है?
A. प्रधानमंत्री B. स्पीकर
C. उपराष्ट्रपति D. निर्वाचन आयुक्त

5. मौलिक कर्तव्यों का विचार कहां के संविधान से लिया गया है?
A. रूस के संविधान
B. ब्रिटेन के संविधान
C. अमेरिका के संविधान
D. जर्मनी के संविधान

6. निम्नलिखित में से किसकी अध्यक्षता एक गैर-सदस्य करता है?
A. लोकसभा
B. राज्यसभा
C. विधानसभा
D. लोकसभा और राज्यसभा की संयुक्त बैठक

7. निम्नलिखित में किसमें कानून बनाने की शक्ति है?
A. राष्ट्रपति B. प्रधानमंत्री
C. संसद D. गवर्नर

8. राज्यसभा की सदस्यता के लिए निर्धारित न्यूनतम आयु सीमा है:
A. 18 वर्ष B. 21 वर्ष
C. 25 वर्ष D. 30 वर्ष

9. राष्ट्रपति पद के लिए निर्धारित न्यूनतम आयु सीमा है:
A. 21 वर्ष B. 25 वर्ष
C. 30 वर्ष D. 35 वर्ष

10. राष्ट्रपति और उपराष्ट्रपति की अनुपलब्धता की स्थिति में राष्ट्रपति का कार्य निर्वहन कौन करता है?
A. प्रधानमंत्री
B. लोकसभा का अध्यक्ष
C. वरिष्ठ कैबिनेट मंत्री
D. भारत का मुख्य न्यायाधीश

11. किस मौलिक अधिकार की व्याख्या 'संविधान की आत्मा और उसके हृदय' के रूप में की जाती है?
A. समानता की अधिकार
B. समृद्धि का अधिकार
C. संवैधानिक उपचारों का अधिकार
D. भाषण की स्वतंत्रता का अधिकार

12. अध्यादेश कौन लागू करता है?
A. प्रधानमंत्री B. लोकसभा का अध्यक्ष
C. राष्ट्रपति D. राज्यसभा का अध्यक्ष

13. भारतीय राज्य मुख्यत: किस आधार पर गठित किए गए हैं?
A. भौगोलिक स्थिति B. भाषा
C. प्रशासन की सहूलियत D. आर्थिक स्थिति

14. मुख्य निर्वाचन आयुक्त को किसके द्वारा हटाया जा सकता है?
A. प्रधानमंत्री
B. राष्ट्रपति
C. सर्वोच्च न्यायालय का मुख्य न्यायाधीश
D. संसद

15. राज्य विधान सभा के सदस्यों की संख्या कितनी हो सकती है ?

A. 30 से 300 B. 40 से 400

C. 50 से 600 D. 60 से 500

16. उच्चतम न्यायालय के न्यायाधीशों के लिए अवकाश प्राप्ति की उम्र है :

A. 58 वर्ष B. 60 वर्ष

C. 62 वर्ष D. 65 वर्ष

17. राष्ट्रपति राज्यसभा के लिए कुल कितने सदस्यों को मनोनीत कर सकता है ?

A. 6 B. 12

C. 15 D. 18

18. संघीय कार्यपालिका किसके प्रति उत्तरादायी होती है ?

A. लोकसभा B. राज्यसभा

C. राष्ट्रपति D. उच्चतम न्यायालय

19. भारत के महान्यायवादी की नियुक्ति किसके द्वारा होती है ?

A. यूपीएससी B. राष्ट्रपति

C. प्रधानमंत्री D. लोकसभा अध्यक्ष

20. संसद के दो सत्रों के बीच कितने से अधिक की अवधि नहीं होनी चाहिए ?

A. 3 माह B. 6 माह

C. 1 वर्ष D. कोई तय अवधि नहीं

21. सुरक्षा बलों का सर्वोच्च कमाण्डर कौन होता है ?

A. सेना प्रमुख B. रक्षामंत्री

C. प्रधानमंत्री D. राष्ट्रपति

22. निम्नलिखित में कौन एक पूर्ण राज्य नहीं है ?

A. मिजोरम B. मणिपुर

C. पुडुचेरी D. अरुणाचल प्रदेश

23. एकमात्र राष्ट्रपति, जिन्हें दोबारा राष्ट्रपति चुना गया :

A. राजेन्द्र प्रसाद

B. राधाकृष्णन

C. वी.वी. गिरि

D. नीलम संजीवा रेड्डी

24. उपराष्ट्रपति अपना त्यागपत्र किसे दे सकता है ?

A. राष्ट्रपति को

B. प्रधानमंत्री को

C. भारत के मुख्य न्यायाधीश को

D. राज्यसभा के उपसभापति को

25. संविधान के प्रारूप समिति के अध्यक्ष कौन थे ?

A. राजेन्द्र प्रसाद

B. जवाहरलाल नेहरू

C. बी.आर. अम्बेडकर

D. सरदार पटेल

26. राष्ट्रपति निम्नलिखित में से किसकी नियुक्ति नहीं करता ?

A. प्रधानमंत्री

B. लोकसभा अध्यक्ष

C. निर्वाचन आयुक्त

D. नियंत्रक और महालेखा परीक्षक

27. उपराष्ट्रपति होता है :

A. राज्यसभा का सदस्य

B. राज्यसभा का सभापति

C. लोकसभा का सदस्य

D. लोकसभा का अध्यक्ष

28. भारत की अधिकारिक भाषा है :

A. देवनागरी लिपि में हिन्दी

B. रोमन लिपि में हिन्दी

C. रोमन लिपि में अंग्रेजी

D. हिन्दी और अंग्रेजी

29. संविधान में मौजूद अनुसूचियों की संख्या — है।

A. 395 B. 100

C. 12 D. 8

30. वित्त आयोग का गठन कौन करता है ?

A. संसद B. राष्ट्रपति

C. प्रधानमंत्री D. लोकसभा अध्यक्ष

31. भारत में पहली महिला राष्ट्रपति बनने का श्रेय किसे प्राप्त है?

A. प्रतिभा पाटिल B. ममता बनर्जी

C. जयललिता D. सुषमा स्वराज

32. चार वेदों में से पहला वेद है :

A. ऋग्वेद B. सामवेद

C. यजुर्वेद D. अथर्ववेद

33. रामायण के रचनाकार हैं :

A. वेद व्यास B. तुलसीदास

C. द्रोणाचार्य D. वाल्मीकि

34. वर्द्धमान महावीर जैन धर्म के कौन से तीर्थंकर थे ?

A. प्रथम B. द्वितीय

C. तृतीय D. चौबीसवें

35. सिकंदर और पोरस की सेनाओं ने किस नदी के तट पर लड़ाई लड़ी थी ?

A. रावी B. झेलम

C. सतलज D. सिंधु

36. सिकंदर के आक्रमण के समय मगध पर किसका शासन था ?

A. नंद राजाओं का B. गुप्त राजाओं का

C. मौर्य राजाओं का D. वर्द्धमान राजाओं का

37. सातवाहनों ने मुख्य रूप से किस पर शासन किया?

A. अवध B. आंध्र
C. मध्य भारत D. मगध

38. अशोक संबंधित था :

A. गुप्त वंश से B. मौर्य वंश से
C. कुषाण वंश से D. शक वंश से

39. विक्रमादित्य का नाम निम्न में से किसे दिया गया था?

A. चंद्रगुप्त मौर्य B. बिंदुसार
C. चंद्रगुप्त द्वितीय D. समुद्रगुप्त

40. उत्तर भारत के अंतिम महान् हिंदू शासक हर्षवर्द्धन ने कब शासन किया?

A. दूसरी शताब्दी में B. चौथी शताब्दी में
C. सातवीं शताब्दी में D. दसवीं शताब्दी में

41. गुलाम वंश की स्थापना निम्न में से किसने की?

A. बलवन ने B. इल्तुतमिश ने
C. रजिया बेगम ने D. कुतुबुद्दीन ऐबक ने

42. रजिया बेगम बेटी थी :

A. इल्तुतमिस B. बलवन
C. अलाउद्दीन खिलजी D. गयासुद्दीन तुगलक

43. तुगलक राजवंश ने किस वंश के पतन के बाद दिल्ली का तख्त संभाला?

A. लोदी वंश B. खिलजी वंश
C. गुलाम वंश D. सूरी वंश

44. अपनी राजधानी को दिल्ली से हटाकर दौलताबाद ले जाने वाला राजा कौन था?

A. फिरोज तुगलक
B. गयासुद्दीन तुगलक
C. मोहम्मद तुगलक
D. मुहम्मद बिन कासिम

45. पानीपत के प्रथम युद्ध में बाबर ने किसके खिलाफ लड़ाई लड़ी थी?

A. शेरशाह सूरी B. फिरोज तुगलक
C. हुमायूं D. इब्राहिम लोदी

46. फतेहपुर सीकरी का निर्माण किसने करवाया?

A. बाबर B. औरंगजेब
C. अकबर D. जहांगीर

47. खुर्रम का वास्तविक नाम था :

A. अकबर B. जहांगीर
C. शाहजहां D. शाह आलम

48. दीन-ए-इलाही की शुरुआत किसने की?

A. अकबर B. हुमायूं
C. बाबर D. जहांगीर

49. शेरशाह ने किस मुगल शासक को पराजित किया?

A. बाबर B. हुमायूं
C. अकबर D. औरंगजेब

50. अंतिम मुगल शासक था :

A. शाह आलम B. मुहम्मद शाह रंगीला
C. बहादुरशाह जफर D. दोस्त मुहम्मद

51. भारत में अंग्रेजों के पांव जमाने की दृष्टि से कौन-सी लड़ाई निर्णायक साबित हुई?

A. प्लासी की लड़ाई
B. बक्सर की लड़ाई
C. पानीपत की तीसरी लड़ाई
D. मैसूर की लड़ाई

52. सती प्रथा की समाप्ति किसने की थी?

A. लार्ड कार्नवालिस B. लार्ड क्लाइव
C. लार्ड वेलेजली D. लार्ड बैंटिक

53. बंगाल का विभाजन किसने कराया था?

A. लार्ड मिंटो B. लार्ड कर्जन
C. लार्ड कैनिंग D. लार्ड रिपन

54. स्वतंत्रता प्राप्ति के समय भारत के गवर्नर जनरल थे :

A. लार्ड माऊंटबेटन B. लार्ड वेवेल
C. राजगोपालाचारी D. लार्ड लिंगलिथगो

55. कृष्णदेव राय महान् थे :

A. चोल राजा
B. पल्लव राजा
C. राष्ट्रकूट राजा
D. विजय नगर साम्राज्य के राजा

56. औरंगजेब ने किस गुरु की हत्या करवा दी थी?

A. गुरु गोविंद सिंह का B. गुरु तेगबहादुर का
C. गुरु अंगद देव का D. गुरु अर्जुन देव का

57. 1857 के विद्रोह में निम्न में से कौन शामिल नहीं था?

A. नाना साहब B. कुंवर सिंह
C. रणजीत सिंह D. रानी झांसी

58. ओंग जनजाति कहां रहती है?

A. अंडमान द्वीप B. बिहार
C. नीलगिरि पहाड़ी D. मेघालय

59. राजपूत राजा राणा प्रताप ने किस लड़ाई में मुगल सेना से युद्ध किया था?

A. खानवा की लड़ाई
B. हल्दीघाटी संग्राम
C. थानेसर की लड़ाई
D. वंडीवास की लड़ाई

60. चांद बीबी जानी जाती हैं :
A. 1857 के विद्रोह में भाग लेने के लिए
B. सामाजिक धार्मिक सुधार के लिए
C. मुगल शासकों के खिलाफ बहादुरी से लड़ने के लिए
D. उपर्युक्त में से कोई नहीं

61. साइमन कमीशन किस वर्ष में भारत आया?
A. 1927 B. 1928
C. 1929 D. 1930

62. कांग्रेस किस वर्ष में चरमपंथियों और नरमपंथियों के बीच विभाजित हो गई?
A. 1906 B. 1917
C. 1907 D. 1927

63. चौरा-चौरी कांड के बाद किस आंदोलन को वापस ले लिया गया?
A. सविनय अवज्ञा आंदोलन
B. भारत छोड़ो आंदोलन
C. खिलाफत आंदोलन
D. असहयोग आंदोलन

64. कांग्रेस ने किस गोलमेज सम्मेलन में भाग लिया?
A. केवल प्रथम B. केवल दूसरे
C. प्रथम और तीसरे D. सभी तीनों में

65. भारत की स्वतंत्रता के समय ब्रिटेन पर किसका शासन था?
A. लेबर पार्टी B. कंजर्वेटिव पार्टी
C. लिबरल पार्टी D. राष्ट्रीय सरकार

66. ब्रिटिश सरकार ने दिल्ली को किस वर्ष में राजधानी बनाया?
A. 1892 B. 1905
C. 1911 D. 1927

67. बंगाल में कब स्थायी बंदोबस्त की शुरुआत हुई?
A. 1757 B. 1763
C. 1793 D. 1858

68. कांग्रेस के प्रथम अध्यक्ष थे :
A. ए.ओ. ह्यूम B. एस.एन. बनर्जी
C. डी.बी. नौरोजी D. डब्ल्यू.सी. बनर्जी

69. ग्रैंड ट्रंक रोड का निर्माण किसने करवाया था?
A. चंद्रगुप्त B. शेरशाह सूरी
C. जहांगीर D. लार्ड बैंटिक

70. बलबन संबद्ध था :
A. खिलजी वंश B. तुगलक वंश
C. गुलाम वंश D. सूरी वंश

71. निम्नलिखित में से कौन राजपूत राजवंश नहीं था?
A. सोलंकी B. राष्ट्रकूट
C. चौहान D. चंदेल

72. आर्यभट्ट किस रूप में प्रसिद्ध थे?
A. गुप्त राजा
B. खगोलविद् और गणितज्ञ
C. कवि
D. जासूस

73. ह्वेनसांग किसके शासनकाल में भारत आया था?
A. अशोक B. चंद्रगुप्त
C. स्कंदगुप्त D. हर्षवर्द्धन

74. निम्नलिखित में से कौन औषधियों का विशेषज्ञ था?
A. बाणभट्ट B. अश्वघोष
C. चरक D. सतकरणी

75. पूर्ववर्ती आर्यों की फुर्सतकालीन गतिविधि थी :
A. रथों की दौड़ B. पांसे खेलना
C. चित्रकारी D. नृत्य और संगीत

76. कवि अमीर खुसरो किसके समकालीन थे?
A. बलवन B. कुतुबुद्दीन एबक
C. इल्तुतमिश D. अलाउद्दीन खिलजी

77. चीनी तीर्थयात्री फाहियान कब भारत में आया था?
A. ईसापूर्व तीसरी शताब्दी
B. ईसापूर्व चौथी शताब्दी
C. ईस्वी सन् पांचवीं शताब्दी
D. ईस्वी सन् चौथी शताब्दी

78. अधिकांश सूफी संत संबंधित थे :
A. इस्लाम धर्म B. हिन्दू धर्म
C. ईसाई धर्म D. बौद्ध धर्म

79. निम्नलिखित में से किसे भारत का नेपोलियन कहा जाता है?
A. चंद्रगुप्त मौर्य B. समुद्रगुप्त
C. चंद्रगुप्त विक्रमादित्य D. बिंदुसार

80. बहमनी साम्राज्य किस शताब्दी में मौजूद था?
A. 13वीं शताब्दी B. 14वीं शताब्दी
C. 15वीं शताब्दी D. 16वीं शताब्दी

81. निम्नलिखित में से कौन सार्वजनिक क्षेत्र के अंतर्गत नहीं आता?
A. टिस्को B. इस्को
C. सेल D. ऑर्डिनेंस फैक्टरी

82. कुडनकुलम नाभिकीय विद्युत परियोजना किस राज्य में स्थित है?
A. कर्नाटक B. केरल
C. तमिलनाडु D. आंध्र प्रदेश

83. निम्नलिखित इस्पात संयंत्रों में से कौन रूस की सहायता से निर्मित हुआ है?
A. राऊरकेला B. भिलाई
C. दुर्गापुर D. कोथागुडम

84. 'नीली क्रान्ति' का सम्बन्ध निम्नलिखित में से किससे है?
A. नील की खेती
B. मुर्गी पालन
C. पीने योग्य जल की आपूर्ति
D. मत्स्यपालन

85. 'काला सोना' के नाम से किसे जाना जाता है?
A. नरम लोहा B. कोयला
C. खनिज तेल D. यूरेनियम

86. मुद्रास्फीति किस वजह से उत्पन्न होती है?
A. साधारण ब्याज में कमी से
B. धन की आपूर्ति में कमी से
C. औद्योगिक और कृषि उत्पादन में वृद्धि से
D. सामान्य व्यय में बढ़ोतरी या धन आपूर्ति में वृद्धि से

87. मनरेगा कार्यक्रम किस वर्ष लागू हुआ?
A. 2006 B. 2005
C. 2004 D. 1998

88. भारत में गुड्स एंड सर्विसेज टैक्स (GST) किस वर्ष लागू किया गया?
A. 2017 में B. 2018 में
C. 2019 में D. 2020 में

89. श्वेत क्रांति किसका संकेत करती है?
A. सीमेंट उद्योग
B. डेरी फार्मिंग
C. कपास और टैक्सटाइल उद्योग
D. संगमरमर उद्योग

90. भारत में सिंचाई का सर्वप्रमुख माध्यम है :
A. कुएं एवं नलकूप
B. नहरें
C. तालाब
D. पंशु द्वारा खींचा गया जल

91. भारतीय खाद्य निगम का मुख्य कार्य है :
A. उच्च उत्पादकता वाले बीजों का वितरण
B. किसानों को ऋण उपलब्ध कराना
C. खाद्यान्नों की मांग पर नियंत्रण करना
D. आपूर्ति को नियंत्रित कर खाद्यान्नों के मूल्यों में उतार-चढ़ाव को नियंत्रित करना

92. राज्यों में से सर्वाधिक जनसंख्या किस राज्य की है?
A. बिहार B. पश्चिम बंगाल
C. उत्तर प्रदेश D. मध्य प्रदेश

93. निम्नलिखित में से किसे 'सनराइज इंडस्ट्री' का नाम दिया जाता है?
A. कॉफी B. उच्च प्रौद्योगिकी
C. लघु उद्योग D. भारी उद्योग

94. निम्नलिखित में से कौन आर्थिक संवृद्धि का माप नहीं है?
A. प्रतिव्यक्ति आय
B. सकल राष्ट्रीय उत्पाद
C. कुल घरेलू उत्पाद
D. प्रसारित मुद्रा

95. एच-1बी वीजा का संबंध किस देश से है?
A. ब्रिटेन B. ऑस्ट्रेलिया
C. जर्मनी D. अमेरिका

96. एक ब्लू चिप कंपनी को इसलिए यह संज्ञा दी जाती है क्योंकि :
A. यह कंप्यूटर हार्डवेयर का उत्पादन करता है
B. यह कंप्यूटर सॉफ्टवेयर का उत्पादन करता है
C. यह उच्च लाभ देता है और इसमें कम जोखिम होता है
D. यह अपने अधिकांश उत्पादों का निर्यात करता है

97. निर्धनता रेखा का निर्धारण किस के आधार पर किया जाता है?
A. लोगों की जीवन दशा
B. प्रत्येक परिवार पर बच्चों की संख्या
C. प्रति परिवार आय
D. प्रति व्यक्ति हेतु कैलोरी की आवश्यकता

98. निम्नलिखित में से किस दिन को विश्व उपभोक्ता अधिकार दिवस के रूप में प्रतिवर्ष मनाया जाता है?
A. 15 मार्च B. 15 जनवरी
C. 15 फरवरी D. 15 अप्रैल

99. भारत में सबसे प्राचीन वृहद् उद्योग किस क्षेत्र में है?
A. लोहा और इस्पात क्षेत्र
B. जूट क्षेत्र
C. कॉटन टैक्सटाइल क्षेत्र
D. चीनी क्षेत्र

100. मौसमी बेरोजगारी किस क्षेत्र में सर्वाधिक है?
A. उद्योग क्षेत्र B. कृषि क्षेत्र
C. सेवा क्षेत्र D. हथकरघा क्षेत्र

101. भारत में सबसे पुराना ट्रेड यूनियन संगठन है :
A. हिन्द मजदूर सभा
B. भारतीय राष्ट्रीय ट्रेड यूनियन कांग्रेस
C. अखिल भारतीय ट्रेड यूनियन कांग्रेस
D. केन्द्रीय औद्योगिक ट्रेड यूनियन

102. सिन्दरी, हल्दिया और पारादीप में क्या है?
A. बंदरगाह
B. इस्पात संयंत्र
C. विशाल बहुदेश्यीय जलाशय
D. उर्वरक संयंत्र

103. आयात-निर्यात बैंक की स्थापना कब हुई?
A. 1969 B. 1980
C. 1982 D. 1985

104. 'बुल' एवं 'बीयर' वाक्यांश का संबंध किससे है?

A. आयकर विभाग से

B. मुद्रा बाजार से

C. स्टॉक एक्सचेंज से

D. बिक्री से

105. बैंक दर कौन निश्चित करता है?

A. भारत सरकार B. वित्त मंत्रालय

C. नीति आयोग D. रिजर्व बैंक

106. निम्नलिखित में से किसकी भारतीय निर्यात में सबसे बड़ी हिस्सेदारी है?

A. इंजीनियरिंग उत्पाद B. रत्न एवं आभूषण

C. समुद्री उत्पाद D. खाद्य तेल

107. दीनदयाल (कांडला) बन्दरगाह किस राज्य में स्थित है?

A. महाराष्ट्र B. गुजरात

C. आन्ध्र प्रदेश D. तमिलनाडु

108. ब्याज दर नीति निम्नलिखित में से किसके अन्तर्गत आती है?

A. राजकोषीय नीति B. औद्योगिक नीति

C. मौद्रिक नीति D. इनमें से कोई नहीं

109. विश्व में चाय का सबसे बड़ा उत्पादक देश कौन-सा है?

A. केन्या B. इंडोनेशिया

C. चीन D. भारत

110. रुपए को कब चालू खाते में परिवर्तनीय बना दिया गया?

A. 1991 B. 1994

C. 1995 D. 1997

111. योजना आयोग के स्थान पर नीति आयोग की स्थापना कब हुई?

A. जनवरी 2013 B. जनवरी 2014

C. जनवरी 2015 D. जनवरी 2011

112. 'STEP' .... की सहायतार्थ कल्याण कार्यक्रम का संक्षिप्त नाम है।

A. बच्चों B. किसानों

C. वरिष्ठ नागरिकों D. महिलाओं

113. खाद्यान्नों का उत्पादन ..... में सर्वाधिक होता है :

A. खरीफ मौसम

B. रबी मौसम

C. खरीफ और रबी मौसम के मध्य

D. कोई तय मौसम नहीं

114. मोनो कल्चर एक विशिष्ट लक्षण है :

A. आजीविका कृषि का

B. स्थानान्तरित कृषि व्यवस्था का

C. व्यापारिक अनाज की कृषि

D. विशिष्ट बागवानी

115. उर्वरकों के इस्तेमाल हेतु एनपीके का आदर्श अनुपात है :

A. 2 : 4 : 1 B. 2 : 1 : 4

C. 4 : 2 : 1 D. 1 : 2 : 4

116. राजकोषीय नीति का निर्माण करता है :

A. भारत सरकार B. रिजर्व बैंक

C. नाबार्ड D. व्यापारिक बैंक

117. 2001-2011 में जनसंख्या की दशकीय प्रतिशत वृद्धि दर थी :

A. 18.2 प्रतिशत B. 20.34 प्रतिशत

C. 17.7 प्रतिशत D. 14.46 प्रतिशत

118. सबसे निम्न साक्षरता वाला राज्य है :

A. अरुणाचल प्रदेश B. राजस्थान

C. बिहार D. उत्तर प्रदेश

119. भारत में बैंकों का बैंक है :

A. रिजर्व बैंक B. मुद्रा कोष

C. विश्व बैंक D. औद्योगिक बैंक

120. एक रुपये के नोट पर किसके हस्ताक्षर होते हैं?

A. रिजर्व बैंक के गवर्नर के

B. वित्त मंत्री के

C. सचिव, वित्त मंत्रालय के

D. उप-वित्तमंत्री के

121. राष्ट्रीय विकास परिषद् की स्थापना किस वर्ष हुई थी?

A. 1949 B. 1950

C. 1951 D. 1952

122. बैंक कार्यालयों की सर्वाधिक संख्या किस राज्य में है?

A. महाराष्ट्र B. आंध्र प्रदेश

C. उत्तर प्रदेश D. दिल्ली

123. लद्दाख को किस वर्ष एक केन्द्रशासित प्रदेश बनाया गया?

A. 2018 में B. 2019 में

C. 2016 में D. 2017 में

124. भारत में सबसे अधिक आयात किस देश से होता है?

A. जर्मनी B. ब्रिटेन

C. फ्रांस D. चीन

125. किस पंचवर्षीय योजना का मुख्य उद्देश्य 'गरीबी हटाओ' रखा गया था?

A. पांचवीं पंचवर्षीय योजना

B. चौथी पंचवर्षीय योजना

C. छठी पंचवर्षीय योजना

D. सातवीं पंचवर्षीय योजना

126. भारत में सबसे अधिक ईंधन रिजर्व किसका है?

A. तेल B. गैस

C. कोयला D. जल

127. ऑपरेशन कुटीर ज्योति किससे संबंधित है ?
A. प्रौढ़ साक्षरता B. स्वरोजगार
C. गरीबी उतन D. ग्रामीण विद्युतीकरण

128. 'मुद्रा प्रसार' (Inflation) का क्या परिणाम होता है?
A. कीमतों में बहुत अधिक वृद्धि
B. कीमतों में बेहद गिरावट
C. कीमतों का स्थिर हो जाना
D. कीमतों में अस्थिरता

129. ग्रामीण विद्युतीकरण निगम की स्थापना कब की गई थी ?
A. 1979 में B. 1989 में
C. 1959 में D. 1969 में

130. ओ.एन.जी.सी. का सम्बन्ध निम्नलिखित में से किससे है ?
A. अणु ऊर्जा B. खनिज तेल एवं गैस
C. जल ऊर्जा D. तापीय ऊर्जा

131. सबसे बड़ा ग्रह कौन-सा है ?
A. शनि B. मंगल
C. बुध D. बृहस्पति

132. विश्व का सबसे छोटा महाद्वीप कौन-सा है ?
A. ग्रीनलैंड B. आस्ट्रेलिया
C. दक्षिण अमेरिका D. यूरोप

133. विश्व का सबसे निम्नतम जल भंडार है ?
A. काला सागर B. मृत सागर
C. एड्रियाटिक सागर D. लाल सागर

134. बांग्लादेश का स्वाधीन देश के रूप में उदय किस वर्ष हुआ?
A. 1968 B. 1969
C. 1970 D. 1971

135. विश्व का सबसे ठंडा प्रायद्वीप सागर है ?
A. कैरेबियन सागर B. मेडीटेरियन सागर
C. लाल सागर D. ब्योफोर्ट सागर

136. विश्व का सबसे बड़ा महाद्वीप है ?
A. एशिया B. अफ्रीका
C. आस्ट्रेलिया D. उत्तर अमेरिका

137. भारतीय उप-महाद्वीप की सबसे ऊंची चोटी का नाम :
A. नंदादेवी B. एवरेस्ट
C. त्रिशूल D. कंचनजंगा

138. विश्व का सबसे बड़ा द्वीप है ?
A. न्यू गुयाना B. बर्नियो
C. मेडागास्कर D. ग्रीनलैंड

139. मानचित्रों की पुस्तक को क्या कहते हैं?
A. एटलस B. विश्वकोश
C. शब्दकोश D. डायरी

140. सबसे बड़ा महासागर है ?
A. प्रशांत महासागर
B. अटलांटिक महासागर
C. अंटार्कटिक महासागर
D. हिन्द महासागर

141. विश्व का सबसे बड़ा प्रायद्वीप है ?
A. प्रशांत B. भारत
C. बांग्लादेश D. अफ्रीका

142. विश्व का सबसे बड़ा द्वीप समूह है ?
A. इंडोनेशिया B. मलेशिया
C. न्यूजीलैंड D. माल्टा

143. विश्व का सबसे गहरा महासागर है ?
A. आर्कटिक B. अटलांटिक
C. प्रशांत D. हिन्द

144. किस पर्वतमाला को नीला पर्वत कहते हैं ?
A. नीलगिरि पर्वत B. आल्पस
C. माउंट एवरेस्ट D. हिमालय

145. 'अंध महाद्वीप' किसे कहते हैं ?
A. अफ्रीका B. ऑस्ट्रेलिया
C. ग्रीनलैंड D. दक्षिण अमेरिका

146. एशिया माइनर स्थित है :
A. इराक में B. तुर्की में
C. जार्डन में D. ईरान में

147. उत्तर का वेनिस किस शहर को कहा जाता है?
A. पेरिस B. इस्तांबुल
C. स्टॉकहोम D. मैड्रिड

148. पेरिस किस नदी के किनारे बसा है ?
A. तिबिया B. सीन
C. डेन्यूब D. उपर्युक्त में से कोई नहीं

149. ऑस्ट्रेलिया है :
A. दक्षिणी गोलार्द्ध का एकमात्र देश
B. द्वीपीय महाद्वीप
C. सबसे छोटा महाद्वीप
D. उपर्युक्त सभी बिंदु सत्य हैं

150. जायरे किस महाद्वीप में स्थित है ?
A. यूरोपीय B. ऑस्ट्रेलियाई
C. एशियाई D. अफ्रीकी

151. चीन का शोक है :
A. लिन पियाओ B. सिंकियांग
C. ह्वांगहो D. सैंग हो

152. विश्व का चीनी का कटोरा किसे कहा जाता है?
A. मनीला B. जापान
C. क्यूबा D. हवाना

153. उगते हुए सूरज की भूमि है :
A. जापान B. नार्वे
C. असम D. म्यांमार

154. विश्व का सबसे बड़ा कोयला उत्पादक है :
A. अमेरिका B. चीन
C. भारत D. फ्रांस

155. विश्व की सबसे लंबी नदी है :
A. नील B. अमेजन
C. यांग्त्ज D. मिसीसिपी-मिसौरी

156. मानसून वाली भूमि में लोगों का मुख्य धंधा है :
A. वानिकी B. कृषि
C. उद्योग D. खनन

157. क्षेत्रफल की दृष्टि से विश्व का सबसे बड़ा देश कौन-सा है?
A. यूएसए B. रूस
C. चीन D. कनाडा

158. भारत में थोक मूल्य सूचकांक का आधार वर्ष अब क्या है?
A. 2011-12 B. 2004-05
C. 2009-10 D. 2010-11

159. कोरबा—के लिए प्रसिद्ध है।
II. ताप ऊर्जा संयंत्र
II. अल्युमिनियम संयंत्र
III. हाइड्रो इलेक्ट्रिक ऊर्जा संयंत्र
IV. इनमें से सही उत्तर है
A. I और II B. केवल II
C. केवल I D. I, II और III

160. झारखंड का छोटा नागपुर क्षेत्र किसलिए प्रसिद्ध है?
A. तेल परिशोधनशाला B. उपजाऊ भूमि
C. लाख उद्योग D. टेक्सटाइल

161. निम्नलिखित में से कौन-सा युग्म सही है?
A. भिलाई-बिहार B. बोकारो-मध्य प्रदेश
C. दुर्गापुर-कर्नाटक D. राउरकेला-ओडिशा

162. खेतड़ी प्रसिद्ध है :
A. तांबा काम्प्लेक्स
B. सोने के क्षेत्र
C. अल्युमिनियम काम्प्लेक्स
D. उर्वरक

163. भारत के किस राज्य का क्षेत्रफल सबसे बड़ा है?
A. असम B. उत्तर प्रदेश
C. पश्चिम बंगाल D. राजस्थान

164. जादूगोड़ा किस लिए प्रसिद्ध है?
A. यूरेनियम B. तांबा
C. कोयला D. सैंडस्टोन

165. ब्राजील की राजधानी है :
A. साओ पोलो B. ब्राजीलिया
C. पोर्ट लुइस D. सेन सल्वाडोर

166. हीराकुड बांध किस नदी पर बना हुआ है?
A. गोदावरी B. महानदी
C. सतलज D. कृष्णा

167. भारत का ज्वारीय बंदरगाह है :
A. मुम्बई B. कांडला
C. मंगलुरु D. कोच्चि

168. महात्मा गांधी सेतु किस नदी पर बना है?
A. ब्रह्मपुत्र B. गोदावरी
C. गंगा D. कावेरी

169. पिम्परी किस लिए विख्यात है?
A. उर्वरक कारखाना
B. सीमेंट कारखाना
C. रसायन फैक्टरी
D. एंटीबायोटिक फैक्टरी

170. भारत की सबसे बड़ी नदी है?
A. ब्रह्मपुत्र B. गंगा
C. गोदावरी D. कृष्णा

171. 'तिस्ता जल' का भारत और किसके बीच बंटवारा होता है?
A. नेपाल B. भूटान
C. चीन D. बांग्लादेश

172. कार्बेट नेशनल पार्क कहां स्थित है?
A. गुजरात B. उत्तराखंड
C. मध्य प्रदेश D. असम

173. मैंगनीज पाया जाता है :
A. पंजाब में B. जम्मू-कश्मीर में
C. मध्य प्रदेश में D. उपर्युक्त सभी में

174. नागार्जुन सागर परियोजना किस नदी पर चलाई जा रही है?
A. कावेरी B. कृष्णा
C. गोदावरी D. तुंगभद्रा

175. निम्नलिखित में से कौन खरीफ फसल है?
A. चना B. जौ
C. गेहूं D. चावल

176. प्रसिद्ध पर्वतीय स्थल 'मसूरी' किस राज्य में स्थित है?
A. हिमाचल प्रदेश B. मेघालय
C. महाराष्ट्र D. उत्तराखंड

177. भारतीय संघ का क्षेत्रफल है ?
A. 32,87,263 वर्ग किमी.
B. 55,26,892 वर्ग किमी.
C. 32,00,000 वर्ग किमी.
D. 35,00,000 वर्ग किमी.

178. संपूर्ण भारतवर्ष के लिए औसत वार्षिक वर्षा है :
A. 180 सेमी. B. 105 सेमी.
C. 70 सेमी. D. 120 सेमी.

179. भारत इनके बीच स्थित है :
A. 8°4' उ. से 37°6' उ. अक्षांश और 60°7' पूर्व से 98°25' पूर्वी देशांतर
B. 8° उ. से 37° उ. अक्षांश और 68° पूर्वी और 97° पूर्वी देशांतर
C. 8° उ. से 38° उ. अक्षांश और 60° पूर्वी और 90° पूर्वी देशांतर
D. 9° उ. से 38° उ. अक्षांश और 64° पूर्वी से 100° पूर्वी देशांतर

180. भारत का सबसे लंबा रेलवे प्लेटफार्म है :
A. हावड़ा B. नई दिल्ली
C. गोरखपुर D. मुगलसराय

181. किस विटामिन की कमी से रिकेट्स रोग होता है ?
A. A B. B
C. C D. D

182. घेंघा रोग किसकी कमी से होता है ?
A. साधारण नमक B. आयोडीन
C. चीनी D. शुद्ध जल

183. साइकिल के ट्यूब सबसे अधिक किस समय फटते हैं ?
A. जाड़े में B. गर्मी में
C. बरसात में D. वर्ष भर

184. हैपेटाइटिस रोग से मनुष्य के शरीर का कौन सा अंग प्रभावित होता है ?
A. यकृत B. फेफड़ा
C. हृदय D. मस्तिष्क

185. मलेरिया रोग निम्नलिखित में से किस मच्छर के काटने से होता है ?
A. नर क्यूलेक्स B. मादा एनोफ्लीज
C. नर एनोफ्लीज D. मादा क्यूलेक्स

186. ऑक्सीजन की आपूर्ति ········ के द्वारा होती है।
A. श्वेत रक्त कण
B. लाल रक्त कण
C. प्लाज्मा
D. सभी के द्वारा

187. 'कैटेरेक्ट' बीमारी शरीर के किस अंग से संबंधित है?
A. यकृत B. फेफड़े
C. आँख D. नाक

188. निकट दृष्टि दोष में उपयोग में लाया जाने वाला लैंस है—
A. उत्तल लैंस B. अवतल लैंस
C. बेलनाकार लैंस D. बायोफोकस लैंस

189. बरसात में कपड़े के देर से सूखने का क्या कारण है ?
A. वायुमंडल में अधिक आर्द्रता के कारण
B. गर्मी के कारण
C. बादल के कारण
D. इनमें से कोई नहीं

190. 'निमोनिया' किस अंग की बीमारी है?
A. फेफड़े B. आँत
C. मस्तिष्क D. दांत

191. 'डिफ्थीरिया' रोग से प्रभावित होने वाला अंग है—
A. छाती B. पेट
C. आंख D. श्वास नली

192. वयस्क मानव में रुधिर की रचना किसके द्वारा की जाती है ?
A. हृदय B. तिल्ली
C. लाल अस्थिमज्जा D. पीत अस्थिमज्जा

193. सर्वदाता वह व्यक्ति है जिसका रुधिर वर्ग होता है—
A. B B. A
C. AB D. O

194. एक हॉर्स पावर (Horse Power) का मान होता है—
A. 576 वॉट B. 646 वॉट
C. 814 वॉट D. 746 वॉट

195. क्षयरोग (तपेदिक) से बचाव के लिए कौन-सा टीका लगाया जाता है ?
A. डी.पी.टी. B. बी.सी.जी.
C. ए.टी.एस. D. इनमें से कोई नहीं

196. अरक्तता (एनीमिया) किसकी कमी से होता है ?
A. आयोडीन B. लोहा
C. कैल्सियम D. फॉस्फोरस

197. शरीर को सबसे अधिक कैलोरी ऊर्जा प्रदान करता है—
A. कार्बोहाइड्रेट B. प्रोटीन
C. वसा D. खनिज लवण

198. कागज का आविष्कार सर्वप्रथम कहां हुआ ?
A. थाईलैंड में B. चीन में
C. भारत में D. जापान में

199. किसी वयस्क व्यक्ति का सामान्य रक्तचाप होता है—
A. 120/80 B. 90/60
C. 160/20 D. 140/100

200. कैलोरी किसकी इकाई है ?
A. कार्य B. ऊष्मा
C. ऊर्जा D. प्रकाश

201. जल का सबसे शुद्ध रूप है—
A. नदी का जल B. वर्षा का जल
C. झील का जल D. हिम नदी का जल

202. रक्त के थक्के जमने का कारण है—
A. थ्राम्बिन B. हीमोग्लोबिन
C. पेक्टिन D. उपरोक्त सभी

203. ध्वनि की तीव्रता नापी जाती है—
A. डेसीबल से B. डेसीमीटर से
C. ईकोबल से D. उपर्युक्त सभी से

204. पृथ्वी के पलायन वेग का मान है :
A. 11.2 किमी./से. B. 11.2 मी./से.
C. 7.0 किमी./से. D. 1.5 किमी./से.

205. टायफॉयड में शरीर का कौन-सा अंग प्रभावित होता है?
A. श्वासनली B. फेफड़ा
C. आंत D. यकृत (लीवर)

206. सौरमंडल का सबसे बड़ा और भारी ग्रह कौन-सा है?
A. पृथ्वी B. बृहस्पति
C. शनि D. वरुण

207. कुनैन कहां से प्राप्त होता है?
A. सिनकोना के छाल से B. पेड़ के रस से
C. पेड़ की जड़ से D. पशुओं से

208. विटामिन 'सी' क्या कहलाता है?
A. एस्कॉर्बिक एसिड
B. टारटारिक एसिड
C. अमीनो एसिड
D. ग्लाइकोलिक एसिड

209. किलोवाट किसकी इकाई है?
A. शक्ति की B. कार्य की
C. ऊर्जा की D. विद्युतधारा की

210. 'फैदम' किसकी माप की इकाई है?
A. समय B. गहराई
C. ध्वनि D. ऊर्जा

211. दूध में सबसे कम पाया जाता है—
A. लोहा B. कैल्शियम
C. प्रोटीन D. विटामिन

212. सबसे अधिक मात्रा में प्रोटीन प्रति ग्राम किसमें पाया जाता है?
A. मूंगफली B. सोयाबीन
C. गेहूं D. मक्का

213. सूर्य से सबसे अधिक दूरी पर स्थित ग्रह है—
A. यूरेनस B. शनि ग्रह
C. नेप्चून D. बुध

214. निम्नलिखित में कौन-सा रोग वंशानुगत है?
A. रतौंधी B. रक्ताल्पता
C. वृक्कशोध D. मधुमेह

215. शरीर की सरंचना का अध्ययन विज्ञान की किस शाखा में किया जाता है?
A. ऑटोमेशन B. एनाटोमी
C. बायोमेट्री D. बायोनिक्स

216. किसकी कमी के कारण भोजन का पाचन नहीं हो सकता?
A. एंजाइम B. हॉरमोन
C. विटामिन D. उपर्युक्त (B) और (C)

217. एलिसा नामक परीक्षण किस रोग से निदान के लिए किया जाता है?
A. एड्स B. टी.बी.
C. हेपेटाइटिस D. डिप्थीरिया

218. 'ग्लूकोमा' मानव शरीर के किस अंग से संबंधित बीमारी है?
A. फेफड़ा B. हृदय
C. कान D. आंख

219. 'जेट इंजन' का आविष्कारक कौन था?
A. जेम्स वाट
B. चार्ल्स पारसन्स
C. आर्विल और विल्टर राइट
D. फ्रेंक व्हीटल

220. विटामिन डी का उत्तम स्रोत है—
A. अंडा B. दूध
C. सूर्य की किरणें D. पालक

221. किस मच्छर के काटने से डेंगू बुखार होता है?
A. एनाफिलीज B. एडीज
C. बुचेरिया D. बाटफलाई

222. निम्नलिखित में कौन-सा सुमेलित नहीं है?
A. विटामिन ए - मलेरिया B. विटामिन बी - बेरीबेरी
C. विटामिन सी - स्कर्वी D. विटामिन ई - बांझपन

223. पेस मेकर का क्या कार्य है?
A. पाचन क्रिया का नियमन
B. मूत्र बनाने का नियमन
C. दिल की धड़कन प्रारम्भ करना
D. श्वास क्रिया प्रारम्भ करना

224. 'हीलियम गैस' को गुब्बारों में क्यों भरा जाता है?
A. वह एक उत्कृष्ट गैस है
B. वह वायु से हल्का है
C. उसका परमाणु क्रमांक 2 है
D. वह जल के अवयवों में से एक है

225. मोटर वाहनों में किस दर्पण का उपयोग होता है ?
A. उत्तल दर्पण B. अवतल दर्पण
C. समतल दर्पण D. गोलीय दर्पण

226. प्रकाश संश्लेण होता है—
A. रात्रि में B. दिन व रात्रि में
C. दिन में अथवा रात्रि में D. केवल दिन में

227. कौन-सा पेड़ सबसे शीघ्र बढ़ता है ?
A. पीपल B. नीम
C. बरगद D. युक्लिप्टिस

228. विटामिन सी सबसे अधिक किसमें पाया जाता है ?
A. संतरा B. आम
C. गाजर D. अमरूद

229. थायराइड भोजन में ·········की कमी से होता है ?
A. कैल्शियम B. आयरन
C. क्लोरीन D. आयोडीन

230. रक्त-स्कन्दन में कौन-सा विटामिन क्रियाशील होता है ?
A. डी B. ए
C. सी D. के

231. पेड़-पौधों के पत्तों का रंग हरा किस तत्त्व के कारण होता है ?
A. हीमोग्लोबिन B. क्लोरोफिल
C. लेटिन फ्लू D. पेयरीक्लीफ

232. निम्नलिखित में से किस ग्रह को लालतारा की संज्ञा दी जाती है ?
A. शनि B. मंगल
C. शुक्र D. बुध

233. एक स्वस्थ वयस्क व्यक्ति का हृदय एक मिनट में औसतन कितनी बार धड़कता है ?
A. 86 B. 98
C. 72 D. 64

234. बॉक्साइट किसका अयस्क है ?
A. जस्ता B. तांबा
C. ऐल्युमिनियम D. मैंगनीज

235. हॉर्स पावर क्या है ?
A. घोड़े की शक्ति B. बल का मात्रक
C. शक्ति का मात्रक D. इनमें से कोई नहीं

236. ग्रैंड स्लेम निम्नलिखित में से किस खेल से संबंधित है?
A. फुटबॉल B. टेनिस
C. हॉकी D. पोलो

237. वायु में कौन सी गैस सर्वाधिक मात्रा में उपस्थित है ?
A. ऑक्सीजन
B. नाइट्रोजन
C. कार्बन डाइ आक्साइड
D. हाइड्रोजन

238. वायुमंडलीय दाब ·······से नापा जाता है ?
A. हाइड्रोमीटर (द्रवमापी)
B. बैरोमीटर (दाबमापी)
C. हाइग्रोमीटर (आर्द्रतामापी)
D. एल्टीमीटर (ऊंचाई मापी)

239. विटामिन D किसमें पाया जाता है ?
A. मक्खन B. यकृत
C. अण्डा D. उपर्युक्त सभी में

240. प्रकाश वर्ष·········की इकाई है।
A. दूरी B. समय
C. वजन D. प्रकाश की तीव्रता

241. भारतीय ज्ञानपीठ पुरस्कार किसे प्रदान किया जाता है?
A. उत्कृष्ट हिन्दी कविता के लिए
B. भारतीय साहित्य में उत्कृष्ट योगदान के लिए
C. हिन्दी साहित्य में उत्कृष्ट योगदान के लिए
D. भारतीय दर्शन की उत्कृष्ट समीक्षा के लिए

242. अध्यापकों के लिए राष्ट्रीय पुरस्कारों की घोषणा कब की जाती है?
A. 14 नवम्बर B. 5 सितम्बर
C. 30 जनवरी D. 26 जनवरी

243. निम्नलिखित में से किस विषय पर नोबेल पुरस्कार नहीं दिया जाता है?
A. चिकित्सा B. गणित
C. अर्थशास्त्र D. रसायन शास्त्र

244. बुकर पुरस्कार किस क्षेत्र में प्रदान किया जाता है?
A. कल्पना साहित्य लेखन
B. औषधि
C. साहस के कार्य
D. विज्ञान

245. गांधी शान्ति पुरस्कार में कितनी धनराशि प्रदान की जाती है?
A. 50 लाख B. 2 करोड़
C. 1 करोड़ D. 10 लाख

246. सर्वोच्च शौर्य पुरस्कार 'परमवीर चक्र' के प्रथम विजेता कौन थे?
A. मेजर ध्यान सिंह
B. के॰ गुरुवचन सिंह
C. मेजर शैतान सिंह
D. मेजर सोमनाथ शर्मा

247. धन्वन्तरि पुरस्कार किस क्षेत्र में विशिष्ट योगदान के लिए दिया जाता है?
A. संगीत B. नृत्य
C. दर्शन D. चिकित्सा

248. कलिंग पुरस्कार किस क्षेत्र में दिया जाता है?
A. साहित्य के क्षेत्र में
B. विज्ञान के क्षेत्र में
C. सामाजिक कल्याण के लिए किये गए कार्य के लिए
D. अन्तर्राष्ट्रीय शान्ति एवं सद्भावना के लिए

249. नोबेल पुरस्कार का आरम्भ कब से हुआ?
A. सन् 1901 से B. सन् 1905 से
C. सन् 1896 से D. सन् 1934 से

250. अर्थशास्त्र के लिए नोबेल पुरस्कार कब से आरम्भ हुआ?
A. सन् 1969 ई० से
B. सन् 1939 ई० से
C. सन् 1901 ई० से
D. सन् 1935 ई० से

251. ग्रेमी पुरस्कार किस क्षेत्र में अभूतपूर्व उपलब्धियों के लिए दिए जाते हैं?
A. खेल B. कृषि
C. विज्ञान D. संगीत

252. होमी भाभा पुरस्कार किस क्षेत्र में विशेष योगदान के लिए दिया जाता है?
A. सैद्धान्तिक भौतिकी
B. नाभिकीय ऊर्जा
C. लेसर भौतिकी
D. अन्तरिक्ष अनुसन्धान

253. नेहरू पुरस्कार कौन-सी संस्था प्रदान करती है?
A. इंडियन कौंसिल ऑफ कल्चरल रिलेशन्स
B. इंडो-सोवियत कल्चरल सोसाइटी
C. भारतीय राष्ट्रीय कांग्रेस
D. भारतीय ज्ञानपीठ

254. वीरता का सर्वोच्च सम्मान सूचक पदक जो शत्रु के सामने असीम शौर्य और अदम्य साहस दिखाने या आत्म-बलिदान करने पर भेंट किया जाता है, उसका क्या नाम है?
A. चक्रव्यूह B. अशोक चक्र
C. महावीर चक्र D. परमवीर चक्र

255. प्रथम मरणोपरान्त 'भारत-रत्न' अलंकरण किसे प्रदान किया गया था?
A. के० कामराज नाडार
B. आचार्य विनोबा भावे
C. लाल बहादुर शास्त्री
D. एम०जी० रामचन्द्रन

256. निम्नलिखित में से कौन-सा पुरस्कार केवल एशियावासियों को दिया जाता है?
A. नेहरू सद्भावना पुरस्कार
B. पुलित्ज़र पुरस्कार
C. इन्दिरा गांधी शान्ति पुरस्कार
D. मैग्सेसे पुरस्कार

257. अर्जुन पुरस्कार कब से प्रारम्भ हुए?
A. 1961 ई० से B. 1962 ई० से
C. 1963 ई० से D. 1964 ई० से

258. लोक संस्कृति के विकास के लिए 'तुलसी पुरस्कार' किस राज्य ने स्थापित किया है?
A. उत्तर प्रदेश ने B. बिहार ने
C. राजस्थान ने D. मध्य प्रदेश ने

259. ऑस्कर में नामित प्रथम भारतीय फिल्म कौन थी?
A. मदर इंडिया B. सलाम बॉम्बे
C. लगान D. पहेली

260. ललित कला के विभिन्न क्षेत्रों में उत्कृष्ट योगदान के लिए कालिदास सम्मान किस सरकार की ओर से प्रदान किया जाता है?
A. उत्तर प्रदेश B. राजस्थान
C. मध्य प्रदेश D. पश्चिम बंगाल

261. निम्नलिखित में से किसे सबसे पहले 'दादा साहेब फाल्के पुरस्कार से सम्मानित किया गया था?
A. शोभना समर्थ B. दुर्गा खोटे
C. देविका रानी D. कानन देवी

262. कृषि अनुसंधान के क्षेत्र में उत्कृष्ट योगदान के लिए एक पुरस्कार दिया जाता है, उसका नाम क्या है?
A. कृषि पंडित पुरस्कार
B. कालिंजर पुरस्कार
C. अर्जुन पुरस्कार
D. बोरलॉग पुरस्कार

263. रुइया ट्रॉफी निम्नलिखित में से किस खेल से संबंधित भारत की सर्वाधिक प्रतिष्ठित ट्रॉफी है?
A. स्क्वैश B. तैराकी
C. ब्रिज D. शतरंज

264. ओलंपिक पदक विजेता नीरज चोपड़ा का संबंध किस खेल से है?
A. भाला फेंक B. टेनिस
C. कुश्ती D. हॉकी

265. सर्वप्रथम क्रिकेट टैस्ट मैच किस देश में खेला गया था?
A. न्यूज़ीलैण्ड में B. भारत में
C. इंग्लैण्ड में D. ऑस्ट्रेलिया में

266. आधुनिक ओलंपिक खेलों में विजेताओं को स्वर्ण पदक देने की प्रथा कब से आरम्भ हुई?

A. 1908 से B. 1912 से
C. 1918 से D. 1922 से

267. ओवल (क्रिकेट) स्टेडियम विश्व के किस देश में है?
A. ऑस्ट्रेलिया B. भारत
C. न्यूज़ीलैंड D. इंग्लैंड

268. भारत ने पहली बार विश्व कप हॉकी स्पर्धा कब जीती थी?
A. 1975 B. 1971
C. 1979 D. 1967

269. किस खेल में प्रत्येक पक्ष में खिलाड़ियों की संख्या सर्वाधिक होती है?
A. फुटबॉल B. रग्बी फुटबॉल
C. हॉकी D. आइस हॉकी

270. 'ददा' के नाम से किसे जाना जाता है?
A. मेजर ध्यानचंद B. रूप सिंह
C. के. डी. सिंह D. उधम सिंह

271. निम्नलिखित में से कौन-सा कप / ट्रॉफी फुटबॉल से सम्बन्धित नहीं है?
A. मर्डेका कप B. डूरण्ड कप
C. सन्तोष ट्रॉफी D. दिलीप ट्रॉफी

272. सन् 1975 में प्रथम क्रिकेट विश्व कप किस देश में आयोजित किया गया था?
A. ऑस्ट्रेलिया B. इंग्लैंड
C. वेस्टइंडीज D. न्यूजीलैंड

273. मारिया शारापोवा किस देश की महिला टेनिस खिलाड़ी है?
A. स्पेन B. बेल्जियम
C. रूस D. सं. रा. अ.

274. निम्नलिखित में से कौन-सी अन्तर्राष्ट्रीय टेनिस खेल प्रतियोगिता घास के मैदान में खेली जाती है?
A. यू.एस. ओपन B. फ्रेंच ओपन
C. विम्बलडन D. ऑस्ट्रेलियाई ओपन

275. 'विम्बलडन ट्रॉफी' का सम्बन्ध किस खेल से है?
A. पोलो (इंग्लैंड) से B. समुद्री दौड़ से
C. घुड़दौड़ से D. टेनिस से

276. निम्न में से किस पदक का सम्बन्ध हॉकी से नहीं है?
A. आगा खां कप B. वर्दवान ट्रॉफी
C. ध्यानचन्द ट्रॉफी D. बम्बई गोल्ड कप

277. 'रिवर्स स्विंग' एवं 'बीमर' नामक शब्दावलियां किस खेल से संबंधित हैं?
A. नौकायन B. क्रिकेट
C. फुटबॉल D. हॉकी

278. 'बोगी' शब्द किस खेल से जुड़ा हुआ है?
A. गोल्फ B. बेसबॉल
C. तैराकी D. मुक्केबाजी

279. 'ज्यूल्स रिमेट ट्रॉफी' का सम्बन्ध किस खेल से है?
A. फुटबॉल (विश्व) से
B. गोल्फ से
C. हॉकी (भारत) से
D. लॉन टेनिस (विश्व) से

280. 'मर्डेका' कप का सम्बन्ध किस खेल से है?
A. टेनिस B. बैडमिंटन
C. फुटबॉल D. क्रिकेट

281. प्रथम ओलम्पिक खेल ओलम्पिया (ग्रीस) में कब खेले गए थे?
A. 233 ई.पू. में B. 1500 ई.पू. में
C. 500 ई.पू. में D. 776 ई.पू. में

282. 394 ई. में रोम के बाद एक सम्राट् ने ओलम्पिक खेलों को बंद कर दिया था। इसको पुनः किसने शुरू किया?
A. मि. स्पोर्ट्समैन ने
B. बैरन पीयरे डी कोबर्टिन ने
C. जनरल फ्रेंको ने
D. अब्राहम लिंकन ने

283. 'थर्ड आई' शब्द किस खेल से संबंधित है?
A. तीरंदाजी B. बिलियर्ड्स
C. क्रिकेट D. हॉकी

284. ग्रैंड स्लेम (Grand Slam) निम्नलिखित में से किस खेल से संबंधित है?
A. फुटबॉल B. टेनिस
C. हॉकी D. पोलो

285. निम्नलिखित पुस्तकों में से कौन-सी पुस्तक महादेवी वर्मा द्वारा लिखित है?
A. यशोधरा B. यामा
C. ययाति D. उर्वशी

286. 'मेरी इक्यावन कवितायें' किसकी पुस्तक है?
A. धर्मवीर भारती
B. आशापूर्णा देवी
C. अटल बिहारी वाजपेयी
D. कुंवर नारायण

287. 'इण्डिया डिवाइडेड' किसकी रचना है?
A. आचार्य कृपलानी
B. डॉ. राजेन्द्र प्रसाद
C. मौलाना अबुल कलाम आजाद
D. डॉ. अम्बेडकर

288. 'सैटनिक वर्सेज़' किस लेखक की पुस्तक है?
A. मुल्कराज आनंद B. सलमान रुश्दी
C. आर॰के॰ नारायण D. तस्लीमा नसरीन

289. 'क्रिकेट माई स्टाइल' पुस्तक का लेखक कौन है?
A. सुनील गावस्कर B. इमरान खान
C. मो. अजहरुद्दीन D. कपिल देव

290. 'ए सूटेबल ब्वाय' पुस्तक का लेखक कौन है?
A. खुशवंत सिंह B. अरुण शोरी
C. विक्रम सेठ D. इनमें कोई नहीं

291. 'कैन्टरबरी टेल्स' पुस्तक का लेखक कौन है?
A. ज्योफरी चॉसर
B. लियो टॉलस्टाय
C. गुन्नार मिर्डल
D. विलियम शेक्सपियर

292. निम्नलिखित में से कौन-सी पुस्तक प्रेमचन्द द्वारा रचित नहीं है?
A. गोदान B. गबन
C. प्रेम पचीसी D. आनंदमठ

293. बांग्लादेश की लेखिका तस्लीमा नसरीन को किस पुस्तक से ख्याति मिली?
A. शर्म B. लज्जा
C. नारी स्वातन्त्रय D. अबला

294. 'पावर्टी एण्ड अन-ब्रिटिश रूल इन इण्डिया' का लेखक कौन है?
A. लाला लाजपत राय
B. लाला हरदयाल
C. विनायक दामोदर सावरकर
D. दादाभाई नौरोजी

295. 'मुद्राराक्षस' ग्रंथ का लेखक कौन है?
A. विशाखदत्त B. कालिदास
C. भारवि D. माघ

296. 'माई प्रेसिडेंशल ईयर्स' पुस्तक का लेखक कौन है?
A. ज्ञानी जैल सिंह
B. वी॰वी॰ गिरि
C. आर॰ वेंकटरमन
D. डॉ॰ शंकर दयाल शर्मा

297. 'माई कंट्री माई लाइफ' किस राजनेता द्वारा लिखी पुस्तक है?
A. एल.के. आडवाणी B. एम.एम. जोशी
C. सीताराम येचुरी D. नरेंद्र मोदी

298. वर्शिपिंग फाल्स गॉड्स (Worshiping False Gods) पुस्तक के लेखक हैं–
A. विक्रम सेठ B. अरुण शौरी
C. सलमान रुश्दी D. खुशवन्त सिंह

299. निम्नलिखित पुस्तकों में से कौन-सी पुस्तक सलमान रुश्दी की है?
A. दि वर्ल्ड ऑफ फतवाज़
B. दि मूर्स लास्ट साई
C. दि अदर हाफ
D. फूल्स पैराडाइज़

300. 'एस अगेंस्ट ऑड' किस खिलाड़ी की आत्मकथा है?
A. सायना नेहवाल B. सानिया मिर्जा
C. सचिन तेन्दुलकर D. एम.एस. धोनी

301. 'फ्रीडम एट मिडनाइट' के लेखक कौन हैं?
A. जवाहरलाल नेहरू तथा डॉ॰ राजेन्द्र प्रसाद
B. एम॰ओ॰ मथाई तथा फ्रैंक मोरेस
C. मैक्सिम गोर्की तथा दोस्तोवस्की
D. लैरी कॉलिन्स और डोमिनिक लापियर

302. 'अंकल टॉम्स केबिन' के लेखक का क्या नाम है?
A. एच॰बी॰ स्टोव B. एडम स्मिथ
C. टॉलस्टाय D. थॉमस मूर

303. 'वार एण्ड पीस' और 'अन्ना कैरेनिना' दोनों एक ही अन्तर्राष्ट्रीय ख्यातिप्राप्त लेखक की कृतियां हैं। उस लेखक का क्या नाम है?
A. ओलीवर गोल्डस्मिथ B. स्वेतलाना
C. लुई ब्रोमफील्ड D. लियो टॉलस्टाय

304. 'कोर्ट मार्शल' क्या होता है?
A. सैनिक कानूनों के तहत सैनिक अदालत में एक व्यक्ति के खिलाफ कानूनी कार्रवाई
B. कोर्ट में व्यवस्था बनाने वाला व्यक्ति
C. साधारण कोर्ट में किसी व्यक्ति के खिलाफ मुकदमा
D. इनमें से कोई नहीं

305. 'कैलिग्राफी' क्या होता है?
A. सुन्दर दिखने की कला
B. सुन्दर लिखने की कला
C. साहित्य अथवा कला के क्षेत्र में किया गया सर्वोत्कृष्ट कार्य
D. अच्छा गाने की कला

306. 'हॉटलाइन' का क्या अर्थ है?
A. दो व्यक्तियों के बीच एकल लाइन के रूप में सीधी टेलीफोन सेवा
B. बिजली के करंट दौड़ते हुए तार
C. ऐसी सीमा रेखा जहाँ गर्मी पड़ती है
D. गर्म प्रदेशों के बीच सीमा रेखा

307. 'शून्य काल' का क्या अर्थ होता है?
A. रात्रि और दिन के मिलने का समय
B. संसद के दोनों सदनों में प्रश्नकाल के ठीक बाद का समय

C. जिस समय कोई लाभ देने वाला काम नहीं हुआ हो
D. इनमें से कोई नहीं

308. 'काकस' का क्या अर्थ होता है?
A. किसी राजनीतिक दल अथवा गुट के प्रमुख सदस्यों की बैठक
B. बजट तैयार करने की प्रक्रिया
C. अनुदान मांगों में कटौती का प्रस्ताव
D. किसी मंत्री द्वारा सदन को दी गई जानकारी

309. 'रिसेशन' का क्या अर्थ होता है?
A. एक शासन पद्धति
B. एक आर्थिक प्रक्रिया जहाँ मांग उत्पादन से कम होती है
C. समाज सुधार की एक प्रक्रिया
D. खेल की एक विधि

310. 'बार्टर' क्या है?
A. व्यापार की एक प्राचीन प्रथा
B. जापान की चित्रकला
C. गाने की एक विधा
D. एक नृत्य रूपक

311. 'ब्लैक होल' क्या होता है?
A. चन्द्रमा पर पाए जाने वाले काले धब्बे
B. पृथ्वी पर स्थित गहरे काले धब्बे
C. प्राणी में मौजूद संरचनाएं
D. अंतरिक्ष में स्थित एक अदृश्य क्षेत्र

312. 'एंटीडॉट' क्या होता है?
A. एक ऐसा तत्व जो विष के प्रभाव का शमन करता है
B. सड़न रोकने वाला रसायन
C. फलों को पकाने वाला रसायन
D. कार्य स्थगन प्रस्ताव

313. 'हिंटरलैंड' से क्या तात्पर्य है?
A. महासागर के वह हिस्से जो तटों से काफी दूर होते हैं
B. वनस्पति अथवा प्राणी के लिए अनुकूल उनका प्राकृतिक परिवेश
C. एक समुद्री बंदरगाह का भीतरी क्षेत्र जो बंदरगाह की सुविधा का सर्वाधिक उपयोग करता है
D. इनमें से कोई नहीं

314. कम्प्यूटर–
A. एक उपकरण है, जो गणितीय और तार्किक संक्रियायें सम्पन्न करता है
B. एक उपकरण है, जो केवल गणितीय संक्रियायें सम्पन्न करता है
C. एक स्मृति उपकरण है
D. एक गणना उपकरण है

315. 'PC' का अर्थ है–
A. प्राइवेट कम्प्यूटर B. पर्सनल कैल्कुलेटर
C. पर्सनल कम्प्यूटर D. प्रोफेशनल कम्प्यूटर

316. 'बाइनरी अंक प्रणाली' में अधिकतम अंक (Digit) कितने होते हैं?
A. 1 B. 10
C. 2 D. 4

317. निम्नलिखित में से कौन-सा 'इनपुट' उपकरण है?
A. मॉनीटर B. प्रिंटर
C. प्लॉटर D. माउस

318. CPU का पूरा नाम है–
A. सेन्ट्रल प्रोग्रामिंग यूनिट
B. सेन्ट्रल प्रोसेसिंग यूनिट
C. सेन्ट्रल प्रोग्रामिंग अण्डरस्टैंडिंग
D. सेन्ट्रल प्रोसेसिंग अण्डरस्टैंडिंग

319. गणना हेतु प्रयोग में लाया गया पहला उपकरण था–
A. ENIAC B. ABACUS
C. एनालिटिकल इंजन D. EDSAC

320. ABACUS का प्रयोग कब शुरू हुआ था?
A. 250 ई॰ में B. 450 ई॰पू॰ में
C. 1200 ई॰पू॰ में D. 1200 ई॰ में

321. किस अंग्रेज को 'कम्प्यूटर का जनक' कहा जाता है?
A. ब्लेज़ पास्कल B. लेबनित्ज
C. चार्ल्स बैबेज D. जे॰पी॰ एकर्ट

322. निम्नलिखित में से कौन-सी कम्प्यूटर की सेकेण्डरी मेमोरी है?
A. RAM B. ROM
C. रजिस्टर्स D. फ्लॉपी

323. निम्नलिखित में से कौन पैकेज नहीं है?
A. BASIC B. dBASE
C. वर्ड परफेक्ट D. पेज मेकर

324. कौन-सा बेमेल है?
A. वर्ड स्टार B. वर्ड परफेक्ट
C. DOS Editor D. विण्डो

325. डाटा के समुच्चय (Set) को क्या कहते हैं?
A. फील्ड B. रेकार्ड
C. फाइल D. इनमें से कोई नहीं

326. IBM का पूरा नाम क्या है?
A. इण्टरनेशनल बिजनेस मशीन
B. इण्टर बिजनेस मैकनिज्म
C. इण्टरनल बिजनेस मैनेजमेंट
D. उपरोक्त में से कोई भी नहीं

327. प्रिन्टर–
A. आउटपुट यूनिट है B. इनपुट यूनिट है
C. उपरोक्त दोनों हैं D. इनमें से कोई नहीं

328. फ्लॉपी–
A. इनपुट यूनिट है
B. आउटपुट यूनिट है
C. इनपुट यूनिट और आउटपुट यूनिट दोनों है
D. उपरोक्त में से कोई भी नहीं है

329. कम्प्यूटर की विशेषतायें हैं–
1. तेज रफ्तार 2. स्वचालन
3. कार्यशीलता 4. परिवर्तनशीलता
निम्नलिखित में से कौन-सी विशेषता सही है?
A. 1 और 2 सही हैं B. 1, 2 और 4 सही हैं
C. 1, 2 और 3 सही हैं D. उपरोक्त सभी सही हैं

330. 1 बाइट किसके बराबर है?
A. 8 बिट B. 16 बिट
C. 36 बिट D. 64 बिट

331. असंसाधित (Unprocessed) तथ्य को क्या कहा जाता है?
A. डाटा B. डाटम
C. फाइल D. फील्ड

332. कम्प्यूटर–
A. सूचना ग्रहण करता है
B. सूचना को निर्दिष्ट प्रयोजन के लिए अनुकूल बनाता है
C. परिणाम प्रदर्शित करता है
D. उपरोक्त सभी बातें सही हैं

333. भारत के राष्ट्रीय ध्वज में केसरिया, सफेद और हरे रंग की तीन–
A. आड़ी पट्टियाँ हैं
B. खड़ी पट्टियाँ हैं
C. एक दूसरे को काटती हुई पट्टियाँ हैं
D. तिरछी पट्टियाँ हैं

334. हमारे राष्ट्रीय ध्वज की लम्बाई और चौड़ाई का अनुपात–
A. 2 : 3 है B. 3 : 4 है
C. 4 : 3 है D. 3 : 2 है

335. भारत के राष्ट्रीय ध्वज के बीच में एक गोल चक्र है; यह चक्र–
A. तीनों रंग की पट्टियों पर है
B. केसरिया रंग की पट्टी पर है
C. सफेद रंग की पट्टी पर है
D. हरे रंग की पट्टी पर है

336. किसी भाषा को किसी राज्य की राजभाषा के रूप में अंगीकार करने का अधिकार किसे है?
A. राष्ट्रपति B. संसद
C. राज्य विधान सभा D. राजभाषा आयोग

337. हमारे राष्ट्रीय ध्वज में तीन पट्टियाँ हैं; उनमें सबसे नीचे वाली पट्टी किस रंग की है?
A. केसरिया B. सफेद
C. हरे D. इनमें से कोई नहीं

338. हमारे राष्ट्रगान 'जन–गण–मन' में कुल कितने पद हैं?
A. तीन B. पाँच
C. चार D. दो

339. राष्ट्रीय गीत 'वन्देमातरम्', 'आनन्दमठ' नामक ग्रंथ से लिया गया है, जिसके लेखक हैं–
A. बंकिम चन्द्र चटर्जी B. रवीन्द्र नाथ टैगोर
C. व्योमेश चन्द्र बनर्जी D. सुरेन्द्रनाथ बनर्जी

340. हमारे राष्ट्रीय चिन्ह में ऊपर तीन सिंह बने हैं और उनके नीचे देवनागरी लिपि में 'सत्यमेव जयते' लिखा है। यह 'सत्यमेव जयते' कहाँ से उद्धृत किया गया है?
A. भगवद्गीता से B. मुण्डक उपनिषद से
C. ऋग्वेद से D. स्कन्द पुराण से

341. भारत का राष्ट्रीय पंचांग–
A. शक् संवत् पर आधारित है
B. हिजरी संवत् पर आधारित है
C. विक्रमी संवत् पर आधारित है
D. विक्रमांक–चालुक्य संवत् पर आधारित है

342. भारत का राष्ट्रीय पशु है–
A. गाय B. हाथी
C. अश्व D. टाइगर

343. भारत की सशस्त्र रक्षा सेनाएं कितने भागों (वर्गों) में गठित है?
A. चार B. पांच
C. तीन D. छः

344. भारत की सशस्त्र रक्षा सेनाओं का सर्वोच्च सेनापति कौन है?
A. रक्षा मंत्री B. स्थल सेनाध्यक्ष
C. प्रधानमंत्री D. राष्ट्रपति

345. भारत के पहले चीफ ऑफ डिफेंस स्टाफ (CDS) कौन थे?
A. जनरल मोहन सिंह
B. जनरल राकेश आहूजा
C. जनरल अनिल अस्थाना
D. जनरल बिपिन रावत

346. कोस्ट गार्ड की स्थापना कब की गई थी?
A. 1980 B. 1978
C. 1985 D. 1963

347. असम राइफल्स का मुख्यालय कहाँ है?
A. इम्फाल B. कोहिमा
C. नई दिल्ली D. शिलांग

348. होमगार्ड का गठन कब हुआ था?
A. 1972 B. 1962
C. 1968 D. 1965

349. स्थल सेना के निम्नलिखित पदों में सबसे छोटा कौन–सा है?
A. लेफ्टीनेंट B. ब्रिगेडियर
C. कर्नल D. कैप्टन

350. प्रादेशिक सेना का गठन कब हुआ था?
A. 1949 B. 1957
C. 1962 D. 1972

उत्तरमाला

1	2	3	4	5	6	7	8	9	10
C	B	D	A	A	B	C	D	D	D
11	**12**	**13**	**14**	**15**	**16**	**17**	**18**	**19**	**20**
C	C	B	D	D	D	B	A	B	B
21	**22**	**23**	**24**	**25**	**26**	**27**	**28**	**29**	**30**
D	C	A	A	C	B	B	A	C	B
31	**32**	**33**	**34**	**35**	**36**	**37**	**38**	**39**	**40**
A	A	D	D	B	A	B	B	C	C
41	**42**	**43**	**44**	**45**	**46**	**47**	**48**	**49**	**50**
D	A	B	C	D	C	C	A	B	C
51	**52**	**53**	**54**	**55**	**56**	**57**	**58**	**59**	**60**
A	D	B	A	D	B	C	A	B	C
61	**62**	**63**	**64**	**65**	**66**	**67**	**68**	**69**	**70**
B	C	D	B	A	C	C	D	B	C
71	**72**	**73**	**74**	**75**	**76**	**77**	**78**	**79**	**80**
B	B	D	C	A	D	C	A	B	C
81	**82**	**83**	**84**	**85**	**86**	**87**	**88**	**89**	**90**
A	C	B	D	B	D	A	A	B	A
91	**92**	**93**	**94**	**95**	**96**	**97**	**98**	**99**	**100**
D	C	B	D	D	C	D	A	C	B
101	**102**	**103**	**104**	**105**	**106**	**107**	**108**	**109**	**110**
C	D	C	C	D	A	B	C	C	B
111	**112**	**113**	**114**	**115**	**116**	**117**	**118**	**119**	**120**
C	D	A	B	C	A	C	C	A	C
121	**122**	**123**	**124**	**125**	**126**	**127**	**128**	**129**	**130**
D	C	B	D	A	C	D	A	D	B
131	**132**	**133**	**134**	**135**	**136**	**137**	**138**	**139**	**140**
D	B	B	D	B	A	B	D	A	A
141	**142**	**143**	**144**	**145**	**146**	**147**	**148**	**149**	**150**
B	A	C	A	A	B	C	B	D	D
151	**152**	**153**	**154**	**155**	**156**	**157**	**158**	**159**	**160**
C	C	A	B	A	B	B	A	A	C
161	**162**	**163**	**164**	**165**	**166**	**167**	**168**	**169**	**170**
D	A	D	A	B	B	B	C	D	B
171	**172**	**173**	**174**	**175**	**176**	**177**	**178**	**179**	**180**
D	B	C	B	D	D	A	B	B	C
181	**182**	**183**	**184**	**185**	**186**	**187**	**188**	**189**	**190**
D	B	B	A	B	B	C	B	A	A
191	**192**	**193**	**194**	**195**	**196**	**197**	**198**	**199**	**200**
D	C	D	D	B	B	C	B	A	B
201	**202**	**203**	**204**	**205**	**206**	**207**	**208**	**209**	**210**
B	A	A	A	C	B	A	A	A	B
211	**212**	**213**	**214**	**215**	**216**	**217**	**218**	**219**	**220**
A	B	C	D	B	A	A	D	D	C

221	222	223	224	225	226	227	228	229	230
B	A	C	B	A	D	D	A	D	D
231	**232**	**233**	**234**	**235**	**236**	**237**	**238**	**239**	**240**
B	B	C	C	C	B	B	B	D	A
241	**242**	**243**	**244**	**245**	**246**	**247**	**248**	**249**	**250**
B	B	B	A	C	D	D	B	A	A
251	**252**	**253**	**254**	**255**	**256**	**257**	**258**	**259**	**260**
D	B	A	D	C	D	A	D	A	C
261	**262**	**263**	**264**	**265**	**266**	**267**	**268**	**269**	**270**
C	D	C	A	D	A	D	A	B	A
271	**272**	**273**	**274**	**275**	**276**	**277**	**278**	**279**	**280**
D	B	C	C	D	B	B	A	A	C
281	**282**	**283**	**284**	**285**	**286**	**287**	**288**	**289**	**290**
D	B	C	B	B	C	B	B	D	C
291	**292**	**293**	**294**	**295**	**296**	**297**	**298**	**299**	**300**
A	D	B	D	A	C	A	B	B	B
301	**302**	**303**	**304**	**305**	**306**	**307**	**308**	**309**	**310**
D	A	D	A	B	A	B	A	B	A
311	**312**	**313**	**314**	**315**	**316**	**317**	**318**	**319**	**320**
D	A	C	A	C	C	D	B	B	A
321	**322**	**323**	**324**	**325**	**326**	**327**	**328**	**329**	**330**
C	D	A	D	A	A	A	C	D	A
331	**332**	**333**	**334**	**335**	**336**	**337**	**338**	**339**	**340**
B	D	A	D	C	C	C	B	A	B
341	**342**	**343**	**344**	**345**	**346**	**347**	**348**	**349**	**350**
A	D	C	D	D	B	D	B	A	A

❑❑❑

GENERAL ENGLISH

1

Comprehension Passages

In the English language paper, questions on comprehension test are very important for the examinees appearing in the competitive examinations.

Comprehension means the act of comprehending or the capacity of the mind to understand. In the examination papers, questions on comprehension test are included to judge the ability of the examinees to understand the given passage.

Therefore, they should understand how to solve these questions. Practice of solving these questions will greatly help them in the examination.

PASSAGE-1

Cyber crime is the branded stigma defacing the culture and magnanimity of computer technology. It is up keeping the flag with indomitable triumph against developing computer technology worldwide.

Modern age is striding with marching steps of technology revolution beating the past decade of ancestral belief with ultimate care. Computer invention has unfolded the mystery of quick access with the objective of minimum manpower and cutting the time consumption parameters.

As each coin has dual face of its portrait, likewise computer technology is sick of creeping virus. Synthetic manmade dilemma of site hackers activation is causing setback to the expanding anchor of revolutionary device with great loss of time, economy and data profile as suffered by consumers. A recent report from Internet security firm Websense estimates that 85.6 per cent of all the unwanted e-mails contained links to spam sites. The company's data suggests that the number of malicious sites grew 233 per cent in the last six months and saw 671 per cent growth in the number of malicious sites during the last year. In June alone, the total number of e-mails detected as containing viruses increased by 600 per cent compared to May.

Chat rooms, blogs and message boards where the users post comments have been identified as the top targets of hackers and spammers due to the high traffic these attract. According to Websense, 95 per cent of user-generated comments to blogs, chat rooms and message boards during the first half of 2009 were malicious.

It is advisable not to click on spurious links and stay away from keying in passwords at unknown sites as they are most likely to be spammed. Hackers can steal your passwords and log in to your account and access critical information like account numbers and contact details among other things.

1. The above passage is:
A. an advisory for the computer users.
B. an advisory for the Internet users.
C. a warning against possible threat to the Internet users.
D. related to chat rooms, blogs and message boards.

2. People who use chat rooms and blogs,
A. are safe and have no threats from spam.
B. are more prone to malicious e-mails.
C. create virus and hack the accounts of others.
D. are unsafe.

3. According to the writer, it is not safe to:
A. log on to spurious links.
B. access one's own account frequently.
C. have essential information stored in a computer.
D. include data-stealing code.

4. Hackers and spammers, according to the writer, are:
A. a new threat to the Internet users and the economy.
B. only pranksters and not serious threat to the system.
C. trained, professional technocrats who are an asset.
D. not expert professionals.

5. Which word in the passage is synonym of *weblog*?
A. blog B. password
C. site D. e-mail

6. Which agency has assessed the data record with spam sites?
A. Microsoft
B. Internet security from Google
C. Websense
D. Spammers

7. Which month dominates the e-mails detection data record?
A. May B. June
C. Last six months D. Last year

PASSAGE-2

South Asian tropical weather reels valuable geographical aesthetic beauty surrounded by wildlife, mountains, steep elevations with dense forest. Human sapiens has been old and innocent victim of natural calamities branded as flood, hurricane, storm, earthquake and tsunami since ages.

Biological data depicts the loss of valuable men and material suffered by mankind owing to the chain reaction by such fatal natural incidents. Global warming has turned an eyesore to the rapid glory of rising civilsation with great mystery yet to be unfolded. UNO data reveals the rate of mortality owned due to natural disaster with great sway of cruel time factor.

Of the 245 natural disasters in the first 11 months of 2009, 224 or 91.4 per cent were due to weather, a UN study has found.

Of the 58 million people affected, 55 million were affected by weather-related disasters, which accounted for $15 billion (₹ 7,05,000 crore) spent in coping with these disasters.

A study has found that half of these disasters, mainly storms and floods, have taken place in Asia, Debarati Guha Sapir of Brussels-based CRED said.

And this data does not include the loss due to drought because that takes longer to account for. Guha Sapir said, "We have found that this is due to global warming, weak political systems, urbanisation, weak infrastructure, population increase and deforestation."

"We have to cap the emissions of greenhouse gases because they produce greater risk of disasters," WMO head Michel Jerraud said. Greenhouse gases, mainly carbon dioxide, are causing the climate change that is already affecting farm output, making droughts, floods and storms more frequent and more severe, and raising the sea level.

1. Mark the correct statement(s).
1. Weather is responsible for most of the natural disasters.
2. There is no need to worry about the climatic changes.
3. All the nations are trying to have a common pact to tackle natural disasters.

A. 1 is correct
B. Only 2 is correct
C. Only 3 is correct
D. 1 and 2 are correct

2. Which one of the following statements is not true?
A. More than 58 million people have been affected by natural disasters.
B. $15 billion have been spent in coping with these disasters.
C. Most of the natural disasters have taken place in Asia.
D. The report does not include the loss caused by droughts.

3. The main cause of natural disasters is :
A. global warming
B. weak political system
C. deforestation
D. all of these

4. The first priority before the nations and the scientists across the world is :
A. to cap the emission of greenhouse gases.
B. to reach an agreement on the nuclear weapons.
C. to help one another when natural disasters occur.
D. to find out the causes of natural disasters.

5. Which word in the passage means the same as *serious*?
A. Reduce B. Severe
C. Underlined D. Underscore

6. Which region is mainly affected by these disasters?
A. United Nation B. Africa
C. Asia D. Brussels

7. Which statement is true?
A. Sea level rise is an alarming incident.
B. Rapid urbanisation is a curse to the global warming.
C. Deforestation with climatic change is responsible for green house gaseous effect.
D. All of these.

PASSAGE-3

Time has brought forth different classical and instrumental range of device that serves healing element to the aweful and mentally distressed state of affair. Temperament compatibility matching is a reasonable trend of motion adhered with the concept of body movement termed as dance therapy.

Dance has mobilised different acknowledgement of its noted culture proclaimed by experts and sensational aspirants. Vedas describe the dance origin from aryan culture to the creeping span of modern India. Archaeological Survey of India has claimed the civilsation existence issue owing to excavation of past events traced in the stone idols displayed in dance "mudra".

Dance is an art form that generally refers to movement of the body, usually rhythmic and to music, used as a form of expression, social interaction or presented in a spiritual or performance setting. Gymnastics, figure skating and synchronised swimming are sports that incorporate dance, while martial arts Kata are often compared to dances. Motion in ordinarily inanimate objects may also be described as dances (the leaves dance in the wind). Every dance, no matter what style, has something in common. It not only involves flexibility and body movement, but also physics. If the proper physics is not taken into consideration, injuries may occur. Choreography is the art of creating dances. The person who creates (*i.e.* choreographs) a dance, is known as the choreographer. Dance has certainly been an important part of ceremony, rituals, celebrations and entertainment since the birth of the earliest human civilisations. Archaeology delivers trace of dance from prehistoric times such as the 9,000 years old Rock Shelters of Bhimbetka painting in India and Egyptian tomb painting depicting dancing figures from circa 3300 BC. One of the earliest structured uses of dance may have been in the performance and in the telling of myths. Before the production of written languages, dance was one of the methods of passing these stories down from generation to generation.

1. Dance does not necessarily involve:
A. movement of the body.
B. face expression.
C. rhythmic movements.
D. costumes.

2. According to the passage, which one of the following sports does not incorporate dance?
A. Figure skating B. Gymnastics
C. Chess D. Swimming

3. Which one, according to the passage, is not common in all the dances?
A. Flexibility B. Body movement
C. Music D. Physics

4. Physics in every dance is an important element to:
A. master the art of dance.
B. to perform it scientifically.
C. to save oneself from injury.
D. to get an award.

5. In prehistoric times dance was:
A. a substitute of written language.
B. a source of entertainment.
C. a necessary ritual.
D. not allowed in royal palaces.

6. Choreographer is a term addressed to:
A. a sports trainer B. a gym coach
C. a painting teacher D. a dance teacher

7. What does the term 'the telling of myths' refer to?
A. Telling the beads B. Vedic convention
C. Spiritual recitation D. Protest march

PASSAGE-4

Personal sentiments exposure portray in sober class of distinct feature with fair and pleasant expression. As the cruelty can be overpowered by the amicable terms likewise, impossible review let with expression can be publically announced by either electronic device or diary writing habit. On line conversation such as chattering, message convey are the rampant tool of the time to manage in communication congestion.

Blogs, online versions of personal diaries, have been a craze for quite some time now. Some of us, before the Internet age, used to maintain a small diary to jot down random thoughts, reflections, sayings, poems and other such stuff. Their online versions, however, are much more than that. The biggest difference between a blog and a personal diary is while the latter was a very private affair accessible not even to family members, a blog is a public account. In fact the whole world connected to the internet gets to read its contents if they come across it.

What a blogger should keep in mind while blogging is that by displaying our thoughts, emotions, opinions and personal life in full public glory, we are revealing a part of our private life. We are giving outsiders, strangers, friends, colleagues and relatives a full view of what's happening inside us and without lives, something we would hesitate to do in real life. Once blogging begins, it's difficult to control, and we end up sharing our personal thoughts and emotions that we would otherwise have kept to ourselves. The blog entices us, and we fall to be bait.

Blogs don't preserve our anonymity. They let us publish our pictures, professional and personal details, physical address and locations, etc. The biggest precaution to be observed therefore is to think twice before publishing anything, and ask oneself if one would like to make such matters public. The blog readers try to judge us, understand us, get information about us and take pleasure while peeping into our private lives without realising it.

1. Blogs are __________.
A. diaries B. personal diaries
C. online diaries D. official diaries

2. Earlier the personal diaries were not available even to family members but blog can be read by:
A. family and friends
B. friends only
C. anyone who connects to the Internet
D. relatives

3. Which one of the following statements is not true?
A. Blogging does not affect our privacy.
B. Blogging displays our private life in public.
C. Blogging cannot be controlled easily.
D. Blogging allows outsiders to peep into our personal life.

4. The writer in the above passage:
A. favours blogging.
B. criticises the practices.
C. does not want the reader to become a victim of blogging.
D. favours blogging but with some precautions.

5. Which word in the passage stands for *an account from on point of view*?
A. version B. block
C. affair D. account

6. The word Anonymity in the passage refers to:
A. hostility B. friendship
C. unacknowledged D. differences

7. What precaution is stressed by the narrator while releasing personal information?
   A. Suggest Comprehensive issue only
   B. Reader friendly blog appreciation
   C. Hiding personal facts
   D. Diary maintenance

PASSAGE-5

Pleasure and sorrow being twin face of a coin suffers the sign of commend and condemn since long before the historic ages. Warriors outcry with victory decorated with deep throat laugh has marked the sentimental coverage of battle filed victory. Baffled war victims, war widows, dependents are the oppressed classes. They seek relief against those causing sabotage to their established settlement.

The history of literature really began long before man learned to write. Dancing was the earliest of the arts. Man danced for joy round his primitive camp fire after the defeat and slaughter of his enemy. He yelled and shouted as he danced and gradually the yells and shouts became coherent and caught the measure of the dance and thus the first war song was sung. As the idea of God developed, prayers were framed. The song and prayers became traditional and were repeated from one generation to another, each generation adding something of its own. As man slowly grew more civilsed, he was compelled to invent some method of writing by three urgent necessities. There were certain things that were dangerous to forget and which, therefore, had to be recorded.

It was often necessary to communicate with persons who were some distance away and it was necessary to protect one's property by making tools and so on, in some distinctive manner. So man taught himself to write and having learned to write purely for utilitarian reasons, he used this new method for preserving his songs and his prayers. Of course, among these ancient people, there were only a very few individuals who learned to write, and only a few could read what was written.

1. Liguistic comment and condemn refers to:
   A. physical grudge against sorrows
   B. a temporary verbal communication
   C. slip of tongue with praise and denounce
   D. a communal fury against the joys
2. Which one of the following statements is true?
   A. Study reveals the historic onslaught with cruelty only.
   B. Suffers pledge to reform the existing tyranny.
   C. A permanent code of sympathetic temper is sought by the suffers.
   D. Language dominates with great passion during mental aggression.
3. Before man invented writing, ______.
   A. literature was passed on by word of mouth
   B. prayres were considered literature
   C. literature was just singing and dancing
   D. all of the above
4. According to the passage, dance originated from
   A. literature
   B. yelling and shouting
   C. prayers
   D. war
5. Writing was invented because
   A. there were certain things which had to be remembered.
   B. there were certain things which had to be communicated to the people who were away.
   C. there were certain rituals which had to be preserved.
   D. all of the above
6. Which one of the following statements is not true?
   A. Since only a few individuals had learnt to write and a few could read what was written.
   B. Prayers were developed after the idea of god developed.
   C. People learned writing for utilitarian reasons.
   D. Dancing was the earliest form of art.
7. Which one of the following words in the passage stands for *ancient*?
   A. primitive B. traditional
   C. coherent D. utilitarian

PASSAGE-6

Quality dominates the world ahead of its spherical, classical, racial or any undue discrimination ever exercised by any individual. Physical characteristics of a produce differs its structural attribution in quality from substandard produce with richness of prolong usage features declared by the claimant. Talent Hunt initiated by quality seekers have turned the table of established brand on account of innovative additions presented by their hardships.

The simple message that quality matters because it is cheaper to do things right the first time is yet to sink into the thinking of Indian managers and workers who seem quite content to live in their cloistered world where mediocrity reigns supreme. It is only the ignorant who believe that quality consciousness is a cultural trait. Barely half a century back no one associated Japan with high quality, but today 'Made in Japan' is a symbol of assured quality. The daily drill at school is far more important than the seasonal seminar and an obsession with quality at home is the best way of convincing the world that we value good quality. Indian exports will never be recognised for quality unless Indians are known to insist on good quality at home.

Global appreciation surrounds the exceptional brand by keeping up the physical standard neatly and efficiently. It is designed to meet the international standards' numerous logos and certificates to upkeep the label of quality consciousness. It has prime motto of swaying clean chit observation to the sanctioned produce without any objection. Modern age has been proved a turning point to the old established traditional belief. They are using tiring house hold produce to industrial device responsible to deface the status of rapid development. We breath into the cool and fresh air of healthy surrounding devised by mankind monitored by quality management with rigorous span or struggle tackled with due care.

1. The theme of the passage is:
   A. quality consciousness
   B. export promotion
   C. quality management
   D. promoting Indian culture
2. According to the passage, the Indian exports will never be recognised for quality:
   A. unless there is technical advancement.
   B. unless there is competition.
   C. unless the Indians are known to insist on good quality.
   D. unless government supports the exporters.
3. Which one of the following statements is true?
   A. Indians are known for their insistence on quality.
   B. Indians are not quality conscious.
   C. Japan is not known for its quality product.
   D. 'Made in Japan' is not a symbol of assured quality.
4. The best way to convince the world about quality is:
   A. to conduct seminars on quality control.
   B. to advertise the products.
   C. to value for quality products at home.
   D. all of the above
5. According to the passage, the main fault with the Indian managers is that:
   A. they are not hard-working.
   B. they are not quality conscious.
   C. they are not well trained in quality control.
   D. they lack technical knowledge.
6. How quality consciousness is termed as a cultural trait with the ignorant?
   A. The mature opinion of quality.
   B. Quality dominates ahead of traditional belief.
   C. Cultural trait justifies any quality standard.
   D. Quality consciousness leads to management growth.
7. Why 'Made in Japan' is a symbol of assured quality?
   A. Traditional belief
   B. Quality consciousness
   C. Age old negligence suffering
   D. High export offer

PASSAGE-7

Creamy outlook with soft speech presentation is a prima facie attraction that brings joy on the withering faces with a mixture of sensational touch. Smile with grace is the ultimate boon to the mankind keeping away any melancholy at bay. Old age is often miscalculated as liability with little attention paid to them. Their talents and learned potential is buried alive with undue care by oblivious approach due to disfigured or deformed physical structure taken over by aged talents of the society.

It happens to us all, however hard we may try to delay the process. We grow old. Cosmetic surgery may remove the wrinkles, skin which has sagged may be tightened by means of a facelift and hair dresser may dye grey hair a more youthful colour, but we cannot remain young forever.

However, what is important is the quality of life. Some people are lucky to be taken care of at home whereas others may have to move to residential homes. The worst part of ageing is that often the mind becomes less alert. As people grow older, they experience short term memory. Later some may suffer from dementia, often in the form of Alzheimer's disease.

By no means all people are in this category. Many senior citizens are in the possession of all their faculties and see retirement as a time of freedom. Not only that if they have a generous retirement pension, they are likely to be quite well off with money to be spent on a holiday and other luxuries. Because of this, both businesses and government have a new respect for what is known as grey power.

It is unfortunate that many people regard old people as geriatrics who have one foot in the grave. Someone should remind them that they too would be old one day!

They are honoured with senior citizen label granted by the authority with due regard paid from distinct possession of living cadres. One should always bear in mind the old saying "Tit for Tat". Which denotes its symbolic regulation of periodical sufferings. The aforesaid misdoings of emotional disparity, done by striding steps is a curse to the mankind.

1. Cosmetic surgery :
   A. helps in the retention of youth forever.
   B. cannot stop the natural process of ageing.
   C. is the solution to ageing.
   D. is the fancy of the rich.
2. While ageing man's greatest worry is :
   A. his growing wrinkles.
   B. his short term memory.
   C. his quality of life.
   D. moving to a residential home.
3. The government considers grey power as :
   A. a liability
   B. an asset
   C. neither an asset nor a liability
   D. a spent force
4. Retirement is seen as a time of freedom because people:
   A. no longer have to go to office.

B. can enjoy their earnings.
C. can spend time with their families.
D. finally move into residential homes.

5. *geriatrics* in the passage refers to :
A. handicapped people
B. doctors for the aged
C. a branch of medicine
D. aged people

6. What is the theme of the passage?
A. Old is gold
B. The grey power
C. Youth domination in the society
D. Aged suffering

7. What does the phrase 'suffer from dementia' refer to?
A. Harmful
B. Short term memory loss
C. Lunacy
D. Paralysis

PASSAGE-8

The social Darwinist conception of evolution is not that of the biologist but of the propagandist looking for justification for his political theories. The simplistic formulation of ferocious antisocial struggle finds no place in the theories of modern biologists. Even on the animal level the scientific picture is not that of "struggle" and ruthless elimination. If in the tropics a pigmented skin is an advantage, no one is swept to destruction in a fight for blackness. Modifications of that sort, which prove advantageous, gradually establish themselves without trouble. Even living on other animals for food does not imply savagery—fishermen are not unpleasant and aggressive persons; tribes living, as they once did, on shellfish are not haters of their kind; even pig breeders and chicken farmers can be kind to their neighbours and no worse than the rest of us. Lorenz, constantly quoted to defend innate aggression, points out that the predatory carnivores are not angry when bringing down an antelope. It is simply a matter of going to fetch the dinner. A lion can be angry, but not when going out to kill. One might go on and take the whole case to pieces bit by bit, but enough has been said to indicate that the picture of "nature red in tooth and claw" is the poet's view—the phrase was Tennyson's—not the scientist's: it is tendenticus, controversial exaggeration, not objective science. Even the notion of the "survival -of the fittest" begs the question. If we say that the fittest survive, we only mean that they do survive. It implies no other quality than survival ability. It holds just as well for the oyster or the flourishing flea as for the beautifully adapted camel or flying fox. It does not follow that the survivor is the fittest even in being the finest specimen of its kind, let alone of the kind that we would prefer to see flourish.

1. The instinct to kill in carnivores comes from their
A. need to survive
B. need to prove their might
C. inherently brutal nature
D. liking for flesh .

2. The writer's attitude towards poets is that of
A. awe B. scorn
C. anger D. indifference

3. The term 'survival of the fittest' suggests the survival of the
A. mightiest B. finest
C. best D. prepared

4. By citing various examples the writer tries to establish the fact that savagery does not entail
A. killing of any kind
B. killing of lesser animals
C. killing dispassionately to serve an end
D. ruthless killing

5. The concept of ferocious antisocial struggle finds credence with
A. biologist B. scientists
C. Lorenz D. Darwin

PASSAGE-9

The difficulty in the education of young infants is largely the *delicate balance* required in the parents. Constant watchfulness and much labour are needed to avoid injury to health : these qualities will hardly exist in the necessary degree except where there is strong parental affection. But where this exists, it is very likely not to be wise. To the devoted parents, the child is immensely important. Unless care is taken, the child feels this and judges himself as important as his parents feel but later in life his social environment will not regard him so fondly and the habit of assuming that he is the centre of other people's universe will lead to disappointment. It is, therefore, necessary, not only in the first year, but afterwards also, that parents should be breezy, cheerful and rather matter-of-fact where the child's possible ailments are concerned. In old days, infants were too much petted, sung to, rocked and dandled. This was wrong since it turned them into helpless pampered parasities. The right rule is : encourage spontaneous activities but discourage demands on others. Do not let the child see how much you do for him or how much trouble you take. Let him, wherever possible, taste the joy of success, achieved by his own efforts, not extracted by tyrannising over the grown-ups.

1. 'Delicate balance' required in parents in sentence one refers to
A. cautiousness B. possessiveness
C. indifference D. matter-of-factness

2. In the past the excessively fondled children became
A. troublesome B. mischievous
C. parasites D. abnormal

3. For the possible ailments of the child, the writer advised the parents to be
A. indifferent B. demanding
C. unsympathetic D. matter-of-fact

4. The author wishes the parents to let the child
A. manage his own things
B. be absolutely free
C. work under their guidance
D. seek anybody's help if needed

5. A child pampered by his parents is likely to become
A. disappointed B. demoralised
C. dependent D. independent

PASSAGE-10

The world dismisses curiosity by calling it idle or mere idle curiosity-even though curious persons are seldom idle. Parents do their best to extinguish curiosity in their children because it makes life difficult to be faced everyday with a string of unanswerable questions about what makes fire hot or why grass grows. Children whose curiosity survives parental discipline are invited to join our university. With the university, they go on asking their questions and trying to find the answers. In the eyes of a scholar, that is what a university is for. Some of the questions which the scholars ask seem to the world to be scarcely worth asking, let alone answering. They asked questions too minute and specialised for you and me to understand without years of explanation. If the world inquires of one of them, why he wants to know the answer to a particular question, he may say, especially if he is a scientist, that the answer will in some obscure way make possible a new machine or weapon or gadget. He talks that way because he knows that the world understands and respects utility.

But to you who are now part of the university, he will say that he wants to know the answer simply because he does not know it, the way the mountain climber wants to climb a mountain, simply because it is there. Similarly, a historian asked by an outsider, why he studies history, may come out with the argument that he has learnt to repeat on such occasions, something about knowledge of the past making it possible to understand the present and mould the future. But if you really want to know why a historian studies the past, the answer is much simpler, something happened and he would like to know what. All this does not mean that the answers which scholars find to their questions have no consequences. They may have enormous consequences but these seldom form the reason for asking the question or pursuing the answers. It is true that scholars can be put to work answering questions for the sake of the consequences as thousands are working now, for example, in search of a cure for cancer. But this is not the primary function of the scholars. The consequences are usually subordinate to the satisfaction of curiosity.

1. The common people consider some of the questions that the scholars ask unimportant
A. as they are too lazy and idle
B. as they are too modest
C. as it's beyond their comprehension
D. as it is considered a waste of time

2. According to the passage, parents do their best to discourage curiosity in their children
A. because they have no time
B. because they have no patience to answer them
C. because they feel that their children ask stupid questions continuously
D. because they are unable to answer all their questions

3. According to the passage, the children make life difficult for their parents
A. by their ceaseless curiosity
B. by unceasing bombardment of questions
C. by asking irrelevant questions
D. by posing profound questions

4. Children whose curiosity survives parental discipline means
A. children retaining their curiosity in spite of being discouraged by their parents
B. children pursuing their mental curiosity
C. children's curiosity subdued due to parents' intervention
D. children being disciplined by their parents

5. A historian really studies the past
A. to comprehend the present and to reconstruct the future to
B. to explain the present and plan the future
C. to understand the present and make fortune
D. to understand the present and mould the future

PASSAGE-11

Shames and delusions are esteemed for soundest truths, while reality is *fabulous*. If men would steadily observe realities only, and not allow themselves to be deluded, life, to compare it with such things as we know, would be like a fairy tale and the Arabian Night's entertainments. If we respect only what is inevitable and has a right to be, music and poetry would resound along the streets. When we are unhurried and wise, we perceive that only great and worthy things have any permanent and absolute existence—that petty fears and petty pleasures are but the shadow of the reality. This is always exhilarating and sublime. By closing the eyes and slumbering and consenting to be deceived by shows, men establish and confirm their daily life of routine and habit everywhere, which still is built on purely illusory foundations. Children, who play life, discern its true law and relations more clearly than men, who fail to live it worthily, but who think that they are wiser by experience; that is by failure.

I have read in a Hindu book that there was a king's son who, being expelled in infancy from his native city, was brought up by a forester and growing up to maturity in that state, imagined himself to belong to the barbarous race with which he lived. One of his father's ministers, having discovered him, revealed to him what he was and the misconception of his character was removed and he knew himself to be a prince, "So soul," continues the Hindu philosopher, "from the circumstances in which it is placed, mistakes its own character, until the truth is revealed to it by some holy teacher and then it knows itself to be Brahma."

We think that is which appears to be. If a man should give us an account of the realities he beheld, we should not recognize the place in his description. Look at a meeting house, or a court house, or a jail, or a shop, or a dwelling house and say what that thing really is before a true gaze and they would all go to pieces in your account of them. Men esteem truth remote, in the outskirts of the system, being the farthest star, before Adam and after the last man. In entirety, there is indeed something true and sublime. But all these times and places and occasions are now and here. God himself culminates in the present moment and will never be more divine in the lapse of all ages. And we are enabled to apprehend at all what is sublime and noble only by the perpetual instilling and drenching of the reality that surrounds us. The universe constantly and obediently answers to our conceptions : Whether we travel fast or slow; the track is laid for us. Let us spend our lives in conceiving, then. The poet or the artist never yet had so fair and noble a design but some of his posterity at least could accomplish it.

1. The author believes that children are often more acute than adults in their appreciation of life's relations because
   A. children know more than adults
   B. children can use their experience better
   C. children's eyes are unclouded by failure
   D. experience is the best teacher
2. The writer's attitude towards the arts is one of
   A. indifference B. suspicion
   C. admiration D. repulsion
3. The passage implies that human beings
   A. cannot distinguish the true from the untrue
   B. are immoral if they are lazy
   C. should be bold and fearless
   D. believe in fairytales
4. The author is primarily concerned with urging the reader to
   A. mediate on the meaninglessness of the present
   B. appraise the present for its true value
   C. look to the future for enlightessment
   D. spend more time in leisure activities
5. The word 'fabulous' in the passage means
   A. wonderful B. delicious
   C. birdlike D. illusion

PASSAGE-12

The stress-relieving power of humour is well-established. Laughter relieves tension, breaks negative 'holding patterns,' and helps out our problems in perspective. Humour is listed as a major stress-coping mechanism among healthy men. It has been credited with reducing the coronary risk of a high-stress lifestyle. Not only does it help diffuse anxiety and anger, as a heart attack victim points out, it acts as a blocking agent against the ravages of panic. The panic produced by a heart attack can be just as dangerous as the heart attack. It constricts blood vessels and destablises the heart. But through humour, reassurance and positive thinking you can control the panic and thereby enhance your prospects for recovery. Laughter creates an environment for healing. And that goes for all illnesses—not only coronary artery disease. Negative emotions, such as depression, weaken the immune system, making us more susceptible to a host of illnesses ranging from cold to cancer. It stands to reason that positive emotions such as humour and laughter may have the opposite effect, keeping our immune system strong and defending us against sickness. Sick people, especially those who are depressed, take themselves much too seriously. Even though controlled scientific studies for measuring the chemistry of laughter are rare, yet what is there does support the theory that good humour breeds good health.

1. Humour helps fight heart attacks by
   A. alerting us against pain
   B. beginning a fitness programme
   C. introducing us to high-stress life
   D. removing our worries
2. Panic caused by a heart attack
   A. makes the blood vessels narrower
   B. builds our confidence
   C. makes us active and self-sufficient
   D. makes us seek medical help
3. It has been proved that humour is
   A. a negative trait
   B. a solution to all problems
   C. helpful in reducing tensions
   D. present in all healthy men
4. Humour helps us become
   A. richer B. healthier
   C. ambitious D. scientific

5. Negative feelings lead to
   A. stronger defences B. increased opposition
   C. many illnesses D. bad reputation

PASSAGE-13

In the technological systems of tomorrow—fast, fluid and self-regulating—machines will deal with the flow of physical materials; men with the flow of information and insight. Machines will increasingly perform tasks. Machines and men both, instead of being concentrated in gigantic factories and factory cities, will be scattered across the globe, linked together by amazingly sensitive, *near-instantaneous communications.* Human work will move out of the factory and mass office into the community and the home. Machines will be synchronised, as some already are to the billionth of a second; men will be de-synchronised. The factory whistle will vanish. Even the clock, "the key machine of the modern industrial age," as Lewis Mumford called it a generation ago, will lose some of its power over humans, as distinct from technological affairs. Simultaneously, the organisation needed to control technology will shift from bureaucracy to Ad-hocracy, from permanence to transience and from a concern with the present to a focus on the future.

In such a world, the most valued attributes of the industrial age become handicaps. The technology of tomorrow requires not millions of lightly lettered men, ready to work in unison at endlessly repetitive jobs, it requires not men who take orders in unblinking fashion, aware that *the price of bread is mechanical submission to authority,* but men who can make critical judgments, who can weave their way through novel environments, who are quick to spot new relationships in the rapidly changing reality. It requires men who, in C.R Snow's compelling terms, "have the future in their bones.".

1. The future man, according to this passage, must be
   A. most adaptative and intelligent
   B. most capable of dealing with the changing reality
   C. more concerned with the present than the future
   D. trained and obedient
2. The technological system of tomorrow will be marked by
   A. dehumanisation B. perfection
   C. automation D. unpredictability
3. The type of society which the author has mentioned makes a plea for
   A. a mind assimilative of modern scientific ideas
   B. a critical mind having insight into future
   C. a mind well-versed in cultural heritage
   D. a mind with firm principles of life
4. 'Near-instantaneous communications' may be regarded as a symbol of
   A. anachronisation B. mischronisation
   C. desynchronisation D. synchronisation
5. If a person believes that 'the price of bread is mechanical submission to authority,' he is
   A. a believer in devotion to duty
   B. a believer in taking things for granted
   C. a believer in doing what he is told, right or wrong
   D. a believer in the honesty of machines

PASSAGE-14

Foot-racing is a popular activity in the United States. It is seen not only as a competitive sport but also as a way to exercise, to enjoy the *catneraderie* of like-minded people and to donate money for a good cause. Though serious runners may spend months training to compete, other runners and walkers might not train at all. Those not competing might run in an effort to beat their own time or simply to enjoy the fun and exercise. People of all ages, from those less than one year of age (who may be pushed in *strollers*) to those in their eighties, enter into this sport. The races are held in city streets, on college campuses, through parks and in suburban areas and they are commonly 5 to 10 kilometres in length.

The largest foot-race in the world is the 12 kilometre Bay to Breakers race that is held in San Francisco every spring. This race begins on the east side of the city near San Francisco Bay and ends on the west side at the Pacific Ocean. There may be 80,000 or more people running in this race through the streets and hills of San Francisco. In the front are the serious runners who compete to win and who might finish in as little as 34 minutes. Behind them are the thousands who take several hours to finish. In the back of the race are those who dress in costumes and come just for fun. One year, there was a group of men who dressed like El vis Presley and another group consisted of fire-fighters who were tied together in a long line carrying a fire-hose. There was even a bridal party, in which the bride and the groom threw flowers to bystanders and they were actually married at some point along the route.

1. The word "camaraderie" could best be replaced by which of the following words?
   A. Games B. Jokes
   C. Companionship D. Views
2. The main purpose of the passage is
   A. make fun of runners in costumes
   B. give reasons for the popularity of foot-races
   C. describe a popular activity
   D. encourage people to exercise
3. As used in the passage the word "strollers" refers to:
   A. carriages B. wheelchairs
   C. wagons D. cribs
4. Which of the following is not the reason why people enter foot-races?
   A. To exercise B. To enjoy
   C. As a compulsion D. For charity

5. Which of the following is NOT implied by the author?
   A. Foot-races appeal to a variety of people
   B. Running is a good way to strengthen the heart
   C. Workers can compete for prizes
   D. Age and profession is no bar to enter footraces

PASSAGE-15

The conservative is not an extreme individualist. He may be willing to concede numerous arguments of the unqualified individualists, for his own respect for the dignity of the individual is not surpassed by that of any man. Yet he cannot agree to the full implications of individualism, which is based, so he thinks, on an incorrect appraisal of man, society, history, and government. In his own way, the individualist is as much a perfectionist as the socialist, and with perfectionism the conservative can ha /e no *truck.*

In particular, the conservative refuses to go all the way with economic individualism. His distrust of unfettered man, his recognition to groups, his sense of the complexity of the social process, his recognition of the real services that government can perform-all these sentiments make it impossible for him to subscribe to the dogmas and shibboleths of economic individualism : laissez-faire, the negative state, enlightened self-interest, the law of supply and demand, the profit motive. The conservative may occasionally have kind words for each of these nations, but he is careful to qualify his support by stating other, more important social truths. For example, he does not for a moment deny the prominence of the profit motive, but he insists that it be recognised for the selfish thing it is and be kept within socially imposed reasonable limits.

1. Which of the following words can replace the word 'truck?'
   A. Dealing B. Bargain
   C. Debate D. Transport
2. The conservative is
   A. A perfectionist B. An economist
   C. A socialist D. None of these
3. Which of the following statements is true?
   A. The socialist and the individualist tend to be broadly similar in their views
   B. The conservative believes that profit motive originates in selfishness
   C. The conservative is also an extreme individualist
   D. None of these
4. The conservative is against economic individualism for all the following reasons except
   A. he does not trust free men
   B. he believes in the authority of the government
   C. he believes in groups
   D. he feels that social processes are important
5. The author mentions all the following catchwords of economic individualism except
   A. free trade
   B. the profit motive
   C. balance of trade
   D. the negative state

PASSAGE-16

Every survey ever held has shown that the image of an attractive woman is the most effective advertising gimmick. She may sit astride the mudguard of a new car, or step into it ablaze with jewels, she may lie at the man's feet stroking his new socks, she may hold the petrol pump in a challenging pass, or dance through woodland glades in slow motion in all the glory of a new shampoo. Whatever she does, her image sells. The *gynolatry* of our civilization is written large upon its face, upon hoardings, cinema screens, television, newspapers, magazines, tins, packets, cartons, bottles, all consecrated to the reigning deity, the female fetish. Her dominion must not be thought to entail the rule of women, for she is not a woman. Her glossy lips and matt complexion, her unfocused eyes and flawless fingers, her extraordinary hair all floating and shining, curling and gleaming, reveal the inhuman triumph of cosmetics, lighting, focussing and printing. She sleeps unruffled, her lips red and juicy and closed, her eyes as crisp and black as if newly painted and her false lashes immaculately curled. Even when she washes her face with a new and creamier toilet soap her expression is as tranquil and vacant, and the paint as flawless as ever. If ever she should appear tousled and troubled, her features are miraculously smoothed to their proper veneer by a new washing powder on a buillon cube. For, she is a doll : weeping, pouting or sinking, running or reclaiming, she is a doll.

1. The author's primary purpose in this passage is
   A. to ridicule women
   B. to show the dominance of women in advertising
   C. to portray the obsession of women with trivial thing
   D. to depict the emancipation of women
2. What point is the writer trying to make when he says "she may lie at a man's feet stroking his new socks"?
   A. Women like being subservient
   B. Women are observed with clothes
   C. This is a typical posture of women in advertising
   D. Women enjoy this kind of intimacy
3. The 'gynolatry' of one civilization would suggest all the following except that
   A. women enjoy immense power in modern society
   B. the image of women boost sales as few other things can
   C. women worship is all pervasive in advertising
   D. glamorous and attractive women are the forte of modern advertising

4. By saying that women depicted in an advertisement is 'not a woman' the author implies that
   A. in real life women are less attractive
   B. the depiction of women in advertisement is grossly artificial and unreal
   C. in real life women are more dominant
   D. in advertisement, a woman is a mere commercial symbol
5. In the last sentence of the paragraph, the word 'doll' is meant to express
   A. tenderness B. delicacy
   C. contempt D. beauty

PASSAGE-17

Everything that men do or think concerns either the satisfaction of the needs they feel or the need to escape from pain. This must be kept in mind when we seek to understand spiritual or intellectual movements and the way in which they develop, for feeling and longing are the motive forces of all human striving and productivity-however nobly the latter may display themselves to us.

What, then, are the feelings and the needs which have brought mankind to religious thought and to faith in the widest sense? A moment's consideration shows that the most varied emotions stand at the cradle of religious thought and experience.

In primitive peoples it is, the fear that awakens religious ideas—fear of hunger, of wild animals, of illness and death. Since the understanding of causal connections is usually limited on this level of existence, the *human soul forges a being,* more or less like itself, on whose will and activities depends the experiences which it fears. One hopes to win the favour of this being by deeds and sacrifices which according to the tradition of the race are supposed to appease the being or to make him well disposed to man. I call this the religion of fear.

This religion is considerably stabilized, though not caused, by the formation of the priestly caste which claims to mediate between the people and the being they fear and so attains a position of power. Often a leader or a despot will combine the functions of the priesthood with his own temporal rule for the sake of greater security; or an alliance may exist between the interests of the political power and the priestly caste.

1. Who motivates man's action or thinking?
   A. To satisfy his needs or to escape pain
   B. His desire for progress or to rule
   C. His spiritual urge
   D. To carry out the dictates of his religious faith
2. What feeling prompted primitive man to create religion?
   A. Love B. Anger
   C. Fear D. Spiritual revelation
3. How did priests come to acquire political power?
   A. By joining hand with the despotic rulers
   B. By protecting the believers against despotic rulers
   C. By generating fear of the unknown in the minds of rulers
   D. By giving religious blessing to political movements
4. How did religion become firmly established?
   A. Through the constant fear of death
   B. Through the perpetuation of faith in God
   C. Through the establishment of religious practices
   D. Through the growth of a priestly class
5. "Human soul forges a being" means
   A. that ghosts and witches are a creation of human mind
   B. that the concept of God is a creation of human mind
   C. Both (A) and (B)
   D. Neither (A) nor (B)

PASSAGE-18

Several years ago my parents, my wife, my son and I ate at a restaurant. After a wonderful dinner, the waiter set the bill in the middle of the table. That's what it happened, my father did not reach for the bill.

Conversation continued. Finally, it dawned on me. I was supposed to pay the bill. After hundreds of restaurant meals with my parents after a lifetime of thinking of my father as the one with the money, it had all changed. I reached for the bill and my view of myself suddenly altered. 1 was an adult.

Some people mark off their lives in years, I measure mine in small events—in rites of passage. I did not become a young man at a particular age, like 13, but rather when a boy strolled into the shop where I worked and called me "mister". The realization hit me like a punch ; I was suddenly a mister.

I never thought that I would fall asleep in front of the television set as my father did. Now it's what I do best. I never thought I would prefer to stay at home, but now I find myself foregoing parties. I used to think that people who watched birds were weird, but this summer I found myself watching them, and may be I'll get a book on the subject. I yearn for a religious conviction that I never thought I'd want to feel close to my ancestors long gone, and echo my father in arguments with my son. I still lose.

One day I became a father, and not too long after that I picked up the bill for my own father. I thought then it was a rite of passage for me. But one day, when I was little older, I realized it was one for him too.

1. Which of the following does the author consider a rite of passage for him?

A. Becoming thirteen years old
B. Going to a restaurant with his parents, wife and son
C. Being called 'mister' by the boy in the shop
D. Working in a shop as a young boy

2. The author's father expected his son to pay the restaurant bill because
A. he did not have enough money
B. he acknowledged that his son was now an adult
C. it was the first time the family was eating out together
D. the waiter had set the bill in the middle of the table

3. "Rites of passage" for the author generally refers to
A. events that mark the passage of time
B. imitating his father as he grows older
C. slowing down in his pace of living
D. the act of growing old with time

4. In the fourth paragraph the author makes the point that as people grow older they
A. become lazier and less adventurous in their behaviour
B. have to take on many more financial responsibilities
C. turn to their children more for help and advice
D. behave in the same way as their elders even if they never thought they would

5. In the fourth paragraph, 'foregoing parties' means
A. going early to parties
B. hosting many parties
C. giving up parties
D. going to many parties

PASSAGE-19

Mountaineering is now looked upon as the king of sports. But men have lived amongst the mountains since prehistoric times and in some parts of the world, as in the Andes and Himalayas, difficult mountain journeys have inevitably been part of their everyday life. However, some of the peaks were easily accessible from most of the cities of Europe. It is quite interesting that while modern mountaineers prefer difficult routes for the greater enjoyment of sport, the early climbers looked for the easiest ones, for the summit was the prize they all set their eyes on. Popular interest in mountaineering increased considerably after the ascent of the Alpine peak of Matterhorn in 1865 and Edward Whymper's dramatic account of the climb and fatal accident which occurred during the descent.

In the risky sport of mountaineering, the element of competition between individuals or teams is totally absent. Rather one can say that the competition is between the team and the peaks themselves. The individuals making up a party must climb together as a team, for they depend upon one another for their safety. Mountaineering can be dangerous unless reasonable precautions are taken. However, the majority of fatal accidents happen to parties which are inexperienced or not properly equipped. Since many accidents are caused by bad weather, the safe climber is the man who knows when it is time to turn back, however, tempting it may be to press on and try to reach the summit.

1. People living in the Andes and the Himalayas made mountain journeys because
A. it was a kind of sport
B. they had to undertake them in their day-to-day life
C. they lived in prehistoric times
D. of the challenge offered by the difficult journey

2. Mountaineering is different from other sports because
A. it is risky and dangerous
B. it can be fatal
C. it is most thrilling and exciting
D. there is no competition between individuals

3. "..... the summit was the prize they all set their eyes on." In the context of the passage, this means
A. reaching the top was their exclusive concern
B. they kept their eyes steadily on reaching the summit
C. they cared for nothing but the prize of reaching the summit
D. they chose a route from which they could see the summit clearly

4. Mountaineers climb as a team because
A. the height is too much for one individual
B. the competition is between the team and the peak
C. they have to rely on each other for safety
D. there is no competition among them

5. "To press on" in the last sentence of the passage means
A. to struggle in a forceful manner
B. to force upon others
C. to work fearlessly
D. to continue in a determined manner

PASSAGE-20

Human analytical abilities remain vastly superior to anything demonstrated elsewhere in the animal kingdom. Virtually in all studies of animal intelligence and language skills, performance plummets as more elements are added to a task and as an animal has to remember these elements for long periods. By contrast, humans can call on vast working memory.

Many evolutionary scholars suspect that as ancient human groups became larger, the need to keep track of ever more complex social interactions was what really pushed the human brain toward superiority. Both dolphins and chimps have very complex interactions, but the intricacy of their social world pales beside the lattice of entanglements that characterised human society as early. Homosapiens bonded together to gather food and defend themselves. In Somalia today, warring clans identify friend or foe by demanding that those accosted recite their ancestry going back many generations. It is easy to see how similar challenges in antiquity might have driven the development of brainpower.

It does not lessen the grandeur of the human intellect to argue that it evolved partly in response to social pressures or that these pressures also produced similar abilities in "lesser" creatures. Instead, the fact that nature may have broadly sown the seeds of consciousness, suggests a world enlivened by many different minds. There may even be practical applications. Studies of animal cognition and language have yielded new approaches to communicating with handicapped and autistic children. Some scientists are pondering ways to turn intelligent animals like sea lions and dolphins into research assistants in marine studies or into lifeguards who can save the drowning upon command.

If the notion that animals might actually think poses a problem, it is an ethical one. The great philosopher, such as Descartes, used their belief that animals cannot think as a justification for arguing that they do not have moral rights. It is one thing to treat animals as mere resources if they are presumed to be little more than living robots, but it is entirely different if they are recognised as fellow sentient beings. Working out the moral implication makes a perfect puzzle for a large-brained, highly social species like our own.

1. Does the author believe that the grandeur of the human intellect is lessened by the fact that the same evolutionary pressure produced similar abilities in animals as in humans?
   A. Perhaps yes B. Perhaps no
   C. Yes D. No
2. What could be some of the practical applications of animal intelligence?
   A. To use dolphins for solving difficult mathematical problems
   B. To use some animals for guarding and supervising other animals
   C. To develop new approaches to communicate with handicapped and mentally ill children
   D. All of these
3. In many studies of animal intelligence and language skills, the performance significantly drops
   A. as we move from humans to animals
   B. membered for long periods
   C. as we move from animals with large brains to those with small brains
   D. as the time allowed to develop these skills is reduced
4. What makes a perfect puzzle for a large-brained highly social species like humans, according to the author?
   A. Determining the moral implications of the fact that animals might actually think
   B. discovering the real reason why nature developed the ability to think in animals
   C. Deciding what should be the ideal relationship between humans and animals
   D. To answer the question if animals are different from humans
5. What really pushed the human brain towards superiority?
   A. The need to keep track of ever more complex social interactions
   B. The need to develop efficient methods of gathering food
   C. The need to find better methods of defending themselves
   D. The need to evolve faster than other species
6. What is the ethical problem posed by the notion that animals might actually think?
   A. It is difficult to accept that humans are also animals
   B. animals should perhaps not be used in laboratory experiments
   C. Animals cannot perhaps be treated as mere resources
   D. It has to correctly assessed as to how much can an animal actually think
7. Why did early Homosapiens bond together?
   A. They formed social groups as they were social animals
   B. To gather food and to defend themselves
   C. To maintain genetic purity
   D. They were more comfortable with similar people

ANSWERS

PASSAGE-1

1	2	3	4	5	6	7
A	D	A	A	A	C	B

PASSAGE-2

1	2	3	4	5	6	7
A	A	D	A	B	C	D

PASSAGE-3

1	2	3	4	5	6	7
D	C	D	C	A	D	B

PASSAGE-4

1	2	3	4	5	6	7
C	C	A	D	A	D	C

PASSAGE-5

1	2	3	4	5	6	7
B	D	D	B	D	C	A

PASSAGE-6

1	2	3	4	5	6	7
A	C	B	C	B	C	B

PASSAGE-7

1	2	3	4	5	6	7
B	C	C	B	D	B	C

PASSAGE-8

1	2	3	4	5
A	D	A	C	D

PASSAGE-9

1	2	3	4	5
A	C	D	A	C

PASSAGE-10

1	2	3	4	5
C	D	A	A	D

PASSAGE-11

1	2	3	4	5
C	C	A	B	D

PASSAGE-12

1	2	3	4	5
D	A	C	B	C

PASSAGE-13

1	2	3	4	5
B	C	B	D	C

PASSAGE-14

1	2	3	4	5
C	C	B	C	C

PASSAGE-15

1	2	3	4	5
A	C	C	D	C

PASSAGE-16

1	2	3	4	5
B	C	B	B	D

PASSAGE-17

1	2	3	4	5
A	C	A	D	D

PASSAGE-18

1	2	3	4	5
C	A	A	D	C

PASSAGE-19

1	2	3	4	5
B	C	A	B	D

PASSAGE-20

1	2	3	4	5	6	7
A	C	B	A	A	C	B

2

Spelling Errors

There are thousands of words in English language. It is difficult to remember the spellings and meanings of all at once. Try to learn as many as you can. Use a dictionary regularly.

MULTIPLE CHOICE QUESTIONS

Directions: *In each of the following questions, four words are given of which only one is correctly spelt. Find the correctly spelt word.*

1. A. Haphazard B. Hapahazard C. Haphzard D. Haphazrd

2. A. Peevishness B. Pievishness C. Peivishness D. Peeveshness

3. A. Gelactic B. Galectic C. Galactic D. Galactec

4. A. Imbibision B. Imbision C. Embibition D. Imbibition

5. A. Zoparasite B. Zooparaset C. Zooparasite D. Zoprasite

6. A. Neuralgia B. Nuraliga C. Neurolgia D. Neuraltia

7. A. Survellance B. Surveilance C. Surveillance D. Survaillance

8. A. Schedule B. Schdule C. Schedale D. Schedeule

9. A. Occurad B. Occurred C. Ocurred D. Occured

10. A. Licentious B. Licontious C. Licenttious D. Licientious

11. A. Chancelery B. Chancellery C. Chancellary D. Chancelary

12. A. Itenerary B. Itinarery C. Itinarary D. Itinerary

13. A. Grieff B. Grief C. Grieef D. Grrief

14. A. Indipenseble B. Indispansible C. Indispensable D. Indipensable

15. A. Guarantee B. Garuntee C. Guaruntee D. Gaurantee

16. A. Meddicine B. Medicine C. Medicene D. Medicinne

17. A. Benefeted B. Benefitted C. Benifited D. Benefited

18. A. Kleptomonia B. Kleptemonia C. Kleptomania D. Klaptomania

19. A. Sepalchrle B. Sepalchral C. Sepulchrle D. Sepulchral

20. A. Acommodation B. Acomodation C. Accomodation D. Accommodation

21. A. Teracherous B. Treacherous C. Treacheraus D. Treachereans

22. A. Querrelsome B. Quarrelsame C. Quarrelsome D. Querralsome

23. A. Farmament B. Farmement C. Fermament D. Fremament

24. A. Sympathetic B. Smypathetic C. Sympothetic D. Sympethetic

25. A. Pecification B. Pacification C. Pecifacation D. Pecefication

26. A. Meritricious B. Merefrecious C. Meretricious D. Merritricious

27. A. Hypocritical B. Hypocretical C. Hypocriticel D. Hypocirticel

28. A. Vaingloriaus B. Vaniglorious C. Vaniglerious D. Vaingloreus

29. A. Imprecticability B. Impracticebility C. Impracticibility D. Impracticability

30. A. Prograssive B. Progressive C. Progresive D. Prograsive

31. A. Incradulous B. Incredulous C. Incridulous D. Incredalous

32. A. Uncivilized B. Uncevilized
C. Uncivillized D. Uncevelized

33. A. Osttentatious B. Ostentetious
C. Ostentatious D. Ostenttatious

34. A. Extravagant B. Extreragent
C. Extreregant D. Extravegent

35. A. Missunderstood B. Miesunderstood
C. Misunderstood D. Misunderstod

36. A. Belligerent B. Beligirent
C. Belligarant D. Belligerrent

37. A. Pasiveness B. Passiveness
C. Passevenis D. Passivines

38. A. Astonished B. Astronished
C. Astoneshed D. Asstonished

39. A. Obnosious B. Obnoxeous
C. Obnoxious D. Obnoseous

40. A. Uncivilised B. Uncivelized
C. Uncevelized D. Uncivilized

41. A. Sincerely B. Sencerely
C. Sincerelly D. Sincerrely

42. A. Efflorascence B. Eflorescene
C. Effllorescence D. Efflorescence

43. A. Vulnarable B. Valnerable
C. Velnerable D. Vulnerable

44. A. Rigourous B. Rigerous
C. Rigorous D. Regerous

45. A. Omenous B. Ominous
C. Ommineous D. Omineous

46. A. Puerille B. Puerrile
C. Puerile D. Purrile

47. A. Satellite B. Sattellite
C. Satelite D. Sattelite

48. A. Pesanger B. Passenger
C. Pessenger D. Pasanger

49. A. Humurous B. Humorous
C. Humoreus D. Humorrous

50. A. Equinimity B. Equanimmity
C. Equannimity D. Equanimity

51. A. Exeggerate B. Exaggerate
C. Exadgerate D. Exagerate

52. A. Fariegn B. Forein
C. Foriegn D. Foreign

53. A. Rennaissance B. Rennaisance
C. Renaisance D. Renaissance

54. A. Excesive B. Excessive
C. Exccessive D. Exccesive

55. A. Forcaust B. Forcast
C. Forecast D. Forecaste

56. A. Valuptuous B. Volluptous
C. Voluptuous D. Volupttuous

57. A. Entrepraneur B. Entreprenuer
C. Entrapreneur D. Entrepreneur

58. A. Paralleted B. Paralelled
C. Parralleled D. Parallelled

59. A. Ocasion B. Occassion
C. Occasion D. Ocassion

60. A. Boquet B. Bouquet
C. Bouquete D. Bouquette

61. A. Loquacieous B. Lequacious
C. Loquacious D. Lequocious

62. A. Cataclysm B. Cataclism
C. Catacilysm D. Cataclesm

63. A. Chettering B. Chaterring
C. Chattering D. Chatering

64. A. Fulfilment B. Fulffilment
C. Fulfilmient D. Fullfilment

65. A. Conjectore B. Conjecture
C. Cenjecture D. Cenjectire

66. A. Endication B. Endicaltion
C. Indication D. Indicetion

67. A. Splendour B. Spllendour
C. Splandour D. Splendeur

68. A. Excllusion B. Exclussion
C. Exclusion D. Exclosion

69. A. Discourage B. Disscourage
C. Discourege D. Discaurage

70. A. Curageous B. Courageous
C. Courrageous D. Couregeous

71. A. Abandon B. Abanddon
C. Abendon D. Abbandon

72. A. Embarassment B. Emberrassement
C. Embarrassment D. Embbaresment

73. A. Veneration B. Venration
C. Venneration D. Venerration

74. A. Tacciturnity B. Taciturnity
C. Taciturrnity D. Tacitturnity

75. A. Despponding B. Despending
C. Desponding D. Dessponding

76. A. Bueyant B. Buoyant
C. Bueeyant D. Buoyent

77. A. Eccintric B. Eccentrie
C. Eccentric D. Eccintrie

78. A. Corrigible B. Corigible
C. Corregible D. Corrigiblle

79. A. Amandable B. Amendable
C. Amenddable D. Amendablle

80. A. Occasional B. Occassional
C. Occesional D. Occessional

81. A. Exttirpate B. Extirpete
C. Extirpate D. Exterpate

82. A. Vorecious B. Varacious
C. Voarcious D. Voracious

83. A. Insolvent B. Insolvant
C. Insollvent D. Insolvvent

84. A. Querrel B. Querral
C. Quarrel D. Quarel

85. A. Contrebution B. Contribution
C. Contributtion D. Conterbution

86. A. Desgrace B. Disgrece
C. Disgrice D. Disgrace

87. A. Harassment B. Herassment
C. Harasment D. Harassmient

88. A. Tranquilitty B. Tranquility
C. Trenquility D. Tranquillity

89. A. Imaginative B. Imeginative
C. Imagenative D. Imaginetive

90. A. Suficient B. Suficiant
C. Sufficient D. Sufficiant

91. A. Adequate B. Edequate
C. Adaquete D. Edaquete

92. A. Exparienced B. Experianced
C. Experienced D. Experrienced

93. A. Flatering B. Fletering
C. Flattering D. Fletaring

94. A. Cuttiveted B. Culltrivated
C. Cultivated D. Caltivated

95. A. Materialistic B. Materielistic
C. Meterialistic D. Matterialistic

96. A. Praiceworthy B. Peiseworthy
C. Praiseworthy D. Praisaworthy

97. A. Tranquil B. Trenquil
C. Tranquel D. Trinquil

98. A. Neggardly B. Nigardly
C. Niggerdly D. Niggardly

99. A. Magnanimity B. Megnanimity
C. Magnenimity D. Magnanimety

100. A. Darogate B. Derogate
C. Derogeta D. Deragate

101. A. Philanthropist B. Philenthropist
C. Phelanthropist D. Philanthropest

102. A. Ephameral B. Ephimeral
C. Ephemeral D. Ephemerel

103. A. Fanaticism B. Fenaticism
C. Faneticism D. Fanatecism

104. A. Profesional B. Professionel
C. Professional D. Profissional

105. A. Ameteur B. Amateur
C. Amataur D. Amateor

106. A. Philenderer B. Philandarer
C. Philanderer D. Philonderer

107. A. Honorary B. Henorary
C. Honerary D. Honorery

108. A. Darmatologist B. Dermatologist
C. Dermetologist D. Dermatologest

109. A. Compansation B. Compensetion
C. Compensotion D. Compensation

110. A. Quadruplets B. Quedruplets
C. Quadroplets D. Quadruplats

111. A. Econemist B. Economest
C. Economist D. Econimist

112. A. Catholic B. Cetholic
C. Cathelic D. Cathilic

113. A. Unfevourable B. Unfevaurable
C. Unfavourable D. Unfivourable

114. A. Bombastic B. Bombestic
C. Bombostic D. Bombastie

115. A. Posthumaus B. Posthomous
C. Posthumous D. Pasthumous

116. A. Epitaph B. Epetaph
C. Epiteph D. Epitoph

117. A. Falicitate B. Felicitate
C. Falecitate D. Falecetate

118. A. Schezophrenia B. Schizaphrenia
C. Schizophrenia D. Schizophrania

119. A. Claustrophobia B. Cloustrophobia
C. Claustraphobia D. Claustrophabia

120. A. Connoiseur B. Connaisseur
C. Connaissour D. Connoisseur

121. A. Transperency B. Transparency
C. Transpirency D. Tranporency

122. A. Superanuation B. Superennuation
C. Superannuation D. Superannuetion

123. A. Antiquated B. Antiqueted
C. Antequated D. Antiquatted

124. A. Adalescent B. Addescant
C. Adolescent D. Adolascent

125. A. Newrologist B. Neurologist
C. Neurologest D. Newrologest

126. A. Obstatricion B. Obstitricion
C. Obstetricion D. Obstetracion

127. A. Illiterate B. Iliterate
C. Illitarate D. Illiterete

128. A. Thioretical B. Theoretical
C. Theoratical D. Theoritical

129. A. Mersenary B. Marcenary
C. Marcenery D. Mercenary

130. A. Belligerent B. Beligerent
C. Belligarent D. Belligerant

131. A. Extrevagant B. Extravegant
C. Extravagant D. Extravagent

132. A. Aristocracy B. Arestocracy
C. Arestocracy D. Aristocrecy

133. A. Lagislature B. Legislature
C. Lageslature D. Legesleture

134. A. Dormetory B. Dormitery
C. Dormitory D. Dermitory

135. A. Garulous B. Garrulaus
C. Gorrulous D. Garrulous

136. A. Regecide B. Regicide
C. Rigecide D. Ragicide

137. A. Epicurean B. Epecurean
C. Epicurian D. Epicorean

138. A. Commetti B. Commitee
C. Committee D. Comitte

139. A. Inemitable B. Inimitable
C. Inimetable D. Inimitabli

140. A. Pletocray B. Plitocracy
C. Plotocracy D. Plutocracy

141. A. Immortal B. Emortal
C. Immortel D. Immortol

142. A. Perrhic B. Pyrrhic
C. Pyrrhec D. Porrhec

143. A. Chauvinism B. Chouvinism
C. Chevinism D. Cauvinism

144. A. Rumenate B. Ruminote
C. Rimunote D. Ruminate

145. A. Teciturn B. Tociturn
C. Tecitorn D. Taciturn

146. A. Verteran B. Viteran
C. Veterain D. Veteran

147. A. Antitode B. Antedote
C. Antidote D. Autitote

148. A. Audeble B. Audible
C. Audcble D. Audebli

149. A. Bellicose B. Billicose
C. Bellecose D. Belicose

150. A. Pilferage B. Peliferage
C. Pilfarege D. Poliferage

151. A. Arestocracy B. Aristocracy
C. Aristocracy D. Aristocy

152. A. Sychologist B. Psycologist
C. Psychologist D. Psychogist

153. A. Neucteus B. Neucleus
C. Nucleus D. Neocleus

154. A. Negotcate B. Negociate
C. Negotiate D. Nagotiate

155. A. Skelled B. Skilled
C. Skiled D. Skillid

156. A. Logecal B. Logical
C. Lagical D. Logicle

157. A. Effeciency B. Efficiency
C. Eficiency D. Efficency

158. A. Cumpartment B. Compartment
C. Compartant D. Comportent

159. A. Continuous B. Cuntinuous
C. Continus D. Contineuous

160. A. Valuable B. Valueable
C. Valuabel D. Valoble

161. A. Courteous B. Curteous
C. Corteous D. Courtus

162. A. Prophecy B. Phropecy
C. Propecy D. Propheci

163. A. Lonesome B. Lonsome
C. Lonesum D. Lonsum

164. A. Formedable B. Formidable
C. Formidabul D. Formdable

165. A. Inibriated B. Enibrited
C. Inebriated D. Inubrited

166. A. Guellible B. Guiellible
C. Guillibel D. Guillible

167. A. Subsequent B. Subsiquent
C. Subsequint D. Subquent

168. A. Alein B. Alien
C. Abein D. Abien

169. A. Misogynesm B. Mesogynism
C. Misogynism D. Misosogesim

170. A. Sanguini B. Sangune
C. Sangiune D. Sanguine

171. A. Exemplary B. Eximplary
C. Exemplari D. Examplary

172. A. Sycophants B. Sicophants
C. Sycopants D. Sycophints

173. A. Petchy B. Patchy
C. Patchi D. Patche

174. A. Impassi B. Impasse
C. Impase D. Inpassi

175. A. Aceelerate B. Accilerate
C. Accelerate D. Accelerati

ANSWERS

1	2	3	4	5	6	7	8	9	10
A	A	D	D	C	A	C	A	B	A
11	**12**	**13**	**14**	**15**	**16**	**17**	**18**	**19**	**20**
C	D	B	C	A	B	B	C	D	D
21	**22**	**23**	**24**	**25**	**26**	**27**	**28**	**29**	**30**
B	C	C	A	B	C	A	B	D	B
31	**32**	**33**	**34**	**35**	**36**	**37**	**38**	**39**	**40**
B	A	C	A	C	A	B	A	C	D
41	**42**	**43**	**44**	**45**	**46**	**47**	**48**	**49**	**50**
A	D	D	C	B	C	A	B	B	D
51	**52**	**53**	**54**	**55**	**56**	**57**	**58**	**59**	**60**
B	D	D	B	C	C	D	A	C	B
61	**62**	**63**	**64**	**65**	**66**	**67**	**68**	**69**	**70**
C	A	C	A	B	C	A	C	A	B
71	**72**	**73**	**74**	**75**	**76**	**77**	**78**	**79**	**80**
A	C	A	B	C	B	C	A	B	A
81	**82**	**83**	**84**	**85**	**86**	**87**	**88**	**89**	**90**
C	D	A	C	B	D	A	B	A	C
91	**92**	**93**	**94**	**95**	**96**	**97**	**98**	**99**	**100**
A	C	A	C	A	C	A	D	A	B
101	**102**	**103**	**104**	**105**	**106**	**107**	**108**	**109**	**110**
A	C	A	C	B	C	A	B	D	A
111	**112**	**113**	**114**	**115**	**116**	**117**	**118**	**119**	**120**
C	A	C	A	C	A	B	C	A	D
121	**122**	**123**	**124**	**125**	**126**	**127**	**128**	**129**	**130**
B	C	A	C	B	C	A	B	D	A
131	**132**	**133**	**134**	**135**	**136**	**137**	**138**	**139**	**140**
C	A	B	C	D	B	A	C	B	D
141	**142**	**143**	**144**	**145**	**146**	**147**	**148**	**149**	**150**
A	B	A	D	D	D	C	B	A	A
151	**152**	**153**	**154**	**155**	**156**	**157**	**158**	**159**	**160**
C	C	C	C	B	B	B	B	A	A
161	**162**	**163**	**164**	**165**	**166**	**167**	**168**	**169**	**170**
A	A	A	B	C	D	A	B	C	D
171	**172**	**173**	**174**	**175**					
A	A	B	B	C					

3

Spot The Errors

The most common errors in English are of spellings, grammar and usage of words. By regular practice, the errors can be easily spotted and minimised. The best method of improving your usage of English with this guide is to study the sample sentences, then do the practice exercises at the end of the section. Practise carefully.

I. COMMON ERRORS WITH NOUNS AND NOUN-PHRASES

	Incorrect	Correct
1.	I have bought new *furnitures.*	I have bought new *furniture.*
2.	The wages of sin *are* death.	The *wages* of sin is death.
3.	She told these *news* to her mother.	She told her mother this *news.*
4.	He took *troubles* to do his work.	He took *trouble* (or pains) over his work.
5.	The *cattles* were grazing.	The *cattle* were grazing.
6.	He showered *many abuses* on me.	He showered *much abuse* on me.
7.	I spent the holidays with my *family members.*	I spent the holidays with my *family.*
8.	There is no *place* in this compartment.	There is no *room* in this compartment.
9.	Write this new *poetry* in your *copy.*	Write this new *poem* in your *note-book.*
10.	He took *insult* at this.	He took *offence* at this.
11.	Put your *sign* here.	Put your *signatures* here.
12.	She is my *cousin sister.*	She is my *cousin.*
13.	*Sunil's* my *neighbour's* house was burgled.	*Sunil,* my *neighbour's* house was burgled.
14.	I lost a *ten-rupees* note.	I lost *a ten-rupee* note.
15.	Road closed for *repair.*	Road closed for *repairs.*
16.	His house is out of *repairs.*	His house is out of *repair.*
17.	What is the *reason* of an earthquake?	What is the *cause* of an earthquake?
18.	This building is made of *stones.*	This building is made of *stone.*
19.	I disapprove of *these kinds* of games.	I disapprove of *this kind* of games.
20.	Veena's and Sheela's father is ill.	Veena and Sheela's father is ill.
21.	His *son-in-laws* are doctors.	His *sons-in-law* are doctors.
22.	*Alms* is given to the *poor.*	*Alms* are given to the poor.
23.	He always keeps his words.	He always keeps his *word.*
24.	I carried the *luggages.*	I carried the *luggage.*
25.	*Two-third* of the work is left.	*Two-thirds* of the work is left.

II. COMMON ERRORS WITH PRONOUNS

	Incorrect	Correct
1.	Both did not go.	Neither went.
2.	We all did not go.	None of us went.
3.	Each of these boys play.	Each of these boys plays.
4.	Whoever does best he will get a prize.	Whoever does best will get a prize.

	Incorrect	Correct
5.	One should not waste his time.	A man should not waste his time.
6.	I and she are sisters.	She and I are sisters.
7.	He is wiser than me.	He is wiser than I.
8.	Between you and I, Anil is not to be trusted.	Between you and me, Anil is not to be trusted.
9.	Nobody was there but I.	Nobody was there but me.
10.	Who is there ? It is me.	Who is there? It is I.
11.	Only he and me can use this card.	Only he and I can use this card.
12.	Let you and I go now.	Let you and me go now.
13.	Everyone got one's pay.	Everyone got his pay.
14.	Everyone is frightened when they see a tiger.	Everyone is frightened when he sees a tiger.
15.	These two friends are fond of one another.	These two friends are fond of each other.
16.	I did not like him coming at that hour.	I did not like his coming at that hour.
17.	Who do you think I met?	Whom do you think I met?
18.	You should avail this opportunity.	You should avail yourself this opportunity.
19.	When you have read these books, please return the same to me.	When you have read the books, please return them to me.
20.	They that are humble need fear no fall.	Those that are humble need fear no fall.

III. COMMON ERRORS WITH ADJECTIVES

	Incorrect	Correct
1.	These all oranges are good.	All these oranges are good.
2.	He held the book in the both hands.	He held the book in both hands.
3.	Both men have not come.	Neither man has come.
4.	That man should do some or other work.	That man should do some work or other.
5.	He is elder than I.	He is older than I.
6.	Shakespeare is greater than any other poets.	Shakespeare is greater than any other poet.
7.	He is a coward man.	He is a cowardly man.
8.	Many villagers cannot write his own name.	Many villagers cannot write their own name.
9.	Each of us loves our home.	Each of us loves his home.
10.	Much efforts bring their reward.	Much effort brings its reward.
11.	He found hundred rupees.	He found a hundred rupees.
12.	He had leave of four days.	He had four days leave.
13.	This is a worth seeing sight.	This is a sight worth seeing.
14.	He will spend his future life here.	He will spend the rest of his life here.
15.	There is a best teacher in that class.	There is a very good teacher in that class.
16.	Of the two plans this is the best.	Of the two plans this is the better.
17.	He is becoming strong every day.	He is becoming stronger every day.
18.	He is worst than I.	He is worse than I.
19.	Jaipur is hot than Delhi.	Jaipur is hotter than Delhi.
20	In our library the number of books is less.	In our library the number of books is small.
21.	From the three he is more clever.	He is the cleverest of the three.
22.	India is the first peace-loving country in the world.	India is the foremost peace-loving country in the world.
23.	Verbal instruction will not do.	Oral instruction will not do.
24.	Her command over French is most excellent.	Her command over French is excellent.
25.	He has not some money with him.	He has not any money with him.

	Incorrect	Correct
26.	I have visited Bombay many a times.	I have visited Bombay many a time.
27.	Death is more preferable to dishonour.	Death is preferable to dishonour.
28.	I gave him a few books I had.	I gave him the few books I had.
29.	If he wants farther help send him to me.	If he wants further help, send him to me.
30.	She is so cunning as a fox.	She is as cunning as a fox.

IV. COMMON ERRORS WITH VERBS

	Incorrect	Correct
1.	He asked had we taken our luggage.	He asked if we had taken our luggage.
2.	She asked what are you doing.	She asked what we were doing.
3.	Rama asked to Anil why he is angry.	Rama asked Anil why he was angry.
4.	He does not care for his money.	He does not take care of his money.
5.	He does not care for his work.	He takes no care over his work.
6.	No one cared for him after his mother died.	No one took care of him after his mother died.
7.	He got angry before I said a word.	He got angry before I had said a word.
8.	I met a man who was my tutor 20 years ago.	I met a man who had been my tutor twenty years ago.
9.	I had been for walking yesterday.	I went for a walk yesterday.
10	If I shall do this I shall be wrong.	If I do this I shall be wrong.
11.	I have left trekking.	I have given up trekking.
12.	I came to know as to how he did this.	I learnt how he did this.
13.	I came to know why he was sad.	I found out why he was sad.
14.	He knows to swim.	He knows how to swim.
15.	The criminal's head was cut.	The criminal's head was cut off.
16.	I said to him to go.	I told him to go.
17.	I told the teacher to excuse me.	I asked the teacher to excuse me.
18.	He is troubling me.	He is giving me trouble.
19.	I have got a hurt on my leg.	I have hurt my leg.
20.	She gave a speech.	She made a speech.
21.	He has given his examination.	He has sat for his examination.
22.	He took out his shoes.	He took off his shoes.
23.	I have ordered for a new car.	I have ordered a new car.
24.	He would not hear me.	He would not listen to me.
25.	I struck a blow on his face.	I struck him in the face.
26.	He denied to come.	He refused to come.
27.	He lived there for a day.	He stayed there for a day.
28.	The book is not found.	The book is lost.
29.	Shut the light.	Turn off the light.
30.	I must revenge my brother.	I must avenge my brother.

V. COMMON ERRORS IN SUBJECT-VERB AGREEMENT

	Incorrect	Correct
1.	The owners of this factory is very rich.	The owners of this factory *are* very rich.
2.	The pleasures of nature that one can experience at Shimla is beyond description.	The pleasures of nature that one can experience at Shimla *are* beyond description.

	Incorrect	Correct
3.	There is no street lights in our colony.	There *are* no street lights in our colony.
4.	He and I am entrusted with the job.	He and I *are* entrusted with the job.
5.	Rice and curry are his favourite dish.	Rice and curry *is* his favourite dish.
6.	The honour and glory of our country are at stake.	The honour and glory of our country *is* at stake.
7.	Time and tide waits for none.	Time and tide *wait* for none.
8.	All the passengers with the driver was killed.	All the passengers, with the driver, *were* killed.
9.	The teacher, with her students, were going out.	The teacher, with her students, *was* going out.
10.	I am as well as they are tired.	I as well as they *are* tired.
11.	Not only the soldiers but their captain also were captured.	Not only the soldiers but their captain also was captured.
12.	Neither you nor I were selected.	Neither you nor I *was* selected.
13.	Either of these two applicants are fit for the job but neither want to accept it.	Either of these two applicants *is* fit for the job but neither wants to accept it.
14.	One of these students are sure to stand first.	One of these students *is* sure to stand first.
15.	Everyone of these workers want a raise.	Everyone of these workers wants a raise.
16.	None of these letters has been answered so far.	None of these letters *have* been answered so far.
17.	None of the girls were present at the party.	None of the girls *was* present at the party.
18.	Many a battle were fought on Indian soil.	Many a battle *was* fought on Indian soil
19.	A lot of work remain to be done.	A lot of work *remains* to be done.
20.	The majority of these girls likes music.	The majority of these girls *like* music.
21.	The number of admissions are encouraging.	The number of admissions *is* encouraging.
22.	A large number of boys was present.	A large number of boys *were* present.
23.	A variety of books was on display.	A variety of books *were* on display.
24.	Variety are the spice of life.	Variety *is* the spice of life.
25.	If my estimates are correct, I will need another hundred rupees.	If my estimate is correct, I will need another hundred rupees.
26.	Mathematics are my favourite subject.	Mathematics *is* my favourite subject.
27.	'Gulliver's Travels' are written by Swift.	'Gulliver's Travels' *is* written by Swift.
28.	Ten miles are a long distance to cover on foot.	Ten miles *is* a long distance to cover on foot.
29.	A new pair of shoes are to be purchased.	A new pair of shoes is to be purchased.
30.	The Committee have issued its report.	The Committee *has* issued its report.
31.	I, who am your friend, has always been on your side.	I, who am your friend, *have* always been on your side.
32.	I am the person who have always stood by you.	I am the person who *has* always stood by you.
33.	This is one of the best novels that has been published this year.	This is one of the best novels that *have* been published this year.
34.	Less than half the amount have been wasted.	Less than half the amount *has* been wasted.
35.	A lot of people has turned up for the show.	A lot of people *have* turned up for the show.
36.	Much of their honour are undeserved.	Much of their honour *is* undeserved.
37.	More than a decade have passed since this house was built.	More than a decade *has* passed since this house was built.
38.	Either she or he are mistaken.	Either she or he *is* mistaken.
39.	Plenty of information are available on the subject.	Plenty of information *is* available on the subject.
40.	Plenty of pamphlets is available on the subject.	Plenty of pamphlets *are* available on the subject.

VI. COMMON ERRORS IN USE OF WILL, SHALL, WOULD, SHOULD, MAY, MIGHT, MUST

	Incorrect	Correct
1.	When I shall see him I shall tell him this.	When I *see* him, I shall tell him this.
2.	If I should do wrong, he would punish me.	If I *did* wrong, he would punish me.
3.	Until he will have confessed his fault, he will be kept in prison.	Until he *has* confessed his fault, he will be kept in prison.
4.	She will obey me.	She *shall* obey me.
5.	You would work hard.	You *should* work hard.
6.	You shall find him in the garden.	You *will* find him in the garden.
7.	He must have died of exposure, but we cannot be certain.	He *might* have died of exposure, but we cannot be certain.
8.	You might not show disrespect to your elders.	You *must* not show disrespect to your elders.
9.	You may take exercise in order to maintain good health.	You *must* take exercise in order to maintain good health.
10.	He must be a crook for all we know.	He *may* be a crook for all we know.

VII. COMMON ERRORS IN THE USE OF ADVERBS

(Very, Much, Too, Enough, Quite, Hardly, Scarcely, Before, Ago, Since, Yet, Still, etc.)

	Incorrect	Correct
1.	He is very much angry.	He is *very* angry.
2.	She was very good enough to help me.	She was *good enough* to help me.
3.	She runs much fast.	She runs *very* fast.
4.	She runs very faster than Seema.	She runs *much* faster than Seema.
5.	It is bitter cold today.	It is *bitterly* cold today.
6.	He is a much learned man.	He is a very learned man.
7	She is thinking very hardly.	She is thinking very hard.
8.	To tell in brief the film was boring.	*In short* the film was boring.
9.	He told the story in details.	He told the story *in detail.*
10.	I did it anyhow.	I *managed to do* it somehow.
11.	Aeroplanes reach Europe soon.	Aeroplanes reach Europe quickly.
12.	Before long there were dinosaurs on the earth.	*Long ago,* there were dinosaurs on the earth.
13.	This book is too interesting.	This book is *very* interesting.
14.	He lives miserly.	He lives in *a miserly* way.
15.	Just I had gone when she came.	I had just gone when she came.
16.	He sings good.	He sings *well.*
17.	He sings good than I.	He sings *better* than I.
18.	Really speaking it is cold.	*As a matter of fact* it is cold.
19.	He is enough tall to reach the ceiling.	He is *tall enough* to reach the ceiling.
20.	He went directly to his college.	He went *direct* to his college.
21.	He is presently at Delhi.	He is at Delhi *at present.*
22.	Last night she returned lately.	Last night she *returned late.*
23.	He was even blamed by his friends.	He was *blamed even* by his friends.
24.	I only employed him for a week.	I employed him for a week only.

Incorrect	Correct
25. I met him four months before.	I met him four *months ago.*
26. Anil seldom ever goes to school.	Anil *seldom goes* to school.
27. I will wait here until you do not go.	I will wait here until *you go.*
28. I never remember having met her before.	I *do not remember* having met her before.
29. She has not been here too long to have many friends.	She has not *been here long* enough to have many friends.
30. Hardly I have had any rest since one week.	Hardly have *I had* any rest for a week.
31. Scarcely the water crossed the danger level, the warning signals were sounded.	Scarcely *had the* water *crossed the* danger level, when the warning signals were sounded.
32. She is neat but fairly slow.	She is *neat* but rather slow.
33. It is a rather good film.	It is a *fairly good* film.
34. We yet have time to catch the bus.	We *still have* time to catch the bus.
35. She has not still spent all her money.	She has *not yet* spent all her money.

VIII. COMMON ERRORS IN THE USE OF CONJUNCTIONS

Incorrect	Correct
1. As he is fat so he runs slowly.	As he is fat *he* runs slowly.
2. If he is fat then he will run slowly.	If he is fat, he will run slowly.
3. Though he is fat still he runs fast.	Though he is fat, *he runs* fast.
4. *As* I pulled the trigger at the sametime he shook my arm.	As I pulled the trigger, he shook my arm.
5. No sooner I had spoken than he left.	No sooner *had* I spoken than he left.
6. Not only he will go, but also he will stay there.	Not only *will he* go, but he *will also* stay there.
7. Neither he comes nor he writes.	Neither *does he* come nor *does he* write.
8. Scarcely he entered the room than the telephone rang.	Scarcely *had* he entered the room *when the* telephone rang.
9. Hardly she had left the house than it began to rain.	Hardly *had she* left the house *when* it began to rain.
10. He is the fastest runner and he comes last.	He is the fastest runner *but* he comes last.
11. She is as innocent as if she looks.	She is as innocent as she looks.
12. Until he does not try he must be punished.	He must be punished unless he tries.
13. I want to know as to why you are late.	I want to know why you are late.
14. I am fond of Chinese food as for example sweet and sour prawns.	I am fond of Chinese food, for example, sweet and sour prawns.
15. He was angry therefore I ran away.	He was angry so I ran away.
16. I was trying to work, at that time he was disturbing me.	While I was trying to work, he was disturbing me.
17. Supposing if he is late, what will happen?	Supposing he is late (or if he is late) what will happen?
18. He asked me that why I was late.	He asked me why I was late.
19. Let us catch a taxi lest we should not get late.	Let us catch a taxi lest we should get late.
20. She dresses herself like the teacher does.	She dresses herself as the teacher does.
21 Wait while I come.	Wait *until* (or *till)* I come.
22. Until, there is corruption in India, there can be little progress.	*As long* as there is corruption in India there can be little progress.
23. I have never told a lie nor cheated anybody.	I have never told a lie *nor have I* cheated anybody.
24. Both Mohan as well as Arun are responsible for this action.	Both Mohan *and* Arun are responsible for this action.
25. Hindus and Muslims both are to blame for the riots.	*Both Hindus* and Muslims are to blame for the riots.
26. I have bought paintings, books, records, and etc.	I have bought paintings, books *and records etc.*

Incorrect	Correct
27. He as well as you is a fool.	He as well as you *are* a fool.
28. He is so poor and he cannot save anything.	He is so *poor that* he cannot save anything.
29. Such a book that you want is not available.	Such a book *as* you want is not available.
30. Such was her condition as everyone was moved to pity.	Such was her condition that everyone was moved to pity.

IX. COMMON ERRORS IN THE USE OF PREPOSITIONS

Incorrect	Correct
1. I will not listen him.	I will not listen *to* him.
2. Copy this word by word.	Copy this word *for* word.
3. He enquired from her where she lived.	He enquired *of* her where she lived.
4. Sign here with ink.	Sign here *in* ink.
5. Has she come in train or by foot?	Has she come *by* train or *on* foot?
6. She said this at his face.	She said this *to* his face.
7. Open the book on page one.	Open the book *at* page one.
8. I was invited for lunch.	I was *invited to* lunch.
9. I am ill since three months.	I have been *ill for* three months.
10. This paper is inferior than that.	This paper is inferior *to* that.
11. This resembles to that.	This *resembles* that.
12. My brother is superior than you in strength.	My brother is superior *to* you in strength.
13. He wrote me.	He wrote *to* me.
14. I shall explain them this.	I shall explain this *to* them.
15. Send this letter on my address.	Send this letter *to* my address.
16. He suggested me this.	He suggested this *to* me.
17. He goes on his work.	He goes *to his* work.
18. He reached to Nagpur.	He *reached* Nagpur.
19. He told to me to go.	He told *me* to go.
20 The term begins from July 1st.	The term begins *on* July 1st.
21. There are many advantages from this.	The advantages *of* this are many.
22. We waste much time in trifles.	We waste much time *on* (or *over)* trifles.
23. He sat on a tree.	He sat *in* a tree.
24. This is a comfortable house to live.	This is a comfortable house to live in.
25. This is the road to go.	This is the road to go *by.*
26. He married with an Indian lady.	He *married an Indian* lady.
27. He accompanied with his friend.	He *accompanied his* friend.
28. He went for doing some business.	He went away *on* business.
29. He went for riding.	He went *for a ride.*
30. I pitied on him.	I *pitied* him.
31. When this was searched it was found.	When this was searched *for* it was found.
32. I shall inform them this.	I shall inform them *of* this.
33. Due to illness I cannot go to school.	*Owing* to illness I cannot go to school.
34. He went to the back side of the house.	He went behind (or to the back of) the house.
35. I must go; there is no help.	I must go; there is no help *for it.*
36. I met with your friend there.	I *met your* friend there.
37. The First World War was fought during 1914-1918.	The First World War was fought *between* 1914-1918.

Incorrect	Correct
38. England grew prosperous between Queen Victoria's reign.	England grew prosperous *during* Queen Victoria's reign.
39. He asked a holiday.	He asked *for* a holiday.
40. I am obliged of you for this good turn.	I am obliged *to* you for this good turn.
41. There is no harm to try.	There is no harm *in trying*.

X. MISCELLANEOUS ERRORS

(Including Ambiguities and Indianisms)

Incorrect	Correct
1. Many *homes* are lying vacant.	Many *houses* are lying vacant.
2. It is cool in the shadow of the tree.	It is cool in the *shade* of the tree.
3. She *keeps* good health.	She *enjoys* good health.
4. My leg is paining.	*I am feeling pain* in my leg.
5. See this word in the dictionary.	*Look up* this word in the dictionary.
6. The train will arrive *just now.*	The train will arrive *shortly.*
7. They are *pulling* on well.	They are *getting* on well.
8. The river has *over flown* its bank.	The river has *over flown* its banks.
9. He was appointed *on* the post.	He was appointed *to* the post.
10. Last but not *the least,* we have to discuss the problem of overpopulation.	Last but not *least,* we have to discuss the problem of overpopulation.
11. *Cities* after *cities* fell.	*City* after *city* fell.
12. What is the use Munir going there?	What is the use of Munir going there?
13. He *did many mischief.*	He *made much mischief.*
14. It is exact five *in* my watch.	It is exact five *by* my watch.
15. I will dine with them on *next Sunday.*	I will dine with them *Sunday next.*
16. Misfortunes when faced bravely and *manly* become less troublesome.	Misfortunes when faced bravely and *manfully* become less troublesome.
17. I am *laid down* with fever.	I am *laid up* with fever.
18. He is habituated to smoking.	He is *addicted* to smoking.
19. *According to my opinion* he is right.	*In my opinion* (or according *to me)* he is right.
20. Could you please *open* this knot?	Could you please *untie* this knot?
21. When five *years old* his father died.	*When he was five years old* his father died.
22. I made him *to* do this work.	I *made him do* this work.
23. What is the *cost* of this camera?	What is the *price of* this camera?
24. He wants *as many as* five kilograms of sugar.	He wants *as much as* five kilograms of sugar.
25. I have come to a final *conclusion.*	I have come to a *conclusion* (or *to a final decision).*
26. Do you wish me to teach *you or the principal?*	Do you wish me or the principal to teach you?
27. The tree was *loaded with* fruit.	The tree was *laden with* fruit.
28. What sort of a man is he?	What sort of man is he?
29. My views are different *than* you.	My views are different *from yours.*
30. I take this opportunity *to thank* you.	I take this opportunity *of thanking* you.

MULTIPLE CHOICE QUESTIONS

Directions: *In this section, each sentence has three parts, indicated by (A), (B) and (C). Read each sentence to find out whether there is an error. If you find an error in any of the parts (A, B, C), indicate your response by marking the letter related to that part. If a sentence has no error, indicate this by marking '(D)' which stands for "No error". Errors may belong to grammar, usage or idiom. Ignore errors of punctuation, if any.*

1. (A) The reason why/(B) he was rejected/(C) was because he was too young./(D) No error.

2. (A) The scientist must follow/(B) his hunches and his data/(C) wherever it may lead./(D) No error.

3. (A) Firstly you should/(B) think over the meaning of the words/(C) and then use them./(D) No error.

4. (A) Scarcely had/(B) I arrived than/(C) the train left./(D) No error.

5. (A) Unless you stop to make noise at once/(B) I will have no option but to/(C) bring the matter to the attention of the police./(D) No error.

6. (A) He couldn't but help/(B) shedding tears at the plight of the villagers/(C) rendered homeless by a devastating cyclone./(D) No error.

7. (A) Since it was his first election campaign, the candidate was confused;/(B) none could clearly understand/(C) either the principles he stood for or the benefits he promised./(D) No error.

8. (A) It is an established fact that the transcendental American poets and philosophers,/(B) who lived in the latter half of the nineteenth century,/(C) were more influenced by Indian philosophy, in particular by Upanishadic Philosophy./(D) No error.

9. (A) The crew were on board/(B) and they soon busied themselves/(C) in preparing to meet the storm./(D) No error.

10. (A) One of the members/(B) expressed doubt if/(C) the Minister was an athiest./(D) No error.

11. (A) Beware of/(B) a fair-weather friend/(C) who is neither a friend in need nor a friend indeed./(D) No error.

12. (A) Copernicus proved/(B) that Earth/(C) moves round the Sun./(D) No error.

13. (A) Seldom we have been treated/(B) in such a rude manner/(C) by the police personnel./(D) No error.

14. (A) Some men are born great,/(B) some achieve greatness/(C) and some had greatness thrust on them./(D) No error.

15. (A) The property/(B) was divided/(C) among the two brothers./(D) No error.

16. (A) I am quite certain/(B) that the lady is not only greedy/(C) but miserly./(D) No error.

17. (A) The aircraft overloaded/(B) there was something wrong of the battery/(C) and the engine was making a queer noise./(D) No error.

18. (A) A thorough inquiry of the misappropriation of funds/(B) is now imperative/(C) to bring the guilty to book./(D) No error.

19. (A) The brilliant success in the examination/(B) as well as his record in sports/(C) deserves high praise./(D) No error.

20. (A) While travelling by a train/(B) on a cold winter night/(C) an argument rose between two passengers in our compartment./(D) No error.

21. (A) I cannot find/(B) where has he gone/(C) though I have tried may best./(D) No error.

22. (A) If I was/(B) the Prime Minister of India/(C) I would work wonders./(D) No error.

23. Amit's severe bout of flu/(B) debilitated him so much/(C) that he was too tired to do for work for a week./(D) No error.

24. (A) This is the crux of the entire problem;/(B) everything centres on/(C) it being resolved./(D) No error.

25. (A) One of the major aims of the Air Force/(B) was the complete demolition of all means of transportation/(C) by the bombing of rail lines and terminals./(D) No error.

26. (A) His strong voice cut over/(B) the hum of conversation/(C) like a knife through butter./(D) No error.

27. (A) Even though they weren't expecting us/(B) they managed to knock up/(C) a marvellous meal./(D) No error.

28. (A) The celebrated singer was/(B) surrounded by the usual crowd/(C) of lackeys and hanger-ons./(D) No error.

29. (A) If it weren't/(B) for you,/(C) I wouldn't be alive today./(D) No error.

30. (A) He looked like a lion/(B) baulked from/(C) its prey./(D) No error.

31. (A) Widespread flooding/(B) is effecting/(C) large areas of the villages./(D) No error.

32. (A) She regards/(B) negotiating prices with customers/(C) as her special preserve./(D) No error.

33. (A) Often in political campaigns, a point is reached at which/(B) the candidates take out their gloves,/(C) and start slugging with bare fists./(D) No error.

34. (A) If we really set to/(B) we can get the whole house/ (C) cleaned in an afternoon./(D) No error.

35. (A) Pieces of rock plummeted/(B) down the mountainside/(C) in the ground below./(D) No error.

36. (A) Since the two parties each won/(B) the same number of seats,/(C) the minority party holds the balance of power./(D) No error.

37. (A) It's arrogant for you/(B) to assume you'll/(C)win every time./(D) No error.

38. (A) We've paid for our travel and accommodation,/(B) so we need only to take/(C) some pocket-money with us./(D) No error.

39. (A) There's no evidence to show/(B) that information technology secrets are more/(C) vulnerable in India than Britain or the US./(D) No error.

40. (A) It is shameful that hunting/(B) is still considered sport/(C) by some unscrupulous people in the civilized world./(D) No error.

41. (A) The Prime Minister's good looks won him/(B) the election but he has still to prove/(C) that he's not a just pretty face./(D) No error.

42. (A) The two books are the same/(B) except for the fact that this/(C) has an answer in the back:/(D) No error.

43. (A) He estimated his income tax bill/(B) by extrapolation over figures/(C) submitted in previous years./(D) No error.

44. (A) The modern office block/(B) sticks out like a sore thumb/(C) among the old buildings in the area./(D) No error.

45. (A) I will try to put over/(B) some feelers to gauge/(C) people's reactions to our proposal./(D) No error.

46. (A) A major contribution of Mathura sculptors/(B)of that period were the creation and popularization/(C) of the Buddha's image in human form./(D) No error.

47. (A) Amit has been deceiving Mona/(B) for many years but she/(C) has not still tumbled to it. (C)/No error. (D)

48. (A) Mahavira was an advocate of non-violence and vegetarianism,/(B) who revived and reorganized the Jain doctrine/(C) and established rules for their monastic order. (D) No error.

49. (A) Microwaves are the principle carriers/(B) of television, telephone and data transmissions/(C) between stations on earth and between the earth and satellites./(D) No error.

50. (A) An unit is an abstract idea,/(B) defined either by reference to/(C) a randomly chosen material standard or to a natural phenomenon./(D) No error.

51. (A) With the crisis deepening,/(B) the critics sense an opportunity/(C) about putting in place a more radical strategy./(D) No error.

52. (A) The salesman gave us/(B) a big spiel about why/ (C) we should buy his product./(D) No error.

53. (A) I will need several weeks/(B) to invent the lie of the land before/(C) I can make any decision about the future of the business./(D) No error.

54. (A) You should be cautious/(B) and make a few discrete enquiries about/(C) the firm before you sign anything./ (D) No error.

55. (A) Your husband doesn't/(B) believe that you are older/(C) than I./(D) No error.

56. (A) There is a beautiful moon out tonight/(B) and Neeta and I are going for a stroll/(C) —would you like to come along with she and I?/(D) No error.

57. (A) The data on/(B) the divorce case is/(C) on the judge's desk./(D) No error.

58. (A) She stood off/(B) from the crowd/(C) because of her height and flaming red hair./(D) No error.

59. (A) It's stupid to go/(B) to the expense of taking/(C) music lessons if you never practise./(D) No error.

60. (A) You will find it difficult/(B) to explain of your use/ (C) of such offensive language./(D) No error.

61. (A) Because of the/(B) extenuating circumstances/(C) the court acquitted him out of the crime./(D) No error.

62. (A) The carpet was badly stained/(B) to such an extent that/(C) you couldn't tell its original colour./(D) No error.

63. (A) It is greatly to Amit's credit/(B) that he gave back the money he found/(C) his honesty does for him credit./(D) No error.

64. (A) A terrific hue and cry/(B) was raised/(C) at the new tax proposals./(D) No error.

65. (A) The former General was/(B) exiled of his country because of/(C) his part in the plot against the government./(D) No error.

66. (A) The company has/(B) set off itself some stiff production/(C) goals for this year./(D) No error.

67. (A) The music was so loud/(B) that we had to bellow over each/(C) other to be heard./(D) No error.

68. (A) When this beautiful girl arrived, (A) all the men in the room/(C) gravitated over her./(D) No error.

69. (A) The children are/(B) really in their element/(C) playing on the beach./(D) No error.

70. (A) The refugees are/(B) badly off for blankets,/(C) and even worse for food./(D) No error.

71. (A) From their vintage-point on the cliff,/(B) the children could watch/(C) the ships coming and going./(D) No error.

72. (A) A cogent remark/(B) compels acceptance because/ (C) of their sense and logic./(D) No error.

73. (A) Credit cards have/(B) brought about a revolution/(C) in people's spending habits./(D) No error.

74. (A) In financial matters/(B) it is important to/(C) get disinterested advice./(D) No error.

75. (A) Some women admit that/(B) their principle goal in life/(C) is to marry a wealthy man./(D) No error.

76. (A) Take two spoonsful/(B) of this medicine/(C) every three hours./(D) No error.

77. (A) The film was so disjointed/(B) that I could not tell you/(C) what the story was about./(D) No error.

78. (A) He had been/(B) saved of death as if/(C) by divine intervention./(D) No error.

79. (A) I informed the principal/(B) that I was running temperature/(C) and, therefore, could not attend the meeting./(D) No error.

80. (A) The lady was broken with grief/(B) when she heard the sad news of the train disaster/(C) in which her brother was killed./(D) No error.

81. (A) The farmer is irrigating/(B) his fields/(C) since morning./(D) No error.

82. (A) I could not/(B) answer to/(C) the question./(D) No error.

83. (A) Two years passed/(B) since/(C) my cousin died./(D) No error.

84. (A) He hesitated to accept the post/(B) as he did not think/(C) that the salary would be enough for a man with a family of three./(D) No error.

85. (A) Have you gone through/(B) either of these three chapters/(C) that have been included in this volume?/(D) No error.

86. (A) I am learning English/(B) for ten years/(C) without much effect./(D) No error.

87. (A) Ramesh has agreed/(B) to marry with the girl/(C) of his parent's choice./(D) No error.

88. (A) The pity is that/(B) no sooner he had left the place/(C) than the fire broke out./(D) No error.

89. (A) When he was arriving/(B) the party was/(C) in full swing./(D) No error.

90. (A) The Dean wrote he constituted a committee of experts/(B) comprising of five members/(C) before the next meeting took place./(D) No error.

91. (A) Inflation and shortages/(B) have made it very difficult for him/(C) to make his both ends meet./(D) No error.

92. (A) The most studious boy/(B) in the class/(C) was made as the captain./(D) No error.

93. (A) I am participating/(B) in the two-miles race/(C) tomorrow morning./(D) No error.

94. (A) The sum and substance/(B) of his speech/(C) were essentially anti-establishment./(D) No error.

95. (A) It has been such a wonderful evening/(B) I look forward to meet you again/(C) after the vacations./(D) No error.

96. (A) When the boy committed a mistake/(B) the teacher made him to do/(C) the sum again./(D) No error.

97. (A) Unless the government does not revise its policy of liberalization/(B) the growth of the indigenous technology/(C) will be adversely affected./(D) No error.

98. (A) Supposing if you get/(B) a seat in the plane/(C) you will not take more than two hours to reach Mumbai./(D) No error.

99. (A) Whenever a person lost anything/(B) the poor folk around/(C) are suspected./(D) No error.

100. (A) Still impressive is that/(B) we achieve this selective attention/(C) through our latent ability to lip-read./(D) No error.

101. (A) The brakes and steering failed/(B) and the bus ran down the hill/(C) without anyone being able to control it./(D) No error.

102. (A) The polling was marred/(B) at many a place/(C) by attempts at rigging./(D) No error.

103. (A) He wanted to work all right/(B) but we saw that he was completely worn/(C) and so we persuaded him to stop./(D) No error.

104. (A) When a whale is washed ashore by the tide,/(B) the people flock together to see it,/(C) wondering how so huge an animal can swim about in the water./(D) No error.

105. (A) Few scientists changed/(B) people's ideas as much as/(C) Darwin with his Theory of Evolution./(D) No error.

106. (A) Were he/(B) to see you,/(C) he would have been surprised./(D) No error.

107. (A) The number of marks carried by each question/(B) are indicated/(C) at the end of the question./(D) No error.

108. (A) An animal/(B) can be just as unhappy in a vast area/(C) or in a small one./(D) No error.

109. (A) It is time/(B) we did something/(C) to stop road accidents./(D) No error.

110. (A) A free press is not a privilege/(B) but the organic necessity/(C) in a free society./(D) No error.

111. (A) The Indian radio,/(B) which was previously controlled by the British rulers,/(C) is free now from the narrow vested interests./(D) No error.

112. (A) Because of the emergency help/(B) that the patient received,/(C) he would have died./(D) No error.

113. (A) At present juncture,/(B) however, the super-computer/(C) would be a costly toy./(D) No error.

114. (A) Students should not take part/(B) in party politics and political demonstrations/(C) as they interfere in serious study./(D) No error.

115. (A) Wherever they go/(B) Indians easily adapt to/(C) local circumstances./(D) No error.

116. (A) According to the Bible/(B) it is meek and humble/(C) who shall inherit the earth./(D) No error.

117. (A) I was there/(B) many a time/(C) in the past./(D) No error.

118. (A) As much as I admire him for his sterling qualities./(B) I cannot excuse him for/(C) being unfair to his friends./(D) No error.

119. (A) Were you/(B) given a choice/(C) or you had to do it?/(D) No error.

120. (A) When he was asked what is wrong with him,/(B) he said that he was not well,/(C) and asked for leave of absence for one day./(D) No error.

121. (A) At the end of the year/(B) every student who had done adequate work/(C) was automatically promoted./(D) No error.

122. (A) Many times the news has been published/(B) in the papers that the end of the world will be certain/(C) if a nuclear war breaks out./(D) No error.

123. (A) Happily, zoos were/(B) unwilling to cooperate/(C) in a scheme that was potentially harmful to animal welfare./(D) No error.

124. (A) We discussed about the problem so thoroughly/(B) on the eve of the examination/(C) that I found it very easy to work it out./(D) No error.

125. (A) She reluctantly said that/(B) if nobody else was doing it/(C) she will do it./(D) No error.

126. (A) He will end up his work/(B) in the city/(C) by the end of the year./(D) No error.

127. (A) Though child marriage/(B) has been banned,/(C) the custom still prevailed among some groups in India./(D) No error.

128. (A) Supposing if/(B) there is no bus,/(C) how will you get there?(D) No error.

129. (A) At the moment the house/(B) was burgled the family/(C) attended a night party in the neighbourhood./(D) No error.

130. (A) On a holiday/(B) Sudha prefers reading/(C) than going out visiting friends./(D) No error.

131. (A) Neither he/(B) nor his father is interested/(C) in joining the party./(D) No error.

132. (A) A group of friends/(B) want to visit/(C) the new plant as early as possible./(D) No error.

133. (A) May I/(B) know who you want/(C) to see please./(D) No error.

134. (A) Myself and Gopal/(B) will take care of/(C) the function on Sunday./(D) No error.

135. (A) I could not put up in a hotel/(B) because the boarding and lodging charges/(C) were exorbitant./(D) No error.

136. (A) He is not coming tomorrow/(B) as he is having a pain in the chest/(C) and has to see a doctor./(D) No error.

137. (A) They have been/(B) very close friends/(C) until they quarrelled./(D) No error.

138. (A) Since India has gained Independence/(B) 49 years ago,/(C) much progress has been made in almost every field./(D) No error.

139. (A) The party chief made it a point to state that/(B) the Prime Minister and the Union Home Minister should also come/(C) and they see what his party men had seen./(D) No error.

140. (A) Due to me being a newcomer/(B) I was unable to get a house/(C) suitable for my wife and me./(D) No error.

141. (A) We are meeting today afternoon/(B) to discuss the matter/(C) and reach a compromise./(D) No error.

142. (A) Either Ram or/(B) you is responsible/(C) for this action./(D) No error.

143. (A) The student flatly denied/(B) that he had copied/(C) in the examination hall./(D) No error.

144. (A) By the time you arrive tomorrow/(B) I have finished/(C) my work./(D) No error.

145. (A) The speaker stressed repeatedly on/(B) the importance of improving/(C) the condition of the slums./(D) No error.

146. (A) The captain with the members of his team/(B) are returning/(C) after a fortnight./(D) No error.

147. (A) After returning from/(B) an all-India tour/(C) I had to describe about it./(D) No error.

148. (A) The teacher asked his students/(B) if they had gone through/(C) either of the three chapters included in the prescribed text./(D) No error.

149. (A) Although they are living in the country/(B) since they were married/(C) they are now moving to the town./(D) No error.

150. (A) Do you know/(B) how old were you/(C) when you came here?/(D) No error.

ANSWERS

1	2	3	4	5	6	7	8	9	10
C	C	A	B	A	A	D	C	C	B
11	**12**	**13**	**14**	**15**	**16**	**17**	**18**	**19**	**20**
D	B	A	C	C	C	B	A	D	C
21	**22**	**23**	**24**	**25**	**26**	**27**	**28**	**29**	**30**
B	A	C	C	B	A	A	C	C	C
31	**32**	**33**	**34**	**35**	**36**	**37**	**38**	**39**	**40**
C	A	A	A	C	A	A	B	D	B
41	**42**	**43**	**44**	**45**	**46**	**47**	**48**	**49**	**50**
C	C	C	D	A	B	C	C	A	A
51	**52**	**53**	**54**	**55**	**56**	**57**	**58**	**59**	**60**
C	D	D	D	C	C	D	A	B	B
61	**62**	**63**	**64**	**65**	**66**	**67**	**68**	**69**	**70**
C	A	C	A	B	B	B	C	B	D
71	**72**	**73**	**74**	**75**	**76**	**77**	**78**	**79**	**80**
A	C	D	D	D	A	B	B	B	A
81	**82**	**83**	**84**	**85**	**86**	**87**	**88**	**89**	**90**
A	B	A	D	B	A	B	B	A	B
91	**92**	**93**	**94**	**95**	**96**	**97**	**98**	**99**	**100**
C	C	B	C	B	B	A	A	A	C
101	**102**	**103**	**104**	**105**	**106**	**107**	**108**	**109**	**110**
C	D	B	D	A	A	B	C	D	B
111	**112**	**113**	**114**	**115**	**116**	**117**	**118**	**119**	**120**
C	A	A	C	B	B	A	A	A	A
121	**122**	**123**	**124**	**125**	**126**	**127**	**128**	**129**	**130**
D	D	C	A	C	A	C	A	A	C
131	**132**	**133**	**134**	**135**	**136**	**137**	**138**	**139**	**140**
D	B	B	A	A	C	A	A	C	A
141	**142**	**143**	**144**	**145**	**146**	**147**	**148**	**149**	**150**
A	B	D	B	A	B	C	C	B	D

4

Filling the Blanks

Filling the blanks or sentence completion is such an exercise that starts with the primary education and continues in the highest level of examinations. One must practise it regularly to score well.

MULTIPLE CHOICE QUESTIONS

Directions: *Fill in the blanks with the appropriate words given in choice.*

1. While the contest in Kashmir has international ....., the outcome in Gujarat will be of enormous significance at the national level.
A. ravening B. ramifications
C. reconnaissance D. renunciation

2. No amount of post facto sophistry can conceal the ..... and inflammable crudity of this exhortation.
A. cruel B. shameful
C. horrible D. horrendous

3. There were ..... voices coming out from the amalgam.
A. discordant B. sneering
C. impalpable D. disquisite

4. Online learning can also offer a ..... of exciting and technology driven courses.
A. spectrum B. spume
C. spate D. stolidity

5. Work experience does carry some weight, the extent of which is a matter of ..... .
A. erudition B. decision
C. determination D. conjecture

6. The curricula of education has to respond and reshape with ..... modification according to the needs and aspirations of the dynamic society.
A. ambient B. alliterate
C. allotropic D. ample

7. It may look ..... to pronounce but this is the reality that the situation is that of the largest concentration of illiterate population is in existence.
A. surprising B. contradictory
C. paradoxical D. contrary

8. If we take the global, developmental ....., education is not only a master key but also acts as a catalyst in the positive direction.
A. context B. pretext
C. progress D. continuum

9. It is mainly the utmost utilization of knowledge which emanates from the deep-delved ..... in every human being.
A. acquisition B. core
C. mind D. self

10. The book is a rare ..... of facts and figures illustrating every aspect of education.
A. chronicle B. compendium
C. combination D. presentation

11. The ...... reason behind the terrorist attack on the temple is obvious.
A. devious B. diabolical
C. factual D. original

12. He had the ..... to reject plans.
A. disquisition B. gibe
C. gumption D. grudge

13. Unable to ..... the election process in Kashmir, the terrorists have spread out all over India.
A. scrounge B. scruff
C. scuttle D. scuffle

14. Their hopes of a communal ..... is not going to come true.
A. conflagration B. plenipotentiary
C. podium D. coterie

15. Fundamentalism refers to an ideology which takes certain articles of faith to be ....., beyond question.
A. inviolable B. invulnerable
C. irrefragable D. inerrant

16. The separation of Church and State has its origins in the vicious and ..... 16th century sectarian wars within European Christianity.
A. debacle B. debilitating
C. debase D. dastard

17. It's time to look beyond the simplistic ..... between secularism and fundamentalism.
A. dichotomy B. disarray
C. diabolical D. fetid

18. When unemployment is rampant, the future is ..... and fraught with worry, depression and frustration.
A. fluster B. foible
C. occlude D. ominous

19. We are worried by the ..... tendencies prevailing in our social and political life.
A. flotsam B. fissiparous
C. perfidy D. aphoristic

20. The intellectual experience had culminated new methodology in ..... .
A. assuage B. value
C. pedagogy D. pedantic

21. Human rights awareness is ignited to propagate in conflagration which could ..... down to the masses.
A. perfidy B. kindle
C. percolate D. exude

22. It is no use living a wretched life, where human dignity is an ..... .
A. abyss B. abhor
C. abnegation D. chastise

23. Upheavals and ..... de-humanisation are the paralytic traumas which degrade and nullify glamourisation of the human values.
A. profilgate B. entropic
C. obdurate D. intransigence

24. The driver tried to ..... the fears of the passenger by announcing that the accident has been prevented.
A. overcome B. remove
C. eradicate D. allay

25. ..... should be removed among the people and equal chances should be given to those who have been denied equality so long.
A. Distinction B. Diaphanous
C. Differences D. Disparities

26. It is uncertainity and ..... of purpose which create defects in our present system of education.
A. confusion B. ambivalence
C. vagueness D. doubt

27. The golden jubilee of the Independence of India is being celeberated in an ..... and jubilant manner.
A. joyful B. pleasant
C. ecstatic D. eclat

28. Education has become capable of meeting all the changes of the ..... society by broadening the new paths of learning.
A. dynamic B. growing
C. developing D. modern

29. The world and inevitably India, are in the ..... of major economic and technological changes.
A. gulf B. tendentious
C. insularity D. throes

30. ..... officer finally surrendered before the court yesterday, after being on the run for two months.
A. Crustacean B. Complacent
C. Fugitive D. Beguile

31. Gujarat riots have attracted national and international ..... .
A. opprobrium B. oposum
C. repugnance D. reconnoitre

32. The political and administrative leadership may have been determined to prevent any mischief makers from running ..... .
A. gauche B. amok
C. catharic D. berserk

33. After her long illness she is suffering from general .... .
A. fawning B. debility
C. lethargic D. inchoate

34. They are so poor that they have to .....
A. slack B. slander
C. skimp D. bicker

35. ..... about in the corridors.
A. Fecund B. Droll
C. Carp D. Skulk

36. The Queen's request was ..... to a command.
A. tantamount B. tenet
C. nexus D. nascent

37. We cannot ..... base metals into gold.
A. transmute B. trek
C. sodden D. impede

38. ..... an official tour to Switzerland.
A. Warble B. Wane
C. Wangle D. Warren

39. His inattention in the classroom is a clear ..... of failure.
A. pristine B. propriety
C. prognosis D. prognostic

40. I find singing ..... challenging.
A. intrinsically B. incredibly
C. extrinsically D. preposterously

41. Educating people to think your way is ....
A. prodigious B. presumptuous
C. sagacious D. unpretentious

42. The birth of United Nations Organisation in 1945 was a ..... device to achieve specific objectives in the realm of world order.
A. subjugate B. precarious
C. pragmatic D. unabated

43. Inefficiency and delaying habits are the ..... of Indian offices.
A. averse B. assuagement
C. banal D. bane

44. It is a most ..... situation for a young person to find a place under the sun and lead a comfortable though hard-working life.

A. exhilarating B. barbarous
C. bucolic D. cantankerous

45. The hot weather created a feeling of ..... and encouraged drowsiness.

A. uninterested B. lethargic
C. lassitude D. exhaustion

46. One prefers to be alone than to be in his company because of his ..... temper.

A. stoic B. smattering
C. sleight D. irascible

47. The boss scolded him in a ..... voice.

A. preposterous B. loud
C. suave D. strident

48. The ..... provided by the government to those affected by the flood were not sufficient.

A. ensconce B. victuals
C. baroque D. accrue

49. Zakir Hussain is a tabla ....

A. abettor B. adroit
C. virago D. virtuoso

50. He took.....at his remarks and resigned immediately.

A. umbrage B. surly
C. unseemly D. valour

ANSWERS

1	2	3	4	5	6	7	8	9	10
B	D	A	A	D	C	C	D	A	B
11	**12**	**13**	**14**	**15**	**16**	**17**	**18**	**19**	**20**
B	C	C	A	A	B	A	D	B	C
21	**22**	**23**	**24**	**25**	**26**	**27**	**28**	**29**	**30**
C	A	B	D	D	B	C	A	D	C
31	**32**	**33**	**34**	**35**	**36**	**37**	**38**	**39**	**40**
A	B	B	C	D	A	A	C	D	B
41	**42**	**43**	**44**	**45**	**46**	**47**	**48**	**49**	**50**
B	C	D	A	C	D	D	B	B	A

5

Synonyms & Antonyms

There are thousands of words in English language. No one can remember their meanings easily but with regular practice one can memorise most of them. A number of words with their Synonyms and Antonyms are compiled here. Try to learn as many as you can and answer the questions thereafter.

WORDS	SYNONYMS	ANTONYMS
Abandon	Cease, Forsake	Continue
Abhor	Hate, Loathe, Detest	Like, Love
Abiding	Enduring, Durable	Fleeting
Able	Proficient, Competent	Incompetent, Unfit
Ability	Skill, Power	Disability, Inability
Abortive	Fruitless, Futile	Fruitful, Successful
Abolish	Destroy, Undo	Restore, Revive
Abridge	Shorten, Curtail	Lengthen, Expand
Absolve	Forgive, Pardon, Excuse	Condemn
Accelerate	Hasten	Retard
Accord	Agreement, Harmony	Discord, Disagreement
Accumulate	Collect, Store, Amass	Distribute, Scatter
Adamant	Hard, Inflexible	Flexible
Adversity	Misfortune, Distress	Prosperity
Adept	Expert, Skilful	Inexpert, Unskillful
Aggravate	Heighten, Intensify	Quell, Suppress
Agile	Nimble	Clumsy, Undeft
Alert	Vigilant	Heedless
Allay	Calm, Soothe, Assuage	Arouse
Ameliorate	Improve, Advance, Amend	Worsen, Deteriorate
Ambiguous	Vague, Unclear	Clear
Amiable	Lovable, Agreeable	Disagreeable
Annihilate	Destroy	Create
Arduous	Hard, Strenuous	Easy
Attack	Assault	Defend
Audacity	Boldness	Cowardice
Auspicious	Favourable, Propitious, Lucky	Ominous, Inauspicious, Unlucky
Austere	Harsh, Severe, Rigorous	Easy-going
Authentic	True, Genuine	Spurious, False
Avarice	Greed	Generosity
Averse	Unwilling, Loth, Disinclined	Willing, Inclined
Aversion	Hostility, Hatred	Affinity, Liking

WORDS	SYNONYMS	ANTONYMS
Base	Low, Mean, Ignoble	Noble, Exalted
Boisterous	Noisy, Stormy	Calm, Quiet
Brave	Courageous, Daring, Bold, Plucky	Cowardly, Dastardly, Timid
Brief	Short, Concise, Laconic	Lengthy, Diffuse
Bright	Vivid, Radiant	Dull, Dark
Brutal	Savage, Cruel	Humane, Kindly
Callous	Hard, Cruel, Indifferent	Soft, Tender, Concerned
Cautious	Careful, Wary	Rash, Reckless, Foolhardy
Censure (*n*)	Blame, Condemnation	Praise
Censure (*vb*)	Blame, Condemn	Praise, Commend
Circumscribed	Restricted, Confined, Limited	Unconfined, Unrestricted
Civil	Polite, Courteous, Gracious, Urbane	Rude, Uncivil, Impolite, Ungracious
Coerce	Compel, Force	Volunteer
Compassionate	Pitiful, Sympathetic, Merciful	Unsympathetic, Merciless, Cruel
Compress	Condense, Abbreviate	Expand, Lengthen
Conspicuous	Noticeable, Manifest	Inconspicuous
Constant	Steady, Steadfast, Uniform	Inconstant, Variable
Cordial	Friendly, Warm, Hearty	Cold, Unfriendly
Covert	Hidden, Secret	Overt, Open
Cruel	Savage, Ruthless, Vicious	Kind, Gentle, Benevolent
Cursory	Rapid, Superficial	Thorough, Exhaustive, Intensive
Credible	Believable, Probable, Plausible	Incredible, Unbelievable, Fantastic
Crafty	Cunning, Sly	Artless, Simple, Ingenuous
Costly	Expensive, Dear	Cheap, Inexpensive
Confidence	Trust, Reliance	Distrust, Doubt
Death	Decease, Demise	Existence, Life
Dearth	Scarcity, Lack, Want, Paucity, Shortage	Plenty, Abundance
Decay	Dissolution, Decline, Decomposition, Disintegration	Regeneration
Deference	Respect, Reverence	Disrespect, Irreverence
Deficient	Lacking, Inadequate	Complete, Sufficient
Desolate	Lonely, Deserted	Crowded, Occupied
Destitute	Wanting, Needy	Rich, Affluent
Diligence	Industry, Perseverance	Idleness
Disgrace	Dishonour, Discredit	Honour, Credit
Dwindle	Decrease, Shrink	Grow, Increase
Earthly	Terrestrial, Mundane	Celestial, Heavenly, Unearthly
Eligible	Qualified, Suitable	Ineligible, Unsuitable
Emancipate	Liberate, Free	Enslave
Excited	Impassioned, Stimulated	Composed, Cool, Impassive
Extraordinary	Uncommon, Remarkable, Marvellous	Commonplace, Ordinary
Extravagant	Lavish, Prodigal, Wastrel, Spendthrift	Thrifty, Economical, Frugal
Fabricate	Construct, Make	Destroy
Fabulous	Fictitious, Mythical	Actual, Real
False	Untrue, Mendacious	True, Genuine

WORDS	SYNONYMS	ANTONYMS
Famous	Well-known, Renowned	Obscure, Unknown
Fantastic	Fanciful, Imaginative, Visionary	Practical, Down to earth
Fearful	Nervous, Anxious, Afraid, Scared	Fearless, Dauntless
Felicity	Happiness	Sorrow
Gaiety	Joyousness, Hilarity	Mourning, Dullness
Garrulous	Talkative, Loquacious	Taciturn, Silent, Reserved
Generous	Liberal, Magnanimous	Stingy, Miserly
Gigantic	Huge, Colossal	Minute, Small
Graphic	Vivid, Pictorial, Meaningful	Vague
Guest	Visitor	Host
Guile	Fraud, Trickery	Artlessness, Ingenuousness
Gratitude	Gratefulness	Ingratitude, Ungratefulness
Gratuitous	Voluntary, Spontaneous, Unwarranted	Involuntary, Forced
Hamper	Hinder, Obstruct	Facilitate, Ease
Haughty	Arrogant, Proud	Humble, Modest
Hazardous	Dangerous, Perilous	Safe, Secure, Protected
Headstrong	Obstinate, Stubborn	Weak-willed, Flexible
Hope	Belief, Conviction, Expectation	Despair, Hopelessness
Improvident	Prodigal, Carelessness	Provident, Economical
Incessant	Unceasing, Continuous	Discontinuous
Indolent	Slothful, Lethargic	Active, Energetic
Joy	Delight, Pleasure	Sadness, Gloom
Jolly	Jovial, Merry	Gloomy, Sad
Judicious	Discreet, Prudent	Indiscreet, Injudicious
Knowledge	Enlightenment, Learning	Ignorance, Stupidity
Laborious	Industrious, Assiduous	Slothful, Lazy
Laxity	Slackness, Looseness	Firmness
Lenient	Mild, Forbearing	Strict, Stern
Lethal	Deadly, Fatal, Mortal	Life-giving, Vital, Vivifying
Liberal	Generous, Tolerant	Intolerant, Illiberal
Liberty	Freedom, Independence	Slavery, Bondage
Lively	Animated, Active	Dull, Listless
Loyal	Faithful, Devoted	Treacherous, Disloyal, Unfaithful
Lucky	Fortunate	Unlucky, Unfortunate
Lucrative	Profitable	Unprofitable
Magnanimous	Generous, Largehearted	Ungenerous, Stingy
Malady	Illness, Ailment	Health
Manifest	Noticeable, Obvious	Obscure, Puzzling
Meagre	Small	Plentiful, Large
Mean	Low, Abject	Noble, Exalted
Mendacious	False, Untruthful	Truthful
Misery	Sorrow, Distress	Happiness, Joy
Morbid	Sick, Diseased	Healthy
Mournful	Sorrowful, Sad	Joyful, Happy
Negligent	Careless, Heedless	Careful

WORDS	SYNONYMS	ANTONYMS
Notorious	Infamous, Disreputable	Reputable
Obedient	Submissive, Compliant, Docile	Disobedient, Recalcitrant, Wayward
Obsolete	Antiquated, Out-of-Date	Current, Modern
Opportune	Timely, Seasonable	Inopportune
Opulence	Wealth, Riches	Penury, Poverty
Onerous	Heavy, Burdensome	Light, Easy
Palatable	Tasty, Delicious	Unpalatable
Pathetic	Touching	Joyous, Cheery
Persuade	Urge, Induce	Dissuade
Praise (*vb*)	Applaud, Eulogise	Condemn
Praise (*n*)	Applause, Eulogy	Condemnation
Precarious	Risky, Uncertain	Safe, Certain
Pretence	Pretext, Excuse	Candour, Frankness
Propagate	Breed, Circulate	Terminate, Restrict
Quaint	Odd, Singular	Usual, Ordinary
Quell	Suppress, Subdue	Agitate, Arouse
Rare	Uncommon, Scarce	Common, Ordinary
Refined	Polished, Elegant	Crude, Coarse
Remote	Distant	Near, Close
Renown	Fame, Reputation	Infamy, Notoriety
Rigid	Stiff, Unyielding	Flexible, Yielding
Remorseful	Regretful, Repentant	Unrepentant
Rebellion	Revolt, Mutiny, Insurgency	Loyalty
Scared	Holy, Consecrated	Profane, Unholy
Sane	Sensible, Sound	Insane
Scold	Chide, Rebuke	Praise
Serious	Grave, Earnest	Frivolous
Shy	Bashful	Bold, Impudent
Simple	Plain, Artless	Complex, Cunning, Shrewd
Solitary	Single, Lonely, Secluded	Numerous, Multitude
Shallow	Superficial	Deep
Solace	Comfort, Relief	Discomfort, Grief
Spurious	Sham, False	Genuine, Authentic
Stagnant	Still, Motionless	Moving
Surplus	Excess	Deficit, Shortage
Tame	Gentle, Mild, Domesticated	Savage, Wild
Teacher	Instructor, Educator	Student, Pupil
Tedious	Wearisome, Monotonous	Agreeable, Lively
Temporal	Worldly, Secular	Spiritual
Temperate	Moderate	Immoderate, Intemperate
Tortuous	Winding, Circuitous	Straight, Direct
Tough	Hard, Strong	Tender, Soft, Flexible
Transient	Temporary, Fleeting	Lasting, Durable, Permanent
Trustworthy	Reliable	Unreliable, Untrustworthy
Tranquil	Calm	Agitated

WORDS	SYNONYMS	ANTONYMS
Ugly	Unsightly, Repulsive	Beautiful, Attractive
Useful	Advantageous, Serviceable	Useless
Vehemence	Passion, Force	Apathy, Indifference
Vindictive	Revengeful	Forgiving
Wholesome	Healthy	Unwholesome, Morbid, Unhealthy, Diseased
Wicked	Evil, Impious	Pious, Good
Wise	Sagacious, Erudite	Foolish, Stupid
Wrath	Anger, Fury, Rage	Love, Peace, Calm
Wreck	Ruin, Destroy	Create, Construct
Yield	Surrender, Submit	Resist, Revolt
Yielding	Submissive, Supple	Inflexible, Intractable
Yoke	Oppression, Bondage	Freedom
Zeal	Passion, Fervour	Apathy, Indifference
Zest	Relish, Enthusiasm	Distaste, Disrelish

MULTIPLE CHOICE QUESTIONS

Directions (Qs. 1 to 50): *In the following questions choose the word which best expresses the MEANING of the given word.*

1. ADVERSITY
A. Failure B. Helplessness
C. Misfortune D. Crisis

2. TURN UP
A. Land up B. Show up
C. Crop up D. Come up

3. DEIFY
A. Flatter B. Challenge
C. Worship D. Face

4. ERROR
A. Misadventure B. Misgiving
C. Ambiguity D. Blunder

5. SHALLOW
A. Artificial B. Superficial
C. Foolish D. Worthless

6. MASSACRE
A. Murder B. Stab
C. Assassinate D. Slaughter

7. COMBAT
A. Conflict B. Quarrel
C. Feud D. Fight

8. VORACIOUS
A. Wild B. Hungry
C. Angry D. Quick

9. IMPROMPTU
A. Offhand B. Unimportant
C. Unreal D. Effective

10. RABBLE
A. Mob B. Noise
C. Roar D. Rubbish

11. TEPID
A. Hot B. Warm
C. Cold D. Boiling

12. MAYHEM
A. Jubilation B. Havoc
C. Excitement D. Defeat

13. TIMID
A. Fast B. Slow
C. Medium D. Shy

14. CANTANKEROUS
A. Quarrelsome B. Rash
C. Disrepectful D. Noisy

15. PRECARIOUS
A. Cautious B. Critical
C. Perilous D. Brittle

16. TACITURNITY
A. Dumbness B. Changeableness
C. Hesitation D. Reserve

17. INEBRIATE
A. Dreamy B. Stupefied
C. Unsteady D. Drunken

18. HARBINGER
A. Massenger B. Steward
C. Forerunner D. Pilot

19. INTIMIDATE
A. To hint B. Frighten
C. Bluff D. Harass

20. IRONIC
A. Inflexible B. Bitter
C. Good-natured D. Disguisedly sarcastic

21. STRINGENT
A. Tense B. Stringy
C. Strict D. Causing to shrink

22. ECSTATIC
A. Animated B. Bewildered
C. Enraptured D. Illful

23. COMMENSURATE
A. Measurable B. Proportionate
C. Beginning D. Appropriate

24. DESTITUTION
A. Humility B. Moderation
C. Poverty D. Beggary

25. ASCEND
A. Leap B. Grow
C. Deviate D. Mount

26. UNCOUTH
A. Ungraceful B. Rough
C. Slovenly D. Dirty

27. LYNCH
A. Hang B. Madden
C. Killed D. Shoot

28. LAUD
A. Lord B. Eulogy
C. Praise D. Extolled

29. CORRESPONDENCE
A. Agreements B. Contracts
C. Documents D. Letters

30. VENUE
A. Place B. Agenda
C. Time D. Duration

31. STERILE
A. Barren B. Arid
C. Childless D. Dry

32. SYNOPSIS
A. Index B. Mixture
C. Summary D. Puzzle

33. GERMANE
A. Responsible B. Logical
C. Possible D. Relevant

34. PONDER
A. Think B. Evaluate
C. Anticipate D. Increase

35. CANNY
A. Obstinate B. Handsome
C. Clever D. Stout

36. ABUNDANT
A. Ripe B. Cheap
C. Plenty D. Absent

37. CONSEQUENCES
A. Results B. Conclusions
C. Difficulties D. Applications

38. SHIVER
A. Shake B. Rock
C. Tremble D. Move

39. DILIGENT
A. Progressive B. Brilliant
C. Inventive D. Hard-working

40. DISTANT
A. Far B. Removed
C. Reserved D. Separate

41. FORAY
A. Excursion B. Contest
C. Ranger D. Intuition

42. FRUGALITY
A. Foolishness B. Extremity
C. Enthusiasm D. Economy

43. GARNISH
A. Paint B. Garner
C. Adorn D. Abuse

44. VIGOUR
A. Strength B. Boldness
C. Warmth D. Enthusiasm

45. CANDID
A. Apparent B. Explicit
C. Frank D. Bright

46. BRIEF
A. Limited B. Small
C. Little D. Short

47. GARRULITY
A. Credulity B. Senility
C. Loquaciousness D. Speciousness

48. FURORE
A. Excitement B. Worry
C. Flux D. Anteroom

49. NEUTRAL
A. Unbiased B. Non-aligned
C. Undecided D. Indifferent

50. LAMENT
A. Complain B. Comment
C. Condone D. Console

Directions (Qs. 51 to 100): *In the following questions choose the word which is the exact OPPOSITE of the given words.*

51. REPEL
A. Attend B. Concentrate
C. Continue D. Attract

52. ARTIFICIAL
A. Real B. Natural
C. Truthful D. Solid

53. CAPACIOUS
A. Limited B. Caring
C. Foolish D. Changeable

54. PROVOCATION
A. Vocation B. Pacification
C. Peace D. Destruction

55. METICULOUS
A. Mutual B. Shaggy
C. Meretricious D. Slovenly

56. ABLE
A. Disable B. Inable
C. Unable D. Misable

57. COMFORT
A. Uncomfort B. Miscomfort
C. Discomfort D. None of these

58. GAIN
A. Loose B. Fall
C. Lost D. Lose

59. SYNTHETIC
A. Affable B. Natural
C. Plastic D. Cosmetic

60. ACQUITTED
A. Freed B. Burdened
C. Convicted D. Entrusted

61. STRINGENT
A. General B. Vehement
C. Lenient D. Magnanimous

62. FLIMSY
A. Frail B. Filthy
C. Firm D. Flippant

63. BUSY
A. Occupied B. Engrossed
C. Relaxed D. Engaged

64. ADAPTABLE
A. Adoptable B. Flexible
C. Yielding D. Rigid

65. LOVE
A. Villainy B. Hatred
C. Compulsion D. Force

66. BALANCE
A. Disbalance B. Misbalance
C. Debalance D. Imbalance

67. RELINQUISH
A. Abdicate B. Renounce
C. Possess D. Deny

68. MOUNTAIN
A. Plain B. Plateau
C. Precipice D. Valley

69. FICKLE
A. Courageous B. Sincere
C. Steadfast D. Humble

70. PERENNIAL
A. Frequent B. Regular
C. Lasting D. Rare

71. RARELY
A. Hardly B. Definitely
C. Frequently D. Periodically

72. STARTLED
A. Amused B. Relaxed
C. Endless D. Astonished

73. ADHERENT
A. Detractor B. Enemy
C. Alien D. Rival

74. QUIESCENT
A. Indifferent B. Troublesome
C. Weak D. Unconcerned

75. CONDENSE
A. Expand B. Distribute
C. Interpret D. Lengthen

76. BENIGN
A. Malevolent B. Soft
C. Friendly D. Unwise

77. OBSCURE
A. Implicit B. Obnoxious
C. Explicit D. Pedantic

78. HYPOCRITICAL
A. Gentle B. Sincere
C. Amiable D. Dependable

79. EVASIVE
A. Free B. Honest
C. Liberal D. Frank

80. INDUSTRIOUS
A. Indifferent B. Indolent
C. Casual D. Passive

81. EXTRICATE
A. Manifest B. Palpable
C. Release D. Entangle

82. LUCID
A. Glory B. Noisy
C. Obscure D. Distinct

83. INSIPID
A. Tasty B. Stupid
C. Discreet D. Feast

84. OBEYING
A. Ordering B. Following
C. Refusing D. Contradicting

85. VICTORIOUS
A. Defeated B. Annexed
C. Destroyed D. Vanquished

86. COMMISSIONED
A. Started B. Closed
C. Finished D. Terminated

87. VANITY
A. Pride B. Humility
C. Conceit D. Ostentious

88. ZENITH
A. Acme B. Top
C. Nadir D. Pinnacle

89. TANGIBLE
A. Ethereal B. Concrete
C. Actual D. Solid

90. REPRESS
A. Inhibit B. Liberate
C. Curb D. Quell

91. EPILOGUE
A. Dialogue B. Prelude
C. Post script D. Epigram

92. FRAUDULENT
A. Candid B. Direct
C. Forthright D. Genuine

93. LOQUACIOUS
A. Reticent B. Talkative
C. Garrulous D. Verbose

94. NIGGARDLY
A. Frugal B. Thrifty
C. Stingy D. Generous

95. PERTINENT
A. Irrational B. Irregular
C. Insistent D. Irrelevant

96. FAINT-HEARTED
A. Warm-hearted B. Full-blooded
C. Hot-blooded D. Stout-hearted

97. VIOLENT
A. Humble B. Harmless
C. Gentle D. Tame

98. STATIONARY
A. Active B. Mobile
C. Rapid D. Busy

99. HONORARY
A. Dishonourable B. Reputed
C. Paid D. Official

100. COMMON
A. Rare B. Small
C. Petty D. Poor

ANSWERS

1	2	3	4	5	6	7	8	9	10
C	B	C	D	B	D	D	B	A	A
11	**12**	**13**	**14**	**15**	**16**	**17**	**18**	**19**	**20**
B	B	D	A	B	D	D	C	B	D
21	**22**	**23**	**24**	**25**	**26**	**27**	**28**	**29**	**30**
C	C	B	C	D	A	C	C	D	A
31	**32**	**33**	**34**	**35**	**36**	**37**	**38**	**39**	**40**
A	C	D	A	C	C	A	C	D	A
41	**42**	**43**	**44**	**45**	**46**	**47**	**48**	**49**	**50**
A	D	C	A	C	D	C	A	A	A
51	**52**	**53**	**54**	**55**	**56**	**57**	**58**	**59**	**60**
D	B	A	B	D	C	C	D	B	C
61	**62**	**63**	**64**	**65**	**66**	**67**	**68**	**69**	**70**
C	C	C	D	B	D	C	D	C	D
71	**72**	**73**	**74**	**75**	**76**	**77**	**78**	**79**	**80**
D	B	B	A	C	A	C	B	B	B
81	**82**	**83**	**84**	**85**	**86**	**87**	**88**	**89**	**90**
D	C	A	A	A	D	B	C	A	B
91	**92**	**93**	**94**	**95**	**96**	**97**	**98**	**99**	**100**
B	D	B	D	D	D	C	B	C	A

6

One Word Substitutions

There are many words in English language which can be perfectly used for a number of words. These words help in expressing ideas in a short and correct manner for the right occasion. Such words not only enhance the vocabulary but also enable you to economise in the use of words to a great extent.

PERTAINING TO GOVERNMENT

To give up a throne or other office of dignity	*abdicate*
Absence of government	*anarchy*
Government by Sovereign of uncontrolled authority	*autocracy, despotism*
Government by departments of states	*bureaucracy*
Government of the people, for the people and by the people	*democracy*
Government by the nobility	*aristocracy*
The right of self-government	*autonomy*
Government by a few	*oligarchy*
Government by the wealthy	*plutocracy*
Government by divine guidance	*theocracy*
To decide a political question by the direct vote of the whole electorate	*referendum*
Sweeping governmental change	*revolution*
The science of government	*politics*

PERTAINING TO RELIGION

One who believes that man can have no knowledge of God but only of natural phenomena	*agnostic*
One who renounces his religious vows or forsakes his religious principles	*apostate*
One who believes in existence of God	*theist*
One who does not believe in existence of God	*atheist*
One intolerantly devoted to a particular creed	*bigot*
To utter profane language against God or anything holy	*blaspheme*
A breaker of church images	*iconoclast*
Worship of images or idols	*idiolatory*
One who believes in one God	*monotheist*
One who believes in many Gods	*polytheist*

PERTAINING TO MARRIAGE AND CHILDREN

One who marries a second wife or husband while the legal spouse is alive	*bigamist*
One vowed to a single or unmarried life	*celibate*
One engaged to be married	*fiancé, fiancee*
A child whose parents are dead	*orphan*
A hater of marriage	*misogamist*
One who has more than two wives at a time	*polygamist*

PERTAINING TO DEATH

Dead and decaying flesh (esp. of animals)	*carrion*
A monument set up for persons who are buried elsewhere	*cenotaph*
To preserve a dead body from putrefaction	*embalm*
Words inscribed on a tomb	*epitaph*
An examination of dead body	*postmortem, autopsy*
An account in the newspaper of the funeral of one deceased	*obituary*
The property left to someone by a will	*legacy*
Occurring after death	*posthumous*
The act of killing a human being	*homicide*
Murder of a new born child	*infanticide*
Murder of a brother	*fratricide*
Murder of a sister	*sororicide*
Murder of a mother	*matricide*
Murder of a father	*patricide*
Murder of a parent	*parricide*
Murder of a king	*regicide*

PERTAINING TO THE LITERARY SPHERE

A work whose writer is unknown	*anonymous*
A record of one's life written by oneself	*autobiography*
The history of the life of a person	*biography*
The heading or short description of a newspaper article, chapter of a book etc.	*caption*
A humorous play, having a happy ending	*comedy*
A list of books in a library	*catalogue, bibliography*
A book in which the events of each day are recorded	*diary*
A books containing the words of a language with their definitions, in alphabetical order	*dictionary*
A book of names and addresses	*directory*
A short speech by a player at the end of a play	*epilogue*
A brief summary of a book	*epitome*
A book containing information on all branches of knowledge	*encyclopaedia*
To remove the offensive portions of a book	*expurgate*
A speech delivered without earlier preparation	*extempore*
A noisy or vehement speech intended to excite passions	*harangue*
A written account, usually in book form of the interesting and memorable experiences of one's life	*memoirs*
A note to help the memory	*memorandum*
A declaration of plans and promises put forward by a candidate for election, political party or a sovereign	*manifesto*
A short speech by a player at the beginning of a play	*prologue*
Literary theft, or passing off an author's original work as one's own	*plagiarism*
Speaking aloud to oneself	*soliloquy*
A play with a sad or tragic end	*tragedy*

PERTAINING TO SCIENCES AND ARTS

The study of all heavenly bodies and the earth in relation to them	*astronomy*
The science of land management	*agronomics*

The study of mankind	*anthropology*
The study of physical life or living matter	*biology*
The study of plants	*botany*
The art of beautiful hand-writing	*calligraphy*
The science which deals with the varieties of human race	*ethnology*
The study of the origin and history of words	*etymology*
The study of coins	*numismatics*
The study of human face	*physiognomy*
The art of making fireworks	*pyrotechnics*
The study of birds	*ornithology*
The study of languages	*philology*
At home equally on land or in water	*amphibious*
The inside of a nut	*kernel*
The central or innermost part of fruit	*core*
The animals of a certain region	*fauna*
The plants and vegetation of a certain region	*flora*
Absence of rain for, a long time	*drought*
To supply land with water by artificial means	*irrigate*
One who studies plant and animal life	*naturalist*
A cud-chewing animal, *e.g.* the cow	*ruminant*
A gnawing animal, *e.g.* the rat	*rodent*
A four-footed animal	*quadruped*
Animals which carry their young in a pouch, *e.g.* kangaroo	*marsupials*
Soil composed largely of decayed vegetable matter	*humus*
A preparation for killing insects	*insecticide*
A plant or animal growing on another	*parasite*
Living for many years	*perennial*

PERTAINING TO MEDICINE

A substance which destroys or weakens germs	*antiseptic*
Any medicine which produces insensibility	*anaesthetic*
A medicine to counteract poison	*antidote*
Want or poorness of blood	*anaemia*
A medicine which alleviates pain	*anodyne*
To cut off from a person's body a part which is infected	*amputate*
One who is recovering from illness	*convalescent*
To be able to tell the nature of disease by its symptoms	*diagnose*
A disease affecting many persons at the same place and time	*epidemic*
A disease confined to a particular district or place	*endemic*
To disinfect by smoke	*fumigate*
Free or exempt from infection	*immune*
A person who is sick	*invalid*
A cure for all diseases	*panacea*
A disease widely epidemic	*pandemic*
Confinement to one place to avoid spread of infection	*quarantine*

PERTAINING TO WAR

An unprovoked attack by an enemy	*aggression*
Shells, bombs, military stores	*ammunition*
A place where naval or military weapons are made or stored	*ordnance*
An agreement between belligerents to stop fighting	*armistice*
A general pardon of offenders	*amnesty*
To reduce to nothing	*annihilate*
Nations carrying on warfare	*belligerents*
To surround a place with the intention of capturing	*besiege*
To camp in the open air without tents or covering	*bivouac*
To seize for military use	*commandeer*
A person who is forced by law to become a soldier	*conscript*
An order prohibiting ships to leave the ports	*embargo*
A number of firearms being discharged continuously	*fusillade*
To make an examination or preliminary survey of enemy territory or military objectives	*reconnoitre*

PERTAINING TO PROFESSIONS

One who attends to the diseases of the eye	*oculist*
One who tests eyesight and sells spectacles	*optician*
One who attends to the teeth	*dentist*
One skilled in the care of hands and feet	*chiropodist*
A physician who assists women at child-birth	*obstetrician*
One who drives a motor-car	*chauffeur*
One who makes or sells candles	*chandler*
One who preserves the skins of animals and mounts them so as to resemble the living animals	*taxidermist*
One who compiles a dictionary	*lexicographer*
One who writes books	*author*
One skilled in the treatment of diseases of animals	*veterinarian*
A tradesman who manages funerals	*undertaker*
One who draws up contracts and lends money on interest	*scrivener*
One who lends money and keeps goods as security	*pawnbroker*
A teacher who travels from place to place to give instruction	*peripatetic*
One who travels from place to place selling miscellaneous articles	*hawker; pedlar*
One who collects postage stamps	*philatelist*
One who lends money at exorbitant interest	*usurer*
One who takes care of a building	*janitor*
One who sells sweets and pastries	*confectioner*
One who works in a coal-mine	*collier*
One who flies an aeroplane	*pilot, aviator*
One who studies rocks and soils	*geologist*
One who shoes horses	*farrier*
A professional rider in horses races	*jockey*
One who deals in silks, cotton, woollen, and linen goods	*mercer*
One who deals in wines	*vintner*
One who deals in fish	*fishmonger*

One who deals in iron and hardware	*ironmonger*
One who sells fruits, vegetables, etc. from a barrow	*costermonger*
One who sets type (in a printing office)	*compositor*

PERTAINING TO CHARACTERISTICS AND ACTIONS

One who devotes his life to the welfare and interests of other people	*altruist*
One who can use both hands with equal case	*ambidexterous*
One who fishes with a rod	*angler*
One who kills secretly or by surprise	*assassin*
A person who collects things belonging to ancient times	*antiquary*
One who is always finding faults	*censorious*
One living at the same time as another	*contemporary*
One who sneers at the aims and beliefs of his fellowmen	*cynic*
One who delights in speaking about oneself	*egotist*
One who exalts his own opinion	*egoist*
One who dies for a noble cause	*martyr*
One who retires from society to live a solitary life	*recluse, hermit*
One who maliciously sets fire to buildings	*incendiary*
One who is banished from his home or his country	*exile*
One who takes refuge in a foreign country	*refugee, alien*
One who runs away from justice or the law	*fugitive*
One who walks in his sleep	*somnambulist*
One who looks on the bright side of things	*optimist*
One who looks on the dark side of things	*pessimist*
A hater of mankind	*misanthropist*
One who knows everything	*omniscient*
One who is all powerful	*omnipotent*
One who is present everywhere	*omnipresent*
One who devotes his service or wealth for the love of mankind	*philanthropist*
One new to anything	*novice, tyro, neophyte*
One who engages in any pursuit for the love of it, and not for gain	*amateur*
One who journeys to a holy place	*pilgrim*
A leader of the people who can sway his followers by his oratory	*demagogue*
One who has special skill in judging art, music, tastes, etc.	*connoisseur*
One whose reasoning is clever yet false	*sophist*
One who makes a display of his learning	*pedant*
One who is indifferent to pain or pleasure	*stoic*
One who loves his country and serves it devotedly	*patriot*
One devoted to the pleasures of eating and drinking	*epicure*
One who poses to be what he is not	*hypocrite, impostor*
One who foretells events	*prophet*
One who pretends to know a great deal about everything	*mountebank, charlatan, quack*
One versed in many languages	*linguist*
One who cannot pay one's debts	*insolvent*
One who takes over after another in office or employment	*successor*
One who has been before another in office or employment	*predecessor*
One who is opposed to intellectual progress	*obscurant*

One who abstains from alcoholic drinks	*teetotaller*
One who hides away on a ship to obtain a free passage	*stowaway*
One who spends very little	*miser*
One who spends too much	*spendthrift*

DENOTING NUMBERS

A collection of poems	*anthology*
A number of merchant ships protected by warships (in war-time)	*convoy*
A number of stars grouped together	*constellation*
A number of hired applauders, *i.e.* persons paid to clap	*claque*
A number of people at church	*congregation*
A number of people gathered together for some common purpose	*gathering, assembly, society*
A group of people who get together to work for some cause of common interest	*coterie*
A number of workmen, prisoners, thieves	*gang*
A number of sheep	*flock*
A number of geese	*gaggle*
A number of leopards	*leap*
A number of lions, monkeys	*pride, troop*
A number of herrings, mackerel	*shoal*
A number of fish taken in a net	*catch, haul*
A number of whales, porpoises	*school, gam*
A number of oxen or horses (two or more) harnessed together	*team*
A number of ships	*fleet*

DENOTING PLACES

A place where bees are kept	*apiary*
A place where birds are kept	*aviary*
A place where fishes are kept	*aquarium*
A dwelling-place of an animal underground	*burrow*
A squirrel's home	*drey*
A nest of a bird of prey	*eyrie, aerie*
A place where spirituous liquors are produced	*distillery*
A place where clothes are washed and ironed	*laundry*
A place where Government records are kept	*archives*
A place where treasures of art, curiosities, etc. are preserved or exhibited	*museum*
A place where fruit trees are grown	*orchard*

MISCELLANEOUS

Loud enough to be heard	*audible*
Not distinct enough to be heard	*inaudible*
Fit for food	*edible*
Unfit for human consumption	*inedible*
Fit to be chosen or selected	*eligible*
Not having the qualities for being chosen	*ineligible*
(Writing) that is easy to read	*legible*
Writing that is difficult to decipher	*illegible*

Able to read	*literate*
Unable to read	*illiterate*
Born of married parents	*legitimate*
Born of unmarried parents	*illegitimate*
To send back a person to his own country	*repatriate*
To banish from one's country	*expatriate*
To move from one country to another	*migrate*
One who leaves his country to settle in another	*emigrant*
One who comes into a foreign country to settle there	*immigrant*
Incapable of being redeemed from evil, *i.e.* beyond correction	*incorrigible*
That which cannot be rubbed out or blotted out	*ineffaceable, indelible*
That which cannot be conquered	*invincible*
Incapable of making errors	*infallible*
That which cannot be avoided or prevented	*inevitable*
Incapable of being burnt	*incombustible*
That which easily catches fire	*inflammable, flammable*
That which cannot be seen	*invisible*
Living for ever	*immortal*
Increase the gravity of an offence	*aggravate*
Ordinary or commonplace remark	*platitude*
That which cannot be satisfied	*insatiable*
That which cannot be repaired	*irreparable*
That which cannot be imitated	*inimitable*
Persons (or efforts) that cannot be wearied	*indefatigable*
One who eats too much	*glutton*
To destroy completely	*annihilate*
A statement open to more than one interpretation	*ambiguous*
A round about way of speaking	*circumlocution*
Cautious observation of events, etc.	*circumspection*
That which cannot be hurt	*invulnerable*

MULTIPLE CHOICE QUESTIONS

Directions: *Below are given some statements each of which is capable of being expressed by one word only. Each statement is followed by four such words of which only one is correct. Out of the given alternatives A, B, C and D choose the correct word which very closely fits each definition.*

1. Pour out secrets:
A. disclose B. unbosom
C. uncouth D. defiled

2. Too deep to reach the bottom of:
A. tedious B. unapproachable
C. unfathomable D. discursive

3. One who shows to people their seats in a theatre:
A. liasion B. guide
C. tutlage D. usher

4. Person whose business is lending money for profit:
A. utilitarian B. usurer
C. usurp D. jew

5. One who tries to plan a perfect society:
A. upholsterer B. stoic
C. idealist D. utopian

6. Influenced by or done for bribery:
A. venal B. unsavoury
C. vertigo D. vile

7. Reversal of one's attitude towards something:
A. voodoo B. vicissitude
C. volte-face D. willy-nilly

8. Person who becomes successful very quickly:
A. vainglorious B. whiz-kid
C. wind-fall D. jackpot

9. Person anxious for or trying to provoke war:
A. warhead B. wary
C. warmonger D. extremist

10. Young and ambitious professional-person, working in a city:
A. yokel B. yankee
C. zippy D. yuppie

11. A set of papers giving information about a person or event:
A. editorial B. agenda
C. dossier D. clippings

12. List and explanations of technical, difficult, etc. terms:
A. preface B. glossary
C. bibliography D. appendix

13. One who pays too much care to his clothes and personal appearance:
A. conscious B. dandy
C. cynosure D. leer

14. A child born after death of father:
A. effeminate B. immature
C. fatherless D. posthumous

15. A person who is hard to please:
A. insensible B. hypocrite
C. egoist D. fastidious

16. Complete failure in something attempted:
A. fiasco B. vain
C. falsies D. flop

17. A word which can be interpreted in any way:
A. confusing B. misnomer
C. ambiguous D. precise

18. A group of persons united by common interests:
A. society B. class
C. clique D. coterie

19. A person who is inexperienced and easily deceived:
A. fool B. immature
C. blackhorn D. greenhorn

20. Instruction by question and answer:
A. interrogatory B. catechism
C. bulletin D. alibi

21. Record of events by someone with first hand knowledge:
A. novice B. report
C. memoir D. itinerary

22. A mode of talk familiar to a particular group or profession:
A. jargon B. coloquial
C. slang D. abuses

23. Person who is crazy:
A. lackadaisical B. tartar
C. scrupulous D. loony

24. A person who readily believes others:
A. hasty B. immature
C. credulous D. credible

25. One who eats human flesh:
A. beast B. cannibal
C. maneater D. carnivorous

26. Intentional destruction of racial groups:
A. genocide B. homicide
C. fratricide D. communal riot

27. One with weakness of mind caused by old age:
A. dastard B. dotard
C. fop D. philanderer

28. Study of insects:
A. zoology B. philology
C. entomology D. etymology

29. A critical judge of any art particularly fine arts:
A. connoisseur B. veteran
C. philistine D. dilettante

30. One who introduces items of an entertainment:
A. consort B. compere
C. director D. introducer

31. A combination of business firms:
A. enterprise B. franchise
C. cartel D. autonomous

32. Freeing of suppressed emotions:
A. catastrophe B. catharsis
C. epilogue D. chargin

33. One who believes in the power of fate:
A. optimist B. pessimist
C. fearful D. fatalist

34. The murder of brother:
A. genocide B. homicide
C. salvage D. fratricide

35. Additional to proper payment:
A. premium B. overtime
C. ex-gratia D. fringe

36. A person or thing used to tempt somebody into a position of danger:
A. decoy B. provocateur
C. jinx D. scapegoat

37. Custom of having more than one husband at the same time:
A. polygamy B. polyandry
C. bigamy D. sexagenary

38. A person of refined taste in food and drink:
A. emeritus B. epicure
C. glutton D. gourmand

39. A tombstone inscription:
A. epithet B. encomium
C. epistle D. epitaph

40. An office which has no work but high salary:
A. fortuitous B. gratuitous
C. sinecure D. ceremonial

41. One who is indifferent to pains and pleasure of life:
A. stoic B. metaphysical
C. pessimist D. sceptic

42. List of names of persons showing duties to be performed by each in turn:
A. notice B. bulletin
C. roster D. agenda

43. Long angry speech of criticism or accusation:
A. track record B. tirade
C. taut D. outburst

44. One who is in favour of never drinking alcoholic drinks:
A. idealist B. uxorious
C. teetotaller D. unalcoholic

45. Trying to win favour by flattery and charm:
A. smarmy B. shrewish
C. toady D. loquacious

46. A decision on which one cannot go back:
A. incorrigible B. irrevocable
C. rigid D. invulnerable

47. The science that studies the varieties of human race:
A. phrenology B. physiology
C. sociology D. ethnology

48. A person who hates women:
A. philogynist B. philatelist
C. misogamist D. misogynist

49. A group of people in a particular grade in an organisation:
A. colleague B. staff
C. echelon D. commission

50. Honourably discharged from service:
A. emeritus B. latitudinarian
C. infallible D. meritorious

51. Incapable of being wounded:
A. inevitable B. invulnerable
C. indomitable D. indefatigable

52. A short description of a picturesque scene or event of rural life:
A. narration B. panorama
C. idyll D. passage

53. The act of violating the sanctity of church:
A. sacrilege B. dissenter
C. immorality D. desecration

54. A dishonest dealing:
A. hanky-panky B. hocus-pocus
C. hoity-toity D. hilly-billy

55. A short and stout person:
A. lilliput B. hussy
C. humpty-dumpty D. paragon

56. Word that reads the same backwards as forwards (like did, dad, noon):
A. paradox B. palindrome
C. kowtow D. ragtag

57. Walking in sleep:
A. delusion B. somniloquism
C. somnabulism D. lethargic

58. Glamour and excitement:
A. razzle-dazzle B. razzmatazz
C. kudos D. winsome

59. Violent and bad tempered woman:
A. virago B. moll
C. concubine D. profane

60. One who pays excessive attention to preserving his health:
A. pagan B. bellicose
C. sycophant D. fop

61. Talking to one's own self:
A. pessimism B. introvert
C. soliloquy D. brooding

62. One who pretends to have more knowledge than he really has:
A. hypocrite B. charlaton
C. paragon D. lackadaisical

63. Brief biography of a person:
A. profile B. bibliography
C. synopsis D. resume

64. Very small allowance or wage:
A. lumpsum B. consolidated
C. pittance D. paltry

65. Purely spiritual love:
A. devotion B. platonic
C. passionate D. divine

66. Place where people often meet:
A. common room B. discotheque
C. roster D. rendezvous

67. A completely perfect person:
A. upright B. straightforward
C. paragon D. intellectual

68. Commencement of words with the same alphabet:
A. symmetry B. pun
C. phonetic D. alliteration

69. A person who loves everybody:
A. ascetic B. philander
C. philistine D. cosmopolitan

70. A government where the powers are concentrated in the hands of one person:
A. dictatorship B. autocracy
C. plutocracy D. anarchy

71. That which is outdated or out of use or fashion:
A. discarded B. obsolete
C. classic D. antic

72. Calendar giving information about sun, moon, stars and sometimes also the future:
A. almanac B. appendix
C. horoscope D. chronology

73. Collection in one volume of works by various authors:
A. panorama B. anthology
C. autobiography D. bibliography

74. One who takes part in a study, game, etc. for the love of it and not for professional gain:
A. apologist B. august
C. amateur D. avant-garde

75. A thing that causes annoyance:
A. bugbear B. arduous
C. anathema D. shrill

76. An allowance for support made to a wife by her husband after their legal separation:
A. alimony B. compensation
C. settlement D. ex-gratia

77. Place for hiding treasure, food, weapons, etc.:
A. store B. cache
C. stock D. armoury

78. A person who is stubborn in resisting change:
A. irresistible B. die-hard
C. dead beat D. terse

79. Able to use the left hand or the right hand equally well:
A. ambidextrous B. epicurean
C. apostle D. arbiter

80. A man who rarely speaks the truth:
A. liar B. unreliable
C. hypocrite D. bellicose

81. Partial or total loss of memory:
A. alexia B. anorexia
C. anexia D. amnesia

82. A word made by rearranging the letters of another word like eat-tea:
A. acronym B. anagram
C. byword D. dossier

83. A mass of snow and ice sliding down from a mountain:
A. avalanche B. glacier
C. iceberg D. azure

84. To speak irreverently of god:
A. impious B. irreligious
C. immoral D. blasphemy

85. Sudden increase in business:
A. bonanza B. boom
C. bounce D. booze

86. Object of laughter or ridicule:
A. butt B. but
C. divert D. hurtle

87. A pioneer of a reform movement:
A. sinecure B. sycophant
C. gallant D. apostle

88. Art of handwriting:
A. cartography B. choreography
C. calligraphy D. graph

89. One who takes a low view of human nature:
A. coquette B. cynic
C. crony D. coy

90. Document that is handwritten by the author:
A. autograph B. holograph
C. editorial D. preface

91. A person who forsakes religion:
A. irreligious B. non-religious
C. falalist D. apostle

92. Speaker or agitator who can stir the emotions of the masses:
A. demagogue B. dexterous
C. diligent D. reformist

93. Uncontrollable craving for alcohol:
A. dyspspepsia B. delirium
C. edict D. dipsomania

94. A lady who remains unmarried:
A. concubine B. alien
C. spinster D. damsel

95. State payment to an unemployed person:
A. pension B. dole
C. increment D. grant in aid

96. Person slow at learning:
A. adroit B. dubious
C. dunce D. agile

97. One who has a good taste for food and enjoys it:
A. gourmet B. sensitive
C. deleterious D. debonair

98. One who is fond of gossip:
A. flippant B. flibbertigibbet
C. fuddy-duddy D. gregarious

99. A long, loud and angry speech:
A. incongruous B. hyperbole
C. hullabaloo D. harangrue

100. A person chosen by the opposing parties to settle their differences:
A. mediator B. prude
C. paramour D. arbitrator

101. Study of population statistics:
A. topography B. demography
C. entomology D. dermatology

102. One who explains a subject:
A. preacher B. theologist
C. exponent D. exquisite

103. Person living outside his country:
A. expatriate B. exodus
C. statesman D. emigrant

104. Looking or sounding strange:
A. outlandish B. unique
C. peculiar D. paradox

105. Thing that excites a person's rage:
A. risque B. red rag
C. excruciating D. feat

106. Short story or poem conveying a moral:
A. sonnet B. prelude
C. fable D. farce

107. A person filled with unreasonably great enthusiasm for something:
A. fanciful B. emotional
C. fanatic D. factitious

108. One who hinders the passage of a law in a parliament by making a very long speech:
A. verbose B. garrulous
C. freebooter D. filibuster

109. Temperature at which a substance will ignite:
A. break point B. flashpoint
C. flamboyant D. saturation point

110. A speech delivered without any previous preparation:
A. abrupt B. spontaneous
C. maiden D. extempore

111. A person with full discretionary powers to act on behalf of a country:
A. ambassador B. plenipotentiary
C. diplomat D. emirate

112. State of continuous movement:
A. frenzied B. vibration
C. inertia D. flux

113. To utter senseless or rapid unintelligible sounds:
A. stammer B. yell
C. gibber D. glib

114. To grind the teeth in rage:
A. gnash B. gnaw
C. gobble D. goggle

115. Freedom from care:
A. unburden B. unconcerned
C. insouciance D. nonchalance

116. To turn out of society or fellowship:
A. rusticate B. expel
C. ostracize D. extradite

117. Too great to be described in words:
A. implicit B. ineffable
C. hyperbole D. metaphor

118. At the point of death:
A. end B. climax
C. moribund D. extreme

119. View of a wide area:
A. background B. landscape
C. pagan D. panorama

120. Private conversation between two persons:
A. tete-a-tete B. tip-top
C. razzle-dazzle D. rat-tat

121. Wealthy and powerful businessman:
A. tycoon B. wizard
C. versatile D. voracious

122. Easy to mould:
A. flexible B. tractable
C. malleable D. detachable

123. A new word coined by an author:
A. inculcation B. neologism
C. syllogism D. neolithic

124. The giving of special favour by a person in high position to his relatives:
A. recommendation B. partiality
C. honorarium D. nepotism

125. Things that exist only in imagination:
A. nonpareil B. nonentity
C. nonsensical D. nonsequitur

126. Conclusion which does not follow from the premises:
A. fallacious B. irrelevant
C. circuitous D. nonsequitur

127. Longing for something one has known in the past:
A. craving B. nostalgia
C. yearn D. kleptomania

128. One who is breaker of idols:
A. jailbird B. prude
C. iconoclast D. tenacious

129. Highflown speech or style of writing:
A. grandiloquence B. quintessence
C. harangue D. epigram

130. Parliamentary measure to curtail time in debating:
A. quorum B. guillotine
C. ordinance D. habeas-corpus

131. Philosophic belief that pleasure is the highest good:
A. plagiarism B. egalitarianism
C. aestheticism D. hedonism

132. In haste and confusion:
A. helter-skelter B. hullabaloo
C. harum-scarum D. hectic

133. Doctrine contrary to the teachings of one of the recognised religions:
A. heresy B. diction
C. soliloquy D. fanatic

134. A formal written charge against a person for some crime or offence:
A. chargesheet B. indictment
C. warranty D. conviction

135. System in which each person belongs to a specific rank:
A. ordinal B. allocation
C. hierarchy D. organization

136. Land lying behind the coastline or behind a sea port:
A. island B. hamlet
C. hunterland D. hinterland

137. Having a rough, husky voice:
A. shrill B. yell
C. hoarse D. horrid

138. Difficult or impossible to read:
A. vague B. obsolete
C. obscene D. illegible

139. Noisy and energetic activity of many people together:
A. din and bustle B. humdrum
C. hugger-mugger D. hurly-burly

140. Great destruction of life:
A. holocaust B. hurricane
C. devastation D. debris

141. Captive whose safety is used as a bargaining point:
A. warranter B. mortgage
C. hostage D. humdinger

142. State in which one believes mistakenly that one is ill:
A. hysteria B. hypochondria
C. mania D. kleptomania

143. Moving from place to place:
A. peripatetic B. vagabond
C. indecisive D. patrolling

144. External boundary or surface:
A. adjacent B. periphery
C. complementary D. circumscribe

145. Person who knowingly make a false statement after taking an oath to tell the truth:
A. lackadaisical B. camouflage
C. intrigue D. perjurer

146. Act of reading carefully:
A. perusal B. petulance
C. review D. pun

147. Study of fishes:
A. aquaculture B. ichthyology
C. numismatics D. holograph

148. Court instruction which can be enforced by law:
A. rulings B. judgement
C. injunction D. mandatory

149. Guess which is based on instinctive knowledge:
A. telepathy B. innate
C. inherent D. intuition

150. One who is excessive in his expressions of patriotism:
A. jubilant B. jingoist
C. dainty D. compatriot

151. A money liberally given:
A. honorarium B. bonus
C. largesse D. laurels

152. Statement damaging to a person's reputation:
A. litigation B. encroachment
C. libel D. infringement

153. Commonplace remarks:
A. platitudes B. lampoon
C. meiosis D. magniloquent

154. To wind up the affairs of a company:
A. levitate B. liquidate
C. manoeuvre D. orientate

155. Passion for appearing important:
A. magalomania B. monomania
C. narcissism D. nymphomania

156. Person authorised to draw up and attest deeds:
A. attorney B. notary
C. incharge D. proliferate

157. Object of pure thought:
A. niche B. notion
C. onus D. noumenon

158. Something that can be taken for granted:
A. trivial B. postulate
C. prodigal D. paltry

159. Scene of din and uproar:
A. hurly-burly B. hugger-mugger
C. pandemonium D. pacificism

160. One who fully depends on others:
A. protocol B. parasite
C. scrounge D. sceptic

161. Making a show of piety:
A. savage B. sanctimonious
C. salacious D. licentious

162. A fort where an enemy cannot enter:
A. impregnable B. impenetrable
C. inescapable D. indiscernible

163. Withdraw from an organization to form a new independent body or state:
A. autonomous B. secede
C. secular D. sovereign

164. That which cannot be understood or known:
A. indescriptable B. inaccessible
C. insensible D. inscrutable

165. In a careless and inefficient way:
A. shoddy B. slovenly
C. uninterestingly D. seriatim

166. Paying great attention to details:
A. concerned B. sceptic
C. scrupulous D. self-righteous

167. A person who cannot be easily approached:
A. introvert B. indifferent
C. inaccessible D. impractical

168. Planning of evil acts:
A. skullduggery B. sensational
C. deception D. introspection

169. Content with one's way of life:
A. improvident B. smug
C. self-centered D. sophist

170. Doing harm secretly:
A. heinous B. incapacitate
C. incineration D. insidious

171. Person setting fire to property unlawfully and with an evil purpose:
A. incendiary B. incense
C. indemnity D. indent

172. Person who flatters another in the hope of gain or advantage:
A. selfish B. misdemeanor
C. scurrilous D. toady

173. Person who changes from one party or side to another:
A. opportunist B. turncoat
C. turncourt D. selfish

174. One who apes the upper classes:
A. proud B. sophisticated
C. snob D. malicious

175. Temporary stay or residence:
A. adjourn B. sojourn
C. deputation D. unstable

176. Legal order requiring attendance at a court:
A. summons B. writ
C. obligatory D. rulings

177. Dulling of the senses caused by alcohol or fatigue:
A. stupor B. numb
C. symphilis D. obliteration

178. Art of politics:
A. trickery B. statecraft
C. dexterity D. polity

179. Less than the speed of sound:
A. sub-sonic B. subsist
C. substratum D. subsume

180. Evasive play in argument or discussion:
A. subtlety B. subvert
C. subterfuge D. succinct

181. Be of help in distress:
A. cooperative B. generous
C. suppliant D. succour

182. Make agree in time:
A. suffice B. synchronise
C. complacence D. conciliation

183. Philosophical or other discussion among several speakers:
A. symposium B. discourse
C. discernment D. suffrage

184. Strongly and effectively expressed:
A. verbose B. trenchant
C. terse D. reasonable

185. Violent outburst of temper:
A. hypertension B. tantrum
C. tenor D. shrill

186. One who reveals secrets:
A. propellant B. conjurer
C. telltale D. manipulator

187. Extremely violent wind storm:
A. tempest B. tornado
C. torrent D. turmoil

188. Person who does something new or original:
A. novice B. neolithic
C. top-notch D. trail-blazer

189. Person who deliberately avoids his duties:
A. truant B. escapist
C. laggard D. wag

190. Remaining cool in a crisis:
A. unflappable B. unflagging
C. innocuous D. unaffected

191. One who does not believe in the existence of God:
A. atheist B. altruist
C. agnostic D. flippant

192. The large money paid for an early retirement:
A. gold mine B. golden handshake
C. gratuity D. lion's share

193. A hater of learning and knowledge:
A. misologist B. misogynist
C. philologist D. philanthropist

194. One who lives and acts for the welfare of others:
A. misanthrope B. credulous
C. altruist D. gregarious

195. Mental weariness for want of occupation:
A. desperate B. depression
C. fatigue D. ennui

196. That which makes it difficult to recognise the presence of real of somebody or something:
A. cover B. mask
C. make-up D. camouflage

197. To bear a hand in one's new business:
A. partnership B. interfere
C. assist D. join

198. One who renounces the world and practices self-discipline in order to attain salvation:
A. devotee B. ascetic
C. theist D. parsimonious

199. A place where gambling is practiced:
A. hotel B. motel
C. casino D. stadium

200. A sad song is a:
A. dirge B. elegy
C. ditty D. knell

ANSWERS

1	2	3	4	5	6	7	8	9	10
B	C	D	B	D	A	C	B	C	D
11	**12**	**13**	**14**	**15**	**16**	**17**	**18**	**19**	**20**
C	B	B	D	D	A	C	C	D	B
21	**22**	**23**	**24**	**25**	**26**	**27**	**28**	**29**	**30**
C	A	D	C	B	A	B	C	A	B
31	**32**	**33**	**34**	**35**	**36**	**37**	**38**	**39**	**40**
C	B	D	D	D	A	B	B	D	C
41	**42**	**43**	**44**	**45**	**46**	**47**	**48**	**49**	**50**
A	C	B	C	A	B	D	D	C	A
51	**52**	**53**	**54**	**55**	**56**	**57**	**58**	**59**	**60**
B	C	D	A	C	B	C	B	A	A
61	**62**	**63**	**64**	**65**	**66**	**67**	**68**	**69**	**70**
C	B	A	C	B	D	C	D	D	B
71	**72**	**73**	**74**	**75**	**76**	**77**	**78**	**79**	**80**
B	A	B	C	A	A	B	B	A	C
81	**82**	**83**	**84**	**85**	**86**	**87**	**88**	**89**	**90**
D	B	A	D	B	A	D	C	B	B
91	**92**	**93**	**94**	**95**	**96**	**97**	**98**	**99**	**100**
D	A	D	C	B	C	A	B	D	D
101	**102**	**103**	**104**	**105**	**106**	**107**	**108**	**109**	**110**
B	C	A	A	B	C	C	D	B	D
111	**112**	**113**	**114**	**115**	**116**	**117**	**118**	**119**	**120**
B	D	C	A	C	C	B	C	D	A
121	**122**	**123**	**124**	**125**	**126**	**127**	**128**	**129**	**130**
A	C	B	D	B	D	B	C	A	B
131	**132**	**133**	**134**	**135**	**136**	**137**	**138**	**139**	**140**
D	A	A	B	C	D	C	D	D	A
141	**142**	**143**	**144**	**145**	**146**	**147**	**148**	**149**	**150**
C	B	A	B	D	A	B	C	D	B
151	**152**	**153**	**154**	**155**	**156**	**157**	**158**	**159**	**160**
A	C	A	B	A	B	D	B	C	B
161	**162**	**163**	**164**	**165**	**166**	**167**	**168**	**169**	**170**
B	A	B	D	B	C	C	A	B	D
171	**172**	**173**	**174**	**175**	**176**	**177**	**178**	**179**	**180**
A	D	B	C	B	A	A	B	A	C
181	**182**	**183**	**184**	**185**	**186**	**187**	**188**	**189**	**190**
D	B	A	B	B	C	B	D	A	A
191	**192**	**193**	**194**	**195**	**196**	**197**	**198**	**199**	**200**
A	B	A	C	D	D	C	B	C	A

7

Kangaroo Words

A Kangaroo word is one which carries within itself a smaller word which is a synonym of the word itself. The letters of the synonym are found often in the same order as in the given word, but some letters are omitted.

The kangaroo carries its young in a pouch unlike other animals. Likewise, a kangaroo word carries its young in itself. For example, Encourage and Evacuate are kangaroo words because Urge and Vacate that appear in order are synonymous with Encourage and Evacuate respectively. The kangaroo word is also known as marsupial.

A list of kangaroo words is as follows:

Kangaroo	Child	Kangaroo	Child
accustomed	used	destruction	ruin
aeroplane	plane	devilish	evil
amend	mend	disappointed	sad
amicable	amiable	diversified	divers
appropriate	apt	domesticate	tame
appropriate	proper	earthquake	quake
architecture	art	especial	special
assured	sure	espy	spy
blossoms	blooms	esquire	squire
boundaries	bounds	exhilaration	elation
calumines	lies	exists	is
capable	able	fabrication	fiction
catacomb	tomb	facade	face
clue	cue	facetiousness	fun
container	can	falsities	lies
curtail	cut	fatigue	fag
deceased	dead	feasts	eats
deliberate	debate	festival	feast

Kangaroo	Child	Kangaroo	Child
hamburger	burger	prosecute	sue
helicopter	copter	rampage	rage
hostelry	hotel	rapscullion	rascal
human	man	recline	lie
hurried	hied	regulates	rules
hurries	hies	respite	rest
illuminated	lit	reverence	revere
indolent	idle	revolution	revolt
instantaneously	instantly	rotund	round
instructor	tutor	salvage	save
joviality	joy	satisfied	sated
lineage	line	separate	part
market	mart	signal	sign
masculine	male	skilfulness	skill
matches	mates	slithered	slid
meadow	mead	splotches	spots
nourished	nursed	spoiled	soiled
observe	see	supervisor	superior
omnibus	bus	surpeme	super
pantaloons	pants	telephone	phone
parambulate	ramble	utilise	use
perambulate	ambulate	variegated	varied
perimeter	rim	violincello	cello
periwig	wig	wealth	weal
pinioned	pinned	whimsies	whims
prattle	prate	whinge	whine
precipitation	rain		

MULTIPLE CHOICE QUESTIONS

Directions: *Select the kangaroo-child word that carries a smaller version of the given word with a similar meaning:*

1. AMICABLE

A. Amicable B. Able
C. Cable D. Amiable

2. APPROPRIATE

A. Appropriate B. Private
C. Priority D. Apt

3. SALVAGE

A. Salvage B. Sale
C. Wage D. Save

4. HOSTELRY
A. Hostelry B. Total
C. Motel D. Hotel

5. ENCOURAGE
A. Encourage B. Rage
C. Urge D. Verge

6. RECLINE
A. Recline B. Lie
C. Clinch D. Record

7. BEFORE
A. Before B. Bore
C. Ere D. For

8. INSTRUCTOR
A. Instructor B. Tractor
C. Cutter D. Tutor

9. SEPARATE
A. Separate B. Part
C. Spurt D. Rate

10. CATACOMB
A. Catacomb B. Cat
C. Comb D. Tomb

11. INDOLENT
A. Indolent B. Indent
C. Idle D. Dent

12. PRECIPITATION
A. Precipitation B. Rain
C. Recipe D. Citation

13. DELIBERATE
A. Deliberate B. Date
C. Debate D. Liberate

14. OBSERVE
A. Observe B. Serve
C. Look D. See

15. TRANSGRESSION
A. Transgression B. Sin
C. Trans D. Agression

16. UNSIGHTLY
A. Unsightly B. Sigh
C. Ugly D. Sight

17. DESTRUCTION
A. Destruction B. Damage
C. Destroy D. Ruin

18. MASCULINE
A. Masculine B. Muscle
C. Male D. Line

19. UMPTEENTH
A. Umpteenth B. Ten
C. Teen D. Nth

20. BECAUSE
A. Because B. As
C. Be D. Cause

21. ALONE
A. Alone B. All
C. One D. Lane

22. CONTAINER
A. Container B. Can
C. Cone D. Coin

23. FRANGIBLE
A. Frangible B. Feeble
C. Able D. Frail

24. FALSITIES
A. Falsities B. Fail
C. Lies D. Ties

25. PERAMBULATE
A. Perambulate B. Ram
C. Late D. Ramble

26. EXPURGATED
A. Expurgated B. Exude
C. Pure D. Exurb

ANSWERS

1	2	3	4	5	6	7	8	9	10
D	D	D	D	C	B	C	D	B	D
11	**12**	**13**	**14**	**15**	**16**	**17**	**18**	**19**	**20**
C	B	C	D	B	C	D	C	D	B
21	**22**	**23**	**24**	**25**	**26**				
C	B	D	C	D	C				

8

Odd Words Out

MULTIPLE CHOICE QUESTIONS

Directions : *In each of the following questions, four words/pair of words are given. Three of them are alike in some manner. Spot the odd one out.*

1. A. Green B. Red C. Colour D. Orange

2. A. Stable B. Hole C. Canoe D. Sty

3. A. Nose B. Eyes C. Skin D. Teeth

4. A. Venus B. Moon C. Pluto D. Mars

5. A. Happy B. Gloomy C. Lively D. Cheerful

6. A. Cone B. Circle C. Triangle D. Rectangle

7. A. Lead B. Mercury C. Copper D. Iron

8. A. Kite B. Bird C. Radar D. Jet

9. A. Knee B. Shoulder C. Ankle D. Palm

10. A. Deluge B. Calamity C. Catastrophe D. War

11. A. Cub B. Chicken C. Pig D. Pup

12. A. Rabbit B. Crocodile C. Earthworm D. Snail

13. A. Tree B. Leaf C. Bush D. Herb

14. A. Doctor B. Teacher C. Engineer D. Diver

15. A. Trot B. Equestrian C. Derby D. Grunt

16. A. Ornate B. Pleasant C. Decorate D. Beautify

17. A. Polo B. Chess C. Ludo D. Squash

18. A. Tutor B. Principal C. Pupil D. Professor

19. A. Pond B. River C. Stream D. Brook

20. A. Quotation B. Duty C. Tax D. Octroi

21. A. Root B. Tree C. Branch D. Flower

22. A. Mumbai B. Chandigarh C. Lucknow D. Hyderabad

23. A. Immortal B. Eminence C. Perpetual D. Everlasting

24. A. Spinach B. Potato C. Carrot D. Ginger

25. A. Van B. Aeroplane C. Helicopter D. Transport

26. A. Fathom B. Marine C. Deep D. Lacuna

27. A. Attorney B. Lawyer C. Judge D. Liquidator

28. A. Sparrow B. Kingfisher C. Kiwi D. Parrot

29. A. Arrow B. Daggar C. Knife D. Sword

30. A. Mathematics B. Algebra C. Trigonometry D. Geometry

31. A. Irish B. Iranian C. Eastern D. Chinese

32. A. December B. June C. January D. March

33. A. Boxer B. Wrestler C. Jockey D. Player

34. A. Mature B. Outdo C. Ripen D. Bloom

35. A. Kanpur B. Haridwar C. Varanasi D. Lucknow

36. A. Adore B. Like C. Love D. Covet

37. A. Greedy B. Rapacious C. Endear D. Avaricious

38. A. Club B. Heart C. Spade D. Ace

39. A. Permit B. Allow C. Agree D. Confess

40. A. Stool B. Wood C. Table D. Chair

41. A. Chair - Furniture B. Shirt - Garment C. Necklace - Jewellery D. Bogie - Engine

42. A. Crayon - Paper B. Pencil - Lead C. Pen - Ink D. Brush - Paint

43. A. War - Peace B. Real - Natural C. Premiere - First D. Wrath - Anger

44. A. Finger - Thimble B. Head - Cap C. Waist - Tiara D. Foot - Shoe

45. A. Day - Night B. Clever - Foolish C. Clear - Blurred D. Arrive - Come

46. A. Quintal - Gallon B. Bouquet - Flowers C. Book - Pages D. Parliament - Members

47. A. Birds - Chirp B. Horses - Hum C. Lions - Roar D. Snakes - Hiss

48. A. Niece - Nephew B. Husband - Wife C. Brother - Sister D. Father - Mother

49. A. Petrol - Car B. Oil - Lamp C. Diesel - Wood D. Wax - Candle

50. A. Ganga - Narmada B. Thar - Gobi C. Stomach - Hands D. Everest - Mountain

51. A. Medicine - Doctor B. Flower - Artist C. Shoes - Cobbler D. Skin - Dermatologist

52. A. Authority - Sanction B. Repel - Attract C. Finicky - Choosy D. Breath - Entity

53. A. Polo - Rink B. Golf - Lawn C. Tennis - Court D. Chess - Board

54. A. Ecstacy - Fantasy B. Price - Thrice C. Crime - Prune D. Both - Oath

55. A. Army - General B. College - Principal C. Ship - Captain D. Navy - Lieutenant

56. A. Train - Tracks B. Birds - Fly C. Aeroplane - Sky D. Submarine - Sea

57. A. Jelly - Gentle B. Stone - Hard C. Fur - Soft D. Glass - Smooth

58. A. Branch - Tree B. Minute - Hour C. Sentence - Paragraph D. Student - Teacher

59. A. Sum - Total B. Now - Present C. Big - Notion D. Yes - Agree

60. A. Four - Foursome B. Three - Triplet C. Two - Double D. One - Single

61. A. Brahmaputra - River B. Sahara - Desert C. Aravalli - Ocean D. Europe - Continent

62. A. Much - Most B. Bad - Worse C. Simple - Simpler D. Little - Less

63. A. Ripe - Crude B. Close - Near C. Warm - Tender D. Believe - Trust

64. A. Giraffe - Tall B. Snail - Heavy C. Jet - Fast D. Ant - Industrious

65. A. Nine - Twine B. Fire - Liar C. Honey - Money D. Rust - Crest

ANSWERS

1	2	3	4	5	6	7	8	9	10
C	C	D	B	B	A	B	C	D	D
11	**12**	**13**	**14**	**15**	**16**	**17**	**18**	**19**	**20**
C	A	B	D	D	B	A	C	A	A
21	**22**	**23**	**24**	**25**	**26**	**27**	**28**	**29**	**30**
A	B	B	A	D	D	D	C	A	A
31	**32**	**33**	**34**	**35**	**36**	**37**	**38**	**39**	**40**
C	B	D	B	D	D	C	D	D	B
41	**42**	**43**	**44**	**45**	**46**	**47**	**48**	**49**	**50**
D	A	A	C	D	A	B	A	C	D
51	**52**	**53**	**54**	**55**	**56**	**57**	**58**	**59**	**60**
B	B	A	C	D	B	A	D	C	B
61	**62**	**63**	**64**	**65**					
C	A	A	B	D					

9

Word Analogy

Like different people words also have different relationships in comparison to each other. This is called word analogy. Try and master it in the following questions.

MULTIPLE CHOICE QUESTIONS

Directions (Qs. 1 to 100): *Each question consists of two words which have a certain relationship to each other followed by four pairs of related words. Select the pair which has the same relationship.*

1. Lunatic : Asylum
A. The poor : palace
B. Soldiers : barracks
C. Flowers : fields
D. Crops : garden

2. Soldier : Rifle
A. Blacksmith : anvil
B. Thief : ladder
C. Watchman : uniform
D. Barber : hair

3. Frog : Tadpoles
A. Man : sons
B. Woman : daughters
C. Cat : kids
D. Elephant : calves

4. Lizards : Reptiles
A. Frogs : amphibians
B. Tree : fruit
C. Earth : moon
D. Man : woman

5. Earthworm : Segments
A. Tree : wood
B. Crocodiles : scales
C. Apple : juice
D. Earth : moisture

6. Mosquito : Malaria
A. Rabid dog : rabies
B. House fly : AIDS
C. Cockroach : influenza
D. Virus : diabetes

7. Fish : Water
A. Man : air
B. Cat : mouse
C. Lion : flesh
D. Tree : roots

8. Impulsive : Cautious
A. Liberty : bondage
B. Tyrant : bully
C. Tremble : quake
D. Vulgar : indecent

9. Weighty : Voluminous
A. Jolly : dismal
B. Loyalty : perfidy
C. Wealth : opulence
D. Odd : normal

10. Innocent : Guilty
A. Kill : produce
B. Suspect : doubt
C. Depress : discourage
D. Contract : condense

11. Useless : Cheap
A. Late : unpunctual
B. Real : illusive
C. Just : unfair
D. Humble : proud

12. Loyal : Faithful
A. Treacherous : devoted
B. Just : fair
C. Yield : suppress
D. Uncertain : sure

13. Cancel : Confirm
A. Certain : ambiguous
B. Vulgar : crude
C. Reliable : trustworthy
D. Obscure : anonymous

14. Gloomy : Bright
A. Pleasant : delightful
B. Funny : comic
C. Condemn : blame
D. Hard : flexible

15. Modern : Ancient
A. Happy : joyful
B. Service : slavery
C. Mild : harsh
D. assumed : unreal

16. Dexterous : Clumsy
A. Cheap : worthless
B. Usual : common
C. Zenith : acme
D. True : false

17. Luscious : Sweet
A. Above : below
B. Absolve : penalise
C. Lucrative : profitable
D. Adopt : abandon

18. Fraud : Duplicity
A. Inferior : cheap
B. Delicious : abhorrent
C. Desire : detest
D. Diligent : lackadiasical

19. Weired : Ordinary
A. Vacant : void
B. Vivid : clear
C. Vivid : dim
D. Wicked : unvirtuous

20. Build : Demolish
A. Abide : persist
B. Compel : coax
C. Odious : hateful
D. Claim : demand

21. Passionate : Impassive
A. Deter : discourage
B. Folly : stupidity
C. Polite : rude
D. Fanciful : whimsical

22. Gauche : Attractive
A. True : exact
B. Tough : hard
C. Tasteful : palatable
D. Insipid : delicious

23. Existence : Life
A. Silence : noise
B. Risk : shield
C. Enormous : immense
D. Rural : urban

24. Belief : Suspicion
A. Unravel : unweave
B. Profuse : insufficient
C. Urge : spur
D. Use : occupy

25. Violent : Calm
A. Tranquil : peaceful
B. Reticent : quiet
C. Even : smooth
D. Disdain : reverence

26. Lawyer : Court
A. businessman : market
B. chemist : laboratory
C. labourer : factory
D. athlete : olympics

27. Corporeal : Spirtual
A. mesa : plateau
B. moron : savant
C. foreigner : immigrant
D. pedagogue : teacher

28. Ten : Decimal
A. seven : septet
B. four : quartet
C. two : binary
D. five : quince

29. Grain : Salt
A. shard : pottery
B. shred : wood
C. blades : grass
D. chip : glass

30. Fish : Shoal
A. audience : theatre
B. elephant : flock
C. whale : herd
D. shark : school

31. Wan : Colour
A. copulent : weight
B. insipid : flavour
C. pallid : complexion
D. enigmatic : puzzle

32. Thrust : Spear
A. mangle : iron
B. scabbard : sword
C. bow : arrow
D. fence : epee

33. Indigent : Wealthy
A. angry : rich
B. native : affluent
C. gauche : graceful
D. scholarly : erudite

34. Diva : Opera
A. producer : theatre
B. director : drama
C. conductor : bus
D. thespian : play

35. Army : Logistics
A. business : strategy
B. soldiers : students
C. war : logic
D. team : individual

36. Distance : Mile
A. liquid : litre
B. bushel : corn
C. weight : scale
D. fame : television

37. After : Before
A. first : second
B. present : past
C. contemporary : historic
D. successor : predecessor

38. Mundane : Spiritual
A. common : ghostly
B. worldly : unworldly
C. routine : novel
D. secular : clerical

39. Filter : Water
A. curtail : activity
B. expurge : book
C. edit : text
D. censor : play

40. Pork : Pig
A. rooster : chicken
B. mutton : sheep
C. steer : beef
D. lobster : crustacean

41. Pain : Sedative
A. comfort : stimulant
B. grief : consolation
C. trance : narcotic
D. ache : extraction

42. Hope : Aspires
A. love : elevates
B. film : flam
C. fib : lie
D. fake : ordinary

43. Gravity : Pull
A. iron : metal
B. north pole : directions
C. magnetism : attraction
D. dust : desert

44. Light : Blind
A. speech : dumb
B. language : deaf
C. tongue : sound
D. voice : vibration

45. Symphony : Composer
A. Leonardo : music
B. Fresco : painter
C. colours : pallet
D. art : appreciation

46. Astringent : Pucker
A. car : engine
B. spark : ignition
C. quell : allay
D. sophisticated : rural

47. Saga : Heroic
A. epigram : pithy
B. tragedy : comedy
C. editorial : newspaper
D. picture : book

48. Obdurate : Flexibility
A. stagger : amaze
B. adamant : submissiveness
C. semite : jew
D. redicule : scorn

49. Percept : Instructive
A. ribald : decent
B. metaphor : figurative
C. institution : study
D. library : calmness

50. Hermit : Gregarious
A. sanguine : optimistic
B. repose : rest
C. ruthless : merciless
D. ascetic : hedonostic

51. Braggart : Modesty
A. profound : intelligence
B. opinionated : over confident
C. buffoon : dignity
D. arrogant : acuity

52. Posthumous : Death
A. selection : nomination
B. product : factory
C. clay : mould
D. cloudy : sunny

53. Prophet : Foreteller
A. precursor : forerunner
B. prtentious : ambitious
C. prodigy : wonderful
D. teacher : intelleclual

54. Indigent : Wealth

A. yelp : cry
B. yearn : disire
C. wrangle : argue
D. emociated : nourishment

55. Senorita : Woman

A. sophisticated : self assured
B. monologue : discourse
C. semite : jew
D. general : military

56. Yeoman : Farming

A. clerk : office
B. waiter : restuarant
C. hawker : business
D. apprentice : engineer

57. Genuine : Authentic

A. light : reflection
B. image : shadow
C. mirage : illusion
D. vaccum : transparency

58. Colour : Bleach

A. buzz : hum
B. echo : sound
C. paper : burn
D. blush : faint

59. Labour : Wages

A. capital : interest
B. doctor : medicine
C. ink : writing
D. agree : oppose

60. Brusque : Unceremoniousness

A. apparatus : experiment
B. auditor : lecture
C. malaria : relapse
D. obstinate : intractability

61. Mature : Regressed

A. intruder : privacy
B. varied : monotonus
C. sufficiency : adequacy
D. train : compartment

62. Celerity : Snail

A. curosity : cat
B. cunning : crow
C. humility : peacock
D. obstinacy : mule

63. Dilatory : Expeditious

A. direct : circuitous
B. skirmish : mar
C. language : grammar
D. ice : coolness

64. Molt : Feathers

A. flutter : wings
B. slough : skin
C. sharpen : talons
D. bare : fangs

65. Jeopardy : Peril

A. plead : insist
B. promote : reward
C. rely : support
D. jealousy : envy

66. Surfeit : Appetite

A. refine : taste
B. sniff : nose
C. cloy : palate
D. cling : touch

67. Aeroplane : Cockpit

A. train : engine
B. train : compartment
C. train : coach
D. train : wagon

68. Rider : Bill

A. meter : electricity
B. endorsement : policy
C. purchase : receipt
D. violation : law

69. Wax : Wane

A. earth : orbit
B. depth : shallow
C. fall : bottom
D. zenith : nadir

70. Painting : Artist

A. wood : furniture
B. analysis : critic
C. symphone : composer
D. symphone : poet

71. Windfall : Jubilation

A. grief : sorrow
B. pratfall : embarrassment
C. bravery : courageous
D. calm : melancholy

72. Foresight : Anticipation

A. insomnia : sleeplessness
B. intuition : happening
C. inddent : incredible
D. impromptu : preparation

73. Novice : Learner

A. voters : politicians
B. gigolo : dance
C. harbinger : forerunner
D. roster : duty

74. Life : Autobiography

A. witness : truth
B. witness : documents
C. culprit : punishment
D. jailor : prison

75. Grieve : Sorrow

A. wallow : misery
B. smart : pain
C. weaken : strength
D. afflict : torment

76. Cloud : Scud

A. fog : disperse
B. blood : clot
C. mist : fall
D. water : race

77. Fire : Ashes

A. heart : breath
B. school : education
C. exphesion : debris
D. almamater : certificate

78. Ocean : Water

A. mountain : peak
B. cave : hollow
C. glacier : ice
D. river : current

79. Unctuous : Sincerity

A. urban : society
B. pleasant : jovial
C. wrest : amusing
D. sardonic : sympathy

80. Audible : Hear

A. fascinating : see
B. palpable : touch
C. distinctive : smell
D. unique : personality

81. Article : Newspaper

A. scene : play
B. food : diet
C. account : diary
D. maize : field

82. Beginning : Culmination

A. tragedy : catastrophe
B. language : grammar
C. stanza : poetry
D. puologue : denouncement

83. Ballerina : Ballet

A. stage : performance
B. protagonist : play
C. grief : tragedy
D. ballad : poem

84. Bellicose : Quarrelsome

A. boost : boom
B. bonny : unhealthy
C. babel : babble
D. bane : ruin

85. Annihilation : Fire

A. ordinance : parliament
B. emergency : failure
C. cataclysm : flood
D. cataclysm : earthquake

86. Shovel : Lift

A. break : pieces
B. amend : join
C. thrust : dig
D. push : fall

87. Jade : Green

A. garnet : red
B. rainbow : sky
C. mercury : shine
D. white : peace

88. Gamut : Completeness

A. square : perimeter
B. gas : volume
C. conclusion : end
D. radius : circle

89. Truth : Sham

A. wariness : caution
B. honesty : deceit
C. cant : jargon
D. abut : border

90. Glass : Crockery

A. hat : millinery
B. books : school
C. operation theatre : hospital
D. poetry : books

91. Install : Officer

A. campaign : candidate
B. promote : worker
C. succeed : prince
D. inangurate : president

92. Quark : Particle

A. proton : molecule
B. zine : element
C. light : photosynthesis
D. uranium : fission

93. Doctor : Disease

A. judge : culprit
B. politician : parliament
C. teacher : ignorance
D. policeman : criminal

94. Line : Segment
A. big : small
B. part : whole
C. square : rectangle
D. circle : arc

95. Breeze : Cyclone
A. drizzle : downpour
B. snowfall : cold
C. earthquake : debris
D. heat : sunstroke

96. Jail : Jailor
A. museum : curator
B. school : board
C. life : wealth
D. couple : marriage

97. Dimwit : Intelligent
A. dingy : decent
B. felon : guilty
C. hoary : old
D. harry : ravage

98. Grim : Stern
A. laud : blame
B. zest : gusto
C. morbid : healthy
D. overt : concealed

99. Trap : Spring
A. prison : escape
B. sentence : period
C. alarm : trigger
D. convict : corner

100. Orgy : Drunken
A. wine : bar
B. obese : fast food
C. oasis : desert
D. quicksilver : mercury

ANSWERS

1	2	3	4	5	6	7	8	9	10
B	A	D	A	B	A	A	A	C	A
11	**12**	**13**	**14**	**15**	**16**	**17**	**18**	**19**	**20**
A	B	A	D	C	D	C	A	C	B
21	**22**	**23**	**24**	**25**	**26**	**27**	**28**	**29**	**30**
C	D	C	B	D	A	B	C	D	D
31	**32**	**33**	**34**	**35**	**36**	**37**	**38**	**39**	**40**
C	D	C	D	A	A	D	B	D	B
41	**42**	**43**	**44**	**45**	**46**	**47**	**48**	**49**	**50**
B	C	C	A	B	B	A	B	B	D
51	**52**	**53**	**54**	**55**	**56**	**57**	**58**	**59**	**60**
C	A	A	D	B	C	C	D	A	D
61	**62**	**63**	**64**	**65**	**66**	**67**	**68**	**69**	**70**
B	C	A	B	D	C	A	B	D	C
71	**72**	**73**	**74**	**75**	**76**	**77**	**78**	**79**	**80**
B	A	C	A	B	D	C	C	D	B
81	**82**	**83**	**84**	**85**	**86**	**87**	**88**	**89**	**90**
A	D	B	D	C	C	A	C	B	A
91	**92**	**93**	**94**	**95**	**96**	**97**	**98**	**99**	**100**
D	B	C	D	A	A	A	B	C	D

10

Idioms, Phrases & Proverbs

An idiom is a group of words established by usage as having a meaning different from the individual words.
A phrase is a small group of words standing together as an idiomatic expression.
A proverb is a short pithy saying in general use, stating a general truth or piece of advice.
The use of idioms and phrases makes your expression more effective and powerful.
Learn and practise as many as you can.

A wet blanket: A person who discourages others or prevents them from enjoying what they are doing

A stag party: A party where only men are allowed to be present

A hen party: A party where only women are allowed to be present

A working lunch/dinner: A meal at which the people who attend discuss business

A working knowledge: Enough practical knowledge to do something

A willing horse: A helpful person who often gets all the work to do

A wild goose chase: A search for something which has no chance of being successful

A trend-setter: A person who starts a new fashion which becomes popular

A thick-skinned person: A person who is not easily offended

Teething troubles: Troubles and difficulties which occur during the early stages of an activity or enterprise, but which will lessen with time

A sweeping statement: A statement which is not careful or correct in its details; a generalisation

A spending spree: An outing during which one spends a lot of money

A tall order: A request which is unreasonably difficult to grant or carry out

A soft spot: A feeling of special fondness for something or someone

A sore point: A matter which irritates or hurts when it is mentioned

The small hours: The early morning hours just after midnight

A sleeping partner: A business partner who provides a share of the capital for a venture but does not take an active part in its operation

Small talk: Trivial, light conversation on unimportant topics

Second nature: Some acquired habit or skill which seems perfectly natural to someone; a very firmly fixed habit

A shady character: A person of very doubtful honesty or character

Second thoughts: A change of mind, attitude or decision after thinking about the matter

A security risk: A person who is a risk to a country's security because of his political activities; one whose loyalty is doubted

A jail bird: A man who has spent a lot of time in prison

A ladies' man: A man who likes to be with women or who likes to please them

A last fling: The last opportunity for pleasure or amusement before having to stop

An inside job: A theft committed by someone inside a building, i.e., by an employee, not a stranger

A knowing look: A look which suggests that, the person is well-informed of a matter

A hushed-up affair: An affair or matter that is kept secret by forcing silence about it

Hush money: A bribe paid to keep a matter secret from the public

A hot line: A direct telephone line between heads of governments, to be used at times of great difficulty

Hot news: Very recent, important or sensational news

High time: At the most important point of time

Fast living: A person who spends too much money in enjoying life

A fishy story: An untrue tale; an unlikely story

Half-hearted: Having no enthusiasm for a particular task

An iron will: A very strong will

Hot water: Trouble

A laughing stock: A person who is unkindly laughed at by everyone

A light-fingered person: A person who is in the habit of stealing small things

Pin money: A wife's allowance for her personal needs

Plain sailing: A plan or action that is simple and free from trouble

A pep talk: A friendly talk to give encouragement to win a game, etc. or to complete something well

A package tour: A completely planned holiday at a fixed price arranged by a company

A passing fancy: A temporary liking for something or someone

An open secret: Something supposed to be a secret but which in fact is known to everyone

A package deal: An offer or agreement which includes a number of things all of which must be taken

Plain dealing: Truthfulness and honesty, especially in business

A pet aversion: Something or someone much disliked

A sideline: Work one does apart from one's regular job

Second sight: An ability to foresee future events

A rolling stone: Person who travels around a lot without staying in any one place or job for long

A raw deal: An unjust or cruel treatment

In a rash moment: Doing something hastily without thinking of the results

A practical joke: A trick played on a person to make him look silly and to give amusement to others

A sugar daddy: An older man who has a relationship, especially sexual, with a younger woman, providing her with money and presents

Take-home pay/wages: The amount a person receives after taxes have been deducted

Backstairs influence: Secret and usually unfair influence

Bad blood: Bad feelings or unfriendliness between two persons

A bad egg/a bad penny: A bad character

A false alarm: A warning of something bad, which does not happen

Elbow room: Space, in which to move and act freely

A double agent: A person who works secretly for two opposing sides without either of the sides knowing

A dead-end job: A job without prospects; a job that leads to nothing further

A dark horse: A person who competes successfully against another although little is known about him

A confirmed bachelor: A man who has no desire to marry

A burning question: A matter having to be dealt with at once; an urgent important matter

A big shot: An important person, usually someone who is wealthy and influential

A blind date: A social meeting of two persons, usually a boy and a girl who have not met before

Broken English: Imperfect, ungrammatical English

A chicken-hearted person: A timid, cowardly person

A close-fisted person : Someone who is stingy; a miser

A country cousin: A person who is simple and inexperienced and not used to city life

A close shave: A narrow escape from danger, an accident, etc.

A light sleeper: A person who is easily awakened from sleep

A cock-and-bull story: An invented story

A cold war: A serious political struggle between countries which does not actually result in fighting

A dog-eared book: A book where the corners of the pages have been turned down with use

An easy victim/mark: Somebody who can easily be cheated or treated badly

A bosom friend: A very close, trusted friend

Crocodile tears: Pretended sorrow; insincere tears

A fast colour: A colour which does not run out of the material when washed or dried

A fair copy: A neat, legible copy

An armchair critic: A person who critically judges others' work and gives advice, but who has not himself experienced doing the work

Apple-pie order: In perfect order

An absent-minded person: A forgetful, inattentive person

A flying visit: A very short visit

Forty winks: A short nap or sleep

Hard labour: Hard, manual work usually done as a punishment

Hard cash: Actual money, not a cheque, etc.

A hard drinker: A person who drinks large quantities of alcohol

A golden opportunity: A very good opportunity

A going concern: A successful, thriving business

A foregone conclusion: A result that is certain, sure

The naked eye: The eye unaided by any instrument

An odd-job man: A man who does various types of work, usually manual, for pay

Old hat: No longer fashionable

A grass widow: A wife who is alone because her husband is away temporarily

A good samaritan: A person who helps a stranger in difficulties

French leave: Absence from work that is taken without permission

The generation gap: The difficulties arising when younger and elder people do not understand each other's way of life

The happy medium: The middle course of doing something when opposite ways are suggested

A henpecked husband: A husband who is dominated and nagged by his wife

A hard and fast rule: A rule that cannot be changed; fixed, unchangeable rule

One-track mind: A person's mind that is limited and thinks of only one thing at a time

A short cut: An easier method of doing something or getting somewhere; a quicker, more direct way

A small-time business: A business limited in activity and profits

A splitting headache: A very severe and painful headache

A square deal: A fair bargain or fair treatment

A square meal: A meal with adequate good; a satisfying meal

Strong language: Angry language consisting of many swear words

Tall talk: Boastful talk

A tight spot/corner: A difficult situation

Tough luck: Bad luck; hard luck

Ready money: Money which is immediately available in coins or notes

Second best: Next to the best; second in value or importance

The writing on the wall: An indication that something bad or difficult is about to happen

A storm in a teacup: A big fuss made over a small, trivial event

The talk of the town: A person or event that is causing great excitement and is the subject of much discussion

A snake in the grass: A cunning, harmful person who pretends to be a friend; a false friend

A shot in the dark: A guess which is not supported by arguments; a wild guess

The tricks of the trade: The best and most successful ways of doing good business

The bottom of the ladder: In the least important position

A shot in the arm: Something which acts to bring back a happy state or condition

The man in the street: The ordinary, average man

The gift of the gab: A person fluent in speech; a persuasive speaker

A man about town: A man who is used to living in the city and associating with well-known fashionable people

The life and soul: The person who is the centre of attaction because he is amusing and lively

The lion's share: The greater part; an unfairly large share

The long arm of the law: The police

A bear hug: A rough, tight hug

A brain wave: A clever idea; sudden inspiration

A bone of contention: Something that causes argument

Birds of a feather: People of the same kind (often bad) who like each other's company

A feather in one's cap: A deserved honour that one is proud of

Castles in the air: Plans which cannot be carried out or which will probably not succeed

A fish out of water: A person who feels uncomfortable because he is in a strange place, or among people who are very different from himself

The ups and downs: The good and bad times, the happy and sad times

A stone's thorw: A short distance

A slip of the tongue: Something said unintentionally

A slap in the face: A rebuff

The rank and file: Ordinary people without special positions; the masses

A man of means: A rich man

A man of iron: A cruel, hard person

A jack of all trades: A person who can do many different kinds of work but who may not be good at any of them

By hook or by crook: By any means possible

By fits and starts: At irregular intervals

A pack of lies: A whole lot of untruths

A clean bill of health: A certificate or announcement that someone is healthy

A happy-go-lucky person: Someone who does not think or plan carefully

A stay-at-home person: A person who is in the habit of staying at home, and not liking to travel

A smash-and-grab robbery: A robbery done quickly, usually by breaking windows or showcases taking away valuables, and running away

A hit-and-run driver: A driver who drives away after an accident without stopping to find out about damage or injuries

A run-of the-mill job: An ordinary unexciting job

A round the-clock service: A twenty-four hour service

An out-of the way place: A place that is distant and far away from people and places

A much-talked-of affair: Something which is the subject of much discussion

A nine to six job: A job in which the working hours are from nine in the morning to six in evening

An open and shut case: A case which is easy to settle or solve

Bumper-to-bumper traffic: Cars that are very close together one after another

A hand-me-down dress: A dress used by someone after belonging to another

A well-to-do man/woman: A rich person

An angel: A person who is gentle and kind to others

A devil: A particularly wicked or mischievous person

A giant: A person who is very large

A wizard: A clever and skillful person

An Adonis: A very handsome man

An Apollo: A man with a perfect physique or body shape

A Hercules: A very strong man

A Goliath: An extremely large man

A Judas: A mean traitor

A Samson: A very strong man

A Solomon: A very wise man

A dog: A worthless person; someone who is despised

A cat: A malicious, person. usually referring to females

A bear: A clumsy, rough person

A fox: A crafty, cunning person

A goose: A silly person

A lamb: An innocent harmless person

A monkey: A child who is lively and full of mischievous tricks

A mule: A very stubborn person

A wolf: A greedy and cunning person

A snake/serpent: A treacherous, dangerous person

A parrot: A person who learns things off by heart without understanding the real meaning

A pest: A troublesome person; one who annoys and pesters others

A pig: A greedy and dirty person

A shark: A greedy and cunning person; one who swindles others

A parasite: A person who lives off others and gives nothing in return

An ape: A person who foolishly imitates others

An ass/donkey: A stupid person

An elephant: A huge, clumsy, ungainly person

Again and again: Repeatedly; continually; very often

Back and forth/backward: Moving first in one direction and then in the opposite direction and forwards

By and by: Soon; before long

By and large: On the whole; in general; all things considered

Far and away: Very much

Far and near/far and wide: Everywhere

First and foremost: In the first place; firstly

Here and there: In various places; firstly

Here, there and everywhere: In all possible places; everywhere

In and out: Sometimes inside and sometimes outside

Up and about: On one's feet; up again after an illness

To-and fro: Backwards and forwards; from side to side

Through and through: Completely; entirely; in every way

Out and out: Complete, thorough; total

Out and away: By far

Over and over again: Again and again; repeatedly

Round and round: Repeatedly moving round

Once and for all: Finally; for the last time

On and on: Without stopping

Off and on: From time to time; occasionally

Every now and then/again: From time to time; at times

Now and again: Sometimes; occasionally; not very often

Nowadays: In these times

To backbite a person: To speak ill of someone

To back chat: To be cheeky; to talk back to someone

To be a bag of bones: To be extremely thin

To be a blockhead: To be an idiot

To be a great hand at: To be an expert

To be a sight for sore eyes: Something or someone who appears before another and is very welcome

To be all ears: To be eager to listen

To be armed to the teeth: Fully armed or protected

To be at one's wits' end: Completely puzzled

To be close-fisted: To be mean; miserly

To be double-faced: Insincere

To be down in the mouth: To feel depressed and unhappy

To be head and shoulders above someone else: To be very much better or superior

To be out of one's mind: To be mad; crazy

To be some one's blue-eyed boy: To be someone's favourite

To be the apple of someone's eye: To be someone's favourite

To bite someone's head off: To speak abruptly or sharply to another

To burn one's fingers: To get into trouble

To catch someone's eye: To suddenly exchange glances with another

To change hands: To pass from one owner to another

To dig someone in the ribs: To make unkind remarks or insinuations about another

To eat one's heart out for another: To long for someone who is unattentive

To foot the bill: To pay the bill, especially for some social outing

To get on someone's nerves: To irritate someone very greatly

To get something off one's chest: To confess to something

To get the upper hand: To gain mastery over an opponent

To give someone the cold shoulder: To ignore someone; to slight another

To give someone the sharp: To thoroughly scold another person with edge of one's tongue

To go on all hands: To crawl on hands and knees

To have a chip on one's shoulder: To bear a grudge against the world/society

To have a finger in every pie: To have many business interests

To have a head like a sieve: To have a very poor memory

To have a skeleton in the cupboard: To have a guilty secret, especially a family scandal

To have at one's fingertips: To know thoroughly

To have cold feet: To be afraid

To have no backbone: To be a weak, spineless person

To have one's head screwed on: To be very sensible

To have someone under one's thumb: To dominate another

To have the upper hand: To be in command/charge; to be someone in power

To have two left hands: Someone who is clumsy

To hold one's tongue: To keep silent even though there is an urge to talk

To hold up one's head: To be able to look people in the face

To jump out of one's skin: To get a sudden fright

To keep a cool head: To keep calm, especially in an emergency

To keep a stiff upper lip: To remain calm and courageous

To keep one's fingers crossed: To hope for luck

To keep one's hair on: To keep cool and patient

To keep one's head above water: To avoid getting into debt or trouble

To keep someone at arm's length: Not to be too friendly with another

To knock something on the head: To suddenly stop an idea/project

To know something by heart: To be able to say something from memory

To lay hands on someone: To handle someone roughly

To lend a hand: To help

To let the grass grow under one's feet: To be inactive and uninvolved

To live from hand to mouth: To live in hardship with the barest essentials

To lose face: To lose one's reputation/honour

To lose heart: To be discouraged

To lose one's head: To be very angry; to lose control of oneself

To make a clean breast of something: To confess to something; to reveal all

To make neither head nor tail of something: To understand nothing of a particular issue

To pat someone on the back: To give praise and encouragement to another

To pay through the nose for something: To pay an excessively high price for something

To poison someone's mind: To turn someone against another person

To pull one's weight: To do one's share of work

To pull someone's leg: To play a joke on someone

To pull the wool over someone's eyes: To deceive another

To put one's back into it: To work hard

To put one's foot down: To be firm about an issue

To put one's shoulder to the wheel: To work hard and earnestly

To put someone's nose out of joint: To make someone jealous by taking his place as the centre of attraction

To rack one's brains: To try to recall or remember something

To receive with open arms: To welcome warmly

To save face: To save one's honour/reputation/name

To show a clean pair of heels: To escape by running

To snap someone's head off: To speak abruptly

To stand on one's own feet: To do things without help; to be independent

To sweep someone off his/her feet: To flatter and woo someone, usually a girl

To take matters into one's own hands: To do something independently without help

To take something to heart: To take something seriously

To take to one's heels: To run away

To throw dust in someone's eyes: To try to deceive someone

To tread in someone's foot steps: To follow the example of another, usually of talent/occupation

To tread on someone's toes: To offend another person

To try one's hand at: To try doing something for the first time

To turn a blind eye: To refuse to see

To turn a deaf ear: To refuse to hear

To turn up one's nose at something: To treat with contempt

To twist someone's arm: To force someone into doing something for you

To wash one's hands of something: To have nothing to do with a particular matter

The green-eyed monster: Jealousy

To scream blue murder: To complain loudly

Out of the blue: Suddenly; without warning

Once in a blue moon: Very rarely

To feel blue/have the blues: To be sad or depressed

A bolt from the blue: A complete surprise

Blue blood: Royal or noble blood

To blackmail someone: To threaten to reveal someone's misdeeds unless he pays money

In someone's black books: Out of favour with someone

A black sheep: A bad character who disgraces his family

A blacklist: A list of people groups, etc. who have done something wrong

Black and blue: Badly bruised after a beating/a fall

In black and white: In writing or print

A greengrocer: A person who sells fruit and vegetables

A greenhorn: An inexperienced person

The green light: The signal to proceed

Green with envy: Tilled with jealousy

Grey matter: Common sense; brains

In the pink of health: In excellent health

Purple with rage: So angry that the face becomes purple

To be caught red-handed: To be caught in the act of committing a crime

A red carpet welcome: A special ceremonial welcome to guest

The red flag: A flag used as a danger signal

A red-letter day: A notable, fortunate day that will be remembered

The red light: A signal to stop; a danger signal

Red tape: Official rules which cause delay in settling one's problems

To jump out of the frying-pan into the fire: To get out of one bad situation and fall into another worse situation

To see red: To lose control of oneself in anger

A white-collar job: An office job

A white elephant: A worthless possession which the owner wants to get rid of

The white flag: A sign that one accepts defeat or surrenders

To show the white feather: To show signs of cowardice

Yellow at heart: Cowardly

To be/feel off colour: To be unwell or rather ill

To come off with flying colours: To achieve great success

To have a high colour: To appear very red in the face

To show one's true colours: To show what one is really like; to show one's true character

A blue-collar job: A factory job

To act the goat: To behave foolishly

To air one's opinion: To express one's feelings in public

To be a chip off the old block: A son who is very much like his father in appearance, character, habits, etc

To be as fit as a fiddle: To be in excellent health

To be at a loose end: To have nothing to do

To be at a loss for words: Not knowing what to say; to be speechless

To be at death's door: To be so ill as to be near death

To be at sixes and sevens: To be in confusion and discord

To be at the end of one's teeter: To be at a loss as to what to do

To be born under a lucky star: To have considerable luck in whatever one does

To be born with a silver spoon in one's mouth: To be born into a rich family

To be dead beat: To be worn out by fatigue

To be in hot water: To be in serious trouble

To be in someone's bad/good books: To be out of/in favour with someone

To be in the doldrums: To be in low spirits

To be in the same boat: To have the same troubles/ circumstances

To be mad about someone: To like someone very much

To be made of money: To have plenty of money; to be well-off

To be on tenterhooks: To be in a state of suspense and anxiety

To be on the ball: To be alert, up-to-date, prepared

To be on the horns of a dilemma: Not knowing what to do from several courses of action

To be on the rocks: To be in danger of failing, collapse, especially a business, a marriage, etc

To be on top of the world: To be very happy; to be in high spirits

To be out of the woods: To be out of danger, especially a serious illness

To be quick on the uptake: To be alert and quick to do or say something

To be rolling in money: To be rich; to have plenty of money

To be scared to death: To be extremely frightened of something

To be slow on the uptake: Slow to do or say something

To be too big for one's boots: To think very highly of oneself

To bear the brunt of: To bear the main force or strain of some action

To beat about the bush: To be indecisive; not coming to the point

To blow hot and cold: To do one thing at one time and the opposite soon after

To blow one's own trumpet: To boast about one's abilities, achievements etc.

To break the ice: To take the first step; to be the first to begin, especially a conversation

To bring down the house: To cause loud and long applause through one's skill

To bring to light: To disclose, reveal

To build castles in the air: To think of things impossible to realize

To burn the candle at both ends: To use one's energy in two directions at the same time

To burn the midnight oil: To work till late at night

To call a spade a spade: To speak out bluntly and frankly

To clip one's wings: To deprive one of power and/or freedom

To cook an account: To tamper with/falsify an account

To come down on someone like a ton of bricks: To harshly criticise another

To come of age: To reach adulthood

To come to grief: To meet with danger

To come to light: To become known

To count-sheep: To try various methods to get to sleep

To cry over spilt milk: To be unhappy about something that can no longer be remedied

To curry favour: To seek/win favour by flattery or gifts

To cut off in its prime: To destroy something when it is at its best

To cut one's coat according to one's cloth: To live within one's income

To cut someone down to size: To put someone in his place especially a person who thinks too highly of himself

To do a city/the sights: To visit a city and see its well-known places

To do a thing by fits and starts: To work intermittently on something

To do a thing by hook or by crook: To do something by any means, fair or foul, direct or indirect

To do something on the spur of: To suddenly decide to do something the moment

To drop a brick: To say or do something very tactless and unexpected

To drop a hint: To make veiled and subtle suggestions

To eat like a horse: To eat a lot

To eat one's words: To take back what one has said; to apologise

To egg on: To spur on to further action

To face the music: To meet the worst; to face punishment for doing something wrong

To fall out with someone: To quarrel with someone

To fall through: To fail, especially a plan, project, etc.

To fancy someone/something: To take a great liking to

To fight shy of: To avoid

To fire someone: To dismiss someone from employment

To flog a dead horse: To try fruitlessly to revive interest in something

To follow the crowd: To follow unthinkingly; to believe or act as most people do

To follow suit : To do the same thing as another person

To gain ground: To make progress in an undertaking

To get away with something: To escape detection despite doing something wrong

To get blood out of stone: To get more than is fair out of someone

To get down to work: To start on the task in hand

To get even with someone: To take revenge of someone

To get hitched: To get married

To get into a flap: To get worried and nervous

To get into hot water: To be in/to get into trouble

To get off scot-free: To escape punishment; to be let off payment

To get out of bed on the wrong side: To start the day in a bad temper

To get the sack: To be dismissed from employment

To get wind of: To hear a rumour of

To get the wind up: To get worried and nervous; to get a fright

To give someone a telling-off: To scold someone

To give someone the slip: To manage to avoid someone who is looking for you

To give the game away: To let out a secret

To give up the ghost: To die; to cease trying

To go a long way: To excel; to go far especially in a career

To go off at a tangent: To change suddenly to a different course of thought or action

To go like a bomb: To go fast; to function well, especially a vehicle

To go to rack and ruin: To fall into a ruined or disorganised state

To grin and bear it: To make the best of a bad job; to put up with something

To haul someone over the coals: To reprimand someone

To have a bee in one's bonnet: To be strong-minded over certain issues

To have a soft spot for: To be very fond of someone or something

To have an axe to grind: To have a selflsh motive for doing something

To have one's knife in someone: To be always finding fault with another person

To hit below the belt: To attack an opponent unfairly

To hit the nail on the head: To do or say exactly the right thing

To jog someone's memory: To remind someone of something

To keep a person in the dark: To keep something hidden from someone

To keep open house: To encourage visitors to come at any time

To keep one's pecker up: To keep one's courage up

To keep one's shirt on: To keep cool and calm in a dispute

To keep the ball rolling: To keep a conversation going

To keep up appearances: To pretend to be well-off and to live in a certain style

To kick the bucket: To die

To kid someone: To tease

To kill two birds with one stone: To accomplish two things with one action

To knock off work: To stop working

To know the ropes: To be thoroughly familiar with a particular situation

To knock someone down with a feather: To surprise someone very much

To kowtow to someone: To act in a very servile manner hoping for favour

To lay down the law: To speak in an authoritative way

To lead someone up the garden path: To deceive someone by hiding the real intention

To leave someone in the lurch: To desert someone in time of difficulties

To let bygones be bygones: To let things that are past and gone remain untouched and forgotten

To let the cat out of the bag: To reveal a secret; to expose a trick

To look like a wet week: To look miserable and depressed

To make a go of something: To try one's best to succeed in something

To make a hash/a mess of something: To fail at a task

To make believe: To pretend

To make both ends meet: To be able to manage on one's income

To make hay while sun shines: To take advantage of an opportunity

To make much ado about nothing: To make a great fuss about something unimportant

To make oneself scarce: To disappear

To nip something in the bud: To stop something before it can develop into something serious

To pass the buck: To pass on the responsibility

To pick holes in something: To find fault with

To pick to pieces: To analyse critically

To pick and choose: To make a careful selection

To play a double game: To do one thing openly and a different thing in secret

To play fast and loose: To disregard one's promises

To play second fiddle: To take a subordinate position

To pooh-pooh an idea: To express contempt for an idea

To pull strings: To use friends in influential positions, or to use one's own influence, to secure favours

To put the cart before the horse: To do the wrong thing first

To put two and two together: To arrive at a conclusion

To put a spoke in one's wheel: To hinder; to obstruct progress

To rain cats and dogs: To rain very heavily

To read between the lines: To detect the hidden meaning

To rule the roost: To domineer over others

To run in the blood: Inherited qualities

To see something through coloured spectacles: To see only the best points about a thing

To see the light: To begin to understand

To sit on the fence: To take neither side in a dispute; to remain neutral

To smell a rat: To become suspicious about something

To steer clear of: To avoid

To take French leave: To be absent from work without permission

To take someone for a ride: To deceive someone

To take the bull by the horns: To meet a difficulty with courage

To take the law into one's own hands: To punish a person, usually by force, without his being tried in a law court

To take with a pinch of salt: To accept what someone has said with doubt and misgiving

To talk nineteen to the dozen: To speak a lot

To talk the hind legs of a donkey: To talk a great deal at great length

To tear a strip off someone: To scold harshly

To throw cold water upon: To discourage effort

To turn over a new leaf: To give up one's bad ways, and lead a better life

To turn the tables on someone: To defeat someone who has previously defeated you

To upset the apple cart: To disturb the routine of something

MULTIPLE CHOICE QUESTIONS

Directions: *Some idioms/phrases are given below with their probable meanings. Select the options with their correct meanings.*

1. **Pay off old scores**
   A. To repay the debt B. To have revenge
   C. To invite D. Secretly pay
2. **Turn turtle**
   A. To cheat B. To be lopsided
   C. To frustrate D. To dance to the tune
3. **Wash one's hands of**
   A. To refuse B. To assist
   C. To abuse D. To refuse to be
4. **Under duress**
   A. Under compulsion
   B. Willing
   C. To elicit information
   D. To demand
5. **To turn the tables**
   A. To ruin someone
   B. To turn the situation to one's own side
   C. To reverse the situation
   D. To move from one point to another
6. **On the cards**
   A. Possibly B. Probably
   C. Openly D. Likely
7. **To leave someone in the lurch**
   A. To come to compromise with someone
   B. Constant source of annoyance to someone
   C. To put someone at ease
   D. To desert someone in his difficulties
8. **To play second fiddle**
   A. To be happy, cheerful and healthy
   B. To reduce importance of one's senior
   C. To support the role and view of another person
   D. To do back seat driving
9. Day and night, he **'yearns for'** his beloved, means
   A. He weeps for his beloved
   B. He remembers his beloved
   C. He admires his beloved
   D. He keenly desires to meet his beloved
10. **'Call off'** means
    A. To finish B. To withdraw
    C. To postpone D. To cry
11. **'Carry out'** means
    A. To take from one place to another
    B. To continue
    C. To obey
    D. To make efforts
12. **In the same boat**
    A. A worn out choice
    B. Indifferent
    C. In identical circumstances
    D. Carry off
13. **In one's good book**
    A. A costly book B. A priceless treasure
    C. In one's favour D. An enchanting beauty
14. **Keep a straight face**
    A. To do make up
    B. To change clothes
    C. Assume responsibility
    D. To remain serious
15. **To be above board**
    A. To have a good height
    B. To be honest in any business deal
    C. To have no debts
    D. To try to be beautiful
16. **On the face of it**
    A. To agree B. From an action
    C. More than enough D. Apparently
17. **Let the bygones be bygones**
    A. In one's favour B. To pretend
    C. To forget the past D. Other choice
18. **To split hairs**
    A. Major distinctions
    B. Hair with two ends
    C. To make minute distinction
    D. Without distinction
19. **'Bread and butter'** means
    A. Both bread and butter
    B. Something essential
    C. Livelihood
    D. Relevant things
20. **'To bell the cat'** means
    A. To catch a cat and tie a bell round its neck
    B. To make an effort
    C. To be quick
    D. To face a risk
21. **'Hard and fast'** means
    A. Strict B. Solid
    C. Fast moving D. Some hard surface
22. **'Part and parcel'** means
    A. The part of a parcel
    B. An essential part
    C. A missing parcel
    D. Some part of a machine sent by parcel
23. **'Null and void'** means
    A. Something invalid
    B. Something that can be avoided

C. Something that can be nullified
D. Something evil

24. To make clean breast of
A. To gain prominence
B. To praise oneself
C. To confess without reserve
D. To destroy before it blooms

25. 'Trump card' means
A. A powerful means of achieving an object
B. Resourcefulness
C. The best gamble to attain success
D. None of these

26. 'Tall talk' means
A. A discussion continued for a long time
B. A high sounding talk
C. A meaningful talk
D. A useless talk

27. 'Small talk' means
A. Gossip
B. A discussion carried on for a long time
C. A brief discussion
D. None of these

28. Throw out of gear
A. To replace B. Hinder, disturb
C. To decide D. Take up tune

29. To and fro
A. Back and forth B. Puzzled
C. Amazed D. Reprove

30. To bell the cat
A. To do an easy job
B. To be indifferent to
C. To undertake a difficult job
D. To clarify

31. To be under cloud
A. Puzzle B. Enjoy the favour
C. Talk thoughtlessly D. To be under suspicion

32. A labour of love
A. A tragic end
B. A funny thing
C. Not fruitful
D. Work done without payment

33. Follow suit
A. Follow an example B. Wear a new dress
C. Irrelevant D. A gay person

34. 'Foul play' means
A. Bad intentions
B. A play not well acted
C. A play not liked by the audience
D. none of these

35. To pick holes
A. To find some reason to quarrel
B. To destroy something
C. To criticise someone
D. To cut some part of an item

36. To smell a rat
A. To see signs of plague epidemic
B. To get bad smell of a dead rat
C. To suspect foul dealings
D. To be in a bad mood

37. To put a spoke in one's wheel
A. To encourage B. Act without restraint
C. Risk something D. To obstruct one's progress

38. To pull one's leg
A. To give up B. Take care of
C. To befool D. To know

39. To play with fire
A. Grasp the truth
B. To handle something dangerous
C. To ridicule
D. To flee away

40. To reckon with
A. Take up time B. Make an inventory
C. To deal with D. Submit to punishment

41. To run short
A. Talk until one is tired at
B. Apply to oneself
C. To get rid of
D. To have or be too little

42. 'A man of letters' means
A. A postman B. A learned man
C. A hypocrite D. An ignorant man

43. 'A maiden speech' is
A. A speech made in the parliament
B. A speech made before unmarried girls
C. A speech made by a political leader
D. A speech made for the first time

44. 'Order of the day' means
A. An order passed on a particular day
B. A current law
C. Something common or general
D. None of these

45. To end in smoke
A. To make completely understand
B. To ruin oneself
C. To excite great applause
D. None of these

46. To give vent to
A. To allow to flow forth
B. To prove a failure
C. To amass wealth
D. To evade

47. To eat a humble pie
A. To apologise or confess
B. To order

C. To flatter
D. To get rid of

48. A black sheep
A. An unlucky person B. A negro
C. An ugly person D. None of these

49. To catch a tartar
A. To trap wanted criminal with great difficulty
B. To catch a dangerous person
C. To meet with disaster
D. To deal with a person who is more than one's reach

50. Sit on fence
A. To remain neutral
B. To show contempt
C. To enjoy the surroundings
D. To become fond of

51. To beg the question
A. To refer to B. To take for granted
C. To raise objections D. To be discussed

52. To drive home
A. To find one's roots
B. To return to place of rest
C. Back to original position
D. To emphasise

53. Take a cue
A. A thoughtful action B. Cautious act
C. To gather a hint D. To sharpen weapon

54. Turn a blind eye
A. To refuse to see B. Become blind
C. To act D. To hesitate

55. Take it upon oneself
A. To abuse B. To set on fire
C. To talk foolishly D. Assume responsibility

56. To take the cake
A. To eat
B. To defeat
C. To carry off the prize
D. To steal

57. 'Crocodile tears' means
A. False tears
B. Wrong impression
C. Tears shed by a crocodile
D. None of these

58. 'At sea' means
A. On a ship
B. On a sea journey
C. Weak and perplexed
D. Something vague

59. 'At loggerheads' means
A. To be enemies
B. To be friends
C. Criticising each other
D. None of these

60. 'To burn the midnight oil' means
A. To work lazily
B. To work very hard till late at night
C. To work by fits and starts
D. None of these

61. To eat one's heart out
A. To cry B. To laugh
C. To suffer silently D. Pretend to suffer

62. Null and void
A. Not concerned with
B. To avenge
C. To avoid taking sides
D. Not valid

63. To cry wolf
A. To listen eagerly
B. To give false alarm
C. To turn pale
D. To keep off starvation

64. A man of straw
A. A man of no substance
B. A very active person
C. A worthy fellow
D. An unreasonable person

65. 'A white lie' means
A. A lie told with a good intention
B. A lie told by a white man
C. A harmful lie
D. None of the above

66. 'To while away' means
A. To go away
B. To spend the time uselessly
C. To use the time
D. To calculate the time

67. 'A square meal' means
A. A good diet B. A full meal
C. A timely meal D. A proper diet

68. A wet blanket
A. Inflammable item B. Orthodox
C. One who kills joy D. To speak bluntly

69. Yeoman's service
A. A hostile service B. Help in need
C. To fulfil D. To guess right

70. Wild goose chase
A. A futile and foolish search
B. An emergency
C. Conscious of something
D. Interest in something

71. Wear and tear
A. Contempt
B. Damage caused by constant use
C. Festive occasion
D. Be leisurely

72. To get the wind of
A. To face danger B. To run away
C. To fight stubbornly D. To know something

73. Gift of the gab
A. Dull person B. An artist
C. A witty person D. A liar

74. Hobson's choice
A. A choice for the rich
B. Very good choice
C. A choice that is really no choice
D. An excuse

75. Carry the day
A. Win B. Lose
C. Evening D. Carry in time

76. To do oneself justice
A. To dispense justice on our own
B. To treat others with due respect
C. To defend one's point of view
D. None of these

77. 'Lend your ear to what I say' means
A. You should cut your ear and give it to me
B. You should listen to me
C. You should not pay any attention to what I say
D. You should know my intentions

78. 'A lion's share' means
A. The part of a lion B. The share of a lion
C. Major part D. Prey

79. 'A scape goat' means
A. A goat that has escaped from the herd
B. A person who is made to suffer for the misdeeds of another
C. A prisoner who has run away from custody
D. A person whose company is not desirable

80. To give a piece of one's mind
A. Scold B. Praise
C. Abandon D. Discharge

81. Capital punishment
A. Object to B. Death penalty
C. Release D. Balance

82. A burning question
A. A present
B. An old important issue
C. A matter hotly discussed in public
D. Life imprisonment

83. A feather in one's cap
A. Something to be ashamed of
B. Something to be proud of
C. Creditable success
D. Keep silent

84. Chicken-hearted
A. Cowardly B. Fearlessly
C. Festive occasion D. Sincerely

85. Come off with flying colours
A. Compensate
B. Take care of
C. Achieve creditable success
D. Keep silent

86. Cut a sorry figure
A. To beat severely B. Make a poor show
C. To venture D. To discourage

87. Eat one's words
A. Withdraw one's words
B. To continue on
C. To persist
D. Remain valid

88. Eat a humble pie
A. Feel hungry B. Eat greedily
C. To face humiliation D. To face jubilation

89. Get into hot water
A. Take bath B. Get into trouble
C. Without aim D. A difficult problem

90. 'To miss the bus' means
A. Being not able to catch the bus
B. To miss the chance
C. To lose a thing
D. To forget something

91. 'To miss the boat' means
A. Being not able to catch the boat
B. To lose a thing
C. To miss a chance
D. None of these

92. He is a **'man of word'** means
A. He is a boastful fellow
B. He talks very less
C. A reliable person
D. None of these

93. Tooth and nail
A. Secretly B. Swiftly
C. Completely D. With utmost effort

94. 'A bone of contention' means
A. A cause of quarrel B. A broken bone
C. A disputed matter D. None of these

95. 'To carry the day' means
A. To work hard
B. To win
C. To work throughout the day
D. None of these

96. Scot-free
A. Unpunished B. Respected
C. Give up D. Continue on

97. Red-letter day
A. A day of great joy or importance
B. A miserable day
C. Ripe time
D. In perfect order

98. Make hay while the sun shines
A. To dance happily
B. To hurry
C. Take advantage of favourable condition
D. To destroy

99. 'Well-to-do' means
A. A work excellently done
B. To do something in a good way
C. Well done
D. Rich

100. He is a **'bookworm'** means
A. He is in the habit of reading much
B. He is in the habit of reading less
C. He tears the pages of the book
D. He crams

101. 'Wait upon' means
A. To serve
B. To wait for someone
C. To contact a man at his place
D. To call a man

102. To pull along with
A. To insult B. To abuse
C. To cooperate D. To fight

103. Raw deal
A. Unripe fruits B. Hostility
C. Harsh treatment D. Opportunistic

104. See eye to eye
A. Enmity B. Friendship
C. Contempt D. To agree in certain matters

105. Show the white feather
A. To decorate B. To act like a coward
C. To hate D. To admire

106. To die in harness
A. Talk thoroughly B. To die while in work
C. To retire D. Tit for tat

107. Dark horse
A. Unexpected winner
B. To be indifferent
C. Natives of Africa
D. Decide for good reasons

108. To egg on
A. To make omelette B. To instigate
C. To act as traitor D. To revolt

109. Fall through
A. To begin B. To rise up
C. Collapse D. To chatter

110. To grease the palm of
A. To polish B. To repair
C. To bribe D. To reward

111. 'To make bare' means
A. To sleep without clothes
B. To be frank
C. To remove clothes
D. To expose

112. 'To put off' means
A. To remove B. To extinguish
C. To postpone D. None of the above

113. 'Turn-down' means
A. To reject B. To dismiss
C. To disappear D. To waste

114. 'An underdog' is
A. A notorious fellow B. A starving person
C. The poor and needy D. The neglected class

115. Burn one's fingers
A. Become reconciled
B. To hurry
C. To get into trouble
D. Make it difficult for

116. Burn the candles at both ends
A. A wealthy person
B. A lazy person
C. Treat as important
D. Use up too much energy

117. Face the music
A. Love music
B. To avoid
C. Face the consequence of one's action
D. To delay

118. Keep abreast of
A. To be informed of something
B. A crisis
C. To welcome
D. To turn hostile

119. Kick the bucket
A. To drop the bucket
B. To destroy a thing
C. To breathe one's last
D. To reveal a secret

120. Make a clean sweep of
A. To face a problem
B. To amass wealth
C. To rob
D. To admit one's guilt fully

121. 'A hard nut to crack' means
A. A problem difficult to solve
B. A nut which cannot be broken with hands
C. A nut which is not easily available
D. None of these

122. 'To hold good' means
A. To be useful B. To be valid
C. To be good D. To be clear

123. 'Hallmark' means
A. A big mark B. A spot
C. Genuine excellence D. Grand

124. Smell a rat
A. To act unfairly
B. To talk boastfully
C. To have reason to suspect
D. To discourage

125. Pick holes in another's coat
A. To insult
B. To applaud
C. To waste time
D. To find fault with another

126. In vogue
A. In action B. In fashion
C. In play D. In full cooperation

127. In memoriam
A. In memory of B. To forget
C. Without happiness D. With happiness

128. Via media
A. Right course B. Left course
C. Extreme course D. Middle course

129. Vis-a-vis
A. In good faith
B. Face to face
C. Contrary to the fact
D. Similar

130. In toto
A. Unknown B. On the whole
C. Isolated D. Part by part

ANSWERS

1	2	3	4	5	6	7	8	9	10
B	B	D	A	C	D	D	C	D	B
11	**12**	**13**	**14**	**15**	**16**	**17**	**18**	**19**	**20**
C	C	C	D	B	D	C	C	C	D
21	**22**	**23**	**24**	**25**	**26**	**27**	**28**	**29**	**30**
A	B	A	C	C	B	A	B	A	C
31	**32**	**33**	**34**	**35**	**36**	**37**	**38**	**39**	**40**
D	D	A	A	C	C	D	C	B	C
41	**42**	**43**	**44**	**45**	**46**	**47**	**48**	**49**	**50**
D	B	D	C	D	A	A	D	B	A
51	**52**	**53**	**54**	**55**	**56**	**57**	**58**	**59**	**60**
B	D	C	A	D	C	A	C	A	B
61	**62**	**63**	**64**	**65**	**66**	**67**	**68**	**69**	**70**
C	D	B	A	A	B	B	C	B	A
71	**72**	**73**	**74**	**75**	**76**	**77**	**78**	**79**	**80**
B	D	C	C	A	D	B	C	B	A
81	**82**	**83**	**84**	**85**	**86**	**87**	**88**	**89**	**90**
B	C	B	A	C	B	A	C	B	B
91	**92**	**93**	**94**	**95**	**96**	**97**	**98**	**99**	**100**
C	C	D	A	B	A	A	C	D	A
101	**102**	**103**	**104**	**105**	**106**	**107**	**108**	**109**	**110**
A	C	C	D	B	B	A	B	C	C
111	**112**	**113**	**114**	**115**	**116**	**117**	**118**	**119**	**120**
D	C	A	C	C	D	C	A	C	D
121	**122**	**123**	**124**	**125**	**126**	**127**	**128**	**129**	**130**
A	B	C	C	D	B	A	D	B	B

11

Ordering of Words

The words form a sentence and convey their meaning only when they are arranged in a proper order. One must study and practise it regularly.

MULTIPLE CHOICE QUESTIONS

Directions: *In the following questions, some parts of the sentence have been jumbled up. You are required to rearrange these parts which are labelled P, Q, R and S to produce the correct sentence. Choose the option with proper sequence.*

1. We are doing
P : to the people
Q : to give relief
R : all we can
S : but more funds are needed
The correct sequence should be
A. P Q R S B. R Q P S
C. Q P R S D. S P Q R

2. The man
P : when he was
Q : in the office last evening
R : could not finish
S : all his work
The correct sequence should be
A. P Q R S B. Q R S P
C. R Q P S D. R S P Q

3. The people decided
P : they were going
Q : how much
R : to spend
S : on the construction of the school building
The correct sequence should be
A. Q P R S B. P Q R S
C. P R Q S D. S Q P R

4. The man said that
P : those workers
Q : would be given a raise
R : who did not go on
S : strike last month
The correct sequence should be
A. P Q R S B. P R S Q
C. Q P R S D. R S P Q

5. I think
P : the members
Q : are basically in agreement
R : of the group
S : on the following points.
The correct sequence should be
A. R Q P S B. S Q R P
C. P R Q S D. P Q S R

6. While it was true that
P : I had
Q : to invest in industry
R : some lands and houses
S : I did not have ready cash
The correct sequence should be
A. P Q R S B. P R S Q
C. S Q P R D. Q P R S

7. P : But your help
Q : to finish this work
R : it would not have been possible
S : in time
The correct sequence should be
A. P R Q S B. S P Q R
C. R P Q S D. P Q R S

8. The boy
P : in the competition
Q : who was wearing spectacles
R : won many prizes
S : held in our college
The correct sequence should be
A. P Q R S B. R P S Q
C. Q R P S D. Q P S R

9. About 200 years ago,
P : in the south of India
Q : an old king
R : ruled over a kingdom
S : called Rajavarman.
The correct sequence should be
A. Q S R P B. P Q R S
C. Q P S R D. Q S P R

10. P : his land
Q : a wooden plough
R : the Indian peasant still uses
S : to cultivate.
The correct sequence should be
A. R Q P S B. Q P S R
C. S R Q P D. R Q S P

11. He was a man,
P : even if he had to starve
Q : who would not beg
R : borrow or steal
S : from anyone.
The correct sequence should be
A. P Q R S B. P R Q S
C. Q R S P D. Q P R S

12. P : in the progress of
Q : universities play a crucial role
R : our civilization
S : in the present age.
The correct sequence should be
A. S Q P R B. Q R S P
C. Q R P S D. S Q R P

13. P : far out into the sea
Q : for the next two weeks there were further explosions
R : which hurled
S : ashes and debris.
The correct sequence should be
A. Q R P S B. R S P Q
C. Q R S P D. S R P Q

14. William Shakespeare,
P : in his lifetime
Q : the great English dramatist
R : wrote thirty-five plays
S : and several poems.
The correct sequence should be
A. P Q R S B. R S P Q
C. Q S R P D. Q R S P

15. Whenever I am,
P : with an old friend of mine
Q : in New Delhi
R : to have dinner
S : I always try.
The correct sequence should be
A. S Q P R B. Q S R P
C. R P S Q D. P R Q S

16. P : I don't know
Q : must have thought
R : what people sitting next to me
S : but I came away.
The correct sequence should be
A. R S Q P B. R Q S P
C. P Q R S D. P R Q S

17. P : in estimating the size of the earth
Q : but they were hampered by the lack of instruments of precision
R : ancient astronomers
S : used methods which were theoretically valid
The correct sequence should be
A. R P Q S B. P R Q S
C. R S Q P D. R P S Q

18. P : It is a pity that
Q : by offering a handsome dowry
R : a number of parents think that
S : they will be able to ensure the happiness of their daughters
The correct sequence should be
A. S Q R P B. P R S Q
C. P S R Q D. P R Q S

19. The common man
P : in nurturing
Q : a more active role
R : communal harmony
S : should play
The correct sequence should be
A. P R S Q B. S Q P R
C. S Q R P D. P R Q S

20. The doctor
P : able to find out
Q : what has caused
R : the food poisoning
S : has not been
The correct sequence should be
A. S P R Q B. P R Q S
C. P R S Q D. S P Q R

21. P : was suspended
Q : the officer being corrupt
R : before his dismissal
S : from service
The correct sequence should be
A. Q P S R B. Q P R S
C. R S Q P D. R S PQ

22. With an unsteady hand
P : on my desk
Q : from his pocket
R : he took an envelope
S : and threw it

The correct sequence should be
A. Q R P S B. Q R S P
C. R Q P S D. R Q S P

23. P : she gave her old coat
Q : to a beggar
R : the one with the brown fur on it
S : shivering with cold

The correct sequence should be
A. S Q R P B. S P R Q
C. P R Q S D. P S Q R

24. It is a privilege
P : to pay tax
Q : of every citizen
R : as well as the duty
S : as well as the duty who is well-placed

The correct sequence should be
A. R P S Q B. S P R Q
C. R Q S P D. S Q R P

25. It is not good
P : of the wicked persons
Q : to overthrow
R : to accept the help
S : the righteous persons

The correct sequence should be
A. R S Q P B. Q S R P
C. R P Q S D. Q P R S

26. Life is judged
P : and not by
Q : of work done
R : the longevity of years
S : by the quality

The correct sequence should be
A. Q S P R B. S Q R P
C. Q S R P D. S Q P R

27. P : When he learns that
Q : you have passed the examination
R : in the first division
S : your father will be delighted

The correct sequence should be
A. Q P S R B. S P Q R
C. Q R S P D. S R Q P

28. P : The journalist
Q : saw
R : countless number of the dead
S : driving across the field of battle

The correct sequence should be
A. P Q S R B. P Q R S
C. P S Q R D. S R Q P

29. P : Jane planned
Q : some stamps
R : to buy
S : this afternoon

The correct sequence should be
A. P R Q S B. P S Q R
C. Q R P S D. Q S P R

30. Her mother
P : when she was
Q : hardly four years old
R : began to teach Neha
S : English

The correct sequence should be
A. R S Q P B. S R P Q
C. R S P Q D. S R Q P

31. P : Bill had
Q : a friend
R : an appointment
S : to meet

The correct sequence should be
A. P S R Q B. P R S Q
C. Q S R P D. Q R S P

32. For fear
P : that may or may not affect them perhaps at first
Q : of upsetting young people
R : only healthy people over 80 should be sequenced
S : about their genetic propensities

The correct sequence should be
A. S Q P R B. Q S R P
C. S Q R P D. Q S P R

33. While traditional
P : under made-up Americans aliases pretending familiarity with a culture and climate
Q : India sleeps a dynamic young cohort of highly skilled articulate professionals
R : they've never actually experienced earning salaries that were undreamt of by their elders
S : work through the night in the call centres functioning on US time

The correct sequence should be
A. P R Q S B. Q S P R
C. P S Q R D. Q R P S

34. IITs are
P : of great self-confidence and competitive advantage for India today
Q : in science and technology which has become a source
R : as they epitomize his creation of an infrastructure for excellence
S : perhaps Jawaharlal Nehru's most consequential legacy

The correct sequence should be
A. Q P S R B. S R Q P
C. Q R S P D. S P Q R

35. As India

P : from nearly 250 years of the British rule in India
Q : first major struggle for independence from the British rule
R : celebrates the Diamond Jubilee of its independence
S : it also observes simultaneously the 150th Anniversary of the Great Indian Mutiny

The correct sequence should be

A. R S P Q B. Q P S R
C. R P S Q D. Q S P R

36. There have been

P : a day after high intensity violence left at least 50 persons
Q : sporadic clashes between
R : dead in the northern city of Tripoli
S : the Lebanese army and militants

The correct sequence should be

A. Q S R P B. S Q R P
C. Q S P R D. S Q P R

37. Although

P : of non-owner managers came to be widely appreciated
Q : political freedom from the British masters
R : came to us in 1947 it was not until
S : well into the following decade that the role

The correct sequence should be

A. S P Q R B. Q R S P
C. S R Q P D. Q P S R

38. Conditions

P : for marketing in the U.S. and Canada
Q : Mexico as a manufacturing base
R : that Indian companies aspiring to tap
S : would have to fulfil include the complex rules of origin

The correct sequence should be

A. R Q P S B. S P Q R
C. R P Q S D. S Q P R

39. Aside

P : of the same three-storey building in the military academy
Q : from eating in the same dining hall
R : half to the north of the entrance half to the south
S : the 206 troops live side by side on the ground floor

The correct sequence should be

A. R P S Q B. Q S P R
C. R S P Q D. Q P S R

40. Russia's test firing

P : to US steps that have sparked an arms race
Q : of an intercontinental ballistic missile on
R : and undermined world security
S : Tuesday was in response

The correct sequence should be

A. S Q P R B. Q S R P
B. S Q R P D. Q S P R

41. Marks, cities, civilization —

P : on the verge of globalization; poised to
Q : the slow ascent to where he is today, poised
R : it is in this order that primitive man made
S : achieve universal prosperity and abundance

The correct sequence should be

A. R Q P S B. P S R Q
B. R S P Q D. P Q R S

42. I bow my head

P : for their sense of the beautiful in
Q : nature and for their foresight in investing beautiful
R : manifestations of nature with a religious significance
S : in reverence to our ancestors

The correct sequence should be

A. Q R S P B. S P Q R
B. Q P S R D. S R Q P

43. With all the crime and sleaze

P : I am not sure how many parents will be able to
Q : how many will have the courage to satisfy the child's uncomfortable queries
R : that dominates the front page of the newspapers today
S : read out the headlines to their children and if they do so

The correct sequence should be

A. R P S Q B. S Q R P
C. R Q S P D. P R S Q

44. The way

P : processes that govern their actions
Q : nutrients become integral parts
R : depends on the physiological and biochemical
S : of the body and contribute to its functions

The correct sequence should be

A. Q R S P B. P S R Q
C. Q S R P D. S P R Q

45. Thus,

P : international surveys would hence forth record
Q : if dirt-poor people in the developing world
R : their wealth of happiness alongside their material poverty
S : display a general sense of well-being

The correct sequence should be

A. S Q R P B. Q S P R
C. S Q P R D. Q S R P

46. It's

P : someone who's grieving but
Q : natural to feel uncomfortable
R : that prevent you from being there
S : or awkward when you have to help

The correct sequence should be

A. Q P S R B. R S P Q
C. Q S P R D. R P S Q

47. Developing countries
P : along the equator, which
Q : could become leaders in energy production
R : are expected to face the brunt of global warming
S : with a solar energy breakthrough

The correct sequence should be

A. Q S P R B. P R Q S
C. Q R P S D. P S Q R

48. A diversified
P : use as a heating or power generation fuel by converting gas into
Q : adding a new dimension to the traditional use of gas
R : of natural gas is emerging
S : amongst other products, high quality diesel transportation fuel virtually free of sulphur

The correct sequence should be

A. R P Q S B. S Q P R
C. R Q P S D. S P Q R

49. As things stand
P : but a majority still does not have access to English
Q : linguistic edge they are equipped with
R : after globally because of the
S : Indian professionals are much sought

The correct sequence should be

A. R S P Q B. S R Q P
C. R S Q P D. S R P Q

50. While advocates
P : of its provisions with the
Q : there is some misguided concern about a possible clash of some
R : of social reform have generally hailed the new legislation
S : religious and customary practices in vogue in the country

The correct sequence should be

A. R Q P S B. Q R S P
C. R Q S P D. Q R P S

51. He has
P : while has in a reverie
Q : found the book
R : at the bus-stop
S : he lost

The proper sequence should be:

A. Q R S P B. P R Q S
C. Q S R P D. P Q S R

52. Then the women
P : lamenting their evil desire
Q : that had brought
R : wept loudly
S : this sorrow upon them

The proper sequence should be:

A. R P Q S B. R Q P S
C. P Q S R D. P R Q S

53. It is easy to excuse
P : but it is hard
Q : in a boy of fourteen
R : the mischief of early childhood
S : to tolerate even unavoidable faults

The proper sequence should be:

A. R P Q S B. Q R S P
C. Q R P S D. R P S Q

54. I don't remember
P : I saw a man dying in front of a hospital
Q : but when I left Lucknow in 1984
R : hit apparently by a fast moving car
S : the exact date

The proper sequence should be:

A. S Q R P B. S Q P R
C. Q R P S D. S P R Q

55. Since the beginning of history
P : have managed to catch
Q : the Eskimos and Red Indians
R : by a very difficult method
S : a few specimens of this acquatic mammal

The proper sequenee should be:

A. Q P R S B. S Q P R
C. S Q R P D. Q P S R

56. I saw that
P : but seeing my host in this mood
Q : I deemed it proper to take leave
R : as I had frequently done before
S : it had been my intention to pass the night there

The proper sequence should be:

A. Q P S R B. Q R P S
C. S P Q R D. S R P Q

57. It was to be
P : before their school examination
Q : which was due to start
R : the last expedition
S : in a month's time

The proper sequence should be:

A. S R Q P B. R Q S P
C. R P Q S D. S P R Q

58. They felt safer
P : to watch the mountain
Q : of more than five miles
R : as they settled down
S : from a distance

The proper sequence should be:

A. R P S Q B. R S Q P
C. P Q S R D. P R S Q

59. If you need help
P : promptly and politely
Q : ask for attendants
R : to help our customers
S : who have instructions
The proper sequence should be:
A. S Q P R B. Q P S R
C. Q S R P D. S Q R P

60. He was so kind and generous that
P : he not only
Q : made others do so
R : but also
S : helped them himself
The proper sequence should be:
A. P S R Q B. S P Q R
C. P R S Q D. Q P R S

61. People
P : at his dispensary
Q : went to him
R : of all professions
S : for medicine and treatment
The proper sequence should be:
A. Q P R S B. R P Q S
C. R Q S P D. Q R P S

62. When it began to rain suddenly on the first of January
P : to celebrate the new year
Q : we ran for shelter
R : to the neighbouring house
S : where many people had gathered
The proper sequence should be:
A. Q R P S B. P S Q R
C. P R S Q D. Q R S P

63. The master
P : who was very loyal to him
Q : punished the servant
R : without giving any valid reason
S : when he left the work unfinished
The proper sequence should be:
A. R Q P S B. R Q S P
C. Q P S R D. Q R P S

64. The appearance
P : this dinosaurs were at their peak
Q : of the first mammals on the earth
R : at the time when
S : went almost unnoticed
The proper sequence should be:
A. S R P Q B. Q S R P
C. Q R P S D. R P Q S

65. It is easier
P : to venture into space
Q : for men
R : beneath their feet
S : than to explore
The proper sequence should be:
A. Q R P S B. Q P S R
C. P S R Q D. P Q S R

66. It is very easy
P : a great deal more than one realises
Q : may mean
R : that a phrase that one does not quite understand
S : to persuade oneself
The proper sequence should be:
A. R S Q P B. S P Q R
C. S R Q P D. R Q P S

67. The national unity of a free people
P : to make it impracticable
Q : for there to be an arbitrary administration
R : depends upon a sufficiently even balance of political power
S : against a revolutionary opposition that is irreconciably opposed to it.
The proper sequence should be:
A. Q R P S B. Q R S P
C. R P Q S D. R S P Q

68. He told us that
P : and enjoyed it immensely
Q : in a prose translation
R : he had read Milton
S : which he had borrowed from his teacher
The proper sequence should be:
A. R S Q P B. Q R P S
C. R Q S P D. R Q P S

69. This time
P : exactly what he had been told
Q : the young man did
R : beyond his dreams
S : and the plan succeeded
The proper sequence should be:
A. Q P R S B. Q P S R
C. P Q S R D. Q S R P

70. As a disease
P : and breaks up marriages
Q : accidents and suicides
R : alcoholism leads to
S : affecting all ages
The proper sequence should be:
A. S R P Q B. R P S Q
C. S R Q P D. R Q P S

71. This majestic mahogany table
P : belongs to an old prince
Q : which has one leg missing
R : who is no impoverished
S : but not without some pride

The proper sequence should be:
A. P Q S R B. Q R S P
C. P R S Q D. Q P R S

72. We have to
P : as we see it
Q : speak the truth
R : there is falsehood and darkness
S : even if all around us

The proper sequence should be:
A. R Q S P B. Q R P S
C. R S Q P D. Q P S R

73. He sat
P : through the Town Hall Park
Q : which flanked a path running
R : under the boughs
S : of a spreading tamarind tree

The proper sequence should be:
A. P Q S R B. R S Q P
C. R S P Q D. P R S Q

74. We went
P : along the railway line
Q : and had a right to
R : where other people were not allowed to go
S : but daddy belonged to the railway

The proper sequence should be:
A. R P Q S B. P R S Q
C. R S Q P D. P R Q S

75. In the darkness
P : the long, narrow beard
Q : was clearly visible with
R : the tall stooping figure of the doctor
S : and the aquiline nose

The proper sequence should be:
A. R Q P S B. P S Q R
C. R S Q P D. Q P R S

76. It is foolish
P : of those who posses them
Q : to believe that
R : will result in victory
S : the use of nuclear weapons.

The correct sequence should be:
A. R S P Q B. Q S R P
C. P R Q S D. S Q P R

77. A distressing fact is that
P : social accountability
Q : are dominated only by greed
R : many people today
S : and there is hardly any

The correct sequence should be:
A. S R P Q B. Q S R P
C. P R Q S D. R Q S P

78. I once had
P : every morning
Q : a client who swore
R : for the past four years
S : she had a headache

The correct sequence should be:
A. P R S Q B. Q S P R
C. R P Q S D. S Q R P

79. People know
P : not only of the smokers themselves,
Q : that smoking tobacco
R : but also of their companions
S : is injurious to the health

The correct sequence should be:
A. P S Q R B. R P S Q
C. Q P R S D. Q S P R

80. He had
P : finished his lunch
Q : hardly
R : at the door
S : when someone knocked

The correct sequence should be:
A. Q P R S B. P Q R S
C. Q P S R D. R P Q S

81. Mr. Sexena was a profound scholar who
P : was held in high esteem by all those
Q : who read his books and visited him regularly
R : till his untimely death
S : though not popular with the general public

The correct sequence should be:
A. P Q R S B. R P Q S
C. S R Q P D. S P Q R

82. The Government wants that
P : by the veterinary surgeons
Q : by the butchers
R : all the goats slaughtered
S : must be medically examined

The correct sequence should be:
A. R P S Q B. Q S R P
C. R Q S P D. P R S Q

83. The general line about television
P : is that it is very exciting,
Q : but also potentially very dangerous
R : immensely powerful
S : that I took myself

The correct sequence should be:
A. P Q R S B. S P R Q
C. P R Q S D. R P Q S

84. The second test of good government is that
P : to every man and woman
Q : and act only with their consent

R : it should give a lot of freedom
S : and should treat their personalities with respect and sympathy

The correct sequence should be:
A. Q S P R B. S R Q P
C. R P S Q D. P Q R S

85. The teacher warned that
P : he would not let
Q : go home
R : those students
S : who do not finish the class work

The correct sequence should be:
A. P Q R S B. P R Q S
C. P R S Q D. R S P Q

86. Towards the end of the eighteenth century, quite a number of economists
P : in the near future
Q : at the possibility of
R : were seriously perturbed
S : the world facing starvation

The correct sequence should be:
A. P R Q S B. R Q S P
C. Q S P R D. R P Q S

87. The best way of understanding our own civilization
P : is to examine
Q : an ordinary man
R : in the life of
S : an ordinary day

The correct sequence should be:
A. P Q R S B. R Q P S
C. P S R Q D. R S P Q

88. What greater thing is there
P : for two human souls to feel
Q : to rest on each other in all sorrow,
R : that they are joined for life,
S : to strengthen each other in all labour

The correct sequence should be:
A. S Q R P B. R P Q S
C. Q R S P D. P R S Q

89. Fame
P : by showing off
Q : to the best advantage
R : one's ability and virtue
S : is earned

The correct sequence should be:
A. P Q R S B. S P R Q
C. P R S Q D. P Q S R

90. When he was a child
P : passed his happiest hours
Q : the boy who was to become Britain's Baron Haden
R : staring out of his apartment window
S : living in New York

The correct sequence should be:
A. Q S P R B. P R Q S
C. S Q P R D. R S Q P

91. P : The teacher had to be specially careful
Q : because he enjoyed the confidence
R : about how he faced up to this problem
S : of all the boys

The correct sequence should be:
A. P R Q S B. Q P S R
C. S P R Q D. P S R Q

92. Movies made in
P : all around the globle
Q : Hollywood in America
R : by people
S : are seen at the same time

The correct sequence should be:
A. Q S R P B. Q R P S
C. P S R Q D. Q P S R

93. P : The foundations of the prosperity of a state
Q : primary health and education but also
R : involves the creation of job oppotunities
S : does not merely rest on

The correct sequence should be:
A. P S Q R B. P Q R S
C. P R Q S D. P S R Q

94. I am pure
P : and will be happy
Q : sooner or later
R : a day will come
S : when all will be equal

The correct sequence should be:
A. Q P R S B. Q S R P
C. R Q S P D. R S Q P

95. P : To do his/her work properly
Q : it should be the pride and honour
R : without anybody forcing him/her
S : of every citizen in India

The correct sequence should be:
A. Q S R P B. P R Q S
C. Q S P R D. P Q R S

96. The person who can state
P : correct than the person who cannot
Q : is more likely to be
R : his antagonist's point of view
S : to the satisfaction of the antagonist

The correct sequence should be:
A. R S Q P B. R Q P S
C. P Q R S D. S Q R P

97. The time has come
P : for future generations to come
Q : that the ideal of peace is a distant ideal
R : or one which can be postponed
S : when man must no longer think

The correct sequence should be:

A. P Q R S B. S Q R P
C. Q R S P D. R S P Q

98. I had been staying with

P : at his cottage among the Yorkshire fells
Q : a friend of mine
R : a delightfully lazy fellow
S : some ten miles away from the railway station

The correct sequence should be:

A. P Q R S B. Q R P S
C. Q R S P D. R Q P S

99. All the evil in this world is brought about by person

P : when they ought to be up
Q : but do not know
R : nor what they ought to be doing
S : who are always up and doing

The correct sequence should be:

A. P Q S R B. Q P R S
C. S Q P R D. P Q R S

100. If all the countries

P : of mankind and agree to obey
Q : work together for the common good
R : with each other and there will be no more war
S : the laws, then they will never fight

The correct sequence should be:

A. P Q R S B. Q S P R
C. Q P S R D. R Q P S

ANSWERS

1	2	3	4	5	6	7	8	9	10
B	D	A	B	C	C	A	C	A	D
11	12	13	14	15	16	17	18	19	20
C	A	C	D	B	D	C	B	B	D
21	22	23	24	25	26	27	28	29	30
B	D	C	C	B	D	B	C	A	B
31	32	33	34	35	36	37	38	39	40
B	D	B	B	C	C	C	A	B	D
41	42	43	44	45	46	47	48	49	50
A	B	A	C	B	C	B	A	B	A
51	52	53	54	55	56	57	58	59	60
C	A	D	B	D	D	C	A	C	A
61	62	63	64	65	66	67	68	69	70
C	D	C	C	B	B	D	C	B	C
71	72	73	74	75	76	77	78	79	80
D	D	B	B	A	B	D	B	D	C
81	82	83	84	85	86	87	88	89	90
D	C	B	C	B	B	C	D	B	C
91	92	93	94	95	96	97	98	99	100
A	A	A	C	C	A	B	B	C	C

12

Ordering of Sentences

A paragraph is formed from sentences, it will convey its true meaning and purpose only when the sentences are arranged in a proper manner. Try and practise it in this exercise.

MULTIPLE CHOICE QUESTIONS

Directions: *In questions below, each passage consists of six sentences. The first and the sixth sentences are given in the beginning. The middle four sentences in each have been removed and jumbled up. These are labelled P, Q, R and S. Find out the proper order for the four sentences.*

1. S_1: Since the sixties there has been an increasing interest in human neurophysiology, which deals with the neural bases of mental activity and behaviour.

S_6: So far the journal has published a mixture of articles including reports and investigations.

P: It has format which is very similar to that of *Brain and Language,* a sister journal.

Q: Since then, a number of journals devoted entirely to this area of research have appeared.

R: Before the 1960's when this field was the concern of a small number of investigators, research articles were scattered in various neurological journals.

S: *Brain and Cognition* is one such journal.

The proper sequence should be:

A. R Q S P B. Q R S P
C. Q S P R D. R S P Q

2. S_1: She said on the phone that she would report for duty next day.

S_6: Eventually we reported to the police.

P: We waited for a few days, then we decided to go to her place.

Q: But she did not.

R: We found it locked.

S: Even after that we waited for her for quite a few days.

The proper sequence should be:

A. P R S Q B. Q P S R
C. Q P R S D. S Q P R

3. S_1: A force of attraction exists between everybody in the universe.

S_6: The greater the mass, the greater is the earth's force of attraction on it—we call this force of attraction gravity.

P: Normally it is very small but when one of the bodies is a planet, like the earth, the force is considerable.

Q: It has been investigated by many scientists including Galileo and Newton.

R: Everything on or near the surface of the earth is attracted by the mass of the earth.

S: This gravitational force depends on the mass of the bodies involved.

The proper sequence should be:

A. P R Q S B. P R S Q
C. Q S R P D. Q S P R

4. S_1: Metals are today being replaced by polymers in many applications.

S_6: Many Indian Institutes of Science and Technology run special programmes on polymer science.

P: Above all, they are cheaper and easier to process, making them a viable alternative to metals.

Q: Polymers are essentially long chains of hydrocarbon molecules.

R: Today polymers as strong as metals have been developed.

S: These have replaced the traditional chromium-plated metallic bumpers in cars.

The proper sequence should be:

A. Q R S P B. R S Q P
C. R Q S P D. Q R P S

5. S_1: Biological evolution has not fitted man to any specific environment.

S_6: That brilliant sequence of cultural peaks can most appropriately be termed the ascent of Man.

P: It is by no means a biological evolution, but it is a cultural one.

Q: His imagination, his reason, his emotional subtlety and toughness, make it possible for him not to accept the environment but to change it.

R: And that series of inventions by which man from age to age has reshaped his environment is a different kind of evolution.

S: Among the multitude of animals which scamper, fly, burrow and swim around us, he is the only one who is not locked into his environment.

The proper sequence should be:

A. Q P R S B. S R Q P
C. Q R S P D. S Q R P

6. S_1: Growing up means not only getting larger, but also using our senses and our brains to become more aware of the things around us.

S_6: In other words, we must develop and use our ability to reason, because the destruction or the preservation of the places in which we live depends on us.

P: Not only does he have a memory but he is able to think and reason.

Q: In this, man differs from all other animals.

R: Before we spray our roadside plants or turn sewage into our rivers, we should pause to think what the results of our actions are likely to be.

S: That is to say, he is able to plan what he is going to do in the light of his experience before he does it.

The proper sequence should be:

A. Q R S P B. S P Q R
C. S P R Q D. Q P S R

7. S_1: It is regrettable that there is widespread corruption in the country at all levels.

S_6: This is indeed a tragedy of great magnitude.

P: So there is hardly anything that the government can do about it now.

Q: And there are graft and other malpractices too.

R: The impression that corruption is a universal phenomenon persists and the people do not cooperate in checking this evil.

S: Recently several offenders were brought to book, but they were not given deterrent punishment.

The proper sequence should be:

A. Q S R P B. S Q R P
C. R S Q P D. P Q S R

8. S_1: Smoke oozed up between the planks.

S_6: Most people bore the shock bravely.

P: Passengers were told to be ready to quit the ship.

Q: The rising gale fanned the smouldering fire.

R: Everyone now knew there was a fire on board.

S: Flames broke out here and there.

The proper sequence should be:

A. S R Q P B. Q P S R
C. R S P Q D. Q S R P

9. S_1: It was a dark moonless night.

S_6: They all seemed to him to be poor and ordinary—mere childish words.

P: He turned over the pages, reading passages here and there.

Q: He heard them on the floor.

R: The poet took down his books of poems from his shelves.

S: Some of them contained his earliest writings which he had almost forgotten.

The proper sequence should be:

A. R P Q S B. R Q S P
C. R S P Q D. R P S Q

10. S_1: A noise started above their heads.

S_6: Nearly two hundred lives were lost on the fateful day.

P: But people did not take it seriously.

Q: That was to show everyone that there was something wrong.

R: It was a dangerous thing to do.

S: For, within minutes the ship began to sink.

The proper sequence should be:

A. P Q S R B. P R Q S
C. Q P R S D. Q P S R

11. S_1: The cooperative system of doing business is a good way of encouraging ordinary workers to work hard.

S_6: The main object is to maintain the interest of every member of the society and to ensure that the members participate actively in the projects of the society.

P: If the society is to be well run, it is necessary to prevent insincere officials being elected to the committee which is solely responsible for the running of the business.

Q: They get this from experienced and professional workers who are not only familiar with the cooperative system, but also with efficient methods of doing business.

R: To a large extent, many cooperative societies need advice and guidance.

S: The capital necessary to start a business venture is obtained by the workers' contributions.

The proper sequence should be:

A. S Q P R B. P Q S R
C. S R Q P D. P S R Q

12. S_1: American private lives may seem shallow.

S_6: This would not happen in China, he said.

P: Students would walk away with books they had not paid for.

Q: A Chinese journalist commented on a curious institution: the library.

R: Their public morality, however, impressed visitors.

S: But in general they returned them.

The proper sequence should be:

A. P S Q R　　B. Q P S R
C. R Q P S　　D. R P S Q

13. S_1: The *Bhagavadgita* recognises the nature of man and the needs of man.

S_6: A man who does not harmonise them, is not truly human.

P: All these three aspects constitute the nature of man.

Q: It shows how the human being is a rational one, an ethical one and a spiritual one.

R: More than all, it must be a spiritual experience.

S: Nothing can give him fulfilment unless it satisfies his reason, his ethical conscience.

The proper sequence should be:

A. P S R Q　　B. R S P Q
C. Q P S R　　D. P S Q R

14. S_1: I usually sleep quite well in the train, but this time I slept only a little.

S_6: It was shut all night, as usual.

P: Most people wanted it shut and I wanted it open.

Q: As usual, I got angry about the window.

R: The quarrel left me completely upset.

S: There were too many people and too much luggage all around.

The proper sequence should be:

A. R S Q P　　B. S Q P R
C. S Q R P　　D. R S P Q

15. S_1: For decades, American society has been called a melting pot.

S_6: In recent years, such differences—accentuated by the arrival of immigrants from Asia and other parts of the world in the United States—have become something to celebrate and to nurture.

P: Differences remained—in appearance, mannerisms, customs, speech, religion and more.

Q: The term has long been a cliche, and a half-truth.

R: But homogenisation was never achieved.

S: Yes, immigrants from diverse cultures and traditions did cast off vestiges of their native lands and become almost imperceptibly woven into the American fabric.

The proper sequence should be:

A. Q R S P　　B. S Q R P
C. S Q P R　　D. Q S R P

16. S_1: While talking to a group, one should feel self-confident and courageous.

S_6: Any man can develop his capacity if he has the desire to do so.

P: Nor is it a gift bestowed by Providence on only a few.

Q: One should also learn how to think calmly and clearly.

R: It is like the ability to play golf.

S: It is not as difficult as most men imagine.

The proper sequence should be:

A. S Q P R　　B. Q S P R
C. Q R S P　　D. R S Q P

17. S_1: In 1934, William Golding published a small volume of poems.

S_6: *But Lord of the Flies* which came out in 1954 was welcomed as "a most absorbing and instructive tale".

P: During the World War II (1939-45) he joined the Royal Navy and was present at the sinking of the *Bismarck.*

Q: He returned to teaching in 1945 and gave it up in 1962, and is now a full-time writer.

R: In 1939, he married and started teaching at Bishop Wordsworth's School in Salisbury

S: At first his novels were not accepted.

The proper sequence should be:

A. R P Q S　　B. R P S Q
C. S R P Q　　D. S Q P R

18. S_1: Our ancestors thought that anything which moved itself was alive.

S_6: Therefore some scientists think that life is just a very complicated mechanism.

P: The philosopher Descartes thought that both men and animals were machines.

Q: But a machine such as a motorcar or a steamship moves itself, and as soon as machines which moved themselves had been made, people asked, "Is man a machine?"

R: And before the days of machinery that was a good definition.

S: He also thought that the human machine was partly controlled by the soul action on a certain part of the brain, while animals had no souls

The proper sequence should be:

A. P R S Q　　B. R P Q S
C. P S Q R　　D. R Q P S

19. S_1: But how does a new word get into the dictionary?

S_6: He sorts them according to their grammatical function, and carefully writes a definition.

P: When a new dictionary is being edited, a lexicographer collects all the alphabetically arranged citation slips for a particular word.

Q: The dictionary makers notice it and make a note of it on a citation slip.

R: The moment a new word is coined, it usually enters the spoken language.

S: The word then passes from the realm of hearing to the realm of writing.

The proper sequence should be:

A. P Q R S　　B. P R S Q
C. R Q P S　　D. R S Q P

20. S_1: There is a touching story of Professor Hardy visiting Ramanujan as he lay desperately ill in hospital at Putney.

S_6: It is the lowest number that can be expressed in two different ways as the sum of two cubes."

P: 'No, Hardy, that is not a dull number in the very least.

Q: Hardy, who was a very shy man, could not find the words for his distress.

R: It was 1729.

S: The best he could do, as he got to the bedside was: "I say, Ramanujan, I thought the number of the taxi I came down in was a very dull number".

The proper sequence should be:

A. P R S Q　　B. Q S R P
C. Q S P R　　D. S Q R P

21. S_1: The heart is the pump of life.

S_6: All this was made possible by the invention of the heart-lung machine.

P: They have even succeeded in heart transplants.

Q: Nowadays surgeons are able to stop a patient's heart and carry out complicated operations.

R: A few years ago it was impossible to operate on a patient whose heart was not working properly.

S: If the heart stops we die in about five minutes.

The proper sequence should be:

A. S R Q P　　B. S P R Q
C. S Q P R　　D. S R P Q

22. S_1: On vacation in Tangier, Morocco, my friend and I sat down at a street cafe.

S_6: Finally a man walked over to me and whispered, "Hey buddy ..... this guy's your waiter and he wants your order."

P: At one point, he bent over with a big smile, showing me a single gold tooth and a dingy fez.

Q: Soon I felt the presence of someone standing alongside me.

R: But this one wouldn't budge.

S: We had been cautioned about beggars and were told to ignore them.

The proper sequence should be:

A. S Q R P　　B. S Q P R
C. Q S R P　　D. Q S P R

23. S_1: There is only one monkey we can thoroughly recommend as an indoor pet.

S_6: Finally, let me say that no other monkey has a better temper or more winning ways.

P: They quickly die from colds and coughs after the first winter fogs.

Q: It is the beautiful and intelligent Capuchin monkey.

R: The lively little Capuchins, however, may be left for years in an English house without the least danger to their health.

S: The Marmosets, it is true, are more beautiful than the Capuchins and just as pleasing, but they are too delicate for the English climate.

The proper sequence should be:

A. P Q R S　　B. Q R P S
C. Q S P R　　D. R P S Q

24. S_1: Hungry, with a population of about ten million, lies between Czechoslovakia to the north and Yugoslavia to the south.

S_6: The new industries derive mainly from agricultural production.

P: Here a great deal of grain is grown.

Q: In recent years, however, progress has been made also in the field of industrialisation.

R: Most of this country consists of an extremely fertile plain, through which the river Danube flows.

S: In addition to grain, the plain produces potatoes, sugar, wine and livestock.

The proper sequence should be:

A. Q R S P　　B. R P S Q
C. P R S Q　　D. R Q S P

25. S_1: Throughout history man has used energy from the sun.

S_6: This energy comes from inside atoms.

P: Today, when we burn wood or use electric current we are drawing on energy.

Q: However, we now have a new supply of energy.

R: All our ordinary life depends on the sun.

S: This has come from the sun.

The proper sequence should be:

A. S Q P R　　B. R Q P S
C. Q S R P　　D. P S R Q

26. S_1: In India marriages are usually arranged by parents.

S_6: She felt she was a modern girl and not a subject for bargaining

P: Sometimes girls and boys do not like the idea of arranged marriages.

Q: Most young people accept this state of affairs.

R: Shanta was like that.

S: They assume their parents can make good choices.

The proper sequence should be:

A. S P R Q　　B. P S R Q
C. Q S P R　　D. R Q P S

27. S_1: I had halted on the road.

S_6: I decided to watch him for a while and then go home.

P: As soon as I saw the elephant I knew I should not shoot him.

Q: It is a serious matter to shoot a working elephant.

R: I knew that his 'must' was already passing off.

S: The elephant was standing eighty yards from the road.

The proper sequence should be:

A. S P Q R B. P Q S R

C. R Q P S D. S R P Q

28. S_1: A man can be physically confined within stone walls.

S_6: No tyranny can intimidate a lover of liberty.

P: But his mind and spirit will still be free.

Q: Thus his freedom of action may be restricted.

R: His hopes and aspirations still remain with him.

S: Hence, he will be free spiritually if not physically.

The proper sequence should be:

A. P Q R S B. S R Q P

C. Q P R S D. Q P S R

29. S_1: The dictionary is the best friend for your task.

S_6: Soon you will realize that this is an exciting task

P: That may not be possible always.

Q: It is wise to look it up immediately.

R: Then it must be firmly written on the memory and traced at the first opportunity.

S: Never allow a strange word to pass unchallenged.

The proper sequence should be:

A. P Q R S B. S P Q R

C. Q R P S D. S Q P R

30. S_1: Far away in a little street there is a poor house.

S_6: His mother has nothing to give but water, so he is crying

P: Her face is thin and worn and her hands are coarse, pricked by a needle, for she is a seam-stress.

Q: One of the windows is open and through it I can see a poor woman.

R: He has a fever and a asking for oranges.

S: In a bed in a corner of the room her little boy is lying ill.

The proper sequence should be:

A. S R Q P B. P Q S R

C. Q P S R D. R S P Q

31. S_1: Calcutta unlike other cities, kept its trams.

S_6: The foundation stone was laid in 1972.

P: As a result, there is horrendous congestion.

Q: It was going to be the first in South Asia.

R: They run down the centre of the road.

S: To ease in the city decided to build an underground railway line.

The proper sequence should be:

A. P R S Q B. P S Q R

C. S Q R P D. R P S Q

32. S_1: We now know that oceans are very deep.

S_6: This reaches from India to the Antarctic.

P: For example, the Indian Ocean has a range called the Indian Ridge.

Q: Much of it is fairly flat.

R: However, there are great mountain ranges as well.

S: On average the bottom is two and a half to three and a half miles down.

The proper sequence should be:

A. S Q P R B. P Q S R

C. R S Q P D. Q P R S

33. S_1: As he passed beneath her he heard the swish of her wings.

S_6: The next moment he felt his wings spread outwards.

P: He was not falling head long now.

Q: Then monstrous terror seized him

R: But it only lasted a minute.

S: He could hear nothing.

The proper sequence should be:

A. P S Q R B. Q S P R

C. Q S R P D. P R Q S

34. S_1: When a satellite is launched, the rocket begins by going slowly upwards through the air.

S_6: Consequently, the rocket still does not become too hot.

P: However, the higher it goes, the less air it meets.

Q: As the rocket goes higher, it travels faster.

R: For the atmosphere becomes thinner.

S: As a result there is less friction.

The proper sequence should be:

A. Q P R S B. Q S P R

C. P Q R S D. P Q S R

35. S_1: Sunbirds are among the smallest of Indian birds.

S_6: Our common sunbirds are the purple sunbird, the glossy black species and purplerumped sunbird, the yellow and maroon species

P: Though they are functionally similar to the hummingbirds of the New World, they are totally unrelated.

Q: They do eat small insects too.

R: They are also some of the most brilliantly-coloured birds.

S: Sunbirds feed on nectar mostly and help in pollination.

The proper sequence should be:

A. S Q P R B. R P S Q

C. Q P R S D. P S R Q

36. S_1: Venice is a strange and beautiful city in the north of Italy.

S_6: This is because Venice has no streets.

P: There are about four hundred old stone bridges joining the island of Venice.

Q: In this city there are no motor cars, no horses and no buses.

R: These small islands are near one another.

S: It is not an island but a hundred and seventeen islands.

The proper sequence should be:

A. P Q R S B. P R Q S

C. S R P Q D. P Q S R

37. S_1: A ceiling on urban property.

S_6: Since their value would exceed the ceiling fixed by the Government.

P: No mill-owner could own factories or mills or plants.

Q: And mass circulation papers.

R: Would mean that.

S: No press magnate could own printing presses.

The proper sequence should be:

A. Q S R P B. R P S Q
C. S R P Q D. Q P S R

38. S_1: The weather-vane often tops a church spire, tower or high building.

S_6: The weather-vane can, however, give us some indication of the weather.

P: They are only wind-vanes.

Q: Neither alone can tell us what the weather will be.

R: They are designed to point to the direction from which the wind is coming.

S: Just as the barometer only tells us the pressure of the air, the weather-vane tells us the direction of the wind.

The proper sequence should be:

A. P Q R S B. P S R Q
C. P R S Q D. S P Q R

39. S_1: Most of the universities in the country are now facing financial crisis.

S_6: The Government should realise this before it is too late.

P: Cost benefit yardstick thus should not be applied in the case of the univesities.

Q: The current state of affairs cannot be allowed to continue for long.

R: Universities cannot be equated with commercial enterprises.

S: Proper development of universities and colleges must be ensured

The proper sequence should be:

A. Q R P S B. Q S P R
C. Q R S P D. Q P R S

40. S_1: I keep on flapping my big ears all day.

S_6: Am I not a smart, intelligent elephant?

P: They also fear that I will flap them all away.

Q: But children wonder why I flap them so.

R: I flap them so to make sure they are safely there on either side of my head.

S: But I know what I am doing.

The proper sequence should be:

A. S R Q P B. Q P S R
C. Q P R S D. P S R Q

ANSWERS

1	2	3	4	5	6	7	8	9	10
A	C	D	A	C	D	A	A	D	C
11	**12**	**13**	**14**	**15**	**16**	**17**	**18**	**19**	**20**
A	B	B	B	B	B	A	C	A	B
21	**22**	**23**	**24**	**25**	**26**	**27**	**28**	**29**	**30**
A	C	B	B	D	C	B	A	D	C
31	**32**	**33**	**34**	**35**	**36**	**37**	**38**	**39**	**40**
D	A	C	A	A	C	B	D	A	B

13

Punctuation

Punctuation Marks help us to make grammatically correct sentences.

The following pairs of sentences will bring home to you the importance of punctuation marks:

(*i*) Jack, my neighbour, is going abroad.

(*ii*) Jack, my neighbour is going abroad.

The sentence no. (*i*) means 'Jack' is my neighbour and he is going abroad. The sentence no. (*ii*) means that I'm telling Jack that my neighbour is going abroad.

The following are some most commonly used punctuation marks:

I. Full Stop	II. Note of Interrogation
III. Note of Exclamation	IV. Comma
V. Inverted commas	VI. Apostrophe
VII. Capital Letters	VIII. Colon
IX. Semicolon	X. Dash
XI. Oblique	XII. Parentheses
XIII. Hyphen	

I. Full Stop (.)

(A) At the end of a statement or an imperative sentences the full stop is applied.

(*i*) Mohan sings a song. (Positive Statement)

(*ii*) She does not tell a lie. (Negative Statement)

(*iii*) Open the door. (Imperative Sentence)

(B) To mark abbreviations:

(*i*) M.L.A. (*ii*) M.B.B.S.

(*iii*) B.A. (*iv*) Mr R.S. Gill

Note: Now a days after Mr, Mrs, Miss, a full stop is not applied.

II. Note of Interrogation (?)

It is used to make direct questions as well as tags.

(*i*) What are you doing?

(*ii*) Where is your friend?

(*iii*) You like eggs, don't you?

(*iv*) She doesn't obey her elder brother, does she?

Note: The note of interrogation is not used after indirect questions.

(*i*) She was sure whether her brother would come there to see her or not.

(*ii*) I asked him when he would start a confectionary shop.

III. Note of Exclamation (!)

(A) It is used after an optative sentence

(*i*) May you live long!

(*ii*) May God bless you!

(B) After an exclamatory sentence

(*i*) What a beautiful butterfly it is!

(*ii*) How wonderful the rainbow is!

(C) After an Interjection

(*i*) Hurrah! We have won the match.

(*ii*) Alas ! I am done.

IV. Comma (,)

It is used:

(A) To separate identical words.

(*i*) Mohit was tall, thin and handsome.

(*ii*) I bought apples, bananas and guava yesterday.

(*iii*) This shopkeeper sells cakes, pastries and biscuits.

(B) In sentences of direct speech.

(*i*) She said, "I wish to be a doctor."

(*ii*) "Don't move," the man shouted.

(C) To separate pairs of words when they are joined by 'and'.

(*i*) I like rice and curry, idli and dosa.

(*ii*) In the fair were present all kinds of persons rich and poor, weak and strong, foolish and wise.

(D) To join two coordinate clauses when the latter is the consequence of the former.

(*i*) He was rejected by his friends, and he decided never to meet any of them in future.

(*ii*) He was beaten by his opponent, and he decided to leave boxing.

(E) To separate a noun or phrase in apposition.

(*i*) The Mahabharata, the longest epic, was written by Ved Vyas.

(*ii*) Hari, the tallest boy in our class, is a good player of basketball.

(F) To separate an adverbial clause from the rest of the sentences.

(*i*) If you tell me the reality, you won't be punished.

(*ii*) As soon as the thief saw the policeman, he ran away.

(*iii*) When he laughs, the dog in his house will bark.

(G) To separate a nominative of address

(*i*) Where are you, Mr Smith?

(*ii*) How are you, Seema?

(H) To separate a noun clause from the rest of the sentence.
- (*i*) When she will get up, nobody knows.
- (*ii*) Why he is crying so loudly, is known to his parents only.
- (*iii*) What he says, no one cares.

V. Inverted Commas (" ")

Inverted commas are used in sentences of direct speech.
- (*i*) She says, "I can drive a car."
- (*ii*) He said to me, "I'll convey your message to your uncle."

VI. Apostrophe(')

It is used:

(A) To make Genitive Case when the noun is singular
- (*i*) Mohan's shirt
- (*ii*) James' shoes or James's shoes.

(B) To makes Genitive Case when the noun is plural
- (*i*) Boys' college
- (*ii*) Girls' hostel
- (*iii*) Men's club
- (*iv*) Women's hostel

(C) To make plural form of letters and figures
- (*i*) H's
- (*ii*) A's
- (*iii*) 4's
- (*iv*) 8's

(D) To denote the omission of letter or letters from words.
- (*i*) can't
- (*iii*) won't
- (*ii*) don't

(E) To express a possessive pertaining to a period of time:
- (*i*) a week's holiday.
- (*ii*) a year's programme.

VII. Capital Letters

Capital letters are used as under:

(A) The first word of a sentence should start with a capital letter.
- (*i*) She does not know how to play the piano.
- (*ii*) We are going to perform a dance in London.

(B) A proper name should be started with a capital letter.
- (*i*) Mohan is my fast friend.
- (*ii*) I like all students of my class but I like Ajay, Rajesh and Vinod in particular.
- (*iii*) Delhi is the capital of India.

(C) The important words in the title of a book should start with a capital letter each:
- (*i*) The Cat and the Mouse.
- (*ii*) Love and Life.

(D) The first letter of the days of a week and the months of year should be written in capital.
- (*i*) Sunday, Monday, Tuesday.
- (*ii*) January, February, March.

(E) The names of all rivers, oceans, mountains, bays, channels, peaks, etc., should start with a capital letter.
- (*i*) The Ganga
- (*ii*) The Himalayas
- (*iii*) The Bay of Bengal
- (*iv*) Mount Everest
- (*v*) The English Channel
- (*vi*) The Indian Ocean

(F) The names of all holy books, magazines, newspapers, etc. should start with a capital letter.
- (*i*) The Gita
- (*ii*) The Bible
- (*iii*) The Tribune
- (*iv*) The Sun

VIII. Colon (:)

Colon represents a long pause. It is not used so frequently but in some cases it is applied.

(A) To start the names of certain items both proper and common nouns:
- (*i*) Some of Shakespeare's plays are: Macbeth, Tempest, Julius Caesar, etc.
- (*ii*) The following items are required by our school urgently:
  - (*a*) Five Hockey Sticks
  - (*b*) Ten Cricket Bats
  - (*c*) Four Football
  - (*d*) Eight Basketballs

(B) To introduce a quotation.
- (*i*) Keats says: A thing of beauty is a joy forever.
- (*ii*) Shakespeare says: All that glitters is not gold.

(C) Before some examples:
- (*i*) I know several languages: Hindi, Punjabi, French and English.
- (*ii*) Mohan is: honest, wise, handsome, rich and kind.

IX. Semicolon (;)

It represents a pause which is longer than a comma but is of less duration than a colon. A semicolon is used:

1. To mark off a series of clauses:
   - (*i*) We love our young ones; they too in return love us.
   - (*ii*) This forest is a witness to good and bad days of mankind; this is here since ancient times.
2. To break up long sentences

My brother reads in 10th standard; he always goes to school late; he is almost everyday punished by the teacher.

X. Dash (—)

It is used:

(A) To mark a sudden change in our thoughts
- (i) I think you like berries—but your brother told me that you spend no money on fruit.
- (ii) You must read this book—but how can you read it when you're writing a letter to your friends?

(B) To mark a sudden interruption in a sentence.
I know him—I met him five years ago—where? I can't recall.

(C) To divulge a secret in a dramatic way.
- (*i*) The most famous modern novelist is—Sydney Sheldon.
- (*ii*) The best singer is—Mohammad Rafi.

XI. Oblique (/)

(A) It is used to represent abbreviations
- (*i*) D/o (Daughter of)
- (*ii*) S/o (Son of)
- (*iii*) W/o (Wife of)

(B) To represent masculine gender or feminine gender
   (*i*) He/She can join the army.
   (*ii*) I'll ask questions to him/her.

(C) To represent possibilities.
   (*i*) The girl/girls should work even harder.
   (*ii*) The boy/boys cannot be given any special rights.

XII. Parentheses (or Brackets) ( )

These are used:

(A) To explain something additional which is usually not of much significance.
   (*i*) Manoj (a five year old boy) saved the life of his friend.
   (*ii*) Meena (a girl of 5th standard) was called by the President for her remarkable paintings.

(B) To separate an after thought
   (*i*) All his sons (including the eldest one, who is an addict to alcohol) are going abroad.
   (*ii*) All the ingredients (excluding milk) should be put in a pan.

XIII. Hyphen (-)

It is shorter than a dash in length.

It is most often used to make compound words.
   (*i*) sun-rise
   (*ii*) sun-set

MULTIPLE CHOICE QUESTIONS

Directions: *In the questions given below, which one alternative out of four has been applied with correct punctuation marks?*

1. Hurry up the train leaves at six o'clock
   A. Hurry up; the train leaves at six o'clock.
   B. Hurry up, the train leaves at six O'clock.
   C. Hurry up! the train leaves at six o'clock.
   D. Hurry up, the train leaves at six o'clock.

2. It is a sin to waste food said the father
   A. It is a sin to waste food said the father.
   B. 'It is a sin to waste food' said the father.
   C. "It is a sin to waste food" said the father.
   D. "It is a sin to waste food," said the father.

3. This is his fathers car
   A. This is his fathers' car
   B. This is his father's car
   C. This is his father's car.
   D. This is his fathers' car.

4. The man asked the taxi driver will you take me to the airport
   A. The man asked the taxi driver, will you take me to the airport?
   B. The man asked the taxi driver, "Will you take me to the airport?"
   C. The man asked the taxi driver, "Will you take me to the airport."
   D. The man asked the taxi driver, "will you take me to the airport!"

5. Bring me a glass of water said the teacher I am feeling very thirsty
   A. "Bring me a glass of water," said the teacher, "I am feeling very thirsty."
   B. "Bring me a glass of water" said the teacher, "I am feeling very thirsty."
   C. "Bring me a glass of water" said the teacher "I am feeling very thirsty."
   D. "Bring me a glass of water, said the teacher, "I am feeling very thirsty."

6. Ram said I am in a hurry I cannot spare time
   A. Ram said, "I am in a hurry" "I cannot spare time."
   B. Ram said "I am in a hurry I cannot spare time.".
   C. Ram said, "I am in a hurry, I cannot spare time."
   D. Ram said, "I am in a hurry I cannot spare time."

7. How have you found so much wealth asked Anil's wife
   A. "How have you found so much wealth!" asked Anil's wife.
   B. "How have you found so much wealth?" asked Anil's wife.
   C. "How have you found so much wealth." asked Anil's wife.
   D. "How have you found so much wealth?", asked Anil's wife.

8. What is the matter why are you crying he asked the child
   A. "What is the matter, why are you crying?" he asked the child.
   B. "What is the matter? why are you crying?" he asked the child
   C. "What is the matter" "why are you crying?" he asked the child.
   D. "What is the matter? Why are you crying?" he asked the child.

9. I am going to marry and I want a house to live in said the young man
   A. "I am going to marry and I want a house to live in", said the young man.
   B. "I am going to marry" and "I want a house to live in" said the young man.
   C. "I am going to marry and I want a house to live in" said the young man.
   D. "I am going to marry and I want a house to live in." said the young man.

10. What harm is there if we admit the error the lawyer said
   A. "What harm is there, if we admit the error?" the lawyer said.

B. "What harm is there if, we admit the error?" the lawyer said.
C. "What harm is there if we admit the error?" the lawyer said.
D. "What harm is there? if we admit the error". the lawyer said.

11. The more we hate one another the worse it will be for everybody
A. The more we hate one another the worse it will be for everybody.
B. The more we hate one another, the worse it will be for everybody.
C. The more we hate one another; the worse it will be for everybody.
D. The more we hate one another – the worse it will be for everybody.

12. Anita's father Mr Anil Kumar is a teacher
A. Anita's father Mr Anil Kumar is a teacher.
B. Anita's father, Mr Anil Kumar is a teacher.
C. Anita's father Mr Anil Kumar, is a teacher.
D. Anita's father, Mr Anil Kumar, is a teacher.

13. Considering all aspects of the matter they decided to give up the plan.
A. Considering all aspects of the matter, they decided to give up the plan.
B. Considering, all aspects of the matter, they decided to give up the plan.
C. Considering all aspects, of the matter, they decided to give up the plan.
D. Considering all aspects of the matter they decided to give up the plan.

14. The Narmada the Ganga and the Yamuna are three of the largest Indian rivers
A. The Narmada, the Ganga and the Yamuna are three of the largest Indian rivers
B. The Narmada, the Ganga, and the Yamuna are three of the largest Indian rivers
C. The Narmada, the Ganga and the Yamuna are three of the largest Indian rivers.
D. The Narmada, the Ganga and, the Yamuna are three of the largest Indian rivers.

15. What a remarkable victory
A. What, a remarkable victory.
B. What a remarkable victory.
C. What a remarkable victory?
D. What a remarkable victory!

16. The election many people said would spring a big surprise and they were proved right
A. The election, many people said, "would spring a big surprise and they were proved right."
B. "The election," many people said, "would spring a big surprise and they were proved right."
C. "The election" many people said, "Would spring a big surprise and they were proved right."
D. "The election" many people said "would spring a big surprise and they were proved right."

17. Are you going he asked we are not I replied
A. "Are you going?" he asked, "We are not." I replied.
B. "Are you going?" he asked, "we are not" I replied.
C. "Are you going?" he asked. "We are not," I replied.
D. "Are you going?" he asked, "we are not" I replied.

18. Here I am master I am ready to go wherever you want me to go he said
A. "Here I am, master, I am ready to go," wherever you want me to go he said.
B. "Here I am master, I am ready to go wherever you want me to go" he said.
C. "Here I am master, I am ready to go wherever you want me to go", he said.
D. "Here I am, master, I am ready to go wherever you want me to go", he said.

19. What is your reason for refusing to marry this girl asked his mother
A. "What is your reason for refusing to marry this girl?" asked his mother.
B. "What is your reason, for refusing to marry this girl?" asked his mother.
C. "What is your reason for refusing to marry this girl?" asked his mother
D. "What is your reason for refusing to marry this girl," asked his mother.

20. He said my brother had an accident on Sunday the 28th April 2013 and is still confined to bed
A. He said "my brother had an accident on Sunday the 28th April 2013 and is still confined to bed."
B. He said "My brother had an accident on Sunday the 28th April 2013 and is still confined to bed."
C. He said, "My brother had an accident on Sunday, the 28th April 2013, and is still confined to bed."
D. He said," My brother had an accident on Sunday, the 28th April 2013 and is still confined to bed."

21. How many r's are there in referred I asked
A. How many r's are there in referred? I asked.
B. "How many r's are there, in referred" I asked.
C. "How many r's are there in referred?" I asked.
D. "How many rs' are there in referred?" I asked.

22. Friends colleagues relatives none stood by him
A. Friends, colleagues, relatives none stood by him.
B. Friends, colleagues, relatives, none stood by him.
C. Friends, colleagues, relatives, none, stood by him
D. Friends, colleagues, relatives none, stood by him.

23. He said I am sorry I could not reach in time
A. He said, "I am sorry I could not reach in time."
B. He said "I am sorry. I could not reach in time."

C. He said, "I am sorry. I could not reach in time."
D. He said "I am sorry I could not reach in time."

24. Never listen to his stories don't believe what he says and always distrust him
A. Never listen to his stories, don't believe what he says? and always distrust him.
B. Never listen to his stories, don't believe, what he says? and always distrust him.
C. Never listen to his stories, do'nt believe what he says and always distrust him.
D. Never listen to his stories, don't believe what he says and always distrust him.

25. Man proposes God disposes
A. Man proposes God disposes.
B. Man proposes, God disposes.
C. Man proposes, God disposes!
D. Man proposes God disposes!

26. He asked me what I wanted
A. He asked me, what I wanted?
B. He asked me "what I wanted."
C. He asked me what I wanted.
D. He asked me "what I wanted!"

27. He said to me lets wait for him
A. He said to me, "Let's wait for him."
B. He said to me 'Lets wait for him.'
C. He said to me, "let's wait for him."
D. he said to me, "Let's wait for him."

28. In india the ganga and the yamuna are regarded as sacred rivers
A. In India, the Ganga and the Yamuna are regarded as sacred rivers.
B. In India, the ganga and the Yamuna are regarded as sacred rivers.
C. In India, the ganga and the yamuna are regarded as sacred rivers.
D. In India, the Ganga and the yamuna are regarded as sacred rivers.

29. To err is human to forgive divine
A. To err is human to forgive divine.
B. To err is human, to forgive divine.
C. To err, is human to forgive, divine.
D. To err is human; to forgive, divine.

30. He was born on August 16, 1944 in Howrah West Bengal
A. He was born on August 16, 1944 in Howrah West Bengal.
B. He was born on August 16, 1944, in Howrah West Bengal.
C. He was born on, August 16 1944 in Howrah West Bengal.
D. He was born on August, 16 1944, in Howrah West Bengal.

31. He is to tell you the truth is a fool
A. He is, to tell you the truth, is a fool.
B. He is to tell you, the truth is a fool.
C. He is to tell you the truth, is a fool.
D. He is to tell you the truth is a fool.

32. This in brief is what he said
A. This in brief is what he said.
B. This in brief, is what he said.
C. This, in brief, is what he said.
D. This, in brief is what, he said.

33. If you need my help write to me
A. If you need my help write to me.
B. If, you need my help, write to me.
C. If you need, my help, write to me.
D. If you need my help, write to me.

34. They started running for they were getting late
A. They started running, for they were getting late.
B. They started running for they were getting late.
C. They started running for, they were getting late.
D. They started, running for, they were getting late.

35. The sun having set it became pleasant
A. The sun having set it became pleasant.
B. The sun, having set, it became pleasant.
C. The sun having set, it became pleasant.
D. The sun, having set it, became pleasant.

36. Mr Sushil please listen to me
A. Mr Sushil please listen to me.
B. Mr Sushil, please listen to me.
C. Mr Sushil please, listen to me.
D. Mr Sushil, please, listen to me.

37. Wherever you go you face the same difficulties
A. Wherever you go you face the same difficulties.
B. Wherever, you go, you face the same difficulties.
C. Wherever you go, you face, the same difficulties.
D. Wherever you go, you face the same difficulties.

38. Tell me what I can do for you
A. Tell me what I can do for you.
B. Tell me what I can do for you!
C. Tell me what I can do for you?
D. Tell me, what I can do for you?

39. May you live long
A. May you live long.
B. May you live long?
C. May you live long!
D. May, you live long!

40. May God the Greatest bless you
A. May God the Greatest bless you.
B. May God, the Greatest bless you!
C. May God, the Greatest, bless you.
D. May God, the Greatest, bless you!

41. The sun having risen the fog disappeared
A. The sun having risen the fog disappeared.
B. The sun having risen, the fog disappeared.
C. The sun having risen; the fog disappeared.
D. The sun, having risen, the fog disappeared!

42. Having done his homework he went to bed
A. Having done his homework he went to bed.
B. Having done, his homework he went to bed.
C. Having done, his homework, he went to bed.
D. Having done his homework, he went to bed.

43. He is indeed a foolish boy
A. He is indeed, a foolish boy.
B. He is indeed a foolish boy.
C. He is, indeed, a foolish boy.
D. He, is indeed, a foolish boy.

44. Naresh my younger brother has gone to Patna
A. Naresh, my younger brother, has gone to Patna.
B. Naresh, my younger brother has gone to Patna.
C. Naresh my younger brother, has gone to Patna.
D. Naresh! my younger brother has gone to Patna.

45. Well I shall look into the matter
A. Well I shall look into the matter.
B. Well, I shall look into the matter.
C. Well I shall, look into the matter.
D. Well I shall, look into, the matter.

46. All right you can go
A. All right you can go.
B. All right you, can go.
C. All right, you can go.
D. All right! you can go.

47. Carry on your work I am watching you
A. Carry on your work I am watching you.
B. Carry on, your work, I am watching you.
C. Carry on, your work, I am watching you.
D. Carry on your work, I am watching you.

48. He was a kind bold man and we all praised him.
A. He was a kind bold man and we all praised him
B. He was a kind, bold man and we all praised him.
C. He was a kind bold, man and we all praised him.
D. He was, a kind bold man, and we all praised him.

49. He said Honesty is the best policy
A. He said Honesty is the best policy.
B. He said, Honesty is the best policy.
C. He said "Honesty is the best policy."
D. He said, "Honesty is the best policy."

50. What a beautiful flower it is
A. What a beautiful flower it is.
B. What a beautiful flower it is?
C. What a beautiful flower it is!
D. What! a beautiful flower it is.

ANSWERS

1	2	3	4	5	6	7	8	9	10
D	D	C	B	A	C	B	D	A	C
11	**12**	**13**	**14**	**15**	**16**	**17**	**18**	**19**	**20**
B	D	A	C	D	B	C	D	A	D
21	**22**	**23**	**24**	**25**	**26**	**27**	**28**	**29**	**30**
C	B	A	D	B	C	A	A	D	B
31	**32**	**33**	**34**	**35**	**36**	**37**	**38**	**39**	**40**
A	C	D	A	C	B	D	A	C	D
41	**42**	**43**	**44**	**45**	**46**	**47**	**48**	**49**	**50**
B	D	C	A	B	C	D	B	D	C

14

Figures of Speech

It is a common saying that a picture is worth a thousand words. Same goes with the figures of speech as they elaborate the meaning of words.

FIGURATIVE LANGUAGE

One meaning of "figure" is "drawing" or "image" or "picture". Figurative language creates figures (pictures) in the mind of the reader or listener. These pictures help convey the meaning faster and more vividly than words alone.

We use figures of speech in "figurative language" to add colour and interest, and to awaken the imagination. Figurative language is everywhere, from classical works like Shakespeare or the Bible, to every day speech, pop music and television commercials. It makes the reader or listener use their imagination and understand much more than the plain words.

Figurative language is the opposite of literal language. Literal language means exactly what it says. Figurative language means something different to (and usually more than) what it says on the surface. *e.g.,*

- He ran fast. (literal)
- He ran like the wind. (figurative)

In the above example "like the wind" is a figure of speech (in this case, simile). It is important to recognize the difference between literal and figurative language. There are many figures of speech that are commonly used and which you can learn by heart. At other times, writers and speakers may invent their own figures of speech. If you do not recognize them as figures of speech and think that they are literal, you will find it difficult to understand the language.

In this chapter we will discuss four common types of figures of speech:

- Simile
- Metaphor
- Hyperbole
- Oxymoron

Simile

A simile is a figure of speech that says that one thing is like another different thing. We can use similes to make descriptions more emphatic or vivid.

We often use the words as....as and like with similes.

Common patterns for similes, with example sentences, are:

- Something AS adjective AS something
  His skin was as cold as ice.
  It felt as hard as rock.
  She looked as gentle as a lamp.
- Something LIKE something
  My love is like a red, red rose.
  These cookies taste like garbage.
  He had a temper (that was) like a volcano.
  Something LIKE something
  He eats like a pig.
  He smokes like a chimney.
  They fought like cats and dogs.

Here are some more examples of well known similes:

AS adjective AS something	**Meaning**
as blind as a bat	completely blind
as cold as ice	very cold
as flat as a pancake	completely flat
as gentle as a lamb	very gentle
as light as a feather	very light
as old as the hills	very old
as sharp as a knife	very sharp
as strong as a bull	very strong
as white as snow	pure white
as wise as an owl	very wise

LIKE something	**Possible meaning (depending on context)**
like a rose	beautiful
like a volcano	explosive
like garbage	disgusting

like an animal	inhuman
like spaghetti	entangled
like dewdrops	sweet and pure
like golddust	precious
like a tip	very untidy (tip = garbage dump)
like a dream	wonderful, incredible
like stars	bright and beautiful

LIKE something	**Meaning**
to drink like a fish	to drink a lot
to eat like a bird	to eat very little
to eat like a horse	to eat a lot
to eat like a pig	to eat impolitely
to fight like cats and dogs	to fight fiercely
to sing like an angel	to sing beautifully
to sleep like a log	to sleep well and soundly
to smoke like a chimney	to smoke heavily, all the time
to soar like an eagle	to fly high and free
to work like a dog	to work very hard

Note that with the AS...AS pattern, the first AS is sometimes suppressed, for example :

His skin was cold as ice.

The above patterns of simile are the most common, but there are others made with adverbs or words such as than and as if, for example :

- He ran as fast as the wind.
- He is larger than life.
- They ran as if for their lives.

Similes can include other figures of speech. For example. "He ran like greased lightning" is a simile that includes hyperbole (greased lightning).

Similes often make use of irony or sarcasm. In such cases they may even mean the opposite of the adjective used. Look at these examples :

- His explanation was as clear as mud. (not clear at all since mud is opaque)
- The film was about as interesting watching a copy of Windows download. (long and boring)
- Watching the show was like watching paint dry. (very boring)

Similes are often found (and they sometimes originate) in poetry and other literature. Here are a few examples :

- A woman without a man is like a fish without a bicycle–Irina Dunn
- Dawn breaks open like a wound that bleeds afresh–Wilfred Owen
- Death has many times invited me : it was like the salt invisible in the waves–Pablo Neruda
- Guiltless forever, like a tree–Robert Browning
- Happy as pigs in mud–David Eddings
- How like the winter hath my absence been–William Shakespeare
- As idle as a painted ship upon a painted ocean–Samuel Taylor Coleridge
- Jubilant as a flag unfurled–Dorothy Parker
- So are you to my thoughts as food to life–William Shakespeare
- Yellow butterfilies flickered along the shade like flecks of sun–William Faulkner

Metaphor

A metaphor is a figure of speech that says that one thing is another different thing. This allows us to use fewer words and forces the reader or listener to find the similarities.

The word metaphor comes from the Greek word *metapherin* (meaning "transfer").

The simplest form of metaphor is : "The [first thing] is a [second thing]."

Look at this example :

Her home was a prison.

In the above sentence, we understand immediately that her home had some of the characteristics of a prison. Mainly, we imagine, she could not leave her home. She was trapped inside. Why it was a prison we do not know, but that would be clear from the context–perhaps her husband forced her to stay at home, perhaps she was afraid of the outside. We don't know, but the rest of the story would tell us. What is important here is that in five simple words we understand a lot about her environment, how she felt and how she behaved. In this sentence, "prison" is a metaphor.

Look at another example :

George is a sheep.

What is one characteristic of sheep? They follow each other. So we can imagine that George is a follower, not a leader. In this sentence "sheep" is a metaphor.

Metaphors are very common in everyday language. But poets also like to use metaphors.

Look at these examples of metaphors with sample sentences and meanings :

Metaphor example	Metaphorical sense	Original sense
I'm not an angel, but I wouldn't behave like that.	exemplary person	a spiritual being believed to be a messenger of God
America is a melting pot.	place where different peoples, styles and cultures are mixed together	a container in which metals or other materials are melted and mixed
John is a real pig when he eats.	greedy person	a four-legged animal kept for meat (pork)
My father is a rock.	very strong or reliable person	a hard, mineral material made of stone
How could she marry a snake like that!	traitor	a long, limbless reptile (e.g., cobra, python, viper)
The policeman let him off with a yellow card. cautioning them	warning	(in soccer) a yellow card that the referee shows to players when

All the above metaphors (the simplest form) are nouns. But there are other ways of making metaphors, for example with verbs or adjustives. Here are some examples :

Metaphor example	Original sense of the word (example)
The committee **shot** ideas **down** one by one.	Anti-aircraft guns that shoot down planes.
The private detective **dug** up enough evidence to convince the police to act.	Dugs like to bury bones and dig them up later.
He **broke into** her conversation	Burglars break into buildings.
The new movie was very popular. People **flocked** to see it.	Birds flock together before they migrate.
His head was **spinning** with ideas.	Some computer hard drives spin at over 10,000 revolutions per minute.
Reading that book **kindled** my interest in politics.	You need to start with twigs and small branches when you kindle a camp fire.
Tim lost his job after a **heated** argument with his boss.	We have a heated swimming pool.
The new car's **sexy** design increased sales for the company.	Some women think that lipstick makes them look sexy.
He was dressed rather vulgarly in a **loud** checked suit.	I can't hear you because the radio is too loud.
It wasn't long before their relationship turned **sour**.	Sour food has an acid taste like lemon or vinegar.

Difference Between Metaphor and Simile

Both similes and metaphors link one thing to another. A simile usually uses "as" or "like". A metaphor is a condensed simile, a shortcut to meaning, which omits "as" or "like". A metaphor creates a relationship directly and leaves more to the imagination. With simile, A is like B. With metaphor, A is B.

Simile	Metaphor
Your eyes are like the sun.	You are my sunshine.
He eats like a pig.	He is a pig.
He lives like a pig.	He is a pig.

Dead Metaphors

In the phrase "to grasp the concept" the physical action "to grasp" is used as a metaphor for "to understand" (which is non-physical). But this phrase has been used so often that most English speakers do not have an image of the physical action in their mind. This metaphor is a "dead metaphor".

Mixed Metaphors

The awkward use of two or more different metaphors at the same time is normally best avoided. It creates conflicting images in the reader or listener's mind, reduces each metaphor's impact, and generally causes confusion. Look at this example :

America is a **melting pot** where new ideas are **kindled**.

Hyperbole

Hyperbole is a figure of speech that uses an exaggerated or extravagant to create a strong emotional response. As a figure of speech it is not intended to be taken literally. Hyperbole is frequently used for humour. Examples of hyperbole are :

- They ran like greased lightning.
- He's got tons of money.
- Her brain is the size of a pea.
- He is older than the hills.
- I will die if she asks me to dance.
- She is as big as an elephant!
- I'm so hungry I could eat a horse.
- I have told you a million times not to lie!

The media and the advertising industry often use hyperbole (which may then be described as hyper or media hype).

Oxymoron

An oxymoron is a figure of speech that deliberately uses two contradictory ideas. This contradiction creates a paradoxical image in the reader or listener's mind that generates a new concept or meaning for the whole. Some typical oxymorons are :

- a living death
- sometimes you have to be cruel to be kind
- a deafening silence
- bitter-sweet
- The Sounds of Silence (song title)
- make haste slowly
- he was conspicuous by his absence

Pseudo Oxymorons

In the standard meaning of oxymoron the contradiction is deliberate. However, in popular usage oxymoron is sometimes used to mean "contradiction in terms", where the contradiction is unintentional. Such expressions, unlike real oxymorons, are commonly used without any sense of paradox in everyday language, for example :

- anecdotal evidence
- friendly fire
- pretty ugly

A common attempt at humour is to describe a certain phrase as an oxymoron, implying that the two parts of the phrase are mutually exclusive and that consequently the phrase as a whole must be nonsensical :

- airline food
- American culture
- eco-tourism
- Microsoft security
- military intelligence

The following are the other major Figures of Speech :

1. **Personification**—"In Personification inanimate objects and abstract notions are spoken of as having life or intelligence."
2. **Onomatopoeia**—"Onomatopoeia is that artifice of language by which the sound of words is made to suggest or echo the sense."
3. **Apostrophe**—"An Apostrophe is a direct address to the dead, to the absent, or to a personified object or idea."
4. **Alliteration**—"Alliteration consists in the repetition of the same sound or syllable at the beginning of two or more words."
5. **Irony**—"Irony is a mode of speech in which the real meaning is exactly the opposite of that which is literally conveyed."
6. **Pun**—"This consists in a play on the various meanings of a word, and is seldom used except as a joke."
7. **Metonymy**—"In Metonymy an object is designated by the name of something which is generally associated with it."
8. **Synecdoche**—"In Synecdoche a part is used to designate the whole, or the whole to designate a part."
9. **Antithesis**—"In Antithesis a striking opposition or contrast of words or sentiments is made in the same sentence. It is employed to secure emphasis."
10. **Transferred Epithet**—"In this figure an epithet is tranferred from its proper word to another that is closely associated with it in the sentence."

MULTIPLE CHOICE QUESTIONS

Directions (Qs. 1 to 40) : *Fill in the blanks with the correct similes.*

1. As black as ....
A. coal B. colour
C. coat D. cloud

2. As blind as a ....
A. cat B. rat
C. dog D. bat

3. As bold as ....
A. grass B. brass
C. ass D. gas

4. As brave as a ....
A. horse B. elephant
C. lion D. bull

5. As busy as a ....
A. man B. animal
C. bird D. bee

6. As cheap as ....
A. dirt B. shirt
C. trouser D. shoes

7. As clear as ....
A. shirt B. picture
C. crystal D. sky

8. As cold as ....
A. ice B. water
C. milk D. breeze

9. As cunning as a ....
A. ox B. fox
C. crow D. man

10. As dead as ....
A. button B. air
C. water D. mutton

11. As deaf as a ....
A. man B. bird
C. stone D. animal

12. As dry as ....
A. cloth B. bone
C. air D. sand

13. As easy as ....
A. ABC B. 123
C. PQR D. XYZ

14. As free as a ....
A. kite B. aircraft
C. bird D. tiger

15. As gentle as a ....
A. child B. woman
C. man D. lamb

16. As good as ....
A. silver B. gold
C. jewellery D. ornaments

17. As good as ....
A. new B. old
C. ancient D. modern

18. As green as ....
A. grass B. colour
C. tree D. life

19. As hard as a ....
A. cock B. glass
C. rock D. ice

20. As light a ....
A. kite B. feather
C. bulb D. hair

21. As mild as ....
A. silk B. water
C. feather D. milk

22. As neat as a new ....
A. sin B. kin
C. pin D. tin

23. As old as the ....
A. air B. water
C. river D. hills

24. As pissed as a ....
A. rat B. dog
C. donkey D. cat

25. As playful as a ....
A. toy B. animal
C. kitten D. bird

26. As pretty as a ....
A. breeze B. ice
C. river D. picture

27. As proud as a ....
A. crow B. peacock
C. vulture D. eagle

28. As quick as a ....
A. flash B. light
C. air D. sound

29. As silent as a ....
A. engine B. machine
C. women D. grave

30. As sly as a ....
A. cat B. fox
C. dog D. crow

31. As smooth as ....
A. ice B. floor
C. silk D. road

32. As sober as a ....
A. judge
B. driver
C. cop
D. convict

33. As solid as a ....
A. wood
B. ice
C. glass
D. rock

34. As straight as an ....
A. arm
B. ass
C. arrow
D. abacus

35. As strong as ....
A. a fox
B. wood
C. a camel
D. an ox

36. As stubborn as a ....
A. dog
B. mule
C. horse
D. elephant

37. As sweet as ....
A. pie
B. coconut
C. cucumber
D. gourd

38. As tough as old ....
A. suit
B. man
C. boots
D. books

39. As ugly as ....
A. man
B. woman
C. moon
D. sin

40. As worm as ....
A. milk
B. toast
C. water
D. air

Directions (Qs. 41 to 60) : *Select the correct option for each of the following questions.*

41. Recognize the figure of speech in the following statement.
He is the Newton of our class.
A. Simile
B. Hyperbole
C. Metaphor
D. Climax

42. Which of the following statements shows oxymoron:
A. He is leading a busy life.
B. He is leading a highly busy-idle life.
C. He is leading an idle life.
D. How happy I am!

43. Recognize the figure of speech in the following:
The Child is father of the Man.
A. alliteration
B. hyperbole
C. paradox
D. metaphor

44. Which of the following shows Metonymy:
A. Have you read the whole of George Eliot?
B. Which building in Delhi do you like most?
C. Whose acting do you like most among the Bollywood actors?
D. Why are day and night equal on 21 March?

45. Recognize the figure of speech in the following statement.
I wandered lonely as a cloud.
A. Simile
B. Metaphor
C. Alliteration
D. Hyperbole

46. Which of the following phrases shows onomatopoeia:
A. living like a king.
B. looking beyond the horizon.
C. burning the candle at both ends.
D. murmuring of innumerable bees.

47. Recognize the figure of speech in the following:
Five miles meandering in mazy motion.
A. oxymoron
B. climax
C. anticlimax
D. alliteration

48. Which of the following shows 'climax':
A. I walk, I jump, I dance.
B. I run, I walk, I sit.
C. He lies, runs and sits.
D. She thinks, writes and observes.

49. Recognize the figure of speech in the following:
Lightly, O lightly, they bear her along.
A. Hyperbole
B. Onomatopoeia
C. Climax
D. Repetition

50. Which of the following shows 'Hyperbole':
A. You will have to speak for a hundred thousand years to describe her beauty.
B. Love begets love.
C. Better alone than in bad company.
D. Nothing can be decided by war.

51. What Figure of Speech is used when a statement is made emphatic by over statement?
A. Apostrophe
B. Hyperbole
C. Personification
D. Antithesis

52. What Figure of Speech is used when two contradictory qualities are predicted at once of the same thing?
A. Antithesis
B. Onomatopoeia
C. Oxymoron
D. Hyperbole

53. In which Figure of Speech the sense is conveyed by the sound of words?
A. Metonymy
B. Synecdoche
C. Alliteration
D. Onomatopoeia

54. In which Figure of Speech is there a play on the various meanings of a word?
A. Pun
B. Metaphor
C. Transferred Epithet
D. Irony

55. Which Figure of Speech is produced when the same sound is repeated more than twice at the beginning of a word?
A. Onomatopoeia
B. Alliteration
C. Metonymy
D. Synecdoche

56. Which of the following is an example of Onomatopoeia?
A. Sweet-bitter tears flowed from her eyes
B. The beetle wheels his droning flight
C. A load of learning lumbering in his head
D. Fair is that fair does

57. Which of the following is an example of Oxymoron?
A. There is kind cruelty in the surgeon's knife
B. Ruin seize thee, ruthless king!
C. And Brutus is an honourable man!
D. Kalidas is the Shakespeare of India

58. Which of the following is an example of Antithesis?
A. Who is to blame but you!
B. Fair is foul, and foul is fair!
C. As you sow, so will you reap
D. Forget me not!

59. Which of the following is an example of Apostrophe?
A. Barking dogs seldom bite
B. My misfortune is your fortune
C. O Solitude! Where are thy charms?
D. I am the monarch of all I survey

60. Which of the following is an example of Alliteration?
A. Sweet are the uses of adversity!
B. Thus idly busy rolls their world away.
C. He is the heir apparent
D. With beaded bubbles winking at the brim

Directions (Qs. 61 to 90) : *In each of the following sentences or verses a Figure of Speech has been used. You have to choose the correct Figure of Speech out of the four choices given under each :*

61. Rivers of blood flowed on the battlefied :
A. Simile B. Metaphor
C. Hyperbole D. Alliteration

62. Camel is the ship of the desert :
A. Metaphor B. Simile
C. Pun D. Personification

63. 'O my love's liek a red, red rose, that's newly sprung in June':
A. Alliteration B. Metaphor
C. Simile D. Hyperbole

64. "Opportunity knocks at the door but once."
A. Hyperbole B. Metaphor
C. Antithesis D. Personification

65. "Death lays his icy hand on Kings" :
A. Personification B. Antithesis
C. Metaphor D. Oxymoron

66. "The murmurous haunt of flies on summer eves."
A. Hyperbole B. Alliteration
C. Onomatopoeia D. Personification

67. "Milton! thou should'st be living at this hour. "
A. Personification B. Apostrophe
C. Alliteration D. Irony

68. How high his honour holds his haughty head!
A. Oxymoron B. Personification
C. Alliteration D. Irony

69. "Yet Brutus says he was ambitious. And Brutus is an honourable man."
A. Irony B. Oxymoron
C. Apostrophe D. Pun

70. Is life worth living? That depends upon the liver.
A. Pun B. Alliteration
C. Irony D. Metaphor

71. The pen is mightier than the sword.
A. Simile B. Metaphor
C. Metonymy D. Irony

72. A reeling road, a rolling road, that rambles round the shire.
A. Alliteration B. Metonymy
C. Personification D. Apostrophe

73. "The ploughman homeward plods his weary way."
A. Oxymoron B. Synecdoche
C. Transferred Epithet D. Pun

74. To err is human, to forgive divine :
A. Oxymoron B. Antithesis
C. Transferred Epithet D. Pun

75. He passed a sleepless night :
A. Transferred Epithet B. Antithesis
C. Synecdoche D. Oxymoron

76. The best brains assembled there :
A. Oxymoron B. Synecdoche
C. Irony D. Pun

77. I have many mouths to feed :
A. Synecdoche B. Irony
C. Pun D. Oxymoron

78. Man proposes, God disposes :
A. Synecdoche B. Antithesis
C. Pun D. Irony

79. O Death! Where is thy sting?
A. Metaphor B. Oxymoron
C. Personification D. Apostrophe

80. "Life is a tale told by an idiot,
Full of sound and fury ...."
A. Simile B. Personification
C. Metaphor D. Apostrophe

81. "Thy soul was like a star, and dwelt apart."
A. Metaphor B. Personification
C. Simile D. Onomatopoeia

82. He can devour mountains of food, and drink rivers of whisky.
A. Onomatopoeia B. Hyperbole
C. Metaphor D. Personification

83. "There Honour comes a pilgrim grey" :
A. Metaphor B. Apostrophe
C. Personification D. Onomatopoeia

84. An ambassador is a man who lies abroad for the good of his country :
A. Metonymy B. Personification
C. Pun D. Irony

85. "Husbands had she five on the holy altar" :
A. Hyperbole B. Metaphor
C. Irony D. Pun

86. His honour rooted in dishonour stood :
A. Antithesis B. Oxymoron
C. Irony D. Personification

87. "Sceptre and crown must tumble down."
A. Metonymy B. Antithesis
C. Irony D. Oxymoron

88. A lie has no legs :
A. Apostrophe B. Pun
C. Personification D. Irony

89. Youth is full of pleasure; Age is full of care :
A. Antithesis B. Pun
C. Metaphor D. Personification

90. The righteous shall flourish as the palm trees :
A. Simile B. Transferred Epithet
C. Antithesis D. Synecdoche

ANSWERS

1	2	3	4	5	6	7	8	9	10
A	D	B	C	D	A	C	A	B	D
11	**12**	**13**	**14**	**15**	**16**	**17**	**18**	**19**	**20**
C	B	A	C	D	B	A	A	C	B
21	**22**	**23**	**24**	**25**	**26**	**27**	**28**	**29**	**30**
D	C	D	A	C	D	B	A	D	B
31	**32**	**33**	**34**	**35**	**36**	**37**	**38**	**39**	**40**
C	A	D	C	D	B	A	C	D	B
41	**42**	**43**	**44**	**45**	**46**	**47**	**48**	**49**	**50**
C	B	C	A	A	D	D	A	D	A
51	**52**	**53**	**54**	**55**	**56**	**57**	**58**	**59**	**60**
B	C	D	A	B	B	A	B	C	D
61	**62**	**63**	**64**	**65**	**66**	**67**	**68**	**69**	**70**
C	A	C	D	A	C	B	C	A	A
71	**72**	**73**	**74**	**75**	**76**	**77**	**78**	**79**	**80**
C	A	C	B	A	B	A	B	D	C
81	**82**	**83**	**84**	**85**	**86**	**87**	**88**	**89**	**90**
C	B	C	C	C	B	A	C	A	A

15

Literary Terms

Abridged edition: Condensed or shortened version of a work.

Acrostic : Poem in which the initial letters of the word of each line make a word or words when read downwards.

Act: Major division in a dramatic work.

Adage: Maxim or proverb.

Addendum: Addition or appendix to a book.

Allegory: Story or tale in which characters and events have a second, symbolic, meaning.

Alliteration: Figure of speech where consonants at the beginning of words, or stressed syllables, are repeated.

Almanac: Book or table comprising a calendar of days, weeks and months indicating special occasions or events.

Anagram: Letters or word or phrase which, when re-arranged, form a new word.

Anecdote: Brief account or story about an individual.

Annotation: Textual comment on a book.

Anthology: Collection of poetry or prose from diverse sources.

Antithesis: In Antithesis a striking opposition or contrast of words or sentiments is made in the same sentence. It is employed to secure emphasis.

Aphorism: Short statement of a truth or dogma couched in memorable terms.

Apostrophe: An Apostrophe is a direct address to the dead, to the absent, or to a personified object or idea.

Argot: Slang or coarse vernacular language.

Assonance: Repetition of similar vowel sounds in speech or writing to achieve a particular effect.

Autobiography: An account of a person's life by himself or herself.

Avant-garde: Advanced (in style or thought); ahead of its time.

Ballad: Story in verse, a narrative song, usually treating a single event.

Belles lettres: Essays on literary studies and the aesthetics of literature.

Bibliography: List of works on a particular subject or author.

Biography: An account of a person's life.

Blank verse: Poetry with unrhymed line endings (usually written in iambic pentameters).

Blurb: Brief description of a book printed on the dust cover or jacket.

Bound verse: Verse based on metrical pattern.

Bowdlerize: To 'cleanse' a work by omitting or cutting out indecent passages, phrases or words.

Cadence: Rhythm and phrasing of language.

Caesura: Pause in line of verse.

Canon: Collection of works established as genuine.

Canto: Division of an epic or narrative poem.

Caption: Short description accompanying an illustration.

Catalogue: List of books or works.

Chronicle: A compilation of events in sequence, either actual or fictional.

Cipher: Writing that employs substitution or transposition of letters.

Cliche: Over-used expression that has become trite.

Colloquialism: Word, phrase or expression in everyday use.

Comedy: Humorous dramatic piece; *high comedy* has welldrawn characterization and witty dialogue; *low comedy*, or *slapstick* has absurd situations and boisterous action; *farce* is exaggerated comedy; *tragi-comedy* is a blend of the tragic and comic; *satire* uses sarcasm and wit to ridicule people's follies and vices (originally in verse).

Concordance: Alphabetical index of words in a work, or works by a single author.

Copyright: Protective law to prevent pirating or plagiarism of an author's work.

Couplet: Two successive rhyming lines in poetry.

Cycle: Group of works united by an overall theme.

Denouement: Final unwinding of complex plot.

Dialect: Manner of speaking pertaining to a particular class or geographical region.

Dialogue: The speech of characters in a story or play; part of work in which characters speak.

Diary: Sequential private record of personal and other events kept by an individual.

Dictionary: Book containing the words of a language, and their definitions, alphabetically; two-language dictionaries contain the corresponding words of both languages and their meanings, also alphabetically; any book that gives words and phrases about a particular subject, arranged alphabetically.

Digest: Publication where works are abridged.

Documentary: Form of fiction or drama based on documentary evidence provided by newspapers, recent historical reports or other contemporary or recent factual evidence.

Doggerel: Rough, ill-constructed verse.

Double entendre: Ambiguity in a word or expression, one of whose meanings is usually bawdy or frivolous.

Drama: Work to be performed on a stage by actors.

Dramatic irony: Situation or remark that has a significance unperceived by the character involved.

Dramatis Personae: Characters in a play.

Duologue: Conversation between two characters in a play, story or poem.

Edition: Total number of copies of a book printed from unchanged set of type.

Elegy: Serious meditative poem; often lamenting death.

Encyclopedia: Comprehensive work encompassing and describing many aspects of knowledge; specialist work covering comprehensively a subject or discipline.

Epic: Long narrative poem incorporating myth, legend, folklore and history, about the deeds of heroes, warriors, important people; a grandiose treatment of an individual's or nation's story.

Epigram: Short witty statement in verse or prose.

Epistle: Direct address to another person, a 'letter' in the form of verse.

Epitaph: Valediction to dead person or persons; inscription on a tomb or grave.

Eponymous: Person whose name becomes the title of the work.

Essay: Short composition, usually in prose, discussing a topic or variety of topics.

Euphemism: Substitution of a bland expression for a harsh or blunt one.

Exposition: Summary of plot and events given at the beginning of play.

Fable: A short narrative in prose or verse, often with animals, that points a moral.

Fiction: General term for an imaginative work, usually in prose.

First person: Style of novel, etc., in which narrator is a character.

Folk tale: Story handed down by word of mouth from generation to generation.

Foot: In poetry, rhythmic unit of two or three syllables.

Foreword: Short introduction to a work.

Free verse (*vers libre*): Poetry free from mechanical restrictions such as metre and rhyme, cadenced according to meaningful stress.

Gazetteer: Geographical dictionary or index.

Ghost writer: Person who undertakes literary work for another who takes the credit.

Glossary: Alphabetical list of unfamiliar or uncommon words, usually appended to work in which they appear.

Haiku: Japanee verse form composed of 17 syllables (5, 7, 5).

Heroic Couplet: Rhymed couplet in *horoic lines* (iambic pentameters).

Heroic verse : That used in *epic poetry.*

Hyperbole: Figure of speech that contains exaggeration for emphasis.

Idiom: Form of expression of phrase peculiar to its language and possessing a meaning other than its literal one.

Idyll: Short pastoral poem conveying mood of happy innocence.

Imagism: School of poetry (early 1900s) concerned with precise language, direct treatment, and freedom of form.

Introduction: Essay stating author's intention to reader.

Irony: Irony is a mode of speech in which the real meaning is exactly the opposite of that which is literally conveyed.

Jingle: Verse or verses with strong rhyme and rhythm.

Journal: Paper, periodical or magazine.

Legend: Story about a particular person containing myth and historical fact; explanation of symbols on a map or chart.

Lexicon: Dictionary, especially for Classical and Middle Eastern languages.

Limerick: Humorous verse form of five lines rhyming *a-a-b-b-a* (*a* in trimeter, *b* in diameter).

Linguistics: The scientific study of language.

Lyric: Usually short, song-like poem in which the poet expresses personal feelings.

Manuscript: Book or work written by hand.

Maxim: Short statement or even sentence containing a general truth about human conduct and human nature.

Melodrama: Exaggeratedly and emotionally written story, usually tragic.

Metaphor: Figure of speech in which one thing is described in terms of another by implication.

Meter: Patterns of stressed and unstressed syllables in verse.

Metonymy: In Metonymy an object is designated by the name of something which is generally associated with it.

Monologue: Single person addressing an audience alone, in drama, verse or prose. *Interior monologue*: unspoken but thought speech in verse or prose.

Myth: Non-factual story that embodies explanation of how something comes to exist, usually involving supernatural or superhuman creatures.

Narrative: Story or tale in prose or verse.

Neoclassicism: Movement of late 17th and 18th century reviving classical values in English literature, emphasizing discipline, reason and clarity.

Neologism: Newly-coined word.

New Wave (*la Nouvelle Vague*): Movement in literature and cinema originating in France in late 1950s that attempted to eschew fixed values, revealing a character by the way he experienced objects and events, which were often meticulously described.

Nom de plume: Term used to indicate a fictitious name used by a writer to represent his work.

Novel: Extended piece of prose fiction.

Novelette: Long short story of some 15,000 words.

Novella: Prose fiction longer than a short story, shorter than a novel (about 30,000 words), concentrating upon a single event.

Ode: Lyric poem describing an event or feelings about a person, object or event. *Pindaric Ode* (Greece) written for choral recitation in units of three stanzas; *Horatian Ode* (Rome) consisted of succession of stanzas following pattern of first one.

Onomatopoeia: Onomatopoeia is that artifice of language by which the sound of words is made to suggest or echo the sense.

Parable: A story which conveys a moral lesson is known as a parable, as for instance, the biblical parables.

Paradox: Apparently self-contradicting statement that, on closer examination, is found to contain a truth reconciling the two opposites.

Parody: Comic imitation of serious words, style, sense, subject of a writer to make them appear ridiculous.

Pastoral: Literature depicting idealized rural life.

Periodical: Magazine or journal published regularly.

Personification: In Personification inanimate objects and abstract notions are spoken of as having life or intelligence.

Philology: Study of literature, language and linguistics.

Picaresque: Chronicle of adventures of a rogue; originated in 16-century Spain.

Plagiarism: Wrongful appropriation and publication of another's work as one's own.

Plot: Plan or organization of events and characters in a play, work of fiction or poem as to induce curiosity and suspense in the audience or reader.

Poem: Literary work which may be in rhyme, blank verse or a combination of the two.

Poetry: Any kind of metrical composition in a literary work.

Pornography: Work in which there is a deliberate emphasis on the sexual behaviour of characters, in order to arouse sexual excitement.

Potboiler: Work written essentially to gain the author a livelihood.

Precis: Concise statement; short summary of a work.

Preface: Introduction to a work.

Prologue: Opening section of the work itself.

Propaganda: Work devoted to the dissemination of an idea or belief, usually biased.

Prose: Writings not in verse.

Prosody: Study of the handling of language in poetry.

Pseudonym: Name other than the true one used by an author to represent his work.

Pun: Figure of speech that involves a play upon the words used.

Realism: Literature that attempts to depict life objectively and faithfully.

Refrain: Phrase, line or lines repeated at intervals or at the end of a stanza in poetry.

Review: Notice or critical article on musical, artistic or literary work.

Revue: Theatrical entertainment made up of sketches, dances, songs, recitals and improvised pieces, usually humorous, satirical or topical.

Rhetoric: Art of using language, in speaking or writing, to persuade. The persuasive style (rather than the content) of a work.

Rhyme: Echoing sound or audible similarity in two or more words, especially at endings. Device used to construct much poetry.

Riddle: Puzzle, question or enigma; conundrum.

Roman a clef: Novel based upon actual people under disguised names.

Romance: Tale of chivalry, originally written in verse (Medieval times); term applied now to any wonderful or mysterious tale far removed from reality.

Romanticism: Movement originating in late 18th century as revolt against *neoclassicism*, emphasizing imaginative style.

Saga: Lengthy prose work, sometimes in several parts, describing the history and events surrounding medieval kings, warriors and, recently, fictitious families.

Satire: Any work in which wickedness, folly, vice and corruption in individuals and society is exposed by ridicule and scorn.

Science fiction: Literature based on scientific fact or fantasy, on earth or on other worlds in space, often set in periods in the distant future.

Semantics: Branch of linguistics dealing with meaning, and the change of meaning, in words.

Semiology: General study or science of signs with which humans communicate with each other (including words and their use in every context).

Sermon: Verbal instruction of some length, usually religious.

Short story: Work of fiction usually revolving around single event.

Sic: Included in brackets after a printed word or quoted passage to indicate that it is quoted accurately, however actually incorrect.

Simile: Figure of speech where one thing is likened to another explicitly.

Slang: Colourful and vernacular language of the street, marketplace, barrackroom`, workplace, sportsplace and playground.

Soliloquy: Kind of monologue in which a stage character expresses his thoughts and feelings.

Song: Poem or verse set to music.

Sonnet: 14-line poem of set rhyme-scheme; Elizabethan (Shakespearean) *ababcdcdefefgg*, Italian *abbaabba cdcdcd* (or *cdecde*).

Stanza: Group of lines of verse in definite pattern, usually repeated in a poem.

Style: Characteristic manner of expression in prose or verse; the way in which a thing is written by an author.

Symbolism: French poetic movement of late 19th century that developed as revolt against realism, concentrating on evoking emotions by use of indirect suggestion (symbol and metaphor); flourished in Russia at turn of century as literary movement, and later in British novel.

Synecdoche: In synecdoche a part is used to designate the whole, or the whole to designate a part.

Synonym: A word similar in meaning to another.

Synopsis: Outline of the main points of a work; a summary.

Tale: Spoken or written narrative.

Tautology: Overuse of synonyms or repetition of ideas in sentence.

Theme: Central idea of a work, rather than its subject.

Thesis: Long essay or treatise on a subject, usually expository; work presented to examiners for academic qualification.

Third person: Style of novel, etc., in which narrator is outside action.

Tract: Short printed treatise on religious or political subject.

Tragedy: Serious dramatic composition in prose or verse in which the principal character or characters are victims, often fatally so, of circumstance, or of a fatal flaw of character, of a crime of violence, especially one involving the death of an innocent person.

Transferred Epithet: In this figure an epithet is transferred from its proper word to another that is closely associated with it in the sentence.

Translation: Rendering of a work into another language.

Treatise: Formal work examining a subject and the principles underlying it.

Vade mecum: Manual or handbook carried for frequent reference.

Vernacular: Domestic or native language.

Versification: Study of how traditional verse is constructed.

Yarn: Story or tale, sometimes improbable and far-fetched.

सामान्य मानसिक योग्यता

भाषिक एवं अभाषिक

भाषिक

अध्याय 1

शृंखला

संख्या शृंखला

इस प्रकार की शृंखला में दी गई संख्याओं के समुच्चय एक दूसरे से एक विशेष पैटर्न या रुप में संबंधित होते हैं। संख्याओं के बीच संबंध *(i)* क्रमागत विषम/सम संख्याओं; *(ii)* क्रमागत अविभाज्य संख्याओं; *(iii)* किसी संख्या (या संख्याओं) का वर्गफल/घनफल जिसमें किसी संख्या को जोड़ने या घटाने पर परिवर्तन होता है/नहीं होता; *(iv)* पूर्ववर्ती संख्याओं का योग/गुणनफल/अंतर; *(v)* किसी संख्या से योग/घटा/गुणा/भाग; और *(vi)* उपर्युक्त संबंधों के अनेक और भी संयोजनों पर आधारित होता है।

हल किए गए प्रश्न

1. नीचे दी गई संख्या-शृंखला को पूरा करने के लिए कौन-सा विकल्प उपयुक्त है?

4, 8, 12, 16, ?

(*a*) 18 (*b*) 20 (*c*) 22 (*d*) 24 (*e*) 25

उत्तर (*b*): शृंखला में अंतर्निहित संख्याएं 4 की गुणज (multiples) हैं। शृंखला में अंतर्निहित अवयवों की एक अन्य व्याख्या यह है कि शृंखला की दो आनुक्रमिक संख्याओं के बीच 4 का अंतर है।

4 8 12 16 20

(4 → 8: ×2; 4 → 12: ×3; 4 → 16: ×4; 4 → 20: ×5)

या

4 8 12 16 20

+4 +4 +4 +4

2. दी गई शृंखला में प्रश्न चिह्न के स्थान पर क्या होगा?

2, 14, 98, 686, ?

(*a*) 1976 (*b*) 2548 (*c*) 980 (*d*) 4802 (*e*) इनमें से कोई नहीं

उत्तर (*d*) : शृंखला में अंतर्निहित संख्याएं 7 की गुणज हैं।

2 14 98 686 4802

×7 ×7 ×7 ×7

प्रश्नमाला

शृंखलाओं को पूरा करने के लिए दिए गए विकल्पों में से लुप्त पद/संख्या ज्ञात करें।

1. 3, 9, 27, 81, 243, ?

(*a*) 486 (*b*) 729
(*c*) 972 (*d*) 359
(*e*) इनमें से कोई नहीं

2. 1, 6, 12, 19, 27, ?

(*a*) 38
(*b*) 35
(*c*) 36
(*d*) 54
(*e*) इनमें से कोई नहीं

3. 2, 6, 14, 30, 62, ?
(*a*) 126 (*b*) 128
(*c*) 120 (*d*) 130
(*e*) इनमें से कोई नहीं

4. 8, 48, 16, 96, 32, ?
(*a*) 192 (*b*) 150
(*c*) 64 (*d*) 288
(*e*) 128

5. 2, 8, 14, 24, 34, 48, ?
(*a*) 66 (*b*) 62
(*c*) 58 (*d*) 64
(*e*) 80

6. 4, 9, 19, 34, 54, ?, 109
(*a*) 89 (*b*) 84
(*c*) 74 (*d*) 79
(*e*) इनमें से कोई नहीं

7. 3, 15, 35, 63, 99, ?
(*a*) 144 (*b*) 143
(*c*) 121 (*d*) 169
(*e*) 196

8. 2, 3, 6, 18, 108, ?
(*a*) 1944 (*b*) 1658
(*c*) 648 (*d*) 1008
(*e*) इनमें से कोई नहीं

9. 1, 2, 3, 2, 3, 5, 4, 5, ?
(*a*) 9 (*b*) 6
(*c*) 10 (*d*) 7
(*e*) 8

10. 7776, 1296, 216, 36, 6, ?
(*a*) 6 (*b*) 0
(*c*) 3 (*d*) 1
(*e*) 4

11. 1, 8, 27, 64, 125, ?
(*a*) 172 (*b*) 176
(*c*) 216 (*d*) 189
(*e*) इनमें से कोई नहीं

12. 2, 3, 5, 7, 11, 13, ?
(*a*) 19 (*b*) 57
(*c*) 31 (*d*) 17
(*e*) इनमें से कोई नहीं

13. 80, 64, 48, 32, 16, ?
(*a*) 4 (*b*) 0
(*c*) 8 (*d*) 1
(*e*) 2

14. 3, 8, 13, 24, 41, ?
(*a*) 65 (*b*) 75
(*c*) 70 (*d*) 80
(*e*) 96

15. 9, 81, 90, 810, 819, ?
(*a*) 7371 (*b*) 900
(*c*) 8100 (*d*) 1638
(*e*) इनमें से कोई नहीं

16. 0, 8, 24, 48, 80, ?
(*a*) 110 (*b*) 96
(*c*) 120 (*d*) 140
(*e*) इनमें से कोई नहीं

17. 2, 4, 8, 3, 9, 27, 4, 16, ?
(*a*) 64 (*b*) 32
(*c*) 48 (*d*) 24
(*e*) 96

18. 27, 28, 25, 25, 23, 22, 21, ?
(*a*) 20 (*b*) 21
(*c*) 19 (*d*) 18
(*e*) 24

19. 80, 63, 72, 72, 64, 81, 56, ?
(*a*) 96 (*b*) 98
(*c*) 89 (*d*) 90
(*e*) इनमें से कोई नहीं

20. 0, 5, 22, 57, ?, 205
(*a*) 198 (*b*) 116
(*c*) 172 (*d*) 92
(*e*) इनमें से कोई नहीं

21. 19200, 1920, 240, 40, 10, ?
(*a*) 1 (*b*) 0
(*c*) 5 (*d*) 10
(*e*) 18

22. 1, 2, 1, 3, 2, 7, 13, ?
(*a*) 39 (*b*) 26
(*c*) 92 (*d*) 108
(*e*) 19

23. 2, 4, 4, 8, 16, 16, 256, ?
(*a*) 64 (*b*) 36
(*c*) 180 (*d*) 32
(*e*) इनमें से कोई नहीं

24. 3, 6, 9, 36, 27, 216, 81, ?
(*a*) 1296 (*b*) 648
(*c*) 243 (*d*) 1944
(*e*) इनमें से कोई नहीं

25. 19, 4, 14, 7, 10, 11, 7, ?
(*a*) 16 (*b*) 15
(*c*) 17 (*d*) 23
(*e*) 24

26. 1, 2, 3, 5, 8, ?
(*a*) 11 (*b*) 13
(*c*) 15 (*d*) 9
(*e*) 16

27. 64, 16, 32, 8, ?
(*a*) 24 (*b*) 32
(*c*) 4 (*d*) 16
(*e*) 40

28. 2, 3, 5, 10, 20, 40, ?
(*a*) 65 (*b*) 75
(*c*) 60 (*d*) 80
(*e*) 100

29. 3, 15, 90, 630, 5040, ?
(*a*) 35280 (*b*) 40320
(*c*) 45360 (*d*) 10080
(*e*) इनमें से कोई नहीं

30. 1890, 1890, 630, 126, 18, ?
(*a*) 6 (*b*) 9
(*c*) 2 (*d*) 3
(*e*) 4

31. 138, 115, 92, 69, 46, ?
(*a*) 9 (*b*) 18
(*c*) 21 (*d*) 23
(*e*) 29

32. 55, 45, 36, 28, 21, ?
(*a*) 11 (*b*) 16
(*c*) 15 (*d*) 17
(*e*) इनमें से कोई नहीं

33. 29282, 2662, 242, 22, ?
(*a*) 1 (*b*) 2
(*c*) 0 (*d*) 11
(*e*) 6

34. 4, 2, 8, 16, 128, ?
(*a*) 562 (*b*) 1018
(*c*) 2024 (*d*) 2048
(*e*) इनमें से कोई नहीं

35. 9, 54, 44, 264, 254, 1524, ?
(*a*) 1514 (*b*) 508
(*c*) 3048 (*d*) 1330
(*e*) इनमें से कोई नहीं

36. 1, 2, 2, 4, 16, ?, 65536
(*a*) 276 (*b*) 64
(*c*) 256 (*d*) 198
(*e*) 324

37. 186, 115, 71, 44, 27, ?
(*a*) 19 (*b*) 17
(*c*) 13 (*d*) 21
(*e*) 24

38. 48, ?, 24, 30, 12, 90
(*a*) 56 (*b*) 10
(*c*) 33 (*d*) 16
(*e*) इनमें से कोई नहीं

39. 100, 25, 64, 49, 36, ?, 16
(*a*) 81 (*b*) 64
(*c*) 25 (*d*) 9
(*e*) 16

40. 128, 64, 32, 16, ?, 4
(*a*) 10 (*b*) 8
(*c*) 6 (*d*) 12
(*e*) 15

व्याख्यात्मक उत्तरमाला

1. (*b*) : शृंखला में निहित संख्याओं को अगली संख्या प्राप्त करने के लिए 3 से गुणा किया गया है।

2. (*c*) : शृंखला के आरंभिक पदों अर्थात् 1 और 6 के बीच 5 का अंतर है और तत्पश्चात् शृंखला की आनुक्रमिक संख्याओं के बीच अंतर में क्रमशः 1 की वृद्धि होती जाती है।

3. (*a*) : शृंखला की आरंभिक संख्याओं अर्थात् 2 और 6 के बीच 4 का अंतर है और तत्पश्चात् शृंखला की आनुक्रमिक संख्याओं के बीच अंतर क्रमशः दो गुना होता जाता है।

4. (*a*) : *व्याख्या I* : शृंखला में पहले 6 से गुणा करने और तत्पश्चात् 3 से भाग करने का पैटर्न अपनाया गया है जिसकी पुनरावृत्ति होती है।

व्याख्या II : शृंखला में बारी-बारी से दो शृंखलाएं अंतर्निहित हैं और प्रत्येक शृंखला में पहले की संख्या को 2 से गुणा करने पर आनुक्रमिक संख्या प्राप्त होती है।

5. (*b*) : शृंखला में संख्याओं का अनुक्रम निम्नवत् है :

2 8 14 24 34 48 62
+6 +6 +10 +10 +14 +14

शृंखला में दो आनुक्रमिक संख्याओं के बीच अंतर में एकांतर चरण पर 4 की वृद्धि होती जाती है।

6. (*d*) : शृंखला की आरंभिक संख्याओं अर्थात् 4 और 9 के बीच 5 का अंतर है और तत्पश्चात् शृंखला की आनुक्रमिक संख्याओं के बीच अंतर में क्रमशः 5 की वृद्धि होती जाती है।

7. (*b*) : शृंखला में 2 से आरंभ करके क्रमागत सम संख्याओं का वर्ग घटा 1 के पैटर्न का अनुपालन किया गया है।

8. (*a*) : शृंखला में हर तीसरी संख्या पूर्ववर्ती दो संख्याओं का गुणनफल है।

9. (*a*) : इस शृंखला में तीन संख्याओं से एक समुच्चय निर्मित होता है जिनमें से प्रत्येक समुच्चय में पहली दो संख्याएं सीधे क्रम में हैं तथा तीसरी संख्या पहली और दूसरी संख्याओं का योग है। अगले समुच्चय की पहली संख्या पूर्ववर्ती समुच्चय भी पहली संख्या की दोगुनी है।

× 2 × 2
1 2 3 2 3 5 4 5 9
1 + 2 2 + 3 4 + 5

10. (*d*) : इस शृंखला में आनुक्रमिक संख्या पहली संख्या को 6 से भाग देने पर प्राप्त होती है।

11. (*c*) : इस शृंखला में संख्याएं 1 से आरंभ हो कर क्रमागत संख्याओं का घनफल हैं।

12. (*d*) : शृंखला की संख्याएं वर्धमान क्रम में अविभाज्य संख्याएं (prime numbers) हैं।

13. (*b*) : शृंखला की संख्याओं में प्रत्येक चरण में 16 की कमी होती जाती है।

14. (*c*) : शृंखला में निम्नलिखित पैटर्न का अनुपालन किया जाता है :

(दी गई संख्या + अगली संख्या) +2 से आरंभ करके प्रत्येक चरण में 1 की वृद्धि करते हुए क्रमागत प्राकृतिक संख्या का योग :

3 8 13 24 41 70

(3+8) + 2, (8 + 13) + 3, (13 + 24) + 4, (24 + 41) + 5

15. (a) : शृंखला में पहली संख्या को 9 से गुणा करने पर दूसरी संख्या प्राप्त होती है और दूसरी संख्या में 9 जोड़ने पर तीसरी संख्या प्राप्त होती है। तत्पश्चात् आगामी संख्याओं के लिए इसी पैटर्न का अर्थात् × 9, + 9 के पैटर्न का अनुपालन किया जाता है।

16. (c) : शृंखला की संख्याएं प्राकृतिक क्रम में दो सम संख्याओं का गुणनफल हैं, अर्थात्

0 8 24 48 80 120

↓ ↓ ↓ ↓ ↓ ↓

(0 × 2) (2 × 4) (4 × 6) (6 × 8) (8 × 10) (10 × 12)

17. (a) : इस शृंखला में 3 संख्याओं से एक समुच्चय निर्मित होता है जिनमें से प्रत्येक समुच्चय की पहली संख्याएं प्राकृतिक क्रम में हैं तथा प्रत्येक समुच्चय की दूसरी संख्या पहली संख्या का वर्ग है तथा तीसरी संख्या पहली संख्या का घन है।

18. (c) : शृंखला में बारी-बारी से दो शृंखलाएं अंतर्निहित हैं :

–2 –2 –2

27 28 25 25 23 22 21 19

–3 –3 –3

शृंखला I : 27, 25, 23, 21 (शृंखला –2 पैटर्न का अनुपालन करती है)

शृंखला II : 28, 25, 22, 19 (शृंखला –3 पैटर्न का अनुपालन करती है)

19. (d) : शृंखला में बारी-बारी से दो शृंखलाएं अंतर्निहित हैं :

–8 –8 –8

80 63 72 72 64 81 56 90

+9 +9 +9

शृंखला I : 80, 72, 64, 56 (शृंखला –8 का अनुपालन करती है)

शृंखला II : 63, 72, 81, 90 (शृंखला +9 पैटर्न का अनुपालन करती है)

20. (b) : शृंखला निम्नलिखित पैटर्न का अनुपालन करती है :
1 से आरंभ करके प्राकृतिक संख्याओं का घनफल घटा 1 से आरंभ करके एकांतर विषम संख्याएं

0 5 22 57 116 205

↓ ↓ ↓ ↓ ↓ ↓

$1^3–1$ $2^3–3$ $3^3–5$ $4^3–7$ $5^3–9$ $6^3–11$

21. (c) : शृंखला में पहली संख्या को 10 से आरंभ करके घटते हुए क्रम में सम संख्याओं से भाग देने पर अगली संख्या प्राप्त होती है।

19200 1920 240 40 10 5

÷10 ÷8 ÷6 ÷4 ÷2

22. (c) : शृंखला में आरंभिक दो संख्याओं के गुणनफल में बारी-बारी से –1 और +1 करने पर आगामी संख्या प्राप्त होती है।

23. (d) : शृंखला में बारी-बारी से दो शृंखलाएं अंतर्निहित हैं :

×2 ×4 ×16

2 4 4 8 16 16 256 32

×2 × 2 × 2

शृंखला I : 2, 4, 16, 256 (अगली संख्या अपनी पूर्ववर्ती संख्या का वर्गफल है)

शृंखला II : 4, 8, 16, 32 (अगली संख्या पूर्ववर्ती संख्या को 2 से गुणा करने पर प्राप्त होती है)

24. (a) : शृंखला में बारी-बारी से दो शृंखलाएं अंतर्निहित हैं :

×3 ×3 ×3

3 6 9 36 27 216 81 1296

×6 ×6 ×6

शृंखला I : 3, 9, 27, 81 (अगली संख्या पूर्ववर्ती संख्या को 3 से गुणा करने पर प्राप्त होती है)

शृंखला II : 6, 36, 216, 1296 (अगली संख्या पूर्ववर्ती संख्या को 6 से गुणा करने पर प्राप्त होती है)

25. (a) : शृंखला में बारी-बारी से दो शृंखलाएं अंतर्निहित हैं :

–5 –4 –3

19 4 14 7 10 11 7 16

+3 +4 +5

शृंखला I : 19, 14, 10, 7 (शृंखला में क्रमशः –5, –4, –3 के पैटर्न का अनुपालन किया गया है)

शृंखला II : 4, 7, 11, 16 (शृंखला में क्रमशः +3, +4, +5 के पैटर्न का अनुपालन किया गया है)

26. (b) : शृंखला की संख्याएं अपनी पूर्ववर्ती दो संख्याओं का योगफल हैं।

27. (d) : शृंखला में बारी-बारी से दो शृंखलाएं अंतर्निहित हैं तथा प्रत्येक शृंखला में पूर्ववर्ती संख्या को 2 से भाग करने पर अगली संख्या प्राप्त होती है।

÷ 2 ÷ 2

64 16 32 8 16

÷ 2

28. (d) : शृंखला में अंतर्निहित कोई भी संख्या अपनी पूर्ववर्ती सभी संख्याओं का योगफल है।

29. (c) : शृंखला में ×5, ×6, ×7, ×8, ×9 पैटर्न का अनुपालन किया गया है।

3 15 90 630 5040 45360

×5 ×6 ×7 ×8 ×9

30. *(c)* **:** शृंखला की आनुक्रमिक संख्याएं 1 से आरंभ करके क्रमशः बढ़ते हुए क्रम में विषम संख्याओं से भाग देने पर प्राप्त होती हैं।

1890   1890   630   126   18   2

÷ 1   ÷ 3   ÷ 5   ÷ 7   ÷ 9

31. *(d)* **:** शृंखला की संख्या में क्रमशः 23 की कमी होती जाती है।

32. *(c)* **:** शृंखला की दो आनुक्रमिक संख्याओं के बीच अंतर में क्रमशः 1 की कमी होती जाती है।

55   45   36   28   21   15

–10   –9   –8   –7   –6

33. *(b)* **:** शृंखला की संख्याएं प्रत्येक चरण पर 11 से भाग देने पर प्राप्त होती हैं।

34. *(d)* **:** शृंखला की संख्याएं अपनी पूर्ववर्ती दो संख्याओं का गुणनफल हैं।

35. *(a)* **:** संख्या में × 6, – 10 पैटर्न का अनुपालन किया गया है जिसकी आगे भी पुनरावृत्ति होती है।

36. *(c)* **:** शृंखला की संख्याएं अपनी पूर्ववर्ती सभी संख्याओं का गुणनफल हैं।

37. *(b)* **:** शृंखला में एक संख्या को पूर्ववर्ती संख्या से घटाने पर अगली संख्या प्राप्त होती है।

38. *(b)* **:** शृंखला में बारी-बारी से दो शृंखलाएं अंतर्निहित हैं :

÷ 2   ÷ 2

48   10   24   30   12   90

×3   ×3

शृंखला I : 48, 24, 12 (प्रत्येक संख्या को 2 से भाग देने पर अगली संख्या प्राप्त होती है)

शृंखला II : 10, 30, 90 (प्रत्येक संख्या को 3 से गुणा करने पर अगली संख्या प्राप्त होती है)

39. *(a)* **:** शृंखला में बारी-बारी से दो शृंखलाएं अंतर्निहित हैं :

100	25	64	49	36	81	16
↓	↓	↓	↓	↓	↓	↓
10^2	5^2	8^2	7^2	6^2	9^2	4^2

शृंखला I : 100, 64, 36, 16 (घटते हुए क्रम में सम संख्याओं का वर्ग)

शृंखला II : 25, 49, 81 (बढ़ते हुए क्रम में विषम संख्याओं का वर्ग)

40. *(b)* **:** शृंखला की संख्याएं प्रत्येक चरण पर विद्यमान संख्या को 2 से भाग देने पर प्राप्त होती हैं।

अक्षर शृंखला

अक्षर शृंखला में निहित अक्षरों का एक निश्चित क्रम होता है। दी गई अक्षर शृंखला में अक्षर वर्णमाला के सीधे क्रम में भी हो सकते हैं और वर्णमाला के विपरीत क्रम में भी। यही नहीं, एक ही शृंखला में अक्षर वर्णमाला के सीधे क्रम में और वर्णमाला के विपरीत या उल्टे क्रम में अर्थात् दोनों ही अनुक्रमों में भी हो सकते हैं। शृंखला में दिए गए क्रम में कुछ अक्षर छोड़े भी गए हो सकते हैं या ऐसा भी हो सकता है कि शृंखला में कुछ अक्षरों को एकाधिक बार प्रयुक्त किया गया हो या फिर वे क्रमागत हों। शृंखला एकल भी हो सकती है और एक ही शृंखला में एकांतर क्रम में दो अलग-अलग शृंखलाएं भी निहित हो सकती हैं। अक्षर शृंखला पर आधारित प्रश्नों को हल करते समय शृंखला के पैटर्न पर ध्यान दिया जाना आवश्यक होता है।

वर्णमाला के सीधे क्रम में अक्षरों की शृंखला है :

A B C D E F G H I J K L M N O P Q R S T U V W X Y Z

A ↓ पहला; E ↓ 5वाँ; J ↓ 10वाँ; O ↓ 15वाँ; T ↓ 20वाँ; Y ↓ 25वाँ

वर्णमाला के विपरीत या उल्टे क्रम में अक्षरों की शृंखला है :

Z Y X W V U T S R Q P O N M L K J I H G F E D C B A

Z ↓ पहला; V ↓ 5वाँ; Q ↓ 10वाँ; L ↓ 15वाँ; G ↓ 20वाँ; B ↓ 25वाँ

टिप्पणी : Z पर पहुंच कर शृंखला A से पुनः शुरू होती है और A पर पहुंच कर शृंखला Z से पुनः शुरू होती है।

हल किए गए प्रश्न

निर्देश : *नीचे दी गई शृंखला में प्रश्न चिह्न को प्रतिस्थापित करने के लिए दिए गए विकल्पों में से सही अक्षर का चयन करें :*

1. B D F H J ?

(a) L   *(b)* O   *(c)* M   *(d)* K   *(e)* P

उत्तर *(a)* **:** शृंखला में प्रत्येक दो अक्षरों के बीच वर्णमाला के सीधे क्रम में एक अक्षर छूट गया है।

B D F H J L

+2 +2 +2 +2 +2

2. A Z B Y C ?

(*a*) D (*b*) X (*c*) U (*d*) E (*e*) O

उत्तर (*b*) : इस शृंखला में बारी-बारी से दो शृंखलाएं अंतर्निहित हैं :

शृंखला *I* : A B C (प्राकृतिक क्रम अर्थात् वर्णमाला के सीधे क्रम में क्रमागत अक्षर)

शृंखला *II* : Z Y X (वर्णमाला के विपरीत क्रम में क्रमागत अक्षर)

+1 +1

A Z B Y C X

−1 −1

प्रश्नमाला

1. B F K Q ?
(*a*) U (*b*) T
(*c*) X (*d*) Y
(*e*) W

2. C E F I J L M P Q S ?
(*a*) TW (*b*) TV
(*c*) WY (*d*) VY
(*e*) UT

3. E D C H G F K J I N ?
(*a*) LM (*b*) OP
(*c*) MO (*d*) ML
(*e*) MP

4. A E I M Q ?
(*a*) T (*b*) U
(*c*) V (*d*) W
(*e*) इनमें से कोई नहीं

5. C E H J M O ?
(*a*) Q (*b*) S
(*c*) R (*d*) T
(*e*) इनमें से कोई नहीं

6. A A B A C A ?
(*a*) A (*b*) D
(*c*) B (*d*) C
(*e*) इनमें से कोई नहीं

7. E O I S M W Q A ?
(*a*) UE (*b*) TD
(*c*) VF (*d*) SC
(*e*) DT

8. A B D ? K
(*a*) G (*b*) F
(*c*) H (*d*) I
(*e*) J

9. B E I L ? S
(*a*) Q (*b*) M
(*c*) P (*d*) N
(*e*) R

10. X U R O L ?
(*a*) J (*b*) G
(*c*) H (*d*) I
(*e*) D

11. C G L R ?
(*a*) W (*b*) X
(*c*) Y (*d*) Z
(*e*) B

12. B A D C ? H G J I
(*a*) EF (*b*) FE
(*c*) FG (*d*) DF
(*e*) GF

13. R K F ? B
(*a*) D (*b*) C
(*c*) E (*d*) B
(*e*) F

14. Z X ? N F
(*a*) T (*b*) R
(*c*) Q (*d*) O
(*e*) S

15. W S O K ?
(*a*) G (*b*) F
(*c*) H (*d*) E
(*e*) K

16. T T S R R Q P P O N ?
(*a*) M (*b*) L
(*c*) O (*d*) N
(*e*) इनमें से कोई नहीं

17. D K P ? B
(*a*) R (*b*) T
(*c*) W (*d*) Z
(*e*) इनमें से कोई नहीं

18. A F K P ?
(*a*) T (*b*) U
(*c*) W (*d*) X
(*e*) इनमें से कोई नहीं

19. C C C C D C ? E C
(*a*) D (*b*) C
(*c*) E (*d*) B
(*e*) F

20. R Z J K S B C ?
(*a*) W (*b*) K
(*c*) L (*d*) X
(*e*) Z

21. A L W B M X C N ?
(*a*) V (*b*) W
(*c*) Y (*d*) X
(*e*) Z

22. D H M S ?
(*a*) W (*b*) X
(*c*) Y (*d*) Z
(*e*) V

23. U R P M K ?
(*a*) G (*b*) E
(*c*) H (*d*) F
(*e*) I

24. A B F G K L ?
(*a*) P (*b*) M
(*c*) R (*d*) O
(*e*) N

25. ADG, XVT, BEH, WUS, ?
(*a*) VTR (*b*) CFI
(*c*) DFJ (*d*) STU
(*e*) इनमें से कोई नहीं

26. GMSY, IOUA, KQWC, ?
(*a*) MSYE (*b*) NSYE
(*c*) MTYE (*d*) MSYF
(*e*) इनमें से कोई नहीं

27. ADG, GJM, ?, SVY
(*a*) MPS (*b*) MQR
(*c*) MQS (*d*) SPM
(*e*) इनमें से कोई नहीं

28. KNQ, TWZ, CFI, ?
(*a*) KOR (*b*) LOR
(*c*) MNQ (*d*) JLM
(*e*) इनमें से कोई नहीं

29. AEI, BFJ, CGK, ?
(*a*) DLH (*b*) EGF
(*c*) EFL (*d*) DHL
(*e*) ELF

30. CFI, IKM, OPQ, ?
(*a*) UUU (*b*) UST
(*c*) VUS (*d*) TUV
(*e*) STU

व्याख्यात्मक उत्तरमाला

1. (*c*) : शृंखला में दो सन्निकट अक्षरों के बीच अंतर में प्रत्येक चरण में एक की वृद्धि होती जाती है।

B F K Q X
+4 +5 +6 +7

2. (*a*) : शृंखला में दो सन्निकट अक्षरों के बीच अंतर क्रमश: दो, एक, तीन और एक अक्षर का है तथा उसके बाद इसी क्रम की पुनरावृत्ति होती है।

C E F I J L M P Q S T W
+2 +1 +3 +1 +2 +1 +3 +1 +2 +1 +3

3. (*d*) : शृंखला में तीन-तीन अक्षरों के समूह हैं। समूहों के अक्षर वर्णमाला के विपरीत क्रम में विन्यस्त हैं।

EDC HGF KJI NML

4. (*b*) : शृंखला में दो सन्निकट अक्षरों के बीच +4 का अंतर है

A E I M Q U
+4 +4 +4 +4 +4

5. (*c*) : शृंखला के अक्षरों के बीच बारी-बारी से +2 और +3 का अंतर है।

C E H J M O R
+2 +3 +2 +3 +2 +3

6. (*b*) : शृंखला में हर दूसरा अक्षर A है तथा अन्य अक्षर वर्णमाला के सीधे क्रम में हैं।

A A B A C A D

7. (*a*) : शृंखला में बारी-बारी से दो शृंखलाएं अंतर्निहित हैं जिनके दो सन्निकट अक्षरों के बीच +4 का अंतर है।

+4 +4 +4 +4
E O I S M W Q A U E
+4 +4 +4 +4

शृंखला I : EIMQU
शृंखला II : OSWAE
(शृंखला Z पर पहुंचने के बाद A से पुन: शुरू होती है)

8. (*a*) : शृंखला में दो सन्निकट अक्षरों के बीच अंतर में प्रत्येक चरण में एक की वृद्धि होती जाती है।

A B D G K
+1 +2 +3 +4

9. (*c*) : शृंखला +3, +4 के पैटर्न का अनुपालन करती है, और बाद में इसी पैटर्न की पुनरावृत्ति होती है।

B E I L P S
+3 +4 +3 +4 +3

10. (*d*) : शृंखला के अक्षर वर्णमाला के विपरीत क्रम में हैं तथा शृंखला के दो सन्निकट अक्षरों के बीच –3 का अंतर है।

X U R O L I
–3 –3 –3 –3 –3

11. (*c*) : शृंखला के दो सन्निकट अक्षरों के बीच अंतर में प्रत्येक चरण में एक की वृद्धि होती जाती है।

C G L R Y

+4 +5 +6 +7

12. (*b*) : शृंखला के अक्षर वर्णमाला के विपरीत क्रम में दो-दो अक्षरों के समूह में विन्यस्त हैं।

<u>BA</u> <u>DC</u> <u>FE</u> <u>HG</u> <u>JI</u>

13. (*b*) : शृंखला में दो क्रमागत अक्षरों के बीच वर्णमाला के विपरीत क्रम में अंतर में क्रमशः 2 की कमी होती जाती है।

R K F C B

–7 –5 –3 –1

14. (*a*) : शृंखला के दो सन्निकट अक्षरों के बीच अंतर में प्रत्येक चरण में +2 की वृद्धि होती जाती है।

Z X T N F

+2 +4 +6 +8

15. (*a*) : शृंखला में दो सन्निकट अक्षरों के बीच 4 का अंतर है।

W S O K G

–4 –4 –4 –4

16. (*d*) : शृंखला में विषम स्थान पर अवस्थित अक्षरों की पुनरावृत्ति होती है।

TT S RR Q PP O NN

↓ ↓ ↓ ↓

पहला स्थान तीसरा स्थान पाँचवाँ स्थान सातवाँ स्थान

17. (*c*) : शृंखला के अक्षरों के बीच बारी-बारी से +7 और +5 का अंतर है।

D K P W B

+7 +5 +7 +5

(शृंखला Z पर पहुंचने के बाद A से पुन: शुरू होती है)

18. (*b*) : शृंखला में दो सन्निकट अक्षरों के बीच +5 का अंतर है।

A F K P U

+5 +5 +5 +5

19. (*b*) : शृंखला के अक्षर वर्णमाला के सीधे क्रम में हैं और प्रत्येक अक्षर दो C अक्षरों के बीच अवस्थित है।

<u>C</u> C <u>C</u> C D <u>C</u> <u>C</u> E <u>C</u>

20. (*b*) : शृंखला में तीन-तीन अक्षरों के समूह अंतर्निहित हैं। समूह का दूसरा और तीसरा अक्षर प्राप्त करने के लिए पहले अक्षर को वर्णमाला के क्रम में 8 चरण क्रमशः आगे और पीछे किया गया है। तीसरे अक्षर का क्रमागत अक्षर तीन अक्षरों के दूसरे समूह का पहला अक्षर है। तत्पश्चात् उपर्युक्त प्रक्रिया एक बार फिर से शुरू होती है।

R Z J K S B C K

+8 +1 +8 +1 +8

–8 –8

21. (*c*) : शृंखला में बारी-बारी से तीन शृंखलाएं अंतर्निहित हैं:

A L <u>W</u> B M <u>X</u> C N <u>Y</u>

शृंखला I : ABC

शृंखला II : LMN

शृंखला III : WXY

22. (*d*) : शृंखला में दो सन्निकट अक्षरों के बीच अंतर में प्रत्येक चरण में एक की वृद्धि होती जाती है।

D H M S Z

+4 +5 +6 +7

23. (*c*) : शृंखला के अक्षर वर्णमाला के विपरीत क्रम में हैं और दो सन्निकट अक्षरों के बीच बारी-बारी से –3 और –2 का अंतर है।

U R P M K H

–3 –2 –3 –2 –3

24. (*a*) : शृंखला के अक्षर वर्णमाला के सीधे क्रम में हैं और अक्षरों के बीच बारी-बारी से +1 और +4 का अंतर है।

A B F G K L P

+1 +4 +1 +4 +1 +4

25. (*b*) : शृंखला में बारी-बारी से दो शृंखलाएं अंतर्निहित हैं।

ADG XVT BEH WUS CFI

शृंखला I : ADG BEH CFI

+1 +1

+1 +1

+1 +1

शृंखला II : XVT WUS

–1

–1

–1

26. (*a*) : अक्षरों के पहले समूह के प्रत्येक अक्षर को वर्णमाला के सीधे क्रम में दो चरण आगे बढ़ाने पर अक्षरों का दूसरा समूह प्राप्त होता है और शृंखला में इसी पैटर्न की आगे भी पुनरावृत्ति होती है।

(शृंखला Z पर पहुंचने के बाद A से पुन: शुरू होती है)

27. (*a*) : शृंखला में तीन अक्षरों के प्रत्येक समूह में दो अक्षरों के बीच +3 का अंतर है। शृंखला का अगला समूह पूर्ववर्ती समूह के अंतिम अक्षर से शुरू होता है।

ADG GJM MPS SVY

+3 +3 +3 +3 +3 +3 +3 +3

28. (*b*) : शृंखला के अक्षर वर्णमाला के सीधे क्रम में हैं तथा दो सन्निकट अक्षरों के बीच +3 का अंतर है।

(शृंखला Z पर पहुंचने के बाद A से पुन: शुरू होती है)

K N Q T W Z C F I L O R

+3 +3 +3 +3 +3 +3 +3 +3 +3 +3 +3

29. (*d*) : शृंखला में दिए गए तीन अक्षरों के समूहों में पहले समूह के सभी तीनों अक्षरों को वर्णमाला के सीधे क्रम में +1 चरण आगे बढ़ाने पर तीन अक्षरों का दूसरा समूह प्राप्त होता है और यही क्रम आगे भी चलता है।

30. (*a*) : शृंखला में तीन अक्षरों के पहले समूह के सभी तीनों अक्षरों को क्रमशः +6, +5, +4 चरण आगे बढ़ाने पर शृंखला का दूसरा अक्षर समूह प्राप्त होता है।

आवर्ती शृंखला

इस प्रकार की शृंखला में अक्षरों का समुच्चय निर्मित करने के लिए अंग्रेजी वर्णमाला के छोटे अक्षरों का प्रयोग किया जाता है जिनकी शृंखला में पुनरावृत्ति होती है। अभ्यर्थी को दी गई शृंखला में लुप्त पद (अक्षरों का समुच्चय) ज्ञात करना होता है जिससे शृंखला के एक खंड की पूर्वव्यापी पैटर्न के अनुसार ही पुनरावृत्ति होती हो।

हल किए गए प्रश्न

1. निम्नलिखित अक्षर-शृंखला में लुप्त पद ज्ञात करें :
ba-b-aab-a-b
(*a*) baab (*b*) abba
(*c*) abaa (*d*) babb
(*e*) bbab

उत्तर (*b*) : शृंखला के पद हैं : baab, baab, baab। इस शृंखला में पद baab की पुनरावृत्ति होती है।

प्रश्न को हल करने के चरण : अभ्यर्थियों के लिए यह अपेक्षित है कि वे इस प्रकार की अक्षर-शृंखला को हल करने के तरीकों का पता लगाएं। शृंखला में प्रयुक्त पद 'aab' इस तथ्य की ओर संकेत करता है कि इस शृंखला में b से पहले दो a हैं,अत: शृंखला में पहले और अंतिम रिक्त स्थान पर a लिखा जाएगा। अब अक्षरों का पहला समुच्चय अर्थात् आरंभ में 'baab' प्राप्त हो गया है। इस समुच्चय की पुनरावृत्ति होती है, अत: दूसरे और तीसरे रिक्त स्थानों पर b लिखा जाएगा।

उपर्युक्त व्याख्या को ध्यान में रखते हुए नीचे दिए गए प्रश्नों को हल करें ताकि आप इस प्रकार की अक्षर शृंखलाओं के विभिन्न रुपों से परिचित हो सकें।

प्रश्नमाला

निर्देश : *दी गई अक्षर-शृंखलाओं को पूरा करने के लिए दिए गए अक्षर-समूहों के विकल्पों में से सही विकल्प का चयन करें।*

1. ab___b_bbaa_
(*a*) babba (*b*) abaab
(*c*) abbab (*d*) baaab
(*e*) ababa

2. aa_ab__aaa_a
(*a*) baaa (*b*) abab
(*c*) aaab (*d*) aabb
(*e*) bbaa

3. _baa_aab_a_a
(*a*) baab (*b*) abab
(*c*) aaba (*d*) aabb
(*e*) baba

4. _a cca_ccca_acccc_aaa
(*a*) ccaa (*b*) acca
(*c*) caac (*d*) caaa
(*e*) ccca

5. c_bbb__abbbb_abbb_
(*a*) abccb (*b*) bacbb
(*c*) aabcb (*d*) abacb
(*e*) bacba

6. ac_cab_baca_aba_acac
(*a*) bcbb (*b*) aacb
(*c*) babb (*d*) acbc
(*e*) cbcc

7. __aba__ba_ab
(*a*) abbab (*b*) bbaba
(*c*) baabb (*d*) abbba
(*e*) aabab

8. __babbba_a__
(*a*) bbaba (*b*) babbb
(*c*) baaab (*d*) ababb
(*e*) abbba

9. k_mk_lmkkl_kk_mk
(*a*) lklm (*b*) lkmk
(*c*) lkmm (*d*) lkml
(*e*) lmkm

10. abc_d_bc_d_b_dd
(*a*) decdb (*b*) dadac
(*c*) cdabe (*d*) bacde
(*e*) abcde

11. b_abbc_bbca_bcabb_ab
(*a*) acba (*b*) acaa
(*c*) cacc (*d*) cabc
(*e*) baca

12. aca_ac__a_ac
(*a*) babc (*b*) aaac
(*c*) cacc (*d*) caca
(*e*) acac

13. ba_cb_b_bab_?
(*a*) acbb (*b*) bcaa
(*c*) cabb (*d*) bacc
(*e*) baca

14. ab_aa_caab_aab_a
(*a*) bcbc (*b*) bbca
(*c*) cbcc (*d*) caba
(*e*) acbc

15. _bbcaa_bcaa_bc_a_bca
(*a*) bacab (*b*) abbab
(*c*) abcba (*d*) bcaab
(*e*) abcab

16. a_bccb_ca_cca_baab_c
(*a*) accab (*b*) abcaa
(*c*) bacaa (*d*) ababc
(*e*) aabbc

17. b_dabbcd_b_c_ab
(*a*) cabd (*b*) bcad
(*c*) dcba (*d*) acbd
(*e*) abcd

18. a_ba_caacb_bc_
(*a*) acbb (*b*) cbab
(*c*) cbaa (*d*) cbba
(*e*) acba

19. c_baa_aca_cacab_acac_bca
(*a*) acbaa (*b*) cbaac
(*c*) bccab (*d*) bbcaa
(*e*) acabc

20. _bcc_ac_aabb_ab_cc
(*a*) bacab (*b*) abaca
(*c*) aabca (*d*) bcaca
(*e*) bacac

21. ab_ccca_bccc_bbcc_
(*a*) abbc (*b*) bbac
(*c*) bbca (*d*) cabc
(*e*) acba

22. _cbc_a_bcaac_ca
(*a*) aaba (*b*) caab
(*c*) bcab (*d*) aacb
(*e*) abca

23. ab_ba_ _ba_
(*a*) abba (*b*) baab
(*c*) baba (*d*) abab
(*e*) abba

24. yx_yx_yxz_xz_y_zyxz
(*a*) zzyx (*b*) xxzy
(*c*) yyzx (*d*) yzxz
(*e*) xyzx

25. xxxy_y_xxy_yxx_
(*a*) xyxy (*b*) yxyx
(*c*) yyxx (*d*) xxyy
(*e*) इनमें से कोई नहीं

26. aa_aabb_b_aa_aabb_bb
(*a*) abbab (*b*) bbbaa
(*c*) babba (*d*) aabbb
(*e*) ababa

27. ab_aabc_abc_
(*a*) aab (*b*) caa
(*c*) bca (*d*) cba
(*e*) abc

28. c_abca_b_aab
(*a*) bbc (*b*) bca
(*c*) aac (*d*) cab
(*e*) cba

29. cc_bac_bbacc_baccb_a
(*a*) cbca (*b*) bcbc
(*c*) bcbb (*d*) bbbc
(*e*) bbcb

30. aaab_aaaaba_a_abaa
(*a*) baa (*b*) aaa
(*c*) aba (*d*) bba
(*e*) bab

31. nl_n_mn_m_lm
(*a*) mlnn (*b*) lnnm
(*c*) mlnl (*d*) mlln
(*e*) lmnl

32. lm_nnll_mn_llmm_nl
(*a*) lmmn (*b*) lnnm
(*c*) mmnn (*d*) mnll
(*e*) nnml

33. aba_caab_cca_bac_a
(*a*) cbac (*b*) caac
(*c*) bccb (*d*) abcb
(*e*) cabc

34. _cd_bc_ab_dabc_a
(*a*) badcd (*b*) ccddb
(*c*) abccd (*d*) ccbab
(*e*) इनमें से कोई नहीं

35. _cabcc_bc_abcca_
(*a*) babc (*b*) acac
(*c*) cacb (*d*) bacc
(*e*) abcc

36. mn_om_oom_oo_noo
(*a*) onnm (*b*) nmmo
(*c*) mnoo (*d*) nmon
(*e*) इनमें से कोई नहीं

37. _lmn_ll_nol_mno
(*a*) nlmo (*b*) mnoo
(*c*) omlm (*d*) loml
(*e*) lomn

38. xx_zzx_yzz_xyz_
(*a*) xyzx (*b*) zyxx
(*c*) yxxy (*d*) yxxz
(*e*) xzyx

39. y_xx_yxx_yyx_xy
(*a*) xyxx (*b*) xxxy
(*c*) yxxy (*d*) xxyx
(*e*) xyxy

40. a_bab_ _b_abb
(*a*) abab (*b*) bbab
(*c*) aabb (*d*) babb
(*e*) baba

41. aa_bbb_ccaaab_bc_c

(*a*) acbc (*b*) acbc
(*c*) accb (*d*) cbac
(*e*) abcb

42. aba_a_acab_caba_

(*a*) cbac (*b*) bbcc
(*c*) abab (*d*) cacb
(*e*) abca

43. l_nnlm_nlmn_lmn_

(*a*) lmnn (*b*) nnml
(*c*) mlnm (*d*) mnnn
(*e*) इनमें से कोई नहीं

44. ll_mnnl_mm_nllm_nn

(*a*) nlmn (*b*) mlnm
(*c*) mnln (*d*) lmmn
(*e*) इनमें से कोई नहीं

45. _ba_baa_ab_a

(*a*) babb (*b*) baab
(*c*) abbb (*d*) aaba
(*e*) abba

46. ab_da_cd_bc_

(*a*) abdc (*b*) cbad
(*c*) bcad (*d*) acbd
(*e*) abcd

47. _yyx_xxyx_yxyx_y

(*a*) yxxy (*b*) xyxy
(*c*) yxyx (*d*) xyyx
(*e*) इनमें से कोई नहीं

48. a_ba_bb_ab_a

(*a*) abab (*b*) baab
(*c*) baba (*d*) abbb
(*e*) aaab

49. x_yyx_y_ _xyy

(*a*) xyyy (*b*) yyyx
(*c*) xyxy (*d*) xxyx
(*e*) xxxy

50. _bcbc_caba_ _

(*a*) aabc (*b*) abac
(*c*) caab (*d*) baba
(*e*) abca

व्याख्यात्मक उत्तरमाला

1. (*d*) : दी गई अक्षर श्रृंखला है : abbaab, abbaab
2. (*c*) : दी गई अक्षर श्रृंखला है : aaaaba, aaaaba
3. (*b*) : दी गई अक्षर श्रृंखला है : aba, aba, aba, aba
4. (*d*) : दी गई अक्षर श्रृंखला है : c, a, cc, aa, ccc, aaa, cccc, aaaa
5. (*a*) : दी गई अक्षर श्रृंखला है : cabbbb, cabbbb, cabbbb
6. (*b*) : दी गई अक्षर श्रृंखला है : acac, abab, acac, abab, acac
7. (*a*) : दी गई अक्षर श्रृंखला है : ab, ab, ab, ab, ab, ab
8. (*b*) : दी गई अक्षर श्रृंखला है : bababb, bababb
9. (*d*) : दी गई अक्षर श्रृंखला है : klmk, klmk, klmk, klmk
10. (*b*) : दी गई अक्षर श्रृंखला है : abcdd, abcdd, abcdd
11. (*d*) : दी गई अक्षर श्रृंखला है : bcab, bcab, bcab, bcab, bcab
12. (*c*) : दी गई अक्षर श्रृंखला है : ac, ac, ac, ac, ac, ac
13. (*d*) : दी गई अक्षर श्रृंखला है : babc, babc, babc
14. (*c*) : दी गई अक्षर श्रृंखला है : abca, abca, abca, abca
15. (*b*) : दी गई अक्षर श्रृंखला है : abbca, abbca, abbca, abbca
16. (*d*) : दी गई अक्षर श्रृंखला है : aabcc, bbcaa, ccabb, aabcc
17. (*a*) : दी गई अक्षर श्रृंखला है : bcdab, bcdab, bcdab
18. (*c*) : दी गई अक्षर श्रृंखला है : acbabca, acbabca
19. (*a*) : दी गई अक्षर श्रृंखला है : cabaac, acabca, cabaac, acabca
20. (*a*) : दी गई अक्षर श्रृंखला है : bbccaa, ccaabb, aabbcc.
21. (*b*) : दी गई अक्षर श्रृंखला है : abbccc abbccc.
22. (*d*) : दी गई अक्षर श्रृंखला है : acbca acbca acbca.
23. (*d*) : दी गई अक्षर श्रृंखला है : ab ab ab ab ab.
24. (*a*) : दी गई अक्षर श्रृंखला है : yxz yxz yxz yxz yxz yxz.
25. (*b*) : दी गई अक्षर श्रृंखला है : xxx yyy xxx yyy xxx.
26. (*a*) : दी गई अक्षर श्रृंखला है : aaaaa bbbbb aaaaa bbbbb.
27. (*b*) : दी गई अक्षर श्रृंखला है : abca abca abca.
28. (*c*) : दी गई अक्षर श्रृंखला है : caab caab caab.
29. (*c*) : दी गई अक्षर श्रृंखला है : ccbba ccbba ccbba ccbba.
30. (*b*) : दी गई अक्षर श्रृंखला है : aaabaa aaabaa aaabaa.
31. (*d*) : दी गई अक्षर श्रृंखला है : nlm, nlm, nlm, nlm.
32. (*c*) : दी गई अक्षर श्रृंखला है : lmmnnl lmmnnl lmmnnl.
33. (*b*) : दी गई अक्षर श्रृंखला है : abacca abacca abacca.
34. (*a*) : दी गई अक्षर श्रृंखला है : bcda bcda bcda bcda.
35. (*c*) : दी गई अक्षर श्रृंखला है : ccab ccab ccab ccab.
36. (*a*) : दी गई अक्षर श्रृंखला है : mnoo mnoo mnoo mnoo.
37. (*d*) : दी गई अक्षर श्रृंखला है : llmno llmno llmno.
38. (*d*) : दी गई अक्षर श्रृंखला है : xxyzz xxyzz xxyzz.
39. (*a*) : दी गई अक्षर श्रृंखला है : yxxxy yxxxy yxxxy.
40. (*b*) : दी गई अक्षर श्रृंखला है : abb abb abb abb.
41. (*b*) : दी गई अक्षर श्रृंखला है : aaa bbb ccc aaa bbb ccc.
42. (*a*) : दी गई अक्षर श्रृंखला है : abac abac abac abac.
43. (*d*) : दी गई अक्षर श्रृंखला है : lmnn lmnn lmnn lmnn.
44. (*b*) : दी गई अक्षर श्रृंखला है : ll mm nn ll mm nn ll mm nn.
45. (*c*) : दी गई अक्षर श्रृंखला है : ababba ababba.
46. (*b*) : दी गई अक्षर श्रृंखला है : abcd abcd abcd.
47. (*d*) : दी गई अक्षर श्रृंखला है : xyyx yxxy xyyx yxxy.
48. (*b*) : दी गई अक्षर श्रृंखला है : abba abba abba.
49. (*d*) : दी गई अक्षर श्रृंखला है : xxyy xxyy xxyy.
50. (*a*) : दी गई अक्षर श्रृंखला है : abc bca cab abc.

प्रतीक श्रृंखला

इस प्रकार के श्रृंखला में प्रतीकों को एक समुच्चय बनाने में प्रयोग किया जाता है। इस समुच्चय में प्रतीकों को दुहराया जाता है। अभ्यार्थियों को प्रतीकों के उन समुच्चयों का पता लगाना होता है जो दी गई श्रृंखला के खाली स्थान में सटीक बैठ सके ताकि श्रृंखला का एक भाग उसी तरीके से पुनः दुहराया जाये।

हल किए गए प्रश्न

निम्न में से कौन प्रतीकों का समूह श्रृंखला को पूरा करेगा?
Δ□-Δ-□□Δ-□-Δ

(*a*) Δ□□Δ (*b*) □ΔΔ□ (*c*) □Δ□□ (*d*) Δ□ΔΔ (*e*) □Δ□Δ

Ans. (*b*) : दी गई श्रृंखला है : Δ□□Δ, Δ□□Δ, Δ□□Δ। यहाँ श्रृंखला का खण्ड 'Δ□□Δ' दुहराया गया है।

हल करने का चरण : अभ्यार्थियों को इस प्रकार की श्रृंखला के पैटर्न को हल करने के लिए उसमें निहित सामान्य नियमों का पता लगाना होता है। श्रृंखला में '□□Δ' बताता है कि 'Δ' दो '□' के बाद आता है। अतः प्रथम एवं अंतिम खाली स्थान '□' के द्वारा भरा जायेगा। अब, प्रारम्भ में समुच्चय 'Δ□□Δ' बनता है। यही समुच्चय दुहराया जाता है। अतः, दूसरा और तीसरा खाली स्थान 'Δ' से भरा जाएगा।

अब, श्रृंखला बनने के विभिन्न नियमों को जानने के लिए नीचे दिए गए प्रश्नों को हल करें।

प्रश्नमाला

निर्देश : *निम्नलिखित प्रत्येक संकेत श्रृंखला में कुछ संकेत छूट गए हैं। नीचे दिए गए विकल्पों में क्रमशः सही विकल्प का चयन करें जो श्रृंखला को पूरी कर सके।*

1. □ _ ΔΔ○ _ □□Δ _ ○○□ _ ΔΔ○○
(*a*) Δ□○Δ (*b*) □○Δ□
(*c*) □ΔΔ□ (*d*) ○□Δ□
(*e*) Δ□○□

2. ×+ _ ×× _ +++ _ ××× _ +++×
(*a*) ×++× (*b*) +××+
(*c*) ×××+ (*d*) ×+×+
(*e*) ×+××

3. < > _ < _ > _ < _ > > <
(*a*) > < > < (*b*) < < > <
(*c*) > < < > (*d*) < > < >
(*e*) < > > <

4. @ⒷⒷ _ Ⓑ@@ _ @ _ Ⓑ@Ⓑ _ @Ⓑ@
(*a*) @ⒷⒷ@ (*b*) @Ⓑ@Ⓑ
(*c*) ⒸⒸ@Ⓒ (*d*) @@ⒷⒷ
(*e*) Ⓒ@Ⓑ@

5. ◇Δ□◇ _ Δ□◇◇Δ _ □◇ _ ΔΔ□ _ ◇
(*a*) □□◇◇ (*b*) ΔΔ◇◇
(*c*) ◇Δ◇□ (*d*) ◇ΔΔ◇
(*e*) ◇Δ◇Δ

6. ??? _ %% _ ??% _ %??? _ %%
(*a*) ?%?% (*b*) %%??
(*c*) %?%% (*d*) %??%
(*e*) ?%%?

7. << _ <<∨< _ ∧<<∨<< _ < _ ∨
(*a*) ∧<∧< (*b*) ∧∨∧<
(*c*) ∧∨∧∨ (*d*) ∧∧∨<
(*e*) ∧∨∨<

8. UUX _ XXUUU _ CXXU _ UXC _ XU
(*a*) XCCU (*b*) CXUX
(*c*) CXXU (*d*) UUXC
(*e*) UXXC

9. Δ ⌂ _ □⌂ _ Δ _ ⌂⌂□□⌂⌂ _
(*a*) Δ□Δ□ (*b*) □⌂ΔΔ
(*c*) ΔΔ□⌂ (*d*) □⌂Δ□
(*e*) ⌂Δ□⌂

10. [B][A] _ [B][A] _ [B][A][C] _ [A][C][B] _ [C][B][A][C]
(*a*) [A][A][C][B] (*b*) [B][B][C][A]
(*c*) [C][C][B][A] (*d*) [C][B][A][C]
(*e*) [A][B][C][B]

11. +□× _ +○ _ □+ _ ○□□○□ _ □×○ _ ○×□+
(*a*) ×○○×+ (*b*) ○××++
(*c*) ○○××+ (*d*) ××○+□
(*e*) इनमें से कोई नहीं

12. _ ⊗⊕⊠⊗⊕ _ ⊠⊕Ⓒ⊗⊠ _ ⊗⊕⊠⊗⊕ _ ⊠⊕ _ ⊗⊠
(*a*) ⒸⒸⒸⒸⒸ (*b*) ⊕⊕⊕⊕⊕
(*c*) ⊗⊗⊗⊗⊗ (*d*) ⊠⊠⊠⊠⊠
(*e*) इनमें से कोई नहीं

13. ↑ _ ↑↓↓↓ _ ←←←←→ _ →→←←← _ ↓↓ _ ↓↑
(*a*) ↑↓←→↑ (*b*) ↑↓→↓←
(*c*) ↑↓→←↓ (*d*) ↑↓←↑→
(*e*) इनमें से कोई नहीं

14. ∧ _ < > ∧ ∧ ∨ _ < < _ > ∧ ∧ _ ∨ ∨ ∨ _ < < > > >

(a) ∨ > ∨ > ∧ (b) ∨ > > < ∧

(c) > ∨ ∨ < ∧ (d) ∨ ∨ > ∧ <

(e) ∧ ∧ ∨ < >

15. _ ‿ ⁀ ‿ _ (‿ ⁀ (_) (⁀ ‿ _ ⁀ ‿) _ ‿

(a) ‿ ⁀) (‿ (b) ⁀ (‿) (

(c) ‿ ⁀ ( )) (d) (⁀) ‿ ‿

(e) (⁀) ‿ (

16. ᑌ _ ᑌ _ ᑌᑎ _ ᑎᑌ _ ᑌᑎ

(a) ᑎᑎᑌᑎ (b) ᑎᑌᑌᑌ

(c) ᑌᑌᑌᑎ (d) ᑌᑌᑌᑎ

(e) इनमें से कोई नहीं

17. ▭▯ _ ○ ▯ _ ▭▯▭ _ ▯ _ ▭▯▭ ○ _

(a) ○ ○ ▭ ▭ ▯ ▯ (b) ○ ▭ ▯ ○ ▭ ▯

(c) ▭ ○ ▯ ○ ▯ ▭ (d) ○ ▭ ○ ○ ○ ▯

(e) इनमें से कोई नहीं

18. Δ _ ∇ _ ∇∇Δ _ ∇Δ _ _

(a) ∇∇ΔΔ∇ (b) ∇Δ∇∇∇

(c) ∇Δ∇Δ∇ (d) Δ∇Δ∇Δ

(e) ∇∇Δ∇Δ

19. XYY _ XY _ +XYY _ X _ Y+

(a) +Y+X (b) X+XY

(c) +Y+Y (d) X++X

(e) ++XY

20. Z _ ZИ _ ИZИZ _ ZZZZ _

(a) ZZИZ (b) ZZИZ

(c) ИZZИ (d) ИZZИ

(e) ZИZИ

व्याख्यात्मक उत्तरमाला

1. (b) : दी गई श्रृंखला है : □□/ΔΔ○○/□□/ΔΔ○○/□□/ΔΔ○○. इस प्रकार पैटर्न □□ΔΔ○○ को दोहराया गया है।

2. (b) : दी गई श्रृंखला है : ×++/×××+++/××××++++/×। इस प्रकार अक्षरों की दो बार, तीन बार, चार बार. .... पुनरावृति हुई है।

3. (a) : दी गई श्रृंखला है : < > > < / < > > < / < > > <. इस प्रकार पैटर्न < > > < को दोहराया गया है।

4. (a) : दी गई श्रृंखला है : @ⒷⒷ@/Ⓑ@@Ⓑ/@ⒷⒷ@/Ⓑ@@Ⓑ/@. इस प्रकार पैटर्न @ⒷⒷ@, Ⓑ@@Ⓑ को दोहराया गया है।

5. (c) : दी गई श्रृंखला है : ◇Δ□/◇◇Δ□/◇◇ΔΔ□/◇◇ΔΔ□□/◇.

6. (c) : दी गई श्रृंखला है : ???/%%%/???/%%%/???/%%%. इस प्रकार पैटर्न ???, %%% को दोहराया गया है।

7. (a) : दी गई श्रृंखला है : < < ∧ < < ∨ / < < ∧ < < ∨ / < < ∧ < < ∨.
इस प्रकार पैटर्न < < ∧ < < ∨ को दोहराया गया है।

8. (b) : दी गई श्रृंखला है : UUXCXXU/UUXCXXU/UUXCXXU। इस प्रकार पैटर्न UUXCXXU को दोहराया गया है।

9. (b) : दी गई श्रृंखला है : ΔΔΔ□/□ΔΔΔ/ΔΔΔ□/□ΔΔΔ. इस प्रकार पैटर्न ΔΔΔ□/□ΔΔΔ को दोहराया गया है।

10. (c) : दी गई श्रृंखला है : [B][A][C] / [B][A][C] / [B][A][C] / [B][A][C] / [B][A][C] / [B][A][C]. इस प्रकार पैटर्न [B][A][C] को दोहराया गया है।

11. (b) : दी गई श्रृंखला है : +□×○+/○×□+×○/□□○×/+□×○+/○×□+. यहाँ श्रृंखला के आरम्भ और अन्त से समान दूरी पर स्थित संकेत एक जैसे हैं।

12. (c) : दी गई श्रृंखला है : ©⊗⊕⊠/⊗⊕©⊠/⊕©⊗⊠/©⊗⊕⊠/⊗⊕©⊠/⊕©⊗⊠.
इस प्रकार पैटर्न ©⊗⊕⊠/⊗⊕©⊠/⊕©⊗⊠ को दो बार दोहराया गया है।

13. (a) : दी गई श्रृंखला है : ↑ ↑ ↑ / ↓ ↓ ↓ ↓ / ← ← ← ← / → → → → / ← ← ← ← / ↓ ↓ ↓ ↓ / ↑.

14. (b) : दी गई श्रृंखला है : ∧ ∨ < > / ∧ ∧ ∨ ∨ < < > > / ∧ ∧ ∧ ∨ ∨ ∨ < < < > > >.
इस प्रकार, पहली श्रृंखला का प्रत्येक संकेत दूसरी श्रृंखला में दो बार और तीसरी में तीन बार दुहराया गया है।

15. (a) : दी गई श्रृंखला है : ‿ ‿ ⁀ ‿ ⁀ (‿ ⁀ ( )) (⁀ ‿ (⁀ ‿ ⁀ ‿ ‿. यहाँ श्रृंखला के आरम्भ और अन्त से समान दूरी पर स्थित संकेत एक जैसे हैं।

16. (a) : दी गई श्रृंखला है : ᑌᑎ/ᑌᑎ/ᑌᑎ/ᑌᑎ/ᑌᑎ/ᑌᑎ.
इस प्रकार पैटर्न ᑌᑎ को दोहराया गया है।

17. (d) : दी गई श्रृंखला है : ○ ▭ ▯ / ▭ ○ ▯ / ○ ▭ ▯ / ▭ ○ ▯ / ○ ▭ ▯ / ▭ ○ ▯.
इस प्रकार पैटर्न ○ ▭ ▯ / ▭ ○ ▯ को दोहराया गया है।

18. (b) : दी गई श्रृंखला है : Δ∇∇/Δ∇∇/Δ∇∇/Δ∇∇.
इस प्रकार पैटर्न Δ∇∇ को दोहराया गया है।

19. (c) : दी गई श्रृंखला है : XYY+/XYY+/XYY+/XYY+.
इस प्रकार पैटर्न XYY+ को दोहराया गया है।

20. (d) : दी गई श्रृंखला है : ZИZИZ/ИZИZZ/ZZZZИ।

अध्याय 2

सादृश्य

संख्या सादृश्य

संख्या सादृश्य में भी पहले दो दी गई संख्याओं के बीच संबंध स्थापित किया जाता है और तत्पश्चात् इस ज्ञात संबंध को संख्याओं के दूसरे जोड़े पर प्रयुक्त करके उसके लुप्त पद को ज्ञात किया जाता है। संख्याओं के बीच संबंध किसी भी एक पैटर्न पर आधारित हो सकता है, जैसे कि : *(i)* संख्याएं विषम/सम/अभाज्य संख्याएं हो सकती हैं; *(ii)* संख्याएं किसी एक संख्या का गुणज हो सकती हैं; *(iii)* संख्याएं भिन्न-भिन्न संख्याओं का वर्गफल/घनफल हो सकती हैं; *(iv)* दूसरी संख्या प्राप्त करने के लिए पहली संख्या में किसी संख्या को जोड़ा/घटाया/गुणा/ भाग किया जा सकता है; *(v)* दूसरी संख्या पहली संख्या के अंकों का योगफल/गुणनफल/अंतरफल हो सकती है, और *(vi)* दो दी गई संख्याओं के बीच संबंध उपर्युक्त किसी भी गणितीय परिकलनों के संयोजन द्वारा भी ज्ञात किया जा सकता है।

हल किए गए प्रश्न

निर्देश : *निम्नलिखित प्रश्नों में प्रश्न चिह्न (?) के स्थान पर लुप्त पद ज्ञात करें।*

1. 25 : 81 : : 36 : ?

(*a*) 121 (*b*) 93 (*c*) 65 (*d*) 103 (*e*) 114

उत्तर (*a*) : सभी संख्याएं भिन्न-भिन्न संख्याओं के वर्गफल को सूचित करती हैं।

25	:	81	: :	36	:	121
↓		↓		↓		↓
5^2		9^2		6^2		11^2

या

2. 36 : 18 : : 72 : ?

(*a*) 164 (*b*) 134 (*c*) 94 (*d*) 14 (*e*) 27

उत्तर (*d*) : दूसरी संख्या पहली संख्या के अंकों का गुणनफल है।

36 : 18 : : 72 : 14

3×6 7×2

प्रश्नमाला

निर्देश : *नीचे के प्रत्येक प्रश्न में चिह्न ': :' के पहले दो संख्याएं दी गई हैं जिनमें आपस में एक संबंध है तथा ': :' चिह्न के बाद में एक तीसरी संख्या दी गई है। दिए गए विकल्पों में से उस संख्या का चयन करें जिसका तीसरी संख्या के साथ वैसा ही संबंध हो जैसा संबंध संख्याओं के पहले जोड़े के बीच है।*

1. 1 : 11 : : 2 : ?

(*a*) 20 (*b*) 22
(*c*) 24 (*d*) 44
(*e*) 42

2. 18 : 27 : : 22 : ?

(*a*) 42 (*b*) 39
(*c*) 33 (*d*) 54
(*e*) 46

3. 14 : 20 : : 16 : ?

(*a*) 23 (*b*) 10
(*c*) 48 (*d*) 32
(*e*) 64

4. 8 : 27 : : 64 : ?

(*a*) 277 (*b*) 125

(c) 250 (d) 99
(e) 120

5. $\frac{1}{7} : \frac{1}{14} :: \frac{1}{9} : ?$
(a) $\frac{1}{88}$ (b) $\frac{1}{80}$
(c) $\frac{1}{81}$ (d) $\frac{1}{18}$
(e) इनमें से कोई नहीं

6. 0.16 : 0.0016 : : 1.02 : ?
(a) 10.20 (b) 0.102
(c) 0.0102 (d) 1.020
(e) इनमें से कोई नहीं

7. 5 : 24 : : 8 : ?
(a) 65 (b) 63
(c) 62 (d) 64
(e) 66

8. 23 : 53 : : 8 : ?
(a) 66 (b) 57
(c) 27 (d) 19
(e) 21

9. 6 : 9 : : 7 : ?
(a) 4 (b) 14
(c) 10 (d) 28
(e) 18

10. 7 : 28 : : 2 : ?
(a) 8 (b) 16
(c) 24 (d) 12
(e) 28

11. 65 : 30 : : 44 : ?
(a) 79 (b) 62
(c) 28 (d) 16
(e) 23

12. 99 : 76 : : 24 : ?
(a) 1 (b) 13
(c) 9 (d) 7
(e) 8

13. 11 : 35 : : 17 : ?
(a) 3 (b) 22
(c) 58 (d) 10
(e) 16

14. 663 : 884 : : 221 : ?
(a) 332 (b) 554
(c) 773 (d) 442
(e) 552

15. 16 : 0.16 : : ?
(a) 2 : 0.02 (b) 7 : 0.007
(c) 1.3 : 0.13 (d) 0.01 : 0.001
(e) इनमें से कोई नहीं

16. $3 : \frac{1}{3} :: ?$
(a) 6 : 12 (b) 5 : 2/15
(c) 8 : 1/8 (d) 9 : 27
(e) इनमें से कोई नहीं

17. 43 : 34 : : 52 : ?
(a) 49 (b) 25
(c) 36 (d) 64
(e) 26

18. 65 : 13 : : 180 : ?
(a) 93 (b) 36
(c) 133 (d) 102
(e) 45

19. 882 : 447 : : 881 : ?
(a) 444 (b) 445
(c) 446 (d) 447
(e) 448

20. 125 : 27 : : 343 : ?
(a) 729 (b) 64
(c) 216 (d) 512
(e) 81

21. 30 : 42 : : 56 : ?
(a) 92 (b) 21
(c) 38 (d) 72
(e) 40

22. 190 : 10 : : 102 : ?
(a) 4 (b) 7
(c) 3 (d) 5
(e) 6

23. 95 : 38 : : 167 : ?
(a) 110 (b) 120
(c) 113 (d) 134
(e) 130

24. 4 : 36 : : 6 : ?
(a) 63 (b) 54
(c) 35 (d) 30
(e) 48

25. 6 : 12 : : 20 : ?
(a) 50 (b) 30
(c) 42 (d) 38
(e) 36

26. 6 : 18 : : 4 : ?
(a) 2 (b) 6
(c) 8 (d) 16
(e) 12

27. 10 : 20 : : 30 : ?
(a) 45 (b) 60
(c) 50 (d) 70
(e) 40

28. 92 : 69 : : 46 : ?
(a) 57 (b) 23
(c) 31 (d) 19
(e) 29

29. 63 : 9 : : 49 : ?
(a) 12 (b) 3
(c) 36 (d) 7
(e) 16

30. 2 : 11 : : ?
(a) 6 : 17 (b) 8 : 43
(c) 5 : 41 (d) 7 : 35
(e) इनमें से कोई नहीं

व्याख्यात्मक उत्तरमाला

1. (b) : पहली संख्या के अंक को दो बार लिखने पर दूसरी संख्या प्राप्त होती है।

2. (c) : पहले जोड़े की संख्याएं 9 का गुणज हैं और दूसरे जोड़े की संख्याएं 11 का गुणज हैं :

$18 : 27 :: 22 : 33$

$\downarrow \quad \downarrow \quad \downarrow \quad \downarrow$

$9\times2 \quad 9\times3 \quad 11\times2 \quad 11\times3$

3. (a) : संख्याओं के बीच संबंध निम्नवत् है :

$14 : 20 :: 16 : 23$

$\downarrow \quad \downarrow \quad \downarrow \quad \downarrow$

$7\times2 \quad (7\times3)-1 \quad 8\times2 \quad (8\times3)-1$

4. (b) : संख्याएं भिन्न-भिन्न संख्याओं के घनफल द्वारा सूचित होती हैं :

$8 : 27 :: 64 : 125$

$\downarrow \quad \downarrow \quad \downarrow \quad \downarrow$

$2^3 \quad 3^3 \quad 4^3 \quad 5^3$

5. (d) : पहले भिन्न को 1/2 से गुणा करने पर दूसरा भिन्न प्राप्त होता है :

$\frac{1}{7} : \frac{1}{14} :: \frac{1}{9} : \frac{1}{18}$

$\times\frac{1}{2} \qquad \times\frac{1}{2}$

6. (c) : पहली दशमलव संख्या को 100 से भाग करने पर दूसरी दशमलव संख्या प्राप्त होती है :

$0.16 : 0.0016 :: 1.02 : 0.0102$

$\div 100 \qquad \div 100$

7. (b) : पहली संख्या के वर्ग से 1 घटाने पर दूसरी संख्या प्राप्त होती है :

$5 : 24 :: 8 : 63$

$(5^2)-1 \qquad (8^2)-1$

8. (d) : सभी संख्याएं अभाज्य संख्याएं हैं।

9. (c) : दूसरी संख्या पहली संख्या से 3 अधिक है :

$6 : 9 :: 7 : 10$

$+3 \qquad +3$

10. (a) : दूसरी संख्या पहली संख्या की चार गुनी है :

$7 : 28 :: 2 : 8$

$\times 4 \qquad \times 4$

11. (d) : दूसरी संख्या पहली संख्या के अंकों का गुणनफल है :

$:: \xrightarrow[(4\times4)]{44 : 16}$

12. (a) : दूसरी संख्या पहली संख्या से 23 कम है :

$99 : 76 :: 24 : 1$

$-23 \qquad -23$

13. (a) : सभी संख्याएं विषम संख्याएं हैं।

14. (d) : दहाई और सैकड़े के स्थान पर समान अंक हैं किंतु इकाई के स्थान का अंक दहाई और सैकड़े के स्थान के समान अंक का आधा है :

$\underline{66}\,\underline{3} : \underline{88}\,\underline{4} :: \underline{22}\,\underline{1} : \underline{44}\,\underline{2}$

15. (a) : दो संबंधित संख्याओं में से पहली संख्या को 100 से भाग देने पर दूसरी संख्या प्राप्त होती है :

$16 : 0.16 :: 2 : 0.02$

$\div 100 \qquad \div 100$

16. (c) : दो संबंधित संख्याओं में से दूसरी संख्या पहली संख्या का खंड या आंशिक भिन्न है, अर्थात् 3 संबंधित है एक-तिहाई $\left(\frac{1}{3}\right)$ से। इसी प्रकार 8 संबंधित होगा $\left(\frac{1}{8}\right)$ से।

17. (b) : दूसरी संख्या में पहली संख्या के अंकों को उलटे क्रम में लिखा गया है :

$43 : 34 :: 52 : 25$

18. (b) : पहली संख्या को 5 से भाग देने पर दूसरी संख्या प्राप्त होती है :

$65 : 13 :: 180 : 36$

$\div 5 \qquad \div 5$

19. (c) : दोनों संख्याओं के बीच निम्नवत् संबंध है :

$88\ 2 : 44\ 7 :: 88\ 1 : 44\ 6$

$\div 2,\ +5 \qquad \div 2,\ +5$

20. (a) : संख्याएं विभिन्न विषम संख्याओं के घन हैं :

$125 : 27 :: 343 : 729$

$\downarrow \quad \downarrow \quad \downarrow \quad \downarrow$

$5^3 \quad 3^3 \quad 7^3 \quad 9^3$

21. (d) : संख्याएं विभिन्न संख्याओं के वर्ग में उन्हीं संख्याओं को जोड़ने पर प्राप्त होती हैं :

$30 : 42 :: 56 : 72$

$\downarrow \quad \downarrow \quad \downarrow \quad \downarrow$

$5^2+5 \quad 6^2+6 \quad 7^2+7 \quad 8^2+8$

22. (c) : दूसरी संख्या पहली संख्या के अंकों का योगफल है :

$\xrightarrow[(1+9+0)]{190 : 10} :: \xrightarrow[(1+0+2)]{102 : 3}$

23. (a) : दूसरी संख्या पहली संख्या से 57 कम है :

$95 : 38 :: 167 : 110$

$-57 \qquad -57$

24. (b) : दूसरी संख्या पहली संख्या की नौ गुनी है :

$4 : 36 :: 6 : 54$

$\times 9 \qquad \times 9$

25. (b) : संख्याएं विभिन्न संख्याओं के वर्ग से उन्हीं संख्याओं को घटाने पर प्राप्त होती हैं :

6 : 12 :: 20 : 30

$3^2 - 3$ $4^2 - 4$ $5^2 - 5$ $6^2 - 6$

26. (*c*) : पहली संख्या के वर्ग को 2 से भाग करने पर दूसरी संख्या प्राप्त होती है :

6 : 18 :: 4 : 8

$6^2 \div 2$ $4^2 \div 2$

27. (*b*) : दूसरी संख्या पहली संख्या की दोगुनी है :

10 : 20 :: 30 : 60

× 2   × 2

28. (*b*) : पहली और दूसरी संख्याओं के बीच 23 का अंतर है :

92 : 69 :: 46 : 23

–23   –23

29. (*d*) : पहली संख्या को 7 से भाग करने पर दूसरी संख्या प्राप्त होती है :

63 : 9 :: 49 : 7

÷ 7   ÷ 7

30. (*c*) : पहली संख्या दूसरी संख्या के अंकों का योगफल है :

2 : 11 :: 5 : 41

(1 + 1)   (4 +1)

अक्षर सादृश्य

इस प्रकार के सादृश्य में अक्षरों के दो दिए गए समुच्चयों के बीच संबंध स्थापित किया जाता है और तत्पश्चात् अक्षरों के दिए गए तीसरे समुच्चय पर पहले दो अक्षर समुच्चयों के बीच के संबंध को अनुप्रयुक्त करके अक्षरों के चौथे अपेक्षित समुच्चय को ज्ञात किया जाता है। दिए गए दो अक्षर समुच्चयों में से पहले समुच्चय के अक्षरों को कुछ चरण आगे या पीछे करके, संपूर्ण समुच्चय के अक्षरों को या समुच्चय के कुछ अक्षरों को उलटे क्रम में लिखकर दूसरे समुच्चय के अक्षरों को प्राप्त किया जा सकता है।

हल किए गए प्रश्न

निर्देश : *दिए गए विकल्पों में से कौन-सा अक्षर-समूह प्रश्नचिह्न (?) के स्थान पर आएगा?*

1. JILK : KLIJ : : MNPQ : ?

(*a*) QNPM   (*b*) MPQN   (*c*) QPNM   (*d*) PNMQ   (*e*) PMNQ

उत्तर (*c*) : :: की बायीं ओर के अक्षर-समूहों में से पहले अक्षर-समूह के अक्षरों को विपरीत क्रम में लिखकर दूसरा अक्षर-समूह प्राप्त किया गया है। यही संबंध :: की दाहिनी ओर के दिए गए अक्षर समूह के अक्षरों पर अनुप्रयुक्त करने पर अपेक्षित अक्षर-समूह प्राप्त होता है।

J I L K : K L I J :: M N P Q : Q P N M

2. FLO : DOL : : RDP : ?

(*a*) PGM   (*b*) MGP   (*c*) GMP   (*d*) MPG   (*e*) GPM

उत्तर (*a*) : पहले और तीसरे अक्षरों को क्रमश: –2 और –3 चरण पीछे खिसका कर और दूसरे अक्षर को +3 चरण आगे बढ़ा कर :: चिह्न की बायीं ओर का दूसरा अक्षर समुच्चय प्राप्त होता है। यही संबंध :: चिह्न की दायीं ओर के पहले अक्षर समुच्चय पर लगाने पर प्रश्न चिह्न के स्थान पर अक्षर समुच्चय प्राप्त होता है।

F L O : D O L :: R D P : P G M

–2, +3, –3   –2, +3, –3

प्रश्नमाला

निर्देश : *नीचे के प्रत्येक प्रश्न में एक लुप्त पद है। प्रश्न में :: चिह्न की बायीं ओर के दो अक्षर-समूहों में जो समानता या सादृश्य है वैसी ही समानता या सादृश्य :: चिह्न की दायीं ओर के दो अक्षर समूहों में है जिनमें से एक अक्षर समूह के स्थान पर प्रश्नवाचक चिह्न (?) लगा है। प्रश्नवाचक चिह्न (?)* ***के स्थान*** *पर लुप्त पद ज्ञात करें।*

1. GFC : CFG : : RPJ : ?
(*a*) JRP
(*b*) JPR
(*c*) PJR
(*d*) RJP
(*e*) RJC

2. BCF : DEG : : MNQ : ?
(*a*) OPR (*b*) PQS
(*c*) OPP (*d*) QRT
(*e*) QTR

3. NATION : ANITNO : : HUNGRY : ?
(*a*) HNUGRY (*b*) UNHGYR
(*c*) YRNGUH (*d*) UHGNYR
(*e*) इनमें से कोई नहीं

4. SSTU : MMNO : : AABC : ?
(*a*) GGHH (*b*) IJKK
(*c*) XXYZ (*d*) NOOP
(*e*) इनमें से कोई नहीं

5. ACE : FGH : : LNP : ?
(*a*) QRS (*b*) PQR
(*c*) QST (*d*) MOQ
(*e*) NOP

6. UVW : SXU : : LMN : ?
(*a*) JOL (*b*) KNM
(*c*) JKL (*d*) MLO
(*e*) LJP

7. EIGHTY : GIEYTH : : OUTPUT : ?
(*a*) UTOPTU (*b*) UOTUPT
(*c*) TUOUTP (*d*) TUOTUP
(*e*) इनमें से कोई नहीं

8. TSR : FED : : WVU : ?
(*a*) CAB (*b*) MLK
(*c*) PQS (*d*) GFH
(*e*) FEG

9. CJDL : FMGR : : IKJR : ?
(*a*) OQPT (*b*) RSTU
(*c*) OQRT (*d*) KRMO
(*e*) इनमें से कोई नहीं

10. BOQD : ERTG : : ANPC : ?
(*a*) DQSF (*b*) FSHU
(*c*) SHFU (*d*) DSQF
(*e*) इनमें से कोई नहीं

11. BaBy : TaTa : : LiLy : ?
(*a*) PooL (*b*) ROse
(*c*) HaNd (*d*) DoWN
(*e*) इनमें से कोई नहीं

12. BCDA : STUR : : KLMJ : ?
(*a*) VWXU (*b*) EFHG
(*c*) SRTU (*d*) QSRP
(*e*) इनमें से कोई नहीं

13. AEI : LPT : : CGK : ?
(*a*) OSV (*b*) RUY
(*c*) TXC (*d*) FJN
(*e*) GKM

14. RUX : TRP : : BEH : ?
(*a*) SQN (*b*) QON
(*c*) QOM (*d*) QNL
(*e*) QPN

15. CART : ART : : FOUR : ?
(*a*) RUN (*b*) TWO
(*c*) QUE (*d*) OUR
(*e*) SVM

16. FIK : JGO : : DFR : ?
(*a*) BIO (*b*) HDV
(*c*) GCU (*d*) FLP
(*e*) IFW

17. LJH : KKI : : CIA : ?
(*a*) BJB (*b*) DHB
(*c*) BJC (*d*) BBJ
(*e*) BJD

18. ACE : HIL : : MOQ : ?
(*a*) SVW (*b*) TUX
(*c*) RTW (*d*) WUS
(*e*) RSW

19. BCDE : WVUT : : QRST : ?
(*a*) EFHG (*b*) JIHG
(*c*) POML (*d*) GEDC
(*e*) इनमें से कोई नहीं

20. PNLJ : IGEC : : USQO : ?
(*a*) HJLN (*b*) LNJH
(*c*) NLJH (*d*) JHNL
(*e*) इनमें से कोई नहीं

21. DIMO : DMIO : : JUVR : ?
(*a*) JVRU (*b*) JRVU
(*c*) JVUR (*d*) JUVR
(*e*) इनमें से कोई नहीं

22. RRS : XMW : : ITB : ?
(*a*) PNE (*b*) NOG
(*c*) RSW (*d*) OOF
(*e*) STP

23. ODRS : OSRD : : PAGJ : ?
(*a*) PJGA (*b*) PJAG
(*c*) PGJA (*d*) PGAJ
(*e*) इनमें से कोई नहीं

24. MEQI : JUOD : : ANIW : ?
(*a*) RUKE (*b*) URIA
(*c*) EUIO (*d*) PTRE
(*e*) इनमें से कोई नहीं

25. AKU : AJS : : CRD : ?
(*a*) BQE (*b*) CQB
(*c*) DSB (*d*) APC
(*e*) EBS

26. LOM : NMK : : PKI : ?
(*a*) RNK (*b*) RSM
(*c*) RMP (*d*) RIG
(*e*) RKN

27. ARQ : DTR : : JNG : ?
(*a*) MPH (*b*) PHJ
(*c*) LPI (*d*) GLE
(*e*) MRP

28. ODL : LOD : : PWN : ?
(*a*) WNP (*b*) NWP
(*c*) NPW (*d*) NMP
(*e*) WPN

29. MAR : RAMP : : INS : ?
(*a*) NEST (*b*) SNIP
(*c*) TINS (*d*) SNAP
(*e*) NITS

30. SUW : RST : : DFH : ?
(*a*) DEF (*b*) FGH
(*c*) CDE (*d*) GHI
(*e*) IJK

31. PYG : OZF : : SBJ : ?
(*a*) QDJ (*b*) PEG
(*c*) OFH (*d*) RCI
(*e*) SCG

32. ABC : ZYX : : IJK : ?
(*a*) RST (*b*) RQP
(*c*) RTS (*d*) RPQ
(*e*) PRQ

33. DMT : FNS : : HRJ : ?
(*a*) ISK (*b*) JSI
(*c*) JTK (*d*) JTI
(*e*) JST

34. ABDH : ZYWS : : EFHL : ?
(*a*) USOV (*b*) VOSU
(*c*) VUSO (*d*) TSUV
(*e*) POQR

35. BYDW : FVHT : : GQIO : ?
(*a*) JLNP (*b*) QSTR
(*c*) KMOL (*d*) KNML
(*e*) BDEC

36. CIRCLE : RICELC : : SQUARE : ?
(*a*) UQSERA (*b*) QUSERA
(*c*) QSUERA (*d*) UQSAER
(*e*) इनमें से कोई नहीं

37. PSQR : CFED : : JMKL : ?
(*a*) UXVW (*b*) WZYX
(*c*) YVXZ (*d*) YZWX
(*e*) VWYZ

38. JKLM : XYZA : : NOPQ : ?
(*a*) BCDE (*b*) RSTU
(*c*) YZAB (*d*) IJKL
(*e*) GHIJ

39. EGI : NPR : : HJL : ?
(*a*) RTW (*b*) FGI
(*c*) NQT (*d*) TVX
(*e*) TQN

40. TPNX : XNP : : BUCW : ?
(*a*) WUC (*b*) CUW
(*c*) WCU (*d*) COW
(*e*) WOC

व्याख्यात्मक उत्तरमाला

1. (*b*) : पहले समूह के अक्षरों को उलटे क्रम में लिखने पर दूसरा अक्षर-समूह प्राप्त होता है।

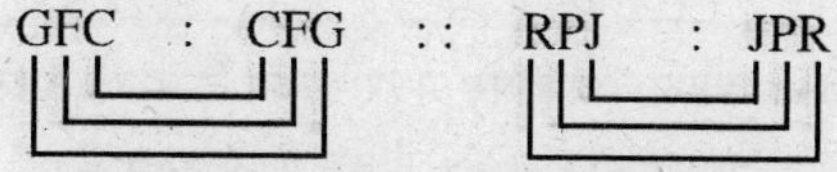

2. (*a*) : पहले और दूसरे समूह के तीनों अक्षरों के बीच वर्णमाला के सीधे क्रम में क्रमशः +2, +2 और +1 चरणों का अंतर है।

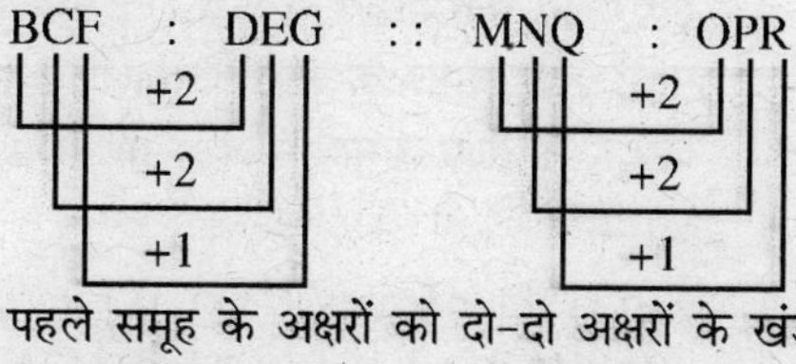

3. (*d*) : पहले समूह के अक्षरों को दो-दो अक्षरों के खंडों में विभाजित करके प्रत्येक खंड के अक्षरों को उल्टे क्रम में लिखने पर दूसरा अक्षर-समूह प्राप्त होता है।

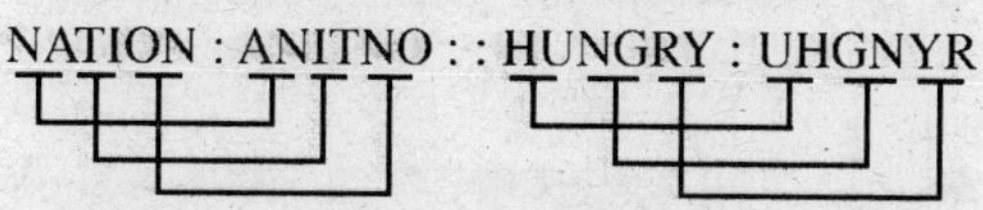

4. (*c*) : प्रत्येक समूह में पहले अक्षर को दोहराया गया है और उसके बाद दो आनुक्रमिक अक्षर लिखे गए हैं।

5. (*a*) : पहले और दूसरे समूह के तीनों अक्षरों के बीच वर्णमाला के सीधे क्रम में क्रमशः +5, +4, +3 चरणों का अंतर है।

6. (*a*) : पहले और दूसरे समूहों के तीनों अक्षरों के बीच क्रमशः –2, +2 और –2 चरणों का अंतर है।

7. (*d*) : पहले अक्षर समूह को 3 – 3 अक्षरों के दो खंडों में विभाजित किया गया है और अगले समूह में पहले अक्षर समूह के दोनों खंडों में अक्षरों को क्रमश उलटे क्रम में लिखा गया है।

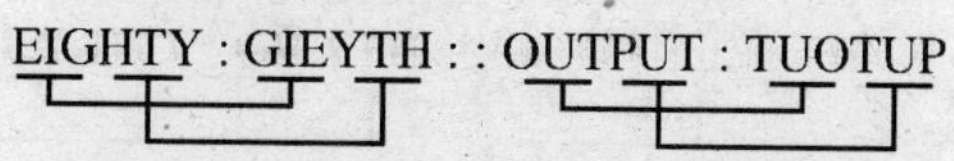

8. (*b*) : अक्षर समूहों में वर्णमाला के उलटे क्रम में आनुक्रमिक अक्षरों को लिखा गया है।

9. (*a*) : प्रत्येक अक्षर समूह में पहले और तीसरे अक्षर आनुक्रमिक हैं।

10. (*a*) : प्रत्येक अक्षर समूह में पहले और चौथे अक्षरों के बीच एक अक्षर छूटा हुआ है तथा दूसरे और तीसरे अक्षरों के बीच भी एक अक्षर छूटा हुआ है।

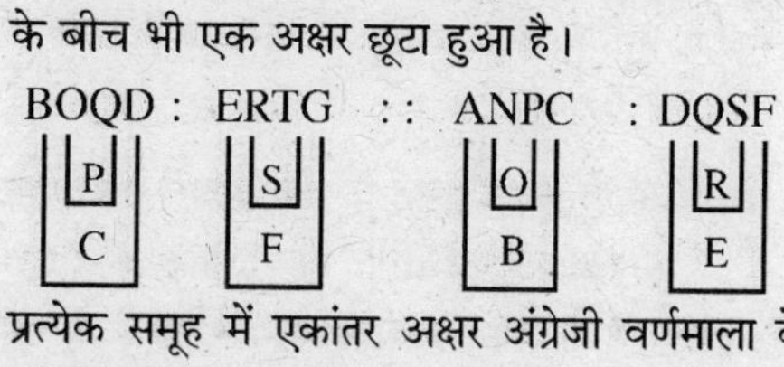

11. (*c*) : प्रत्येक समूह में एकांतर अक्षर अंग्रेजी वर्णमाला के बड़े अक्षर (capital letters) हैं।

12. (a) : प्रत्येक अक्षर समूह में पहले तीन अक्षर क्रमागत हैं और उनके बाद अनुक्रम का आरंभिक चौथा अक्षर लिखा गया है।

ABCD : RSTU : : JKLM : UVWX

13. (d) : प्रत्येक अक्षर समूह में दो अक्षरों के बीच +4 का अंतर है।

AEI : LPT : : CGK : FJN

+4 +4   +4 +4   +4 +4   +4 +4

14. (c) : पहले समूह के अक्षरों में +3 का और दूसरे समूह के अक्षरों में –2 का अंतर है।

RUX : TRP : : BEH : QOM

+3 +3   –2 –2   +3+3   –2 –2

15. (d) : पहले अक्षर-समूह के अक्षरों में से पहले अक्षर को छोड़ देने पर दूसरा अक्षर-समूह प्राप्त होता है।

CART : ART : : FOUR : OUR

16. (b) : पहले और दूसरे अक्षर समूहों के संगत अक्षरों के बीच क्रमशः +4, –2, और +4 का अंतर है।

17. (a) : पहले और दूसरे अक्षर समूहों के संगत अक्षरों के बीच क्रमशः –1, +1 और +1 का अंतर है।

18. (b) : पहले और दूसरे अक्षर समूहों के संगत अक्षरों के बीच क्रमशः +7, +6 और +7 का अंतर है।

19. (b) : पहले अक्षर-समूह के आनुक्रमिक अक्षर वर्णमाला के सीधे क्रम में हैं और दूसरे अक्षर समूह के आनुक्रमिक अक्षर वर्णमाला के उलटे क्रम में हैं।

BCDE : WVUT : : QRST : JIHG

⟶   ⟵   ⟶   ⟵

20. (c) : दोनों अक्षर-समूहों के संगत अक्षरों के बीच –7 का अंतर है।

21. (c) : पहले अक्षर-समूह के केवल मध्यवर्ती दो अक्षरों को उलटे क्रम में लिखने पर दूसरा अक्षर समूह प्राप्त होता है।

DIMO : DMIO : : JUVR : JVUR

22. (d) : दोनों अक्षर-समूहों के संगत अक्षरों के बीच क्रमशः +6, –5, +4 का अंतर है।

23. (a) : पहले अक्षर-समूह के चार अक्षरों में से पहले अक्षर को अपने स्थान पर रखते हुए अन्य तीन अक्षरों को उलटे क्रम में लिखने पर दूसरा अक्षर-समूह प्राप्त होता है।

ODRS : OSRD : : PAGJ : PJGA

24. (a) : प्रत्येक अक्षर-समूह के चार अक्षरों में से दो अक्षर स्वर (Vowel) हैं।

25. (b) : पहले अक्षर समूह के तीन अक्षरों में से पहले अक्षर के स्थान को परिवर्तित किए बिना अन्य दो अक्षरों को वर्णमाला के विपरीत क्रम में क्रमशः –1 और –2 चरण पीछे खिसकाने पर दूसरा अक्षर-समूह प्राप्त होता है।

AKU : AJS : : CRD : CQB

–1   –2   –1   –2

26. (d) : दोनों अक्षर समूहों के संगत अक्षरों के बीच क्रमशः +2, –2 –2 का अंतर है।

27. (a) : दोनों अक्षर समूहों के संगत अक्षरों के बीच क्रमशः +3, +2, +1 का अंतर है।

28. (c) : पहले अक्षर-समूह के पहले और दूसरे अक्षरों को तीसरे अक्षर के बाद रखने पर दूसरा अक्षर समूह प्राप्त होता है।

ODL : LOD : : PWN : NPW

29. (b) : पहले अक्षर समूह के अक्षरों को प्रतिवर्तित करके (उलटे क्रम में रखकर) उनके बाद P अक्षर जोड़ने पर दूसरा अक्षर समूह प्राप्त होता है।

MAR : RAMP : : INS : SNIP

30. (c) : दूसरे अक्षर समूह में पहले अक्षर-समूह के प्रथम अक्षर के आनुक्रमिक अक्षरों को उसके आगे-पीछे लिखा गया है।

SUW : RST : : DFH : CDE

31. (d) : पहले और दूसरे अक्षर-समूहों के संगत अक्षरों के बीच क्रमशः –1, +1, –1 का अंतर है।

32. (b) : पहले अक्षर समूह में क्रमागत अक्षर वर्णमाला के सीधे क्रम में हैं और दूसरे अक्षर समूह में अक्षर वर्णमाला के विपरीत क्रम में समस्थानिक अक्षर हैं।

ABC : ZYX : : IJK : RQP

⟶   ⟵   ⟶   ⟵

33. (b) : पहले और दूसरे अक्षर समूहों के संगत अक्षरों के बीच क्रमशः +2, +1, –1 चरणों का अंतर है।

34. (c) : अक्षर-समूहों में पहले दो अक्षर क्रमागत हैं, दूसरे और तीसरे अक्षरों के बीच एक अक्षर छूटा हुआ है तथा तीसरे और चौथे अक्षरों के बीच तीन अक्षर छूटे हुए हैं। पहले अक्षर-समूह के अक्षर वर्णमाला के सीधे क्रम में और दूसरे अक्षर-समूह के अक्षर वर्णमाला के विपरीत क्रम में हैं।

ABDH : ZYWS : : EFHL : VUSO

C EFG ⟶   ⟵ X VUT   G IJK ⟶   ⟵ T RQP

35. (d) : पहले और दूसरे अक्षर समूहों के संगत अक्षरों के बीच क्रमशः +4, –3, +4, –3 चरणों का अंतर है।

36. (a) : प्रथम अक्षर-समूह को दो बराबर खंडों में विभक्त करके प्रत्येक खंड के अक्षरों को उलटे क्रम में लिखने पर दूसरा अक्षर-समूह प्राप्त होता है।

CIRCLE : RICELC : : SQUARE : UQSERA

37. (b) : पहले अक्षर-समूह में पहले, तीसरे, चौथे और दूसरे स्थानों पर रखे गए अक्षर क्रमागत हैं। दूसरे अक्षर-समूह में पहले, चौथे, तीसरे और दूसरे स्थानों पर रखे गए अक्षर क्रमागत हैं।

PSQR : CFED :: JMKL : WZYX

38. (a) : पहले अक्षर-समूह के अक्षर वर्णमाला के सीधे क्रम में क्रमागत हैं और अक्षर समूह के पहले अक्षर से वर्णमाला के सीधे क्रम में 14 चरण आगे बढ़ने पर या अंतिम अक्षर से वर्णमाला के सीधे क्रम में 11 चरण आगे बढ़ने पर दूसरे अक्षर समूह का पहला अक्षर प्राप्त होता है।

JKLM : XYZA :: NOPQ : BCDE

(+14 or +11)

39. (d) : अक्षर समूहों के अक्षर वर्णमाला के सीधे क्रम में हैं और दो अक्षरों के बीच एक अक्षर छूटा हुआ है।

EGI : NPR :: HJL : TVX

(F H, O Q, I K, U W)

40. (c) : पहले अक्षर समूह के पहले अक्षर को छोड़ देने और शेष तीन अक्षरों को उलटे क्रम में लिखने पर दूसरा अक्षर समूह प्राप्त होता है।

TPNX : XNP :: BUCW : WCU

अध्याय 3 विजातीय चयन

विजातीय संख्या चयन

इस प्रकार के वर्गीकरण में विकल्पों के रूप में विभिन्न संख्याएं दी जाती हैं। इन संख्याओं में से एक को छोड़कर जो अन्य से भिन्न होती है, शेष किसी न किसी रूप में आपस में संबंधित होती हैं और इस प्रकार एक समूह बनाती हैं। परीक्षार्थी को दी गई संख्याओं में यह समानता ज्ञात करनी होती है और तत्पश्चात् समूह से भिन्न संख्या का चयन करना होता है। विकल्पों के रूप में दी गई संख्याएं विषम/सम/क्रमागत संख्याएं, अभाज्य संख्याएं, किसी संख्या का गुणज, एक अंकीय, विभिन्न संख्याओं का वर्ग या घन, किसी अन्य संख्या का जोड़/घटा या किसी भी गणितीय परिकलन का संयोजन हो सकती है।

हल किए गए प्रश्न

निर्देश : *दिए गए विकल्पों में विषम संख्या ज्ञात करें।*

1. (*a*) 62 (*b*) 121 (*c*) 36 (*d*) 256 (*e*) 64

उत्तर (*a*) : अन्य संख्याएं क्रमश: 11, 6 और 16 के वर्ग द्वारा सूचित होती हैं।

2. (*a*) 27 (*b*) 132 (*c*) 93 (*d*) 154 (*e*) 141

उत्तर (*d*) : शेष संख्याएं 3 से विभाज्य हैं।

प्रश्नमाला

निर्देश : *यहां प्रत्येक प्रश्न में चार विकल्प दिए गए हैं जिनमें से तीन किसी न किसी रूप में आपस में संबंधित होते हुए एक समूह बनाते हैं, जबकि शेष एक संख्या अन्य से भिन्न है। उस भिन्न संख्या का चयन करें जो समूह से संबंधित नहीं है।*

1. (*a*) 1948 (*b*) 2401 (*c*) 966 (*d*) 1449 (*e*) 1638

2. (*a*) 182 (*b*) 169 (*c*) 130 (*d*) 158 (*e*) 208

3. (*a*) 129 (*b*) 130 (*c*) 131 (*d*) 132 (*e*) 135

4. (*a*) 3215 (*b*) 9309 (*c*) 4721 (*d*) 2850 (*e*) 5321

5. (*a*) 1776 (*b*) 2364 (*c*) 1976 (*d*) 3776 (*e*) 236

6. (*a*) 64 (*b*) 84 (*c*) 16 (*d*) 36 (*e*) 100

7. (*a*) 24 (*b*) 90 (*c*) 54 (*d*) 36 (*e*) 63

8. (*a*) 7658 (*b*) 1234 (*c*) 9876 (*d*) 6543 (*e*) 7654

9. (*a*) 3 (*b*) 9 (*c*) 5 (*d*) 7 (*e*) 13

10. (*a*) 6450 (*b*) 1776 (*c*) 2392 (*d*) 3815 (*e*) 4276

11. (*a*) 24 (*b*) 48
(*c*) 42 (*d*) 12
(*e*) 72

12. (*a*) 616 (*b*) 252
(*c*) 311 (*d*) 707
(*e*) 454

13. (*a*) 18 (*b*) 12
(*c*) 30 (*d*) 20
(*e*) 42

14. (*a*) 3730 (*b*) 6820
(*c*) 5568 (*d*) 4604
(*e*) 2632

15. (*a*) 2587 (*b*) 7628
(*c*) 8726 (*d*) 2867
(*e*) 2678

16. (*a*) 63 (*b*) 29
(*c*) 27 (*d*) 25
(*e*) 51

17. (*a*) 23 (*b*) 37
(*c*) 21 (*d*) 31
(*e*) 29

18. (*a*) 18 (*b*) 9
(*c*) 21 (*d*) 7
(*e*) 12

19. (*a*) 9875432 (*b*) 98765
(*c*) 98756 (*d*) 9876543
(*e*) 987543

20. (*a*) 602 (*b*) 431
(*c*) 530 (*d*) 813
(*e*) 323

21. (*a*) 4 (*b*) 6
(*c*) 7 (*d*) 10
(*e*) 12

22. (*a*) 3456 (*b*) 2345
(*c*) 5467 (*d*) 5678
(*e*) 4507

23. (*a*) 10 (*b*) 11
(*c*) 15 (*d*) 16
(*e*) 12

24. (*a*) 336 (*b*) 213
(*c*) 436 (*d*) 819
(*e*) 729

25. (*a*) 258 (*b*) 326
(*c*) 224 (*d*) 339
(*e*) 428

26. (*a*) 28751 (*b*) 52638
(*c*) 85362 (*d*) 63852
(*e*) 43276

27. (*a*) 73 (*b*) 43
(*c*) 63 (*d*) 83
(*e*) 59

28. (*a*) 64 (*b*) 27
(*c*) 125 (*d*) 9
(*e*) 8

29. (*a*) 63 (*b*) 49
(*c*) 21 (*d*) 81
(*e*) 35

30. (*a*) 74930 (*b*) 89435
(*c*) 66535 (*d*) 32116
(*e*) 37285

व्याख्यात्मक उत्तरमाला

1. (*a*) : शेष संख्याएं 7 से विभाज्य हैं।
2. (*d*) : शेष संख्याएं 13 का गुणज हैं।
3. (*c*) : 131 एक अभाज्य संख्या (prime number) है।
4. (*b*) : शेष संख्याओं में किसी भी अंक का दो बार प्रयोग नहीं किया गया है।
5. (*b*) : शेष संख्याओं में आखिरी दो अंक एक से हैं।
6. (*b*) : शेष संख्याएं पूर्ण वर्ग संख्याएं हैं।
7. (*a*) : शेष संख्याओं में दोनों अंकों का योग 9 है।
8. (*a*) : शेष संख्याओं में उनके अंक गिनती के सीधे या उलटे क्रम में क्रमागत (निरंतर) हैं।
9. (*b*) : शेष सभी अभाज्य संख्याएं हैं।
10. (*d*) : शेष संख्याएं 2 से विभाज्य हैं।
11. (*c*) : शेष संख्याएं 12 का गुणज हैं।
12. (*c*) : शेष संख्याओं में पहले और आखिरी अंक एक से हैं।
13. (*a*) : शेष सभी संख्याएं $3^2 + 3 = 12, 5^2 + 5 = 30, 4^2 + 4 = 20$ हैं।
14. (*b*) : शेष सभी संख्याओं में दो अंक एक से हैं।
15. (*a*) : शेष संख्याएं 2, 6, 7 और 8 के अंकों से बनी हैं।
16. (*b*) : 29 एक अभाज्य संख्या है।
17. (*c*) : शेष सभी संख्याएं अभाज्य संख्याएं हैं।
18. (*d*) : शेष संख्याएं 3 से विभाज्य हैं।
19. (*c*) : शेष सभी संख्याओं में 987 के बाद अंक अवरोही या घटते हुए क्रम (decreasing order) में हैं।
20. (*d*) : शेष संख्याओं में अंकों का योग 8 है।
21. (*c*) : शेष सभी संख्याएं सम हैं।
22. (*c*) : शेष सभी संख्याओं में अंक आरोही या बढ़ते हुए क्रम (increasing order) में हैं।
23. (*b*) : 11 एक अभाज्य संख्या है।
24. (*c*) : शेष सभी संख्याओं में दाहिनी ओर का आखिरी अंक बायीं ओर के दो अंकों का योगफल है।
25. (*a*) : शेष सभी संख्याओं में दाहिनी ओर का आखिरी अंक बायीं ओर के शेष दो अंकों का गुणफल है।
26. (*a*) : 28751 एक विषम संख्या है।
27. (*c*) : शेष सभी अभाज्य संख्याएं हैं।
28. (*d*) : शेष सभी संख्याएं प्राकृत संख्याओं का घन हैं, 9 एक पूर्ण वर्ग संख्या है।
29. (*d*) : शेष सभी संख्याएं 7 का गुणज हैं।
30. (*d*) : शेष सभी संख्याएं 5 से विभाज्य हैं।

विजातीय अक्षर चयन

इस कोटि के अंतर्गत विकल्प के रूप में चार अक्षर-समूह या अक्षरों की एक शृंखला दी जाती है। परीक्षार्थी को इनमें से ऐसे विकल्प का चयन करना होता है जो अन्यों से भिन्न अर्थात् विजातीय हो।

हल किए गए प्रश्न

निर्देश : *निम्नलिखित अक्षर समूहों में से कौन सा अक्षर समूह भिन्न या विजातीय स्वरूप का है?*

1. (*a*) NOP (*b*) RTU (*c*) JKL (*d*) EFG (*e*) XYZ

उत्तर (*b*) : प्रत्येक समूह में अक्षर क्रमागत हैं, जबकि विकल्प (*b*) के अक्षर-समूह में पहले दो अक्षरों के बीच एक अक्षर 'S' छूटा हुआ है।

2. (*a*) RUX (*b*) CFI (*c*) BDG (*d*) FIL (*e*) KNQ

उत्तर (*c*) : प्रत्येक समूह में अक्षरों के बीच समान संख्या में अक्षर छूटे हुए हैं जबकि विकल्प (*c*) में पहले दो अक्षरों B और D के बीच एक अक्षर और अंतिम दो अक्षरों D और G के बीच दो अक्षर छूटे हुए हैं।

प्रश्नमाला

निर्देश : *नीचे के प्रत्येक प्रश्न में अक्षर समूहों के रूप में चार विकल्प दिए गए हैं जिनमें से तीन में किसी न किसी प्रकार की समानता है और इस कारण वे एक समूह बनाते हैं। उस अक्षर समूह का चयन करें जो समूह से संबंधित नहीं है।*

1. (*a*) ACE (*b*) LOR (*c*) GIK (*d*) VXZ (*e*) इनमें से कोई नहीं

2. (*a*) TSR (*b*) LKJ (*c*) PQO (*d*) HGF (*e*) NML

3. (*a*) EF LM (*b*) KJ SR (*c*) XW HG (*d*) ED YX (*e*) इनमें से कोई नहीं

4. (*a*) JOPK (*b*) BOPC (*c*) QOPR (*d*) TOPS (*e*) इनमें से कोई नहीं

5. (*a*) DfH (*b*) MoQ (*c*) UwY (*d*) lnO (*e*) RwT

6. (*a*) JKkL (*b*) OPpQ (*c*) DEEf (*d*) VWwX (*e*) CDdE

7. (*a*) BdfH (*b*) FHJL (*c*) RTvX (*d*) uVwX (*e*) इनमें से कोई नहीं

8. (*a*) DFHEG (*b*) TWXUV (*c*) OQSPR (*d*) JLNKM (*e*) इनमें से कोई नहीं

9. (*a*) FEUV (*b*) DCXW (*c*) BAZY (*d*) HGTS (*e*) इनमें से कोई नहीं

10. (*a*) UTSR (*b*) XYZW (*c*) ONML (*d*) IHGF (*e*) FEDC

11. (*a*) MKGA (*b*) PNID (*c*) RPLF (*d*) VTPJ (*e*) YWSM

12. (*a*) ABJNM (*b*) QRTUZ (*c*) IXYOQ (*d*) WGFPO (*e*) KLORU

13. (*a*) BFJQ (*b*) RUZG (*c*) GJOV (*d*) ILQX (*e*) DGLS

14. (*a*) CS (*b*) OU (*c*) EV (*d*) QO (*e*) DG

15. (*a*) EFGH (*b*) IRST (*c*) ULMN (*d*) JKLO (*e*) OBCD

16. (*a*) LNP (*b*) ECA (*c*) JLN (*d*) RTV (*e*) GIK

17. (*a*) SU (*b*) BD (*c*) PN (*d*) WY (*e*) OQ

18. (*a*) KI (*b*) SQ (*c*) CA (*d*) VX (*e*) PN

19. (*a*) SC (*b*) FT (*c*) MK (*d*) HV (*e*) LN

20. (*a*) END (*b*) PUT (*c*) ARM (*d*) OWL (*e*) UPS

21. (*a*) CFIL (*b*) ABCD (*c*) ACDF (*d*) EFGH (*e*) NRVZ

22. (*a*) SPQR (*b*) MKLN (*c*) WUVX (*d*) FDEG (*e*) ECDF

23. (*a*) HK (*b*) DG (*c*) NK (*d*) UX (*e*) PS

24. (*a*) MLKA (*b*) HGFA (*c*) RQPA (*d*) STUA (*e*) ONMA

25. (*a*) KNOS (*b*) QTUY (*c*) DFGJ (*d*) BEFJ (*e*) RUVZ

26. (*a*) GEC (*b*) PRT (*c*) TVX (*d*) SUW (*e*) DFH

27. (*a*) USNID (*b*) UPKEA (*c*) OMIDB (*d*) VTOJE (*e*) TICAF

28. (*a*) DF (*b*) PR (*c*) FG (*d*) MQ (*e*) WZ

29. (*a*) MLKI (*b*) PMOL (*c*) ZWYV (*d*) TQSP (*e*) SPLD

30. (*a*) CDFIM (*b*) ABDGK (*c*) EFGIK (*d*) BCEHL (*e*) JKMPT

31. (*a*) USAGE (*b*) UKASE (*c*) URINE (*d*) USUAL (*e*) UNITE

32. (*a*) TVRG (*b*) CSRS (*c*) NPAD (*d*) CPNT (*e*) AIDS

33. (*a*) PCDW (*b*) NTFV (*c*) QNIS (*d*) DRKY (*e*) PWED

34. (*a*) FKP (*b*) LPU (*c*) HMR (*d*) DIN (*e*) JOT

35. (*a*) BAD (*b*) OFF (*c*) INN (*d*) SIS (*e*) TIT

36. (*a*) RiGP (*b*) MoRH (*c*) FBlP (*d*) DtJA (*e*) BiRD

37. (*a*) PQRN (*b*) GHIS (*c*) XYZQ (*d*) STVW (*e*) ABCL

38. (*a*) ErIc (*b*) nOtE (*c*) rUIn (*d*) TieD (*e*) bEAK

39. (*a*) FARM (*b*) TRAY (*c*) CARD (*d*) WARN (*e*) PARK

40. (*a*) DCBA (*b*) SRQP (*c*) IHGF (*d*) NOPQ (*e*) WVUT

व्याख्यात्मक उत्तरमाला

1. (*b*) : शेष सभी अक्षर समूहों में अगला अक्षर अपने पूर्ववर्ती अक्षर से वर्णमाला के सीधे क्रम में 2 अक्षर आगे का है जबकि विकल्प (*b*) के अक्षर समूह में +3 अनुक्रम का पालन होता है।

A B C D E (+2, +2)   L M N O P Q R (+3, +3)

G H I J K (+2, +2)   V W X Y Z (+2, +2)

2. (*c*) : प्रत्येक समूह में अक्षर वर्णमाला के उलटे क्रम में हैं। केवल विकल्प (*c*) में अक्षरों का अनुक्रम बाधित हो रहा है।

3. (*a*) : शेष सभी समूहों में क्रमागत अक्षर वर्णमाला के उलटे क्रम में हैं।

KJ SR; XW HG; ED YX (−1, −1, −1, −1, −1, −1)

केवल विकल्प (*a*) में ही क्रमागत अक्षर वर्णमाला के सीधे क्रम में है।

E F (+1)   L M (+1)

4. (*d*) : यहां दिए गए सभी अक्षर समूहों में बीच में 'OP' अक्षर हैं। विकल्प (*d*) में दोनों किनारों पर स्थित अक्षर वर्णमाला के उलटे क्रम में हैं, अर्थात्

TOPS (−1)

जबकि शेष सभी अक्षर समूहों में दोनों किनारों पर स्थित अक्षर वर्णमाला के सीधे क्रम में हैं।

JOPK (+1) ; BOPC (+1) ; QOPR (+1)

5. (*d*) : शेष समूहों में केवल बीच का अक्षर ही अंग्रेजी वर्णमाला का छोटा अक्षर है जबकि विकल्प (*d*) में बायें सिरे के दो अक्षर अंग्रेजी वर्णमाला के छोटे अक्षर हैं।

6. (*c*) : शेष समूहों में तीसरे अक्षर के रूप में दूसरे अक्षर की पुनरावृत्ति की गई है और उसे अंग्रेजी वर्णमाला के छोटे अक्षर के रूप में लिखा गया है जबकि विकल्प (*c*) के तीसरे अक्षर के रूप में दूसरे अक्षर की पुनरावृत्ति तो की जाती है किंतु उसे अंग्रेजी वर्णमाला के बड़े अक्षर के रूप में लिखा जाता है।

7. (*d*) : शेष समूहों में अंग्रेजी वर्णमाला के अक्षर चाहे छोटे हों या बड़े, किंतु दूसरे, तीसरे और चौथे स्थान पर स्थित अक्षर अपने पूर्ववर्ती अक्षरों से वर्णमाला के सीधे क्रम में 2 अक्षर आगे के हैं, अर्थात्

B D f H ; F H J L ; R T v X

+2 +2 +2   +2 +2 +2   +2 +2 +2

केवल विकल्प (*d*) में अक्षर वर्णमाला के सहज क्रम (+1) में हैं, अर्थात्

u V w X

+1 +1 +1

8. (*b*) : शेष समूहों में पहले, चौथे, दूसरे, पांचवें और तीसरे स्थानों पर स्थित अक्षरों से वर्णमाला का सीधा अनुक्रम बनता है।

विकल्प (*b*), में पहले, चौथे, पांचवें, दूसरे और तीसरे स्थानों पर स्थित अक्षरों के मेल से वर्णमाला का सीधा अनुक्रम बनता है।

9. (*a*) : शेष समूहों में बायें सिरे पर स्थित अक्षर का वर्णमाला के सीधे क्रम में स्थान दायें सिरे पर स्थित अक्षर का वर्णमाला के उलटे क्रम में स्थान से मेल खाता है,

अर्थात्

वर्णमाला का सीधा क्रम : A B C D E F G H I J K L M

वर्णमाला का उल्टा क्रम : Z Y X W V U T S R Q P O N

वर्णमाला का सीधा क्रम : N O P Q R S T U V W X Y Z

वर्णमाला का उल्टा क्रम : M L K J I H G F E D C B A

अत: वर्णमाला के सीधे क्रम में D का स्थान वर्णमाला के उलटे क्रम में W के स्थान से मेल खाता है, और

C का स्थान X से मेल खाता है,

तथा B का स्थान Y से मेल खाता है, और

A का स्थान Z से मेल खाता है,

H का स्थान S से मेल खाता है, और

G का स्थान T से मेल खाता है।

इसी प्रकार,

F का स्थान U से मेल खाता है और

E का स्थान V से मेल खाता है,

अर्थात् 'UV' अक्षरों के स्थान पर 'VU' लिखा जाना चाहिए।

10. (*b*) : शेष समूहों में अक्षर वर्णमाला के उलटे क्रम में लिखे गए हैं।

विकल्प (*b*) में वर्णमाला का अनुक्रम बाधित है।

11. (*b*) : शेष समूहों में अक्षरों का अनुक्रम –2, –4, –6 के पैटर्न का पालन करता है, अर्थात्

M K G A ; R P L F

–2 –4 –6   –2 –4 –6

V T P J

–2 –4 –6

विकल्प (*b*) में अनुक्रम का निम्नलिखित पैटर्न है :

P N I D

–2 –5 –5

अत: सही पैटर्न होना चाहिए → P N J D

–2 –4 –6

12. (*c*) : शेष समूहों में कम से कम दो जोड़े अक्षर वर्णमाला के क्रम में हैं, अर्थात्

A B J N M ; Q R T U Z ; W G F P O

विकल्प (*c*) में केवल एक जोड़ा अक्षर-ही वर्णमाला के क्रम में है।

I X Y O Q

13. (*a*) : शेष समूहों में अक्षरों का अनुक्रम वर्णमाला के सीधे क्रम में +3, +5, +7 पैटर्न का अनुपालन करता है, अर्थात्

R U Z G ; G J O V ; I L Q X

+3 +5 +7   +3 +5 +7   +3 +5 +7

टिप्पणी : अक्षर शृंखला 'Z' पर पहुंचने के बाद 'A' से पुन: आरंभ होती है।

इससे भिन्न विकल्प (*a*) में निम्नलिखित पैटर्न का अनुपालन किया जाता है :

B F J Q

+4 +4 +7

14. (*c*) : केवल इसी समूह के अक्षर सीधे रेखाखंडों से निर्मित होते हैं।

15. (*d*) : शेष समूहों में पहला अक्षर 'स्वर' है जिसके बाद तीन क्रमागत अक्षर लिखे गए हैं।

16. (*b*) : शेष समूहों में अक्षर वर्णमाला के सीधे क्रम में हैं और प्रत्येक दो अक्षरों के बीच एक अक्षर छूटा हुआ है।

17. (*c*) : शेष समूहों में अक्षर वर्णमाला के सीधे क्रम में हैं और उनके बीच एक अक्षर छूटा हुआ है।

18. (*d*) : शेष समूहों में अक्षर वर्णमाला के उलटे क्रम में हैं और उनके बीच का अक्षर छूटा हुआ है।

19. (*a*) : केवल इसी समूह में अक्षर वक्र रेखाओं से बने हैं।

20. (*b*) : शेष समूहों में पहला अक्षर एक स्वर है।

21. (*c*) : शेष समूहों में क्रमागत अक्षरों के बीच समान संख्या में अक्षर छूटे हुए हैं।

C F I L ; A B C D ; E F G H

+3 +3 +3   +1 +1 +1   +1 +1 +1

विकल्प (*c*) में निम्नलिखित पैटर्न है :

A C D F

+2 +1 +2

22. (*a*) : शेष समूहों में दूसरे, तीसरे, पहले और अंतिम स्थान पर स्थित अक्षरों से वर्णमाला का सीधा क्रम प्राप्त होता है।

विकल्प (*a*) में दूसरे, तीसरे, चौथे और पहले स्थान पर स्थित अक्षर वर्णमाला के सीधे क्रम में है।

23. (*c*) : अन्य सभी समूहों में दो क्रमागत अक्षरों के बीच दो अक्षर छूटे हुए हैं और ये वर्णमाला के सीधे क्रम में हैं। विकल्प (*c*) में अक्षर वर्णमाला के उलटे क्रम में हैं।

24. *(d)* : शेष समूहों में पहले तीन अक्षर वर्णमाला के उलटे क्रम में हैं जिनके बाद अंतिम स्थान पर A का अक्षर है। विकल्प *(d)* में तीनों अक्षर वर्णमाला के सीधे क्रम में हैं।
25. *(c)* : शेष समूहों में अक्षरों के बीच +3, +1, +4 का पैटर्न है।
26. *(a)* : शेष समूहों में लिए गए एकांतर अक्षर वर्णमाला के सीधे क्रम में हैं।
27. *(b)* : शेष समूहों में दो-दो 'स्वर' (vowels) हैं जबकि विकल्प *(b)* में तीन स्वर हैं।
28. *(c)* : केवल इसी विकल्प में वर्णमाला के सीधे क्रम में दो क्रमागत अक्षर हैं।
29. *(a)* : केवल इसी विकल्प में वर्णमाला के उलटे क्रम में तीन क्रमागत अक्षर 'MLK' हैं।
30. *(c)* : शेष सभी समूहों में अनुक्रम +1, +2, +3, +4 का है।
31. *(d)* : शेष विकल्पों में अंतिम अक्षर 'E' है।
32. *(b)* : केवल इसी विकल्प में S का अक्षर है जिसकी पुनरावृत्ति भी होती है।
33. *(c)* : केवल इसी अक्षर समूह में एक स्वर I है।
34. *(b)* : शेष सभी अक्षर समूहों में +5 पैटर्न का अनुपालन होता है।
35. *(a)* : शेष अक्षर समूहों में एक अक्षर की पुनरावृत्ति होती है।
36. *(c)* : शेष अक्षर समूहों में दूसरा अक्षर अंग्रेजी वर्णमाला का छोटा अक्षर है।
37. *(d)* : शेष समूहों में पहले तीन अक्षर क्रमागत हैं।
38. *(d)* : केवल इसी समूह में स्वर (vowels) अंग्रेजी के छोटे अक्षर हैं।
39. *(b)* : शेष समूहों में बीच के दो अक्षर 'AR' हैं जबकि विकल्प *(b)* में बीच के अक्षर 'RA' हैं।
40. *(d)* : शेष समूहों में अक्षर वर्णमाला के विपरीत क्रम में हैं।

विजातीय शब्द चयन

इस प्रकार के वर्गीकरण में पांच शब्द दिए जाते हैं जिनमें से चार शब्द तथ्य या अर्थ की दृष्टि से या अन्य किसी न किसी रूप में आपस में संबंधित होते हुए एक समूह बनाते हैं जबकि शेष केवल एक शब्द अन्य चारों से भिन्न होता है। परीक्षार्थी को यह पता लगाना होता है कि वह एक कौन सा शब्द है जो समूह से संबंधित नहीं है और इस कारण विजातीय है।

हल किए गए प्रश्न

निर्देश : *निम्नलिखित पांच शब्दों में से उस एक शब्द का चयन करें जो अन्य चार से भिन्न है :*

1. *(a)* पिता *(b)* माता *(c)* मित्र *(d)* भाई *(e)* बहन

उत्तर *(c)* : अन्य सभी के बीच रक्त संबंध है।

2. *(a)* जल *(b)* जेली *(c)* नींबू शरबत *(d)* कॉफी *(e)* दूध

उत्तर *(b)* : अन्य सभी द्रव पदार्थ हैं।

प्रश्नमाला

निर्देश : *यहां दिए गए प्रत्येक प्रश्न में चार शब्द किसी न किसी प्रकार से समान हैं और इस कारण वे एक* **समूह** *बनाते हैं जबकि एक शब्द अन्य चारों से भिन्न है। इस भिन्न या विजातीय शब्द को ज्ञात करें।*

1. *(a)* हरा *(b)* लाल *(c)* रंग *(d)* नारंगी *(e)* काला
2. *(a)* अस्तबल *(b)* बिल *(c)* डोंगी *(d)* सुअर-बाड़ा *(e)* घोंसला
3. *(a)* नाक *(b)* आंख *(c)* त्वचा *(d)* जिह्वा *(e)* दांत
4. *(a)* बुध *(b)* चंद्रमा *(c)* बृहस्पति *(d)* मंगल *(e)* पृथ्वी
5. *(a)* खुश *(b)* उदास *(c)* प्रसन्नचित्त *(d)* प्रसन्न *(e)* अति प्रसन्न
6. *(a)* शंकु *(b)* वृत्त *(c)* त्रिभुज *(d)* आयत *(e)* वर्ग
7. *(a)* सीसा *(b)* पारद *(c)* तांबा *(d)* लोहा *(e)* टीन
8. *(a)* पतंग *(b)* चिड़िया *(c)* रेडार *(d)* जेट *(e)* रॉकेट
9. *(a)* घुटना *(b)* कंधा *(c)* टखना *(d)* कोहनी *(e)* हथेली
10. *(a)* अतिवृष्टि *(b)* अनावृष्टि *(c)* भूस्खलन *(d)* युद्ध *(e)* भूकंप

11. (a) सिंहशावक (b) चूजा
(c) सूअर (d) पिल्ला
(e) मेमना

12. (a) खरगोश (b) मगरमच्छ
(c) केंचुआ (d) घोंघा
(e) छिपकली

13. (a) पेड़ (b) पत्ता
(c) झाड़ी (d) शाकीय पौधे
(e) विसर्पी लता

14. (a) डॉक्टर (b) शिक्षक
(c) इंजीनियर (d) बढ़ई
(e) गोताखोर

15. (a) दुलकना (b) घुड़सवारी
(c) घुड़दौड़ (d) घुरघुराहट
(e) हिनहिनाना

16. (a) अलंकृत करना (b) रमणीय
(c) सजाना (d) सुंदर बनाना
(e) संवारना

17. (a) पोलो (b) शतरंज
(c) लूडो (d) स्क्वैश रैकेट्स
(e) ताश

18. (a) ट्यूटर (b) प्रिंसिपल
(c) छात्र (d) प्रोफेसर
(e) टीचर

19. (a) तालाब (b) नदी
(c) सरिता (d) नाला
(e) झरना

20. (a) निवेदित भाव (b) शुल्क
(c) कर (d) चुंगी
(e) बीजक

व्याख्यात्मक उत्तरमाला

1. (c) : अन्य सभी विभिन्न प्रकार के रंग हैं।

2. (c) : डोंगी एक छोटी नाव होती है। अन्य सभी पशु-पक्षियों के निवासस्थलों के नाम हैं।

3. (e) : अन्य सभी ज्ञानेंद्रियां हैं।

4. (b) : अन्य सभी ग्रहों के नाम हैं।

5. (b) : अन्य सभी आनन्द की अनुभूति को अभिव्यक्त करते हैं।

6. (a) : अन्य सभी ज्यामितीय आकृतियां हैं।

7. (b) : अन्य सभी ठोस धातुएं हैं।

8. (c) : अन्य सभी हवा में उड़ने वाली वस्तुएं हैं। रेडार हवा में गमन करने वाली वस्तुओं की पहचान करता है।

9. (e) : अन्य सभी स्थानों पर शरीर की हड्डियां आपस में मिलकर एक जोड़ (अस्थि संधि) निर्मित करती हैं।

10. (d) : अन्य सभी प्राकृतिक आपदाएं हैं। केवल युद्ध ही मानव द्वारा मानव समाज के समक्ष प्रस्तुत की जाने वाली एक कृत्रिम आपदा है।

11. (c) : अन्य सभी शब्द विभिन्न जंतुओं के शिशुओं के नाम हैं।

12. (a) : अन्य सभी रेंगने वाले जंतु हैं।

13. (b) : अन्य सभी विभिन्न प्रकार की वनस्पतियां हैं।

14. (e) : केवल गोताखोर ही जल के भीतर गोता लगाता है। अन्य सभी पृथ्वी के स्थलीय भाग में रहकर अपना पेशा करते हैं।

15. (d) : अन्य सभी घोड़े से संबंधित क्रियाकलाप हैं।

16. (b) : अन्य सभी शब्द समानार्थक हैं।

17. (a) : अन्य सभी घर के भीतर खेले जाने वाले खेल हैं।

18. (c) : अन्य सभी शिक्षा प्रदान करते हैं जबकि छात्र इन सभीं से शिक्षा प्राप्त करता है।

19. (a) : अन्य सभी में जल प्रवाहित होता है।

20. (a) : अन्य सभी विभिन्न प्रकार के कर हैं।

अध्याय 4

सांकेतिक भाषा

भाग-I

कूटलेखन या 'कोडिंग' संवाद-संप्रेषण की एक प्रक्रिया है जिसमें एक गुप्त भाषा का प्रयोग वास्तविक तथ्यों शब्दों/मूल्यों की अभिव्यक्ति या प्रस्तुतिकरण को एक ऐसी भाषा में परिवर्तित करने के लिए किया जाता है जिसे संवाद के प्रेषक और प्राप्तकर्ता के अतिरिक्त कोई तीसरा व्यक्ति समझ न सके। कूटभाषा में लिखने के लिए *(i)* शब्दों के अक्षरों के स्थान पर वर्णमाला के सीधे उलटे क्रम में एक या एकाधिक स्थान आगे या पीछे के अक्षरों को लिखा जाता है; *(ii)* अक्षरों के स्थान पर संख्याओं को या संख्याओं के स्थान पर अक्षरों को लिखा जाता है; *(iii)* दिए गए शब्द के कुछ या सभी अक्षरों को उलटे क्रम में लिखा जाता है; और *(iv)* शब्द के अक्षरों के स्थान पर वर्णमाला के उलटे क्रम में समस्थानिक अक्षरों को लिखा जाता है।

वर्णमाला को सीधे क्रम में लिखने पर प्राप्त शृंखला :

A B C D E F G H I J K L M N O P Q R S T U V W X Y Z

A	E	J	O	T	Y
↓	↓	↓	↓	↓	↓
प्रथम अक्षर	पांचवा अक्षर	दसवां अक्षर	पंद्रहवां अक्षर	बीसवां अक्षर	पच्चीसवां अक्षर

वर्णमाला को उलटे क्रम में लिखने पर प्राप्त शृंखला :

Z Y X W V U T S R Q P O N M L K J I H G F E D C B A

Z	V	Q	L	G	B
↓	↓	↓	↓	↓	↓
प्रथम अक्षर	पांचवां अक्षर	दसवां अक्षर	पंद्रहवां अक्षर	बीसवां अक्षर	पच्चीसवां अक्षर

टिप्पणी : Z पर पहुंचने के पश्चात् शृंखला A से पुनः शुरू होती है और A पर पहुंचने के पश्चात् शृंखला Z से पुनः शुरू होती है।

हल किए गए प्रश्न

1. यदि एक विशेष प्रकार की कूट भाषा में शब्द FACE को GBDF की तरह लिखा जाता हो तो इसी कूट भाषा में BADE को कैसे लिखा जाएगा?

(a) CBEF *(b)* CEBF *(c)* CFBE *(d)* CBFE *(e)* CFEB

उत्तर *(a)* : शब्द के अक्षरों को वर्णमाला के सीधे क्रम में एक चरण आगे का अक्षर लिखकर कूटबद्ध किया गया है।

FACE → GBDF (F +1 → G, A +1 → B, C +1 → D, E +1 → F) इसी प्रकार, BADE → CBEF (B +1 → C, A +1 → B, D +1 → E, E +1 → F)

2. यदि किसी कूटभाषा में RESULT को 798206 लिखा गया हो तो उसी कूटभाषा में LET किस प्रकार लिखा जाएगा?

(a) 680 *(b)* 092 *(c)* 096 *(d)* 086 *(e)* 608

उत्तर (*c*) : अक्षरों को संख्याओं द्वारा कूटबद्ध किया गया है। दिए गए शब्द को कूटबद्ध करने के लिए संबंधित कूट संख्याएं ज्ञात करें।

R E S U L T → अक्षर
7 9 8 2 0 6 → कूट

अत: LET के लिए कूट संख्याएं निम्नवत् होगी :

L E T → अक्षर
0 9 6 → कूट

प्रश्नमाला

निर्देश : *निम्नलिखित प्रश्नों में दिए गए शब्दों या अक्षरों के लिए इंगित कूटभाषा के शब्द या अक्षर ज्ञात करें।*

1. यदि किसी कूट भाषा में CHAIR को FKDLU के रूप में लिखा जाए तो उसी कूटभाषा में RAID शब्द को किस प्रकार लिखा जाएगा?

(*a*) ULGD (*b*) ULKG
(*c*) ULDG (*d*) UDLG
(*e*) ULPG

2. यदि किसी कूटभाषा में CONDEMN को CNODMEN लिखा जाता है तो उसी कूटभाषा में TEACHER को कैसे लिखा जाएगा?

(*a*) TEACHER (*b*) TAEECHR
(*c*) TCAEEHR (*d*) TAECEHR
(*e*) TAECHER

3. किसी कूटभाषा में COME को XLNV और ABLE को ZYOV लिखा जाता है। इसी कूटभाषा में MOLLY किस प्रकार लिखा जाएगा?

(*a*) NLOBO (*b*) NLBOO
(*c*) LNOOB (*d*) NLOOB
(*e*) LNOBO

4. यदि किसी विशेष कूटभाषा में PROFESSION को EFORPNOISS के रूप में लिखा जाता हो तो उसी कूटभाषा में DICTIONARY को निम्नलिखित में से किस प्रकार लिखा जाएगा?

(*a*) YRANOITCID (*b*) ITCIDYRANO
(*c*) ITCIDYRNAO (*d*) ITCDIYARNO
(*e*) ITCIDRYANO

5. यदि किसी कूटभाषा में JUNE को NXPF लिखा जाता हो तो उसी कूटभाषा में STAY को कैसे लिखा जाएगा?

(*a*) WWCZ (*b*) WVCZ
(*c*) WWDB (*d*) VWZC
(*e*) VWCZ

6. यदि किसी कूटभाषा में GENIUS को IGPKWU लिखा जाता हो तो उसी कूटभाषा में IDIOT को कैसे लिखा जाएगा?

(*a*) JEJPU (*b*) KFKQV
(*c*) LGLRW (*d*) HCHNS
(*e*) NCNHS

7. यदि किसी कूटभाषा में ACTION को ZXGRLM लिखा जाता हो तो उसी कूटभाषा में HEALTH को कैसे लिखा जाएगा?

(*a*) SVZOGS (*b*) TVZOGT
(*c*) RUZPGR (*d*) QVGOZQ
(*e*) PVGOZP

8. यदि किसी कूटभाषा में THOUSAND को SGNTRZMC लिखा जाए तो उसी कूटभाषा में FUMING को कैसे लिखा जाएगा?

(*a*) GVNJOH (*b*) ETHLMF
(*c*) EVLJMH (*d*) ETLHMF
(*e*) ELTMHF

9. यदि किसी विशेष कूटभाषा में EARTHQUAKE को MOGPENJOSM के रूप में लिखा जाता हो तो उसी कूटभाषा में EQUATE निम्नलिखित में से किस प्रकार लिखा जाएगा?

(*a*) MENOPM (*b*) MENOMP
(*c*) MJOGPM (*d*) MNJOPM
(*e*) MNEOPM

10. एक विशेष कूटभाषा में कूटबद्ध शब्द HJIZT का कूटवाचन MONEY के रूप में किया जाता है। इसी कूटभाषा में लिखे गए शब्द NOVGZ से निम्नलिखित में से कौन-सा अर्थ निरूपित होगा?

(*a*) STUMP (*b*) STALE
(*c*) STICK (*d*) SPIRE
(*e*) STEAL

11. एक विशेष कूटभाषा में JOSEPH को FKOALD के रूप में कूटबद्ध किया जाता है। इसी कूटभाषा में GEORGE किस प्रकार लिखा जाएगा?

(*a*) CBJNCA (*b*) CANKCA
(*c*) CAKNCA (*d*) CAKCNA
(*e*) CNKACA

12. किसी विशेष सांकेतिक भाषा में COUNTRY शब्द को EMWLVPA के रूप में कूटबद्ध किया जाता है। इसी विशेष भाषा में ELECTORATE किस रूप में लिखा जाएगा?

(*a*) CJCEVQPYWC (*b*) GJGERQTYVG
(*c*) CNCERQPCRG (*d*) GJGAVMTYVC
(*e*) GJAGVMYTVC

13. यदि किसी कूटभाषा में PORTUGESE को ESEGUTROP लिखा जाता हो तो उसी कूटभाषा में MALAYALAM किस प्रकार लिखा जाएगा?

(*a*) MALAYALAM (*b*) MALYALAM
(*c*) MALAYALM (*d*) MALAYLAM
(*e*) MLAYALAM

14. यदि PHILOSOPHY को HPLISOPOYH लिखा जाता हो तो ORNAMENTAL कैसे लिखा जाएगा?
(a) ROANEMNTLA (b) ONRAMNEALT
(c) ROANEMTNLA (d) ROANEMNATL
(e) RONAMENTLA

15. यदि SABOTAGE को UADOVAIE के रूप में कूटबद्ध किया गया हो तो EMERGENCY को कैसे कूटबद्ध किया जाएगा?
(a) GMGRIEPCA (b) GMGRGEPCA
(c) BNBQFDOBZ (d) EOETGGNEY
(e) GMGIRPECA

16. यदि किसी कूटभाषा में लिखे गए शब्द OPFGBCST का अर्थवाचन NEAR के रूप में किया जाता हो तो उसी कूटभाषा में कूटबद्ध IJVWHI का अर्थ निम्नलिखित में से क्या होगा?
(a) HAG (b) HUG
(c) HUT (d) KEG
(e) KUG

17. किसी कूटभाषा में 'w' को 'a', 's' को 'r' और 'r' को 'w' लिखा जाता है। इसी कूटभाषा में 'answer' कैसे लिखा जाएगा?
(a) wnsaes (b) anraew
(c) anrwas (d) wnraes
(e) wasnes

18. यदि किसी कूटभाषा में m को g, g को o, a को i और i को y लिखा जाता हो, तो उसी कूटभाषा में 'imagination' कैसे लिखा जाएगा?
(a) ygagynatyin (b) ygioynityog
(c) ygioynityon (d) ygioyintyon
(e) ygiyonityon

19. किसी विशेष कूटलिपि में PUNCTUAL को 16598623 के रूप में कूटबद्ध किया जाता है। इसी कूटलिपि में ACTUPULN निम्नलिखित में से किस प्रकार लिखा जाएगा?
(a) 29861653 (b) 29861635
(c) 28916135 (d) 29851536
(e) 29686153

20. यदि OUT को 152120 के रूप में कूटबद्ध किया जाता हो तो इसी नियम का प्रयोग करके IN को निम्नलिखित में से कैसे लिखा जाएगा?
(a) 1015 (b) 819
(c) 1813 (d) 914
(e) 149

21. यदि MUSK को 146816 लिखा जाए तो उसी कूट में ZERO को क्या लिखेंगे?
(a) 113811 (b) 122912
(c) 15915 (d) 2651815
(e) 1518526

22. यदि BAD को 7 के रूप में और HIS को 9 के रूप में कूटबद्ध किया जाए तो LOW निम्नलिखित में से किसके द्वारा सूचित किया जाएगा?
(a) 50 (b) 8
(c) 23 (d) 5
(e) 27

23. यदि किसी विशेष कूटभाषा में LIBERATE को 56403170 **लिखा जाए** तो उसी कूटभाषा में TRIBAL को क्या लिखेंगे?
(a) 734615 (b) 736415
(c) 136475 (d) 034615
(e) 374651

24. रक्षा मंत्रालय द्वारा प्रयुक्त किसी विशेष कूटभाषा में SYSTEM को SYSMET के रूप में और NEARER को AENRER के रूप में लिखा जाता है। इसी कूटभाषा में FRACTION को किस प्रकार लिखा जाएगा?
(a) CRAFNOIT (b) FRCAITNO
(c) CARFNOIT (d) FRACNOIT
(e) CARFTION

25. यदि CRUDE को BSTED के रूप में लिखा जाए तो MOIST को किस प्रकार लिखा जाएगा?
(a) NNJRU (b) LNHRS
(c) NPJTU (d) LPHTS
(e) SRHNL

26. किसी विशेष कूटभाषा में ALPACA को ACAPLA के रूप में लिखा जाता है। इसी कूटभाषा में ANIMAL किस प्रकार लिखा जाएगा?
(a) LAMINA (b) ALAMIN
(c) LAMNIA (d) AAMLIN
(e) LAMANI

27. किसी विशेष कूटभाषा में FINGER को DGLECP के रूप में लिखा जाता है। इसी कूटभाषा में KIDNEY को किस प्रकार लिखा जाएगा?
(a) IGBLCW (b) IGCLBW
(c) IBCGLE (d) IGBKCV
(e) IBGCLW

28. यदि किसी विशेष कूटभाषा में QUESTION को NXBVQLLQ के रूप में लिखा जाता हो तो उसी कूटभाषा में REPLY को कैसे लिखा जाएगा?
(a) YHMOV (b) OBMVI
(c) VHSOB (d) OHMOV
(e) VBOHS

29. यदि किसी कूटभाषा में SKEW को PNCY के रूप में कूटबद्ध किया जाता हो, तो उसी कूटभाषा में लिखे गए शब्द JXQV का क्या अर्थ होगा?
(a) MUTS (b) MUST
(c) MTSU (d) STUM
(e) SUTM

30. यदि किसी विशेष कूटभाषा में LONDON को MPOEPO लिखा जाए तो इसी कूटभाषा में लिखे गए शब्द IVOHSZ का क्या अर्थ होगा?
(a) HUNGRY
(b) HUNDRY
(c) GRUNHY
(d) HONDUS
(e) HNODSU

व्याख्यात्मक उत्तरमाला

1. (*d*) : शब्द को कूटबद्ध करने के लिए उसके अक्षरों से वर्ण-माला के क्रम में +3 चरण आगे के अक्षर लिए गए हैं।

C H A I R   F K D L U

+3 +3 +3 +3 +3

इसी प्रकार,

R A I D   U D L G

+3 +3 +3 +3

2. (*d*) : इस शब्द में दूसरे और तीसरे अक्षर एक दूसरे के स्थान पर आ जाते हैं और पांचवे और छठे अक्षरों द्वारा भी इसी नियम का पालन किया जाता है। शेष अक्षरों का स्थान अपरिवर्तित रहता है।

C O N D E M N   C N O D M E N

इसी प्रकार,

T E A C H E R   T A E C E H R

3. (*d*) : शब्द के अक्षरों को कूटबद्ध करने के लिए वर्णमाला के उलटे क्रम में समान स्थान वाले अक्षरों को लिया गया है।

C O M E → वर्णमाला के सीधे क्रम में अक्षर
X L N V → वर्णमाला के उलटे क्रम में समान स्थान वाले अक्षर
↓ ↓ ↓ ↓
3रा 15वां 13वां 5वां → वर्णमाला में अक्षरों का स्थान
A B L E → वर्णमाला के सीधे क्रम में अक्षर
Z Y O V → वर्णमाला के उलटे क्रम में समान स्थान वाले अक्षर
↓ ↓ ↓ ↓
1ला 2रा 12वां 5वां → वर्णमाला के अक्षरों का स्थान

इसी प्रकार,

M O L L Y → वर्णमाला के सीधे क्रम में अक्षर
N L O O B → वर्णमाला के उलटे क्रम में समान स्थान वाले अक्षर
↓ ↓ ↓ ↓ ↓
13वां 15वां 12वां 12वां 25वां → वर्णमाला में अक्षरों का स्थान

4. (*b*) : शब्द को दो समान भागों में विभाजित करके प्रत्येक भाग के अक्षरों को विपरीत अनुक्रम में लिखा गया है।

PROFE SSION   EFORP NOISS

इसी प्रकार,

DICTI ONARY   ITCID YRANO

5. (*a*) : शब्द को कूटबद्ध करने के लिए उसके अक्षरों से वर्णमाला के सीधे क्रम में क्रमशः +4, +3, +2, और +1 चरण आगे के अक्षर लिए गए हैं।

J U N E   N X P F

+4 +3 +2 +1

इसी प्रकार,

S T A Y   W W C Z

+4 +3 +2 +1

6. (*b*) : शब्द को कूटबद्ध करनें के लिए उसके अक्षरों से वर्णमाला के सीधे क्रम में दो चरण आगे के अक्षर लिए गए हैं।

G E N I U S   I G P K W U

+2 +2 +2 +2 +2 +2

इसी प्रकार,

I D I O T   K F K Q V

+2 +2 +2 +2 +2

7. (*a*) : शब्द के अक्षरों को कूटबद्ध करने के लिए वर्णमाला के उलटे क्रम में समान स्थान वाले अक्षरों को लिया गया है।

A C T I O N → वर्णमाला के सीधे क्रम में अक्षर

Z X G R L M → वर्णमाला के उलटे क्रम में समान स्थान वाले अक्षर

1ला 3रा 20वां 9वां 15वां 14वां → वर्णमाला में अक्षरों का स्थान

इसी प्रकार,

H E A L T H → वर्णमाला के क्रम में अक्षर

S V Z O G S → वर्णमाला के उलटे क्रम में समान स्थान वाले अक्षर

8वां 5वां 1ला 12वां 20वां 8वां → वर्णमाला में अक्षरों का स्थान

8. (*d*) : शब्द को कूटबद्ध करने के लिए उसके अक्षरों से वर्णमाला के सीधे क्रम में एक चरण पीछे के अक्षर लिए गए हैं।

THOUSAND → SGNTRZMC (–1, –1, –1, –1, –1, –1, –1, –1)

इसी प्रकार,

FUMING → ETLHMF (–1, –1, –1, –1, –1, –1)

9. (*d*) : EQUATE शब्द के अक्षर EARTHQUAKE शब्द से लिए गए हैं।

उत्तर कूट प्राप्त करने के लिए कूटबद्ध शब्द से अक्षरों का मिलान करें।

E A R T H Q U A K E → अक्षर

M O G P E N J O S M → कूट

E QUA T E → कूटबद्ध किए जाने वाले अक्षर

M N J O PM → उत्तर कूट

10. (*b*) : कूट भाषा में लिखे गए शब्द का अर्थ निरूपित करने के लिए उसके अक्षरों से वर्णमाला के सीधे क्रम में 5 चरण आगे के अक्षर लिए गए हैं, अर्थात्

H J I Z T → M O N E Y (+5, +5, +5, +5, +5)

इसी प्रकार,

N O V G Z → S T A L E (+5, +5, +5, +5, +5)

11. (*c*) : शब्द को कूटबद्ध करने के लिए शब्द के अक्षरों से वर्णमाला के क्रम में 4 चरण पीछे के अक्षर लिए गए हैं।

J O S E P H → F K O A L D (–4, –4, –4, –4, –4, –4)

इसी प्रकार,

G E O R G E → C A K N C A (–4, –4, –4, –4, –4, –4)

12. (*d*) : शब्द को कूटबद्ध करने के लिए शब्द के अक्षरों से वर्णमाला के क्रम में क्रमशः 2 चरण आगे और दो चरण पीछे के अक्षर लिए गए हैं।

C O U N T R Y → E M W L V P A (+2, –2, +2, –2, +2, –2, +2)

इसी प्रकार,

ELECTORATE → GJGAVMTYVC (+2, –2, +2, –2, +2, –2, +2, –2, +2, –2)

13. (*a*) : दिए गए शब्द के अक्षरों को उलटे क्रम में लिख कर शब्द को कूटबद्ध किया गया है।

PORTUGESE → ESEGUTROP

इसी प्रकार,

MALAYALAM → MALAYALAM

14. (c) : शब्द को कूटबद्ध करने के लिए उसके दो क्रमागत अक्षरों को एक दूसरे के स्थान पर लिखा जाता है।

PH IL OS OP HY → HP LI SO PO YH

इसी प्रकार,

OR NA ME NT AL → RO AN EM TN LA

15. (a) : शब्द को कूटबद्ध करने के लिए शब्द में विषम स्थान पर स्थित अक्षर से वर्णमाला के क्रम में +2 चरण आगे के अक्षर लिखे गए हैं।

SABOTAGE → UADOVAIE

+2
+2
+2
+2

इसी प्रकार,

EMERGENCY → GMGRIEPCA

+2
+2
+2
+2
+2

16. (b) : कूटबद्ध शब्द का अर्थ-निर्वचन निम्नलिखित रूप में किया गया है :

↓ OP ↓ FG ↓ BC ↓ ST → कूट

N E A R → दिया गया शब्द

अत: कूटबद्ध शब्द का अर्थ-निर्वचन करने के लिए वर्णमाला के अनुक्रम में दो क्रमागत अक्षरों से पहले के अक्षर लिए जाते हैं।

इसी प्रकार,

↓ IJ ↓ VW ↓ HI → दिया गया शब्द

H U G → उत्तर शब्द

17. (b) : कूटबद्ध अक्षर

w → a
s → r
r → w

शेष सभी अक्षर अपरिवर्तित रहेंगे, अत: 'answer' को निम्नवत् कूटबद्ध किया जाएगा :

a n s w e r → a n r a e w

18. (c) : कूटबद्ध अक्षर :

m → g
g → o
a → i
i → y

शेष सभी अक्षर अपरिवर्तित रहेंगे, अत: 'imagination' को निम्नवत् कूटबद्ध किया जाएगा:

i m a g i n a t i o n → y g i o y n i t y o n

अक्षर n, t और o परिवर्तित नहीं होते।

19. (b) : शब्द PUNCTUAL के अक्षरों को यादृच्छिक क्रम में लेकर ACTUPULN शब्द लिखा गया है।

इसी प्रकार संख्या कूट भी लिखा जाएगा

P U N C T U A L → दिया गया शब्द

1 6 5 9 8 6 2 3 → कूट

इसी प्रकार,

A C T U P U L N → कूटबद्ध किया जाने वाला शब्द

2 9 8 6 1 6 3 5 → उत्तर कोड

20. (d) : कूट लेखन के लिए प्रयोग में लाई गई संख्याएं वर्णमाला के सीधे क्रम (ABCD...) में अक्षरों के स्थान को सूचित करती है।

O U T → OUT
↓ ↓ ↓
15वां 21वां 20वां → 152120

इसी प्रकार,

I N → IN
↓ ↓
9वां 14वां → 914

21. (b) : कूट लेखन के लिए प्रयोग में लाई गई संख्याएं वर्णमाला के उलटे क्रम (ZYXW...) में अक्षरों के स्थान को सूचित करती हैं।

M U S K → MUSK
↓ ↓ ↓ ↓
14वां 6ठा 8वां 16वां → 146816

इसी प्रकार,

Z E R O → ZERO
↓ ↓ ↓ ↓
1ला 22वां 9वां 12वां → 122912

22. (d) : कूटलेखन के लिए प्रयुक्त संख्या वर्णमाला के सीधे क्रम में अक्षरों के स्थान को सूचित करने वाली संख्याओं के योग को सूचित करती है।

B A D
↓ ↓ ↓
2रा 1ला 4था अर्थात् $2 + 1 + 4 = 7$

इसी प्रकार,

H I S
↓ ↓ ↓
8वां 9वां 19वां अर्थात् $8 + 9 + 19 = 36$

तथा, $3 + 6 = 9$

और,

L O W
↓ ↓ ↓
12वां 15वां 23वां अर्थात् $12 + 15 + 23 = 50$

तथा $5 + 0 = 5$

23. (*b*) : शब्द TRIBAL के अक्षर LIBERATE शब्द से लिए गए हैं। कूटबद्ध संख्याएं भी इसी प्रकार होंगी।

L I B E R A T E → दिया गया शब्द

5 6 4 0 3 1 7 0 → कूट

इसी प्रकार,

T R I B A L → कूटबद्ध किया जाने वाला शब्द

7 3 6 4 1 5 → उत्तर कोड

24. (*c*) : शब्द को दो समान भागों में विभाजित किया गया है और तत्पश्चात् प्रत्येक भाग के अक्षर उलटे क्रम में लिखे गए हैं।

SYS TEM SYS MET NEA RER AEN RER

इसी प्रकार,

FRAC TION CARF NOIT

25. (*d*) : शब्द के अक्षरों को वर्णमाला के क्रम में बारी-बारी से एक चरण आगे और एक चरण पीछे के अक्षरों को लिखकर कूटबद्ध किया गया है।

CRUDE BSTED

–1, +1, –1, +1, –1

इसी प्रकार,

MOIST LPHTS

–1, +1, –1, +1, –1

26. (*a*) : शब्द के अक्षरों को उलटे क्रम में लिखकर कूट शब्द बनाया गया है।

ALPACA ACAPLA

इसी प्रकार,

ANIMAL LAMINA

27. (*a*) : शब्द के अक्षरों को वर्णमाला के क्रम में 2 अक्षर पीछे के अक्षर लिख कर कूटबद्ध किया गया है।

FINGER DGLECP

–2, –2, –2, –2, –2, –2

इसी प्रकार,

KIDNEY IGBLCW

–2, –2, –2, –2, –2, –2

28. (*d*) : शब्द के अक्षरों को वर्णमाला के क्रम में बारी-बारी से तीन चरण पीछे और तीन चरण आगे के अक्षरों को लिखकर कूटबद्ध किया गया है।

QUESTION NXBVQLLQ

–3, +3, –3, +3, –3, +3, –3, +3

इसी प्रकार,

REPLY OHMOV

–3, +3, –3, +3, –3

29. (*b*) : कूटबद्ध शब्द के अक्षरों से क्रमश: +3, –3, +2 और –2 चरण आगे पीछे के अक्षरों को लिखकर उसका अर्थ निर्वचन किया जाता है।

PNCY SKEW

+3, –3, +2, –2

इसी प्रकार,

JXQV MUST

+3, –3, +2, –2

30. *(a)* **:** कूटबद्ध शब्द के अक्षरों से वर्णमाला के क्रम में एक चरण पीछे के अक्षरों को लिखकर उसका अर्थ-निर्वचन किया जाता है।

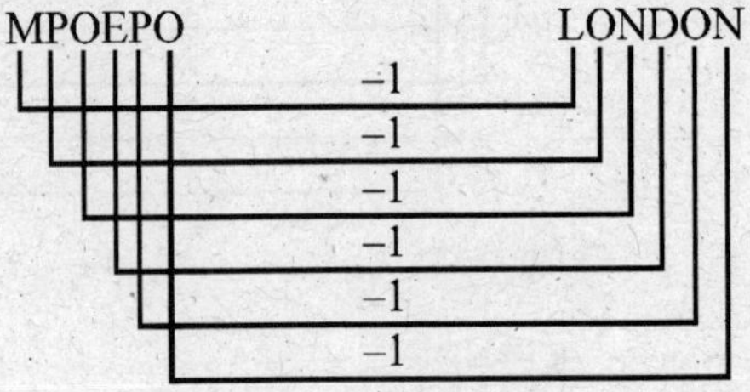

इसी प्रकार,

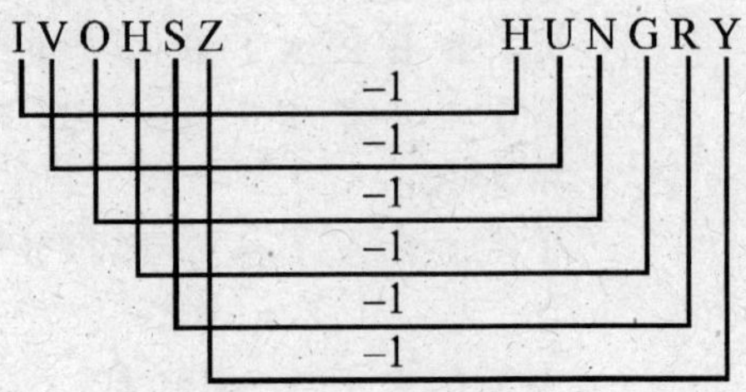

प्रश्नमाला

निर्देश : *निम्नलिखित प्रश्न पिछले प्रश्नों में प्रयुक्त पैटर्न पर आधारित है। कूटलेखन की पद्धति को समझ कर प्रश्नों के उत्तर दें।*

स्तम्भ-I	स्तम्भ-II
(1) FAMOUS	(a) jcqhxp
(2) SATIRE	(b) hqdbyn
(3) FRIGHT	(c) ybcnke
(4) TANGLE	(d) zewhnd
(5) ROVING	(e) epbmyw
(6) HUNTER	(f) wdnbxk

1. U के लिए कौन सा कूट प्रयोग किया गया है?
(*a*) d (*b*) n
(*c*) b (*d*) x
(*e*) y

2. N के लिए कौन सा कूट प्रयोग किया गया है?
(*a*) e (*b*) p
(*c*) m (*d*) w
(*e*) d

3. A के लिए कौन सा कूट प्रयोग किया गया है?
(*a*) h (*b*) q
(*c*) b (*d*) n
(*e*) k

4. F के लिए कौन सा कूट प्रयोग किया गया है?
(*a*) w (*b*) p
(*c*) d (*d*) c
(*e*) x

5. E के लिए कौन सा कूट प्रयोग किया गया है?
(*a*) d (*b*) n
(*c*) b (*d*) k
(*e*) w

स्तम्भ-I	स्तम्भ-II
(1) WRONG	(a) cklxd
(2) GRANT	(b) pdqkc
(3) STEAM	(c) qpuns
(4) CROWS	(d) lxnvk
(5) CEMET	(e) usqvs
(6) TERMS	(f) nukqs

6. N के लिए कौन सा कूट प्रयोग किया गया है?
(*a*) c (*b*) x
(*c*) l (*d*) n
(*e*) p

7. M के लिए कौन सा कूट प्रयोग किया गया है?
(*a*) v (*b*) q
(*c*) u (*d*) s
(*e*) l

8. W के लिए कौन सा कूट प्रयोग किया गया है?
(*a*) d (*b*) x
(*c*) c (*d*) p
(*e*) v

9. G के लिए कौन सा कूट प्रयोग किया गया है?
(*a*) k (*b*) c
(*c*) s (*d*) d
(*e*) u

10. S के लिए कौन सा कूट प्रयोग किया गया है?
(*a*) n (*b*) s
(*c*) d (*d*) k
(*e*) x

स्तम्भ-I	स्तम्भ-II
(1) HOUSE	(a) lfyqx
(2) PAGES	(b) pyfgm
(3) LUNGS	(c) nhmzf
(4) PHONE	(d) xqygh
(5) LANDS	(e) hofzp
(6) HOUND	(f) qnoxh

11. O के लिए कौन सा कूट प्रयोग किया गया है?
(*a*) h (*b*) g
(*c*) q (*d*) x
(*e*) n

12. E के लिए कौन सा कूट प्रयोग किया गया है?
(*a*) n (*b*) y
(*c*) p (*d*) m
(*e*) q

13. G के लिए कौन सा कूट प्रयोग किया गया है?
(*a*) p (*b*) o
(*c*) f (*d*) m
(*e*) l

14. N के लिए कौन सा कूट प्रयोग किया गया है?
(*a*) l (*b*) y
(*c*) x (*d*) f
(*e*) h

15. D के लिए कौन सा कूट प्रयोग किया गया है?
(*a*) o (*b*) z
(*c*) g (*d*) p
(*e*) q

व्याख्यात्मक उत्तरमाला

1. (*d*) : कथन (1) एवं (6) से U = X.

2. (*d*) : कथन (5) एवं (6) से RN = bw. कथन (4) से N = w.

3. (*a*) : कथन (2) एवं (4) से ATE = hdn. कथन (6) से TE = dn. अतः, A = h.

4. (*d*) : कथन (1) एवं (3) से F = c.

5. (*a*) : कथन (2) एवं (4) से ATE = hdn. कथन (6), TE = dn. कथन (3) से T = n. अतः, E = d.

6. (*a*) : कथन (1) एवं (2) से N = C.

7. (*c*) : कथन (3), (5) एवं (6) से M = u.

8. (*b*) : कथन (1) एवं (4) से W = x.

9. (*d*) : कथन (1) एवं (2) से G = d.

10. (*a*) : कथन (3), (4) एवं (6) से S = n.

11. (*d*) : कथन (1), (4) एवं (6) से O = x.

12. (*b*) : कथन (1), (2) एवं (4) से E = y.

13. (*d*) : कथन (2) एवं (3) से G = m.

14. (*e*) : कथन (3), (4), (5) एवं (6) से N = h.

15. (*a*) : कथन (5) एवं (6) से D = o.

भाग-III

कूट लेखन विभिन्न प्रकार से किया जाता है। कूटभाषा का प्रयोग न केवल शब्दों और संख्याओं के लिए किया जाता है बल्कि किसी शब्द-समूह, विवरण या कभी-कभी वाक्यों को भी कूटभाषा द्वारा संप्रेषित किया जाता है। इस प्रकार की कूटभाषा से भ्रम की स्थिति उत्पन्न हो सकती है किंतु कुछ प्रश्नों को हल कर लेने के बाद ऐसी कूटभाषा को समझना और हल करना अत्यंत सरल हो जाता है। इस प्रकार की कूटभाषा पर आधारित प्रश्नों को हल करने के लिए अक्षरों को गिनने या छोड़ने अथवा गणितीय परिकलनों की श्रमसाध्य प्रक्रिया को अपनाने की आवश्यकता नहीं होती बल्कि इनके लिए तेजी से मिलान करने या सादृश्यता स्थापित करने की क्षमता ही अपेक्षित होती है। कूट के रूप में अक्षरों या संख्याओं का प्रयोग किया जा सकता है।

हल किए गए प्रश्न

1. यदि किसी कूटभाषा में 'ra mei ket' का अर्थ है 'he is rich'; 'rui pha jeu' का अर्थ है 'run for money'; और 'pha rui ket' का अर्थ है 'money for rich' उस कूटभषा में 'rich' के लिए निम्नलिखित में से किस कूट का प्रयोग किया गया है?

(*a*) ra (*b*) pha (*c*) ket (*d*) jeu (*e*) mei

उत्तर (*c*) : दी गई जानकारी है :

	कूट	**वाक्य**
1.	ra mei *ket*	he is *rich*
2.	rui pha jeu	run for money
3.	pha rui *ket*	money for *rich*

कूटों और वाक्यों की तुलना करने पर यह स्पष्ट होता है कि वाक्य 1 और 3 दोनों में 'rich' शब्द है और दोनों ही वाक्यों में इसके लिए 'ket' शब्द का प्रयोग किया गया है।

प्रश्नमाला

निर्देश : *नीचे के प्रत्येक प्रश्न में कूटलेखन के पैटर्न को ध्यान से देखें और दिए गए विकल्पों में से सही उत्तर का चयन करें।*

1. यदि किसी कूटभाषा में (a) 'go ju mi' का अर्थ है 'plenty of money'; (b) pao ju go nei vu' का अर्थ है 'money creates lots of problems'; (c) 'kol vu nei' का अर्थ है 'problems create tension'; और (d) 'sol tun ju haw' का अर्थ है 'still money is needed' तो उस कूट भाषा में निम्नलिखित में से किसका अर्थ 'money' है?
(*a*) nei (*b*) ju
(*c*) haw (*d*) go
(*e*) pao

2. किसी कूटभाषा में (a) 'FOR' का अर्थ है 'old is gold'; (b) 'ROT' का अर्थ है 'gold is pure'; (c) 'ROM' का अर्थ है 'gold is costly'। इसी कूटभाषा में 'pure old gold is costly' कैसे लिखा जाएगा?

(*a*) TFROM (*b*) FOTRM
(*c*) FTORM (*d*) TOMRF
(*e*) TOFRM

3. यदि किसी कूटभाषा में '415' का अर्थ है 'milk is hot'; '18' का अर्थ है 'hot soup'; और '895' का अर्थ है 'soup is tasty' तो उसी कूटभाषा में 'tasty' शब्द किस संख्या द्वारा निरूपित होगा?

(*a*) 9 (*b*) 8
(*c*) 5 (*d*) 4
(*e*) 1

4. यदि किसी कूटभाषा में '643' का अर्थ है 'she is beautiful', '593' का अर्थ है 'he is handsome', और '567' का अर्थ है 'handsome meets beautiful' तो उसी कूटभाषा में 'meets' शब्द निम्नलिखित में से किस संख्या द्वारा सूचित होगा?

(*a*) 5 (*b*) 3
(*c*) 7 (*d*) 6
(*e*) 4

5. किसी कूटभाषा में (a) 'dugo hui mul zo' का अर्थ है 'work is very hard'; (b) 'hui dugo ba ki' का अर्थ है 'Bingo is very smart'; (c) 'nano mul dugo' का अर्थ है 'cake is hard', और (d) 'mul ki qu' का अर्थ है 'smart and hard' इस कूट भाषा में 'Bingo' के लिए किस कूटशब्द का प्रयोग किया गया है?

(*a*) jalu (*b*) dugo
(*c*) ki (*d*) ba
(*e*) zo

6. किसी कूटभाषा में (a) 'pic vic nic' का अर्थ है 'winter is cold'; (b) 'to nic re' का अर्थ है 'summer is hot'; (c) 're pic boo' का अर्थ है 'winter and summer' और (d) 'vic tho pa' का अर्थ है 'nights are cold' इस कूटभाषा में 'summer' के लिए किस कूटशब्द का प्रयोग किया जाता है?

(*a*) nic (*b*) boo
(*c*) to (*d*) re
(*e*) pic

7. किसी कूटभाषा में (a) 'mx das sci' का अर्थ है 'good little frock'; (b) 'jm coz sci' का अर्थ है 'girl behaves good'; (c) 'ngv drs coz' का अर्थ है 'girl makes mischief'; और (d) 'das gp coz' का अर्थ है 'little girl fell' इस कूटभाषा में 'frock' के लिए किस कूट शब्द का प्रयोग किया गया है?

(*a*) mx (*b*) das
(*c*) sci (*d*) gp
(*e*) coz

8. किसी कूटभाषा में 'mu mit es' का अर्थ है 'who is she' और 'elb mu es' का अर्थ है 'where is she' इस कूटभाषा में 'where' के लिए किस कूटशब्द का प्रयोग किया जाता है?

(*a*) es (*b*) elb
(*c*) mu (*d*) mit
(*e*) इनमें से कोई नहीं

9. किसी कूटभाषा में '069' का अर्थ है 'grapes are sweet', '476' का अर्थ है 'very sweet fruit' और '509' का अर्थ है 'grapes are ripe'। इस कूटभाषा में निम्नलिखित में से किस अंक से 'ripe' शब्द सूचित होता है?

(*a*) 0 (*b*) 5
(*c*) 9 (*d*) 7
(*e*) 4

10. किसी कूटभाषा में 'roi ja kyo twa' का अर्थ है 'Moody is writing letters', 'pok ju ja twa' का अर्थ है 'Woody is writing cards', 'trn kyo pos un' का अर्थ है 'they are writing letters', और 'koi rus pok' का अर्थ है 'gifts and cards'। इसी कूटभाषा में 'Moody' के लिए किस कूटशब्द का प्रयोग किया गया है?

(*a*) ja (*b*) twa
(*c*) roi (*d*) kyo
(*e*) pok

11. किसी कूटभाषा में 'wre asi amoh kedo' का अर्थ है 'Polo is drinking tea', 'wre epu uki' का अर्थ है 'Polo buys books', और 'buen eld kedo' का अर्थ है 'Libbo drinks tea'। इस कूटभाषा में 'Polo' और 'tea' के लिए किस शब्द का प्रयोग किया गया है?

(*a*) kedo और wre (*b*) asi और buen
(*c*) wre और kedo (*d*) amoh और wre
(*e*) epu और uki

12. किसी कूटभाषा में (i) 'juka lal mit sut' का अर्थ है 'Hello, how are you?'; (ii) 'mudi sut em nif' का अर्थ है 'Where are they going?'; (iii) 'hu zul met sut' का अर्थ है 'What are their names?'; और (iv) 'lal sut zul pe' का अर्थ है 'Are you going too?' उपर्युक्त कूटभाषा में 'are you' के लिए निम्नलिखित में से किस शब्द का प्रयोग किया गया है?

(*a*) sut mit (*b*) mudi sut
(*c*) juka nif (*d*) sut lal
(*e*) lal mit

13. किसी कूटभाषा में 'gri chri' का अर्थ है 'brand new', 'gyp twoh' का अर्थ है 'very old', 'gri bur twoh' का अर्थ है 'old and new' और 'chri deh gyp' का अर्थ है 'old brand car'। इस कूटभाषा में निम्नलिखित में से किसका अर्थ 'new car' है?

(*a*) chri gri (*b*) gri deh
(*c*) deh gyp (*d*) twoh deh
(*e*) bur gyp

14. यदि किसी कूटभाषा में 'luma papa jano' का अर्थ है 'he speaks softly', 'papa lo hedi lami' का अर्थ है 'wind blows softly downhill'; और 'lo puki luma jano lami sod' का अर्थ है 'he sings like wind

blows whisper; तो इस कूटभाषा में 'downhill' के लिए किस कूट शब्द का प्रयोग किया गया है?

(*a*) papa (*b*) lami
(*c*) hedi (*d*) lo
(*e*) luma

15. किसी कूटभाषा में (a) 'sun shines brightly' के लिए 'ba lo sul'; (b) 'houses are brightly lit' के लिए 'kado udo ari ba'; और (c) 'light comes from sun' के लिए 'dapi kup lo nro' लिखा जाता है। इस कूटभाषा में 'sun' और 'brightly' शब्दों के लिए किन कूट शब्दों का प्रयोग किया गया है?

(*a*) lo, ba (*b*) ba, lo
(*c*) snl, lo (*d*) ba, sul
(*e*) udo, ba

व्याख्यात्मक उत्तरमाला

1. (*b*) :

कूट	वाक्य
1. go *ju* mi	plenty of *money*
2. pao *ju* go nei vu	*money* creates lots of problems
3. kol vu nei	problems create tension
4. sol tun *ju* haw	still *money* is needed

ऊपर के पहले, दूसरे और चौथे कूटों और संबंधित वाक्यों में 'ju' शब्द और उसके लिए 'money' शब्द लिखा गया है।

2. (*a*) :

कूट	वाक्य
1. FOR	old is gold
2. ROT	gold is pure
3. ROM	gold is costly

अत:,

F का अर्थ है old
O का अर्थ है is
R का अर्थ है gold
T का अर्थ है pure
M का अर्थ है costly

अत: 'pure old gold is costly' को 'TFROM' द्वारा व्यक्त किया जाएगा।

3. (*a*) :

कूट	वाक्य
1. 415	milk is hot
2. 18	hot soup
3. 895	soup is *tasty*

तीसरे कूट और उससे संबंधित वाक्य में दी गई न तो संख्या '9' और न ही शब्द 'tasty' को किसी अन्य कूट और वाक्य में दोहराया गया है।

4. (*c*) :

कूट	वाक्य
1. 643	she is beautiful
2. 593	he is handsome
3. 567	handsome *meets* beautiful

तीसरे कूट और उससे संबंधित वाक्य में दी गई न तो संख्या '7' और न ही शब्द 'meets' को किसी अन्य कूट और वाक्य में दोहराया गया है।

5. (*d*) :

कूट	वाक्य
1. *dugo hui* mul zo	work *is very* hard
2. *hui dugo* **ba** *ki*	**Bingo** *is very smart*
3. nano mul *dugo*	cake is *hard*
4. mul *ki* qu	*smart* and hard

दूसरे कूट और संबंधित वाक्य में निहित न तो 'ba' और न ही अर्थ शब्द 'Bingo' की पुनरावृत्ति होती है। (जिन शब्दों की पुनरावृत्ति होती है उन्हें तिरछे अक्षरों में लिखा गया है)

6. (*d*) :

कूट	वाक्य
1. pic vic nic	winter is cold
2. to nic *re*	*summer* is hot
3. *re* pic boo	winter and *summer*
4. vic tho pa	nights are cold

शब्द 'summer' और कूट 're' की दूसरे और तीसरे वाक्यों में पुनरावृत्ति होती है।

7. (*a*) :

कूट	वाक्य
1. **mx** *das sci*	*good little* **frock**
2. jm coz *sci*	girl behaves *good*
3. ngv drs coz	girl makes mischief
4. *das* gp coz	*little* girl fell

शब्द 'frock' केवल पहले वाक्य में है। कूट शब्द 'das' को चौथे वाक्य में और 'sci' को दूसरे वाक्य में दोहराया गया है। अत: स्पष्ट है कि 'frock' के लिए कूट शब्द 'mx' का प्रयोग किया गया है।

8. (*b*) :

कूट	वाक्य
1. *mu* mit *es*	who *is she*
2. **elb** *mu* es	**where** *is she*

कूट शब्दों 'mu' और 'es' को दोनों वाक्यों में दोहराया गया है। केवल कूट शब्द 'elb' ही बचता है जिसका अर्थ 'where' है।

9. (*b*) :

कूट	वाक्य
1. 069	*grapes are* sweet
2. 476	very sweet fruit
3. **5**09	*grapes are* **ripe**

पहले और तीसरे वाक्यों में कूट संख्याओं '0' और '9' की पुनरावृत्ति होती है। अत: स्पष्ट है कि शेष कूट संख्या '5' का ही 'ripe' के लिए प्रयोग किया गया है।

10. (*c*) : कूट वाक्य

1. **roi** *ja kyo twa*	**Moody** *is writing letters*
2. pok ju *ja twa*	Woody *is writing* cards
3. trn *kyo* pos un	they are writing *letters*
4. koi rus pok	gifts and cards

'Moody' शब्द केवल पहले वाक्य में है। पहले वाक्य के कूट शब्दों 'ja' और 'twa' की दूसरे वाक्य में पुनरावृत्ति होती है और 'kyo' की तीसरे वाक्य में पुनरावृत्ति होती है। केवल कूट शब्द 'roi' ही बचता है जिसका अर्थ 'Moody' है।

11. *(c)* :

कूट	**वाक्य**
1. *wre* asi amoh **kedo**	*Polo* is drinking **tea**
2. *wre* epu uki	*Polo* buys books
3. buen eld **kedo**	Libbo drinks **tea**

'Polo' शब्द और 'wre' कूट शब्द पहले और दूसरे दोनों वाक्यों और कूटों में हैं। शब्द 'tea' पहले और तीसरे वाक्यों में है और साथ ही कूट शब्द 'kedo' भी।

12. *(d)* :

कूट	**वाक्य**
1. juka *lal* mit **sut**	hello, how **are** *you*?
2. mudi **sut** em nif	where **are** they going?
3. hu zul met **sut**	what **are** their names?
4. *lal* **sut** zul pe	**are** *you* going too?

शब्द 'are' सभी चारों वाक्यों में है और इसी प्रकार कूट शब्द 'sut' भी सभी चारों कूट वाक्यों में है। शब्द 'you' का प्रयोग पहले और चौथे वाक्यों में होता है और उसके साथ ही कूट शब्द 'lal' भी पहले और चौथे वाक्यों में उपस्थित है।

13. *(b)*:

कूट	**वाक्य**
1. **gri** chri	brand **new**
2. gyp twoh	very old
3. **gri** bur twoh	old and **new**
4. chri *deh* gyp	old brand *car*

शब्द 'new' पहले और तीसरे वाक्यों में उपस्थित है और उसके साथ ही कूट शब्द 'gri' इन दोनों वाक्यों के संगत कूट वाक्यों में उपस्थित है। शब्द 'car' केवल चौथे वाक्य में है और कूट शब्द 'deh' की किसी अन्य वाक्य में पुनरावृत्ति नहीं होती है।

14. *(c)* :

कूट	**वाक्य**
1. luma *papa* jano	→ he speaks *softly*
2. *papa lo* **hedi** *lami*	→ *wind blows softly* **downhill**
3. *lo* puki luma jano *lami* sod	→ he sings like *wind blows* whisper

कूट शब्द 'papa' की पहले और दूसरे वाक्य के संगत कूटों में पुनरावृत्ति होती है किंतु दूसरे वाक्य के शब्द 'downhill' की किसी भी अन्य वाक्य में पुनरावृत्ति नहीं होती है। दूसरे वाक्य के संगत कूटभाषा के वाक्य के अन्य कूट शब्दों 'lo' और 'lami' की तीसरे वाक्य के संगत कूट वाक्य में पुनरावृत्ति होती है जबकि इस वाक्य में दूसरे वाक्य के 'downhill' शब्द की पुनरावृत्ति नहीं होती। एकमात्र कूट शब्द 'hedi' बचता है जिसका अर्थ 'downhill' है।

15. *(a)* :

वाक्य	**कूट**
1. *sun* shines **brightly**	→ **ba** *lo* sul
2. houses are **brightly** lit	→ kado udo ari **ba**
3. light comes from *sun*	→ dapi kup *lo* nro.

पहले और तीसरे वाक्यों और कूट वाक्यों में 'sun' शब्द और कूट शब्द 'lo' की पुनरावृत्ति हुई है। इसी प्रकार पहले और दूसरे वाक्यों और संगत कूट वाक्यों में शब्द 'brightly' और कूट शब्द 'ba' की पुनरावृत्ति होती है।

अध्याय 5
कथन एवं निष्कर्ष

इस प्रकार के तर्कबुद्धि परीक्षण में दो या दो से अधिक कथन दिए जाते हैं जिनके आधार पर दो या दो से अधिक निष्कर्ष ज्ञात करने होते हैं। अभ्यर्थियों से यह अपेक्षा की जाती है कि वे अंतर्निहित तर्क को समझें और दिए गए विकल्पों में से किसी एक का सही उत्तर के रूप में चयन करें।

हल किए गए प्रश्न

दिए गए विकल्पों (*a*), (*b*), (*c*), (*d*) और (*e*) में से निष्कर्षों के उस समुच्चय का **चयन करें** जो दिए गए कथनों से तर्कसंगत निकलता है।

कथन I : कुछ पुरुष कुर्सियां हैं।
II : सभी कुर्सियां सिगार हैं।

निष्कर्ष I : कुछ पुरुष सिगार हैं।
II : कुछ सिगार पुरुष हैं।
III : सभी सिगार कुर्सियां हैं।
IV : कुछ कुर्सियां पुरुष हैं।

(*a*) कोई निष्कर्ष निकाला नहीं जा सकता
(*b*) सभी **निष्कर्ष** सही हैं।
(*c*) केवल निष्कर्ष I, II, और IV सही हैं।
(*d*) **केवल निष्कर्ष** I, III, और IV सही हैं।
(*e*) इनमें से कोई नहीं

उत्तर (*c*) : जबकि कुछ पुरुष कुर्सियां हैं और सभी कुर्सियां सिगार हैं तो स्पष्ट है कि कुछ पुरुष सिगार हैं और कुछ सिगार पुरुष हैं। कुछ सिगार पुरुष होंगे और जबकि कुछ पुरुष कुर्सियां हैं तो कुछ कुर्सियां पुरुष हैं। अत: निष्कर्ष I, II और IV सही हैं।

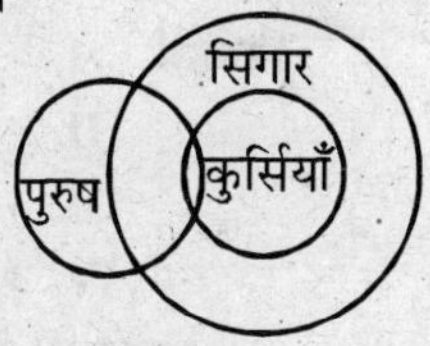

प्रश्नमाला

निर्देश (प्रश्न 1 से 25): *नीचे प्रत्येक प्रश्न में तीन कथन और उसके बाद चार निष्कर्ष, I, II, III और IV दिए गए हैं। आपको दिए गए कथनों को सत्य मानना होगा भले ही वे सर्वज्ञात तथ्यों से भिन्न प्रतीत होते हों। सभी निष्कर्षों को पढ़िए और फिर तय कीजिए कि दिए गए निष्कर्षों में से कौन सा निष्कर्ष दिए गए कथनों का तार्किक ढंग से अनुसरण करता है, भले ही सर्वज्ञात तथ्य कुछ भी हों।*

1. कथनः कुछ मोती पत्थर हैं। कुछ पत्थर हीरे हैं। कोई हीरा रत्न नहीं है।

निष्कर्ष **I.** कुछ रत्न मोती हैं।
II. कुछ रत्न हीरा नहीं है।
III. कोई रत्न हीरा नहीं है।
IV. कोई रत्न मोती नहीं है।

(*a*) केवल या तो I या IV और या तो II या III अनुसरण करते हैं।
(*b*) केवल III और IV अनुसरण करते हैं।
(*c*) केवल III और या तो I या IV अनुसरण करते हैं
(*d*) केवल I और II अनुसरण करते हैं।
(*e*) इनमें से कोई नहीं

2. कथनः कुछ डोरियां रस्सियां हैं। कुछ रस्सियां धागे हैं। सभी धागे सुइयां हैं।

निष्कर्ष **I.** कुछ सुइयां रस्सियां हैं।
II. कुछ धागे डोरियां हैं।
III. सभी सुइयां या तो डोरियां हैं या रस्सियां हैं।
IV. कुछ सुइयां धागे हैं।

(*a*) कोई अनुसरण नहीं करता है।
(*b*) केवल II और IV अनुसरण करते हैं।
(*c*) केवल III और IV अनुसरण करते हैं
(*d*) सभी अनुसरण करते हैं।
(*e*) इनमें से कोई नहीं

3. कथनः सभी कप गिलास हैं। कुछ गिलास कटोरे हैं। कोई कटोरा प्लेट नहीं है।

निष्कर्ष **I.** कोई कप प्लेट नहीं है।
II. कोई गिलास प्लेट नहीं है।
III. कुछ प्लेटें कटोरे हैं।
IV. कुछ कप गिलास नहीं हैं।

(*a*) कोई अनुसरण नहीं करता है।
(*b*) केवल III और IV अनुसरण करते हैं।
(*c*) केवल या तो I या III अनुसरण करता है।
(*d*) केवल II और III अनुसरण करते हैं।
(*e*) इनमें से कोई नहीं

4. कथनः कुछ थैले बटुए हैं। सभी बटुए डिब्बे हैं। सभी डिब्बे सूटकेस हैं।

निष्कर्ष **I.** कुछ सूटकेस थैले हैं।
II. सभी बटुए थैले हैं।
III. सभी बटुए सूटकेस हैं।
IV. कुछ डिब्बे बटुए हैं।

(*a*) केवल I, II और III अनुसरण करते हैं
(*b*) केवल II और III अनुसरण करते हैं।
(*c*) केवल I और III अनुसरण करते हैं।
(*d*) केवल II, III और IV अनुसरण करते हैं।
(*e*) केवल I, III और IV अनुसरण करते हैं।

5. कथनः कुछ टेप डिस्क हैं। कुछ डिस्क कैसेट हैं। कुछ कैसेट गाने हैं।

निष्कर्ष **I.** कुछ गाने डिस्क हैं।
II. कुछ कैसेट टेप हैं।
III. कुछ गाने टेप हैं।
IV. कोई गाना डिस्क नहीं है।

(*a*) केवल III और या तो II या IV अनुसरण करते हैं।
(*b*) केवल III और IV अनुसरण करते हैं।
(*c*) केवल या तो II या IV अनुसरण करते हैं।
(*d*) केवल या तो I या IV का अनुसरण करता है।
(*e*) इनमें से कोई नहीं

6. कथनः कुछ पत्ते पौधे हैं। कुछ पौधे फूल हैं। सभी फूल पेड़ हैं।

निष्कर्ष **I.** कुछ पेड़ पत्ते हैं।
II. सभी फूल या तो पत्ते या पौधे हैं।
III. कोई पत्ता फूल नहीं है।
IV. सभी पत्ते पेड़ हैं।

(*a*) कोई अनुसरण नहीं करता है।
(*b*) केवल I और II अनुसरण करते हैं।
(*c*) केवल I, II और IV अनुसरण करते हैं।
(*d*) केवल II और III अनुसरण करते हैं।
(*e*) इनमें से कोई नहीं

7. कथनः कुछ चम्मच कटोरे हैं। सभी कटोरे चाकू हैं। सभी चाकू कांटे हैं।

निष्कर्ष **I.** सभी चम्मच कांटे हैं।
II. सभी कटोरे कांटे हैं।
III. कुछ चाकू कटोरे हैं।
IV. कुछ कांटे चम्मच हैं।

(*a*) सभी अनुसरण नहीं करते हैं।
(*b*) केवल II, III और IV अनुसरण करते हैं।
(*c*) केवल III और IV अनुसरण करते हैं।
(*d*) केवल II और IV अनुसरण करते हैं।
(*e*) इनमें से कोई नहीं

8. कथनः सभी कारें मोपेड हैं। कुछ मोपेड पहाड़ियाँ हैं। सभी पेंसिलें मोपेड हैं।

निष्कर्ष **I.** सभी पेंसिलें पहाड़ियाँ हैं।
II. कुछ पेंसिलें कारें हैं।
III. कुछ कारें पहाड़ियाँ हैं।
IV. कोई पेंसिल कार नहीं है।

(*a*) केवल I निकलता है।
(*b*) केवल या तो II या IV निकलता है।
(*c*) केवल I या III निकलता है
(*d*) केवल I और IV निकलता है।
(*e*) इनमें से कोई नहीं

9. कथनः कुछ बकरियाँ हैम्पर हैं। सभी हैम्पर हीरे हैं। कोई हीरा हरा नहीं है।

निष्कर्ष **I.** कोई बकरी हरी नहीं है।
II. कुछ हीरे हैम्पर नहीं हैं।
III. कुछ बकरियाँ हीरे हैं।
IV. कुछ हरे हैम्पर हैं।

(*a*) केवल I और IV निकलता है।
(*b*) केवल II और IV निकलता है।
(*c*) केवल II और III निकलता है।
(*d*) केवल या तो II या III निकलता है।
(*e*) इनमें से कोई नहीं

10. कथनः कुछ राजे कार हैं। कुछ कारें बोतल हैं। कोई बोतल नींबू नहीं है।

निष्कर्ष **I.** कुछ कारें नींबू हैं।
II. कोई राजा नींबू नहीं है।
III. कुछ राजे बोतल हैं।
IV. सभी कारें या तो राजे हैं या बोतल हैं।

(*a*) केवल I और II निकलते हैं।
(*b*) केवल या तो I या II और IV निकलते हैं।
(*c*) केवल III या IV निकलते हैं।
(*d*) केवल IV निकलता है।
(*e*) इनमें से कोई नहीं

11. कथनः कोई मशीन मक्खी नहीं है। कुछ मक्खियाँ रंग हैं। सभी रंग मिठाइयाँ हैं।

निष्कर्ष **I.** कुछ मशीन रंग हैं।

II. सभी मिठाइयाँ रंग हैं।

III. कुछ मिठाइयाँ मक्खियाँ हैं।

IV. कोई मिठाई मशीन नहीं है।

(*a*) कोई या तो II या IV और III निकलते हैं।

(*b*) केवल I या II निकलते हैं।

(*c*) केवल IV निकलता है।

(*d*) केवल III निकलता है।

(*e*) इनमें से कोई नहीं

12. कथनः सभी कलियाँ घंटियाँ हैं। कुछ कलियाँ केक हैं। कुछ घंटियाँ स्पंज हैं।

निष्कर्ष **I.** कुछ केक स्पंज हैं।

II. कुछ घंटियाँ कलियाँ हैं।

III. कोई स्पंज केक नहीं है।

IV. कोई घंटी स्पंज नहीं है।

(*a*) केवल या तो I या III और II निकलते हैं।

(*b*) केवल II और III निकलते हैं।

(*c*) केवल I या IV निकलते हैं।

(*d*) केवल या तो I या IV और II निकलते हैं।

(*e*) इनमें से कोई नहीं

13. कथन :

कुछ बक्से पेड़ हैं, कुछ पेड़ घोड़े हैं, सभी घोड़े फल हैं।

निष्कर्ष :

I. कुछ फल बक्से हैं।

II. कुछ फल पेड़ हैं।

III. कुछ घोड़े बक्से हैं।

IV. कोई भी फल बक्सा नहीं है।

(*a*) कोई नहीं निकलता है।

(*b*) केवल या तो II अथवा IV निकलता है।

(*c*) केवल या तो I अथवा IV और II निकलते हैं।

(*d*) केवल या तो I अथवा III और IV निकलते हैं।

(*e*) इनमें से कोई नहीं।

14. कथन :

सभी फूल बस हैं, कुछ बस बिल्लियां हैं, सभी बिल्लियां बाघ हैं।

निष्कर्ष :

I. कुछ बाघ बस हैं।

II. कुछ बाघ फूल हैं।

III. कुछ बिल्लियां फूल हैं।

IV. कुछ बस बाघ हैं।

(*a*) कोई नहीं निकलता है।

(*b*) केवल I और II निकलते हैं।

(*c*) केवल III और IV निकलते हैं।

(*d*) केवल I और IV निकलते हैं।

(*e*) केवल I और III निकलते हैं।

15. कथन :

सभी पंखे रूम हैं, कोई भी रूम हरा नहीं है, कुछ खिड़कियां हरी हैं।

निष्कर्ष :

I. कुछ खिड़कियां पंखे हैं।

II. कुछ खिड़कियां रूम हैं।

III. कुछ पंखे हरे हैं।

IV. कोई भी हरा, पंखा नहीं है।

(*a*) केवल I निकलता है।

(*b*) केवल III निकलता है।

(*c*) केवल IV निकलता है।

(*d*) केवल II और III निकलते हैं।

(*e*) सभी निकलते हैं

16. कथन :

कुछ टेबलेट वर्षा हैं, सभी कुत्ते वर्षा हैं, सभी वर्षा कुर्सियां हैं।

निष्कर्ष :

I. कुछ कुर्सियां टेबलेट हैं

II. सभी कुत्ते कुर्सियां हैं

III. कुछ टेबलेट कुत्ते हैं

IV. कुछ टेबलेट कुर्सियां हैं

(*a*) सभी निकलते हैं

(*b*) केवल I, II और III निकलते हैं

(*c*) केवल I, II और IV निकलते हैं

(*d*) केवल II और IV निकलते हैं

(*e*) इनमें से कोई नहीं

17. कथन :

कोई आदमी आकाश नहीं है, कोई आकाश रोड नहीं है कुछ आदमी रोड हैं।

निष्कर्ष :

I. कोई रोड आदमी नहीं हैं

II. कोई रोड आकाश नहीं है

III. कुछ आकाश आदमी हैं

IV. सभी रोड आदमी हैं

(*a*) कोई नहीं निकलता है

(*b*) केवल II निकलता हैं

(*c*) केवल I और III निकलते हैं

(*d*) केवल II और III निकलते हैं

(*e*) इनमें से कोई नहीं

18. कथन :

कुछ अनाज दलहन हैं। सभी सब्जियां फल हैं। सभी दलहन सब्जियां हैं।

निष्कर्ष :

I. कुछ अनाज सब्जियां हैं।

II. सभी सब्जियां दलहन हैं।

III. सभी फल अनाज हैं।

IV. सभी सब्जियां अनाज हैं।

(*a*) केवल I और II अनुसरण करते हैं।

(*b*) केवल II अनुसरण करता है।

(*c*) केवल I और IV अनुसरण करते हैं।

(*d*) केवल II और IV अनुसरण करते हैं।

(*e*) इनमें से कोई नहीं

19. कथन :

कुछ जहाज नौका हैं। सभी नौकाएं सबमरीन हैं। कुछ सबमरीन याच हैं।

निष्कर्ष :

I. कुछ याच नौका हैं।

II. कुछ सबमरीन नौका हैं।

III. कुछ सबमरीन जहाज हैं।

IV. कुछ याच जहाज हैं।

(*a*) सभी अनुसरण करते हैं।

(*b*) केवल II और III अनुसरण करते हैं।

(*c*) केवल III अनुसरण करता है।

(*d*) केवल या तो III या IV अनुसरण करता है।

(*e*) इनमें से कोई नहीं।

20. कथन :

सभी पत्र संख्याएं हैं। कुछ ग्राफ पत्र हैं। सभी कागज ग्राफ हैं।

निष्कर्ष :

I. सभी कागज संख्याएं हैं।

II. कुछ कागज पत्र हैं।

III. कुछ संख्याएं ग्राफ हैं।

IV. सभी ग्राफ संख्याएं हैं।

(*a*) केवल I अनुसरण करता है।

(*b*) केवल II अनुसरण करता है।

(*c*) केवल I और III अनुसरण करते हैं।

(*d*) केवल III अनुसरण करता है।

(*e*) इनमें से कोई नहीं।

व्याख्यात्मक उत्तरमाला

1. (*c*) : 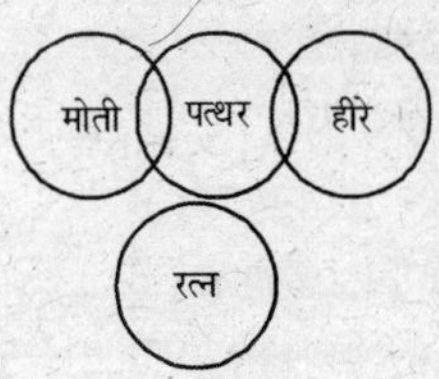

या 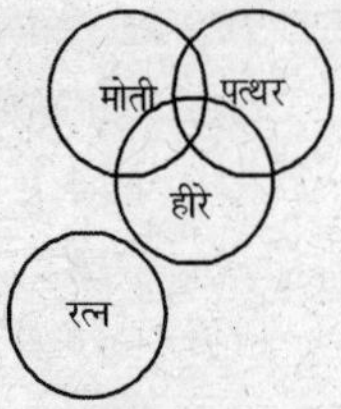

या 

अतः केवल निष्कर्ष III और या तो निष्कर्ष I या IV अनुसरण करते हैं।

2. (*e*) : 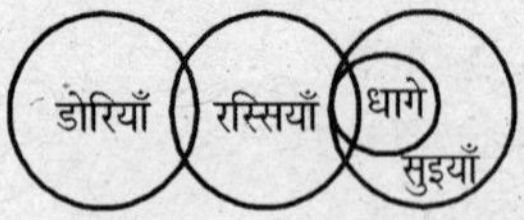

या

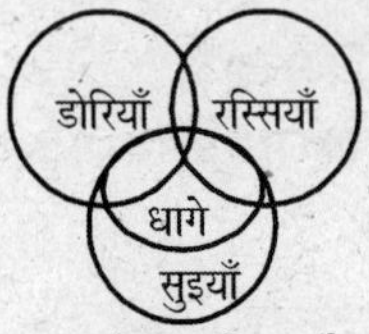

अतः केवल निष्कर्ष I और IV अनुसरण करते हैं।

3. (*a*) : 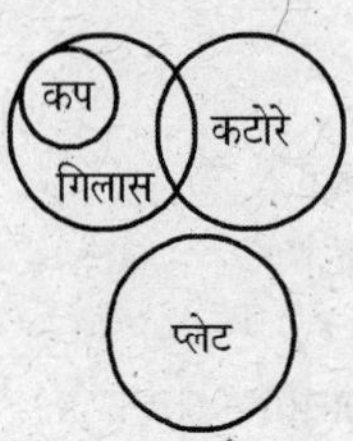

या 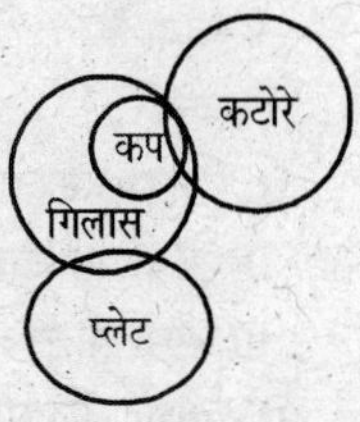

या 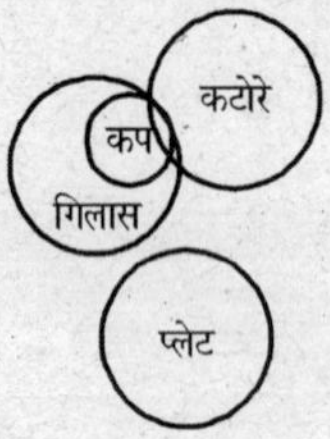

अतः केवल निष्कर्ष I अनुसरण करता है।

4. (*e*) : 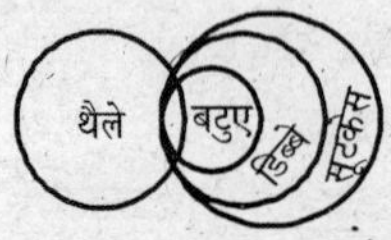

अतः केवल निष्कर्ष I, III और या IV अनुसरण करते हैं।

5. (*d*) : 

या,

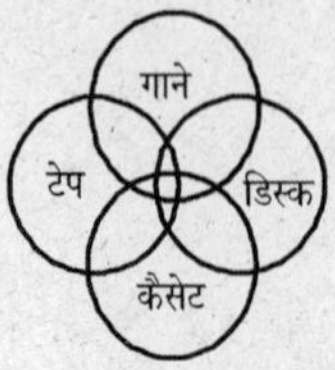

अतः केवल या तो निष्कर्ष I या IV अनुसरण करते हैं।

6. (*a*) : 

या 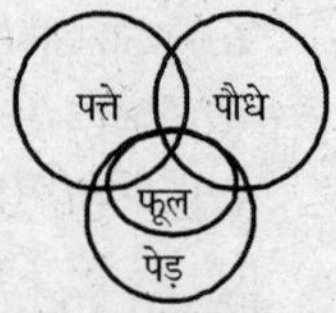

अतः कोई निष्कर्ष अनुसरण नहीं करता है।

7. (*b*) : 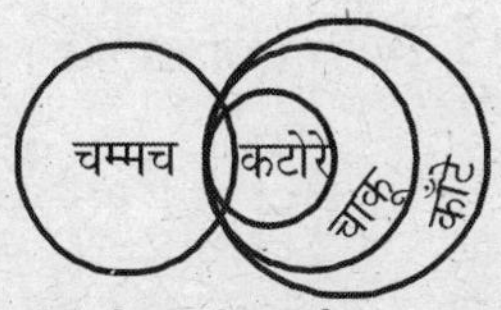

अतः केवल निष्कर्ष II, III एवं IV अनुसरण करते हैं।

8.(*b*) : 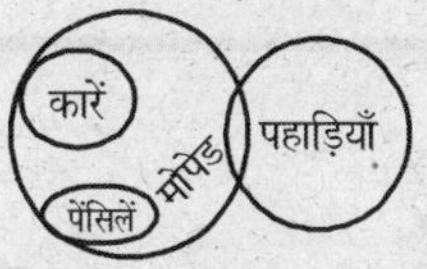

या, 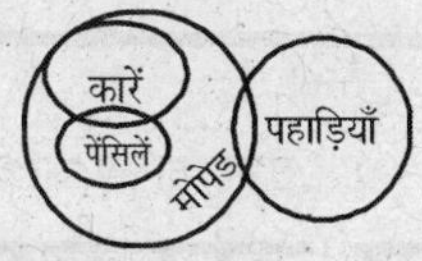

या 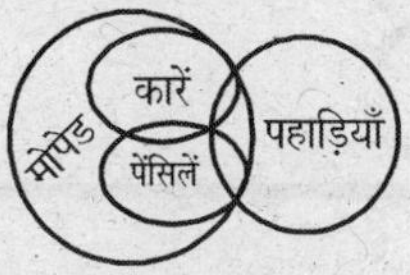

अतः केवल या तो निष्कर्ष I या IV अनुसरण करते हैं।

9.(*c*) : 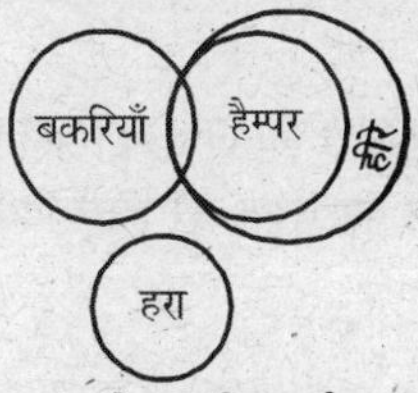

या, 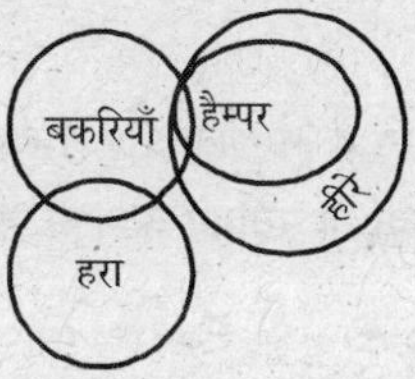

अतः केवल निष्कर्ष II और III अनुसरण करते हैं।

10.(*e*) : 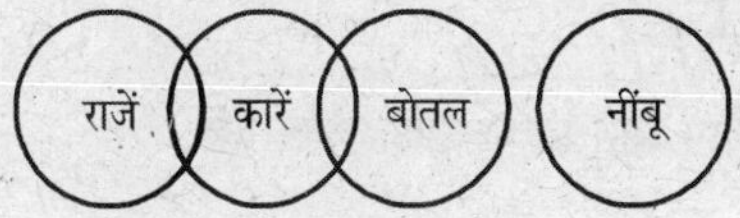

या,

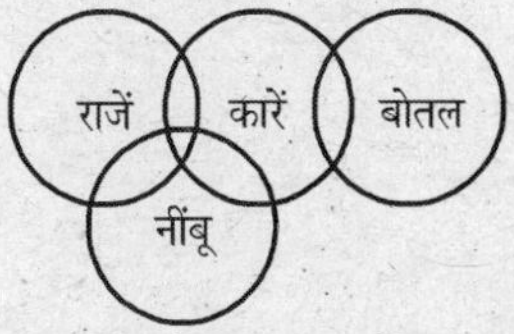

अतः कोई निष्कर्ष अनुसरण नहीं करता है।

11.(*d*) : 

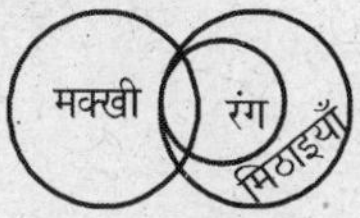

या

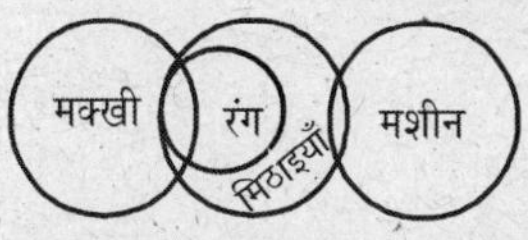

अतः केवल निष्कर्ष III अनुसरण करता है।

12.(*a*) : 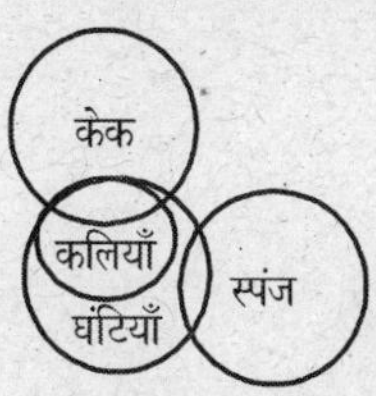

या 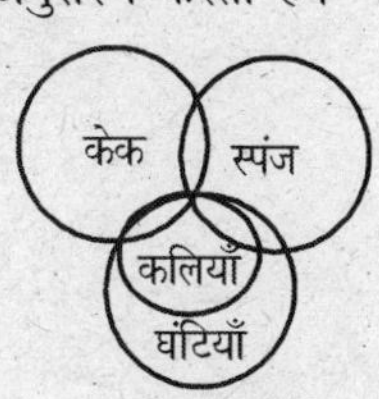

अतः केवल या तो निष्कर्ष I या III और II अनुसरण करते हैं।

13.(*e*) : 

या, 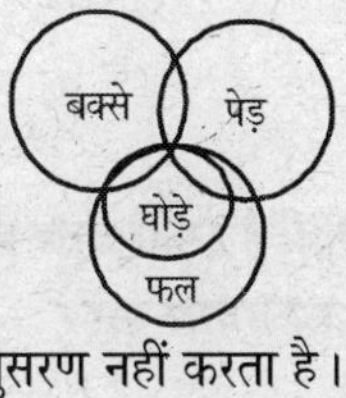

अतः दिए गए निष्कर्षों में कोई अनुसरण नहीं करता है।

14.(*d*) : 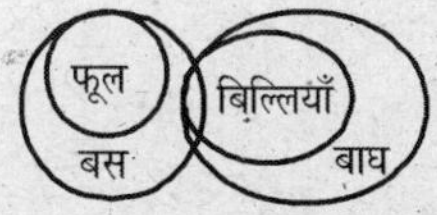

या, 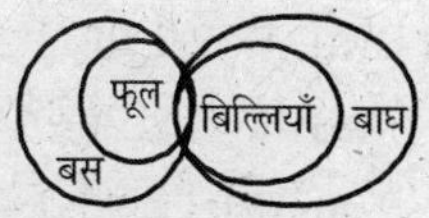

अतः केवल निष्कर्ष I और IV अनुसरण करते हैं।

15.(*c*) : 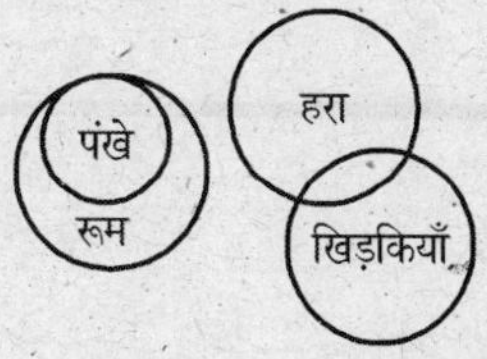

या,

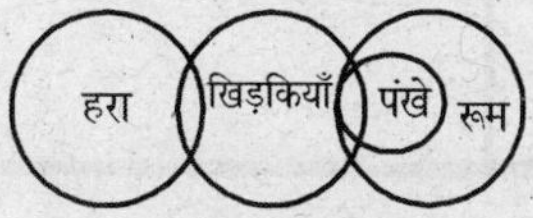

अतः केवल निष्कर्ष IV निकलता है।

16.(*c*) : 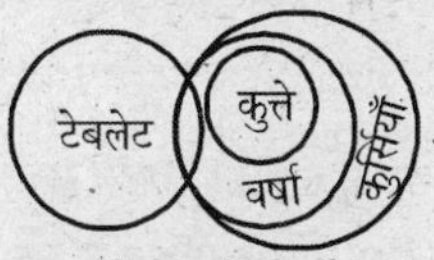

या, 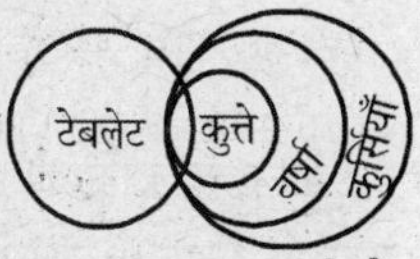

अतः केवल निष्कर्ष I, II एवं IV अनुसरण करते हैं।

17.(*b*) : 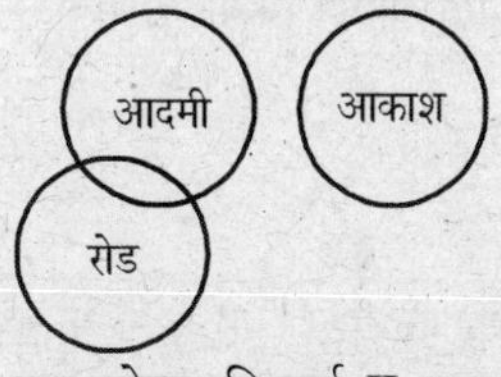

अतः केवल निष्कर्ष II अनुसरण करता है।

18.(*e*) : 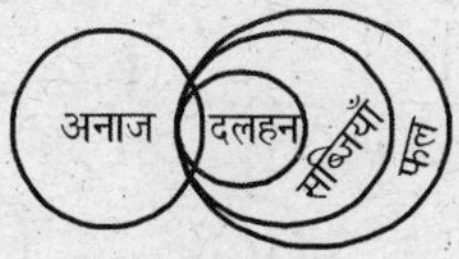

अतः केवल निष्कर्ष I अनुसरण करता है।

19.(*b*) : 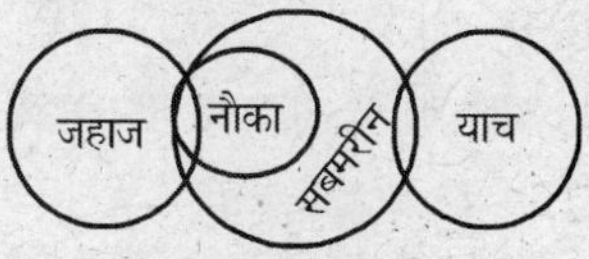

या,

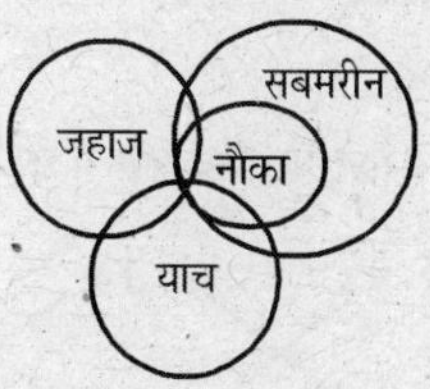

अतः केवल निष्कर्ष II और III अनुसरण करते हैं।

20.(*d*) : 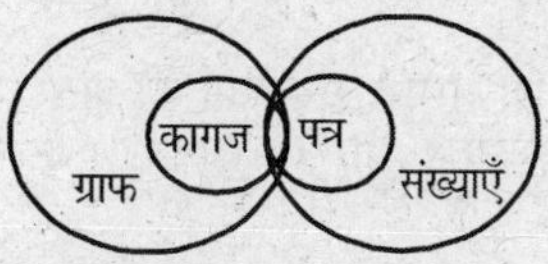

या,

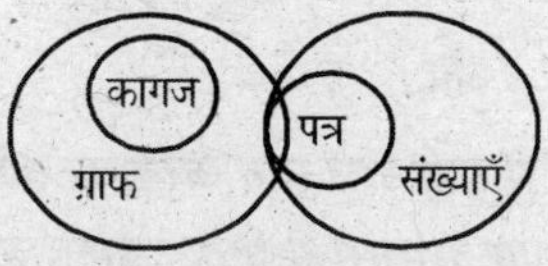

अतः केवल निष्कर्ष III अनुसरण करता है।

अध्याय
6 लुप्त संख्याएँ

इस प्रकार के प्रश्नों को हल करने के लिए संख्या संबंधी प्रश्नों को हल करने में निपुणता और गणितीय कौशल का होना अपेक्षित है। उत्तर प्राप्त करने के लिए अभ्यर्थियों के लिए यह अपेक्षित है कि वे अंकगणितीय चिह्नों या प्रतीकों के सही संयोजन का चयन करें जिसे दिए गए प्रश्नों में प्रश्न चिह्न के स्थान पर प्रतिस्थापित किया जा सके।

हल किए गए प्रश्न

1. यहाँ प्रश्न में दिए गए प्रश्न चिह्न (?) के स्थान पर प्रतिस्थापित करने के लिए सही विकल्प का चयन करें :

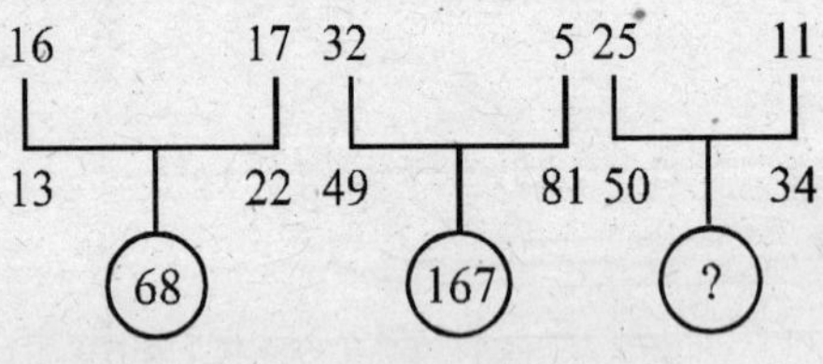

(a) 65 (b) 120 (c) 116 (d) 192 (e) 112

उत्तर (b) : गोल घेरे के भीतर दी गई संख्या शेष चार संख्याओं का योग है, अर्थात्

16 + 17 + 13 + 22 = 68

32 + 5 + 49 + 81 = 167, इसी प्रकार

25 + 11 + 50 + 34 = 120

2. यहाँ प्रश्न चिह्न के स्थान पर विकल्पों में दी गई कौन सी संख्या आएगी ?

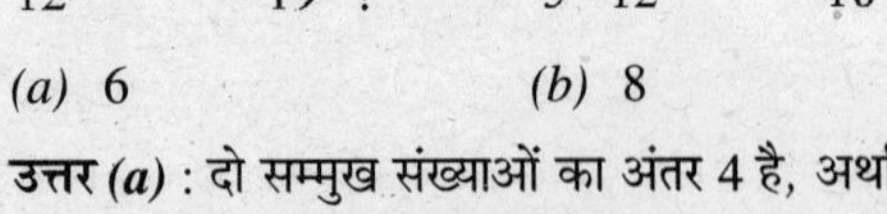

(a) 6 (b) 8 (c) 7 (d) 3 (e) 9

उत्तर (a) : दो सम्मुख संख्याओं का अंतर 4 है, अर्थात्

23 – 19 = 4 और 16 – 12 = 4

14 – 10 = 4 और 12 – 8 = 4, इसी प्रकार

9 – 5 = 4 और 6 – 2 = 4.

इस प्रकार के प्रश्नों में सही उत्तर ज्ञात करने का कोई निश्चित नियम नहीं है। सही उत्तर प्राप्त करने के विभिन्न तरीकों के बारे में जानने के लिए नीचे दिए गए अभ्यास में निहित प्रश्नों का हल ज्ञात करने का प्रयास करें।

प्रश्नमाला

निर्देश : *नीचे दिए गए प्रत्येक प्रश्न में बताएँ कि प्रश्न चिह्न (?) के स्थान पर कौन सी संख्या रखी जा सकती है?*

1.

(*a*) 693 (*b*) 939
(*c*) 981 (*d*) 993
(*e*) 998

2.

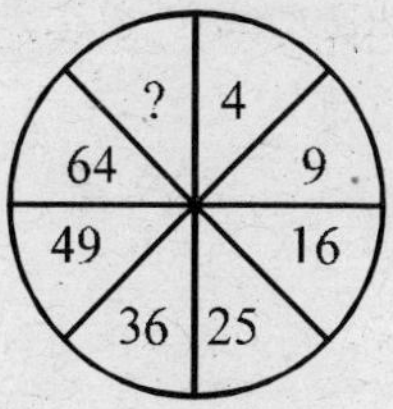

(*a*) 68 (*b*) 100
(*c*) 72 (*d*) 81
(*e*) 56

3.

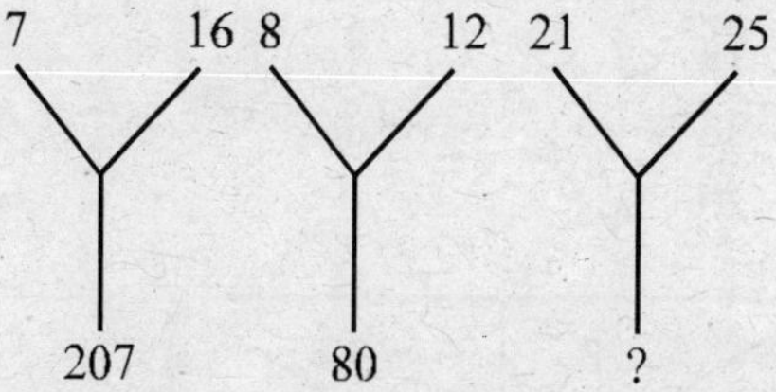

(*a*) 425 (*b*) 184
(*c*) 241 (*d*) 210
(*e*) 196

4.

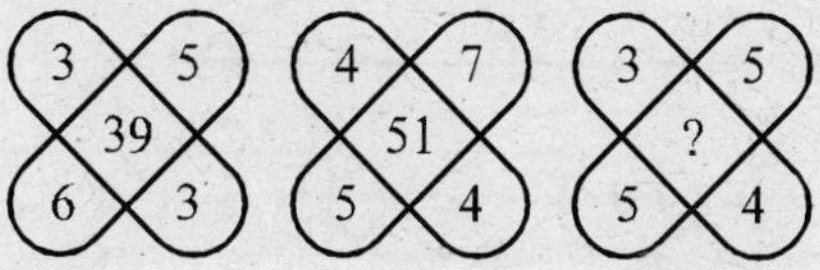

(*a*) 35 (*b*) 37
(*c*) 45 (*d*) 48
(*e*) 36

5.

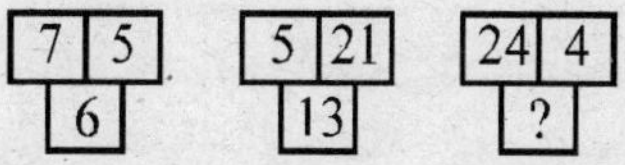

(*a*) 4 (*b*) 8
(*c*) 20 (*d*) 14
(*e*) 16

6.

14	9	4
12	7	2
10	5	0
16	11	?

(*a*) 9 (*b*) 6
(*c*) 3 (*d*) 7
(*e*) 8

7.

(*a*) 69 (*b*) 49
(*c*) 50 (*d*) 60
(*e*) 64

8.

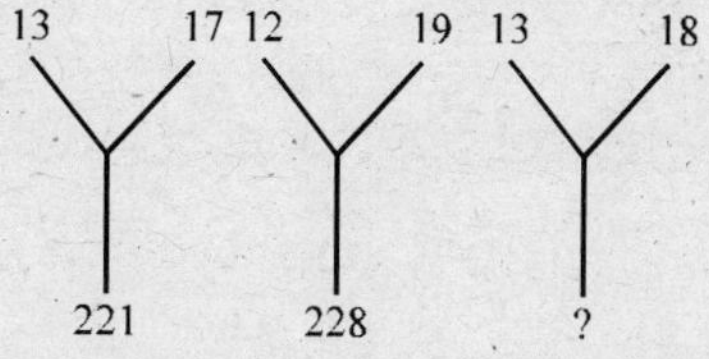

(*a*) 31 (*b*) 229
(*c*) 234 (*d*) 312
(*e*) 324

9.

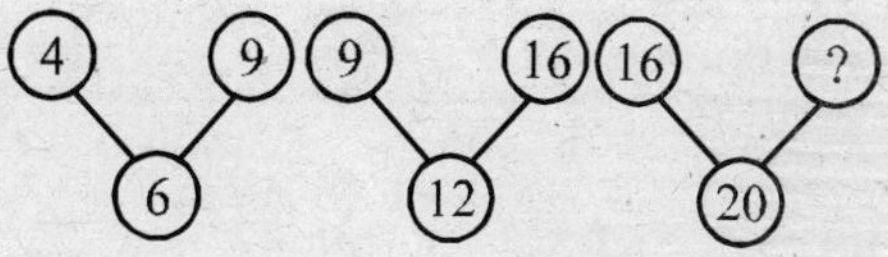

(*a*) 21 (*b*) 25
(*c*) 50 (*d*) 60
(*e*) 64

10.

51	(11)	61
64	(30)	32
35	(?)	43

(*a*) 25 (*b*) 27
(*c*) 32 (*d*) 37
(*e*) 40

11.

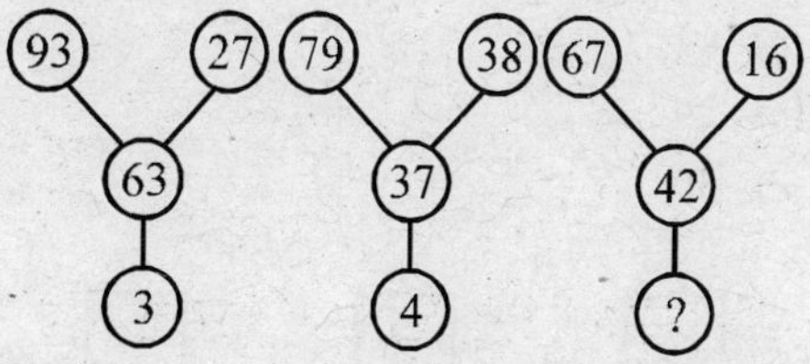

(*a*) 5 (*b*) 6
(*c*) 8 (*d*) 9
(*e*) 12

12.

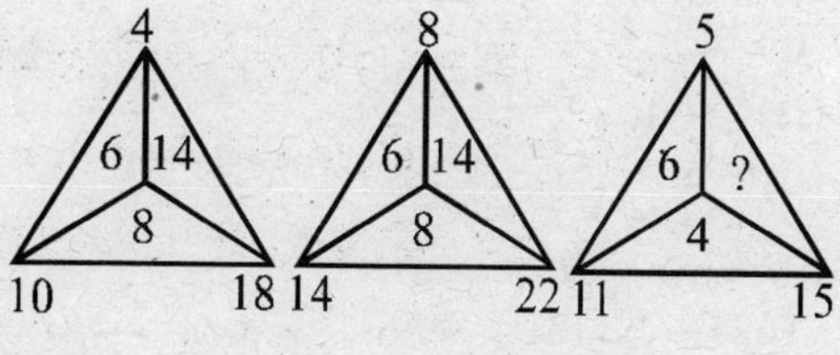

(*a*) 8 (*b*) 14
(*c*) 10 (*d*) 6
(*e*) 16

13.

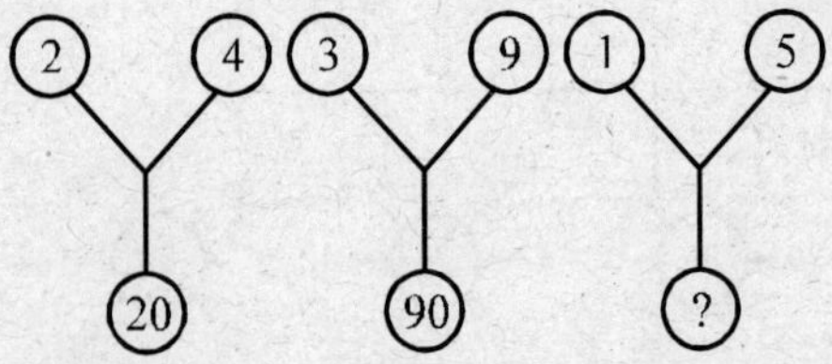

(*a*) 20 (*b*) 25
(*c*) 26 (*d*) 75
(*e*) 84

14. 27 22 50
13 12 26
9 2 ?

(*a*) 12 (*b*) 39
(*c*) 18 (*d*) 24
(*e*) 28

15.

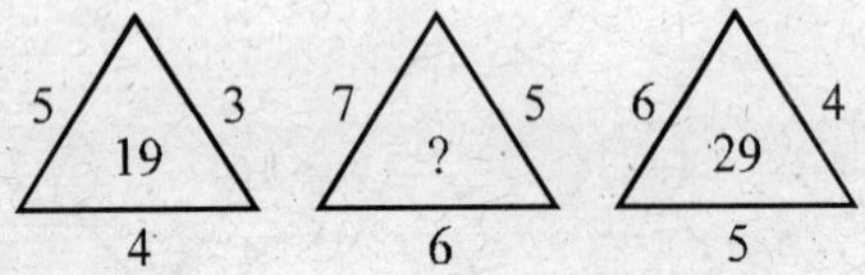

(*a*) 25 (*b*) 47
(*c*) 37 (*d*) 41
(*e*) 52

16.

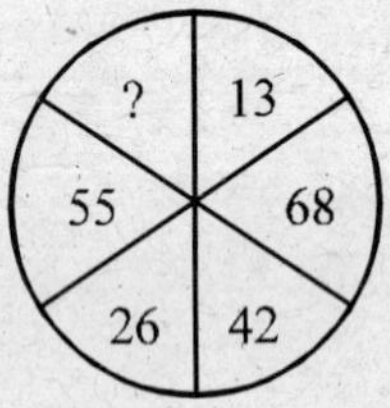

(*a*) 41 (*b*) 37
(*c*) 29 (*d*) 25
(*e*) 30

17.

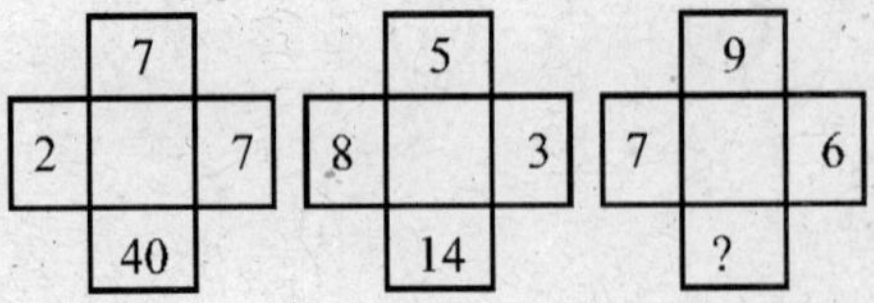

(*a*) 72 (*b*) 68
(*c*) 82 (*d*) 96
(*e*) 100

18. 42 (21) 22
78 (?) 84
162 (18) 99

(*a*) 12 (*b*) 13
(*c*) 60 (*d*) 72
(*e*) 80

19.

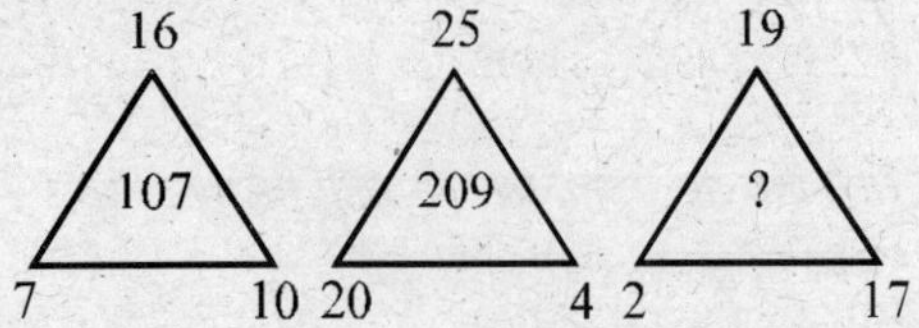

(*a*) 68 (*b*) 93
(*c*) 175 (*d*) 217
(*e*) 216

20.

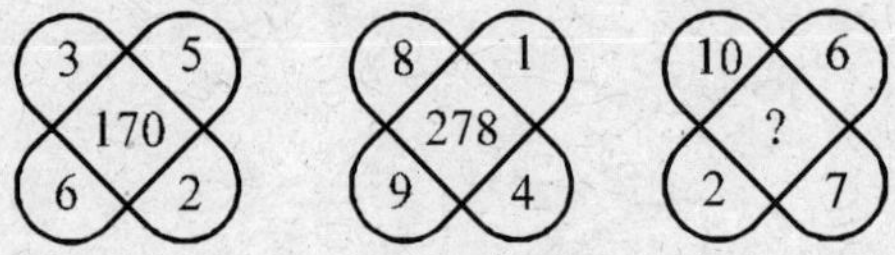

(*a*) 960 (*b*) 628
(*c*) 830 (*d*) 492
(*e*) इनमें से कोई नहीं

21.

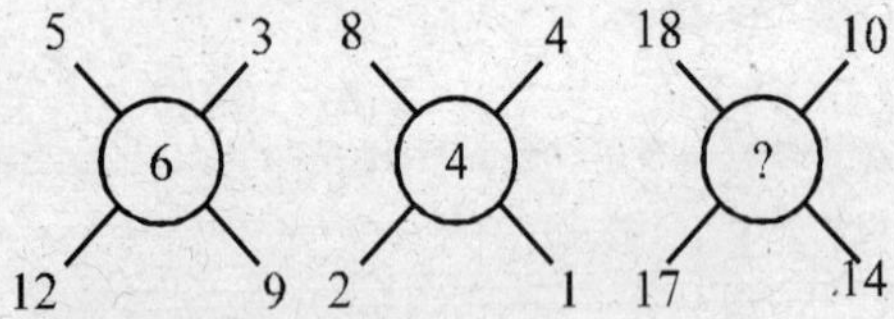

(*a*) 18 (*b*) 10
(*c*) 36 (*d*) 24
(*e*) 20

22.

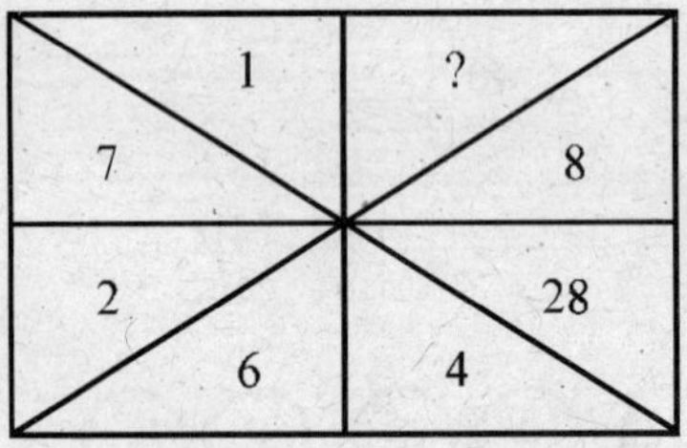

(*a*) 24 (*b*) 10
(*c*) 32 (*d*) 12
(*e*) 16

23. 6 (40) 4
3 (12) 3
7 (?) 2

(*a*) 51 (*b*) 36
(*c*) 22 (*d*) 4
(*e*) 24

24.

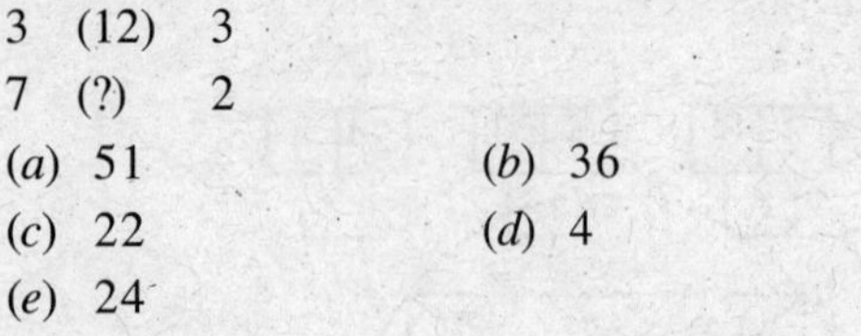

(*a*) 5 (*b*) 4
(*c*) 2 (*d*) 1
(*e*) 7

25. 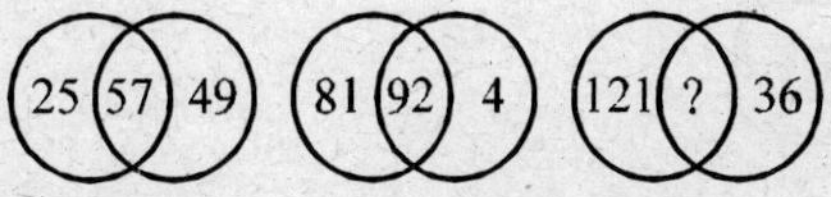

(*a*) 116 (*b*) 93
(*c*) 49 (*d*) 23
(*e*) 64

26. 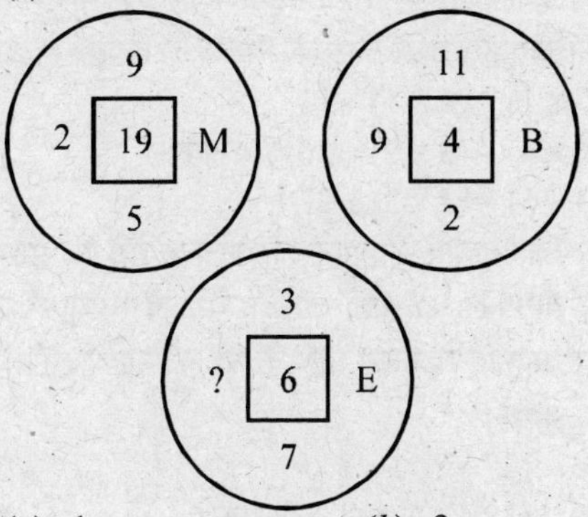

(*a*) 1 (*b*) 3
(*c*) 9 (*d*) 13
(*e*) 8

27. 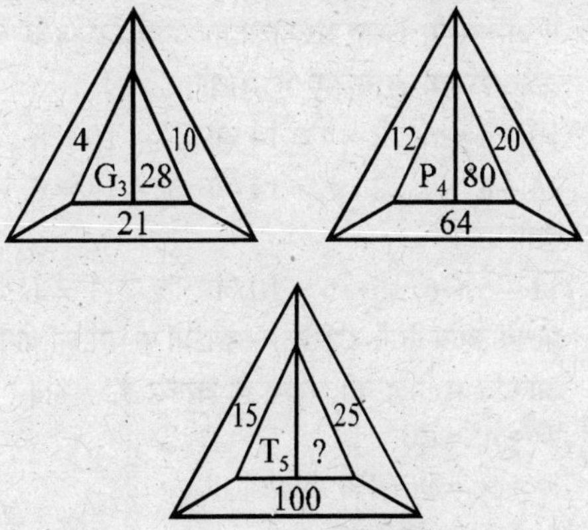

(*a*) 64 (*b*) 92
(*c*) 120 (*d*) 146
(*e*) 125

28. 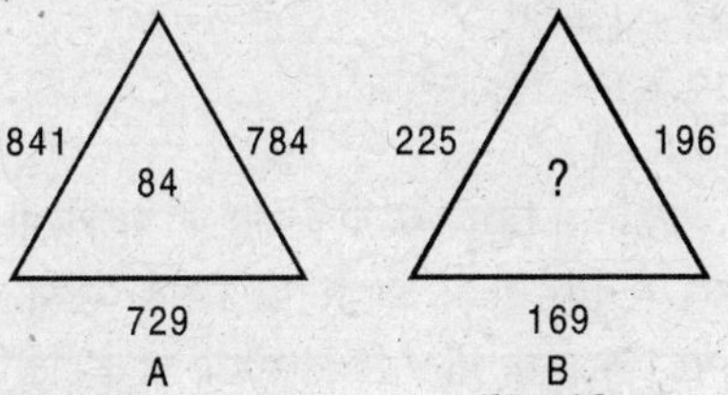

(*a*) 32 (*b*) 42
(*c*) 62 (*d*) 82
(*e*) इनमें से कोई नहीं

29. 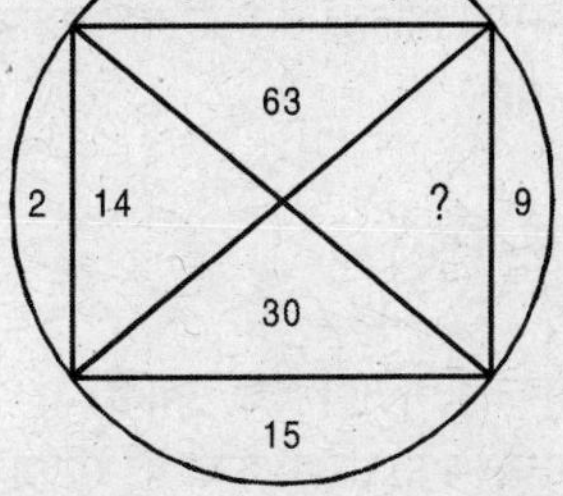

(*a*) 33 (*b*) 145
(*c*) 135 (*d*) 18
(*e*) 22

30.

3	8	10	2	?	1
6	56	90	2	20	0

(*a*) 2 (*b*) 3
(*c*) 5 (*d*) 7
(*e*) 6

31.

9	A	12
B	10	7
8	C	11

(*a*) A = 13, B = 11, C = 9
(*b*) A = 13, B = 9, C = 11
(*c*) A = 9, B = 11, C = 13
(*d*) A = 9, B = 13, C = 11

32. 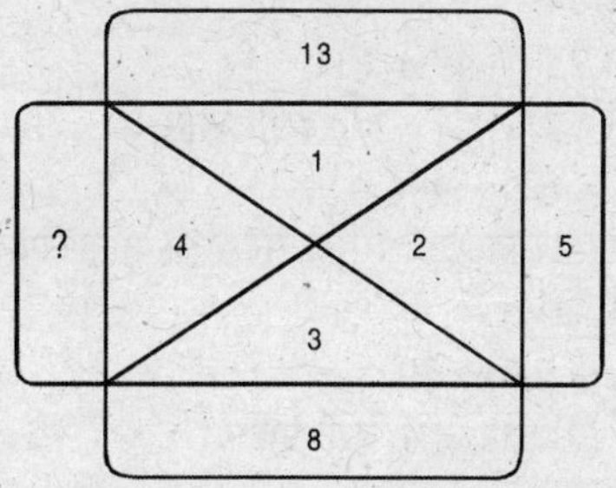

(*a*) 10 (*b*) 11
(*c*) 12 (*d*) 13
(*e*) इनमें से कोई नहीं

33. 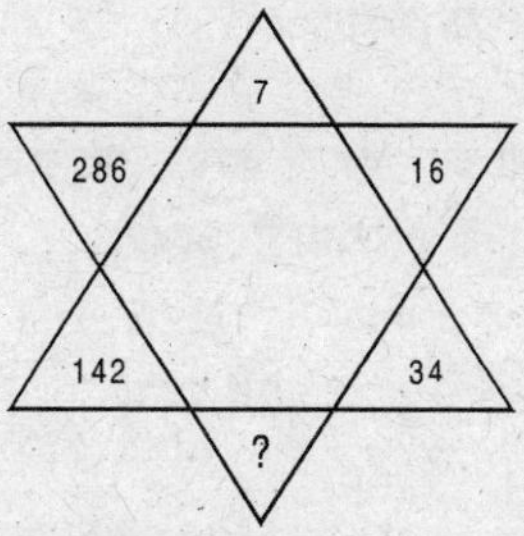

(*a*) 38 (*b*) 66
(*c*) 68 (*d*) 70
(*e*) 72

34.

12	14	16
5	9	6
10	16	?
50	110	84

(*a*) 11 (*b*) 12
(*c*) 14 (*d*) 18
(*e*) 21

35. 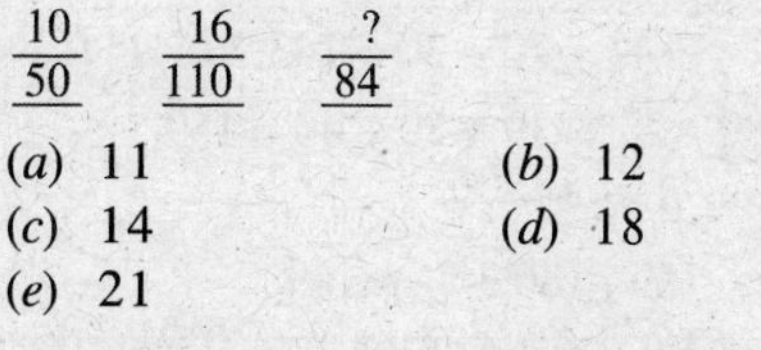

(*a*) 8710 (*b*) 1087
(*c*) 8107 (*d*) 789
(*e*) इनमें से कोई नहीं

व्याख्यात्मक उत्तरमाला

1. (c) : उलटे बने त्रिभुज के ऊपरी भाग के दोनों खानों में दी गई संख्याओं के वर्ग को एक दूसरे की बगल में रखने पर त्रिभुज के निचले शीर्ष की संख्या प्राप्त होती है, अर्थात्
6^2 और $3^2 = 369$
2^2 और $5^2 = 425$, इसी प्रकार
3^2 और $9^2 = 981$.

2. (d) : 4 से आरंभ करके प्रत्येक अनुवर्ती संख्या क्रमागत प्राकृत संख्या का वर्ग है। अर्थात् $2^2 = 4, 3^2 = 9, 4^2 = 16 \ldots \ldots 9^2 = 81$

3. (b) : नीचे की संख्या ऊपर की दोनों संख्याओं के वर्गों का अंतर है, अर्थात्
$16^2 - 7^2 = 256 - 49 = 207$
$12^2 - 8^2 = 144 - 64 = 80$, इसी प्रकार
$25^2 - 21^2 = 625 - 441 = 184$

4. (b) : बीच की संख्या विकर्णतः सम्मुख संख्याओं के गुणनफलों का योग है, अर्थात्
$(3 \times 3) + (5 \times 6) = 39$
$(4 \times 4) + (7 \times 5) = 51$, इसी प्रकार
$(3 \times 4) + (5 \times 5) = 37$

5. (d) ऊपर की दो संख्याओं के योगफल को 2 से भाग करने पर नीचे की तीसरी संख्या प्राप्त होती है, अर्थात्
$(7 + 5) \div 2 = 6$
$(5 + 21) \div 2 = 13$, इसी प्रकार
$(24 + 4) \div 2 = 14$

6. (b) : दूसरे और तीसरे स्तंभों की संख्याएँ क्रमशः पहले और दूसरे स्तंभों की संख्याओं से 5 कम है, अर्थात्
$14 - 5 = 9$ और $9 - 5 = 4$
$12 - 5 = 7$ और $7 - 5 = 2, \ldots$ इसी प्रकार
$16 - 5 = 11$ और $11 - 5 = 6$.

7. (a) : किसी भी एक आकृति में सरेखीय तीनों संख्याओं का योगफल समान है, अर्थात्
$29 + 80 + 43$ या $39 + 80 + 33$
या $45 + 80 + 27 = 152$
$29 + 70 + 44$ या $42 + 70 + 31$
या $43 + 70 + 30 = 143$, इसी प्रकार
$59 + 80 + 20$ या $39 + 80 + 40 = 159$.
अतः लुप्त संख्या है :
$159 - (80 + 10) = 69$

8. (c) : प्रत्येक आकृति में नीचे की संख्या ऊपर की दोनों संख्याओं का गुणनफल है, अर्थात्
$13 \times 17 = 221$
$12 \times 19 = 228$, इसी प्रकार
$13 \times 18 = 234$

9. (b) : प्रत्येक आकृति में नीचे की संख्या का वर्ग ऊपर की दोनों संख्याओं के गुणनफल के बराबर है, अर्थात्
$6^2 = 4 \times 9 = 36$
$12^2 = 9 \times 16 = 144$, इसी प्रकार
$20^2 = 16 \times ? = 400$. अतः लुप्त संख्या है
$400 \div 16 = 25$

10. (b) : पहले और तीसरे स्तंभों में संख्याओं के अंकों के गुणनफलों का योगफल दूसरे स्तंभ की संख्या के बराबर है, अर्थात्
$(5 \times 1) + (6 \times 1) = 11$
$(6 \times 4) + (3 \times 2) = 30$, इसी प्रकार
$(3 \times 5) + (4 \times 3) = 27$

11. (d) : प्रत्येक आकृति में दाहिने और बीच के घेरों की संख्याओं के योगफल को बायीं ओर के घेरे की संख्या से घटाने पर आकृति में सबसे नीचे के घेरे की संख्या प्राप्त होती है, अर्थात्
$93 - (27 + 63) = 3$
$79 - (38 + 37) = 4$, इसी प्रकार
$67 - (16 + 42) = 9$

12. (c) : प्रत्येक त्रिभुजाकार आकृति के भीतर बने प्रत्येक त्रिभुज में आधार पर स्थित संख्याओं का अंतर त्रिभुज के भीतर स्थित संख्या के बराबर है, अर्थात्
$10 - 4 = 6$, $18 - 4 = 14$ और $18 - 10 = 8$
$14 - 8 = 6$, $22 - 8 = 14$ और $22 - 14 = 8$,
इसी प्रकार
$11 - 5 = 6$, $15 - 5 = 10$ और $15 - 11 = 4$.

13. (c) : प्रत्येक आकृति में ऊपर की संख्याओं के वर्ग का योगफल आकृति में नीचे की संख्या के बराबर है, अर्थात्
$2^2 + 4^2 = 20$
$3^2 + 9^2 = 90$, इसी प्रकार
$1^2 + 5^2 = 26$

14. (a) : पहले और दूसरे स्तंभों की संख्याओं के योगफल में 1 जोड़ने पर तीसरे स्तंभ की संख्या प्राप्त होती है, अर्थात्
$27 + 22 + 1 = 50$
$13 + 12 + 1 = 26$, इसी प्रकार
$9 + 2 + 1 = 12$

15. (d) : प्रत्येक आकृति में त्रिभुज के दोनों ओर की संख्याओं के गुणनफल में त्रिभुज के आधार पर स्थित संख्या को जोड़ने पर त्रिभुज के भीतर स्थित संख्या प्राप्त होती है, अर्थात्
$(5 \times 3) + 4 = 19$
$(6 \times 4) + 5 = 29$, इसी प्रकार
$(7 \times 5) + 6 = 41$

16. (c) : दी गई आकृति में सम्मुख त्रिज्यखंडों में दी गई संख्याओं का अंतर 13 है, अर्थात्
$26 - 13 = 13$
$68 - 55 = 13$, इसी प्रकार
अतः लुप्त संख्या है : $42 - 13 = 29$
($42 + 13 = 55$ विकल्पों में नहीं दिया गया है)

17. (b) : प्रत्येक आकृति में मध्यस्थ ग्रिड रेखा में दी गई संख्याओं के योगफल को ऊपर स्थित संख्या के वर्ग से घटाने पर आकृति में नीचे की संख्या प्राप्त होती है, अर्थात्

$7^2 - (2 + 7) = 40$
$5^2 - (8 + 3) = 14$, इसी प्रकार
$9^2 - (7 + 6) = 68$

18. *(b)* : कोष्ठकों में दी गई संख्या बायीं ओर स्थित संख्या को 2 से गुणा करके प्राप्त गुणनफल को दायीं ओर स्थित संख्या के अंकों के योगफल से भाग देने पर प्राप्त होती है, अर्थात्
$(42 \times 2) \div (2 + 2) = 21$
$(162 \times 2) \div (9 + 9) = 18$, इसी प्रकार
$(78 \times 2) \div (8 + 4) = 13$

19. *(a)* : प्रत्येक आकृति में त्रिभुज के आधार पर स्थित संख्याओं के वर्गों के योगफल को त्रिभुज के ऊपरी शीर्ष पर स्थित संख्या के वर्ग से घटाने पर त्रिभुज के भीतर स्थित संख्या प्राप्त होती है, अर्थात्
$16^2 - (7^2 + 10^2) = 107$
$25^2 - (20^2 + 4^2) = 209$, इसी प्रकार
$19^2 - (2^2 + 17^2) = 68$

20. *(c)* : प्रत्येक आकृति में सिरों पर स्थित सभी चारों संख्याओं के गुणनफल से 10 घटाने पर आकृति के बीच में स्थित संख्या प्राप्त होती है, अर्थात्
$(3 \times 5 \times 2 \times 6) - 10 = 170$
$(8 \times 1 \times 4 \times 9) - 10 = 278$, इसी प्रकार
$(10 \times 6 \times 7 \times 2) - 10 = 830$

21. *(d)* : वृत्त के भीतर स्थित संख्या आकृति में ऊपर की दोनों संख्याओं के अंतर और नीचे की दोनों संख्याओं के अंतर के गुणनफल के बराबर है, अर्थात्
$(5 - 3)(12 - 9) = 6$
$(8 - 4)(2 - 1) = 4$, इसी प्रकार
$(18 - 10)(17 - 14) = 24$

22. *(a)* : आकृति में 1 से वामावर्त आरंभ करने पर प्रत्येक संख्या की विकर्णतः सम्मुख संख्या उसकी 4 गुनी है, अर्थात्
$1 \times 4 = 4, 7 \times 4 = 28, 2 \times 4 = 8$, इसी प्रकार
$6 \times 4 = 24$

23. *(a)* : कोष्ठक में दी गई संख्या बायीं ओर की संख्या के वर्ग और दायीं ओर की संख्या के योग के बराबर है, अर्थात्
$6^2 + 4 = 40$
$3^2 + 3 = 12$, इसी प्रकार
$7^2 + 2 = 51$

24. *(b)* : पहली आकृति में वृत्त के भीतर स्थित H अक्षर का अंग्रेजी वर्णमाला के सीधे क्रम में 8वाँ स्थान है। वृत्त से बाहर ऊर्ध्वाधरतः स्थित संख्याओं में 8 जोड़कर प्राप्त योगफल को आकृति में दायीं ओर की संख्या से गुणा करने पर प्राप्त गुणनफल से आकृति में बायीं ओर की संख्या को घटाने पर वृत्त के भीतर स्थित संख्या प्राप्त होती है, अर्थात्
चरण I $\rightarrow 4 + 8 + 4 = 16$
चरण II $\rightarrow 16 \times 5 = 80$
चरण III $\rightarrow 80 - 10 = 70$
दूसरी आकृति में वृत्त के भीतर स्थित C अक्षर का अंग्रेजी वर्णमाला के सीधे क्रम में तीसरा स्थान है। अतः
चरण I $\rightarrow 2 + 3 + 5 = 10$
चरण II $\rightarrow 10 \times 3 = 30$
चरण III $\rightarrow 30 - 4 = 26$
इसी प्रकार, तीसरी आकृति में वृत्त के भीतर स्थित J अक्षर का अंग्रेजी वर्णमाला के सीधे क्रम में 10वाँ स्थान है। अतः
चरण I $\rightarrow 8 + 10 + 6 = 24$
चरण II $\rightarrow 24 \times ?$
चरण III $\rightarrow (24 \times ?) - 6 = 90$
उपर्युक्त समीकरण को हल करने पर :
$24 \times ? = 90 + 6$, अर्थात् 96
$? = 96 \div 24 = 4$

25. *(a)* : प्रत्येक आकृति में बीच की संख्या के अंक क्रमशः पहली और अंतिम संख्याओं के वर्गमूल हैं, अर्थात्
$\sqrt{25} = 5$ और $\sqrt{49} = 7$
जिनके मेल से बीच की संख्या 57 बनती है।
$\sqrt{81} = 9$ और $\sqrt{4} = 2$ जिनके मेल से बीच भी संख्या 92 बनती है।
इसी प्रकार,
$\sqrt{121} = 11$ और $\sqrt{36} = 6$ जिनके मेल से बीच की संख्या 116 बनती है।

26. *(b)* : अक्षर M अंग्रेजी वर्णमाला के सीधे क्रम में 13वें स्थान पर है। अतः 13 (= M) × 2 (आकृति में वर्ग की M भुजा की सम्मुख भुजा पर लिखी संख्या) = 9 × 5 (वर्ग की ऊपरी और निचली भुजाओं पर लिखी संख्याओं का गुणनफल) – 19 (वर्ग के भीतर लिखी संख्या), अर्थात्
$13 \times 2 = (9 \times 5) - 19$
$26 = (45 - 19)$
$26 = 26$
अक्षर B वर्णमाला में दूसरे स्थान पर है, अतः
$2 \times 9 = (11 \times 2) - 4$
$18 = 22 - 4$
$18 = 18$
इसी प्रकार, अक्षर E वर्णमाला के सीधे क्रम में 5वें स्थान पर है, अतः
$5 \times ? = (3 \times 7) - 6$
$5 \times ? = 21 - 6$
$5 \times ? = 15$
$? = 15 \div 5 = 3$

27. *(c)* : पहली आकृति में अक्षर G अंग्रेजी वर्णमाला के सीधे क्रम में 7वें स्थान पर है। बड़े त्रिभुज के बाएँ परिच्छेद से आरंभ करने पर उसकी भुजाओं पर अंकित संख्याओं का क्रम है : G – 3 अर्थात् 7 – 3 = 4; G + 3 अर्थात् 7 + 3 = 10 और G × 3 अर्थात् 7 × 3 = 21। भीतरी त्रिभुज की दाहिनी भुजा पर अंकित संख्या बाह्य त्रिभुज की भुजाओं पर अंकित संख्याओं के योग से G का स्थान-क्रमांक अर्थात् 7 की संख्या घटाने पर प्राप्त होती है
$(4 + 10 + 21) - 7 = 35 - 7 = 28$
अक्षर P वर्णमाला के सीधे क्रम में 16वें स्थान पर है, अतः
$16 - 4 = 12; 16 + 4 = 20; 16 \times 4 = 64;$
और
$(12 + 20 + 64) - 16 = 96 - 16 = 80;$
इसी प्रकार,

अक्षर T वर्णमला के सीधे क्रम में 20वें स्थान पर है, अत:

$20 - 5 = 15; 20 + 5 = 25; 20 \times 5 = 100$

और $(15 + 25 + 100) - 20 = 140 - 20 = 120$

28. (*b*) : दिया गया संयोजन निम्न प्रकार है–
आकृति (A) में, $27^2 = 729$, $28^2 = 784$, $29^2 = 841$
एवं, $27 + 28 + 29 = 84$.
उसी प्रकार आकृति (B) में, $13^2 = 169$, $14^2 = 196$, $15^2 = 225$.
एवं, $13 + 14 + 15 = 42$.

29. (*c*) : स्पष्टतः प्रश्नानुसार,
$15 \times 2 = 30; 2 \times 7 = 14; 7 \times 9 = 63$
$\therefore$ लुप्त संख्या $= 9 \times 15 = 135$

30. (*c*) : माना कि X प्रथम पंक्ति की संख्याओं को एवं Y दूसरी पंक्ति की संख्याओं को दर्शाता है।
तब पैटर्न $X^2 - X = Y$ है।
स्पष्टतः $3^2 - 3 = 9 - 3 = 6$; $8^2 - 8 = 64 - 8 = 56$;
$10^2 - 10 = 100 - 10 = 90$;
$2^2 - 2 = 4 - 2 = 2$;
$1^2 - 1 = 1 - 1 = 0$
इसी प्रकार, $5^2 - 5 = 25 - 5 = 20$.

31. (*d*) : प्रत्येक पंक्ति एवं प्रत्येक स्तम्भ का योगफल 30 है।

32. (*c*) : दिया गया संयोजन निम्न प्रकार है :
$5 + 3 = 8; 8 + 4 = 12; 12 + 1 = 13$.
अतः लुप्त संख्या 12 है।

33. (*d*) : $7 \times 2 + 2 = 16$, $16 \times 2 + 2 = 34$,
$34 \times 2 + 2 = 70$, $70 \times 2 + 2 = 142$,
$142 \times 2 + 2 = 286$
अतः लुप्त संख्या 70 है।

34. (*b*) :
$12 \times 5 - 10 = 50$
$14 \times 9 - 16 = 110$
$16 \times 6 - ? = 84$
$\therefore \quad ? = 96 - 84 = 12$

35. (*c*) : त्रिभुज की भुजाओं से लगी संख्याएँ केन्द्र में लिखी संख्या के अंकों के वर्ग हैं।
$(4)^2 = 14, (3)^2 = 9, (9)^2 = 81$.
अतः केन्द्र में संख्या होगी।
$\left(\sqrt{64} = 8, \sqrt{100} = 10, \sqrt{49} = 7\right)$ 8107.
अतः लुप्त संख्या 8107 है।

अध्याय 7

कथन विश्लेषण

तर्कबुद्धि परीक्षण से संबंधित इस प्रकार के प्रश्नों में कुछ कथन दिए जाते हैं। इन कथनों में कतिपय तथ्यों को अलग-अलग रूपों में तोड़-मरोड़ कर प्रस्तुत किया जाता है। ऐसे प्रश्नों को हल करने के लिए अभ्यर्थियों से यह अपेक्षा की जाती है कि वे दिए गए कथनों का विश्लेषण करें, दिए गए तथ्यों को सुव्यवस्थित और वर्गीकृत करें तथा तत्पश्चात् दिए गए कथनों से संबंधित प्रश्नों के उत्तर दें।

हल किए गए प्रश्न

नीचे दिए गए कथन को सावधानीपूर्वक पढ़ें और पूछे गए प्रश्नों *(i)* और *(ii)* के उत्तर दें :

पांच आदमी जिनमें से एक वजनी, दूसरा मोटा, तीसरा दुबला-पतला, चौथा नाटा और पांचवां लंबा है, एक दूसरे के पीछे दौड़ रहे हैं। वजनी और लंबे आदमियों में से एक तो कलाकार है और दूसरा बातुनी/दुबला-पतला आदमी जो बुद्धिमान भी है, बीच में दौड़ रहा है। नाटा आदमी काला नहीं है और गोरे रंग का आदमी दुबले-पतले आदमी से आगे दौड़ रहा है। वजनी आदमी जो कलाकार नहीं है, मोटे आदमी के सामने दौड़ रहा है।

(i) गोरा कौन है?

(a) लंबा आदमी *(b)* मोटा आदमी *(c)* नाटा आदमी
(d) वजनी आदमी *(e)* दुबला-पतला आदमी

उत्तर : *(b)*

(ii) लंबा आदमी क्या है?

(a) बुद्धिमान *(b)* बातुनी *(c)* कलाकार *(d)* काला *(e)* गोरा

उत्तर : *(c)*

पांचों आदमियों के गुणों का चार्ट इस प्रकार है :

वजनी आदमी बातुनी है।
मोटा आदमी गोरा है।
दुबला-पतला आदमी बुद्धिमान है।
नाटा आदमी काला नहीं है।
लंबा आदमी कलाकार है।

प्रश्नमाला

निर्देश (प्रश्न 1 से 5) : *निम्नलिखित सूचना को ध्यानपूर्वक पढ़ें और पूछे गए प्रश्नों का उत्तर दें :*

(i) P, Q, R, S, T और U किसी परिवार के छह सदस्य हैं जिनमें से दो विवाहित जोड़े हैं।

(ii) T एक शिक्षक है और उसका विवाह एक डॉक्टर से हुआ है जो R और U की मां है।

(iii) Q एक वकील है और इसका विवाह **P से हुआ है।**

(iv) P का एक पुत्र और एक पोता है।

(v) दो विवाहित महिलाओं में से एक गृहिणी है।

(vi) परिवार में एक छात्र और एक इंजीनियर भी है जो पुरुष है।

1. निम्नलिखित में से कौन गृहिणी है?

(a) Q *(b)* P
(c) S *(d)* T
(e) इनमें से कोई नहीं

2. निम्नलिखित में से कौन सा समूह परिवार की महिलाओं का है?
   (a) QTR   (b) PSR
   (c) PSU   (d) दी गई सूचना अपर्याप्त है
   (e) इनमें से कोई नहीं

3. परिवार में पोती के बारे में निम्नलिखित में से कौन-सी सूचना सत्य है?
   (a) वह एक छात्रा है
   (b) वह एक इंजीनियर है
   (c) वह एक वकील है
   (d) दी गई सूचना अपर्याप्त है
   (e) इनमें से कोई नहीं

4. R का U से क्या संबंध है?
   (a) भाई   (b) बहन
   (c) भाई या बहन   (d) सूचना अपर्याप्त है
   (e) इनमें से कोई नहीं

5. P, R का कौन है?
   (a) दादा   (b) मां
   (c) बहन   (d) दादी
   (e) इनमें से कोई नहीं

निर्देश (प्रश्न 6 से 10) : *निम्नलिखित कथनों को ध्यानपूर्वक पढ़ें और पूछे गए प्रश्नों के उत्तर दें :*

(i) P, Q, R, S, T और U एक बस में यात्रा कर रहे हैं।
(ii) इस समूह में दो पत्रकार, दो तकनीशियन एक फोटोग्राफर और एक लेखक है।
(iii) फोटोग्राफर P का विवाह S से हुआ है जो एक पत्रकार है
(iv) लेखक का विवाह Q से हुआ है जो उसी पेशे से जुड़ा है जिससे U जुड़ा है
(v) P, R, Q, S दो विवाहित जोड़ों के नाम हैं और इस समूह में किसी भी व्यक्ति का एक सा पेशा नहीं है
(vi) U, R का भाई है।

6. R, U का कौन है?
   (a) भाई   (b) बहन
   (c) मां   (d) चाचा
   (e) निश्चित रूप से कहा नहीं जा सकता

7. निम्नलिखित में से किस जोड़े में केवल पति हैं?
   (a) PR   (b) QS
   (c) PQ   (d) QR
   (e) कहा नहीं जा सकता

8. निम्नलिखित में से किस जोड़े में केवल पत्रकार हैं?
   (a) ST   (b) PQ
   (c) RT   (d) SU
   (e) निश्चित रूप से कहा नहीं जा सकता

9. निम्नलिखित में से किस जोड़े में केवल तकनीशियन हैं?
   (a) PT   (b) QU
   (c) SU   (d) RS
   (e) PR

10. निम्नलिखित में से कौन सा एक विवाहित जोड़ा है?
   (a) QS   (b) PT
   (c) QR   (d) PQ
   (e) ST

निर्देश (प्रश्न 11 से 15) : *नीचे दी गई सूचना को ध्यानपूर्वक पढ़ें और पूछे गए प्रश्नों के उत्तर दें :*

A, B, C, D, E और F छह विषयों पर व्याख्यान सोमवार से रविवार तक प्रत्येक दिन केवल एक बार निम्नलिखित क्रम के अनुसार आयोजित किए जाते हैं :

(i) C विषय पर व्याख्यान शुक्रवार को आयोजित नहीं किया जाना है।
(ii) A विषय पर व्याख्यान को D विषय पर व्याख्यान के तत्काल बाद आयोजित किया जाना है।
(iii) B और F विषयों पर आयोजित व्याख्यानों के बीच दो दिन का अंतर रखा जाना है।
(iv) किसी एक दिन कोई भी व्याख्यान आयोजित नहीं किया जाना है (वह दिन शनिवार नहीं है), उस दिन से ठीक पहले वाले दिन F विषय पर व्याख्यान आयोजित किया जाना है।
(v) E विषय पर व्याख्यान बुधवार को आयोजित किया जाना है और इसके बाद वाले दिन F विषय पर व्याख्यान का आयोजन नहीं किया जाना है।

11. व्याख्यानों के आयोजन का एक पूरा अनुक्रम ज्ञात करने के लिए निम्नलिखित में से कौन सी सूचना अपेक्षित नहीं है?
   (a) केवल (i)   (b) केवल (ii)
   (c) केवल (v)   (d) केवल (i) और (ii)
   (e) उपर्युक्त सभी अपेक्षित हैं

12. निम्नलिखित में से किस विषय पर व्याख्यान अनुक्रम में सबसे अंत में आयोजित किया जाता है?
   (a) A   (b) C
   (c) B   (d) कहा नहीं जा सकता
   (e) इनमें से कोई नहीं

13. F और D विषयों पर व्याख्यानों के बीच कितने व्याख्यान आयोजित किए जाते हैं?
   (a) कोई भी नहीं   (b) एक
   (c) दो   (d) तीन
   (e) इनमें से कोई नहीं

14. D विषय पर व्याख्यान किस दिन आयोजित किया जाता है?
   (a) शुक्रवार   (b) शनिवार
   (c) रविवार   (d) बृहस्पतिवार
   (e) इनमें से कोई नहीं

15. किस दिन कोई भी व्याख्यान आयोजित नहीं किया जाता?
   (a) रविवार   (b) शुक्रवार
   (c) सोमवार   (d) कहा नहीं जा सकता
   (e) इनमें से कोई नहीं

निर्देश (प्रश्न 16 से 20) : *निम्नलिखित सूचना को ध्यानपूर्वक पढ़ें और नीचे पूछे गए प्रश्नों के उत्तर दें :*

(i) A, B, C, D, E और F किसी एक परिवार के छह सदस्य हैं जिसमें दो विवाहित जोड़े हैं

(ii) D, F का भाई है। D और F दोनों का वजन B से कम हैं

(iii) B, D की मां हैं, और उसका वजन E से कम है

(iv) C एक महिला है और उसका वजन परिवार के अन्य सदस्यों की तुलना में न तो सबसे अधिक है और न ही सबसे कम है

(v) E का वजन C से कम है

(vi) परिवार में एक दादा जी हैं जिनका वजन सबसे अधिक है

16. E का F से क्यां संबंध है ?

(*a*) दादी
(*b*) भाई
(*c*) पिता
(*d*) दी गई सूचना अपर्याप्त है
(*e*) इनमें से कोई नहीं

17. C का D से क्या संबंध है ?

(*a*) बहन (*b*) दादी
(*c*) मां (*d*) चचेरा भाई
(*e*) इनमें से कोई नहीं

18. परिवार में कितने पुरुष सदस्य हैं ?

(*a*) दी गई सूचना अपर्याप्त हैं
(*b*) 2
(*c*) 4
(*d*) 3
(*e*) इनमें से कोई नहीं

19. निम्नलिखित में विवाहित जोड़ा कौन सा है ?

(*a*) AD (*b*) BC
(*c*) AB (*d*) BE
(*e*) इनमें से कोई नहीं

20. यदि परिवार के सभी सदस्यों को एक पंक्ति में उनके वजन के अनुसार घटते क्रम में खड़ा किया जाए तो इस पंक्ति में दूसरे स्थान पर कौन होगा ?

(*a*) D
(*b*) A
(*c*) C
(*d*) कहा नहीं जा सकता
(*e*) इनमें से कोई नहीं

व्याख्यात्मक उत्तरमाला

प्रश्न संख्या 1 से 5 तक के उत्तर के लिए चार्ट

P — महिला/गृहिणी, Q — (पुरुष/वकील) — दादा-दादी

T — पुरुष/शिक्षक, S — (महिला/डॉक्टर) — माता-पिता

R, U — बच्चे

(R और U में से एक पुरुष इंजीनियर है और एक छात्र है)

1. (*b*) : एक विवाहित महिला S जो R और U की मां है, डाक्टर है। Q एक वकील है और उसका विवाह P से हुआ है। दो विवाहित महिलाओं में से एक गृहिणी है। चूंकि Q वकील है, अत: इससे जिस महिला का विवाह हुआ है और जो गृहिणी है वह निश्चित रूप से P होगी।

2. (*d*) : R और U का लिंग नहीं बताया गया है।

3. (*a*) : P का पुत्र T है और एक पोता है जो R या U है जिसमें से कोई एक इंजीनियर है। अत: परिवार में पोती एक छात्रा है।

4. (*c*) : R और U का लिंग नहीं बताया गया है किंतु ये दोनों S के बच्चे हैं तथा R और U में से एक पुरुष इंजीनियर है, अत: R,U का भाई या बहन है।

5. (*d*)

प्रश्न संख्या 6 से 10 तक के उत्तर के लिए चार्ट

P और S	—	पहला विवाहित जोड़ा
Q और R	—	दूसरा विवाहित जोड़ा
P	—	फोटोग्राफर
Q	—	तकनीशियन
R	—	लेखक
S	—	पत्रकार
T	—	पत्रकार
U	—	तकनीशियन

नोट : P, Q, R, S, T या U का लिंग नहीं दिया गया है।

6. (*e*) : U, R का भाई हैं किंतु R का लिंग नहीं दिया गया है।

7. (*e*) **8. (*a*)** **9. (*b*)** **10. (*c*)**

प्रश्न संख्या 11 से 15 के उत्तर के लिए चार्ट

दिन		व्याख्यान
सोमवार	—	कोई व्याख्यान नहीं
मंगलवार	—	C
बुधवार	—	E
बृहस्पतिवार	—	B
शुक्रवार	—	D
शनिवार	—	A
रविवार	—	F

11. (*e*) **12. (*e*)** **13. (*b*)** **14. (*a*)** **15. (*c*)**

प्रश्न संख्या 16 से 20 तक के उत्तर के लिए संक्षिप्त सूचना

A दादा हैं

B D और F की मां है। D, F का भाई है

C एक महिला है

वजन के घटते क्रम में परिवार के सदस्यों का विन्यास है — A, C, E, B, D/F.

16. *(d)* : E का परिवार के सदस्यों से संबंध का कोई ब्योरा नहीं दिया गया।

17. *(e)* : C और D के बीच संबंध का कोई ब्योरा नहीं दिया गया है।

18. *(a)* : परिवार के सदस्यों के लिंग के बारे में कोई सूचना नहीं दी गई है।

19. *(e)* : परिवार में विवाहित जोड़ा कौन है, इसके बारे में कोई सूचना नहीं दी गई है।

20. *(c)*

अध्याय 8 प्रतीक (चिह्न) प्रतिस्थापन

इस प्रकार के प्रश्नों को हल करना अत्यधिक सरल है। ऐसे प्रश्नों को हल करने की एकमात्र अपेक्षा यह है कि उम्मीदवार दिए गए प्रतीकों या चिह्नों को प्रतिस्थापित करने और परिकलन की विद्या में पारंगत हों और अत्यधिक त्वरित गति से दिए गए प्रश्नों का हल ज्ञात कर सके। इस श्रेणी में पूछे गए कुछ सामान्य प्रकार के प्रश्न नीचे हल किए गए हैं।

हल किए गए प्रश्न

1. यदि '+' का अर्थ '×' हो, '×' का अर्थ '÷' हो, '÷' का अर्थ '–' हो और '–' का अर्थ '+' हो, तो $2 - 8 \times 2 + 6 \div 7$ का मान क्या होगा?

(*a*) 32 (*b*) 19 (*c*) 23 (*d*) 9 (*e*) 15

उत्तर (*b*) : दिए गए व्यंजक में गणितीय चिह्नों को प्रतिस्थापित करने पर नया व्यंजक होगा :

$2 + 8 \div 2 \times 6 - 7$

इस व्यंजक को हल करने के निम्नलिखित चरण होंगे :

$2 + 4 \times 6 - 7$

$2 + 24 - 7$

$26 - 7 = 19$

2. यदि '▲' का अर्थ '+' हो,

'■' का अर्थ '–' हो,

'●' का अर्थ '÷' हो,

'∗' का अर्थ '×' हो, तो

13 ▲ 5 ∗ 20 ● 10 ■ 9 = ?

(*a*) 26 (*b*) 37 (*c*) 14 (*d*) 55 (*e*) 20

उत्तर (*c*) : चिह्नों को प्रतिस्थापित करने पर प्राप्त हुआ नया व्यंजक है :

$13 + 5 \times 20 \div 10 - 9$

इस व्यंजक को हल करने के चरण होंगे :

$13 + 5 \times 2 - 9$

$13 + 10 - 9$

$23 - 9 = 14$

प्रश्नमाला

1. यदि "+" का अर्थ "–"; "–" का अर्थ "×" हो; "×" का अर्थ "÷" हो और "÷" का अर्थ "+" हो, तो

$15 \times 5 \div 10 + 5 - 3 = ?$

(*a*) 9.5 (*b*) 0

(*c*) – 2 (*d*) 24

(*e*) इनमें से कोई नहीं

2. यदि "+" का अर्थ "–" हो; "–" का अर्थ "×" हो; "×" का अर्थ "÷" हो; और "÷" का अर्थ "+" हो, तो

$15 \times 3 \div 15 + 5 - 2 = ?$

(*a*) 0 (*b*) 10

(*c*) 20 (*d*) 6

(*e*) इनमें से कोई नहीं

3. यदि "+" का अर्थ "÷" हो; "×" का अर्थ "–" हो; "÷" का अर्थ "+" हो और "–" का अर्थ "×" हो, तो
$16 \div 8 \times 6 - 2 + 12 = ?$
(a) 22 (b) 24
(c) 23 (d) 20
(e) इनमें से कोई नहीं

4. यदि "+" का अर्थ "×" हो; "–" का अर्थ "÷" हो; "÷" का अर्थ "+" हो और "×" का अर्थ "–" हो, तो $20 \div 40 - 4 \times 5 + 6$ का मान निम्नलिखित में से क्या होगा?
(a) 60 (b) 1.67
(c) 150 (d) 0
(e) इनमें से कोई नहीं

5. यदि "+" का अर्थ "×" हो; "–" का अर्थ "÷" हो; "×" का अर्थ "–" हो और "÷" का अर्थ "+" हो, तो
$5 + 8 - 4 \times 2 \div 9 = ?$
(a) 15 (b) 13
(c) 17 (d) 11
(e) इनमें से कोई नहीं

6. यदि × का आशय जोड़ की संक्रिया से हो, ÷ का आशय घटाव की संक्रिया से हो, + का आशय गुणा की संक्रिया से हो और – का आशय भाग की संक्रिया से हो तो $(20 \times 6 \div 6 \times 4)$ निम्नलिखित में से किसके बराबर है?
(a) 5 (b) 24
(c) 25 (d) 80
(e) इनमें से कोई नहीं

7. यदि "+" का अर्थ "×" हो; "÷" का अर्थ "–" हो; "×" का अर्थ "÷" हो और "–" का अर्थ "+" हो, तो निम्नलिखित व्यंजक का क्या मान होगा?
$4 + 11 \div 5 - 50 = ?$
(a) 79 (b) – 11
(c) 91 (d) – 48.5
(e) इनमें से कोई नहीं

8. यदि "+" का अर्थ "÷" हो; "÷" का अर्थ "–" हो; "–" का अर्थ "×" हो और "×" का अर्थ "+" हो, तो
$10 \div 2 - 15 + 3 \times 5 = ?$
(a) 10 (b) 15
(c) 25 (d) 5
(e) 0

9. यदि A का आशय 'जोड़' की संक्रिया से हो, B का आशय 'घटाव' की संक्रिया से हो, C का आशय 'गुणा' की संक्रिया से हो और D का आशय 'भाग' की संक्रिया से हो, तो 4A 3B 3A 2 का मान होगा :
(a) 2 (b) 4
(c) 6 (d) 8
(e) 10

10. यदि x का आशय 'जोड़' की संक्रिया से हो, y का आशय 'घटाव' की संक्रिया से हो, z का आशय 'भाग' की संक्रिया से हो और p का आशय 'गुणा' की संक्रिया से हो, तो (7 p 3) y 6 x 5 का मान क्या होगा?
(a) 5 (b) 10
(c) 15 (d) 20
(e) 25

11. यदि "+" का अर्थ "÷" हो; "÷" का अर्थ "–" हो; "–" का अर्थ "×" हो और "×" का अर्थ "+" हो तो व्यंजक $8 + 2 \div 3 - 4 \times 6$ का मान निम्नलिखित में से क्या होगा?
(a) – 2 (b) $-15\frac{1}{3}$
(c) 12 (d) 15
(e) इनमें से कोई नहीं

12. यदि "÷" का अर्थ "+" हो; "+" का अर्थ "×" हो; "–" का अर्थ "÷" हो और "×" का अर्थ "–" हो, तो
$5 + 8 - 4 \times 2 \div 9 = ?$
(a) 13 (b) 15
(c) 11 (d) 17
(e) इनमें से कोई नहीं

13. यदि 'जोड़' का अर्थ 'भाग' हो ; 'भाग' का अर्थ 'घटाव' हो, 'घटाव' का अर्थ 'गुणा' हो और 'गुणा' का अर्थ 'जोड़' हो तो
$12 + 6 \div 3 - 2 \times 8 = ?$
(a) 4 (b) 2
(c) – 2 (d) 8
(e) 6

14. निम्नलिखित समीकरण के रिक्त स्थानों में नीचे दिए गए विकल्पों में से किस विकल्प के चिह्नों को प्रतिस्थापित किया जाएगा?
9 . . . 8 . . . 8 . . . 4 . . . 9 = 65
(a) – + × ÷ (b) ÷ × + –
(c) ÷ + × – (d) × + ÷ –
(e) + × ÷ –

15. यदि "÷" का अर्थ "+" हो; "–" का अर्थ "÷" हो; "×" का अर्थ "–" हो और "+" का अर्थ "×" हो, तो
$32 \div 8 - 4 \times 12 + 4 = ?$
(a) 40 (b) 1/12
(c) 16 (d) 12
(e) इनमें से कोई नहीं

16. यदि "x" का आशय "+" है; "y" का आशय "–" है; "z" का आशय "÷" है और "w" का आशय "×" है तो
$10w\ 2x\ 5y\ 5 = ?$
(a) 15 (b) 12
(c) 20 (d) 10
(e) 25

17. यदि "–" का आशय "×" है; "×" का आशय "+" है; "+" का आशय "÷" है और "÷" का आशय "–" है, तो निम्नलिखित व्यंजक का मान ज्ञात करें :
$8 - 4 + 16 \times 8 - 10 = ?$
(a) 54 (b) 82
(c) 15 (d) 10
(e) 110

18. यदि Δ का अर्थ =; + का अर्थ >, – का अर्थ <, □ का अर्थ ≠, × का अर्थ ≯ और ÷ का अर्थ ≮ हो तो a + b – c से निम्नलिखित में से कौन सा व्यंजक सूचित होता है?
(a) b Δ c □ a (b) b □ a ÷ c
(c) a ÷ b × c (d) b – a + c
(e) इनमें से कोई नहीं

19. यदि दिए गए चिह्नों + और – को एक दूसरे के स्थान पर रखा जाए तो निम्नलिखित में से कौन सा समीकरण सही होगा ?

(*a*) $2 + 7 - 8 = 3$
(*b*) $3 - 1 + 4 = 2$
(*c*) $9 + 3 - 5 = 7$
(*d*) $6 + 3 - 8 = 5$
(*e*) इनमें से कोई नहीं

20. यदि 'A' का आशय '×', 'B' का आशय '–', 'C' का आशय '+' और 'D' का आशय '÷' हो तो निम्नलिखित समीकरण का मान बताएँ?

8 B 3 C 10 A 2 D 5

(*a*) 7 (*b*) 1
(*c*) 9 (*d*) 13
(*e*) 11

व्याख्यात्मक उत्तरमाला

1. (*c*) : $15 \div 5 + 10 - 5 \times 3$
$3 + 10 - 15 = -2$

2. (*b*) : $15 \div 3 + 15 - 5 \times 2$
$5 + 15 - 10 = 10$

3. (*c*) : $16 + 8 - 6 \times 2 \div 12$
$16 + 8 - 1 = 23$

4. (*d*) : $20 + 40 \div 4 - 5 \times 6$
$20 + 10 - 30 = 0$

5. (*c*) : $5 \times 8 \div 4 - 2 + 9$
$10 - 2 + 9 = 17$

6. (*b*) : $20 + 6 - 6 + 4 = 24$

7. (*e*) : $4 \times 11 - 5 + 50$
$44 - 5 + 50 = 89$

8. (*d*) : $10 - 2 \times 15 \div 3 + 5$
$10 - 10 + 5 = 5$

9. (*c*) : $4 + 3 - 3 + 2 = 6$

10. (*d*) : $(7 \times 3) - 6 + 5$
$21 - 6 + 5 = 20$

11. (*a*) : $8 \div 2 - 3 \times 4 + 6$
$4 - 12 + 6 = -2$

12. (*d*) : $5 \times 8 \div 4 - 2 + 9$
$10 - 2 + 9 = 17$

13. (*a*) : $12 \div 6 - 3 \times 2 + 8$
$2 - 6 + 8 = 4$

14. (*d*) : (*a*) $9 - 8 + 8 \times 4 \div 9 = 65$
($8 \times 4 \div 9$ का उत्तर भिन्न रूप में प्राप्त होता है। चूँकि परिणाम 65 एक पूर्णांक है, अत: आगे परिकलन की आवश्यकता नहीं है।)

(*b*) $9 \div 8 \times 8 + 4 - 9 = 65$
$9 + 4 - 9$ अर्थात् $4 = 65$

(*c*) $9 \div 8 + 8 \times 4 - 9 = 65$
($9 \div 8$ का परिणाम भिन्न रूप में प्राप्त होता है)

(*d*) $9 \times 8 + 8 \div 4 - 9 = 65$
$72 + 2 - 9$ अर्थात् $65 = 65$

(*e*) $9 + 8 \times 8 \div 4 - 9$
$9 + 16 - 9$ अर्थात् $16 = 65$

15. (*e*) : $32 + 8 \div 4 - 12 \times 4$
$32 + 2 - 48 = -14$

16. (*c*) : $10 \times 2 + 5 - 5$
$20 + 5 - 5 = 20$

17. (*b*) : $8 \times 4 \div 16 + 8 \times 10$
$2 + 80 = 82$

18. (*d*) : दिया गया है कि $a > b < c$
समीकरण हैं :
(*a*) $b = c \neq a$ जो गलत है
(*b*) $b \neq a < c$ जो गलत है
(*c*) $a < b > c$ जो गलत है
(*d*) $b < a > c$ जो सही है
अत: '*d*' सही उत्तर है।

19. (*a*) : चिह्नों को एक दूसरे के स्थान पर रखने पर प्राप्त समीकरण होगा :
(*a*) $2 - 7 + 8 = 3$ जो सही है
(*b*) $3 + 1 - 4 = 0$
(*c*) $9 - 3 + 5 = 11$
(*d*) $6 - 3 + 8 = 11$

20. (*c*) : $8 - 3 + 10 \times 2 \div 5$
$8 - 3 + 4 = 9$

अध्याय 9

वेन आरेख

इस प्रकार के परीक्षण में आरेखों द्वारा निरूपित दो या दो से अधिक वस्तुओं या तथ्यों या मदों के बीच संबंध स्थापित करना होता है। आरेखों द्वारा निरूपित मदें कोई पृथक वस्तु या प्राणी या व्यक्तियों का कोई विशिष्ट दल/वर्ग आदि हो सकती हैं। दिए गए आरेखों को अच्छी तरह समझ लेने पर अभ्यर्थियों के समक्ष प्रश्न से संबंधित अवधारणा स्पष्ट हो जाती है और वे अपनी प्रेक्षण शक्ति के आधार पर सही या तर्कसम्मत उत्तर पर सरलतापूर्वक पहुंच सकते हैं।

हल किए गए प्रश्न

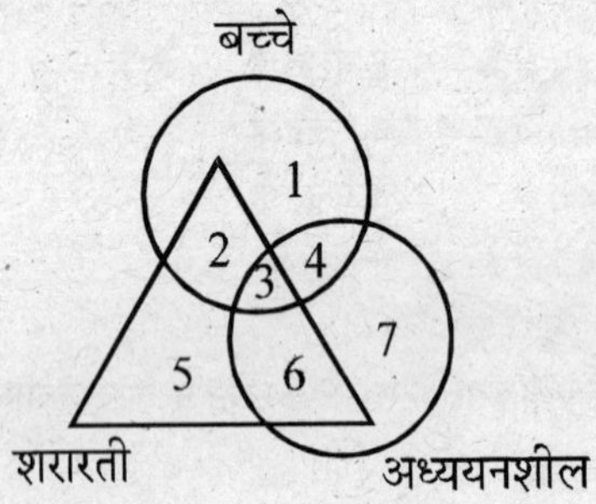

उपर्युक्त आरेख का सावधानीपूर्वक अध्ययन करें और आकृति के उस भाग को विनिर्दिष्ट करें जो उन बच्चों को निरूपित करता है जो शरारती भी हैं और अध्ययनशील भी।

(*a*) 3 और 6 (*b*) 2 और 4 (*c*) केवल 3 (*d*) केवल 4 (*e*) केवल 1

उत्तर (*c*) : जो बच्चे शरारती भी हैं और अध्ययनशील भी उन्हें निम्नलिखित आरेख द्वारा दर्शाया जा सकता है :

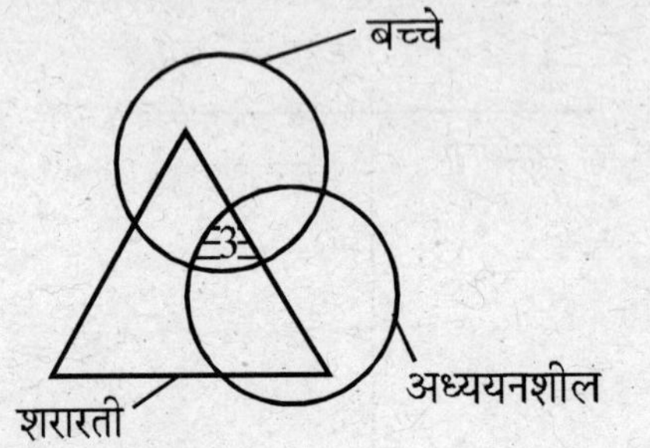

यह स्पष्ट है कि दिए गए आरेख का भाग 3 उपर्युक्त तीनों वर्गों को निरूपित करता है।

प्रश्नमाला

निर्देश (प्रश्न 1 से 4) : *दी गई आकृति में वृत्त खिलाड़ियों को निरूपित करता है, त्रिभुज घर से बाहर खेले जाने वाले खेलों को निरूपित करता है, षड्भुज घर के भीतर खेले जाने वाले (इन्डोर) खेलों को निरूपित करता है और वर्ग राष्ट्रीय स्तर के खिलाड़ियों को निरूपित करता है। इस आरेख का सावधानीपूर्वक अध्ययन करें और नीचे पूछे गए प्रश्नों के उत्तर दें :*

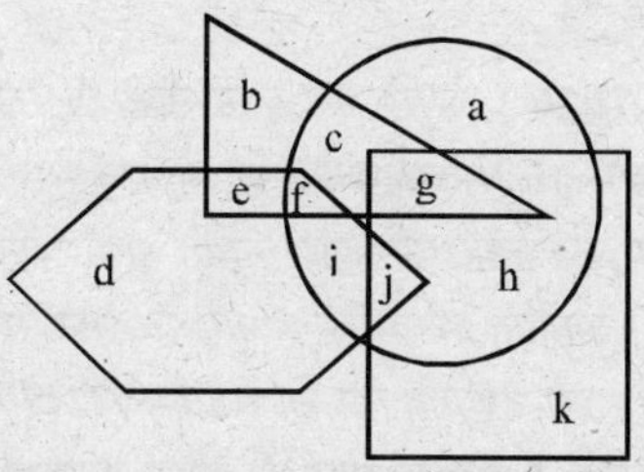

1. आकृति का कौन-सा भाग राष्ट्रीय स्तर पर इन्डोर खेलों (घर के भीतर खेले जाने वाले खेलों) को खेलने वाले खिलाड़ियों को निरूपित करता है?
(*a*) f (*b*) i
(*c*) j (*d*) g
(*e*) h

2. आकृति का कौन-सा भाग खेल के मैदान में खेले जाने वाले (आउटडोर) खेलों और इन्डोर खेलों दोनों के उन खिलाड़ियों को निरूपित करता है जो राष्ट्रीय स्तर के खिलाड़ी नहीं हैं :
(*a*) c (*b*) f
(*c*) e (*d*) i
(*e*) k

3. आकृति का कौन-सा भाग राष्ट्रीय स्तर के ऐसे खिलाड़ियों को निरूपित करता है जो आउटडोर या इन्डोर कोई भी खेल नहीं खेलते किंतु फिर भी वे खिलाड़ियों की श्रेणी में हैं?
(*a*) k (*b*) g
(*c*) c (*d*) h
(*e*) a

4. ऐसे व्यक्ति जो आउटडोर खेल खेलते हैं किंतु खिलाड़ियों की श्रेणी में नहीं हैं, निम्नलिखित में से आकृति के किस भाग द्वारा निरूपित होते हैं?
(*a*) b (*b*) c
(*c*) a (*d*) d
(*e*) e

निर्देश (प्रश्न 5 से 8) : *नीचे दिए गए आरेख का सावधानी-पूर्वक अध्ययन करें :*

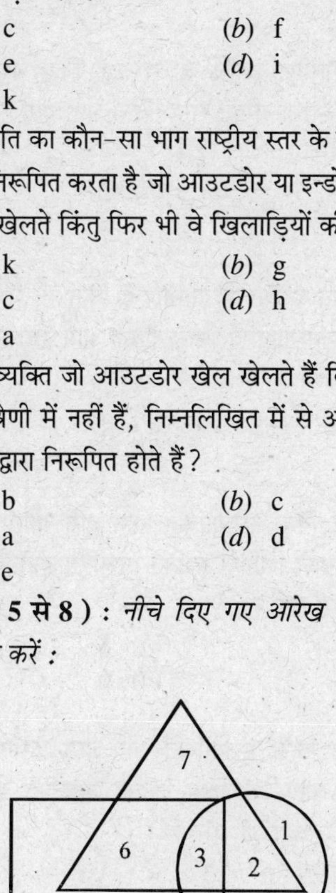

एक कॉलेज में तीन विभिन्न क्रियाकलापों को चलाने की अनुमति दी गई है। छात्र संघ त्रिभुज द्वारा निरूपित होता है, साहित्य सेवा समाज आयत द्वारा निरूपित होता है और सामाजिक सेवा संघ वृत्त द्वारा निरूपित होता है।

5. जो छात्र साहित्य सेवा समाज और सामाजिक सेवा संघ दोनों के क्रियाकलापों में भाग लेते हैं किंतु छात्र संघ के क्रियालापों में भाग नहीं लेते, उन्हें निम्नलिखित में से किसके द्वारा निरूपित किया जा सकता है?
(*a*) 3 एवं 4
(*b*) 5 एवं 6
(*c*) 5 एवं 1
(*d*) 4
(*e*) 2

6. जो छात्र छात्र संघ के क्रियाकलापों में भाग लेते हैं किंतु सामाजिक सेवा संघ के क्रियाकलापों में भाग नहीं लेते उन्हें निम्नलिखित में से किसके द्वारा निरूपित किया जा सकता है?
(*a*) 2 एवं 7 (*b*) 6 एवं 7
(*c*) 6 (*d*) 7
(*e*) 3

7. जो छात्र केवल साहित्य सेवा समाज के सदस्य हैं किंतु किसी भी अन्य क्रियाकलाप में भाग नहीं लेते उन्हें निम्नलिखित में से किसके द्वारा निरूपित किया जाता है?
(*a*) 2 (*b*) 5
(*c*) 3 एवं 4 (*d*) 3
(*e*) 4 एवं 6

8. जो छात्र सभी तीनों समूहों के सदस्य हैं, उन्हें निम्नलिखित में से किसके द्वारा निरूपित किया जा सकता है?
(*a*) 2 (*b*) 3
(*c*) 4 (*d*) 6
(*e*) 7

निर्देश (प्रश्न 9 से 12) : *नीचे दिए गए आरेख में वृत्त शिक्षित व्यक्तियों को निरूपित करता है, वर्ग कठोर-परिश्रमी व्यक्तियों को निरूपित करता है, त्रिभुज शहरी व्यक्तियों को निरूपित करता है और आयत ईमानदार व्यक्तियों को निरूपित करता है। आकृति के विभिन्न भाग 1 से 12 तक की संख्या द्वारा निरूपित किए गए हैं। इस आकृति का सावधानीपूर्वक अध्ययन करें और पूछे गए प्रश्नों के उत्तर दें।*

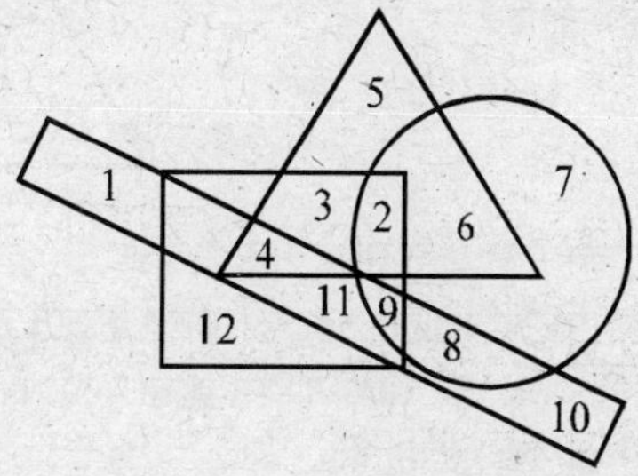

9. इस आरेख में अशिक्षित, शहरी, कठोर-परिश्रमी और ईमानदार व्यक्ति निम्नलिखित में से किसके द्वारा निरूपित किए गए हैं ?

(*a*) 3 (*b*) 11
(*c*) 9 (*d*) 4
(*e*) 2

10. शहरों में नहीं रहने वाले शिक्षित व्यक्ति जो न तो कठोर-परिश्रमी हैं और न ही ईमानदार, आकृति के निम्नलिखित में से किस भाग द्वारा सूचित होते हैं ?

(*a*) 5 (*b*) 7
(*c*) 10 (*d*) 11
(*e*) 4

11. आकृति के किस भाग द्वारा वे शहरी शिक्षित व्यक्ति निरूपित होते हैं जो न तो ईमानदार हैं और न ही कठोर-परिश्रमी ?

(*a*) 9 (*b*) 11
(*c*) 4 (*d*) 5
(*e*) 6

12. शहरों में नहीं रहने वाले व्यक्ति जो ईमानदार शिक्षित और कठोर-परिश्रमी हैं, आकृति के निम्नलिखित में से किस भाग द्वारा निरूपित होते हैं ?

(*a*) 11 (*b*) 10
(*c*) 8 (*d*) 9
(*e*) 2

निर्देश (प्रश्न 13 से 16) : *नीचे दिए गए आरेख के आधार पर प्रश्न संख्या 29 से 33 तक के प्रश्नों के उत्तर दें।*

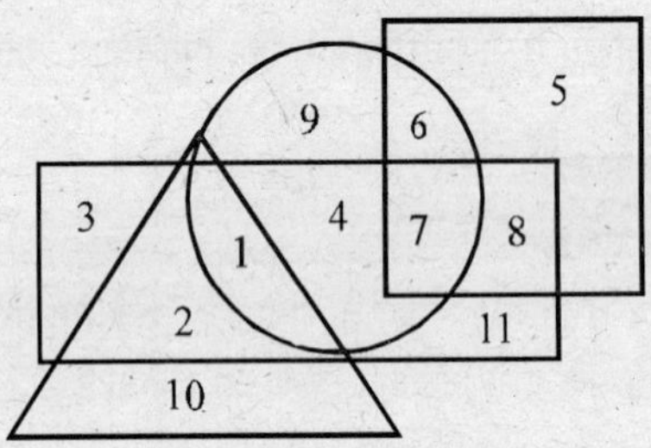

ऊपर के आरेख में आयत कुंवारे व्यक्तियों को निरूपित करता है, वर्ग दिल्ली शहर को निरूपित करता है, वृत्त अंग्रेजी भाषा को निरूपित करता है और त्रिभुज पर्यटकों को निरूपित करता है।

13. आकृति का कौन-सा भाग ऐसे कुंवारे पर्यटकों को निरूपित करता है जो अंग्रेजी भाषा जानते हैं ?

(*a*) 2 (*b*) 1
(*c*) 7 (*d*) 4
(*e*) 9

14. आकृति का कौन-सा भाग उन कुंवारे व्यक्तियों को निरूपित करता है जो दिल्ली शहर में रहते हैं और जो अंग्रेजी भाषा नहीं जानते ?

(*a*) 6 (*b*) 7
(*c*) 8 (*d*) 9
(*e*) 5

15. निम्नलिखित में से कौन सा/से सत्य है/हैं ?

(*a*) कुछ पर्यटक दिल्ली शहर की सीमा में रहते हैं।
(*b*) दिल्ली शहर की सीमा में रहने वाला कोई भी व्यक्ति अंग्रेजी नहीं जानता है।
(*c*) दिल्ली शहर में आने वाले कुछ पर्यटक और यहां रहने वाले कुछ व्यक्ति अंग्रेजी बोलते हैं।
(*d*) उपर्युक्त में से कोई भी कथन सत्य नहीं है।
(*e*) उपर्युक्त सभी कथन सत्य हैं।

16. निम्नलिखित में से किस संख्या द्वारा निरूपित भाग उन पर्यटकों को सूचित करता है जो कुंवारें हैं और अंग्रेजी भाषा नहीं जानते ?

(*a*) 1 (*b*) 3
(*c*) 4 (*d*) 10
(*e*) 2

निर्देश (प्रश्न 17 से 20) : *पूछे गए प्रश्न नीचे दी गई आकृति पर आधारित हैं जिसमें वृत्त शिक्षित व्यक्तियों को, वर्ग सुस्त व्यक्तियों को, त्रिभुज ग्रामीण व्यक्तियों को और आयत भ्रष्ट व्यक्तियों को निरूपित करता है। आकृति में विभिन्न भाग विशिष्ट संख्या द्वारा सूचित किए गए हैं। इस आकृति का सावधानीपूर्वक अध्ययन करें और दिए गए विकल्पों से प्रत्येक प्रश्न के संदर्भ में सही उत्तर का चयन करें।*

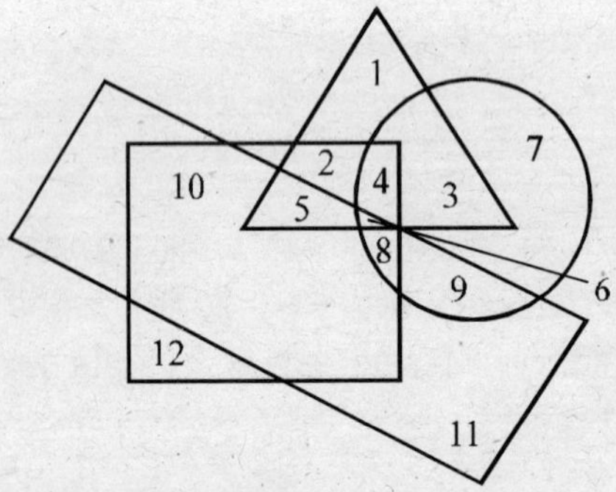

17. अशिक्षित ग्रामीण व्यक्ति जो सुस्त हैं किंतु भ्रष्ट नहीं हैं, आकृति में निम्नलिखित संख्यांकित भाग द्वारा सूचित होते हैं :

(*a*) 1 (*b*) 2
(*c*) 5 (*d*) 4
(*e*) 6

18. सुस्त शिक्षित व्यक्ति जो ग्रामीण हैं किंतु जो भ्रष्ट नहीं हैं, आकृति के निम्नलिखित संख्यांकित भाग द्वारा सूचित होते हैं :

(*a*) 3 (*b*) 4
(*c*) 2 (*d*) 6
(*e*) 8

19. आकृति के किस संख्यांकित भाग द्वारा ग्रामीण क्षेत्रों में नहीं रहने वाले शिक्षित व्यक्ति निरूपित होते हैं जो भ्रष्ट हैं किंतु सुस्त नहीं हैं ?

(*a*) 9 (*b*) 8
(*c*) 10 (*d*) 6
(*e*) 12

20. आकृति के किस संख्यांकित भाग द्वारा ग्रामीण क्षेत्रों में नहीं रहने वाले अशिक्षित व्यक्ति निरूपित होते हैं जो भ्रष्ट नहीं हैं किंतु जो सुस्त हैं ?

(*a*) 8 (*b*) 10
(*c*) 11 (*d*) 12
(*e*) 9

व्याख्यात्मक उत्तरमाला

1. *(c)*, **2.** *(b)*, **3.** *(d)*, **4.** *(a)* :

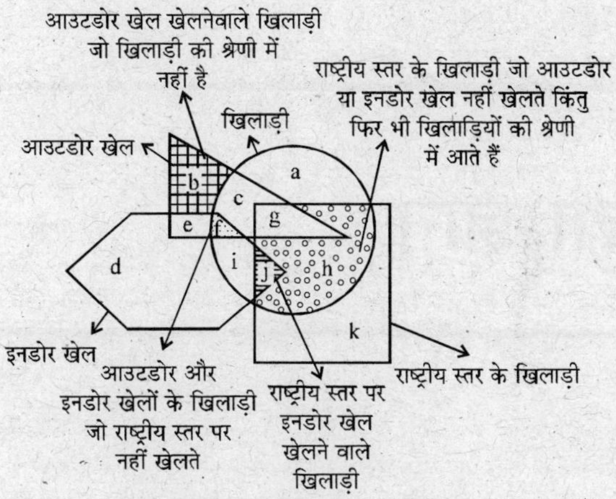

5. *(d)*, **6.** *(b)*, **7.** *(b)*, **8.** *(b)* :

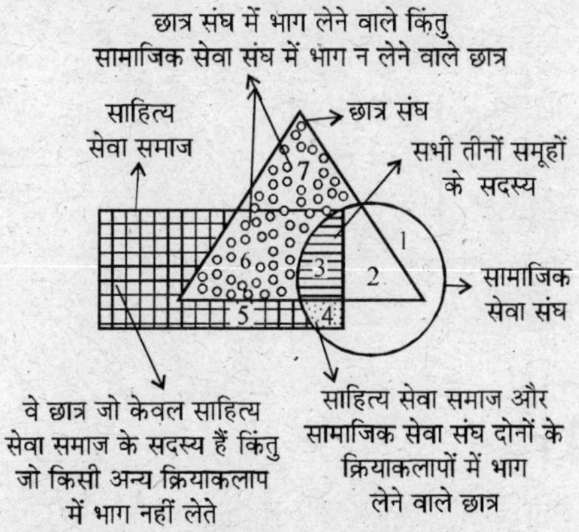

9. *(d)*, **10.** *(b)*, **11.** *(e)*, **12.** *(d)* :

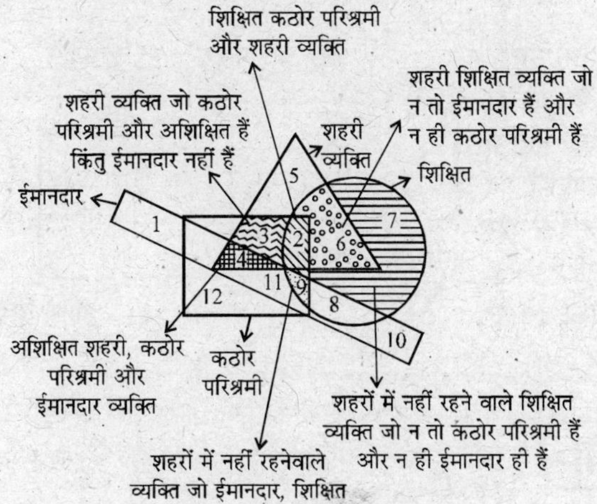

13. *(b)*,
14. *(c)*,
15. *(c)*,
16. *(e)* :

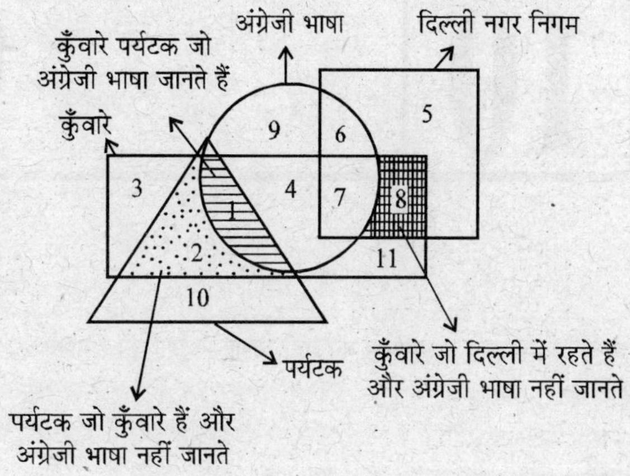

टिप्पणी : दिल्ली नगर निगम क्षेत्र में कोई पर्यटक नहीं है। आकृति के भाग 1, 6 और 7 प्रश्न संख्या 31 के उत्तर को स्पष्ट करते हैं। भाग 9 और 4 प्रश्न संख्या 33 के संदर्भ में विकल्प *(c)* को उपयुक्त ठहराते हैं।

17. *(b)*, **18.** *(b)*, **19.** *(a)*, **20.** *(d)* :

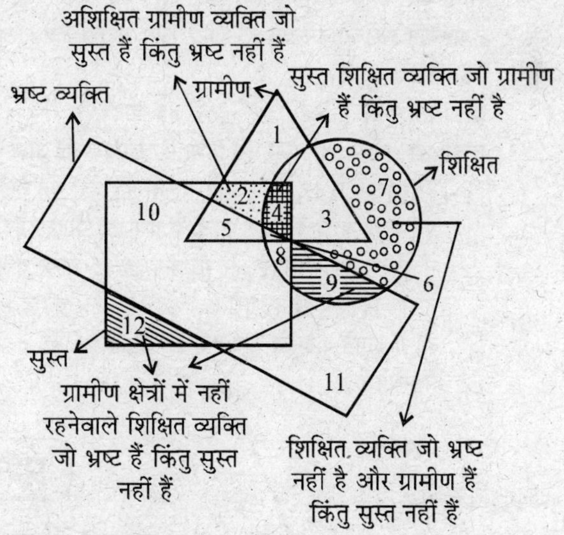

अध्याय 10 दिशा ज्ञान

इस प्रकार के प्रश्न अभ्यर्थियों की सही दिशा-निर्देशों को समझने की योग्यता की जांच करने हेतु पूछे जाते हैं। ऐसे प्रश्न दिशा-चार्ट पर आधारित होते हैं :

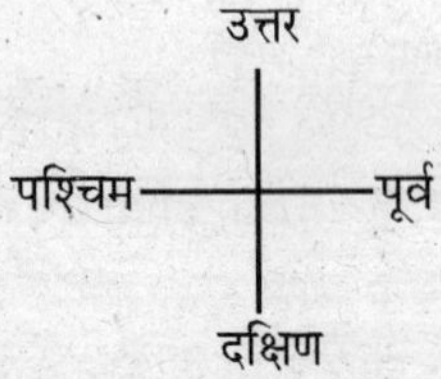

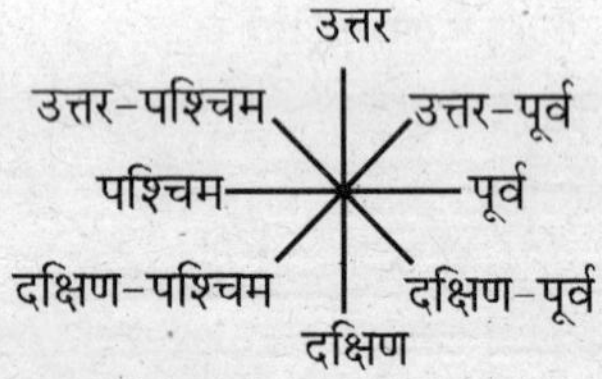

विभिन्न दिशाओं का बोध बाएं या दाएं मोड़ या कोणीय मोड़ों द्वारा निर्देशित होता है।

हल किए गए प्रश्न

शोभा पूर्व की ओर मुंह करके खड़ी थी। वह अपने स्थान से 20 मीटर आगे चली और तब बाएं मुड़कर वह 15 मीटर चली और तत्पश्चात् दाएं मुड़कर वह 25 मीटर आगे चली। अंततः वह दाएं मुड़कर 15 मीटर और आगे चली। तब वह अपने शुरू के स्थान से कितनी दूरी पर है?

(*a*) 25 मीटर (*b*) 35 मीटर (*c*) 50 मीटर (*d*) 45 मीटर (*e*) 75 मीटर

उत्तर (*d*) : शोभा 20 मीटर पूर्व दिशा में चलकर बाईं ओर मुड़ जाती है। तब वह उत्तर दिशा में 15 मीटर आगे चलती है। वहां वह दाईं ओर मुड़कर फिर से पूर्व दिशा में चलना शुरु करती है तथा 25 मीटर और आगे चलती है। अंत में दक्षिण दिशा में दाईं ओर मुड़कर वह 15 मीटर चलती है। वह उत्तर और दक्षिण दिशा में समान दूरी (अर्थात् 15 मीटर की दूरी) तय करती है। अतः शोभा अपने शुरू के स्थान से 20 मी. + 25 मी. = 45 मीटर की दूरी पर पहुंचती है।

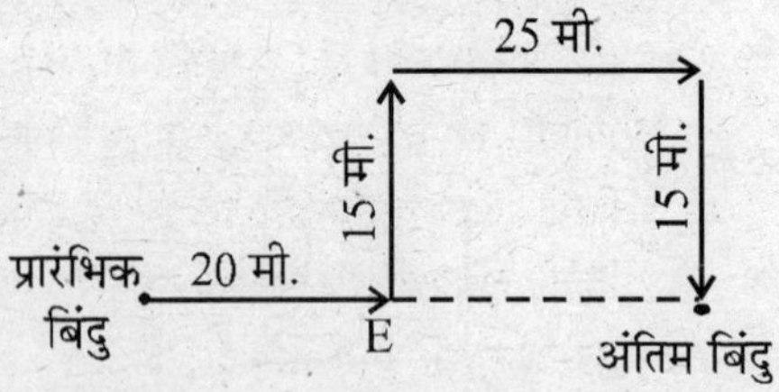

प्रश्नमाला

1. यदि उत्तर का उत्तर-पश्चिम, उत्तर-पश्चिम का पश्चिम, पश्चिम का दक्षिण-पश्चिम और इसी प्रकार अन्य दिशाओं का भी नामकरण किया जाए तो दक्षिण पूर्व को क्या कहा जाएगा?

(*a*) पूर्व (*b*) पश्चिम
(*c*) उत्तर-पूर्व (*d*) दक्षिण-पूर्व
(*e*) उत्तर-पश्चिम

2. मैं अपने घर से उत्तर दिशा में 15 मीटर चला, तब पश्चिम दिशा में मुड़कर 10 मीटर और आगे चला, यहां दक्षिण दिशा में मुड़कर मैंने 5 मीटर की एक अन्य दूरी तय की और तब पूर्व की ओर मुड़कर 10 मीटर की दूरी तय की। बताइए कि मैं अपने आरंभिक स्थान से किस दिशा में हूँ?

(*a*) पूर्व (*b*) पश्चिम
(*c*) उत्तर (*d*) दक्षिण
(*e*) उत्तर-पूर्व

3. राज पश्चिम दिशा में चल रहा है। वह आगे चलते हुए अपने दाएं, फिर दाएं और तब बाएं, हर बार 45° के कोण पर मुड़ा। बताइए कि अब वह किस दिशा में चल रहा है?

(*a*) उत्तर-पूर्व (*b*) दक्षिण-पूर्व
(*c*) पूर्व (*d*) पश्चिम
(*e*) उत्तर-पश्चिम

4. जतिन अपने घर से उत्तर दिशा में 12 किमी. चलता है। तब वह अपनी दायीं ओर मुड़कर 12 किमी. की एक अन्य दूरी तय करता है। वह एक बार फिर से दायीं ओर मुड़ता है और 12 किमी. की एक अन्य दूरी तय करके बायीं ओर मुड़ता है ओर तब 5 किमी. आगे चलता है। बताइए कि इस समय वह अपने घर से कितनी दूरी पर है और किस दिशा में है?

(*a*) 7 किमी., पूर्व दिशा
(*b*) 10 किमी., पूर्व दिशा
(*c*) 17 किमी., पूर्व दिशा
(*d*) 24 किमी., पूर्व दिशा
(*e*) 29 किमी., पूर्व दिशा

5. एक महिला उत्तर दिशा में 12 किमी. चलती है, तब वह दक्षिण दिशा में 6 किमी. चलती है और तत्पश्चात् पूर्व दिशा में 8 किमी चलती है। इस समय वह अपने आरंभिक बिंदु से कितनी दूरी पर है और किस दिशा में चल रही है?

(*a*) 5 किमी., उत्तर-पूर्व (*b*) 5 किमी., पूर्व
(*c*) 10 किमी., उत्तर-पूर्व (*d*) 10 किमी., पश्चिम
(*e*) 10 किमी., उत्तर

6. मनु अपने घर से उत्तर दिशा में 40 किमी. चलती है, फिर दाएं मुड़कर 80 किमी. आगे जाती है जहां वह एक बार फिर से दाएं मुड़कर 30 किमी. आगे चलती है अंत में वह एक बार फिर से दाएं मुड़ती है और इस मार्ग पर वह 80 किमी. आगे की यात्रा करती है। यदि यहां से वह सीधे 50 किमी. आगे बढ़ती है और तब बाएं मुड़कर अंतिम 10 किमी. की एक और दूरी तय करती हो तो बताइए कि अब वह अपने घर से कितनी दूरी पर है?

(*a*) 10 किमी. (*b*) 30 किमी.
(*c*) 40 किमी. (*d*) 50 किमी.
(*e*) 90 किमी.

7. मैं अपने घर से 18 किमी. उत्तर की ओर चलता हूं और तब बाईं ओर मुड़कर 4 किमी. की एक अन्य दूरी तय करता हूं जहां से दायीं ओर मुड़कर मैं 12 किमी. की एक अन्य दूरी तय करता हूं। बताइए कि इस समय मैं अपने घर से (लगभग) कितनी दूरी पर और किस दिशा में हूं?

(*a*) 8 किमी. उत्तर (*b*) 10 किमी. पश्चिम
(*c*) 16 किमी. दक्षिण (*d*) 30 किमी. उत्तर
(*e*) 34 किमी. उत्तर

8. एक रेलगाड़ी अपने आरंभिक स्टेशन से चलकर पश्चिम दिशा में 120 किमी. जाती है, तब दक्षिण दिशा में 30 किमी. और उसके बाद किसी एक स्टेशन पर पहुंचने से पहले पूर्व दिशा में 80 किमी. चलती है। बताइए कि यह स्टेशन ट्रेन के आरंभिक स्टेशन से किस दिशा में है?

(*a*) दक्षिण-पश्चिम
(*b*) उत्तर-पश्चिम
(*c*) दक्षिण-पूर्व
(*d*) दक्षिण
(*e*) इनमें से कोई नहीं

9. यदि सभी दिशाएं घूम जाएं अर्थात् यदि उत्तर दिशा घूमकर पश्चिम दिशा हो जाए और पूर्व दिशा घूमकर उत्तर दिशा हो जाए तथा इसी प्रकार अन्य दिशाएं भी घूम जाएं तो उत्तर-पश्चिम दिशा बदल कर कौन-सी दिशा हो जाएगी?

(*a*) दक्षिण-पश्चिम (*b*) उत्तर-पूर्व
(*c*) पूर्व-उत्तर (*d*) पूर्व-पश्चिम
(*e*) दक्षिण-पूर्व

10. राज की कार का मुंह पश्चिम की ओर है। वह अपनी कार को बायीं ओर मोड़ कर 10 किमी. जाता है, और फिर से बायीं ओर मुड़कर 10 किमी. और आगे जाता है। वहां वह दायीं ओर मुड़ता है और 40 किमी. आगे जाता है। वहां वह एक बार फिर से दायीं ओर मुड़ता है और 30 किमी. आगे जाता है। अंत में वह एक बार फिर दायीं ओर मुड़कर 50 किमी. आगे जाता है। बताइए कि अब वह अपने आरंभिक स्थान से कितनी दूर है?

(*a*) 10 किमी. (*b*) 20 किमी.
(*c*) 40 किमी. (*d*) 60 किमी.
(*e*) 50 किमी.

11. A और B किसी एक बिंदु से एक साथ चलना आरंभ करते हैं। वे उत्तर दिशा में 10 किमी. जाते हैं। वहां A बायीं ओर मुड़ कर 5 किमी. आगे जाता है जबकि B दायीं ओर मुड़कर 3 किमी. आगे जाता है जहां से A एक बार फिर से बायीं ओर मुड़कर 15 किमी. आगे जाता है और B दायीं ओर मुड़कर 15 किमी. आगे जाता है। बताइए कि अब A और B एक दूसरे से कितनी दूरी पर हैं?

(*a*) 18 किमी. (*b*) 10 किमी.
(*c*) 5 किमी. (*d*) 8 किमी.
(*e*) 15 किमी.

12. एक व्यक्ति उत्तर दिशा में चल रहा है। यदि वह पश्चिम दिशा में चलना चाहता है तो उसे निम्नलिखित में कौन से मोड़ मुड़ने चाहिए?

(*a*) दायां, दायां, बायां
(*b*) बायां, बायां, दायां
(*c*) बायां, दायां, बायां
(*d*) बायां, बायां, बायां
(*e*) इनमें से कोई नहीं

13. यदि सभी दिशाएं इस प्रकार परिवर्तित हो जाएं कि उत्तर दिशा परिवर्तित होकर दक्षिण हो जाए और दक्षिण दिशा परिवर्तित होकर उत्तर हो जाए और अन्य दिशाएं भी इसी प्रकार परिवर्तित हो जाएं तो उत्तर-पश्चिम दिशा निम्नलिखित में से किस दिशा में बदल जाएगी?

(*a*) दक्षिण-पूर्व (*b*) उत्तर-पूर्व
(*c*) दक्षिण-पश्चिम (*d*) उत्तर-पश्चिम
(*e*) इनमें से कोई नहीं

14. मैं दक्षिण-पूर्व दिशा में चल रहा था। कुछ देर बाद मैं 90° दाएं घूम कर आगे चलने लगा। बाद में मैं 45° दाएं मुड़ा और आगे चलने लगा। बताइए कि अब मैं किस दिशा में चल रहा हूं?

(*a*) उत्तर (*b*) उत्तर-पूर्व
(*c*) दक्षिण-पश्चिम (*d*) पूर्व
(*e*) उत्तर-पश्चिम

15. एक सिपाही किसी स्थान से आ रही तेज आवाज को सुनकर बिंदु A पर अवस्थित अपनी पुलिस चौकी से बाहर निकल कर दक्षिण दिशा में 4 किमी. आगे जाता है। किंतु उस स्थान पर पहुंचने पर उसे एक अन्य आवाज सुनाई पड़ती है और वह बायीं ओर मुड़कर वहां से 4 किमी. आगे स्थित बिंदु B पर पहुंचता है जहां जाकर उसे पता चलता है कि आवाज B के बाएं अवस्थित किसी स्थान से आ रही है। वह B से बाएं 4 किमी. दूर अवस्थित उस स्थान पर पहुंचता है। अब वहां से अपनी पुलिस चौकी पर पहुंचने के लिए उसे किस दिशा में जाना होगा?

(*a*) उत्तर (*b*) दक्षिण
(*c*) पूर्व (*d*) पश्चिम
(*e*) इनमें से कोई नहीं

16. रवि अपने स्थान से दक्षिण दिशा में चार किमी. आगे गया। वहां पहुंच कर वह बायीं ओर मुड़कर छह किमी. सीधे आगे की ओर गया और तब दायीं ओर मुड़कर चार किमी. सीधे गया। वह अब अपने आरंभिक बिंदु से कितनी दूर है?

(*a*) 8 किमी. (*b*) 10 किमी.
(*c*) 12 किमी. (*d*) 18 किमी.
(*e*) 16 किमी.

17. किसी स्थान से चलना आरंभ करके राजू उत्तर दिशा की ओर 12 मीटर आगे चला जहां दायीं ओर मुड़कर वह 10 मीटर आगे गया। वहां वह एक बार फिर से दायीं ओर मुड़कर 12 मीटर आगे गया और तब बायीं ओर मुड़कर 5 मीटर आगे गया। बताइए कि अब वह अपने आरंभिक स्थान से कितनी दूर और किस दिशा में है?

(*a*) 27 मीटर, पूर्व
(*b*) 5 मीटर, पूर्व
(*c*) 10 मीटर, पश्चिम
(*d*) 15 मीटर, पूर्व
(*e*) 39 मीटर, पूर्व

18. सुमन, अशोक से 40 मीटर दक्षिण-पश्चिम दिशा में है और प्रकाश, अशोक से 40 मीटर दक्षिण-पूर्व दिशा में है। बताइए कि प्रकाश, सुमन से किस दिशा में है?

(*a*) दक्षिण (*b*) पश्चिम
(*c*) पूर्व (*d*) उत्तर-पूर्व
(*e*) दक्षिण-पूर्व

19. मैं पूर्व दिशा में 10 मीटर जाता हूँ, और तब बायीं ओर मुड़कर 5 मीटर जाता हूँ और तब एक बार फिर से बायीं ओर मुड़कर 10 मीटर आगे जाता हूँ और तब फिर से बायीं ओर मुड़कर 10 मीटर जाता हूँ। बताइए कि मैं अपने आरंभिक स्थान से इस समय किस दिशा में हूँ?

(*a*) पूर्व (*b*) पश्चिम
(*c*) उत्तर (*d*) दक्षिण
(*e*) इनमें से कोई नहीं

20. अरुण ने बिंदु P से उत्तर दिशा में चलना शुरू किया और 30 मीटर आगे गया। तब वह बायीं ओर मुड़कर 40 मीटर आगे गया और 'Q' स्थान पर पहुंचा। बताइए कि 'Q' बिंदु P से न्यूनतम कितनी दूरी पर और किस दिशा में अवस्थित है?

(*a*) 50 मीटर, उत्तर-पूर्व
(*b*) 60 मीटर, उत्तर-पश्चिम
(*c*) 50 मीटर, उत्तर-पश्चिम
(*d*) 80 मीटर, उत्तर-पश्चिम
(*e*) 70 मीटर, उत्तर-पश्चिम

व्याख्यात्मक उत्तरमाला

1. (*a*) :

मूल दिशाएं

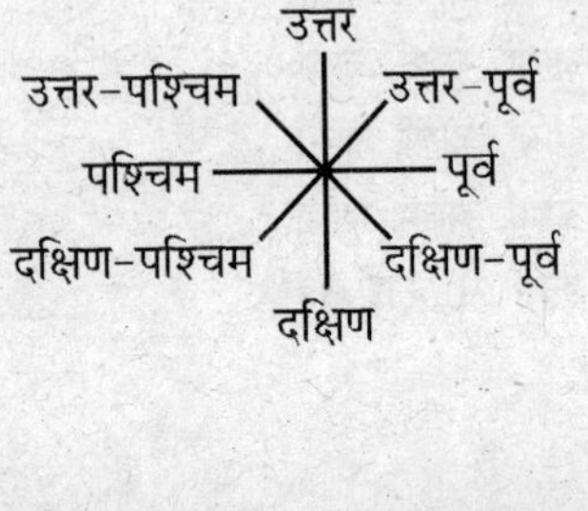

बदली हुई दिशाएं

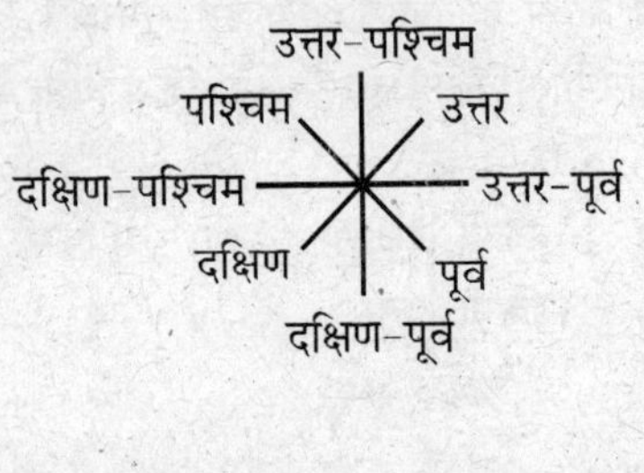

2. (c) :

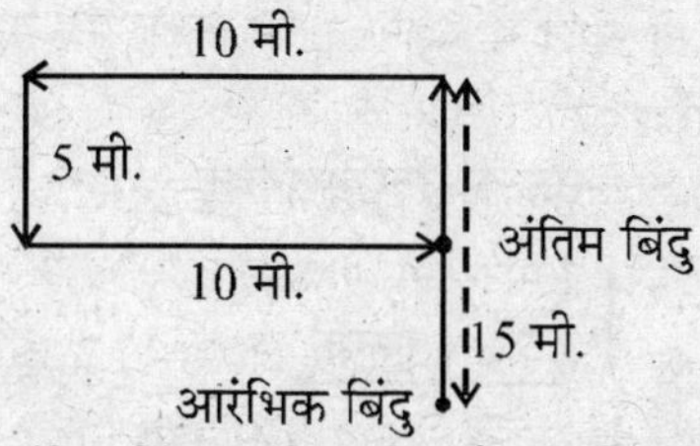

अंतिम बिंदु आरंभिक बिंदु से 10 मीटर उत्तर की ओर है।

3. (a) :

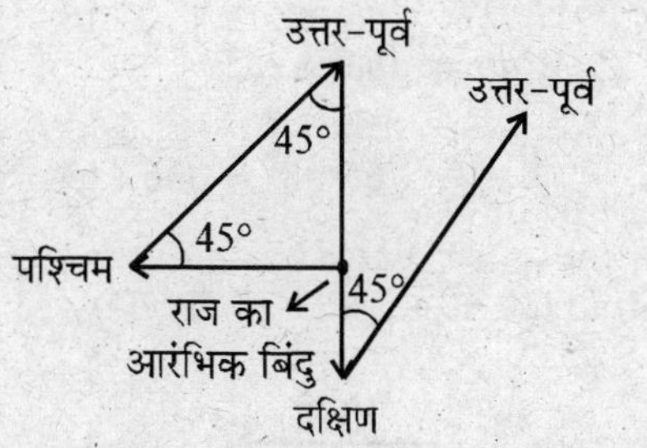

4. (c) : (12 किमी. + 5 किमी. = 17 किमी.)

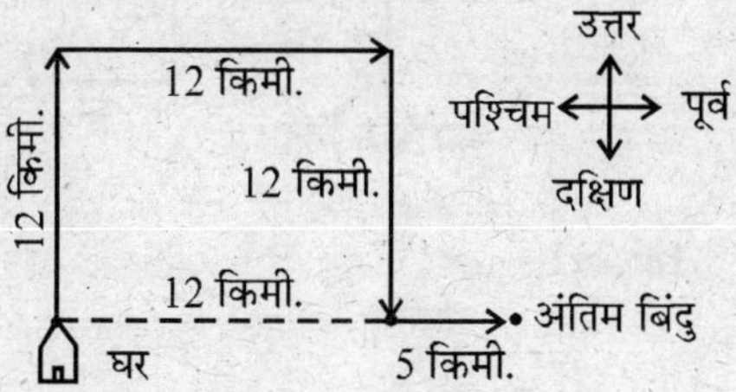

5. (c) : $ab = \sqrt{ac^2 + bc^2}$

$$ab = \sqrt{8^2 + 6^2} = \sqrt{64 + 36} = \sqrt{100} = 10$$

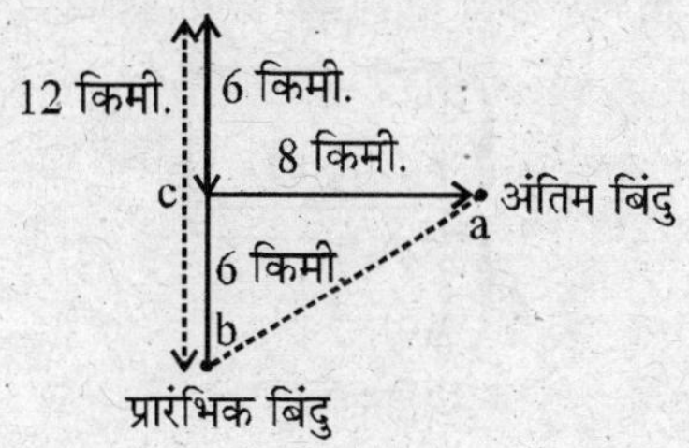

6. (d) :

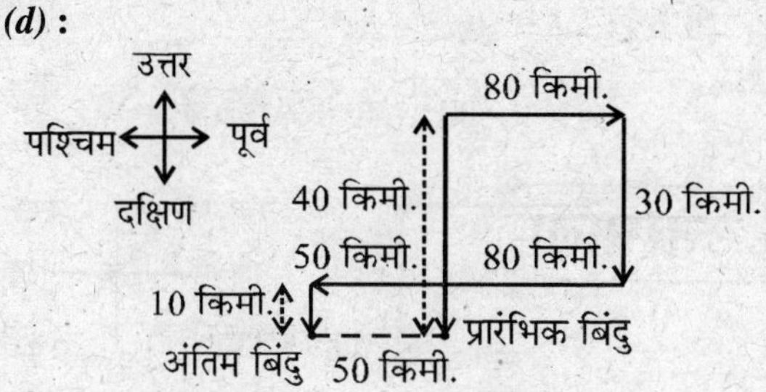

7. (d) :

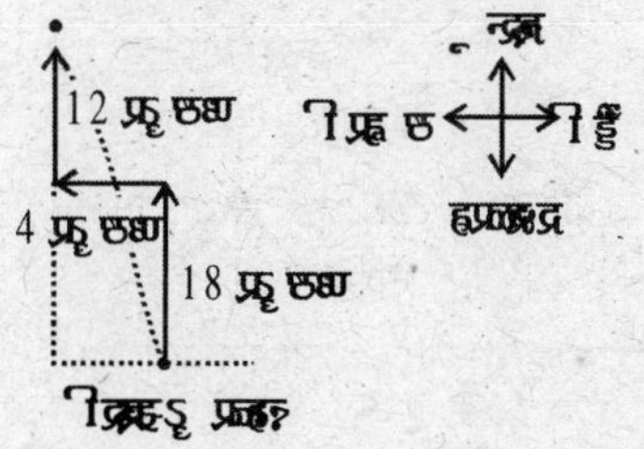

कुल दूरी = $\sqrt{(18+2)^2 + 4^2} = \sqrt{916}$

= 30.26 किमी.

8. (a) :

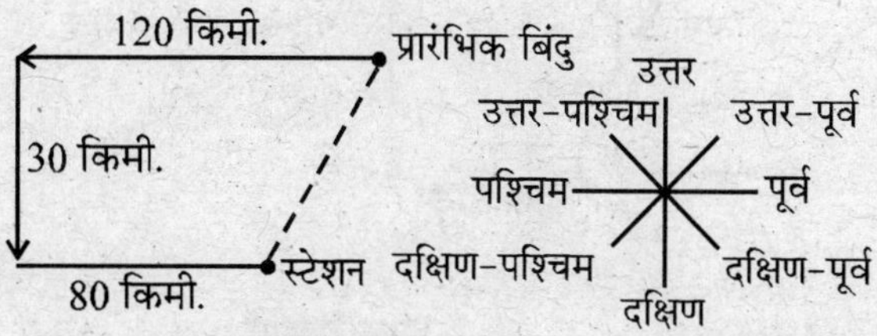

9. (a) : मूल दिशाएं

- 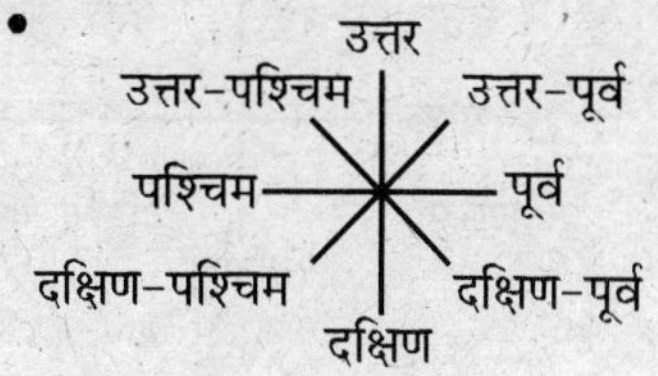

परिवर्तित दिशाएं

- 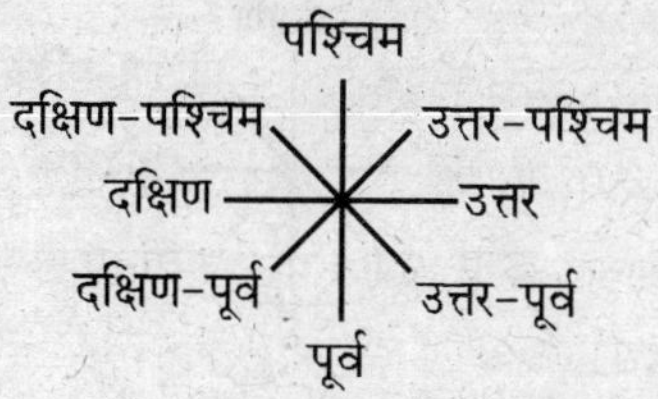

10. (b) :

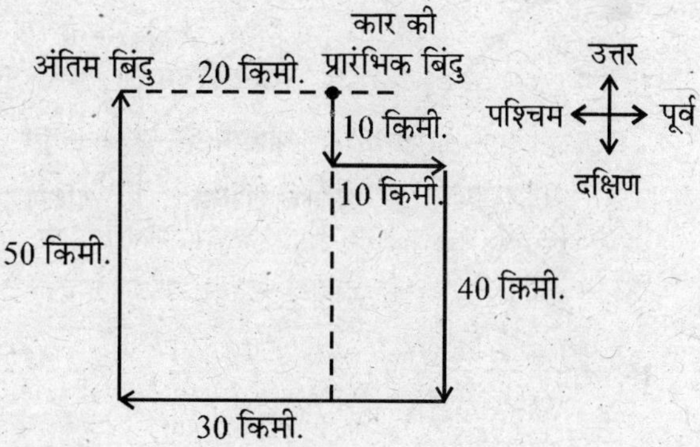

11. (d) :

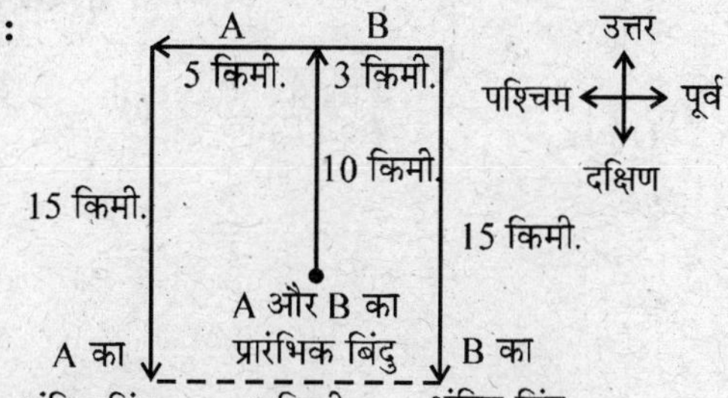

12. (b) : अपनाई जाने वाली दिशाएं निम्नवत् होंगी :

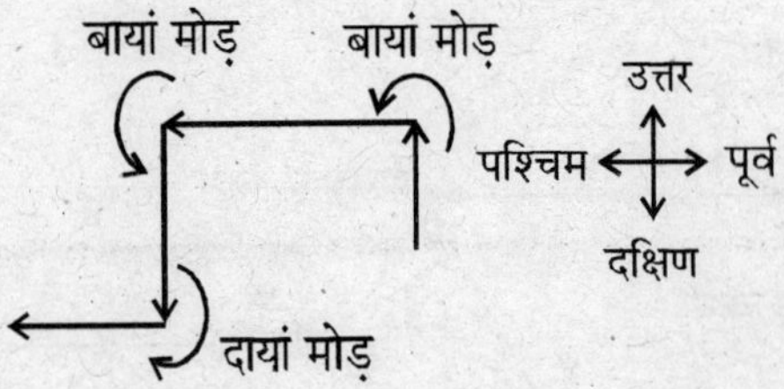

13. (a) :

मूल दिशाएं

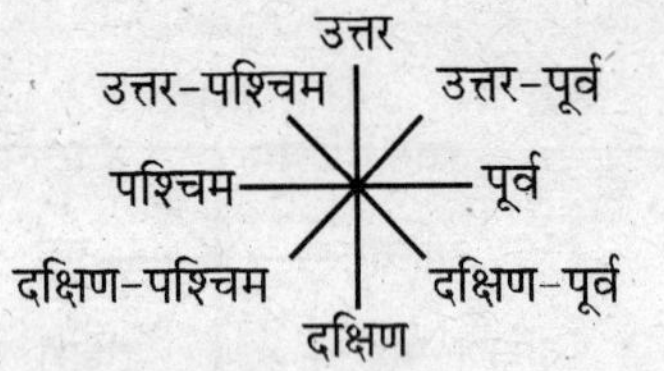

परिवर्तित दिशाएं

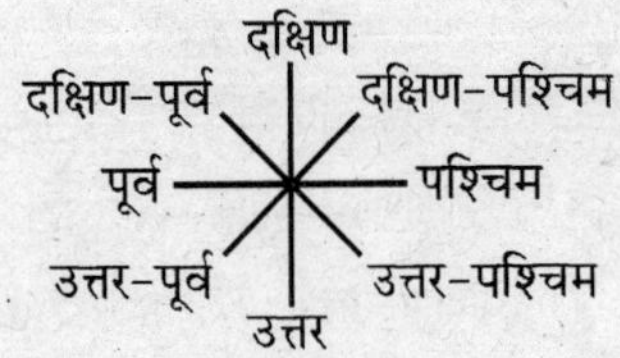

14. (a) : चलने की दिशाएं निम्नवत् हैं :

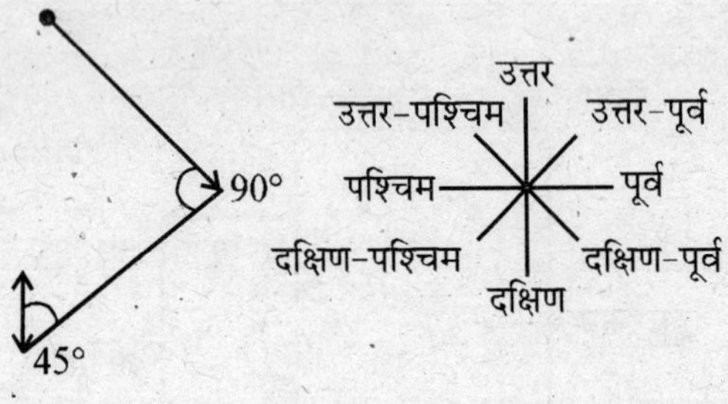

15. (d) :

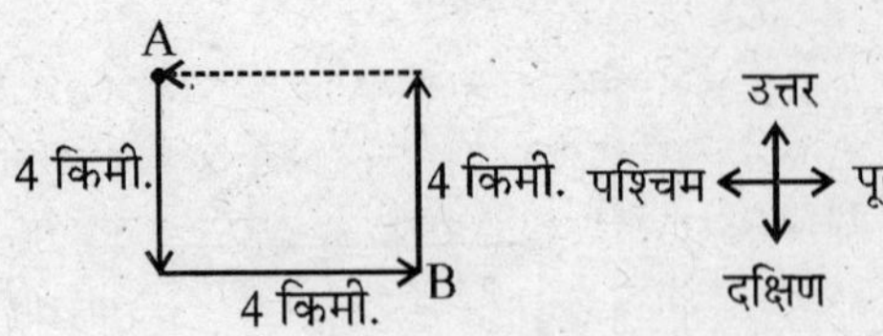

16. (b) :

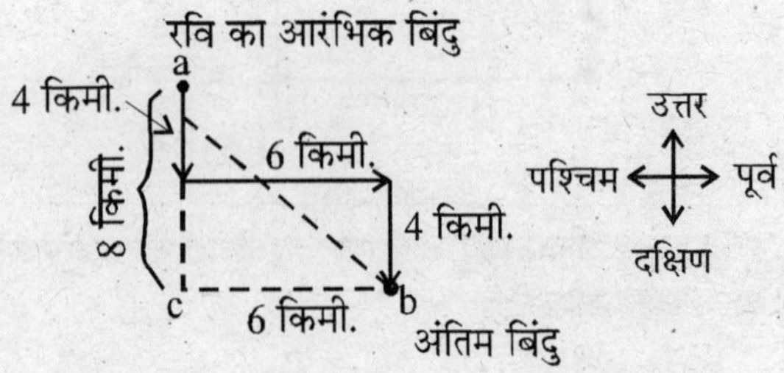

$$ab = \sqrt{bc^2 + ca^2}$$

$$= \sqrt{6^2 + 8^2} = \sqrt{36 + 64} = \sqrt{100}$$

$$= 10 \text{ km}$$

17. (d) : (10 मी. + 5 मी. = 15 मी., पूर्व)

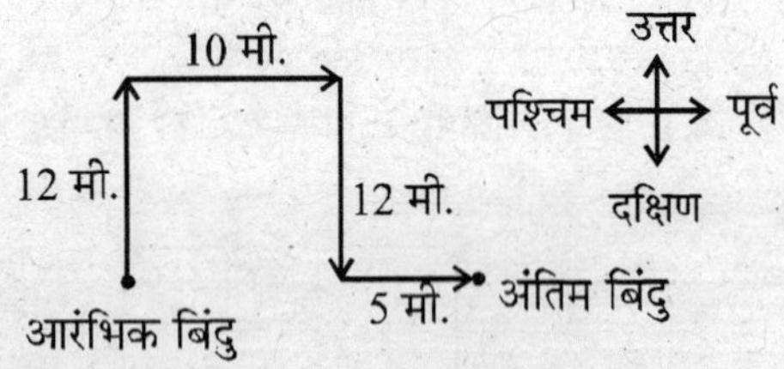

18. (c) :

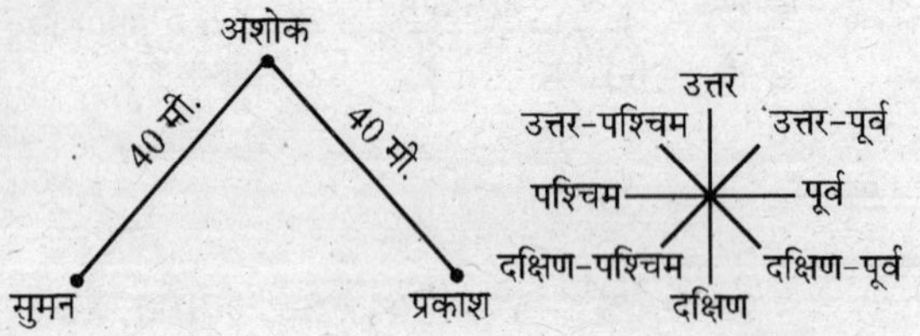

19. (d) :

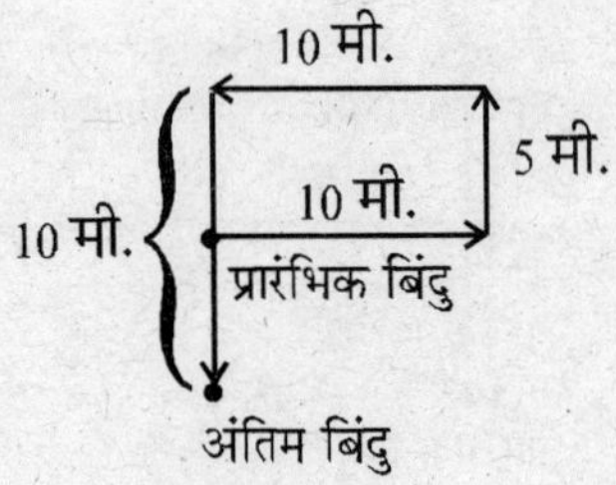

20. (c) : $ab = \sqrt{bc^2 + ca^2}$

$$? = \sqrt{30^2 + 40^2} = \sqrt{2500} = 50$$

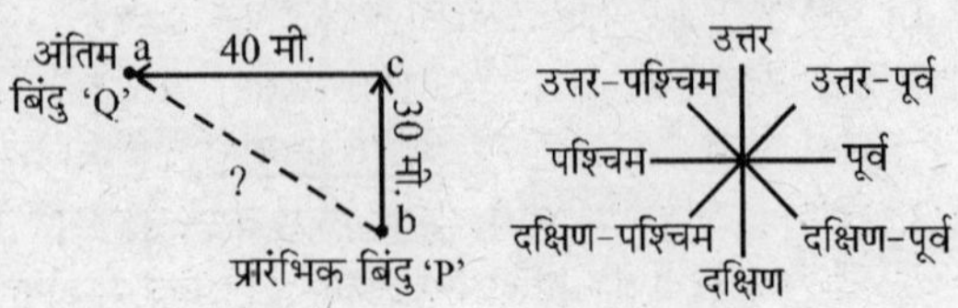

अध्याय 11 कैलेंडर, घड़ी, समय और दूरी

इस प्रकार की गणितीय तर्क बुद्धि परीक्षा घड़ी या कैलेंडर द्वारा समय के परिकलन तथा गतिमान वस्तु की चाल या उसके द्वारा तय की गई दूरी के परिकलन के संबंध में अभ्यर्थियों की योग्यता की जांच करने के लिए आयोजित की जाती है।

हल किए गए प्रश्न

1. यदि आने वाला परसों रविवार है तो बीते परसों क्या था?

(*a*) बुधवार (*b*) बृहस्पतिवार (*c*) शुक्रवार (*d*) शनिवार

उत्तर (*a*) :

आने वाला परसों	—	रविवार
आने वाला कल	—	शनिवार
आज	—	शुक्रवार
बीता कल	—	बृहस्पतिवार
बीता परसों	—	बुधवार

2. यदि किसी माह के तीसरे सोमवार के ठीक बाद वाले दिन 16 तारीख थी तो उस माह के पांचवें सोमवार से ठीक पहले वाले दिन कौन-सी तारीख होगी?

(*a*) 27 (*b*) 28 (*c*) 29 (*d*) 30

उत्तर (*b*) :

तीसरे सोमवार के ठीक बाद वाले दिन	—	16 वीं तारीख
अत: सोमवार	—	15 वीं तारीख
चौथा सोमवार	—	22 वीं तारीख (15 + 7)
पांचवां सोमवार	—	29 वीं तारीख (15 + 14) या (22 + 7)
अत: पांचवें सोमवार से ठीक पहले वाले दिन	—	28 वीं तारीख

प्रश्नमाला

1. यदि परसों बृहस्पतिवार था तो रविवार कब होगा?

(*a*) कल (*b*) परसों

(*c*) आज (*d*) आज से दो दिन बाद

2. किसी कार्यालय में बीस व्यक्ति कार्य करते हैं। इनमें से पांच व्यक्तियों का पहला समूह प्रात: 8:00 बजे से दोपहर बाद 2:00 बजे तक काम करता है। दस व्यक्तियों का दूसरा समूह प्रात: 10:00 बजे से शाम 4:00 बजे तक काम करता है तथा पांच व्यक्तियों का तीसरा समूह दोपहर 12:00 बजे से संध्या 6:00 बजे तक काम करता है। इस कार्यालय में तीन कंप्यूटर हैं जिन्हें सभी कर्मचारी बार-बार प्रयोग में लाते हैं। बताइए कि निम्नलिखित में से किस समय के दौरान कंप्यूटर पर सर्वाधिक काम होगा?

(*a*) दोपहर बाद 1:00 बजे से 3:00 बजे के बीच

(*b*) दोपहर 12:00 बजे से दोपहर बाद 2:00 बजे के बीच

(*c*) दोपहर बाद 2:00 बजे से शाम 4:00 बजे के बीच

(*d*) प्रात: 10:00 बजे से दोपहर 12:00 बजे के बीच

3. यदि किसी माह का सातवां दिन शुक्रवार से तीन दिन पहले का दिन हो तो उस माह का उन्नीसवां दिन सप्ताह का कौन-सा दिन होगा?

(*a*) रविवार (*b*) सोमवार

(*c*) बुधवार (*d*) शुक्रवार

4. राधा को याद है कि उसके पिता का जन्मदिन 16 मार्च के बाद किंतु 21 मार्च से पहले है जबकि उसके भाई मंगेश को याद है कि उनके पिता का जन्मदिन 22 मार्च से पहले किंतु 19 मार्च के बाद है। बताइए कि उनके पिता का जन्मदिन किस तारीख को निश्चित रूप से है?

(*a*) 19 मार्च (*b*) 20 मार्च
(*c*) 21 मार्च (*d*) कहा नहीं जा सकता

5. एक व्यक्ति आयु में अपनी पत्नी से 3 वर्ष बड़ा है और उसकी आयु उसके पुत्र की आयु के 4 गुने के बराबर है। यदि आज से 3 वर्ष बाद पुत्र की आयु 15 वर्ष हो तो उसकी मां की वर्तमान आयु क्या है?

(*a*) 60 वर्ष (*b*) 51 वर्ष
(*c*) 48 वर्ष (*d*) 45 वर्ष

6. एक घड़ी इस प्रकार रखी गई है कि दोपहर ठीक 12.00 बजे इसकी मिनट की सूई उत्तर-पूर्व दिशा को सूचित करती है। दोपहर बाद 1.30 बजे इस घड़ी की घंटे की सूई किस दिशा को सूचित करेगी?

(*a*) पूर्व (*b*) पश्चिम
(*c*) उत्तर (*d*) दक्षिण

7. दो भाइयों को एक ही दिन घर वापस लौटना था। रजत पूर्व निर्धारित दिन से 3 दिन पहले घर लौटा जबकि रोहित निर्धारित दिन से चार दिन बाद घर लौटा। यदि रजत वृहस्पतिवार को घर लौटा हो तो उनके घर लौटने का पूर्व-निर्धारित दिन क्या था तथा रोहित किस दिन घर लौटा?

(*a*) बुधवार, रविवार
(*b*) बृहस्पतिवार, सोमवार
(*c*) रविवार, बृहस्पतिवार
(*d*) सोमवार, शुक्रवार

8. प्रबीर अपने घर से कार्यालय के लिए प्रतिदिन प्रात: 9:15 बजे चलता है और 9:55 बजे अपने कार्यालय पहुंच जाता है। बुधवार को वह उस समय से पांच मिनट बाद घर से निकला जिस समय वह शुक्रवार को घर से निकला था। सप्ताह के पांच दिनों में से तीन दिन वह घर से विलंब से निकला जिनमें शुक्रवार भी एक दिन था। बताइए कि वह कितने दिन कार्यालय के लिए घर से समय से निकला?

(*a*) दो (*b*) तीन
(*c*) चार (*d*) एक

निर्देश (प्र.सं. 9–11): *निम्नलिखित सूचना को ध्यानपूर्वक पढ़ें और नीचे पूछे गए प्रश्नों के उत्तर दें :*

(*i*) एक सिटी बस कंपनी M, N, O, P, Q, R और S सात बसें चलाती है जिनमें से प्रत्येक बस शहर के दर्शनीय स्थलों के टूर पर प्रतिदिन एक बार 4 घंटे के लिए रवाना होती है।

(*ii*) सोमवार से शुक्रवार तक पहली बस ठीक आठ बजे रवाना होती है जिसके बाद की बसें बारी-बारी से 45 मिनट, जिसके बाद 30 मिनट और फिर 45 मिनट, जिसके बाद 35 मिनट और फिर 45 मिनट और उसके बाद 40 मिनट के अंतराल पर रवाना होती हैं।

(*iii*) शनिवार और रविवार को पहली बस प्रात: 7:30 बजे रवाना होती है और उसके बाद की बसें बारी-बारी से एक-एक घंटे के अंतर पर रवाना होती हैं।

(*iv*) बस 'Q' बस 'M' के ठीक बाद रवाना होती है जिसके ठीक बाद बस 'S' रवाना होती है।

(*v*) बस 'O' अंतिम बस है जिसके बाद और कोई बस नहीं जाती।

(*vi*) बस 'R' बस 'M' से ठीक पहले रवाना होती है किंतु यह बस 'P' के ठीक बाद नहीं जाती।

9. शनिवार को बस 'M' कितने बजे रवाना होती है?

(*a*) प्रात: 10 बजे (*b*) प्रात: 9:45 बजे
(*c*) प्रात: 10:30 बजे (*d*) सूचना अपर्याप्त है

10. रविवार को बस 'P' द्वारा अपना टूर पूरा कर लेने के बाद निम्नलिखित में से कौन-सी बस रवाना होती है?

(*a*) Q (*b*) S
(*c*) O (*d*) सूचना अपर्याप्त है

11. यदि शनिवार-रविवार को बस 'M' के रवाना होने के बाद दूसरी बसों के रवाना होने के समय-अंतराल में 30 मिनट की वृद्धि कर दी जाए, तो बस 'O' का टूर कितने बजे पूरा होगा?

(*a*) दोपहर बाद 3:00 बजे
(*b*) दोपहर बाद 2:00 बजे
(*c*) शाम 6:00 बजे
(*d*) शाम 7:00 बजे

निर्देश (प्र.सं. 12 और 13): *निम्नलिखित सूचना को ध्यान से पढ़ें और नीचे पूछे गए प्रश्नों के उत्तर दें :*

(*i*) आठ डॉक्टर P, Q, R, S, T, U, V और W सोमवार के साप्ताहिक अवकाश को छोड़कर शेष सभी दिन श्रम मंदिर ट्रस्ट द्वारा चलाए जा रहे एक धर्मार्थ चिकित्सालय में रोगियों को देखने जाते हैं।

(*ii*) इनमें से प्रत्येक डॉक्टर शनिवार को छोड़कर मंगलवार से रविवार तक एक-एक घंटा चिकित्सालय में रहता है। चिकित्सालय प्रात: 9:00 बजे से दोपहर बाद 1:00 बजे तक और दोपहर बाद 2:00 बजे से शाम 6:00 बजे तक खुला होता है तथा बीच में दोपहर बाद 1:00 बजे से 2:00 बजे तक का समय भोजनावकाश का होता है।

(*iii*) शनिवार को चिकित्सालय केवल आधे दिन अर्थात् प्रात: 9:00 बजे से दोपहर बाद 1:00 बजे तक ही खुला होता है और इस दिन प्रत्येक डॉक्टर केवल आधे-आधे घंटे के लिए ही चिकित्सालय आते हैं।

(*iv*) डॉक्टर 'Q' से पहले और डॉक्टर 'U' के बाद कोई भी डॉक्टर चिकित्सालय में नहीं आता।

(*v*) डॉक्टर 'W' भोजनावकाश के ठीक बाद चिकित्सालय में आता है जिसके बाद डॉक्टर 'R' आता है।

(*vi*) डॉक्टर 'P' भोजनावकाश के बाद उसी क्रम में चिकित्सालय आता है जिस क्रम में भोजनावकाश से पहले डॉक्टर 'S' चिकित्सालय में आता है।

12. शनिवार को डॉक्टर 'T' कितने बजे चिकित्सालय से रोगियों को देखकर चला जाएगा?
(*a*) प्रात: 10 बजे
(*b*) प्रात: 11 बजे
(*c*) प्रात: 10 बजे या 11 बजे
(*d*) दी गई सूचना अपर्याप्त है

13. यदि भोजनावकाश और उसके बाद के डॉक्टरों के चिकित्सालय में समय में 15–15 मिनट की कटौती कर दी जाए तो डॉक्टर 'U' के चिकित्सालय में आने का समय क्या होगा?
(*a*) दोपहर बाद 3:15 बजे
(*b*) शम 4:15 बजे
(*c*) शाम 4:45 बजे
(*d*) शाम 4 बजे

14. बन्नी का भाई सन्नी उससे 562 दिन बड़ा है जबकि उसकी बहन जेनी सन्नी से 75 सप्ताह बड़ी है। यदि जेनी का जन्म मंगलवार को हुआ हो, तो बन्नी का जन्म किस दिन हुआ है?
(*a*) सोमवार (*b*) मंगलवार
(*c*) शुक्रवार (*d*) शनिवार
(*e*) बृहस्पतिवार

15. यदि 21 नवंबर का दिन बुधवार से पांच दिन पहले आता हो तो 25 दिसंबर को कौन-सा दिन होगा?
(*a*) बुधवार (*b*) रविवार
(*c*) शुक्रवार (*d*) बृहस्पतिवार
(*e*) सोमवार

व्याख्यात्मक उत्तरमाला

1. (*a*) : बृहस्पतिवार —बीता परसों
शुक्रवार —बीता कल
शनिवार —आज
रविवार — आने वाला कल

2. (*b*) : 1. पांच व्यक्तियों का समूह–प्रात: 8:00 बजे से दोपहर बाद 2:00 बजे तक काम करता है।
2. दस व्यक्तियों का दूसरा समूह–प्रात: 10:00 बजे से शाम 4:00 बजे तक काम करता है
3. पांच व्यक्तियों का तीसरा समूह–दोपहर 12:00 बजे से संध्या 6:00 बजे तक काम करता है
अत: कंप्यूटर पर दोपहर 12:00 बजे से दोपहर बाद 2:00 बजे तक सर्वाधिक काम होगा।

3. (*a*) : सातवां दिन शुक्रवार से तीन दिन पहले का दिन है अत: दसवां दिन शुक्रवार है, इसलिए 17 वां दिन भी शुक्रवार है।
अत: 19 वां दिन शुक्रवार के बाद का दूसरा दिन अर्थात् रविवार है।

4. (*b*) : पिता का जन्मदिन

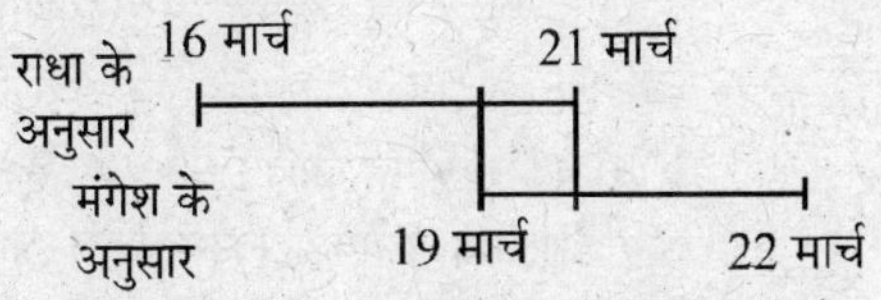

∴ अत: उनके पिता का जन्मदिन 20 मार्च को है।

5. (*d*) : पुत्र की वर्तमान आयु = 15 – 3 = 12 वर्ष।
उस व्यक्ति की आयु अपने पुत्र की आयु की चार गुनी है।
अर्थात् $12 \times 4 = 48$ वर्ष
वह व्यक्ति अपनी पत्नी/अपने पुत्र की मां से 3 वर्ष बड़ा है,
अत: मां की आयु = 48 – 3 = 45 वर्ष

6. (*a*) :

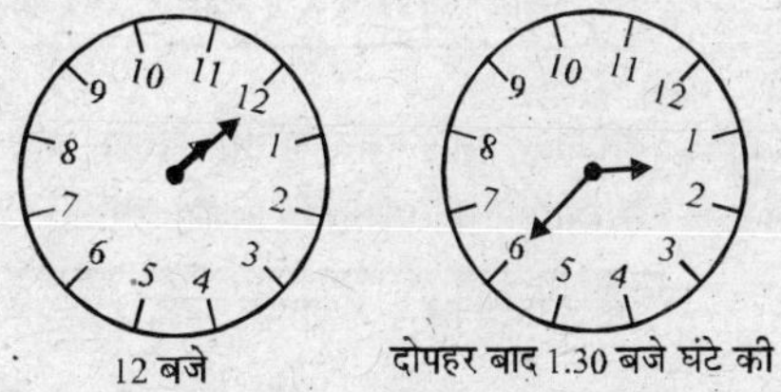

12 बजे — दोपहर बाद 1.30 बजे घंटे की सूई पूर्व दिशा की ओर सूचित करेगी

7. (*c*) : रजत बृहस्पतिवार को घर लौटा। रजत पूर्व निर्धारित दिन से 3 दिन पहले घर लौटा, अत: घर लौटने का पूर्व निर्धारित दिन रविवार था। रोहित रविवार के 4 दिन बाद अर्थात् अगले बृहस्पतिवार को घर लौटा।

8. (*a*) : पांच दिनों में से प्रबीर तीन दिन घर से विलंब से निकलता है और 2 दिन समय से निकलता है।

9. (*c*) :

बसों के रवाना होने का क्रम	सोमवार से शुक्रवार तक रवानगी का समय	शनिवार और रविवार को रवानगी का समय
P	प्रात: 8:00 बजे	प्रात: 7:30 बजे
N	प्रात: 8:45 बजे	प्रात: 8:30 बजे
R	प्रात: 9:15 बजे	प्रात: 9:30 बजे
M	प्रात: 10 बजे	प्रात: 10:30 बजे
Q	प्रात: 10:35	प्रात: 11:30 बजे
S	प्रात: 11:20 बजे	दोपहर बाद 12:30 बजे
O	दोपहर 12 बजे	दोपहर बाद 1:30 बजे

10. (*a*) : बस P प्रात: 7:30 बजे रवाना होती है और अपना चार घंटे का दर्शनीय स्थलों का टूर 11:30 बजे पूरा कर लेती है। बस Q प्रात: 11:30 बजे रवाना होती है।

11. (*d*) : बस M प्रात: 10:30 बजे रवाना होती है। यदि 1 घंटे के समय अंतराल में 30 मिनट की वृद्धि कर दी जाए तो

बस Q दोपहर 12:00 बजे रवाना होगी, बस S दोपहर बाद 1:30 बजे और बस O दोपहर बाद 3:00 बजे रवाना होगी। बस O अपना चार घंटे का टूर शाम 7:00 बजे पूरा करेगी।

12. (*c*) :

सोमवार से शुक्रवार और शनिवार को डाक्टरों द्वारा चिकित्सालय में रहने की समय-सारणी	शनिवार को डाक्टरों द्वारा चिकित्सालय में रहने की समय-सारणी	डाक्टरों द्वारा चिकित्सालय में होने का क्रम
प्रात: 9:00 बजे - प्रात: 10:00 बजे	प्रात: 9:00 बजे - प्रात: 9:30 बजे	Q
प्रात: 10:00 बजे - प्रात: 11:00 बजे	प्रात: 9:30 बजे - प्रात: 10:00 बजे	T या V
प्रात: 11:00 बजे - दोपहर 12:00 बजे	प्रात: 10:00 बजे - प्रात: 10:30 बजे	S
दोपहर 12:00 बजे - दोपहर बाद 1:00 बजे	प्रात :10:30 बजे - प्रात:11:00 बजे	T या V
(दोपहर बाद 1:00 बजे - 2:00 बजे तक भोजनावकाश)		
दोपहर बाद 2:00 बजे - दोपहर बाद 3:00 बजे	प्रात: 11:00 बजे - प्रात: 11:30 बजे	W
दोपहर बाद 3:00 बजे - शाम 4:00 बजे	प्रात: 11:30 बजे - दोपहर 12:00 बजे	R
शाम 4:00 बजे - शाम 5:00 बजे	दोपहर 12.00 बजे - दोपहर बाद 12:30 बजे	P
शाम 5:00 बजे - शाम 6:00 बजे	दोपहर बाद 12:30 बजे - दोपहर बाद 1:00 बजे	U

13. (*d*) : परिवर्तित भोजनावकाश और उसके बाद चिकित्सालय में डाक्टरों का परिवर्तित समय होगा :

भोजनावकाश	—	दोपहर बाद 1:00 बजे	-	दोपहर बाद 1:45 बजे
W	—	दोपहर बाद 1:45 बजे	-	दोपहर बाद 1:45 बजे
R	—	दोपहर बाद 1:45 बजे	-	दोपहर बाद 2:30 बजे
P	—	दोपहर 2:30 बजे	-	शाम 3:15 बजे
U	—	3:15 बजे शाम 4:00 बजे	-	4:00 बजे शाम 4:45 बजे

डाक्टर U का चिकित्सालय में आने का समय 4:00 बजे होगा।

14. (*e*) : जया सन्नी से $75 \times 7 = 525$ दिन बड़ी है।

जया बन्नी से $525 + 562 = 1087$ दिन बड़ी है।

$1087 \div 7$ करने पर शेष 2 बचता है।

अत: यदि जया का जन्म मंगलवार को हुआ है तो बन्नी का जन्म मंगलवार से दो दिन बाद अर्थात् बृहस्पतिवार को हुआ।

15. (*d*) : बुधवार से पांच दिन पहले शुक्रवार है। अत: 21 नवंबर का दिन शुक्रवार है।

21 नवंबर और 25 दिसंबर के बीच दिनों की संख्या = $9 + 25 = 34$ दिन

$34 \div 7$ करने पर 6 शेष बचता है

$\therefore$ 28 वां दिन शुक्रवार होगा जिसके छह दिन बाद बृहस्पतिवार होगा।

अत: 25 दिसंबर का दिन बृहस्पतिवार होगा।

अध्याय 12

घन एवं पासे संबंधी परीक्षण

घन एवं पासों पर आधारित प्रश्न का उद्देश्य अभ्यर्थी की कल्पना शक्ति की जांच करना होता है। अभ्यर्थी में यह योग्यता होनी चाहिए कि वह पूछे गए प्रश्न का उत्तर देने के लिए त्रि-विमीय वस्तु की तत्काल एक कल्पित आकृति बना सकें। ऐसे प्रश्नों का उत्तर देने के लिए कुछ बुनियादी बातों से अवगत होने तथा कल्पना शक्ति को त्वरित और परिशुद्ध परिकलनों की सहायता से साकार रूप प्रदान करने की आवश्यकता है।

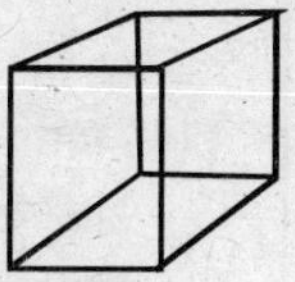
घन

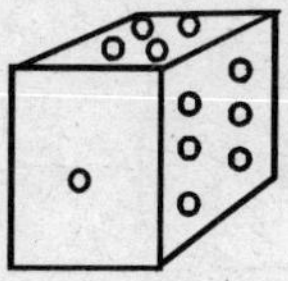
पासा

- घन में छह पार्श्व या फलक और आठ कोने होते हैं।
- प्रश्न एक ही या अलग-अलग रंगीन पार्श्वों पर आधारित होते हैं।
- प्रश्न वर्ग को विशिष्ट संख्या के छोटे बराबर भागों में काटने पर आधारित हो सकता है।
- पासे में छह पार्श्व या फलक होते हैं।
- प्रश्न केवल उसके छह फलकों पर लिखी संख्या के आधार पर पूछे जाते हैं।

आरेखीय रूप में, सभी फलकों पर हरे रंग से रंगे घन को उसके किसी एक फलक को लेकर अच्छी तरह समझा जा सकता है।

a	b	a
b	c	b
a	b	a

यह घन $3 \times 3 \times 3 = 27$ समान छोटे घनों में विभाजित किया गया है।

इसमें कोने के चार 'a' खंड हैं, अत: 4×2 अर्थात 8 खंडों के तीन फलक रंगीन होंगे।

इसमें चार बीच के 'b' खंड हैं, अत: 4×3 अर्थात् 12 खंडों के दो फलक रंगीन होंगे।

इसमें एक बीच का 'c' खंड हैं, अत: 1×6 अर्थात छह खंडों का केवल एक फलक रंगीन होगा।

इसमें ठीक बीचों बीच एक खंड होगा जिसका कोई भी फलक रंगीन नहीं होगा।

अत: इस घन के $8 + 12 + 6 + 1$ अर्थात 27 छोटे खंड होंगे।

प्रश्नमाला

1. नीचे किसी एक ही पासे की दो स्थितियां दर्शाई गई हैं। जब पासे की तली पर दो घेरे हों तो उसके शीर्ष पर घेरों की संख्या कितनी होगी?

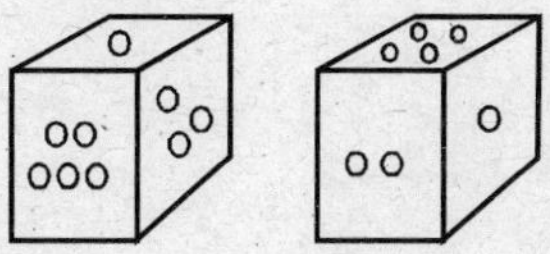

A. 5 B. 2
C. 3 D. 6

2. नीचे किसी एक पासे की दो स्थितियां दर्शाई गई हैं। जब पासे की तली पर 4 का अंक हो तो उसके शीर्ष पर कौन-सा अंक होगा?

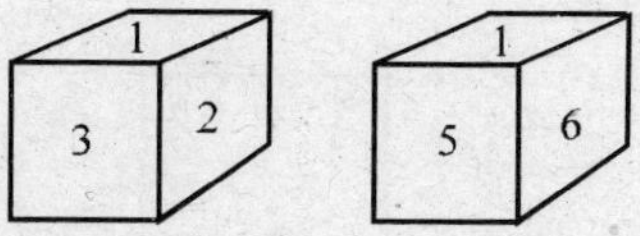

A. 1 B. 2
C. 5 D. 6

3. एक घन के दो संलग्न फलकों और एक सम्मुख फलक को लाल रंग में और दो संलग्न फलकों को पीले रंग में तथा घन के शेष फलकों को हरे रंग में रंगा जाता है। उसके बाद उस घन को 64 समान आकार के छोटे घनों में काट दिया जाता है। कितने घन ऐसे होंगे जिनमें केवल एक लाल और एक हरा फलक हो?

A. 4 B. 8
C. 12 D. 16

4. नीचे किसी एक पासे की दो स्थितियां दर्शाई गई हैं। पासे के छह फलकों पर क्रमश: 1 से 6 तक बिंदु अंकित हैं। यदि इस पासे को 3 बिंदु अंकित फलक के सहारे रखा जाए तो उसके शीर्ष फलक पर कितने बिंदु अंकित होंगे।

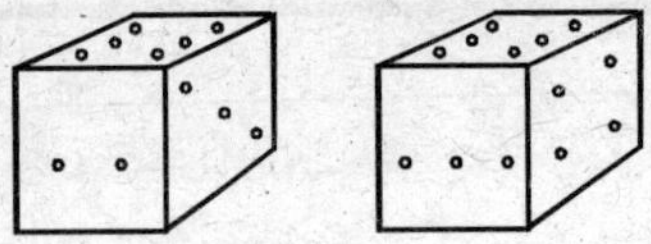

A. 1 या 5 B. 2
C. 3 D. 5

5. एक घन के फलकों को अंग्रेजी के अक्षरों द्वारा सूचित किया गया है। इस घन को विभिन्न दिशाओं से देखे जाने पर इसकी विभिन्न स्थितियां नीचे दर्शाई गई हैं। इसमें प्रश्न चिह्न (?) के स्थान पर कौन सा अक्षर लिखा होना चाहिए।

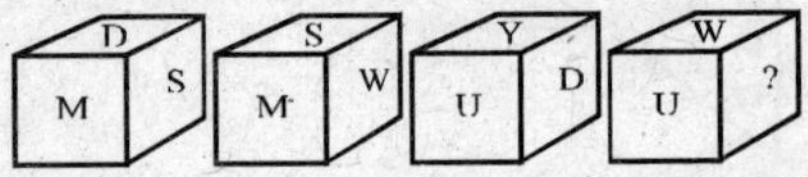

A. S B. D
C. Y D. W

6. यदि किसी घन के सम्मुख फलकों पर अंकित बिंदुओं की कुल संख्या घन के प्रत्येक सम्मुख पार्श्वों के संदर्भ में 7 हो, तो नीचे दर्शाई गई आकृति में कौन सही है?

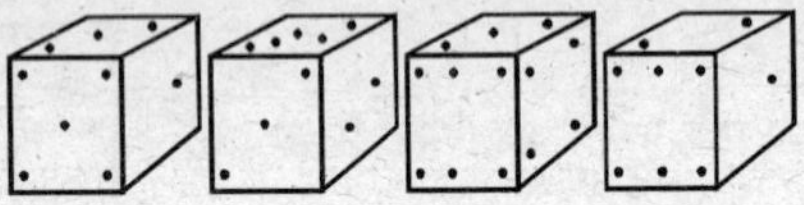

A B C D

A. A B. C
C. D D. B

7. यदि किसी घन के फलकों को इस प्रकार रंगा जाए कि उसका कोई भी दो संलग्न पार्श्व एक से रंग में रंगा न हो इसके लिए न्यूनतम कितने रंगों की आवश्यकता होगी?

A. 6 B. 4
C. 3 D. 2

8. एक पासे के संलग्न फलकों पर दक्षिणावर्त क्रम में a, b, c और d, लिखा गया है तथा पासे के शीर्ष और तली पर क्रमश: e ओर f लिखा गया है। यदि पासे की किसी एक स्थिति में c उसके शीर्ष पर आता हो तली पर कौन-सा अक्षर लिखा होगा?

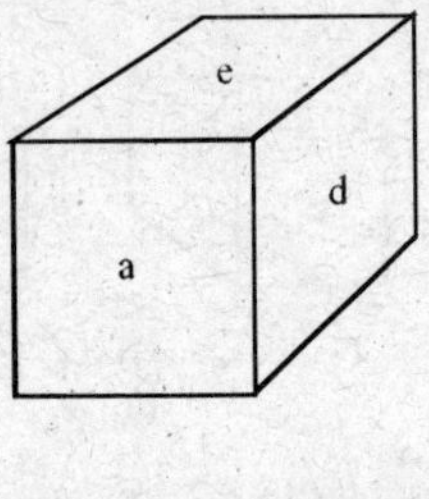

A. a B. c
C. e D. b

9. नीचे की आकृति में एक के ऊपर एक व्यवस्थित घनों की संख्या कितनी हैं?

A. 8 B. 6
C. 5 D. 10

10. नीचे एक घन की दो स्थितियां दर्शाई गई हैं। 5 और 6 की संख्या घन के सम्मुख फलकों पर लिखी गई हैं।

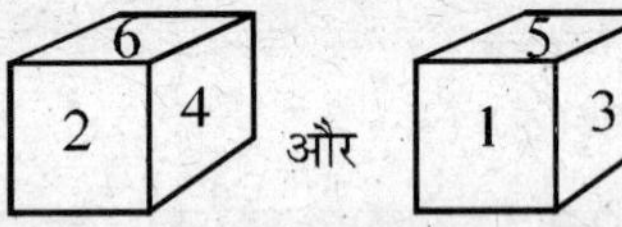

जब 2 की संख्या घन की तली पर अंकित हो तो उसके शीर्ष फलक पर निम्नलिखित में से कौन-सी संख्या लिखी होगी?

A. 1 B. 3
C. 4 D. 5

11. किसी पासे की दो स्थितियां नीचे दर्शाई गई हैं। यदि 1 का अंक पासे के शीर्ष फलक पर अंकित हो तो उसकी तली पर निम्नलिखित में से कौन-सा अंक अंकित होगा?

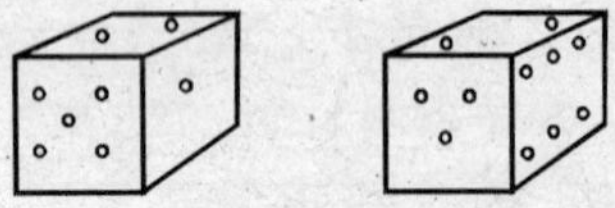

A. 3 B. 6
C. 2 D. 1

12. किसी पासे की दो स्थितियां नीचे दर्शाई गई हैं। यदि पासे की तली वाले फलक पर 2 का अंक लिखा हो तो उसके शीर्ष फलक पर निम्नलिखित में से कौन-सा अंक लिखा होगा?

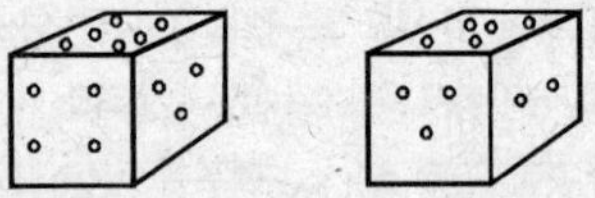

A. 1 B. 2
C. 3 D. 4

13. नीचे किसी पासे की तीन स्थितियां दर्शाई गई हैं। पासे के जिस फलक पर 2 की संख्या लिखी गई है उसके सम्मुख फलक पर निम्नलिखित में से कौन-सी संख्या लिखी होगी?

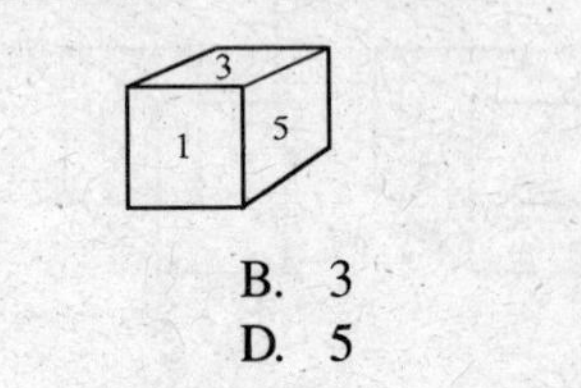

A. 4 B. 3
C. 6 D. 5

14. किसी घन के फलक भिन्न-भिन्न रंगों में रंगे हैं। काले रंग का फलक लाल रंग के फलक के सम्मुख है। सफेद फलक काले और लाल फलकों के बीच है। हरा फलक धूसर रंग के फलक का संलग्न फलक है और नीला फलक हरे रंग के फलक का संलग्न फलक है। घन के सफेद फलक का सम्मुख फलक किस रंग का होगा।
A. नीला
B. हरा
C. धूसर
D. दी गई सूचना अपर्याप्त है

15. किसी घन का दो संलग्न और एक सम्मुख फलक काले रंग में, दो सम्मुख फलक लाल रंग में और शेष एक फलक हरें रंग में रंगा है। यदि इसे 64 समान आकार के छोटे घनों में काटा जाए तो कितने ऐसे घन प्राप्त होंगे जिनका केवल एक फलक काले रंग में रंगा हो?
A. 32 B. 16
C. 12 D. 8

16. किसी घन के छह पार्श्व निम्नलिखित प्रकार से रंगे गए हैं:

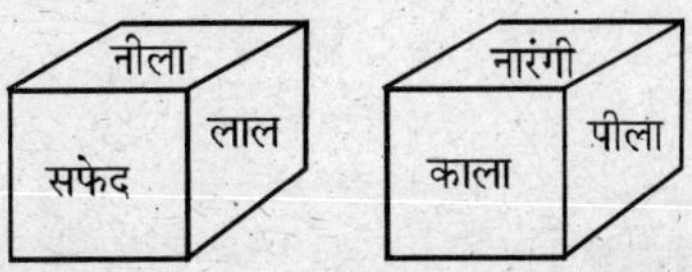

यदि घन का नीला और नारंगी फलक उसके सम्मुख फलक हों और लाल उसका शीर्ष फलक हो तो घन की तली पर कौन-सा रंग होगा?
A. नारंगी B. बैंगनी
C. काला D. पीला

17. एक घन के सभी फलक नारंगी रंग में रंगे हैं। इसे समान आकार के 64 छोटे घनों में काटा जाता है। बताएं कि ऐसे कितने छोटे घन प्राप्त होंगे जिनका कोई भी पार्श्व रंगीन नहीं होगा?
A. 4 B. 8
C. 16 D. 20

18. एक छह सेंटीमीटर भुजा के घन के सभी पार्श्व हरे रंग में रंगे हैं। इसे 2 सेमी. भुजा के छोटे घनों में काटा जाता है। बताएं कि ऐसे कितने छोटे घन प्राप्त होंगे जिनके दो फलक रंगीन हों?
A. 12 B. 8
C. 24 D. 4

19. नीचे दर्शाए गए पासे में कौन-सी संख्या 6 लिखे पार्श्व के सम्मुख पार्श्व पर लिखी होगी?

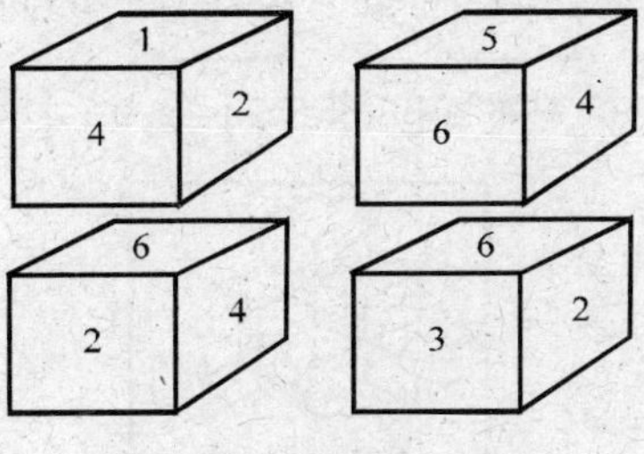

A. 2 B. 3
C. 1 D. 5

20. यदि घन के सम्मुख फलकों पर अंकित संख्याओं का कुल योग प्रत्येक स्थिति में केवल 7 हो तो निम्नलिखित में से कौन-सी आकृति त्रुटिपूर्ण हैं?

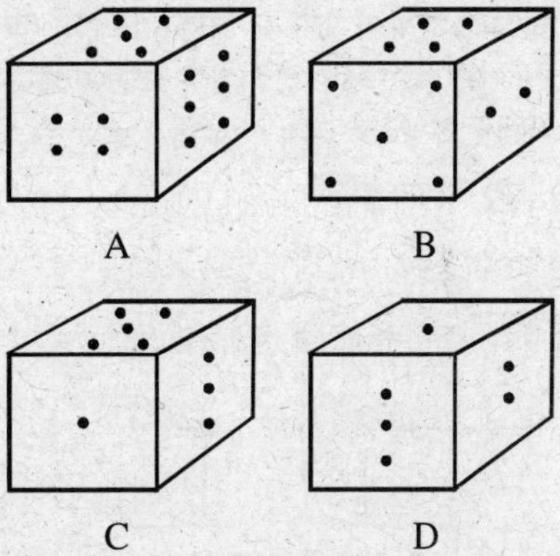

A. C B. D
C. A D. B

निर्देश (प्रश्न 21 से 23) : *एक घन के सभी फलकों को सफेद रंग में रंगा गया है। इस घन को समान आकार के 125 छोटे घनों में काटा जाता है। इस सूचना के आधार पर प्रश्न संख्या 21 से 23 तक के प्रश्नों के उत्तर दें।*

21. ऐसे छोटे घनों की संख्या कितनी है जिनका केवल एक फलक ही रंगीन है?
A. 54 B. 8
C. 16 D. 27

22. कितने छोटे घनों के केवल दो फलक रंगीन हैं?
A. 64 B. 12
C. 36 D. 48

23. कितने घनों का कोई भी फलक रंगीन नहीं है?
A. 66 B. 27
C. 25 D. 49

24. किसी एक पासे की दो स्थितियां नीचे दर्शाई गई हैं। यदि पासे का चार बिंदु अंकित फलक तली पर हों तो उसके शीर्ष फलक पर कितने बिंदु अंकित होंगे?

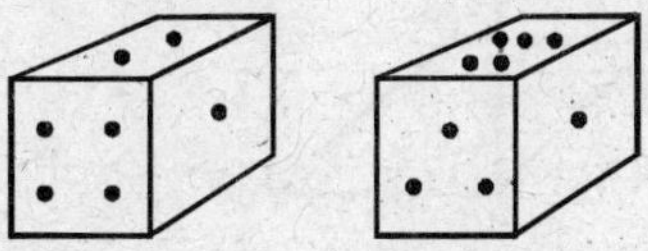

A. 6 B. 5
C. 4 D. 3

निर्देश (प्रश्न 25-26) : *एक पासा चार बार फेंका जाता है। इन चारों बार पासे की स्थितियां नीचे दर्शाई गई हैं :*

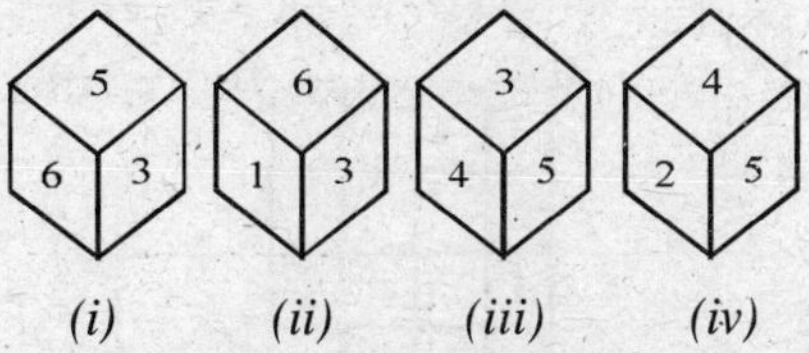

25. पासे के जिस फलक पर 3 लिखा है उसके सम्मुख फलक पर कौन सी संख्या लिखी होगी?
A. 2 B. 1
C. 5 D. 4

26. पासे के जिस फलक पर 6 लिखा है उसके सम्मुख फलक पर कौन-सी संख्या लिखी होगी?

A. 5 B. 3
C. 4 D. 1

27. नीचे की आकृतियों में पासे पर अंकित बिंदुओं (एक से छह तक बिंदु) को ध्यानपूर्वक देखें। पासे के जिस फलक पर चार बिंदु अंकित हैं उसके ठीक विपरीत (सम्मुख) फलक पर कितने बिंदु अंकित होंगे?

A. 3 B. 5
C. 2 D. 6

28. किसी पासे की दो स्थितियां नीचे दर्शाई गई हैं:

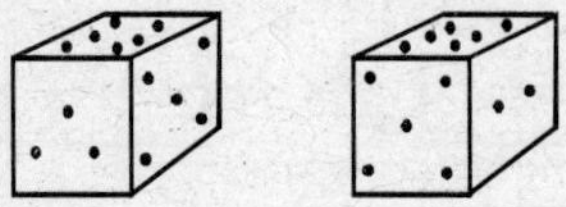

यदि पासे की तली पर 3 बिंदु अंकित हों तो उसके शीर्ष फलक पर कितने बिंदु अंकित होंगे?

A. 5
B. 4
C. 1
D. 2

29. किसी पासे की चार स्थितियां नीचे दर्शाई गई हैं:

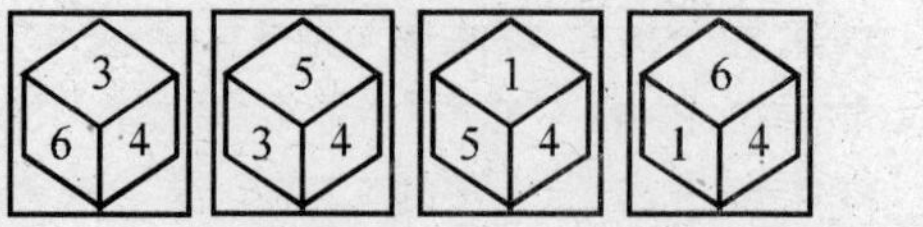

यदि पासे के शीर्ष फलक पर 2 की संख्या हो तो उसके तल फलक पर कौन-सी संख्या अंकित होगी?

A. 6 B. 4
C. 3 D. 1

निर्देश (प्रश्न 30–31) : *किसी पासे की तीन स्थितियां नीचे दर्शाई गई हैं। प्रश्न चिह्न (?) के स्थान पर कौन-सी संख्या होगी?*

30. 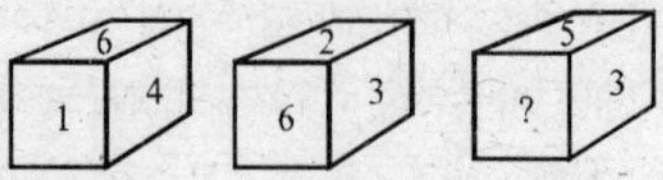

A. 1 B. 2
C. 4 D. 6

31. 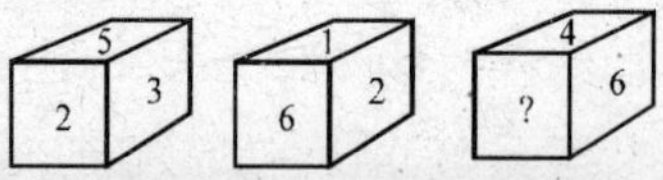

A. 2 B. 1
C. 3 D. 5

व्याख्यात्मक उत्तरमाला

1. A. : पासे की विभिन्न स्थितियों का अध्ययन करने पर ज्ञात होता है कि पासे के निम्नलिखित पार्श्व उसके सम्मुख पार्श्व हैं : 2 — 5, 4 — 3 और 1— 6.

2. A. : दिए गए पासे में 1 संख्यांकित पासे से संलग्न फलक 3, 2, 5 और 6 हैं। अत: सम्मुख पार्श्वों पर लिखी संख्याएं 1 और 4 हैं।

3. B. :

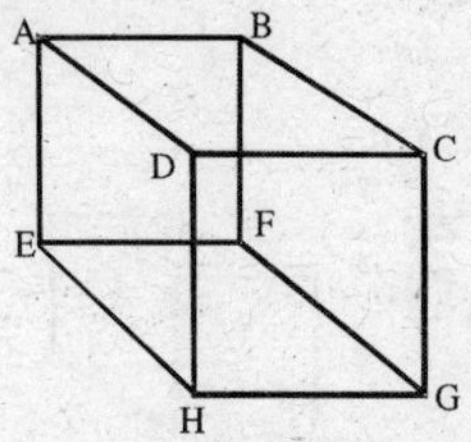

घन के लाल रंग में रंगे फलक EHDA, ABCD और BCGF हैं तथा उसके पीले रंग में रंगे फलक ABFE और EFGH हैं एवं उसका हरे रंग में रंगा फलक CDHG है।

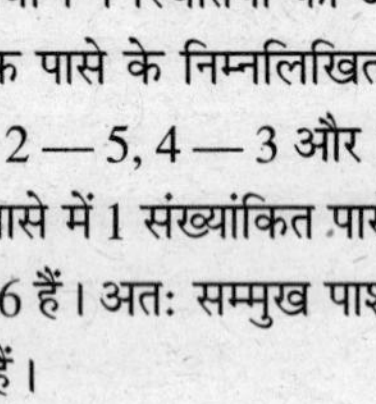

घन की HD, CD और CG भुजाएं लाल रंग में रंगे फलक की भुजाओं की संलग्न भुजाएं हैं और GH भुजा पीले रंग के फलक की भुजाओं के संलग्न है। अत: केवल 8 घन ही ऐसे होंगे जिनमें एक पार्श्व लाल और एक पार्श्व हरा हो।

4. A. : हालांकि स्पष्ट है कि 2 बिंदुओं वाले फलक के सम्मुख फलक पर 4 बिंदु अंकित हैं किंतु यह स्पष्ट नहीं हैं कि 3 बिंदु अंकित फलक के सम्मुख फलक पर 1 बिंदु अंकित हैं या 5 बिंदु अंकित हैं। अत: उत्तर 1 या 5 है।

5. C. : शीर्ष और तल फलक पर अंकित अक्षर क्रमश: W और D हैं तथा बगल के फलकों पर दक्षिणावर्त अंकित अक्षर क्रमश: U, Y, M और S हैं।

6. A. : इस घनाकार खंड में सम्मुख फलकों पर बिंदुओं की संख्याएं क्रमश: 1—6, 3—4 और 5—2 होंगी।

7. C. : घन के छह फलक होते हैं और उसके दो सम्मुख फलक एक से रंग में रंगे जा सकते हैं।

8. A. : पासे की दो स्थितियां निम्नवत होंगी :

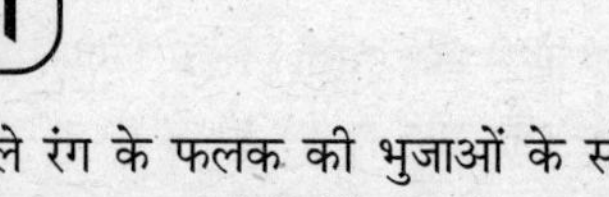

और इसके सम्मुख फलक a—c, b—d होंगे।

9. D. :

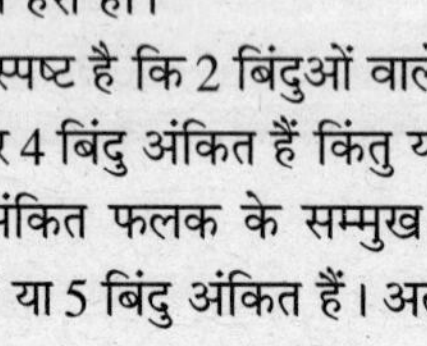

दी गई आकृति में तीन कॉलमों में 1-1 घन हैं, दो कॉलमो

में 2-2 घन हैं तथा एक कॉलम में 3 घन हैं। अत: घनों की कुल संख्या

$$= (3 \times 1) + (2 \times 2) + (1 \times 3)$$

अर्थात्, $3 + 4 + 3 = 10.$

10. B. : जब 5 और 6 की संख्या घन के सम्मुख फलकों पर लिखी गई हैं तो सम्मुख फलकों पर अंकित संख्याएं 4—1 और 2—3 होंगी। यदि 2 तल फलक पर अंकित है तो घन के शीर्ष फलक पर 3 की संख्या लिखी होगी।

11. B. : एक ही पासे की दो भिन्न-भिन्न स्थितियों का अध्ययन करने पर ज्ञात होता है कि पासे के सम्मुख फलक 1—6, 2—4 और 3—5 है। अत: यदि 1 की संख्या पासे के शीर्ष फलक पर लिखी हो तो पासे के तल फलक पर 6 की संख्या लिखी होगी।

12. D. : पासे की दी गई विभिन्न स्थितियों का अध्ययन करने पर ज्ञात होता है कि फलक 1—3, 2—4 और 5—6 पासे के सम्मुख फलक हैं। अत: यदि पासे के शीर्ष फलक पर 2 की संख्या अंकित हो तो उसके तल फलक पर 4 की संख्या अंकित होगी।

13. D. : एक दूसरे के सम्मुख फलकों पर अंकित संख्याएं 1— 4; 2 — 5 और 3 — 6 हैं।

14. B. :

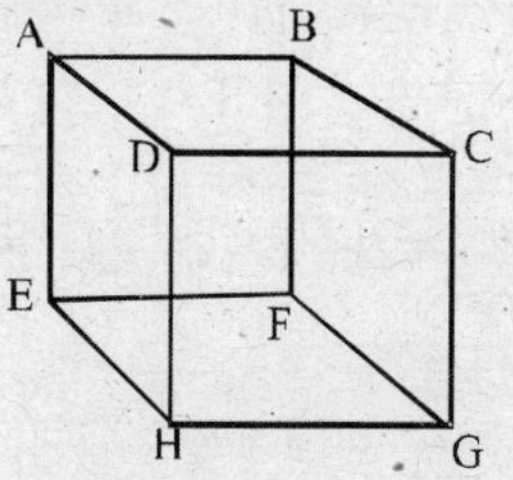

घन का फलक ABCD लाल है और EFGH काला है। यदि ADHE सफेद और CDHG धूसर हो, तो उसका संलग्न पार्श्व BCGF हरा हो सकता है और ABFE नारंगी हो सकता है। ऐसी स्थिति में घन के सफेद फलक (ADHE) के सम्मुख फलक (BCGF) का रंग हरा होगा।

15. C. :

घन के तीन फलक काले रंग में रंगे हैं और शेष फलक अलग-अलग रंगों में रंगे हैं। यदि इस घन को 64 समान छोटे-छोटे घनों में काटा जाए तो एक फलक के बीच के केवल 4 घन ही ऐसे प्राप्त होंगे जिसमें केवल एक पार्श्व ही काले रंग से रंगा होगा। अत: ऐसे छोटे घनों की कुल संख्या 4 × 3 = 12 होगी। जिसका केवल एक फलक ही काले रंग में रंगा होगा।

16. D. :

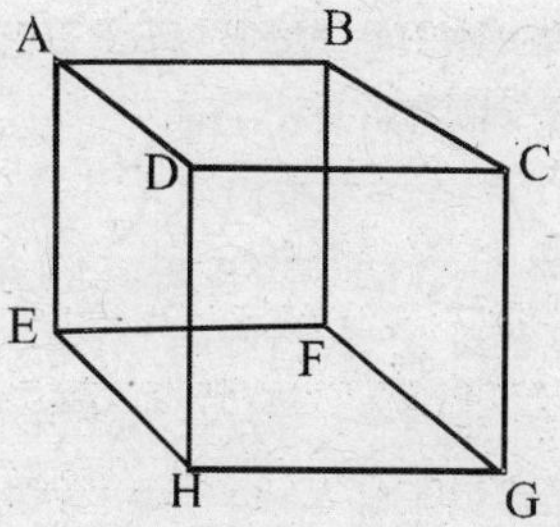

यदि घन का फलक ABCD लाल हो तो ABFE सफेद होगा और ADHE नीला होगा। यदि पार्श्व BCGF (नीले रंग वाले फलक का सम्मुख फलक) नारंगी हो तो CDHG फलक काला होगा और EFGH (लाल रंग के फलक ABCD का सम्मुख फलक) पीला होगा और घन का तल फलक होगा।

17. B. : बड़े घन से 64 छोटे आकार के घन निम्नवत् काटे जाएंगे :

1. छोटे आकार के 8 घनों के तीन फलक रंगीन होंगे।
2. 24 छोटे घनों के 2 फलक रंगीन होंगे।
3. 24 छोटे घनों का 1 फलक रंगीन होगा।
4. 8 छोटे घनों का कोई भी फलक रंगीन नहीं होगा।

आरेखीय रूप में घन के एक फलक को लेकर निम्नलिखित स्पष्टीकरण प्राप्त होता है :

a	b	b	a
b	c	c	b
b	c	c	b
a	b	b	a

1. 'a' कोने के खंड हैं [4 × 2 = 8]
2. 'b' कोने के बीच वाले खंड हैं [8 × 3 = 24]
3. 'c' बीच के खंड हैं [4 × 6 = 24]
4. शेष आंतरिक खंड
$= 64 - (8 + 24 + 24)$
$= 64 - 56 = 8.$

18. A. : घन से छोटे आकार के 27 खंड निम्नलिखित रूप में काटे जाएंगे :

1. 8 घनों के 3 फलक रंगीन होंगे।
2. 12 घनों के 2 फलक रंगीन होंगे।
3. 6 घनों का केवल 1 फलक रंगीन होगा।
4. 1 घन का कोई भी फलक रंगीन नहीं होगा।

आरेखीय रूप में, घन के एक फलक को लेकर स्पष्टीकरण निम्नवत होगा:

a	b	a
b	c	b
a	b	a

1. 'a' कोने के खंड हैं [4 × 2 = 8]

2. 'b' कोने के बीच वाले खंड हैं [4 × 3 = 12]
3. 'c' बीच के खंड हैं [1 × 6 = 6]
4. आंतरिक रंगहीन खंड केवल 1 है।

19. C. : एक ही पासे की दी गई विभिन्न आकृतियों के अनुसार 6 संख्यांकित पार्श्व के संलग्न पार्श्व क्रमशः 5, 4, 2 और 3 संख्यांकित पार्श्व हैं। अतः 6 संख्यांकित फलक के सम्मुख पार्श्व पर 1 की संख्या अंकित होगी।

20. D. : 5 और 2 की संख्याएं सम्मुख फलकों पर अंकित होने के बजाय संलग्न फलकों पर अंकित हैं।

21. A., 22 C., 23. B. :
दिए गए घन से छोटे आकार के 125 घन खंड निम्नलिखित प्रकार से काटे जाएंगे :

1. 8 खंडों के 3 फलक रंगीन होंगे।
2. 36 खंडों के 2 फलक रंगीन होंगे।
3. 54 खंडों का केवल 1 फलक रंगीन होगा।
4. 27 खंडों का कोई भी फलक रंगीन नहीं होगा।

आरेखीय रूप में, घन के एक फलक को लेकर निम्नलिखित स्पष्टीकरण प्राप्त होगा :

a	b	b	b	a
b	c	c	c	b
b	c	c	c	b
b	c	c	c	b
a	b	b	b	a

1. 'a' कोने के खंड हैं [4 × 2 = 8]
2. 'b' कोने के बीच वाले खंड हैं [12 × 3 = 36]
3. 'c' बीच के खंड हैं [9 × 6 = 54]
4. आंतरिक रंगहीन खंड 27 होंगे।

24. D. : पासे के सम्मुख फलक स्पष्टतः 1 – 6, 2 – 5 और 3 – 4 हैं। अतः जबकि 4 बिंदु अंकित पासे का तल फलक है तो उसके शीर्ष फलक पर 3 बिंदु अंकित होंगे।

25. A. : आकृति (i), (ii) और (iii) से यह स्पष्ट है कि 3 संख्यांकित फलक के संलग्न फलक 6, 5, 1 और 4 संख्यांकित हैं। अतः 3 संख्यांकित फलक के सम्मुख फलक पर 2 की संख्या लिखी होगी।

26. C. : आकृति (i), (iii) और (iv) से यह स्पष्ट है कि 5 संख्यांकित फलक के संलग्न फलक 6, 3, 4 और 2 संख्यांकित हैं। अतः 5 संख्यांकित फलक के सम्मुख फलक पर 1 की संख्या लिखी होगी। पूर्व के प्रश्न में यह स्पष्ट हो चुका है कि 3 संख्यांकित फलक का सम्मुख फलक 2 संख्यांकित फलक है। अतः पासे के सम्मुख फलक हैं : 3 – 2, 5 – 1 और 4 – 6।

27. C. : प्रेक्षण से यह स्पष्ट होता है कि 4 बिंदु अंकित फलक के सम्मुख फलक पर 2 बिंदु अंकित हैं। यदि 1 बिंदु अंकित फलक शीर्ष फलक हो तो पांच बिंदु युक्त फलक दोनों प्रेक्षित फलकों के बीच का फलक है।

28. D. : पासे की दोनों स्थितियों से यह स्पष्ट है कि यदि छह और पांच बिंदु युक्त फलक बगल में हों तो तीन और दो बिंदु युक्त फलक सम्मुख फलक हैं। अतः यदि तल फलक पर 3 बिंदु अंकित हैं तो शीर्ष फलक पर 2 बिंदु अंकित होंगे।

29. B. : पासे की चारों स्थितियों के प्रेक्षण से यह स्पष्ट है कि :

(i) 1 संख्यांकित फलक के संलग्न फलक क्रमशः 5, 4, 6 और 2 संख्यांकित हैं। अतः 1 संख्यांकित फलक के सम्मुख फलक पर 3 की संख्या लिखी होगी।

(ii) 5 संख्यांकित फलक के संलग्न फलक क्रमशः 3, 4, 1 और 2 संख्यांकित फलक होंगे। अतः 5 संख्यांकित फलक के सम्मुख फलक पर 6 की संख्या लिखी होगी।

(iii) 4 संख्यांकित फलक के संलग्न फलक क्रमशः 3, 6, 5 और 1 संख्यांकित फलक होंगे। अतः 4 संख्यांकित फलक के सम्मुख फलक पर 2 की संख्या लिखी होगी।

अतः यदि पासे के शीर्ष फलक पर 2 की संख्या लिखी हो तो उसके तल फलक पर 4 की संख्या लिखी होगी।

30. B. : पासे के संलग्न फलकों पर 1, 2, 3 और 4 की संख्याएं लिखी हुई हैं जबकि उसके सम्मुख फलकों पर 5 और 6 की संख्याएं लिखी हुई हैं। संलग्न फलकों पर संख्याओं के क्रम पर विचार करने से यह स्पष्ट होता है कि प्रश्न चिह्न (?) वाले फलक पर प्रश्न चिह्न के स्थान पर 2 की संख्या आएगी। यदि शीर्ष फलक पर लिखी संख्या 6 है तो प्रश्न चिह्न वाले फलक पर प्रश्न चिह्न के स्थान पर 4 की संख्या लिखी जाएगी।

31. B. : 2 लिखे फलक के संलग्न फलकों पर क्रमशः 5, 3, 1 और 6 की संख्याएं लिखी हैं। अतः सम्मुख फलकों पर 2 और 4 की संख्याएं लिखी हैं। 5 और 3 लिखे फलक संलग्न फलक होंगे यदि तल फलक पर 2 की संख्या लिखी हो। अतः यदि शीर्ष फलक पर 4 की संख्या लिखी हो तो 1 और 6 लिखे फलक संलग्न फलक होंगे।

अभाषिक

अध्याय 13

शृंखला

लुप्त (खाली स्थान) शृंखला

इस प्रकार की शृंखला लगभग पूर्वोक्त शृंखला जैसी ही है। इसमें भी आकृतियों के दो समुच्चय दिए जाते हैं जिनमें से एक समुच्चय प्रश्न आकृतियों का समुच्चय और दूसरा उत्तर आकृतियों का समुच्चय होता है। प्रश्न आकृतियों में एक विशेष पैटर्न से संचलन होता है जिससे वे एक शृंखला निर्मित करती हैं। इस प्रकार की शृंखला और पूर्वोक्त शृंखला में एकमात्र अंतर यह है कि शृंखला में निरंतरता स्थापित करने वाली अंतिम आकृति ज्ञात करने के बजाय इस प्रकार की अभाषिक शृंखला में उत्तर आकृतियों से प्रश्न आकृतियों के बीच की आकृति ज्ञात की जानी होती है।

इस प्रकार की शृंखला में चूंकि निरंतरता विच्छिन्न हो जाती है जिसे स्थापित करना होता है, अतः इसके लिए विशेष मनोयोग और मानसिक श्रम की आवश्यकता है। प्रत्येक समुच्चय में अवयवों की व्यवस्था; पैटर्न और आकृतियों को अच्छी तरह समझें और उत्तर ज्ञात करने के लिए विभिन्न शैलियों और नियमों का पालन करें।

हल किए गए प्रश्न

नीचे के प्रत्येक प्रश्न में आकृतियों के दो समुच्चय दिए गए हैं जिनमें से एक प्रश्नाकृतियों और दूसरा उत्तर आकृतियों का समुच्चय है। उत्तर आकृतियों के समुच्चय में से एक आकृति प्रश्नाकृतियों के समुच्चय में दिए गए प्रश्न चिह्न के स्थान पर रखने से प्रश्नाकृतियों में निरंतरता या सांतत्य स्थापित होता है। अभ्यर्थियों द्वारा उत्तर आकृतियों के समुच्च्य से उस आकृति का चयन किया जाना है जिससे प्रश्नाकृतियों के समुच्चय में निरंतरता स्थापित होती हो।

1. प्रश्न आकृतियां

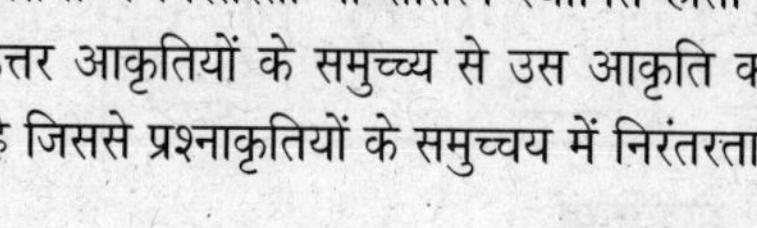

उत्तर आकृतियां

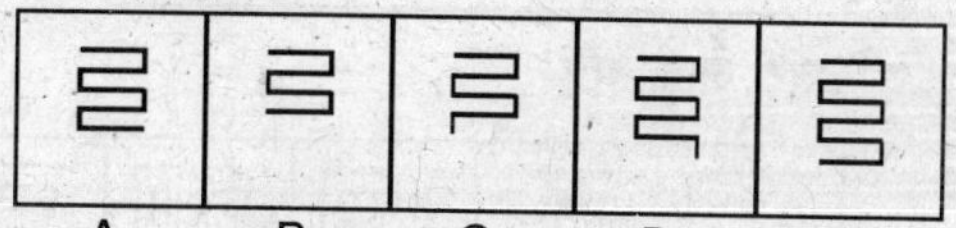

A B C D E

उत्तर A: प्रश्नाकृतियों के समुच्चय को ध्यान पूर्वक देखें। प्रत्येक अगली आकृति में सीधी रेखाओं से निर्मित डिजाइन का आकार बढ़ रहा है। पहली आकृति में दो रेखाखंड हैं और दूसरी आकृति में रेखाखंडों में तीन की वृद्धि हो रही है। पैटर्न में निरंतरता बनाए रखने के लिए तीसरी प्रश्नाकृति में रेखाखंडों की संख्या में चार की वृद्धि होनी चाहिए ताकि अंतिम आकृति में रेखाखंडों की संख्या में और पाँच की वृद्धि से प्रश्नाकृतियों में निरंतरता बनी रहे। उत्तर आकृति 'A' इस अपेक्षा को पूरा करती है, अतः यही हमारा सही उत्तर है।

2. प्रश्न आकृतियां

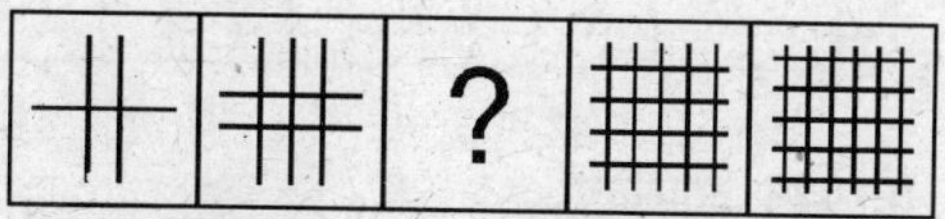

उत्तर आकृतियां

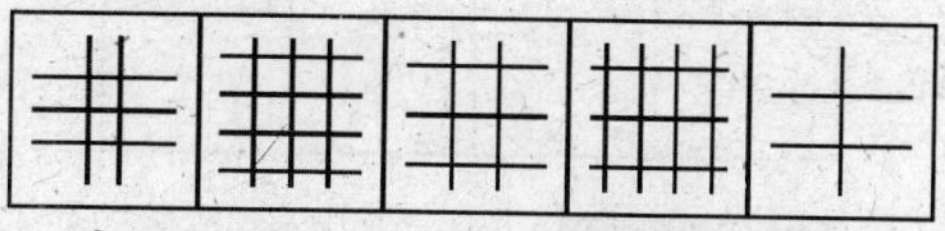

A B C D E

उत्तर D: दिए गए पैटर्न को ध्यान से देखें। प्रत्येक चरण पर एक ऊर्ध्वाधरतः और एक क्षैतिज रेखा जुड़ती जाती है। इस नियम द्वारा उत्तर आकृति 'D' प्रश्नाकृतियों में प्रश्न चिह्न के स्थान पर उपयुक्त आकृति है। ध्यान दें कि यदि विकल्प में D उत्तर आकृति न दी गई हो तो प्रश्न चिह्न के स्थान पर रखने के लिए उत्तर आकृति 'B' पर भी विचार किया जा सकता है किंतु यहाँ इस बात पर ध्यान दिया जाना है कि क्षैतिज रेखाओं की संख्या ऊर्ध्वाधर रेखाओं की संख्या से एक अधिक है। अतः उत्तर आकृति 'D' सही उत्तर है।

प्रश्नमाला

निर्देशः *यहाँ प्रत्येक प्रश्न में आकृतियों के दो समुच्चय दिए गए हैं। पहले दी गई आकृतियाँ प्रश्न आकृतियाँ हैं और बाद की आकृतियाँ उत्तर आकृतियाँ हैं जिन्हें* A, B, C, D और E द्वारा सूचित किया गया है। यदि प्रश्न आकृतियों के समुच्चय में दिए गए प्रश्न चिह्न के स्थान पर उत्तर आकृतियों से कोई एक आकृति प्रतिस्थापित की जाए तो प्रश्नाकृतियों की एक शृंखला स्थापित होती है। आकृतियों में यदि किसी एक विशिष्ट नियम का पालन करते हुए बाएं से दाएं परिवर्तन हों तो उनसे एक शृंखला निर्मित होती है। जो उत्तर आकृति प्रश्नाकृतियों के समुच्चय में प्रश्न चिह्न को प्रतिस्थापित करती है वही आपका उत्तर है। सभी आकृतियों अर्थात् तीन प्रश्न आकृतियों और प्रश्न चिह्न के स्थान पर प्रतिस्थापित उत्तर आकृति से एक शृंखला निर्मित होती है।

1. प्रश्न आकृतियां

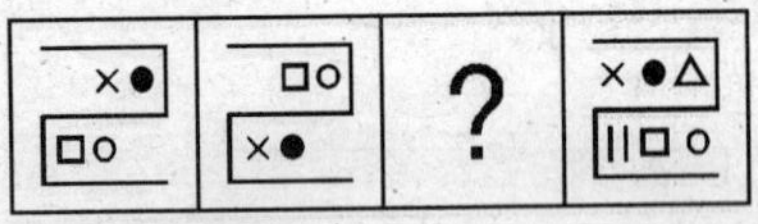

उत्तर आकृतियां

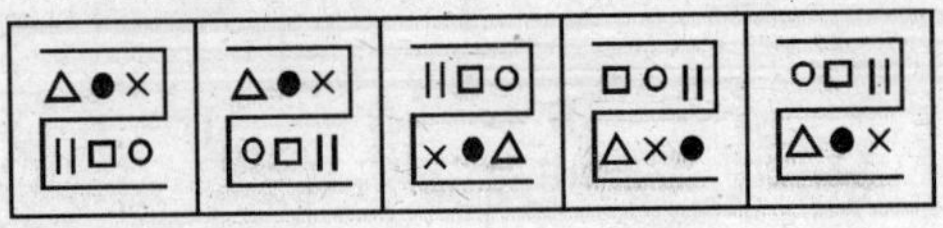

A B C D E

2. प्रश्न आकृतियां

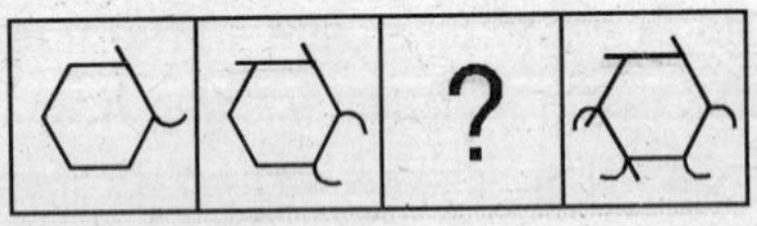

उत्तर आकृतियां

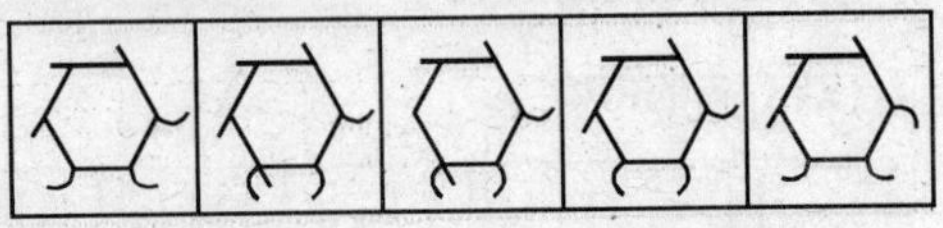

A B C D E

3. प्रश्न आकृतियां

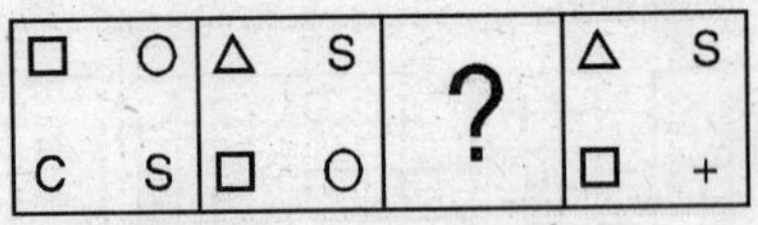

उत्तर आकृतियां

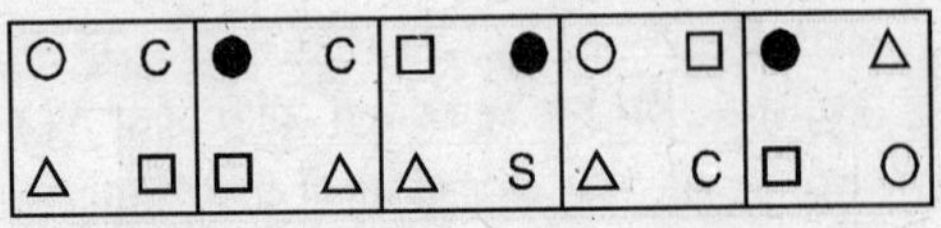

A B C D E

4. प्रश्न आकृतियां

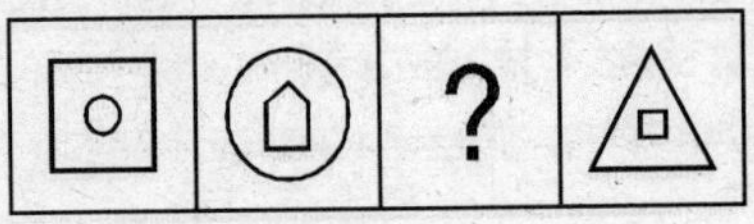

उत्तर आकृतियां

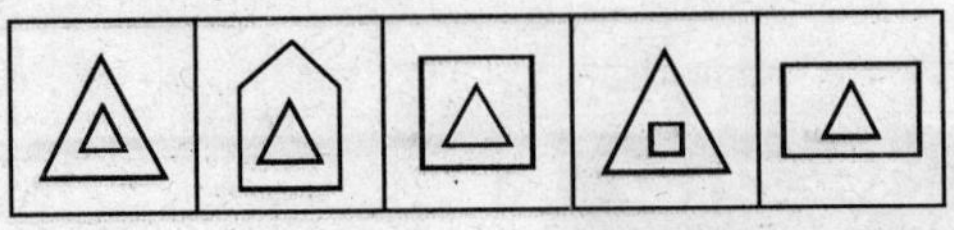

A B C D E

5. प्रश्न आकृतियां

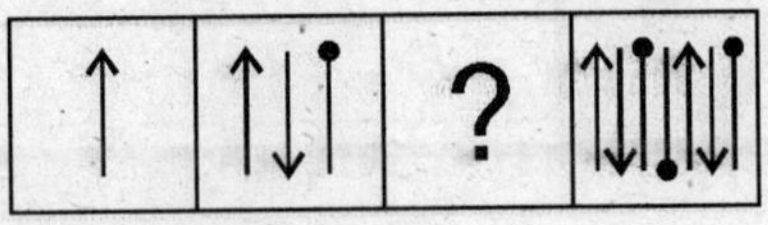

उत्तर आकृतियां

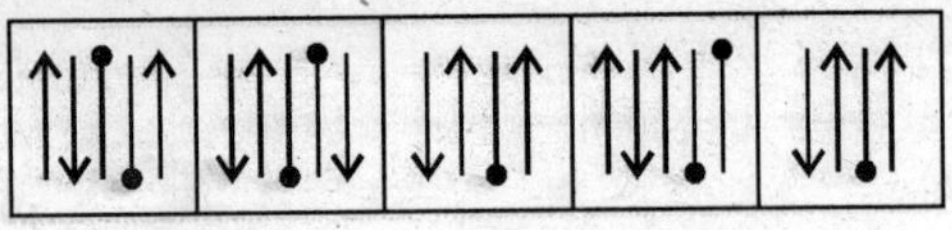

A B C D E

6. प्रश्न आकृतियां

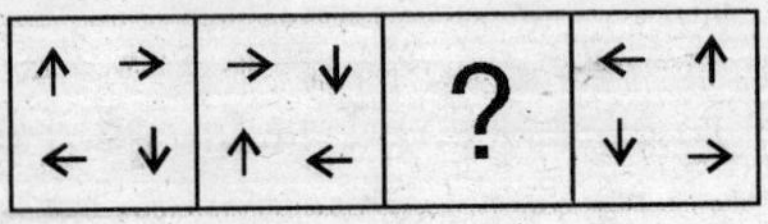

उत्तर आकृतियां

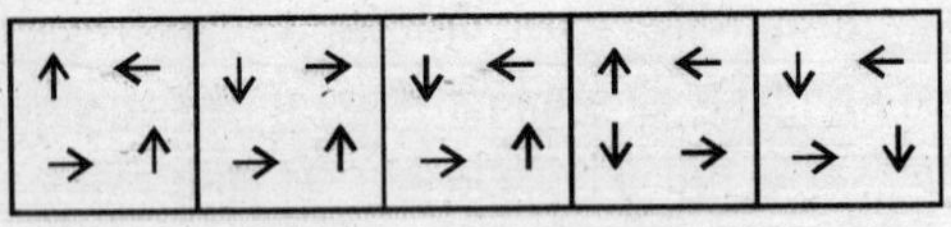

A B C D E

7. प्रश्न आकृतियां

उत्तर आकृतियां

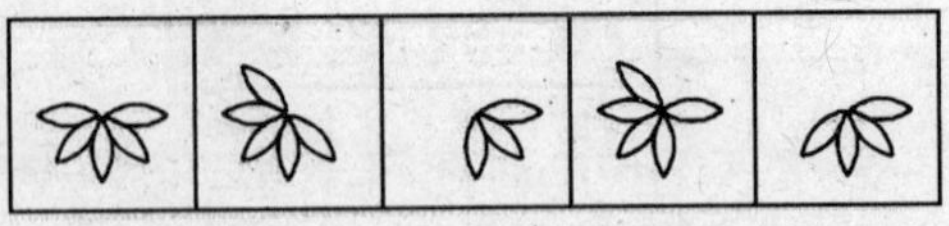

A B C D E

8. प्रश्न आकृतियां

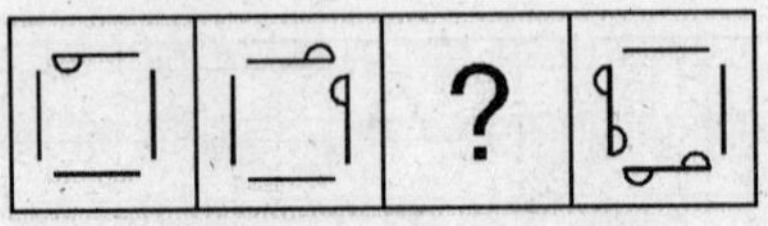

उत्तर आकृतियां

A B C D E

9. प्रश्न आकृतियां

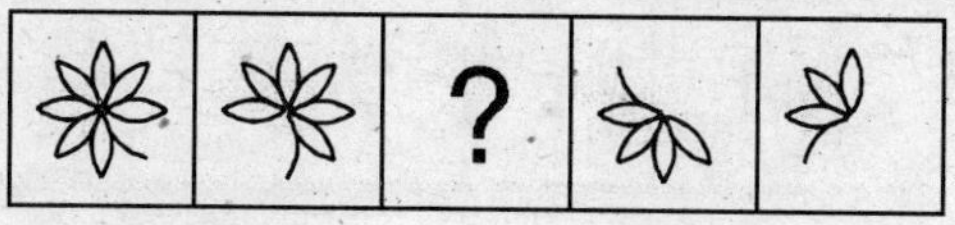

उत्तर आकृतियां

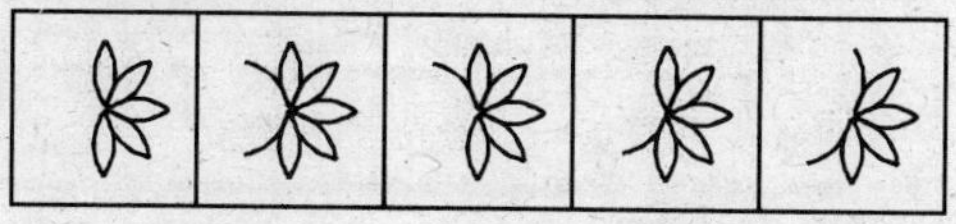

A B C D E

10. प्रश्न आकृतियां

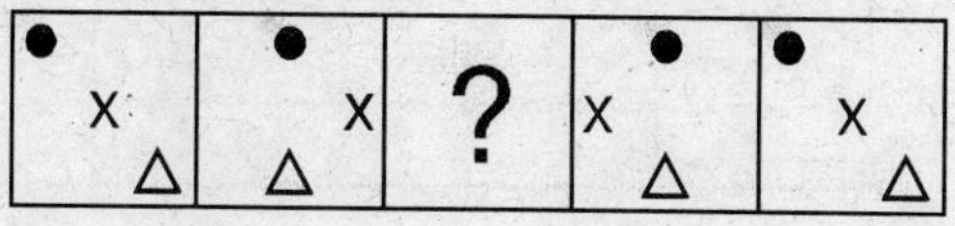

उत्तर आकृतियां

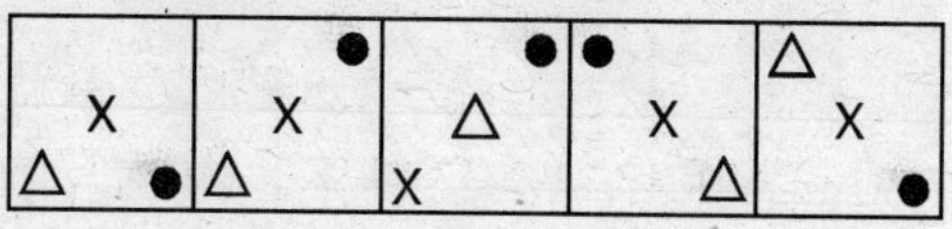

A B C D E

11. प्रश्न आकृतियां

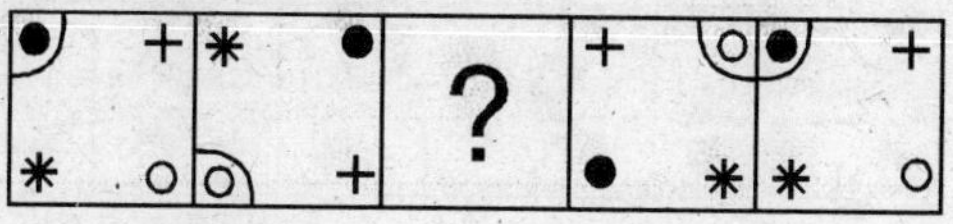

उत्तर आकृतियां

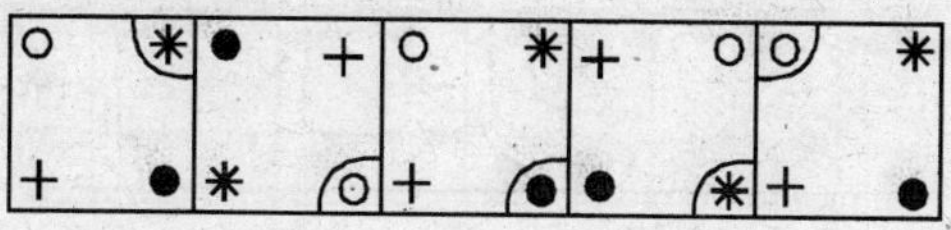

A B C D E

12. प्रश्न आकृतियां

उत्तर आकृतियां

A B C D E

13. प्रश्न आकृतियां

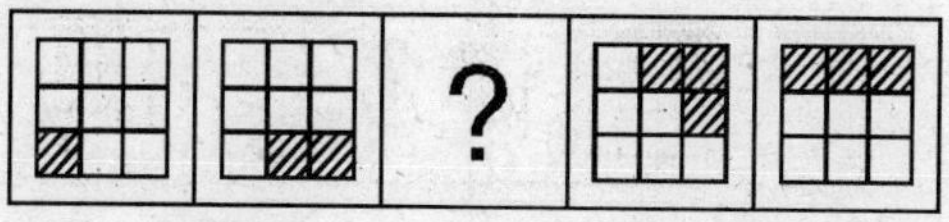

उत्तर आकृतियां

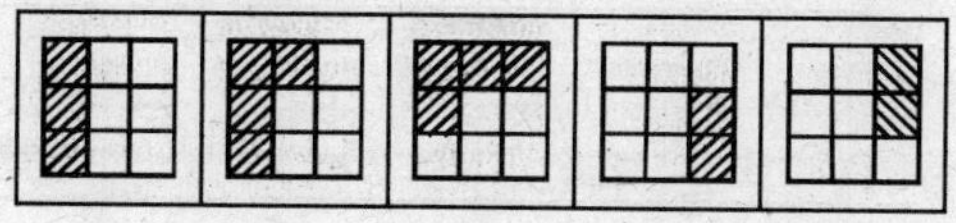

A B C D E

14. प्रश्न आकृतियां

उत्तर आकृतियां

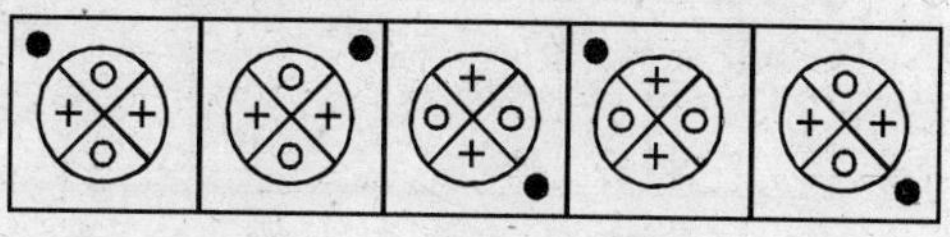

A B C D E

15. प्रश्न आकृतियां

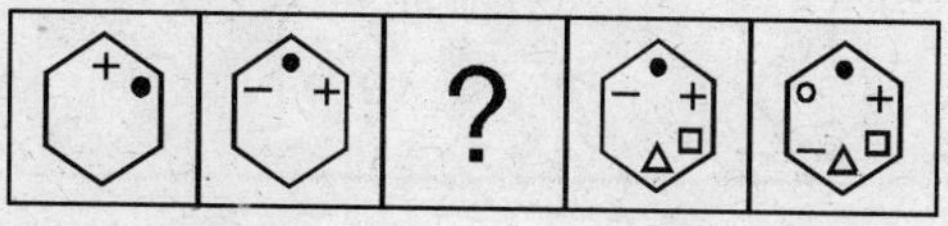

उत्तर आकृतियां

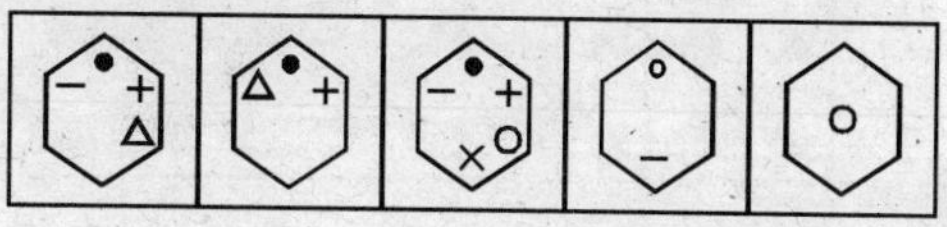

A B C D E

16. प्रश्न आकृतियां

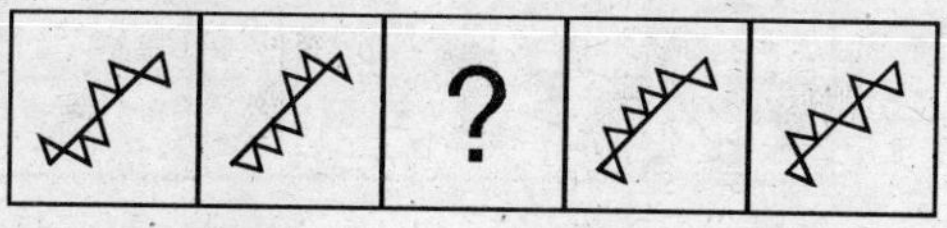

उत्तर आकृतियां

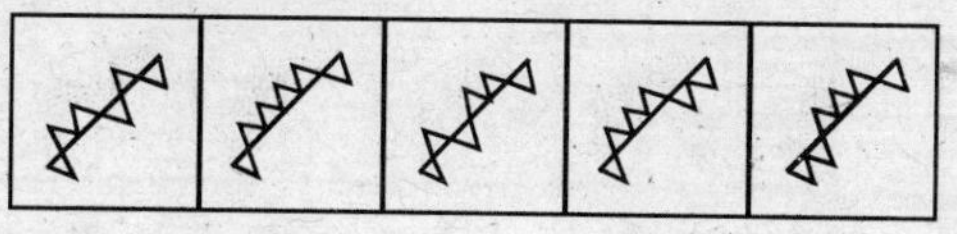

A B C D E

17. प्रश्न आकृतियां

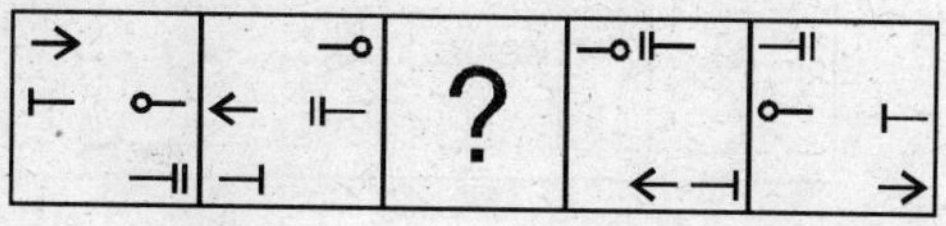

उत्तर आकृतियां

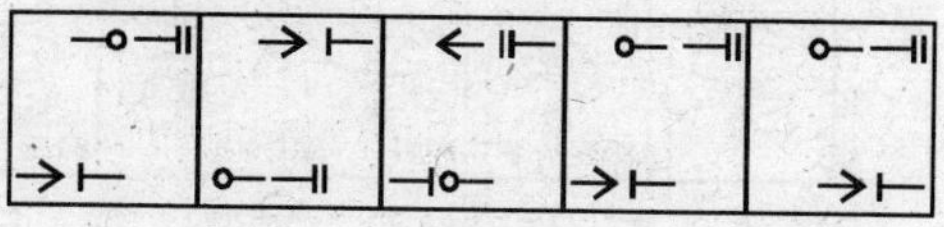

A B C D E

18. प्रश्न आकृतियां

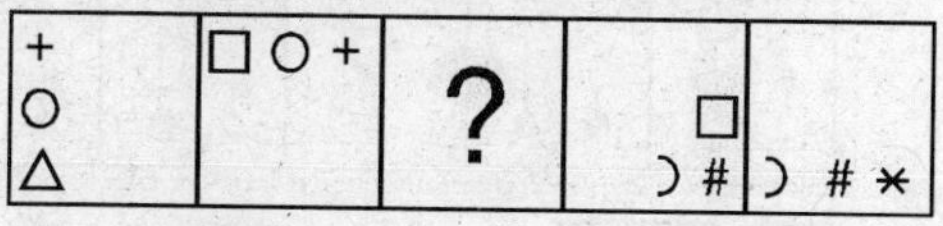

उत्तर आकृतियां

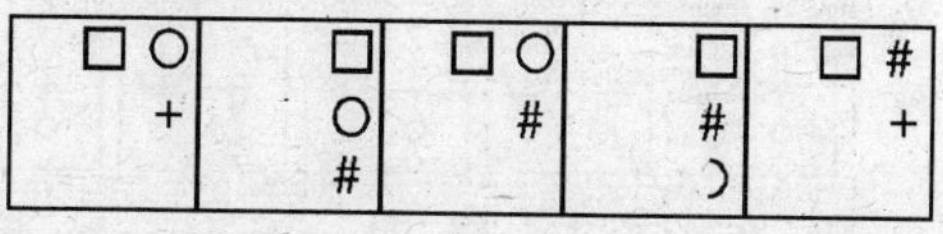

A B C D E

19. प्रश्न आकृतियां

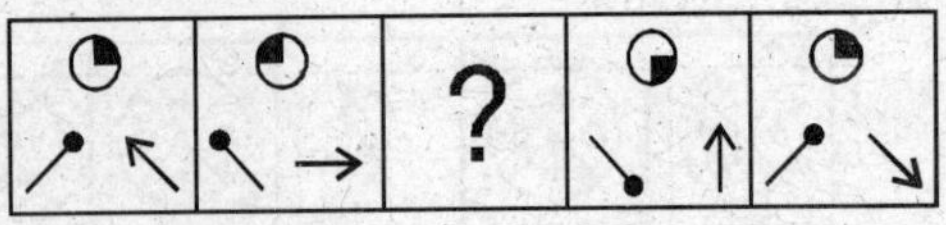

उत्तर आकृतियां

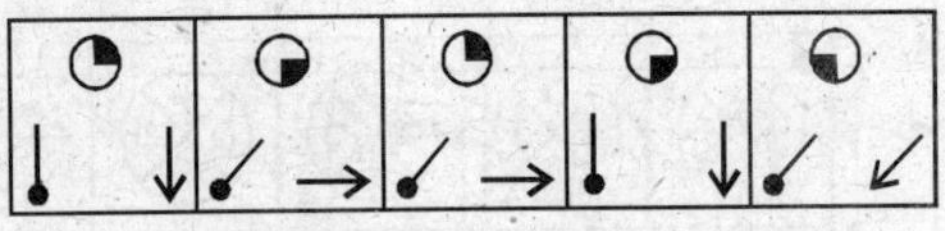

A B C D E

20. प्रश्न आकृतियां

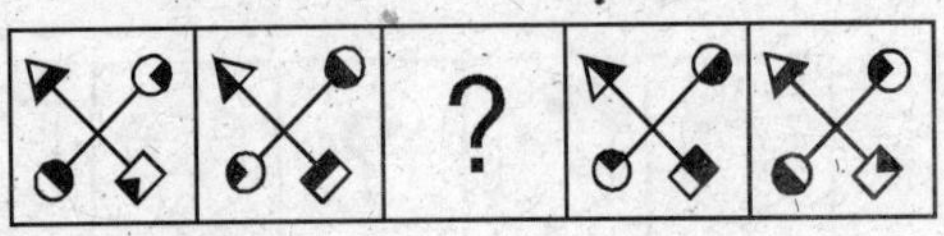

उत्तर आकृतियां

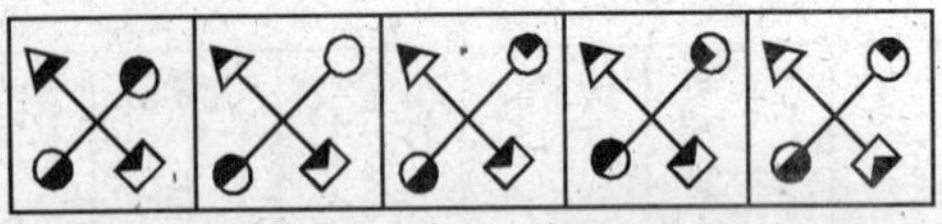

A B C D E

21. प्रश्न आकृतियां

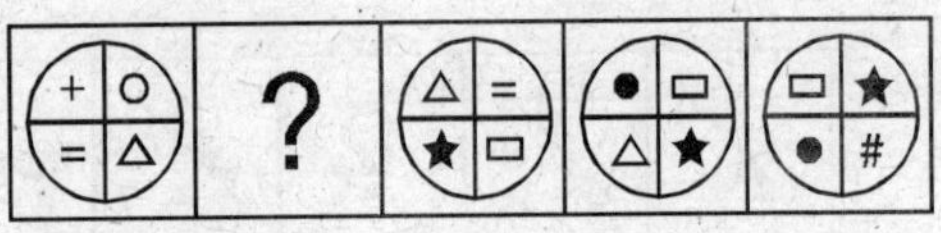

उत्तर आकृतियां

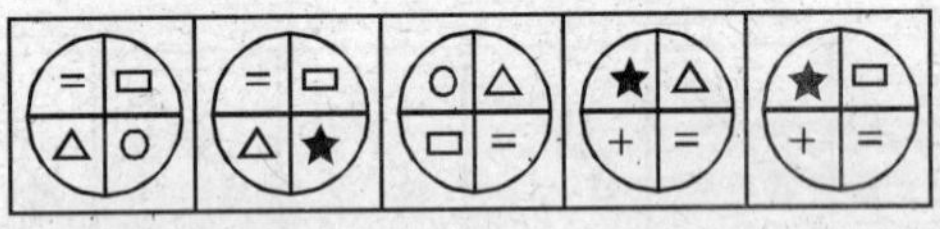

A B C D E

22. प्रश्न आकृतियां

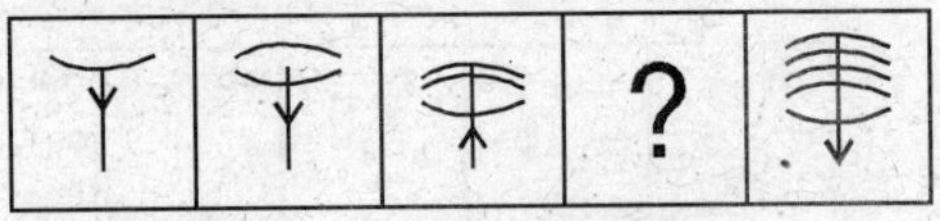

उत्तर आकृतियां

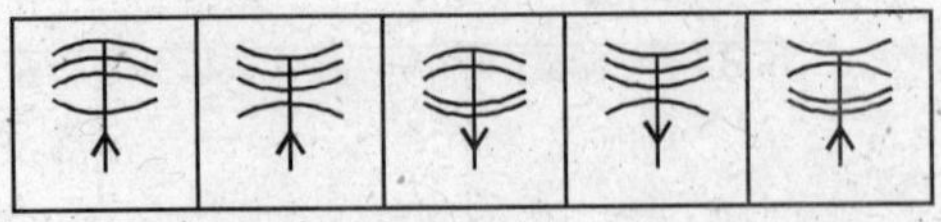

A B C D E

23. प्रश्न आकृतियां

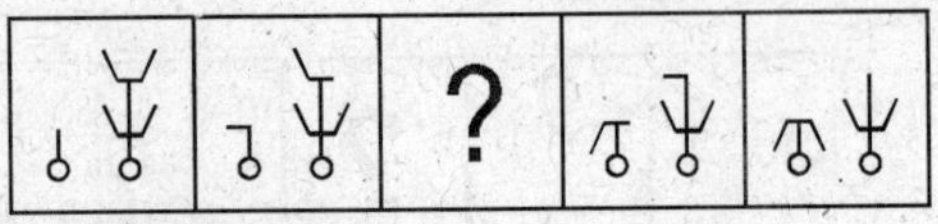

उत्तर आकृतियां

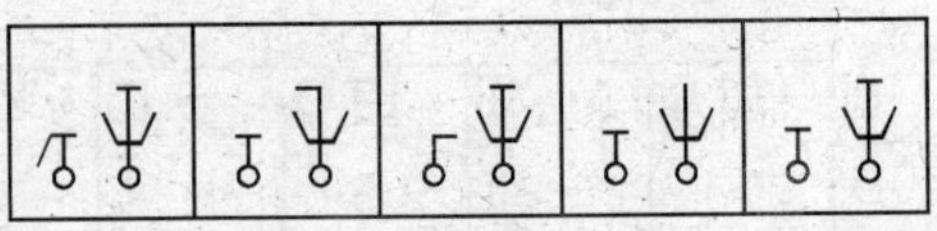

A B C D E

24. प्रश्न आकृतियां

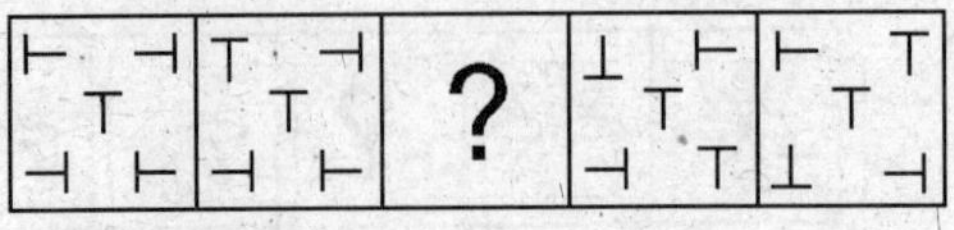

उत्तर आकृतियां

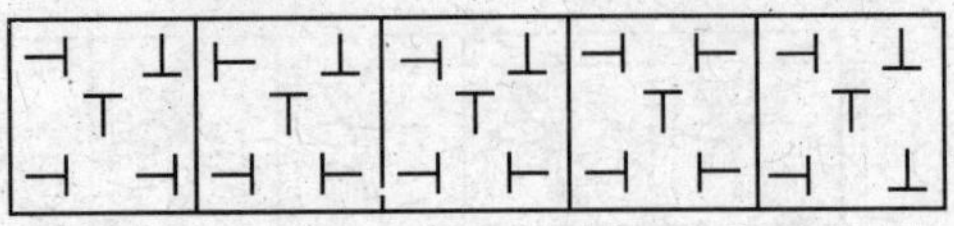

A B C D E

25. प्रश्न आकृतियां

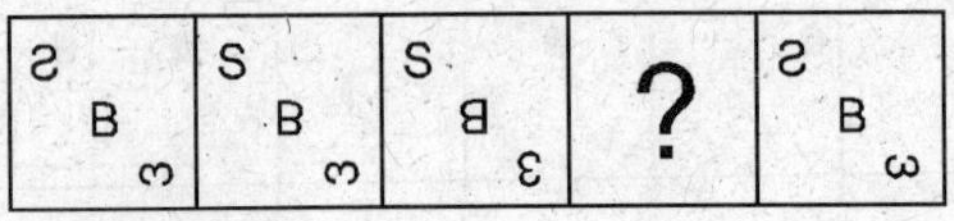

उत्तर आकृतियां

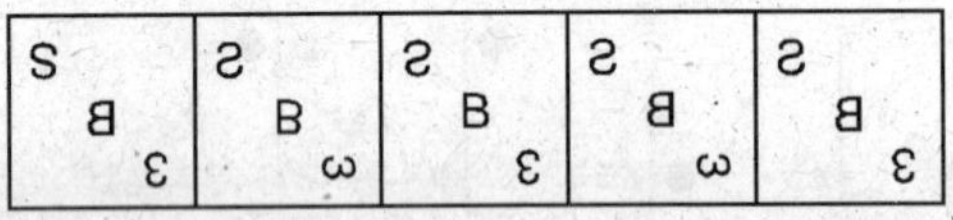

A B C D E

26. प्रश्न आकृतियां

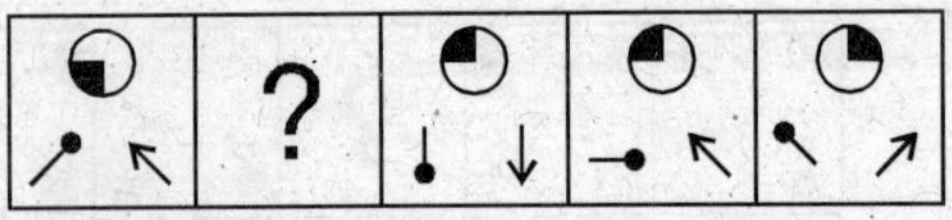

उत्तर आकृतियां

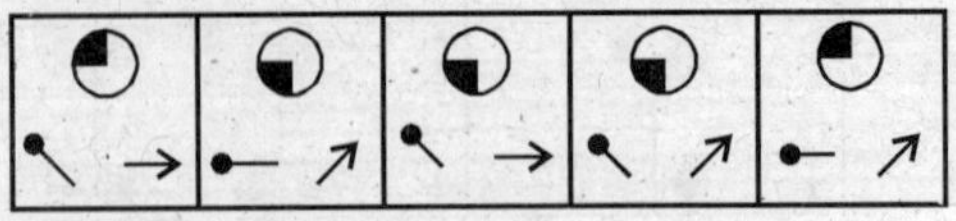

A B C D E

27. प्रश्न आकृतियां

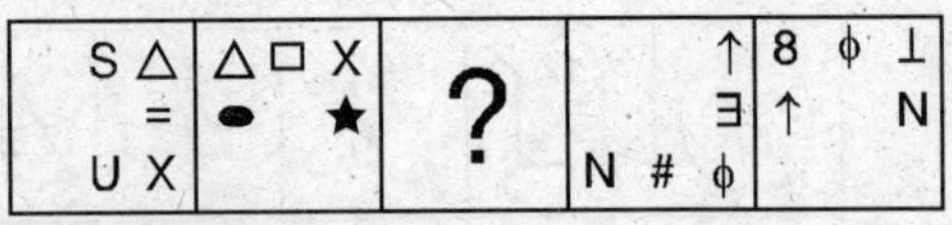

उत्तर आकृतियां

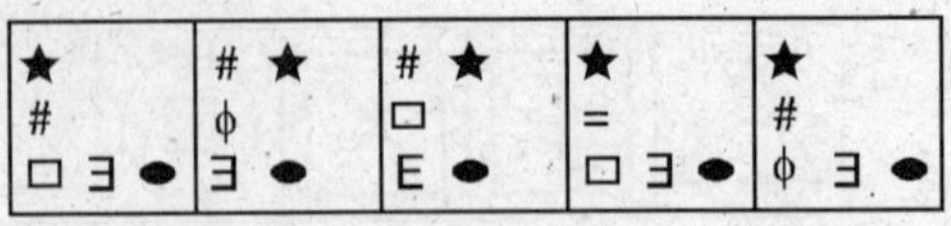

A B C D E

28. प्रश्न आकृतियां

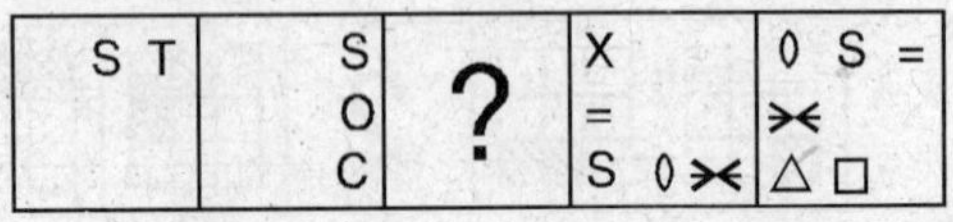

उत्तर आकृतियां

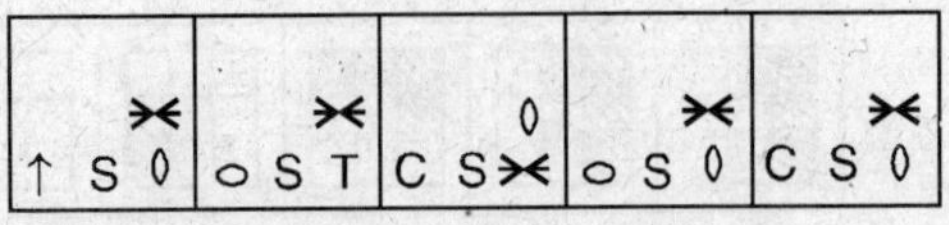

A B C D E

29. प्रश्न आकृतियां

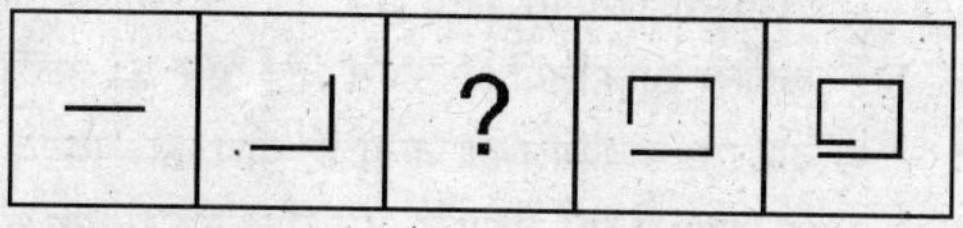

उत्तर आकृतियां

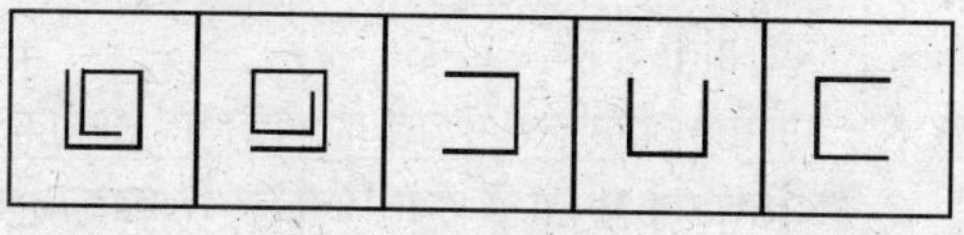

A B C D E

30. प्रश्न आकृतियां

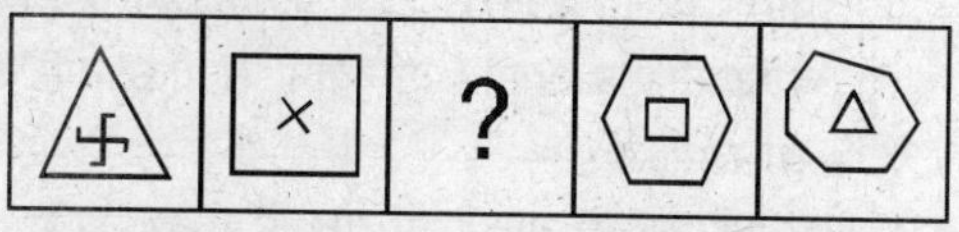

उत्तर आकृतियां

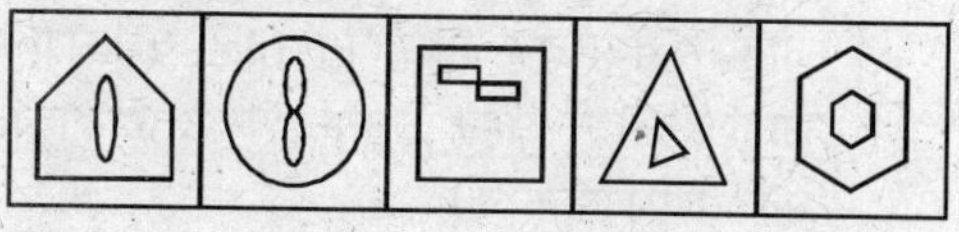

A B C D E

व्याख्यात्मक उत्तरमाला

1. C : पहली प्रश्नाकृति से दूसरी प्रश्नाकृति में ऊपर का अवयव नीचे आ जाता है और नीचे का अवयव ऊपर आ जाता है। चौथी प्रश्नाकृति में तीन अवयव हैं और इसमें भी नियमानुसार तीसरी आकृति के ऊपर-नीचे के अवयव स्थानांतरित हुए हैं। अतः प्रश्न चिह्न के स्थान पर केवल विकल्प 'C' से ही शृंखला निर्मित हो सकती है।

2. D : वामावर्त षड्भुज की एक भुजा बढ़ाई जाती है और दक्षिणावर्त इससे एक चाप जोड़ा जाता है। चाप की दिशा प्रत्येक अगली आकृति में बदल जाती है। उत्तर आकृति 'D' सही उत्तर है।

3. C : अगली आकृति में दोनों में से प्रत्येक पंक्ति के क्षैतिज अवयव एक-दूसरे के स्थान पर आ जाते हैं और दक्षिणावर्त एक अवयव के स्थान पर नया अवयव आ जाता है। विकल्प 'C' प्रश्न चिह्न के स्थान पर रखे जाने वाला सर्वाधिक उपयुक्त विकल्प है।

4. B : प्रत्येक अगली आकृति में घेरे के भीतर स्थित अवयव बड़ी आकृति का हो जाता है और उसके भीतर एक नया अवयव आ जाता है।

5. A : तीर और बिंदुयुक्त रेखाओं की संख्या विपरीत दिशा में एक निश्चित पैटर्न में बढ़ती हैं। उनके द्वारा निर्मित शृंखला दो तीरों और दो बिंदुकित रेखाओं की है जिसकी पुनरावृत्ति होती है। अतः उत्तर आकृति 'A' सही विकल्प है।

6. C : प्रत्येक अगली आकृति में प्रत्येक तीर दक्षिणावर्त 90° के कोण से घूम जाता है। प्रश्न चिह्नांकित स्थान पर विकल्प 'C' सही उत्तर है।

7. A : प्रत्येक अगली आकृति में घट रही पंखड़ियों की संख्या में एक की वृद्धि होती है अर्थात् पंखड़ियाँ एक, दो और तीन के क्रम में कम होती हैं जिससे अन्तिम आकृति में केवल 2 पंखड़ियाँ ही शेष होती हैं, अतः विकल्प 'A' सही उत्तर है।

8. E : रेखाएं दक्षिणावर्त गति करती हैं। सबसे पहले सन्निकट रेखा से एक अर्धवृत्त जुड़ता है और तब दोनों रेखाओं से एक-एक करके विपरीत दिशाओं में अर्धवृत्त जुड़ते जाते हैं। प्रश्न चिह्न के स्थान पर विकल्प 'E' सही चयन है।

9. C : प्रत्येक अगली आकृति में एक पंखड़ी कम होती जाती है और आधी पंखड़ी बारी-बारी से घड़ी की सूई की दिशा और घड़ी की सूई की विपरीत दिशा को सूचित करती है। उत्तर आकृति 'C' सही विकल्प है।

10. B : प्रत्येक अगली आकृति में तीनों अवयव आधा चरण खिसकते हैं जब तक कि तीनों अवयव दाहिनी विकर्ण रेखा पर विन्यस्त न हो जाएं और तत्पश्चात् बायीं विकर्ण रेखा पर विन्यस्त होने के लिए ये फिर आधा-आध ा चरण खिसकना शुरू करते हैं। इस प्रकार हम पाते हैं कि उत्तर आकृति 'B' सही विकल्प है।

11. C : प्रत्येक अगली आकृति में चारों अवयव एक चरण दक्षिणावर्त खिसकते हैं और चाप एक चरण वामावर्त खिसकता है। विकल्प 'C' सही उत्तर है।

12. B : पहली आकृति का छोटा अवयव अगली आकृति में बड़ा हो जाता है और एक नया छोटा अवयव बीच में आ जाता है। प्रश्न चिह्न के स्थान पर उत्तर आकृति 'B' सही विकल्प है।

13. D : प्रत्येक अगली आकृति में छायांकित भाग एक चरण वामावर्त खिसकता है और एकांतर आकृतियों में एक अतिरिक्त खंड छांयाकित होता है।

14. E : एकांतर आकृतियों में वृत्त के भीतर अवयवों की अवस्थिति एक जैसी है। केवल वृत्त के बाहर स्थित बिंदु ही प्रत्येक अगली आकृति में दक्षिणावर्त एक खाना खिसकता है।

15. A : प्रत्येक अगली आकृति में षड्भुज से एक अवयव जुड़ता है। उत्तर आकृति 'A' प्रश्न चिह्न के स्थान पर एक उपयुक्त आकृति है।

16. C : नीचे से आरंभ करके प्रत्येक अगली आकृति में उपरिमुखी क्रम में एक त्रिभुज तिर्यक रेखा की दूसरी ओर चला जाता है। विकल्प 'C' प्रश्न चिह्न के स्थान पर रखे जाने के लिए एक उपयुक्त चयन है।

17. D : प्रत्येक अगली आकृति में सभी अवयव पार्श्वतः उत्क्रमित होते हैं और वामावर्त आधा चरण विस्थापित होते हैं। उत्तर आकृति 'D' सही चयन है।

18. E : सभी अवयव बारी-बारी से दक्षिणावर्त एक चरण और आधा चरण खिसकते हैं और प्रत्येक अगली आकृति में वामावर्त एक अवयव के स्थान पर एक नया अवयव आ जाता है।

19. E : प्रत्येक अगली आकृति में वृत्त के भीतर का छायांकित भाग और बिंदुकित रेखा वामावर्त 90° के कोण से घूम जाती है तथा तीर दक्षिणावर्त 135° के कोण से घूम जाता हैं। प्रश्न चिह्न के स्थान पर उत्तर आकृति 'E' एक सही विकल्प है।

20. C : प्रत्येक अगली आकृति में दोनों वृत्त अपना स्थान बदल कर एक-दूसरे के स्थान पर आ जाते हैं। त्रिभुज के भीतर का छायांकित भाग दक्षिणावर्त खिसकता है। एकांतर आकृतियों में त्रिभुज और आयत के भीतर स्थित छायांकित भाग एक चरण दक्षिणावर्त खिसकते हैं। विकल्प 'C' सही उत्तर है।

21. D : सभी अवयव वामावर्त खिसकते हैं तथा ऊपर बाईं ओर का अवयव और नीचे दाईं ओर का अवयव बारी-बारी से परिवर्तित होता है।

22. A : दो अनुवर्ती आकृतियों में तीर शीर्ष की दिशा समान है जिसके बाद इसकी दिशा उत्क्रमित हो जाती है। प्रत्येक अगली आकृति में ऊपर एक चाप की वृद्धि होती है। उत्तर आकृति 'A' दी गई शृंखला को पूर्ण करती है।

23. E : प्रत्येक चरण पर दाहिनी ओर मानव आकृति का एक हिस्सा हटता जाता है और बाईं ओर के अवयव से जुडता है। शृंखला उत्तर आकृति 'E' से पूर्ण होती है।

24. C : सभी अवयव दक्षिणावर्त 90° के कोण से घूमते हैं। पहली बार केवल ऊपरी बाईं ओर का अवयव घूमता है और तब प्रत्येक चरण पर घूमने वाले अवयवों की संख्या में दक्षिणावर्त एक की वृद्धि होती जाती है। विकल्प 'C' सही उत्तर है जिससे इस शृंखला में निरंतरता स्थापित होती है।

25. E : एकांतर आकृतियों में ऊपरी बाईं ओर का अवयव ऊध्र्वाधरतः उत्क्रमित हो जाता है, बीच का अवयव 180° के कोण से घूम जाता है और नीचे का अवयव वामावर्त 90° के कोण से घूम जाता है। विकल्प 'E' से शृंखला पूर्ण होती है।

26. C : एकांतर आकृतियों में वृत्त के भीतर का छायांकित भाग दक्षिणावर्त घूमता है तथा बिंदुकित रेखाखंड दक्षिणावर्त 135° के कोण से घूमता है और तीर वामार्वत 135° के कोण से घूमता है। इस प्रक्रिया द्वारा उत्तर आकृति 'C' प्रश्न चिह्न के स्थान पर उपयुक्त विकल्प के रूप में प्राप्त होता है।

27. A : सभी अवयव बारी-बारी से वामावर्त एक चरण और डेढ़ चरण घूमते हैं। पहली से दूसरी आकृति में पहले, तीसरे और पाँचवें अवयवों के स्थान पर नए अवयव आते हैं और दूसरी आकृति से तीसरी आकृति में दूसरे और चौथे अवयवों के स्थानों पर नए अवयव आते हैं और तत्पश्चात् पूर्ववर्ती दोनों प्रक्रियाओं की पुनरावृत्ति होती है। उत्तर आकृति 'A' सही विकल्प है।

28. D : 'S' अवयव की दोनों ओर से एक निश्चित पैटर्न में बारी-बारी से एक अवयव हटाया जाता है और दो अवयव जोड़े जाते हैं। सभी अवयव प्रत्येक अगली आकृति में एक चरण वामावर्त खिसक जाते हैं।

29. C : प्रत्येक अगली आकृति में वामावर्त एक रेखा जोड़ी जाती है। विकल्प 'C' सही उत्तर है।

30. A : प्रत्येक अगली आकृति में आकृति की एक भुजा बढ़ जाती है और उसके भीतर एक नया अवयव आ जाता है। उत्तर आकृति 'A' सही विकल्प है।

असंगत आकृति शृंखला

इस प्रकार की शृंखला में दी गई शृंखला के पैटर्न को समझने के लिए एक से अधिक पहलुओं या तार्किक निगमनों पर विचार करने की आवश्यकता होती है। पहले चर्चा की जा चुकी शृंखलाओं से विपरीत इस प्रकार की शृंखला सबसे बाईं ओर एक अचिह्नांकित आकृति से आरंभ होती है और इसके अंत में भी सबसे दाहिनी ओर एक अचिह्नांकित आकृति होती है। इन अचिह्नांकित दो आकृतियों के बीच में पाँच चिह्नांकित या संख्यांकित (या अक्षरांकित) आकृतियां होती हैं। इनमें से एक और केवल एक चिह्नांकित या अक्षरांकित आकृति ऐसी होती है जो शृंखला के पैटर्न के अनुकूल नहीं होती और जिसे उपयुक्त विन्यास देना आवश्यक होता है।

हल किए गए प्रश्न

नीचे दी गई अक्षरांकित आकृतियों के समुच्चय में से उस एक आकृति का चयन करें जो दी गई शृंखला के उपयुक्त नहीं है। पहले और अंतिम अचिह्नांकित आकृतियाँ शृंखला की क्रमशः पहली और अंतिम आकृतियाँ है।

1.

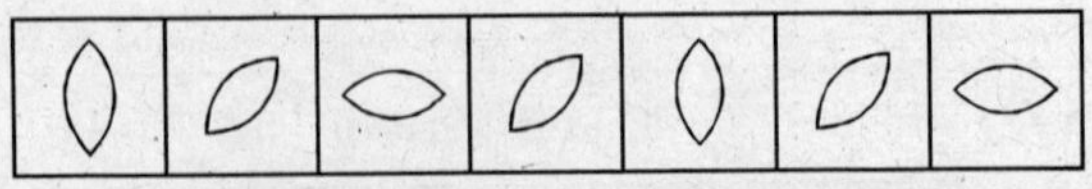

A B C D E

उत्तर C: प्रत्येक आकृति में पँखड़ी के पैटर्न को ध्यान से देखें। प्रत्येक अगली आकृति में पँखड़ी दक्षिणावर्त 45° के कोण से घूम जाती है। 'C' अक्षरांकित आकृति में पँखड़ी वामावर्त 45° के कोण से घूमती है जो दी गई शृंखला के क्रम के अनुसार नहीं है।

2.

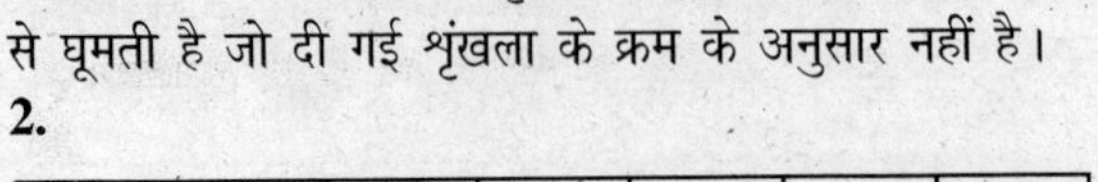

A B C D E

उत्तर D: ध्यान दें कि प्रत्येक अगली आकृति में वर्ग के बीच से दक्षिणावर्त एक निश्चित पैटर्न में एक रेखाखंड खींचा जाता है। 'D' अंकित आकृति में विकर्णी रेखाखंड नीचे बाएं कोने को स्पर्श करता हुआ होना चाहिए जबकि यह ऊपरी बाईं ओर के कोने को स्पर्श कर रहा है जिसके कारण यह शृंखला में एक अनुपयुक्त आकृति है।

प्रश्नमाला

निर्देशः *नीचे के प्रत्येक प्रश्न में एक शृंखला दी गई है जो सबसे बाईं ओर एक अचिह्नांकित आकृति से आरंभ होती है। शृंखला की पाँच अक्षरांकित आकृतियों में से एक और केवल एक आकृति शृंखला में उपयुक्त आकृति नहीं है। शृंखला की सबसे बाईं ओर और सबसे दाईं ओर दी गई अचिह्नांकित आकृतियाँ शृंखला में उपयुक्त बैठती हैं। शृंखला की आकृतियों के संबंध में आप चाहें जितने संभावित पहलुओं पर विचार करें और दी गई पाँच अक्षरांकित आकृतियों में से उस आकृति को ज्ञात करें जो शृंखला में उपयुक्त आकृति नहीं है। उस आकृति को इंगित करने वाला अक्षर ही आपका उत्तर है।*

1.

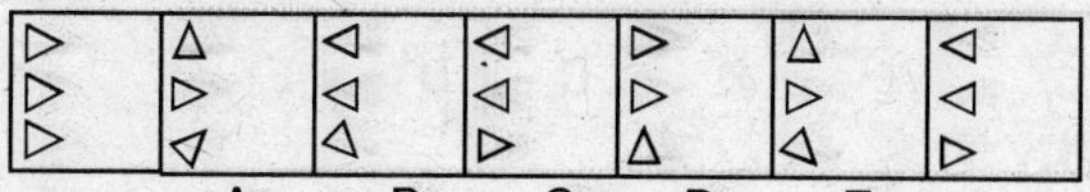

A B C D E

2.

A B C D E

3.

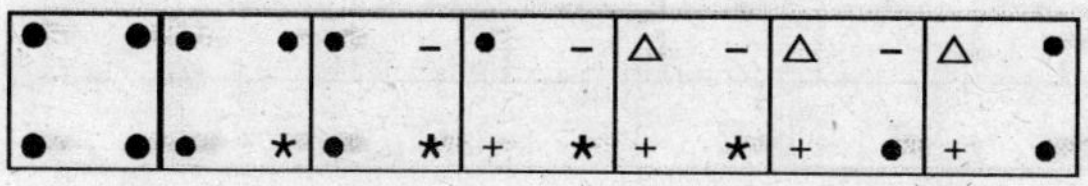

A B C D E

4.

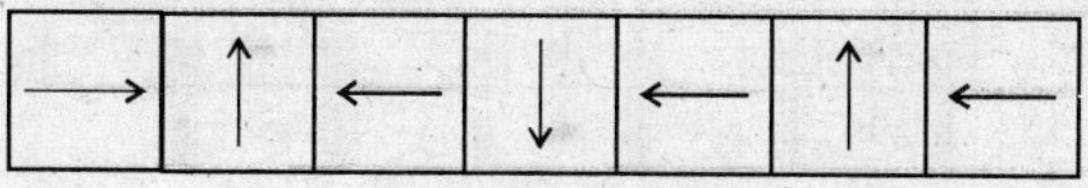

A B C D E

5.

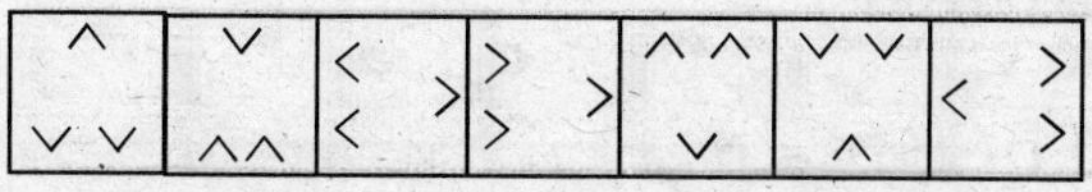

A B C D E

6.

A B C D E

7.

A B C D E

8.

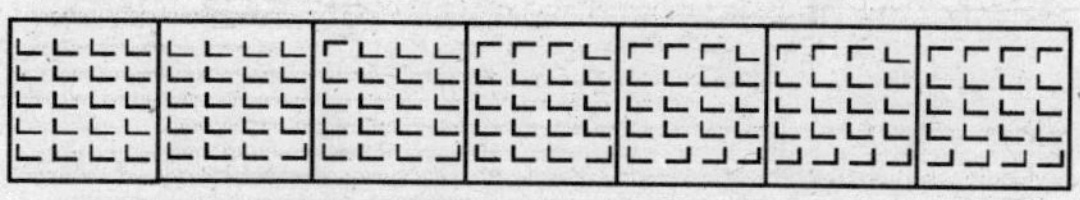

A B C D E

9.

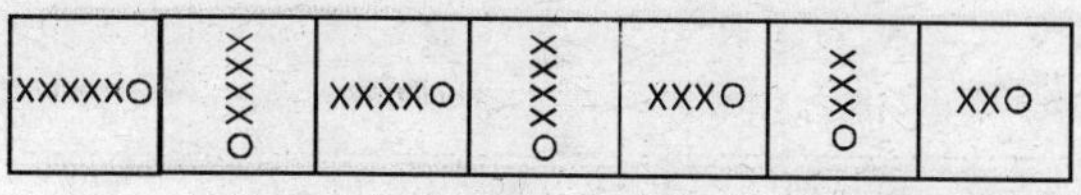

A B C D E

10.

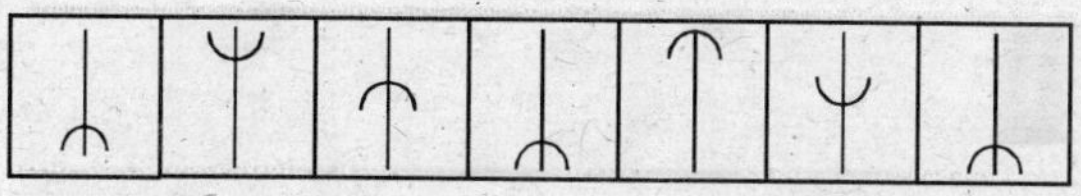

A B C D E

11.

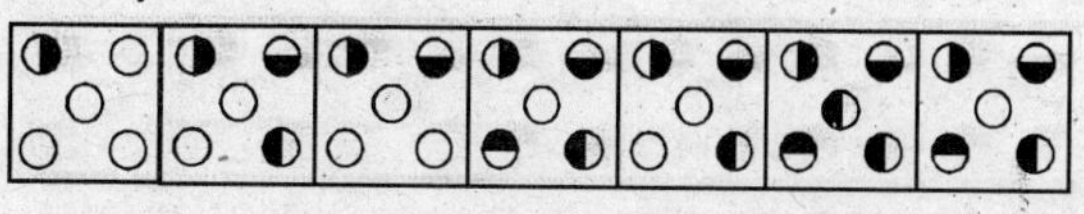

A B C D E

12.

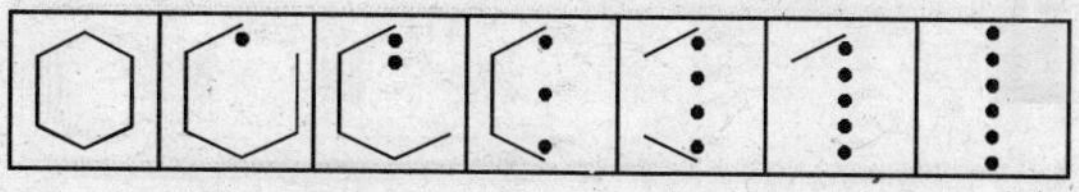

A B C D E

13.

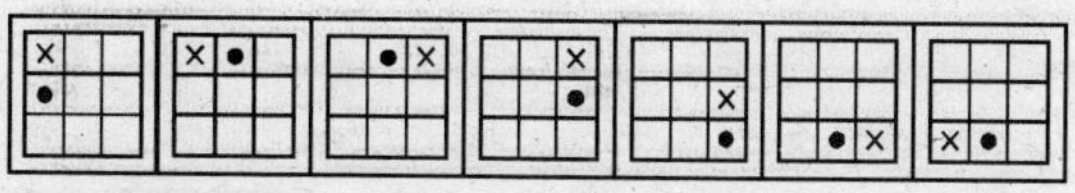

A B C D E

14.

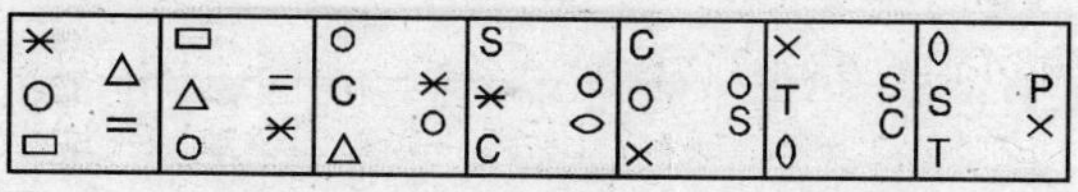

A B C D E

15.

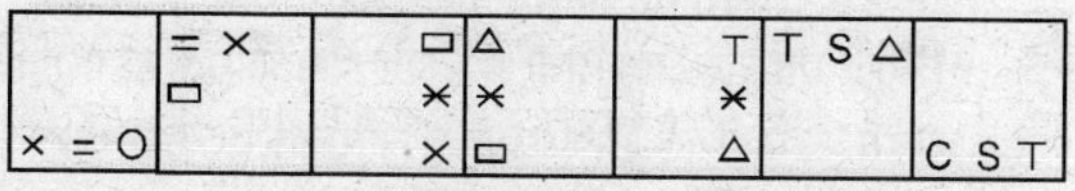

A B C D E

16.

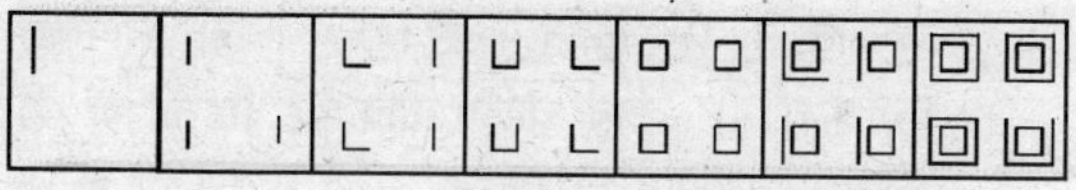

A B C D E

17.

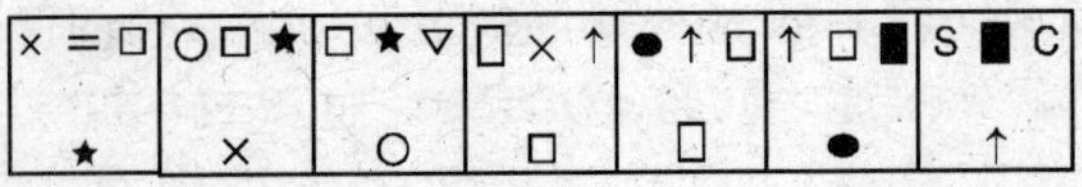

A B C D E

18.

A B C D E

19.

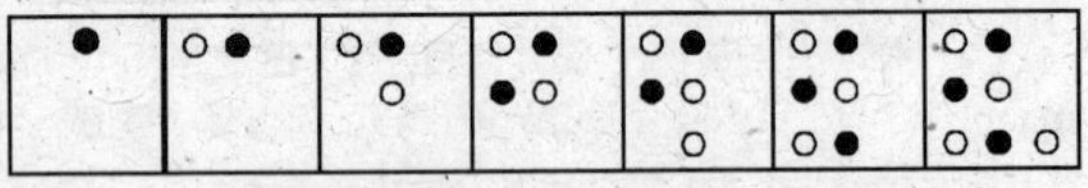

A B C D E

20.

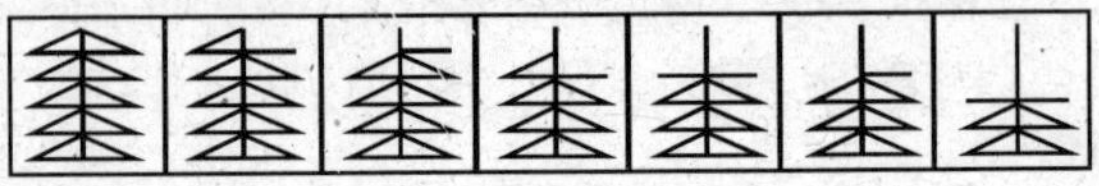

A B C D E

21.

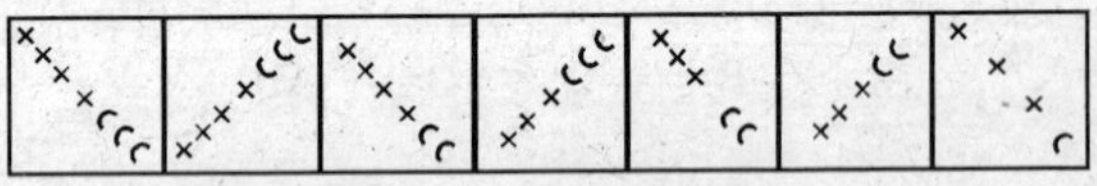

A B C D E

22.

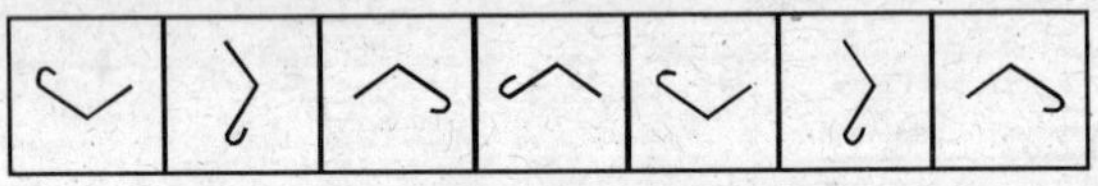

A B C D E

23.

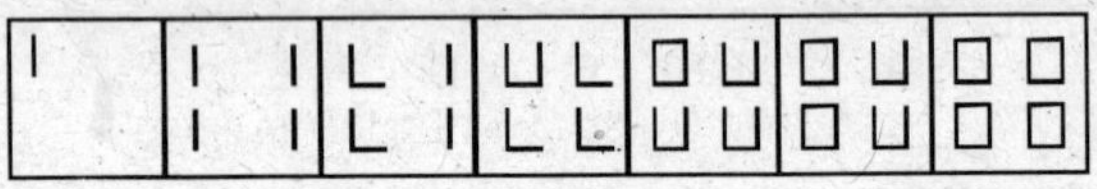

A B C D E

24.

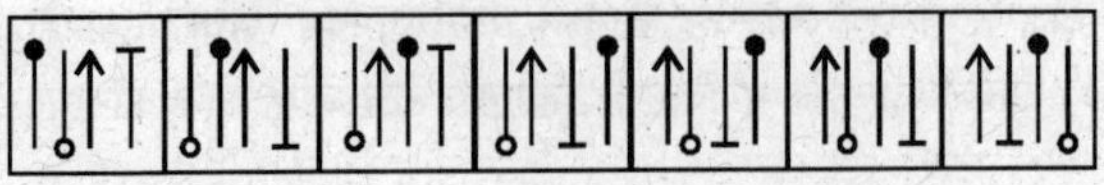

A B C D E

25.

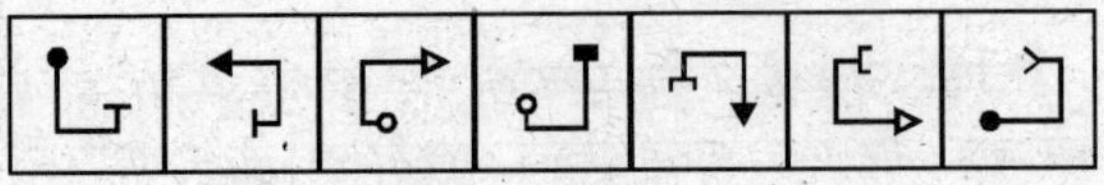

A B C D E

26.

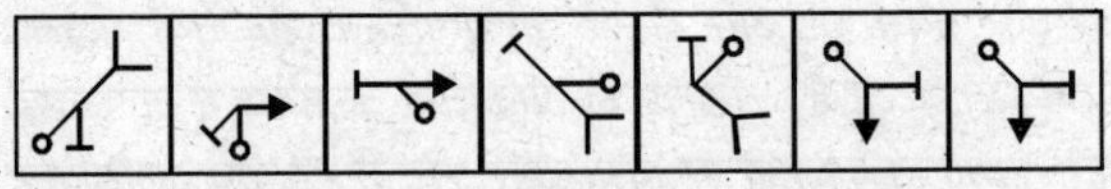

A B C D E

27.

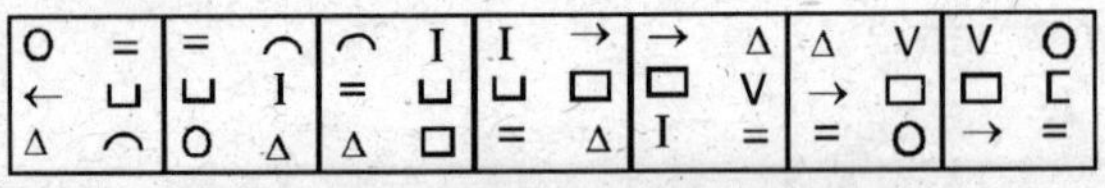

A B C D E

28.

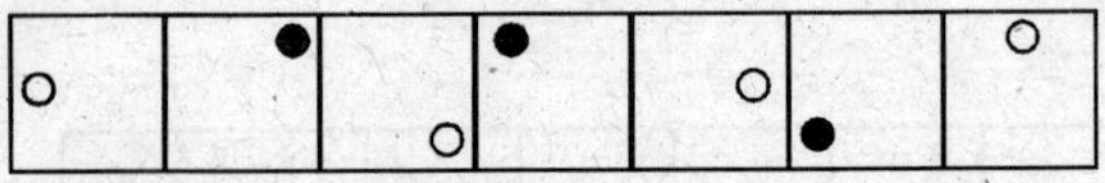

A B C D E

29.

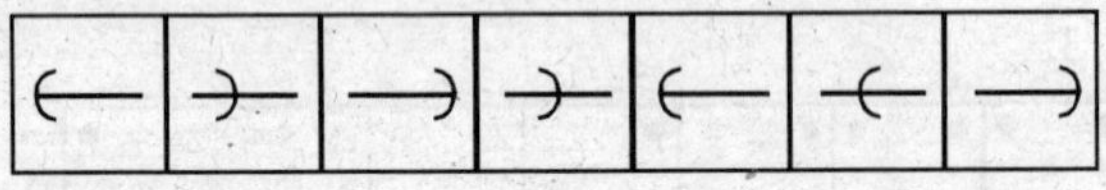

A B C D E

30.

A B C D E

व्याख्यात्मक उत्तरमाला

1. D : A और B आकृतियों में सबसे ऊपरी अवयव वामावर्त 90° के कोण से घूम जाता है, C आकृति में नहीं घूमता और D आकृति में पार्श्वतः उत्क्रमित हो जाता है और तत्पश्चात् इसी प्रक्रिया की पुनरावृत्ति होती है। बीच का त्रिभुज एकांतर आकृतियों में पार्श्वतः उत्क्रमित होता है। सबसे नीचे स्थित त्रिभुज पहले वामावर्त 45° के कोण से घूमता है और तत्पश्चात् दक्षिणावर्त 90° के कोण से घूमता है और तब C आकृति में अपनी मूल स्थिति में आ जाता है। D आकृति में इसे 90° के बजाय वामावर्त 45° के कोण से घूमना चाहिए ताकि यह दोहराई जा रही प्रक्रिया के अनुरूप हो सके।

2. C : एकांतर आकृतियों में रेखाओं की संख्या में एक की वृद्धि होती है जबकि रेखाओं की तिर्यकता की दिशा प्रत्येक चरण पर परिवर्तित होती है। आकृति 'C' में दो तिर्यक रेखाएं होनी चाहिए।

3. C : आकृति 'D' तक बिंदुओं का वामावर्त एक-एक करके लोप होता है और उनके स्थान पर एक नया अवयव प्रतिस्थापित होता है किंतु आकृति 'C' दी गई शृंखला में उपयुक्त नहीं बैठती। आकृति 'E' से बिंदु पुनः प्रकट होने लगते हैं।

4. D : केवल आकृति 'D' को छोड़ कर तीर प्रत्येक चरण पर वामावर्त 90° के कोण से घूम जाता है।

5. C : अवयव एकांतर आकृतियों में दक्षिणावर्त 90° के कोण से घूमते हैं। आकृति 'C' में सभी अवयव एक ही दिशा में हैं।

6. A : ऊपरी बाएं वर्ग में छायांकित भाग आकृति 'B' तक प्रत्येक अगली आकृति में एक चरण दक्षिणावर्त खिसकता है और तब छायांकित भाग आकृति D तक पहले की विपरीत दिशा में एक चरण वामावर्त खिसकता है तथा तत्पश्चात् प्रक्रिया की पुनरावृत्ति होती है। ऊपर दाएँ वर्ग में छायांकित भाग आकृति D तक एक चरण वामावर्त खिसकता है और तब विपरीत दिशा में अर्थात् दक्षिणावर्त खिसकता है। नीचे बाईं ओर के वर्ग में छायांकित भाग एकांतर आकृतियों में एक चरण दक्षिणावर्त खिसकता है और नीचे दाईं ओर के वर्ग में छायांकित भाग दो आकृतियों के बाद एक चरण दक्षिणावर्त खिसकता है। आकृति 'A' में नीचे बाईं ओर के वर्ग में छायांकित भाग द्वारा उक्त नियम का पालन नहीं किया जाता, अतः यही उत्तर आकृति है।

7. E : सबसे बाईं ओर का अवयव त्रिभुज युक्त रेखाखंड आकृति C तक प्रत्येक अगली आकृति में दाहिनी ओर एक चरण खिसकता है जहाँ यह सबसे दाहिनी ओर पहुँच जाता है। इसी प्रक्रिया की आकृति D से पुनरावृत्ति होती है जहाँ सबसे बाईं ओर का अवयव एक छोटी रेखिका से युक्त रेखाखंड प्रत्येक अगली आकृति में दाहिनी ओर एक चरण खिसकना शुरू करता है। आकृति E में अवयवों की अवस्थिति शृंखला के नियम का पालन नहीं करती।

8. C : L अवयव नीचे के दाएँ कोने पर और ऊपरी बाएं कोने पर बारी-बारी से वामावर्त 90° और दक्षिणावर्त 90° के कोण से घूमता है। आकृति A से अंतिम अचिह्नित आकृति तक घूम गए कुल L अवयवों की संख्या 1, 1, 2, 2, 1, 1 होनी है। C आकृति में ऊपरी रेखा पर स्थित दो अवयव घूमते हैं जबकि इस शृंखला के पैटर्न के अनुसार नीचे की रेखा पर दो अवयव घूमने चाहिए।

9. A : जैसा कि आकृति B और C तथा आकृति D और E में है, उसी प्रकार शुरू की आकृति और आकृति A में भी क्रॉस चिह्नों की संख्या समान होनी चाहिए।

10. C : अर्धवृत्त रेखाखंड पर ऊपर-नीचे गति करता है और केवल आकृति C को छोड़ कर प्रत्येक बार इसकी दिशा उलट जाती है।

11. E : एकांतर आकृतियों में दक्षिणावर्त एक नया वृत्त छायांकित हो जाता है तथा वृत के भीतर छायांकित भाग भी दक्षिणावर्त खिसकता है। आकृति E में बीच के वृत का दाहिना आधा भाग छायांकित होना चाहिए।

12. D : प्रत्येक अगली आकृति में पूर्ण षड्भुज को निर्मित करने वाले एक रेखाखंड का दक्षिणावर्त लोप होता जाता है और उसके स्थान पर एक बिंदु आता जाता है। आकृति D में रेखाखंड के लोप की निरंतरता भंग होती है।

13. D : एकांतर आकृतियों में ग्रिड के भीतर बिंदु और क्रॉस दो चरण दक्षिणावर्त खिसकते हैं। आकृति D में दोनों अवयवों की अवस्थिति सही नहीं है।

14. D : सभी पाँचों अवयव एक निश्चित पैटर्न में गति करते हैं तथा कोई भी अवयव क्रमागत चार से अधिक बार नहीं आता और पाँचवीं बार वह एक नए अवयव द्वारा प्रतिस्थापित हो जाता है। D आकृति में वृत्त को 'T' आकार के अवयव द्वारा प्रतिस्थापित होना चाहिए।

15. A : तीनों अवयव या तो क्षैतिजतया या फिर ऊर्ध्वाधर व्यवस्थित हैं किंतु आकृति A में इस नियम का पालन नहीं किया गया है।

16. E : आकृति 'A' से अंतिम अचिह्नित आकृति तक डिजाइन को निर्मित करने वाले रेखाखंडों की संख्या 2, 3, 4, 5, 6, 7 और 8 के क्रम में बढती है। केवल विकल्प E में ही डिजाइन में पांच रेखाखंडों की वृद्धि होती है जबकि सात रेखाखंड़ों की वृद्धि होनी चाहिए।

17. C : अवयव एक निश्चित पैटर्न में वामावर्त गति करते हैं। आकृति A से आकृति C में पहले ऊपर बाईं ओर का अवयव एक नए अवयव द्वारा प्रतिस्थापित होता है और तब ऊपर दाईं ओर का अवयव एक नए अवयव द्वारा प्रतिस्थापित होता है जिसके बाद अंततः ऊपर दोनों कोने के अवयव नए अवयवों द्वारा प्रतिस्थापित होते हैं। उपर्युक्त प्रक्रिया की आकृति 'D' से पुनरावृत्ति होती है। आकृति 'C' में क्रॉस के चिह्न के स्थान पर त्रिभुज होना चाहिए।

18. A : ऊर्ध्वाधर रेखा से जुड़ा छोटा रेखाखंड एकांतर आकृतियों में ऊर्ध्वाधर रेखा की एक ओर से दूसरी ओर गमन करता है। विकल्प 'A' में यह रेखाखंड ऊर्ध्वाधर रेखा की बाईं ओर होना चाहिए।

19. D : आकृतियों के अवयवों में वृत्त, बिंदु, बिंदु के क्रम में वृद्धि होती है और तत्पश्चात् पुनः एक वृत्त की वृद्धि होती है और इसके साथ ही शृंखला में पूर्ववर्ती प्रक्रिया की पुनरावृत्ति होती है। विकल्प 'D' में सबसे निचले स्थान पर स्थित वृत्त के स्थान पर एक बिंदु होना चाहिए।

20. E : क्रमागत आकृतियों से रेखाखंडों के हटने का अनुक्रम है: दाएँ से 1, बाएं से 2, दाएँ से 2 और बाएं से 1 और तत्पश्चात् प्रक्रिया की पुनरावृत्ति होती है। आकृति 'E' में दाईं ओर से रेखाखंड हटना चाहिए।

21. C : एकांतर आकृतियों में अवयवों की अवस्थिति एक सी है। दो क्रमागत आकृतियों में अवयवों की संख्या और प्रकार एक जैसा है। इस प्रकार 'C' आकृति में चार क्रॉस और दो 'C' अवयव होने चाहिए।

22. C : दिया गया अवयव प्रत्येक अगली आकृति में एक चरण वामावर्त खिसकता है तथा उसके एक सिरे पर स्थित चाप बारी-बारी से बाहर और भीतर की ओर घूम जाता है। आकृति 'C' में अवयव दाहिनी ओर होना चाहिए जिसके ऊपरी ओर चाप बाहर की ओर घूमा होना चाहिए।

23. D : आकृतियों से एक निश्चित पैटर्न के अनुसार बारी-बारी से वामावर्त तीन और दो रेखाखंड जुड़ते हैं। आकृति 'D' में दो के बदले चार रेखाखंड जोड़े जाने हैं।

24. E : सबसे बाईं ओर का अवयव बिंदुयुक्त रेखाखंड आकृति 'C' तक दाहिनी ओर एक चरण खिसकता है और आकृति 'C' में यह सबसे दाईं ओर पहुँच जाता है। इस प्रक्रिया की आकृति 'D' से पुनरावृत्ति होती है जबकि आकृति 'C' में सबसे बाईं ओर का अवयव वृत्तयुक्त रेखाखंड दाईं ओर एक चरण आगे खिसकना आरंभ करता है। आकृति 'E' में अवयवों की अवस्थिति शृंखला के नियम का पालन नहीं करती है।

25. C : अवयव वामावर्त 90° के कोण से घूमता है और बड़ी रेखा पर उलट जाता है तथा अगली आकृति में यह पार्श्वतः उत्क्रमित होता है। आगे इसी प्रक्रिया की पुनरावृत्ति होती है। छोटी रेखा के सिरे पर का अवयव प्रत्येक दो आकृतियों के बाद बदल जाता है और बड़ी रेखा के सिरे पर के अवयव की दो आकृतियों के बाद पुनरावृत्ति होती है। आकृति 'C' में बराबर के चिह्न (=) के स्थान पर बिंदु चिह्न (.) होना चाहिए।

26. E : 'T' अवयव दक्षिणावर्त 45° के कोण से घूमती है और वृत्त युक्त रेखा वामावर्त 45° के कोण से घूमती है। 'Y' अवयव और तीर की दो आकृतियों के बाद दो बार पुनरावृत्ति होती है। विकल्प 'E' में T अवयव और वृत्तयुक्त रेखा 90° के कोण से घूमते हैं।

27. E : पहले चारों कोनों के अवयव एक चरण वामावर्त खिसकते हैं, तत्पश्चात् ऊपर से चार अवयव एक चरण वामावर्त खिसकते हैं और तब नीचे से चार अवयव एक चरण वामावर्त खिसकते हैं। इस प्रक्रिया की आकृति 'D' से पुनरावृत्ति होती है। यहाँ एक अन्य तथ्य भी स्पष्ट है कि पहली अचिह्नांकित आकृति के बाद से प्रत्येक अगली आकृति में ऊपरी दो अवयवों में से बाईं ओर का अवयव एक नए अवयव द्वारा प्रतिस्थापित होता है और तब ये एक-दूसरे के स्थान पर आ जाते हैं। विकल्प 'E' में वृत्त के स्थान पर खुला वर्ग होना चाहिए ताकि शृंखला में निरंतरता बनी रहे।

28. B : वृत्त प्रत्येक अगली आकृति में 1½ चरण दक्षिणावर्त खिसकता है और एकांतर आकृतियों में छायांकित होता है। आकृति 'B' में वृत्त आधार रेखा के माध्य में होना चाहिए।

29. A : अगली आकृति में अर्धवृत्त रेखाखंड के मध्य में पहुँचता है और उसके बाद की आकृति में रेखाखंड के दूसरे सिरे पर पहुँचता है जहाँ वह पार्श्वतः उत्क्रमित हो जाता है और इसके बाद इस प्रक्रिया की पुनरावृत्ति होती है। आकृति 'A' में अर्धवृत्त उत्क्रमित है।

30. E : एकांतर आकृतियों में एक रेखाखंड की वृद्धि होती है। विकल्प 'E' में छह के बदले सात रेखाखंड हैं।

अगली आकृति शृंखला

इस प्रकार की अभाषिक शृंखला (Non-Verbal Series) में, जो सर्वाधिक सामान्य प्रकार की शृंखला होती है, चार या पांच आनुक्रमिक प्रश्न आकृतियां एक निश्चित अनुक्रम निर्मित करते है और अभ्यार्थियों को दी गई उत्तर आकृतियों के सेट से उस एक आकृति का चयन करना होता है जिससे प्रश्न आकृतियों के समुच्चय की शृंखला सतत हो जाए।

अभ्यार्थियों को प्रश्न आकृतियों के समुच्चय की शृंखला सतत बनाने के लिए विभिन्न क्रियाएं, परिवर्तन, विस्थापन, क्रमावर्तन, पुनरावर्तन और बहुत से अन्य परिवर्तन करने की आवश्यकता होती है। निरंतर अभ्यास द्वारा शृंखला विषयक समस्याओं को हल करने में निपुणता प्राप्त की जा सकती है।

हल किए गए प्रश्न

नीचे पूछे गए प्रत्येक प्रश्न में उत्तर आकृतियों के समुच्चय से उस एक आकृति का चयन करें जिसे प्रश्न आकृतियों के बाद में रखने पर प्रश्न आकृतियों के समुच्चय की शृंखला सतत हो जाए।

1. प्रश्न आकृतियां

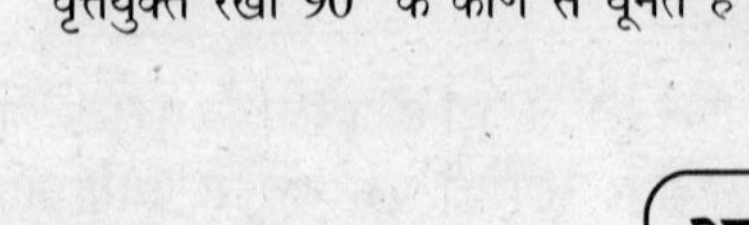

उत्तर आकृतियां

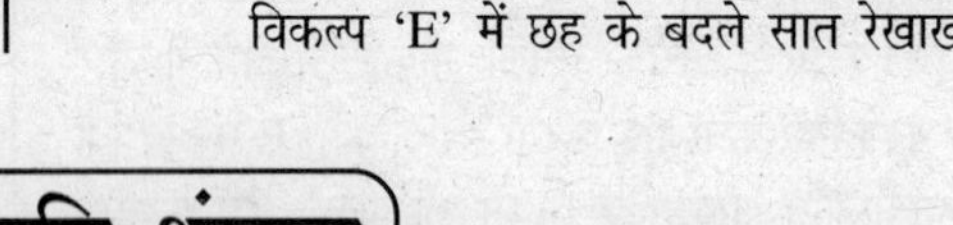

A B C D E

उत्तर A: सभी आकृतियों में समान आकार की सीधी सरल रेखाएं दी गइ हैं। उनकी दिशाएं और स्थिति परिवर्तित होती हैं। पहली आकृति में रेखा ऊर्ध्वाधर स्थिति में है। दूसरी आकृति में रेखा दक्षिणावर्त 45° के कोण से मुड़ जाती है और तीसरी आकृति में रेखा दक्षिणावर्त और 45° के कोण से मुड़ जाती है तथा चौथी आकृति में रेखा दक्षिणावर्त और 45° के कोण से मुड़ जाती है। अतः दो बातें स्पष्ट होती हैं: (i) रेखा दक्षिणावर्त घूमती है, और (ii) रेखा प्रत्येक चरण पर 45° के कोण से मुड़ती है।

अब चौथी आकृति (प्रश्न आकृति) भी दक्षिणावर्त 45° के कोण से मुड़नी चाहिए। अतः पांचवी आकृति एक ऊर्ध्वाधर (उदग्र) रेखा होगी। इस प्रकार हमें ज्ञात होता है कि शृंखला को सतत बनाने के लिए अगली आकृति एक ऊर्ध्वाधर या उदग्र सरल रेखा होगी।

प्रश्नमाला

1. प्रश्न आकृतियां

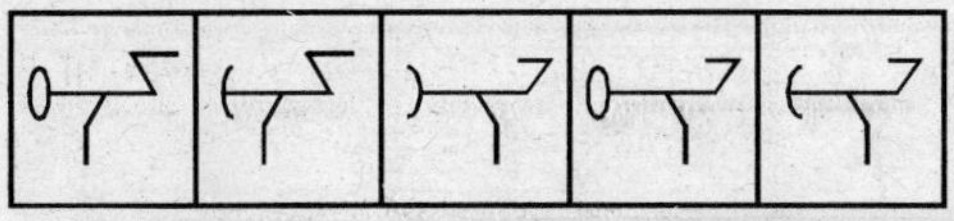

उत्तर आकृतियां

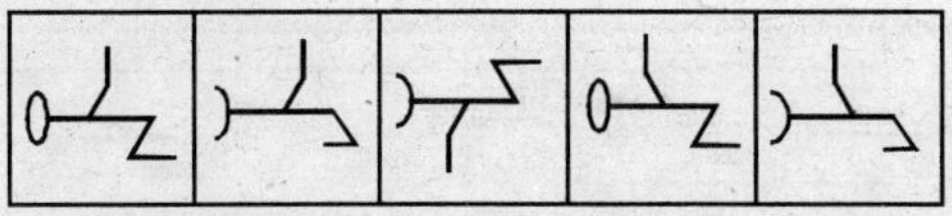

A B C D E

2. प्रश्न आकृतियां

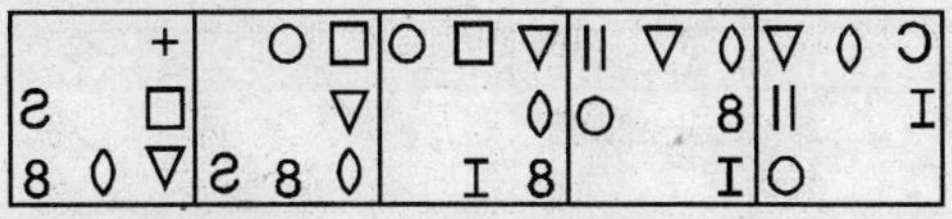

उत्तर आकृतियां

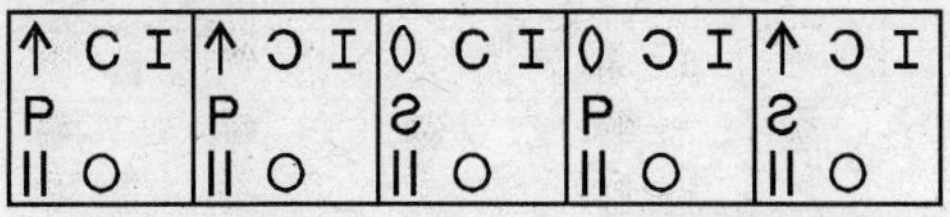

A B C D E

3. प्रश्न आकृतियां

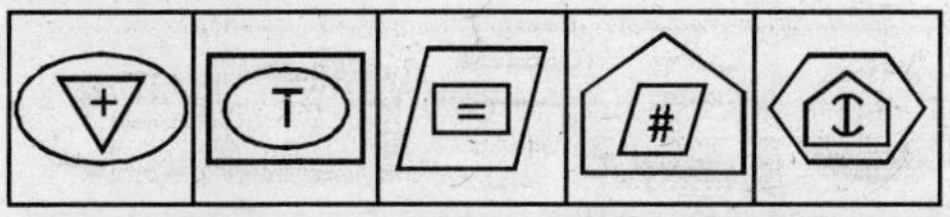

उत्तर आकृतियां

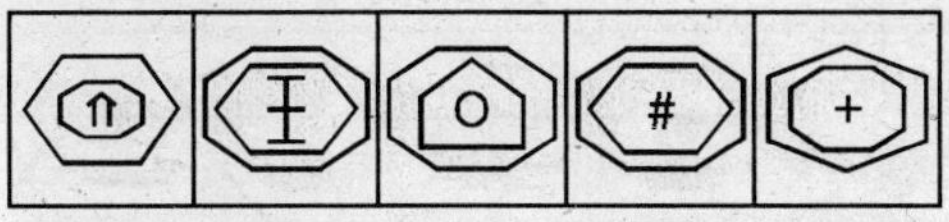

A B C D E

4. प्रश्न आकृतियां

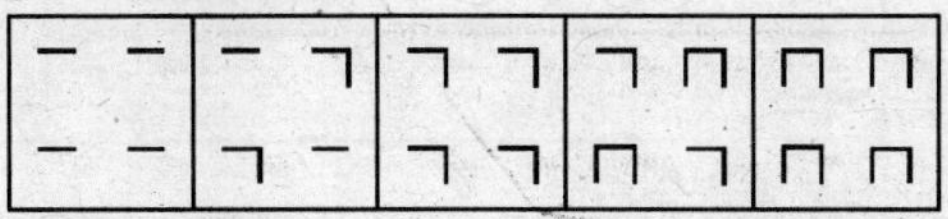

उत्तर आकृतियां

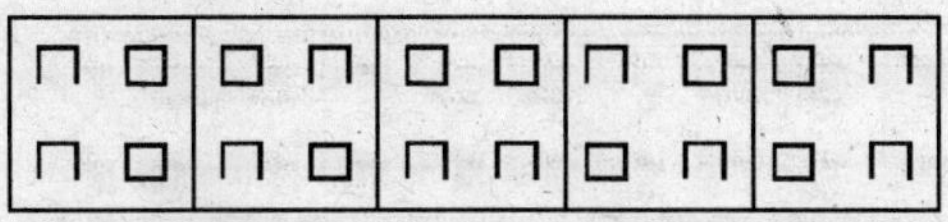

A B C D E

5. प्रश्न आकृतियां

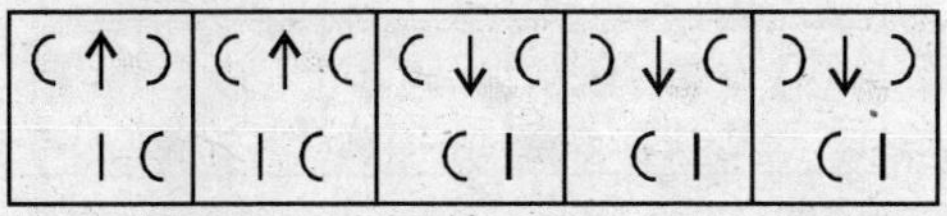

उत्तर आकृतियां

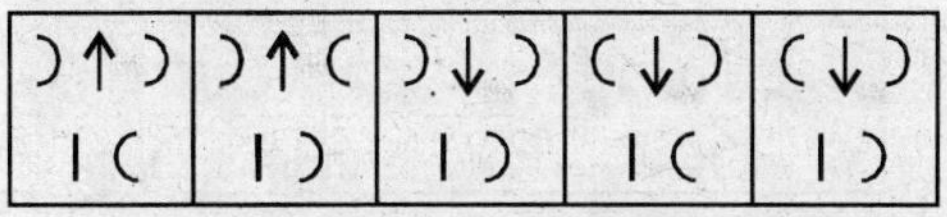

A B C D E

6. प्रश्न आकृतियां

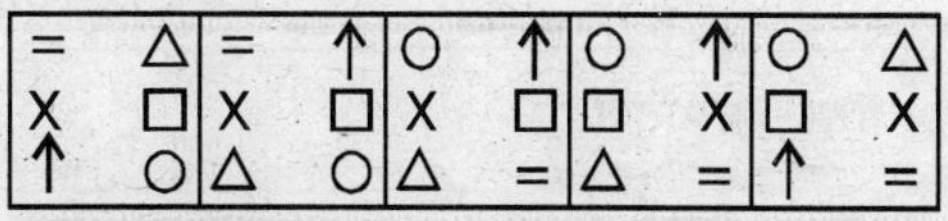

उत्तर आकृतियां

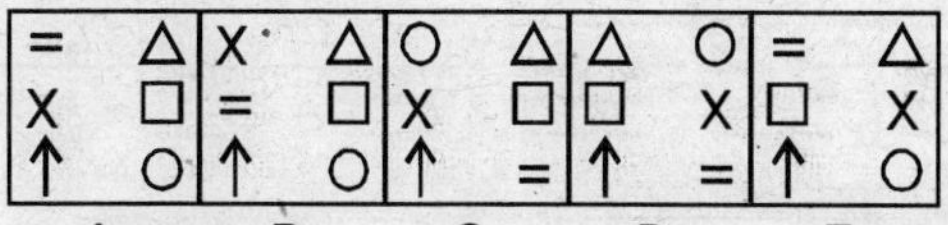

A B C D E

7. प्रश्न आकृतियां

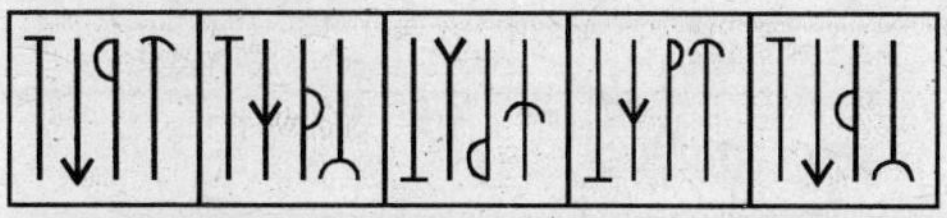

उत्तर आकृतियां

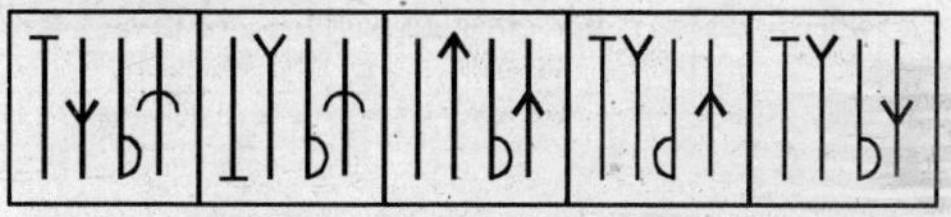

A B C D E

8. प्रश्न आकृतियां

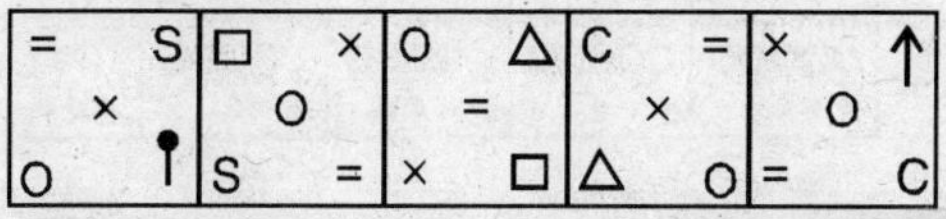

उत्तर आकृतियां

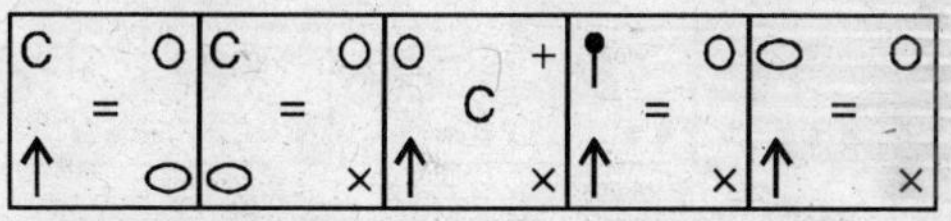

A B C D E

9. प्रश्न आकृतियां

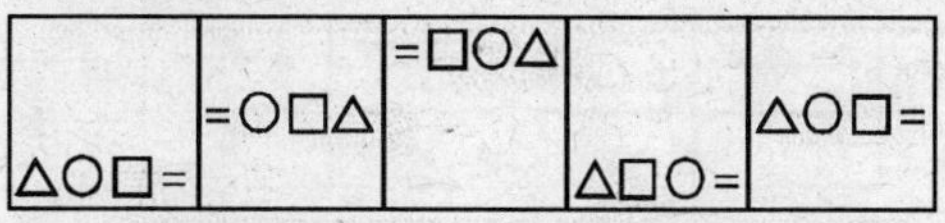

उत्तर आकृतियां

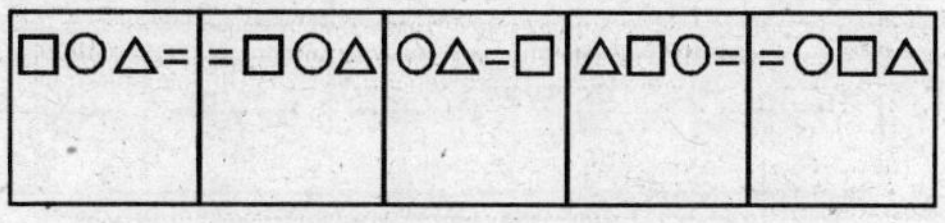

A B C D E

10. प्रश्न आकृतियां

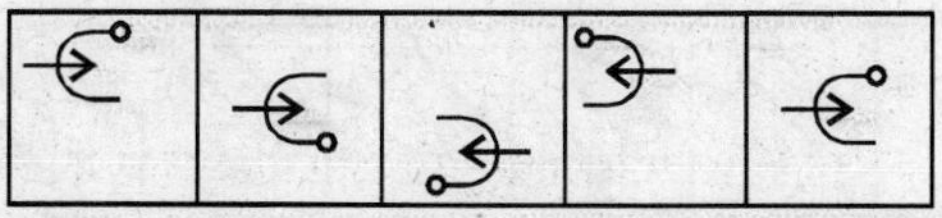

उत्तर आकृतियां

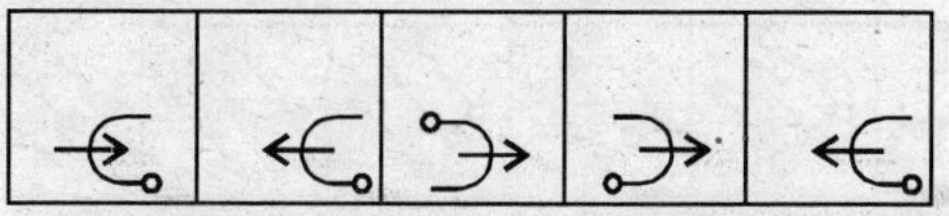

A B C D E

11. प्रश्न आकृतियां

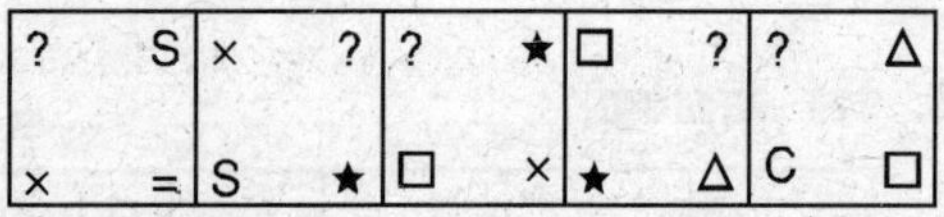

उत्तर आकृतियां

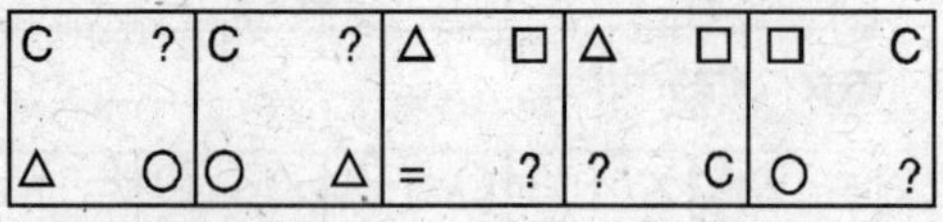

A B C D E

12. प्रश्न आकृतियां

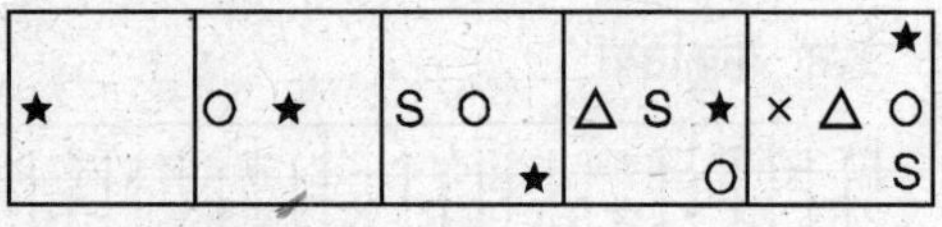

उत्तर आकृतियां

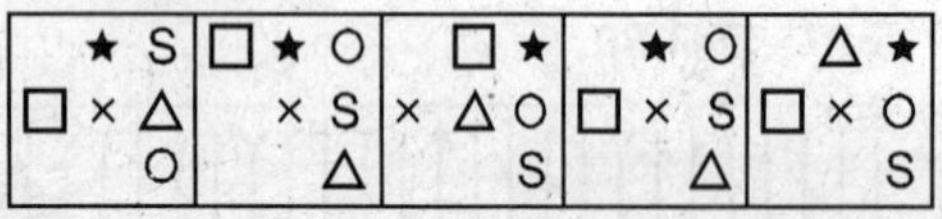

A B C D E

13. प्रश्न आकृतियां

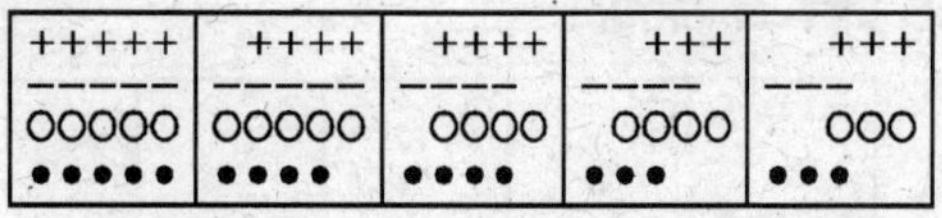

उत्तर आकृतियां

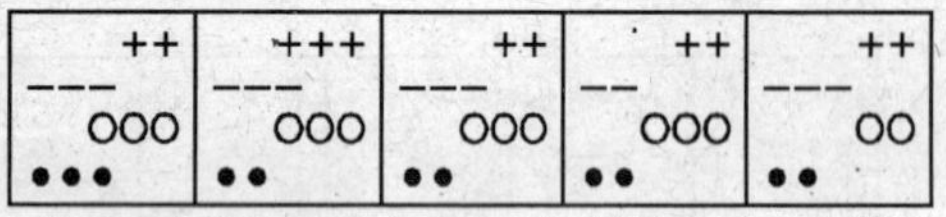

A B C D E

14. प्रश्न आकृतियां

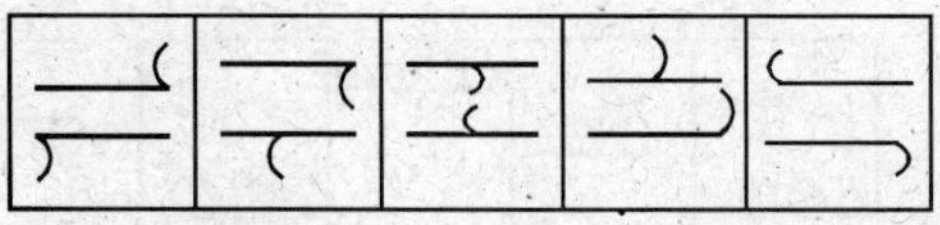

उत्तर आकृतियां

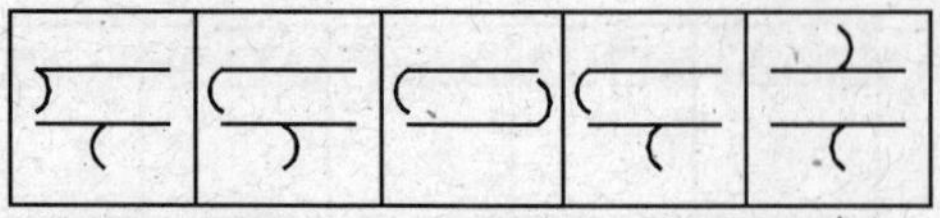

A B C D E

15. प्रश्न आकृतियां

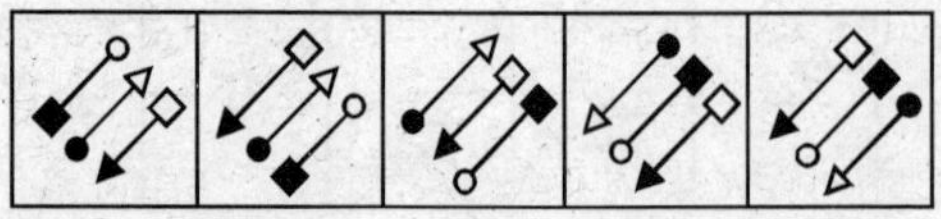

उत्तर आकृतियां

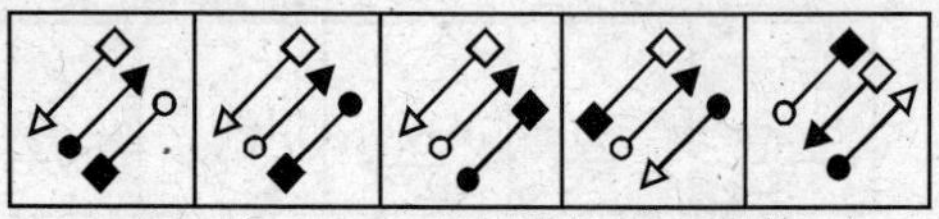

A B C D E

16. प्रश्न आकृतियां

उत्तर आकृतियां

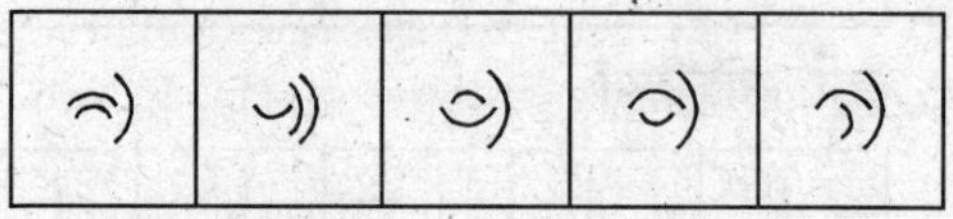

A B C D E

17. प्रश्न आकृतियां

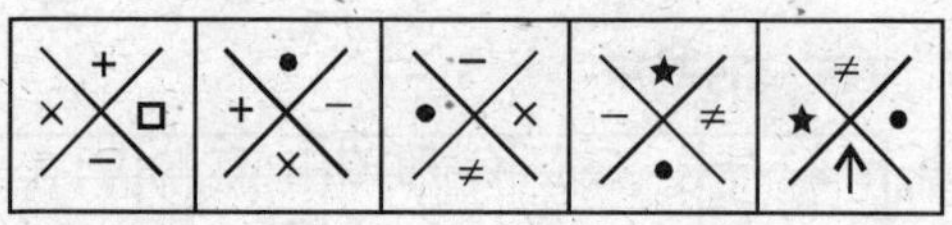

उत्तर आकृतियां

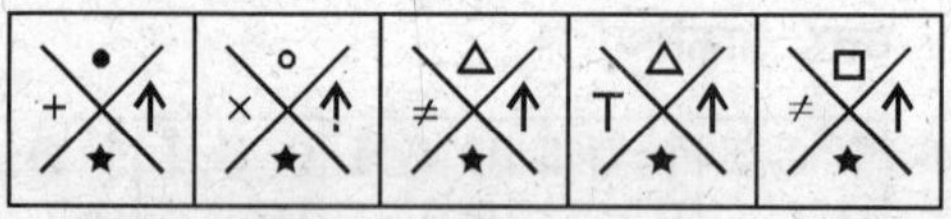

A B C D E

18. प्रश्न आकृतियां

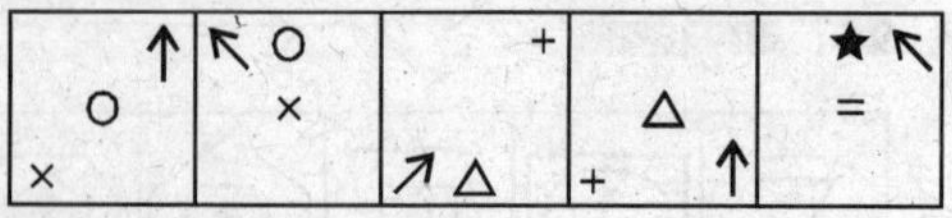

उत्तर आकृतियां

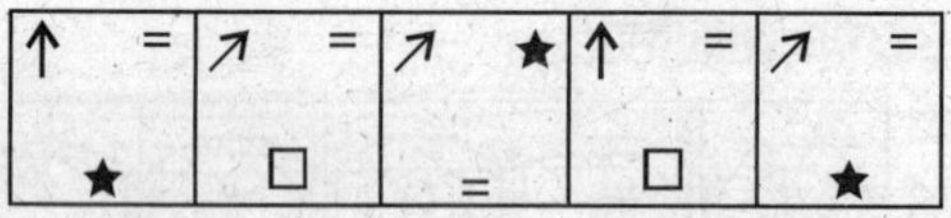

A B C D E

19. प्रश्न आकृतियां

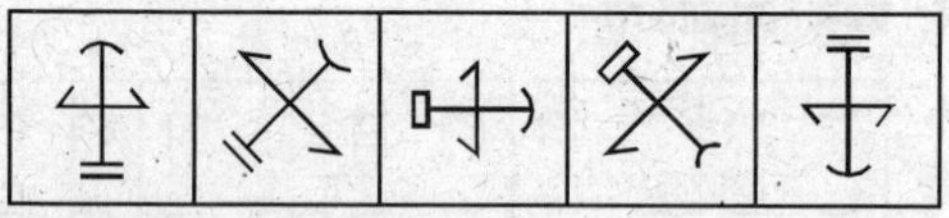

उत्तर आकृतियां

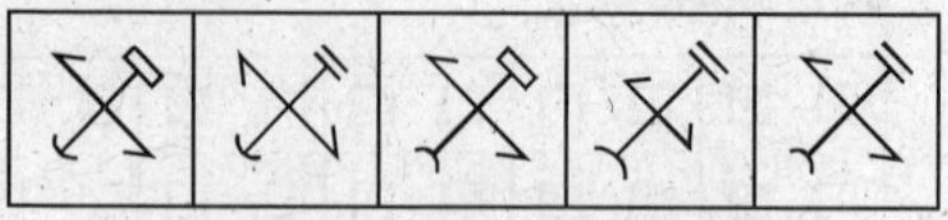

A B C D E

20. प्रश्न आकृतियां

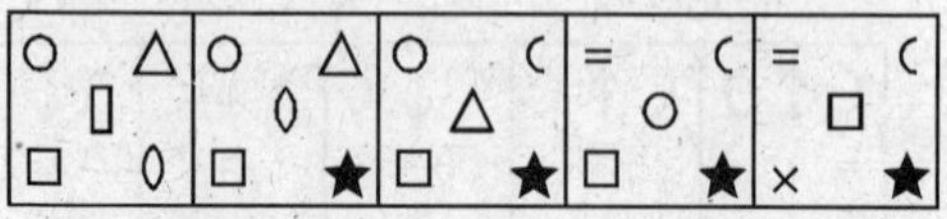

उत्तर आकृतियां

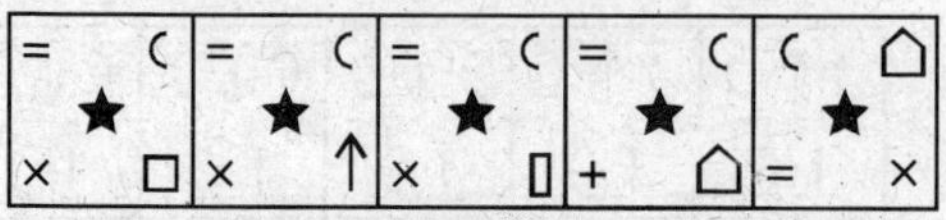

A B C D E

व्याख्यात्मक उत्तरमाला

1. C : पहली और चौथी तथा दूसरी और पाँचवीं आकृति को ध्यान से देखें। क्षैतिज रेखाखण्ड के दोनों ओर के अवयव इन आकृति-युग्मों में एक-दूसरे के सम्मुख है। इसी प्रकार तीसरी आकृति के लिए विकल्प 'C' सही आकृति है जिससे शृंखला जारी रहती है।

2. D : एक आकृति से दूसरी आकृति में सभी अवयव आधे चरण वामावर्त खिसक जाते हैं। आकृति में पहला और अंतिम अवयव एक-एक करके परिवर्तित होते हैं। तत्पश्चात् दूसरा और पांचवा अवयव एक-एक करके परिवर्तित होते हैं। शृंखला को सतत बनाए रखने के लिए तीसरे अवयव को परिवर्तित किया जाना चाहिए।

3. B : आकृति में बाह्य अवयव अगली आकृति में एक अन्य अवयव द्वारा घिर जाता है तथा प्रत्येक अगली आकृति में केंद्रस्थ अवयव एक नया अवयव होता है अर्थात् इसकी पुनरावृत्ति नहीं होती।

4. D : विकर्णतः अवस्थित रेखाखंडों से प्रत्येक चरण में एक-एक रेखाखंड एक निश्चित क्रम में जुड़ते जाते हैं। जिससे ये अवयव वर्ग का रूप धारण करते हैं।

5. A : पहले तीर की दाईं ओर का चाप पार्श्वतः उत्क्रमित होता है और तत्पश्चात् नीचे रेखाखंड और चाप अपना स्थान परिवर्तित करके एक-दूसरे के स्थान पर आ जाते हैं जबकि तीर उलटा हो जाता है। अंत में ऊपर बाईं ओर का चाप पार्श्वतः उत्क्रमित होता है। बाद की आकृतियों में इन्ही चरणों की पुनरावृत्ति होती है।

6. E : पहले ऊपरी बाईं ओर के अवयव और निचले दाहिनी ओर के अवयव का स्थान परिवर्तित होता है और ये अवयव एक दूसरे के स्थान पर आ जाते हैं। तत्पश्चात् ऊपरी दाईं ओर के अवयव और निचली बाईं ओर के अवयव का स्थान परिवर्तित होता है और वे एक-दूसरे के स्थान पर आ जाते हैं। अंततः बीच के अवयवों का स्थान परिवर्तित होता है और ये अवयव भी एक-दूसरे के स्थान पर आ जाते हैं। तत्पश्चात् इन चरणों की पुनरावृत्ति होती है।

7. A : बाई ओर का पहला अवयव एकांतर आकृतियों में उलटा हो जाता है; दूसरे अवयव का तीर शीर्ष एक निश्चित पैटर्न का पालन करते हुए दो आनुक्रमिक आकृतियों में आधे-आधे चरण ऊपर जाता है और उसके बाद की दो आकृतियों में आधे-आधे चरण नीचे आता है; तीसरे अवयव का अर्धवृत्त एक निश्चित पैटर्न का पालन करते हुए दो आनुक्रमिक आकृतियों में आधे-आधे चरण नीचे आता है और उसके बाद की आकृति में एक चरण ऊपर जाता है और सबसे अंत के चौथे अवयव का चाप भी एक निश्चित पैटर्न का पालन करते हुए पहले एक चरण नीचे आता है और बाद की दो आनुक्रमिक आकृतियों में आधा-आधा चरण ऊपर जाता है।

8. E : पहले चरण में दक्षिण विकर्ण के तीन अवयवों का स्थान परिवर्तित हो जाता है जबकि विकर्ण पर सबसे ऊपरी अवयव नीचे आ जाता है और शेष दो अवयव ऊपर खिसक जाते हैं। तत्पश्चात् दो शेष कोनों पर के अवयव एक-दूसरे के स्थान पर आते हैं और ऊपरी बायें कोने पर निचले कोने के अवयव के बजाय एक नया अवयव आ जाता है। अगले चरण में वाम विकर्ण के तीनों अवयवों का स्थान परिवर्तित होता है तथा इस बार भी विकर्ण पर सबसे ऊपरी अवयव नीचे आ जाता है और शेष दो अवयव ऊपर खिसक जाते हैं। एक बार फ़िर दो शेष कोनों पर के अवयव अपने-अपने स्थानों को छोड़कर एक-दूसरे के स्थान पर आ जाते हैं और ऊपरी दाएँ कोने पर एक नया अवयव आ जाता है। उपर्युक्त दोनों चरणों की बाद में भी पुनरावृत्ति होती है।

9. E : पहले दो कोनों पर स्थित अवयव अपना स्थान बदल कर एक दूसरे के स्थान पर आ जाते हैं और तब दोनों बीच के अवयव भी अपना स्थान परस्पर परिवर्तित कर लेते हैं। उपर्युक्त पैटर्न का पालन करते हुए चारों अवयव दो आनुक्रमिक आकृतियों में आधे-आधे चरण ऊपर जाते हैं और तब उनके बाद की आकृति में एक चरण नीचे आते हैं।

10. E : शृंखला को ध्यान से देखें। पहली और पांचवी आकृति में अवयव सदृश हैं, अंतर केवल यह है कि पहली आकृति को विकर्णतः आधा चरण नीचे लाने पर पांचवी आकृति प्राप्त होती है। अतः दूसरी आकृति को विकर्णतः आधा चरण नीचे लाने पर उत्तर आकृति प्राप्त होती है।

11. A : पहले चरण में निचले दाहिने कोने के अवयव के स्थान पर एक नया अवयव आ जाता है और शेष तीन अवयवों का स्थान दक्षिणावर्त बदल जाता है। दूसरे चरण में निचले बाएं कोने के अवयव के स्थान पर एक नया अवयव आ जाता है और शेष तीन अवयवों का स्थान वामावर्त बदल जाता है। उपर्युक्त दोनों चरणों के अनुक्रम की शेष चरणों में भी पुनरावृत्ति होती है।

12. D : तारे की पूँछ से प्रत्येक चरण पर एक नया अवयव जुड़ता जाता है।

13. C : एकांतर आकृतियों में प्रत्येक पंक्ति में एक अवयव कम होता जाता है।

14. D : एकांतर आकृतियों में चाप की संरचना 180° के कोण से उलटा घूम कर रेखा की दूसरी ओर एक सेट पैटर्न में बढ़ती है।

15. E : पहले दानों कोनों के अवयव एक-दूसरे के स्थान पर आ जाते हैं और तब ऊपर से दो अवयव अपना स्थान बदल कर एक-दूसरे के स्थान पर आ जाते हैं। जबकि नीचे का अवयव उलट जाता है। अंत में नीचे से दो अवयवों का स्थान परिवर्तित होता है और वे एक-दूसरे के स्थान पर आ जाते हैं जबकि ऊपरी अवयव उलट जाता है। तत्पश्चात् उपर्युक्त पैटर्न की पुनरावृत्ति होती रहती है।

16. D : प्रत्येक चरण पर सबसे बाहरी चाप दक्षिणावर्त 90° के कोण से घूम जाता है। मध्य का चाप प्रत्येक चरण पर वामावर्त 90° के कोण से घूमता है तथा एकांतर आकृतियों में सबसे छोटा चाप दक्षिणावर्त 90° के कोण से घूमता है।

17. C : सभी चारों अवयव एक चरण वामावर्त घूम जाते हैं और वर्ग से आरंभ करके वामावर्त एक-एक करके अवयवों के स्थान पर एक बिलकुल नया अवयव आ जाता है।

18. E : तीर एक निश्चित क्रम में वामावर्त घूमता है और इसकी तीन दिशाएं लोलक की गति के क्रम में हैं। शेष दो अवयव पहली और दूसरी आकृतियों में एक से हैं तथा तीसरी और चौथी आकृतियों में भी एक से हैं, अतः इसी पैटर्न का पालन करते हुए शेष दो अवयव पांचवी और उत्तर आकृति में भी एक से होंगे जिनमें से एक ऊर्ध्वाधर और दूसरा विकर्णतः गति करेगा।

19. E : शृंखला को ध्यान से देखें। पांचवी आकृति पहली आकृति का उलटा प्रतिबिंब है। शृंखला में निरंतरता बनाए रखने के लिए उत्तर आकृति दूसरी आकृति का उलटा प्रतिंबिब होगा।

20. B : निचले दाहिने अवयव से शुरू करके वामावर्त एक-एक करके कोने का अवयव और मध्यवर्ती अवयव परस्पर अपना स्थान परिवर्तित करते हैं और तब कोने के अवयव के स्थान पर एक नया अवयव आ जाता है।

प्रतिस्थापन शृंखला

इस प्रकार की शृंखला में सबसे बाईं ओर एक आकृति होती है जिसे किसी अक्षर या संख्या द्वारा चिह्नित या सूचित नहीं किया जाता। इसी आकृति से बाद की पाँच आकृतियों का एक पैटर्न शुरू होता है। किंतु इन दिए गए विकल्पों में दो ऐसी आकृतियाँ निहित होती हैं जिनके स्थानों का अंतर्बदल करके उन आकृतियों को एक-दूसरे के स्थान पर रखने से शृंखला में निरंतरता स्थापित होती है। इस प्रकार के प्रश्न में गलत स्थान पर रखी गई पहली आकृति (जिसका स्थान परिवर्तित करने पर शृंखला में निरंतरता स्थापित होती है) उत्तर आकृति कहलाती है।

हल किए गए प्रश्न

पहली अचिह्नित आकृति का स्थान अपरिवर्तित रहता है। यदि दी गई पाँच अक्षरांकित आकृतियों में से किन्हीं दो आकृतियों का स्थान परस्पर परिवर्तित कर दिया जाए तो एक शृंखला स्थापित होती है। शृंखला स्थापित करने के लिए जिन आकृतियों के स्थानों की अदला-बदली की जाती है उनमें से पहली अक्षरांकित आकृति ही उत्तर है। यदि शृंखला स्थापित करने के लिए अक्षरांकित आकृतियों का अंतर्बदल करने की आवश्यकता न हो तो आपका उत्तर 'E' होगा।

1. 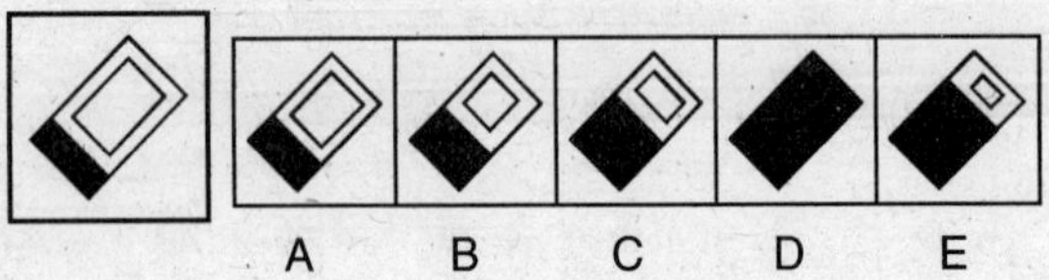

उत्तर D: नीचे दी गई आकृतियों के समुच्चय को ध्यान से देखें। प्रत्येक चरण पर आयत का आकर घटता जाता है और छायांकित भाग बढ़ता जाता है। आकृतियों से ज्ञात होता है कि D और E दो ऐसी आकृतियाँ है जिसके स्थानों को परस्पर परिवर्तित करने पर शृंखला एक सही क्रम में आ जाती है। अतः इन दोनों में से पूर्ववर्ती आकृति 'D' उत्तर आकृति है।

2. 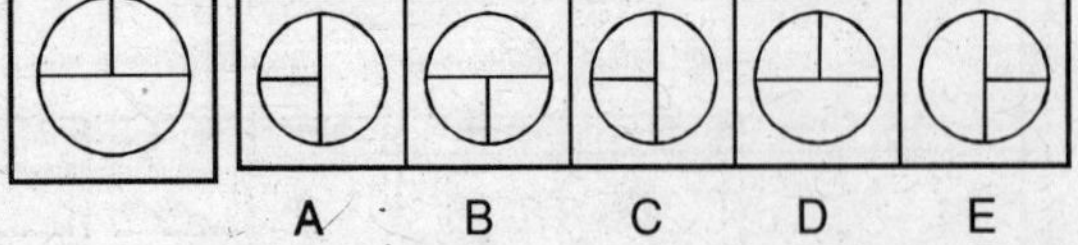

उत्तर C: ध्यान दें कि वृत्त के भीतर 'T' आकृति प्रत्येक चरण पर वामावर्त 90° के कोण से घूमती है। यदि C और E आकृति का स्थान परस्पर बदल दिया जाए तो शृंखला सही क्रम में व्यवस्थित हों जाएगी। अतः इन दोनों आकृतियों अर्थात् 'C' और 'E' से पहली आकृति 'C' उत्तर आकृति है।

प्रश्नमाला

निर्देशः *निम्नलिखित में से प्रत्येक प्रश्न में यदि दी गई पाँच अक्षरांकित आकृतियों में से दो का स्थान आपस में बदल कर उन्हें एक-दूसरे के स्थान पर रख दिया जाए तो इस प्रकार एक शृंखला निर्मित होती है। सबसे बाईं ओर स्थित पहली अचिहनित आकृति का स्थान अपरिवर्तित रखा जाता है। जिन दो आकृतियों का स्थान आपस में परिवर्तित करके उन्हें एक-दूसरे के स्थान पर रखने पर शृंखला स्थापित होती है उनमें से पहली आकृति आपका उत्तर है। यदि शृंखला स्थापित करने के लिए आकृतियों का स्थान परिवर्तित करना अपेक्षित न हो तो अपना उत्तर 'E' लिखें।*

1. 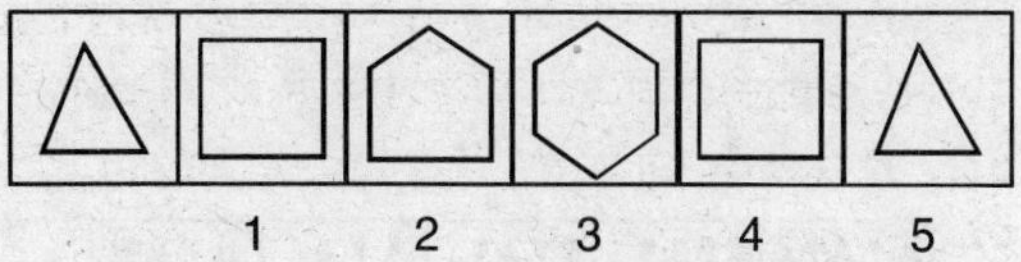

A. 1, 2 B. 2, 3
C. 3, 4 D. 4, 5
E. 1, 4

2. 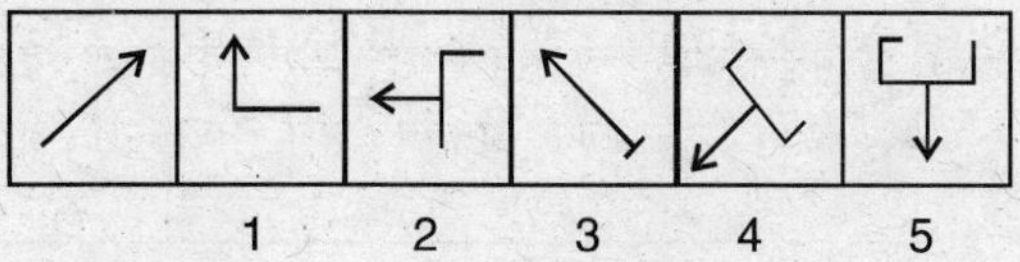

A. 3, 4 B. 2, 3
C. 1, 2 D. 4, 5
E. 1, 5

3. 

A. 1, 2 B. 3, 4
C. 2, 3 D. 5, 1
E. 4, 5

4. 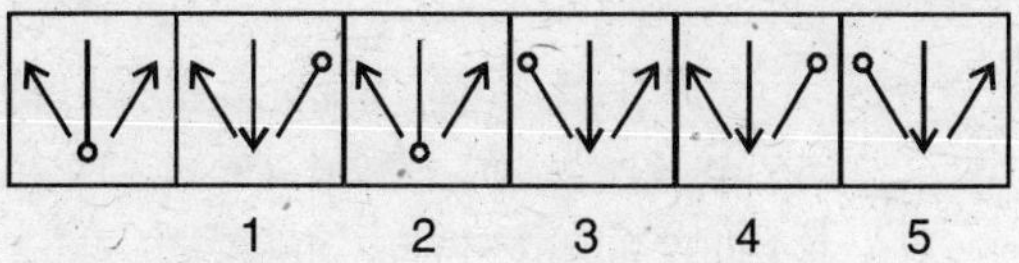

A. 1, 2 B. 2, 3
C. 3, 4 D. 4, 5
E. 1, 4

5. 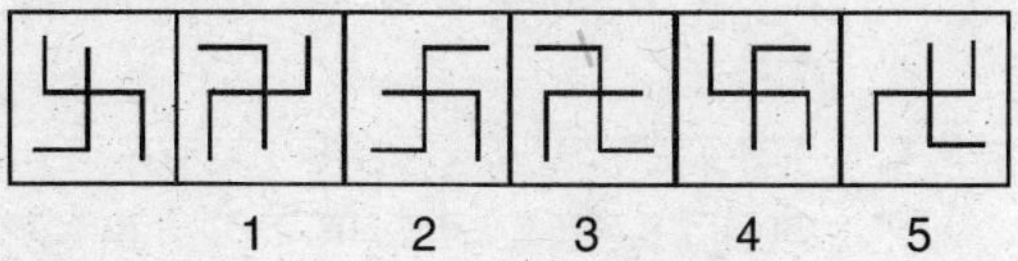

A. 1, 2 B. 2, 3
C. 3, 4 D. 4, 5
E. इनमें से कोई नहीं

6. 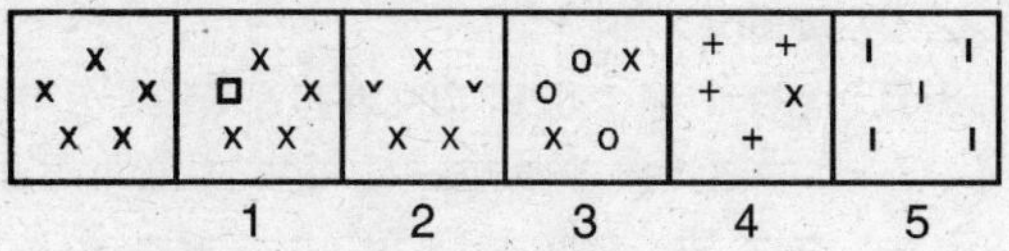

A. 4, 5 B. 3, 4
C. 2, 3 D. 1, 2
E. इनमें से कोई नहीं

7. 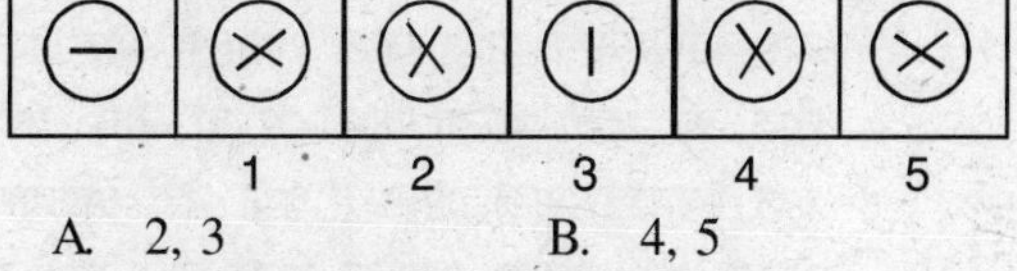

A. 2, 3 B. 4, 5
C. 1, 2 D. 3, 4
E. इनमें से कोई नहीं

8. 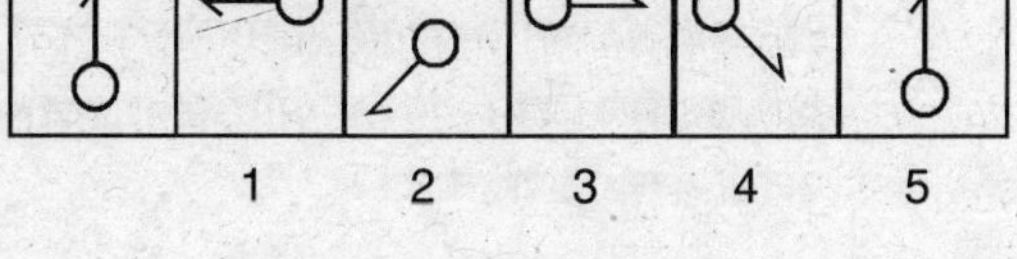

A. 2, 3 B. 1, 2
C. 3, 4 D. 4, 5
E. 1, 3

9. 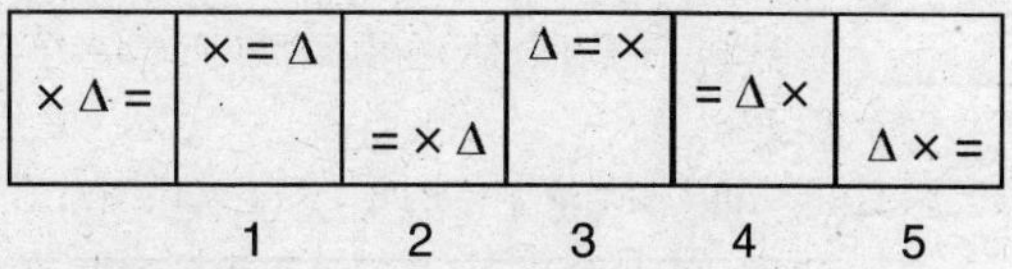

A. 1, 2 B. 4, 5
C. 3, 4 D. 2, 3
E. 3, 5

10. 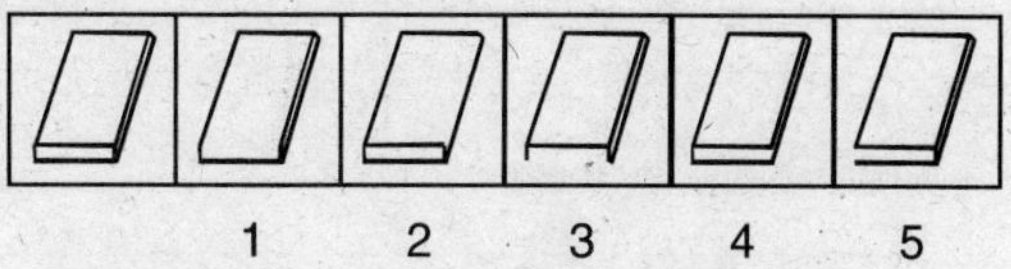

A. 1, 2 B. 2, 5
C. 2, 3 D. 3, 4
E. 4, 5

11. 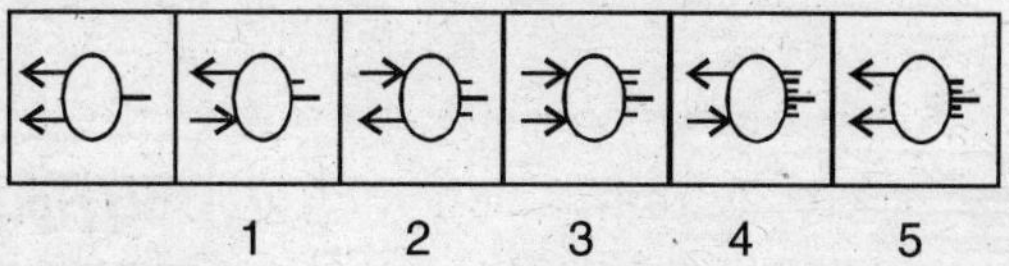

A. 2, 3 B. 3, 4
C. 1, 2 D. 4, 5
E. 1, 4

12. 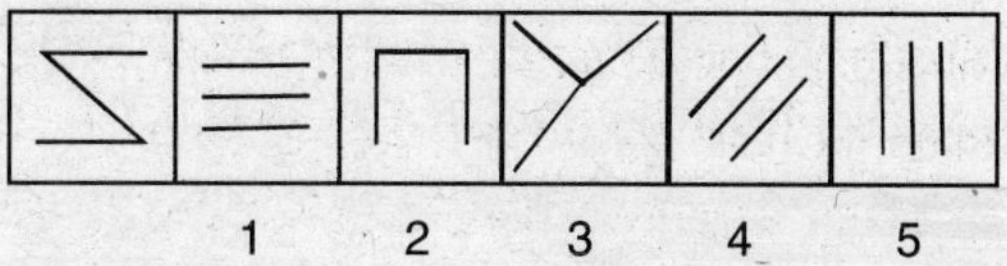

A. 1, 3 B. 1, 2
C. 2, 3 D. 3, 4
E. 4, 5

13. 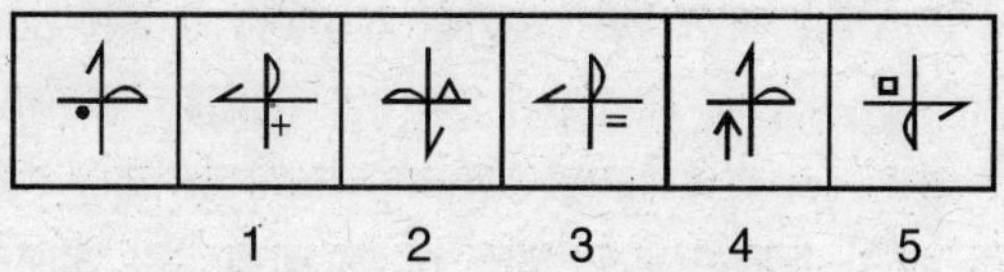

A. 4, 5 B. 1, 2
C. 3, 5 D. 2, 3
E. 3, 4

14. 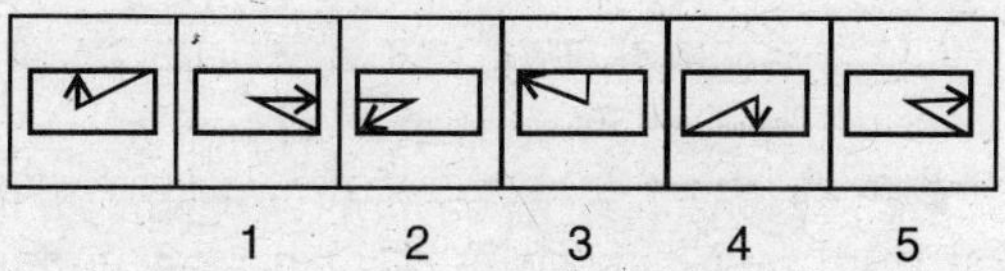

A. 2, 3 B. 1, 2
C. 3, 4 D. 4, 5
E. 1, 3

15. 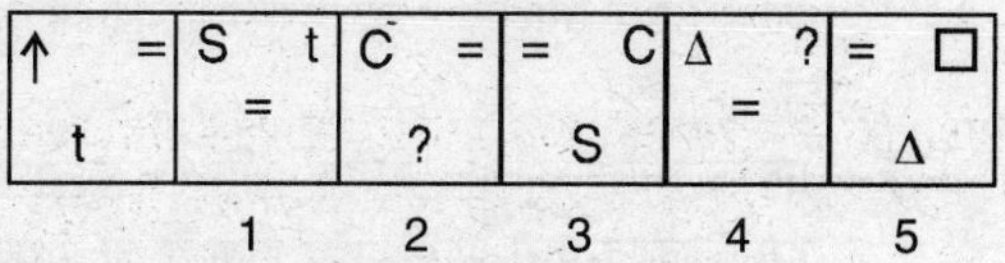

A. 1, 2 B. 2, 3
C. 3, 4 D. 4, 5
E. 3, 5

16. 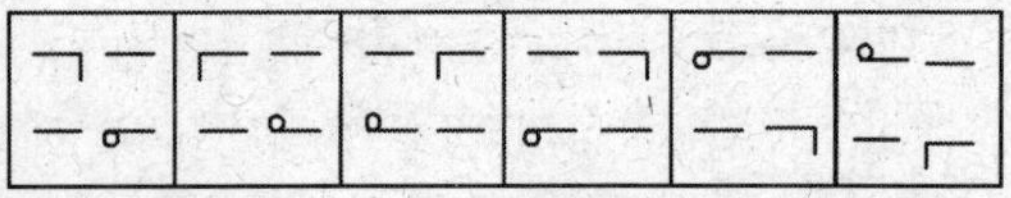

1 2 3 4 5

A. 2, 3 B. 3, 4
C. 4, 5 D. 1, 2
E. None of these

17. 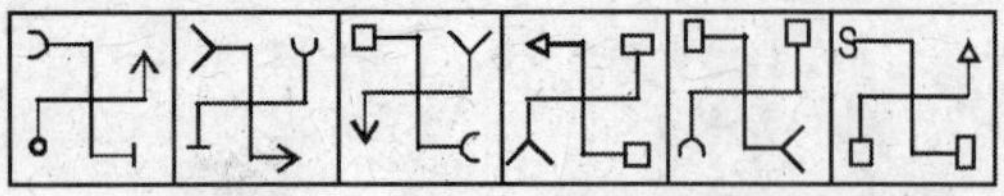

1 2 3 4 5

A. 2, 3 B. 1, 2
C. 3, 4 D. 4, 5
E. None of these

18. 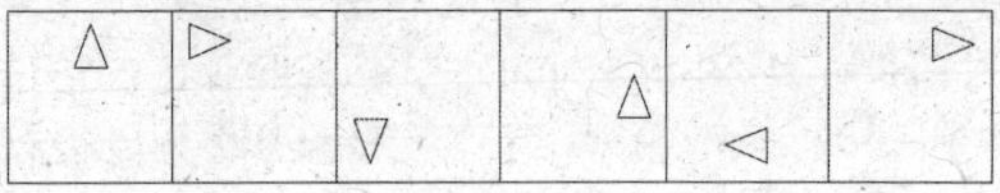

1 2 3 4 5

A. 1, 2 B. 2, 3
C. 4, 5 D. 5, 1
E. 3, 4

19. 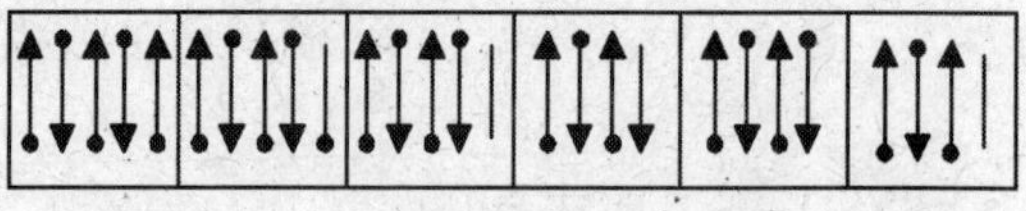

1 2 3 4 5

A. 5, 1 B. 1, 2
C. 2, 3 D. 4, 5
E. 3, 4

20. 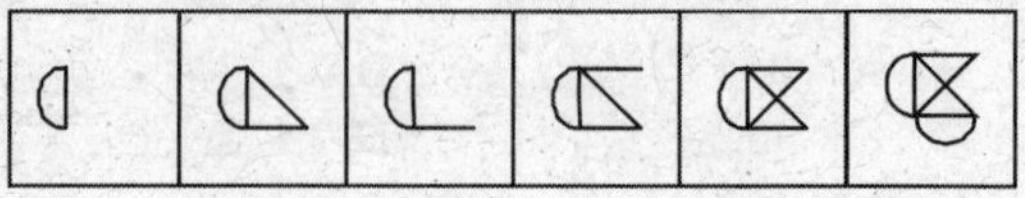

1 2 3 4 5

A. 2, 3 B. 3, 4
C. 1, 2 D. 4, 5
E. 5, 1

व्याख्यात्मक उत्तरमाला

1. D : शृंखला में आकृतियों को निर्मित करने वाली भुजाओं की संख्या क्रमशः 3, 4, 5, 6 है और यदि इसी अनुक्रम की पुनरावृति की जानी हो तो D और E आकृतियों को एक-दूसरे के स्थान पर रखा जाएगा।

2. B : प्रत्येक अगली आकृति में तीर के आधार पर केवल एक रेखाखंड जोड़ा जाता है। शृंखला के पैटर्न को बनाए रखने के लिए 'B' और 'C' आकृतियों का स्थान बदल कर उन्हें एक-दूसरे के स्थान पर रखा जाना अपेक्षित है।

3. A : डिजाइन दोहरी रेखाओं से निर्मित है और तत्पश्चात् अगली आकृति में एक सदृश डिजाइन शामिल किया जाता है। इसके बाद अनुक्रम की पुनरावृत्ति होती है। तद्नुसार 'A' और 'B' आकृतियों की अदला-बदली की जानी है।

4. B : प्रत्येक अगली आकृति में दाहिनी ओर का अवयव सबसे बाईं ओर चला जाता है और शेष दो अवयव उत्क्रमित हो जाते हैं। इस प्रक्रिया द्वारा 'B' और 'C' आकृतियों की अदला-बदली की जाती है।

5. E : स्वस्तिक चिह्न का एक सिरा एक निश्चित क्रम में मुक्त रखा जाता है। पहले सम्मुख सिरा मुक्त रखा जाता है, तब दक्षिणावर्त एक चरण पार्श्व सिरा मुक्त रखा जाता है और तत्पश्चात् इस प्रक्रिया की पुनरावृत्ति होती है। आकृतियों के समुच्चय में किसी परिवर्तन की आवश्यकता नहीं है।

6. E : प्रत्येक अगली आकृति में एक क्रॉस हट जाता है और दूसरे अवयव द्वारा प्रतिस्थापित होता है जो प्रत्येक बार एक नया अवयव होता है। किसी परिवर्तन की आवश्यकता नहीं है।

7. E : दो रेखाएं प्रत्येक अगली आकृति में क्रमशः दक्षिणावर्त 45° के कोण से और वामावर्त 45° के कोण से घूमती हैं। किसी भी परिवर्तन की आवश्यकता नहीं है।

8. C : अगली आकृतियों में अवयव बारी-बारी से वामावर्त 90° और 45° के कोण से घूमता है। इस प्रक्रिया द्वारा C और D आकृतियों की परस्पर अदला-बदली की जानी है।

9. C : पहले दाहिने ओर के दो अवयव एक-दूसरे के स्थान पर आ जाते हैं और तब बाईं ओर के दो अवयव एक-दूसरे के स्थान पर आते हैं जिसके बाद इस संपूर्ण प्रक्रिया की पुनरावृत्ति होती है। शृंखला में निरंतरता स्थापित करने के लिए C और D आकृतियों की अदला-बदली की जानी है।

10. B : शृंखला की क्रमागत आकृतियों में ईंट की भुजाओं को निर्मित करने वाली एक रेखा वामावर्त छिपी हुई है। इस पैटर्न का अनुपालन करने पर शृंखला में निरंतरता स्थापित करने के लिए B और E आकृतियों की अदला-बदली की जानी है।

11. D : जब निचले तीर की दिशा बदली जाती है तो ऊपर दाईं ओर एक-रेखाखंड जोड़ा जाता है और जब दोनों तीरों की दिशा बदली जाती है तो नीचे दाईं ओर एक रेखाखंड जोड़ा जाता है तथा यही प्रक्रिया आगे चलती है। शृंखला स्थापित करने के लिए D और E आकृतियों की अदला-बदली की जानी है।

12. A : तीन सरल रेखाएं पहली तीन आकृतियों में जुड़ी हुई हैं और बाद की तीन आकृतियों में समांतर हैं। इस नियम का अनुसरण करने पर A और C आकृतियों की अदला-बदली अपेक्षित है।

13. C : प्रत्येक अगली आकृति में छोटा अवयव एक नए अवयव द्वारा प्रतिस्थापित होता है तथा अर्धवृत्त और छोटे रेखाखंड से निरपेक्ष एक चरण वामावर्त खिसकता है। इस प्रक्रिया द्वारा C और E आकृतियों की अदला-बदली की जानी अपेक्षित है।

14. D : मुड़ा हुआ तीर बारी-बारी से 90° और 135° दक्षिणावर्त घूमता है। इस प्रक्रिया का अनुपालन करने पर D और E आकृतियों की अदला-बदली अपेक्षित है।

15. B : ऊपरी दाएं अवयव से शुरू करके वामावर्त दो अवयवों की एक निश्चित पैटर्न के अनुसार अदला-बदली होती है और तीसरे अवयव के स्थान पर एक नया अवयव आ जाता है। इस प्रक्रिया द्वारा B और C आकृतियों की अदला-बदली की जानी है।

16. A : यदि प्रश्नाकृति 2 एवं 3 को परस्पर प्रतिस्थापित कर दिया जाए तो एकान्तर प्रश्नाकृति में चार अवयव दक्षिणावर्त घूमते हैं।

17. C : यदि प्रश्नाकृति 3 एवं 4 को परस्पर बदल दिया जाए तो प्रत्येक अगली प्रश्नाकृति में पूरी आकृति 90° दक्षिणावर्त घूम जाती है और आकृति के बायें ऊपर के अवयव के स्थान पर नया अवयव जुड़ जाता है।

18. E : यदि हम प्रश्नाकृति 3 एवं 4 को परस्पर बदल देते हैं तो त्रिभुज प्रत्येक अगली प्रश्नाकृति में डेढ़ चरण वामावर्त घूमता है।

19. E : एकदम दायीं ओर से प्रारम्भ करते हुए एक बार में एक निश्चित क्रमानुसार दिए गए अवयवों का एक भाग खत्म हो जाता है, लेकिन प्रश्नाकृति 3 एवं 4 इस नियम का पालन नहीं करता किन्तु यदि प्रश्नाकृति 4 एवं 5 को परस्पर बदल दिया जाए तो शृंखला जारी रहती है।

20. C : अगर प्रश्नाकृति 1 एवं 2 को परस्पर प्रतिस्थापित किया जाए तो प्रत्येक अगली प्रश्नाकृति में बिना कलम उठाए एक हिस्सा जोड़ा जाता है।

अध्याय 14

सादृश्य

सादृश्य दो एक जैसे या सदृश मामलों (आकृतियों) के विवेचन की एक प्रक्रिया है। इसका संबंध दो वस्तुओं के बीच किसी न किसी प्रकार से मेल या साम्य स्थापित करने से है। यह एक ऐसी प्रक्रिया है जिनके द्वारा दो आकृतियों, डिजाइनों या पैटर्नों के बीच अंतर्निहित संबंधों को निर्धारित किया जाता है। इस प्रक्रिया के अंतर्गत दो आकृतियों या डिजाइनों में उभयनिष्ठ विशेषताओं का पता लगाना होता है। यह उभयनिष्ठ विशेषता एक प्रतिमान या आधार होती है जिसके आलोक में इस प्रकार के प्रश्नों को हल किया जाता है।

हल किए गए प्रश्न

1. प्रश्न आकृतियां

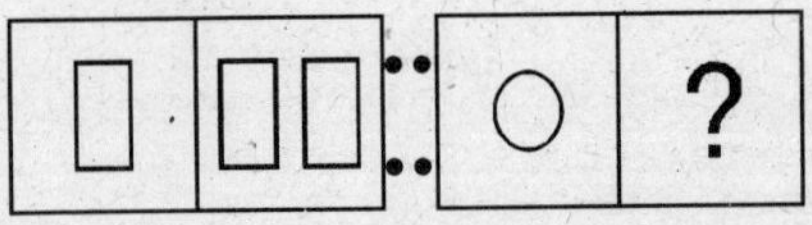

उत्तर आकृतियां

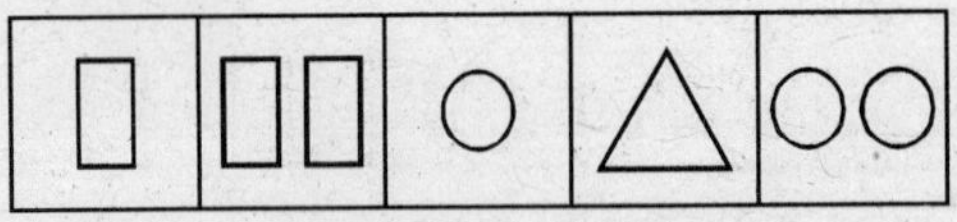

A B C D E

उत्तर E: ऊपर दी गई प्रश्न आकृतियों के दो भाग हैं। पहले भाग में दो आकृतियां हैं जबकि दूसरे भाग में एक आकृति दी गई है जिसके बाद एक प्रश्न चिह्न (?) है। पहले भाग की आकृतियों के बीच एक विशेष संबंध है जिसके आधार पर दूसरे भाग की आकृतियों के बीच संबंध स्थापित किया जाना है।

प्रश्न आकृतियों के पहले भाग की दो आकृतियों में क्रमशः एक और दो आयत निहित हैं। पहली आकृति में एक आयत है जबकि दूसरी आकृति में दो आयत हैं। इसका अर्थ है कि उनके बीच संबंध यह है कि दूसरी आकृति में पहली आकृति में निहित आयत की संख्या की दोगुनी संख्या में आयत हैं।

दूसरे भाग की दोनों प्रश्न आकृतियों के बीच भी ठीक उसी प्रकार का संबंध होना आवश्यक है जैसा संबंध पहले भाग की दो प्रश्न आकृतियों के बीच है अर्थात् इस सादृश्य के आधार पर जबकि दूसरे भाग में पहली प्रश्न आकृति एक वृत्त है तो दूसरी प्रश्न आकृति में वृत्तों की संख्या दोगुनी अर्थात् 2 होगी।

प्रश्नमाला

निर्देशः *प्रश्न आकृतियों में :: चिह्न के बाएं दी गई दो आकृतियों में से दूसरी आकृति का पहली आकृति के साथ एक विशेष संबंध है। :: चिह्न की दाईं ओर की दो आकृतियों के बीच भी ऐसा ही संबंध है। दिए गए विकल्पों से उस आकृति का चयन करें जिसे प्रश्न आकृतियों में प्रश्न चिह्न के स्थान पर रखा जा सकता है और जिसका :: चिह्न की दाईं ओर की पहली आकृति के साथ ठीक वैसा ही संबंध है जैसा कि :: चिह्न की बाईं ओर की दो आकृतियों के बीच है।*

1. प्रश्न आकृतियां

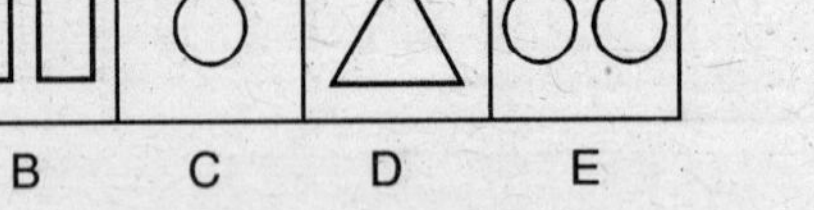

उत्तर आकृतियां

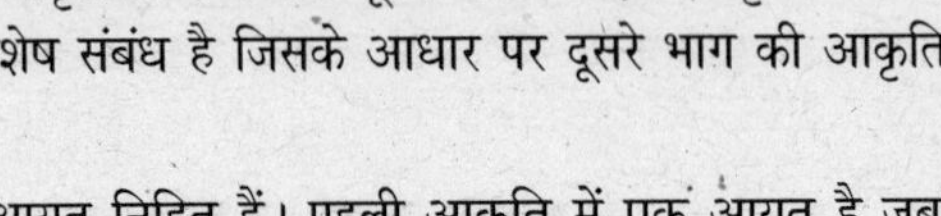

A B C D E

2. प्रश्न आकृतियां

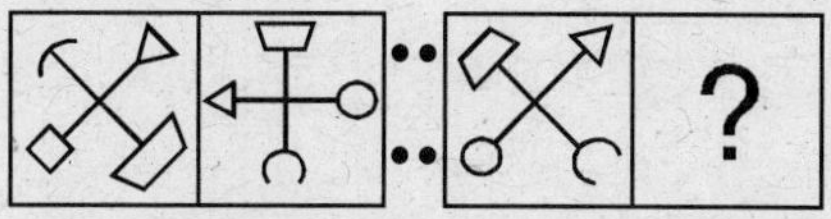

उत्तर आकृतियां

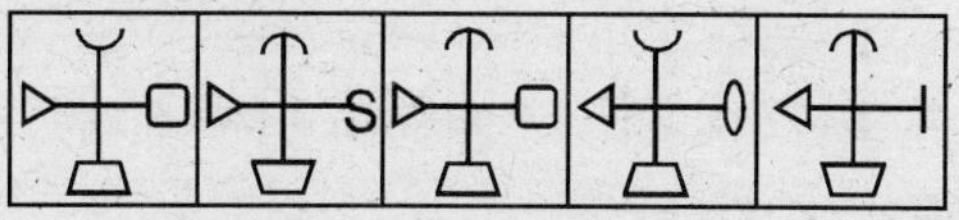

A B C D E

3. प्रश्न आकृतियां

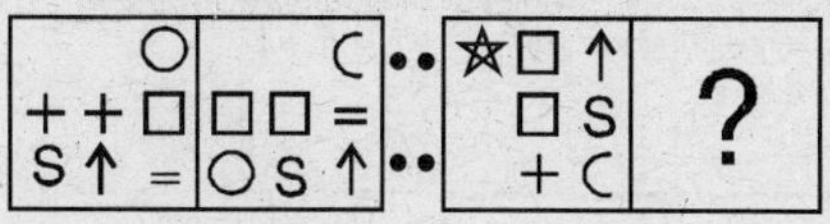

उत्तर आकृतियां

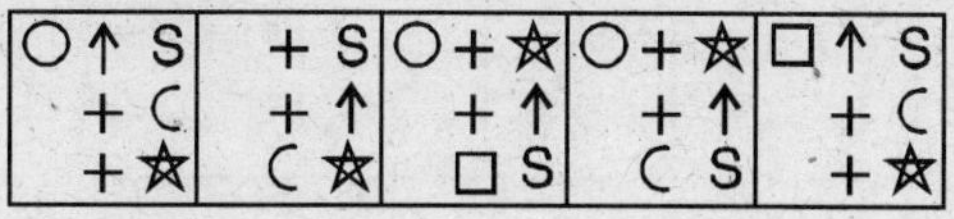

A B C D E

4. प्रश्न आकृतियां

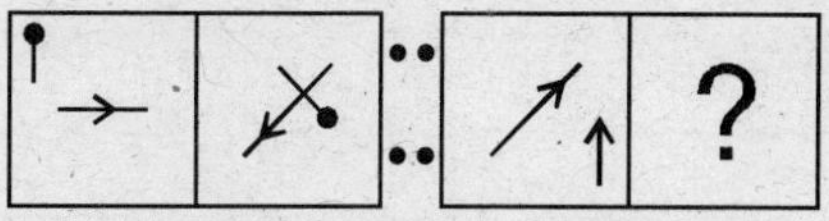

उत्तर आकृतियां

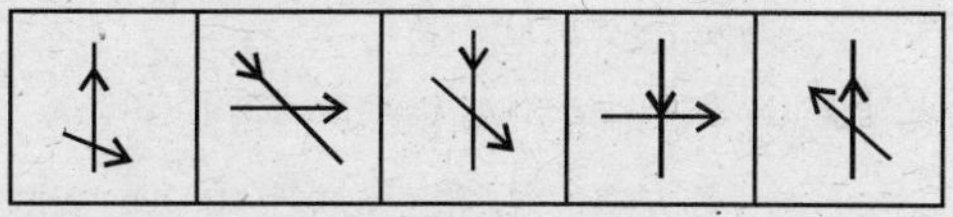

A B C D E

5. प्रश्न आकृतियां

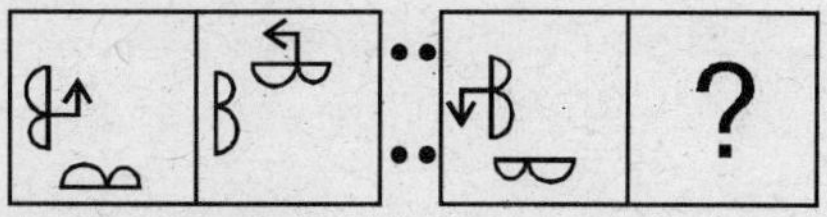

उत्तर आकृतियां

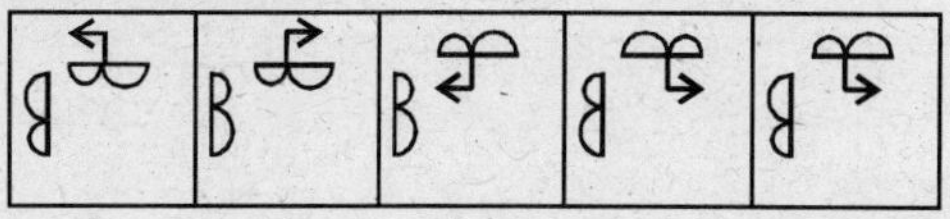

A B C D E

6. प्रश्न आकृतियां

उत्तर आकृतियां

A B C D E

7. प्रश्न आकृतियां

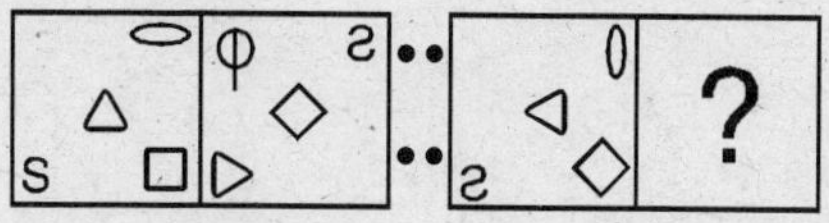

उत्तर आकृतियां

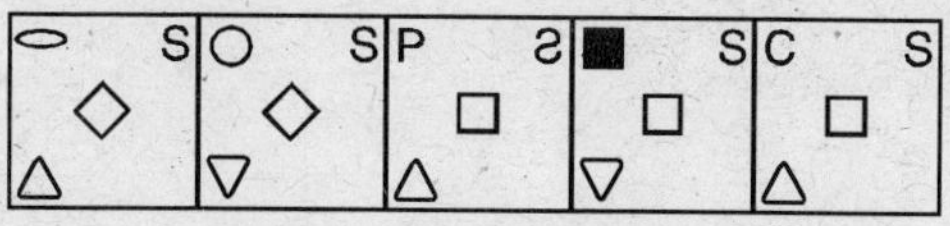

A B C D E

8. प्रश्न आकृतियां

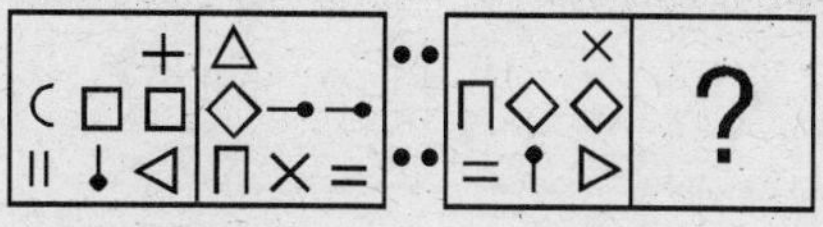

उत्तर आकृतियां

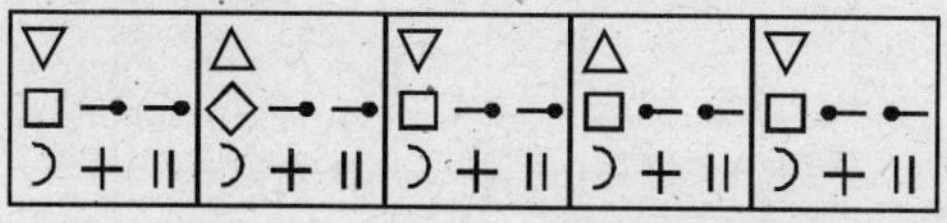

A B C D E

9. प्रश्न आकृतियां

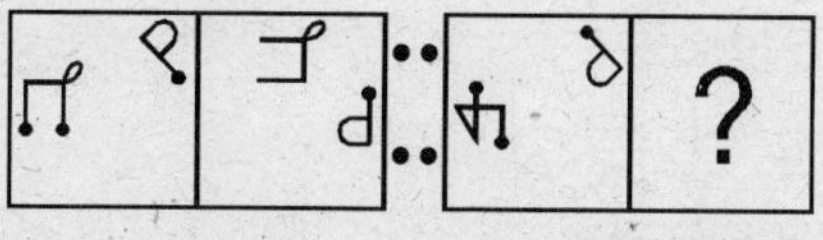

उत्तर आकृतियां

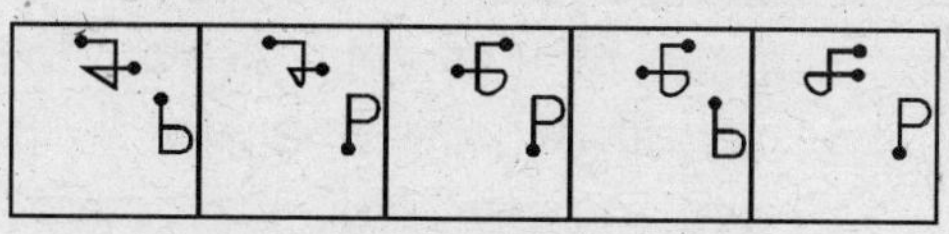

A B C D E

10. प्रश्न आकृतियां

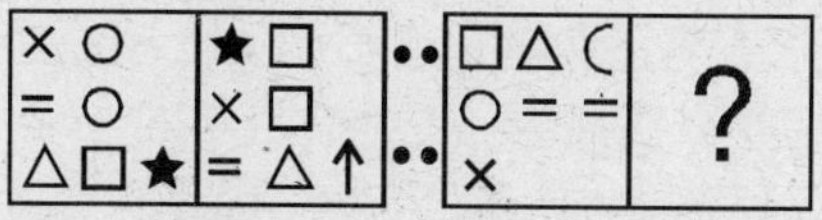

उत्तर आकृतियां

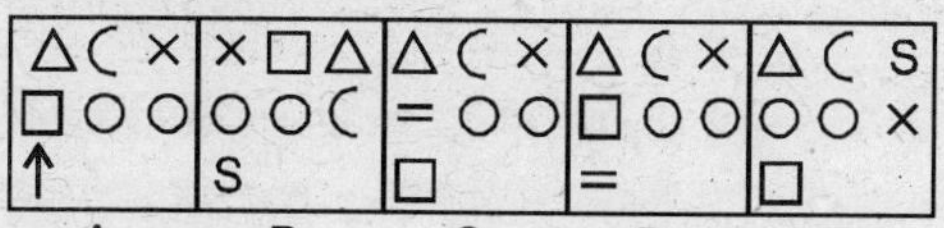

A B C D E

11. प्रश्न आकृतियां

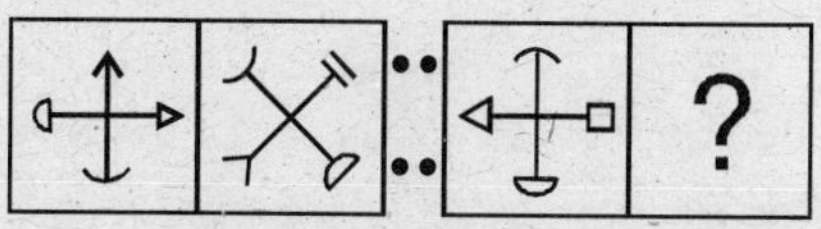

उत्तर आकृतियां

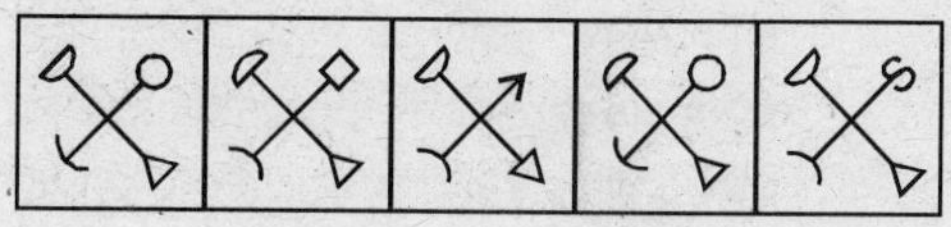

A B C D E

12. प्रश्न आकृतियां

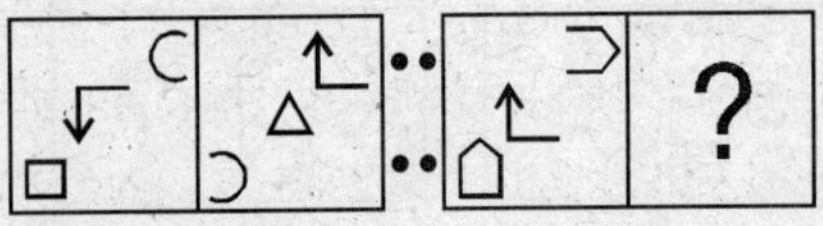

उत्तर आकृतियां

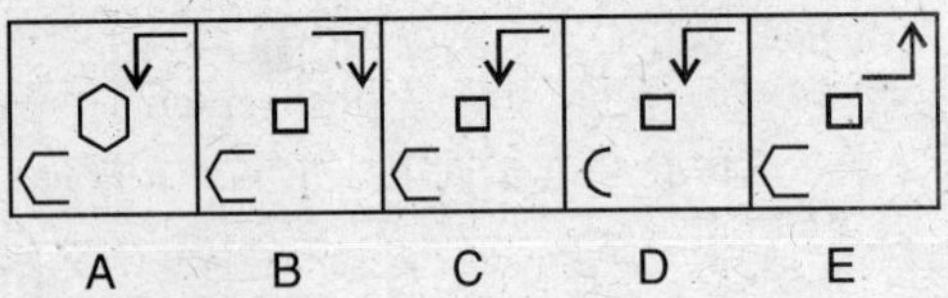

13. प्रश्न आकृतियां

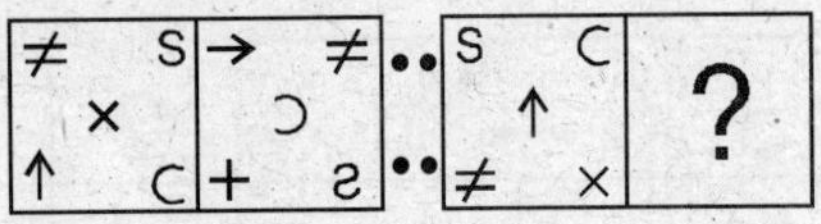

उत्तर आकृतियां

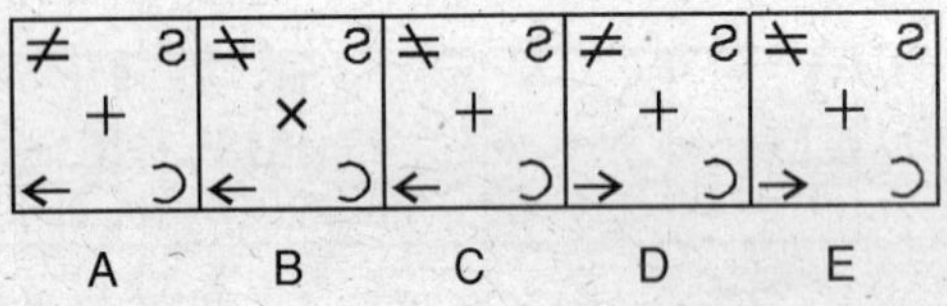

14. प्रश्न आकृतियां

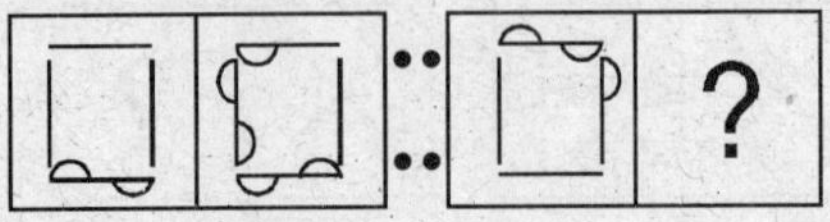

उत्तर आकृतियां

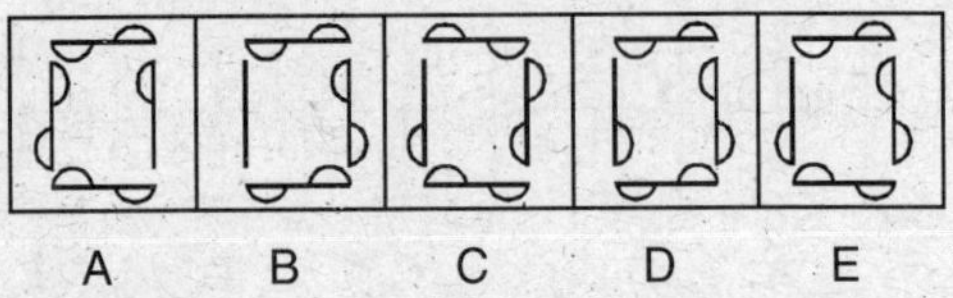

15. प्रश्न आकृतियां

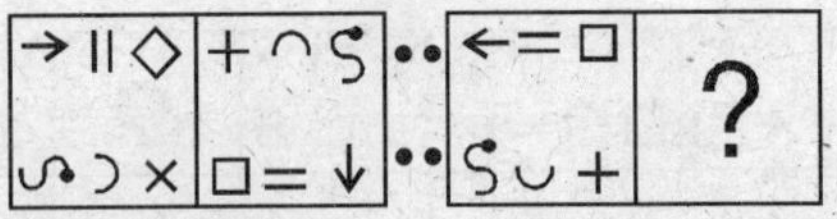

उत्तर आकृतियां

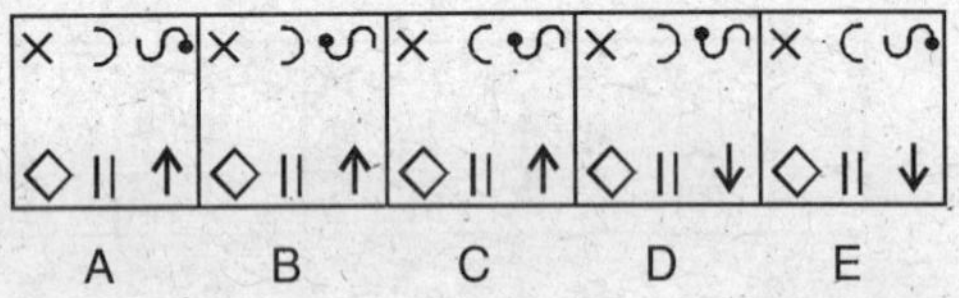

व्याख्यात्मक उत्तरमाला

1. A : पहली आकृति से दूसरी आकृति में चौथी और पहली ऊर्ध्वाधरतः रेखाओं से जुड़े अवयव अपनी-अपनी रेखाओं के दूसरे सिरों पर चले जाते हैं और तब ये रेखाएं क्रमशः पहले और दूसरे स्थान पर आ जाती हैं। दूसरी और तीसरी ऊर्ध्वाधरतः रेखाओं से जुड़े अवयव उत्क्रमित होकर अपनी-अपनी रेखाओं के दूसरे सिरों पर चले जाते हैं जिसके बाद ये रेखाएं क्रमशः तीसरे और चौथे स्थान पर आ जाती हैं।

2. C : पहली आकृति से दूसरी आकृति में क्रॉस (×) वामावर्त 135° के कोण से घूम जाता है। इसके सिरों से जुड़े सभी अवयव उत्क्रमित हो जाते हैं अर्थात् उलट जाते हैं और वर्ग के स्थान पर वृत्त आ जाता है। आकृतियों के दूसरे समुच्चय में भी पूर्ववर्ती प्रक्रिया ही अपनाई गई है, अंतर केवल यह है कि इस बार वृत्त के स्थान पर वर्ग आता है।

3. A : पहली आकृति से दूसरी आकृति में अंतिम पंक्ति का सबसे ऊपरी एकमात्र अवयव विकर्णतः सम्मुख कोने पर चला जाता है और शेष अवयव एक निश्चित पैटर्न में स्थानांतरित होते हैं। अपनी जगह से हटने वाले दो अंतिम अवयवों में से दूसरे अंतिम अवयव की आकृति तीसरे अंतिम अवयव के सदृश होती है और बिल्कुल अंतिम अवयव कोने में रखा जाता है (जहाँ से अनुक्रम आरंभ हुआ था) जिसे एक नए अवयव द्वारा प्रतिस्थापित किया जाता है।

4. C : पहली आकृति के दोनों अवयव दूसरी आकृति में दक्षिणावर्त 135° के कोण से घूम कर एक दूसरे पर आच्छादित हो जाते हैं।

5. E : पहली आकृति से दूसरी आकृति में बाईं ओर का अवयव वामावर्त 90° के कोण से घूम जाता है और आधारीय अवयव दक्षिणावर्त 90° के कोण से घूमकर ऊर्ध्वाधरतः उलट जाता है। इस प्रक्रिया में दोनों अवयव दक्षिणावर्त एक चरण खिसकते हैं।

6. D : पहली आकृति की छायांकित और अछायांकित पँखड़ियाँ दूसरी आकृति में क्रमशः वामावर्त 135° और वामावर्त 90° के कोण से घूम जाती है।

7. E : पहली आकृति से दूसरी आकृति में नीचे दाएं कोने का अवयव 45° के कोण से घूमकर आकृति के मध्य में आ जाता है, आकृति के मध्य का अवयव दक्षिणावर्त 90° के कोण से घूमकर नीचे बाएं कोने पर आ जाता है; नीचे बाएं कोने का अवयव पाश्वर्तः उत्क्रमित होकर ऊपर दाएं कोने पर चला जाता है तथा ऊपर दाएं कोने का अवयव एक नए अवयव द्वारा प्रतिस्थापित होकर ऊपर बाएं कोने पर आ जाता है।

8. E : पहली आकृति से दूसरी आकृति में सबसे ऊपर का एकमात्र अवयव 45° के कोण से घूमकर अंतिम निचली पंक्ति के मध्य में आ जाता है; अंतिम पंक्ति के मध्य का अवयव वामावर्त 90° के कोण से घूमकर बीच की पंक्ति के मध्य में और इसी पंक्ति में सबसे दाहिनी ओर

भी आ जाता है। बीच की पंक्ति में दो एक जैसे अवयवों में से एक अवयव 45° के कोण से घूमकर बीच की पंक्ति में सबसे बाईं ओर आ जाता है; बीच की पंक्ति में सबसे बाईं ओर का अवयव दक्षिणावर्त 90° के कोण से घूमकर निचली अंतिम पंक्ति में सबसे बाईं ओर आ जाता है; निचली अंतिम पंक्ति में सबसे बाईं ओर का अवयव दक्षिणावर्त 90° के कोण से घूमकर क्षैतिजतः निचली अंतिम पंक्ति में दाएं कोने पर चला जाता है और निचली अंतिम पंक्ति में दाएं कोने का अवयव दक्षिणावर्त 90° के कोण से घूमकर विकर्णतः ऊपर बाएं कोने पर पहुँच जाता है।

9. B : दूसरी आकृति प्राप्त करने के लिए पहली आकृति में बाईं ओर का अवयव वामावर्त 90° के कोण से घूमकर पाश्वर्तः उत्क्रमित हो जाता है और दूसरा अवयव 180° के कोण से घूम जाता है। इसके साथ ही पहली आकृति के दोनों अवयव दूसरी आकृति में दक्षिणावर्त एक चरण खिसक जाते हैं।

10. A : पहली आकृति से दूसरी आकृति में बाएं से तीसरे स्तंभ का एकमात्र अवयव विकर्णतः सम्मुख कोने पर चला जाता है और शेष अवयव एक निश्चित पैटर्न में खिसकते हैं। खिसकने वाले अंतिम दो अवयवों में से दूसरा अंतिम अवयव तीसरे अंतिम अवयव के सदृश होता है और सबसे अंतिम अवयव कोने में चला जाता है (जहाँ से अनुक्रम आरंभ हुआ था) जहाँ वह एक नए अवयव द्वारा प्रतिस्थापित हो जाता है।

11. E : पहली आकृति से दूसरी आकृति में क्रॉस की दाईं ओर और क्रॉस के नीचे के अवयव परस्पर अपना स्थान परिवर्तित करते हैं और तब संपूर्ण डिजाइन वामावर्त 135° के कोण से घूम जाता है। इसके अतिरिक्त ऊपर दाएं कोने के अवयव के स्थान पर एक नया अवयव आ जाता है और शेष तीन अवयव 180° के कोण से घूम जाते हैं।

12. C : पहली आकृति से दूसरी आकृति में ऊपर का अवयव 180° के कोण में घूमकर सबसे नीचे आ जाता है, सबसे नीचे का अवयव एक नए अवयव द्वारा प्रतिस्थापित हो जाता है जो दूसरी आकृति में आकृति के मध्य में विन्यस्त होता है तथा आकृति के मध्य का अवयव ऊर्ध्वाधरतः उलट कर सबसे ऊपर चला जाता है।

13. E : पहली आकृति से दूसरी आकृति में क्रॉस का चिह्न जोड़ के चिह्न में बदल जाता है, तीर दक्षिणावर्त 90° के कोण से घूमता है और शेष तीन अवयव क्षैतिजतया उत्क्रमित हो जाते हैं। अवयवों का विस्थापन इस क्रम में होता है पहली से दूसरी आकृति में आकृति के मध्य का अवयव नीचे बाएं कोने पर आ जाता है, नीचे बाएं कोने का अवयव ऊपर बाएं कोने पर चला जाता है और ऊपर बाएं कोने का अवयव क्षैतिजतया ऊपर दाएं कोने पर चला जाता है, ऊपर दाएं कोने का अवयव नीचे दाएं कोने पर चला जाता है और नीचे दाएं कोने का अवयव आकृति के मध्य में आ जाता है।

14. D : पहले समुच्चय की आकृतियों में से पहली आकृति में दो छोटे-छोटे लूप हैं जो दूसरी आकृति में उलटी दिशा में चले जाते हैं तथा साथ ही दूसरी आकृति में एक निश्चित पैटर्न में एकांतर दिशाओं में तीन छोटे-छोटे लूप जुड़ जाते है। आकृतियों के दूसरे समुच्चय की पहली आकृति में तीन लूप हैं अतः दूसरी आकृति में उपर्युक्त पैटर्न के अनुसार चार लूप जोड़े जाने चाहिए।

15. B : पहली आकृति से दूसरी आकृति में विकर्णतः सम्मुख कोनों के अवयव एक दूसरे के स्थान पर आ जाते हैं और साथ ही ऊपरी और निचली पंक्तियों में बीच के अवयव भी एक दूसरे के साथ अपना स्थान परिवर्तित कर लेते हैं। तीर और बराबर का चिह्न दक्षिणावर्त 90° के कोण से घूमते हैं, वर्ग और क्रॉस का चिह्न 45° के कोण से घूमते हैं तथा S और C अवयव वामावर्त 90° के कोण से घूमते हैं।

अध्याय

15

विजातीय चयन

भाग-I

अभाषिक वर्गीकरण के इस प्रकार के प्रश्नों में प्रश्न आकृतियों और उत्तर आकृतियों के रूप में आकृतियों के दो समुच्चय नहीं दिए जाते बल्कि इनमें चार या पाँच आकृतियों का केवल एक ही समुच्चय दिया जाता है जिन्हें प्रश्न आकृतियाँ कहते हैं। इन प्रश्न आकृतियों में से एक आकृति शेष चार आकृतियों के समान या उनके सदृश नहीं होती। दूसरे शब्दों में तीन या चार आकृतियाँ किसी न किसी रूप में आपस में संबंधित होते हुए एक समूह बनाती हैं जबकि शेष केवल एक आकृति ही अन्यों से भिन्न अथवा विजातीय होता है जिसकी पहचान की जानी होती है।

हल किए गए प्रश्न

1. 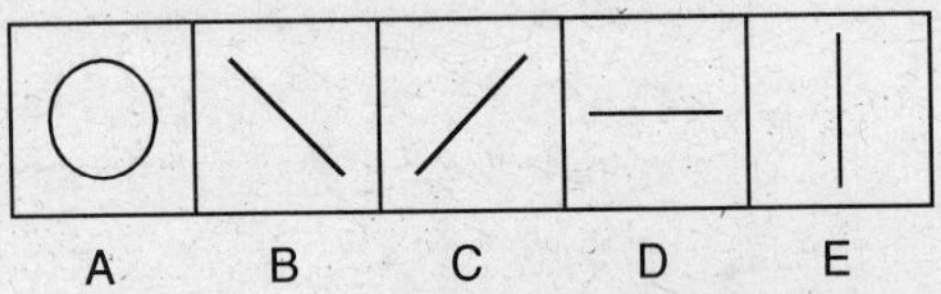

A B C D E

उत्तर A: दी गई आकृतियों में A एक वृत्त है जबकि B, C, D और E भिन्न-भिन्न दिशाओं को इंगित करने वाली सरल रेखाएं हैं। यहाँ ध्यान दें कि दी गई पाँच आकृतियों में से चार आकृतियों B, C, D और E में से प्रत्येक में एक सामान्य (सर्वनिष्ठ) विशेषता यह है कि ये सभी सरल रेखाएं हैं जो भिन्न-भिन्न दिशाओं को इंगित करती हैं, अतः ये चारों आकृतियां एक समूह या वर्ग निर्मित करती हैं। इन आकृतियों के विपरीत A एक वृत्त है जो अन्य आकृतियों से भिन्न अथवा विजातीय है।

अतः आकृति A समूह में शामिल न होने वाली आकृति अर्थात् एक विजातीय आकृति है।

3. 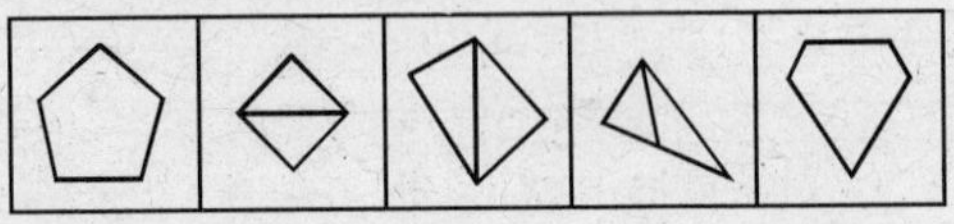

A B C D E

उत्तर D: आकृति A, B, C, D और E पाँच सरल रेखाओं से निर्मित आकृति है जबकि आकृति 'D' में केवल चार सरल रेखाएं निहित हैं। अतः A, B, C और E में सर्वनिष्ठ गुण यह है कि इनमें से प्रत्येक पाँच सरल रेखाओं से निर्मित आकृति है किंतु D में यह विशेषता नहीं है, अतः D अन्य चार आकृतियों से भिन्न (या विजातीय) आकृति है।

प्रश्नमाला

निर्देशः *नीचे के प्रत्येक प्रश्न में एक आकृति को छोड़कर अन्य सभी आकृतियाँ किसी-न-किसी रूप में आपस में संबंधित हैं और इस कारण वे एक समूह बनाती हैं। प्रत्येक प्रश्न में उस एक भिन्न आकृति का चयन करें जो अन्यों से संबंधित नहीं है अर्थात् जो भिन्न अथवा विजातीय है।*

1. 

A B C D E

2. 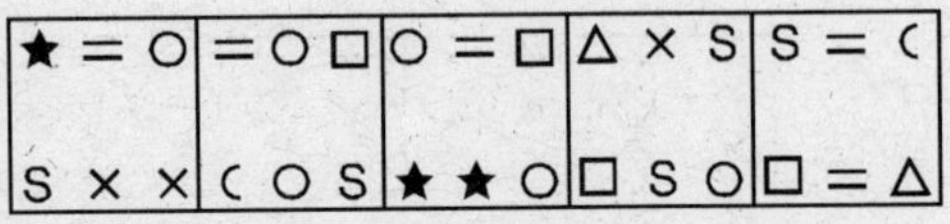

A B C D E

3. 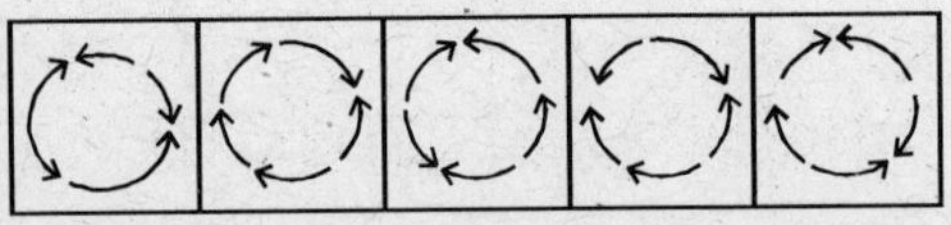

A B C D E

4. 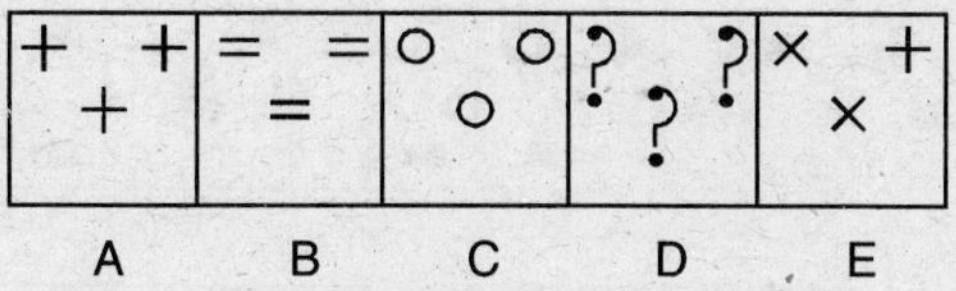

5. 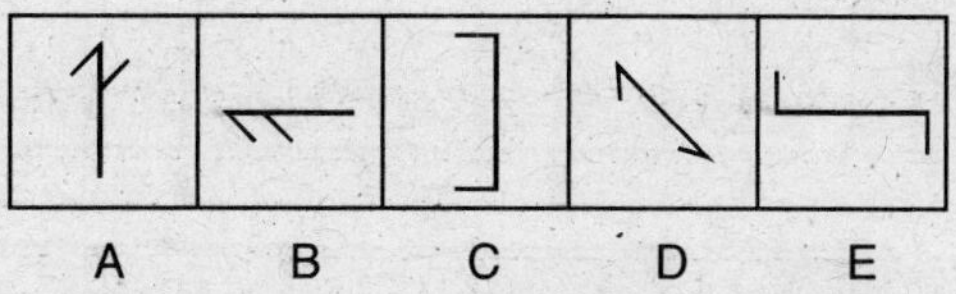

6. 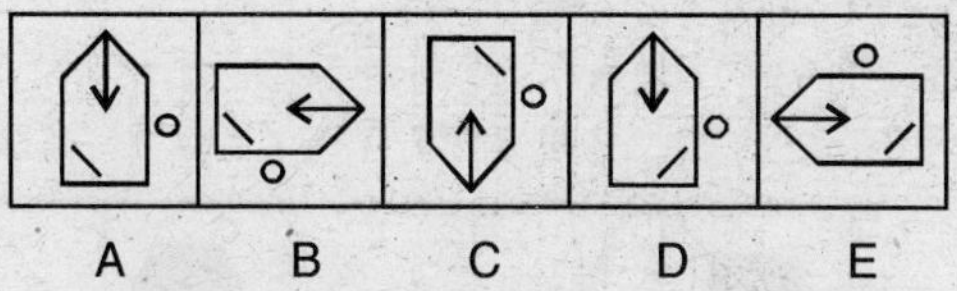

7. 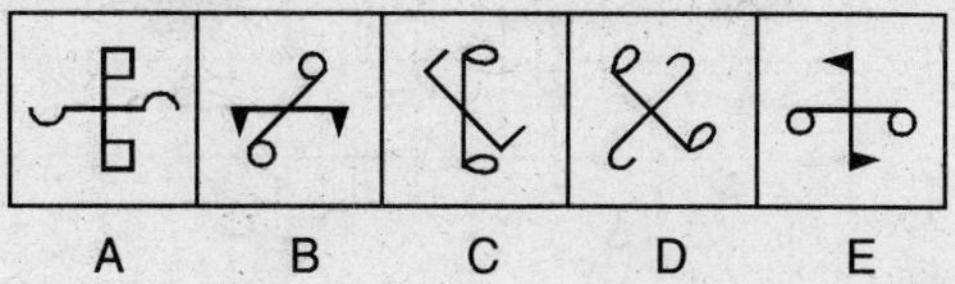

8. 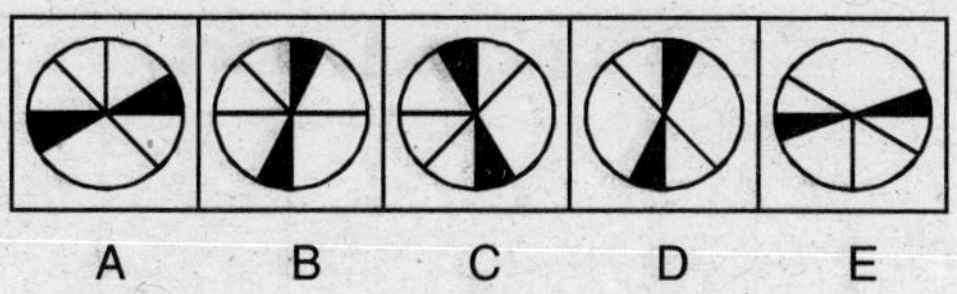

9. 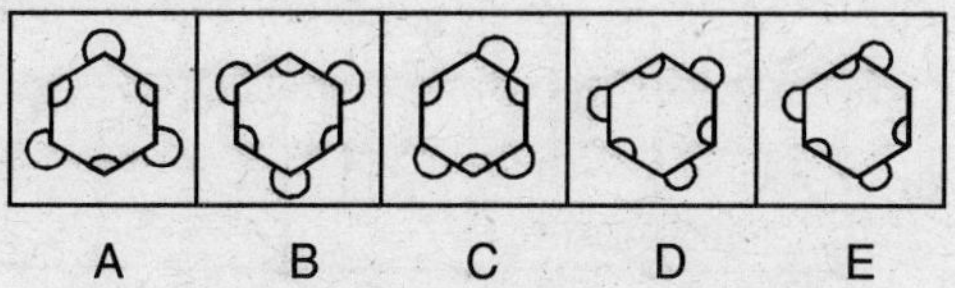

10. 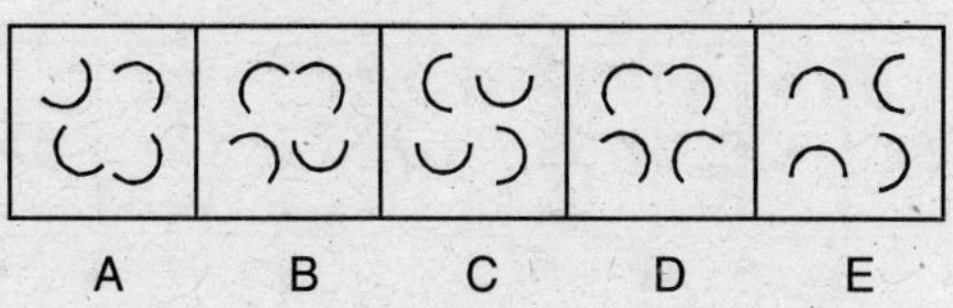

11. 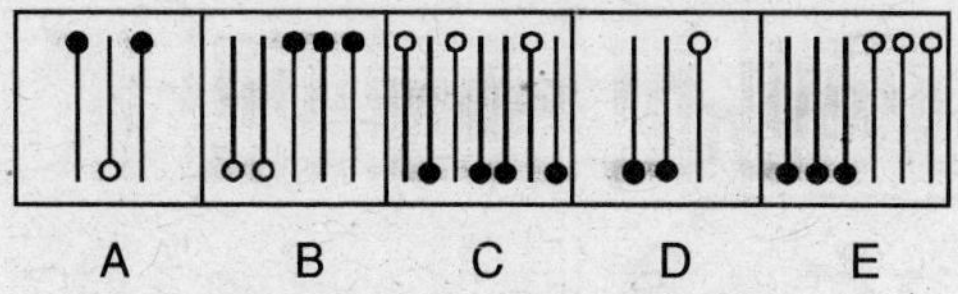

12. 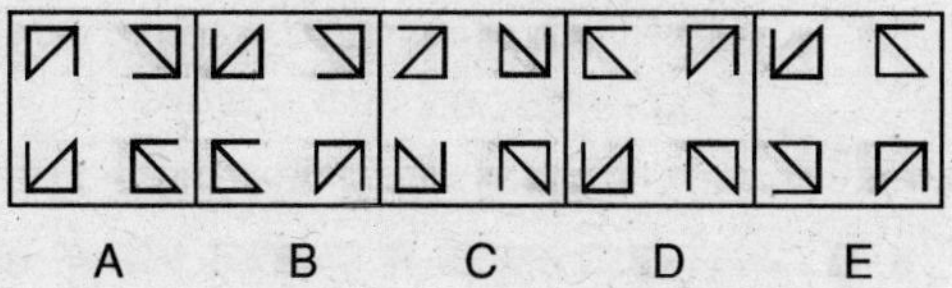

13. 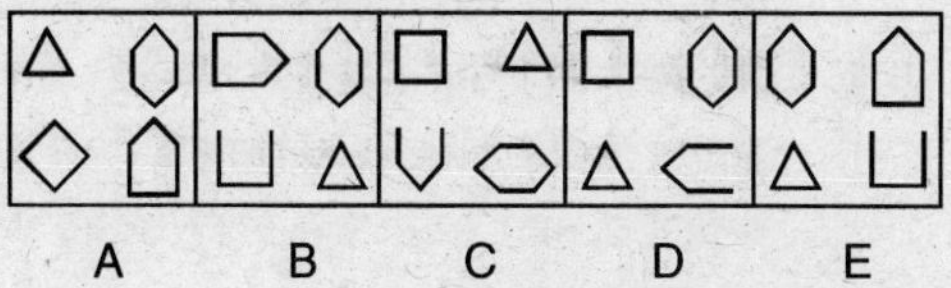

14. 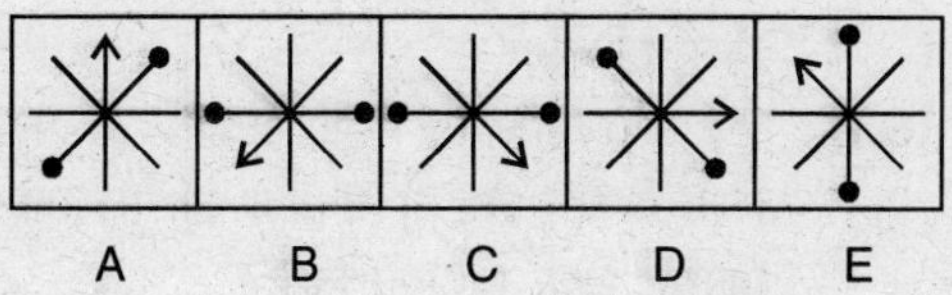

15. 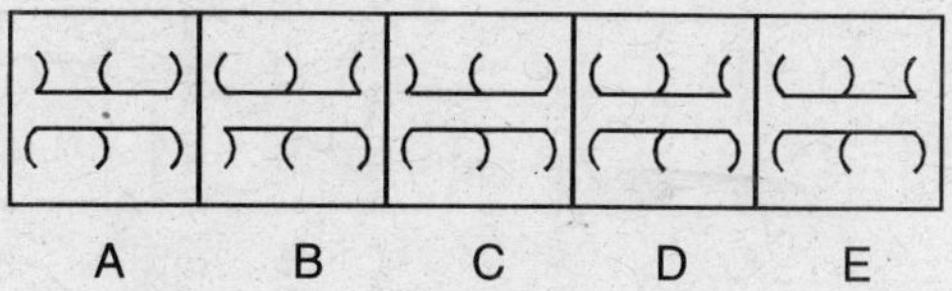

16. 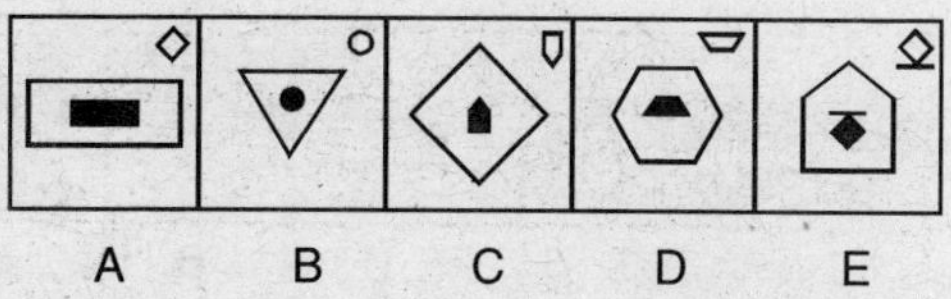

17. 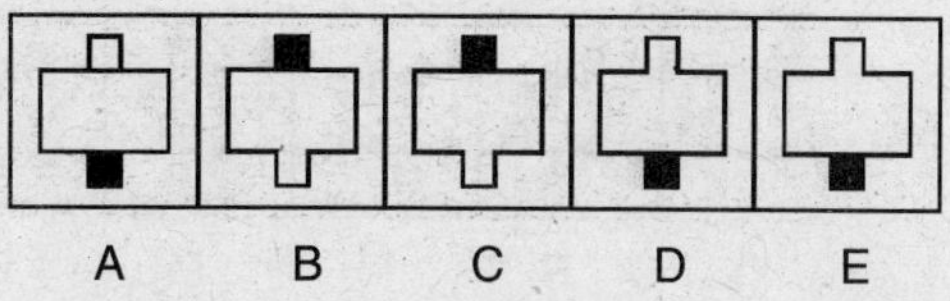

18. 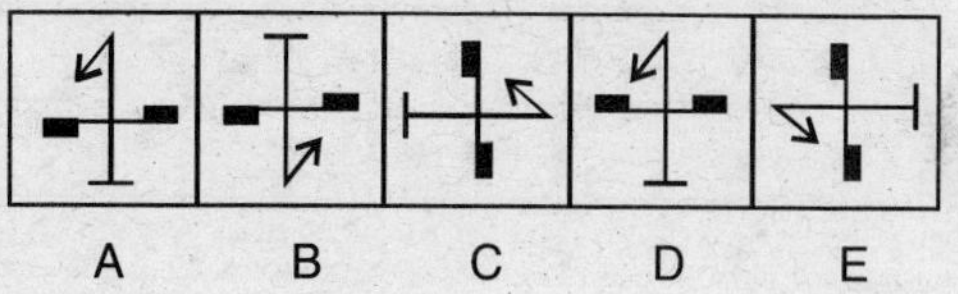

19. 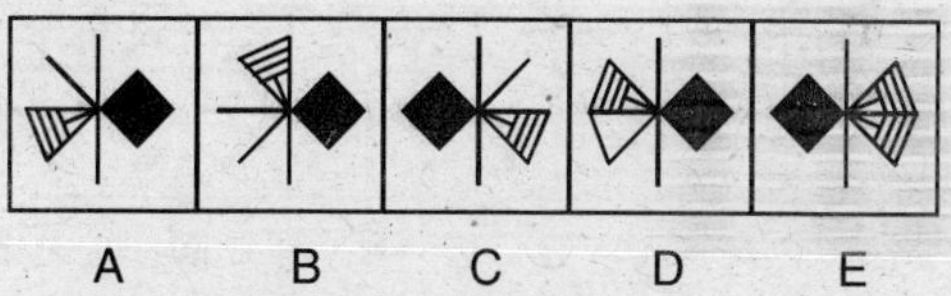

20. 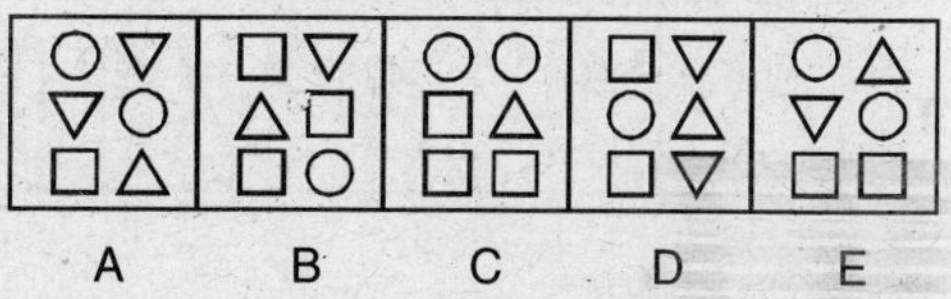

21. 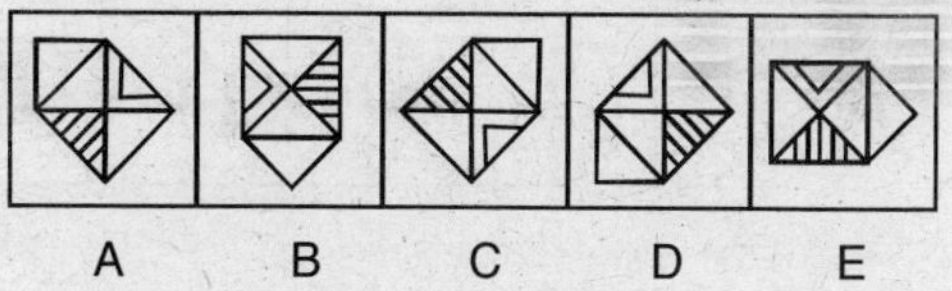

22. 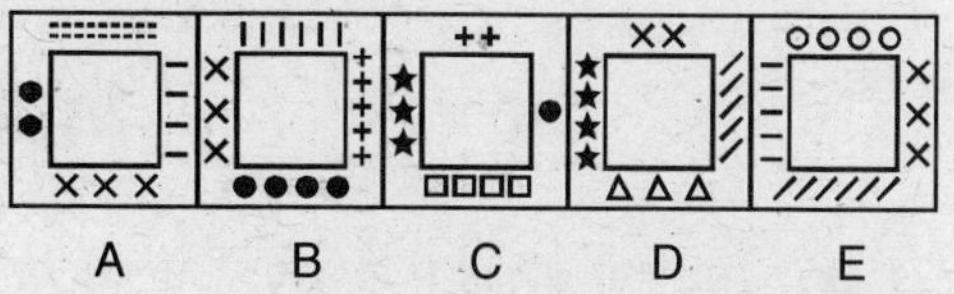

23. 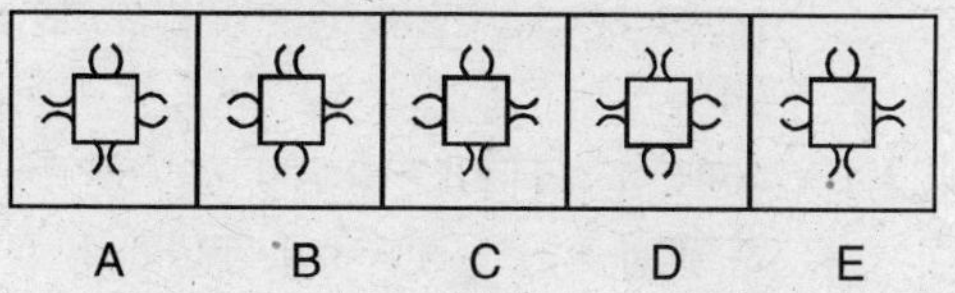

24. 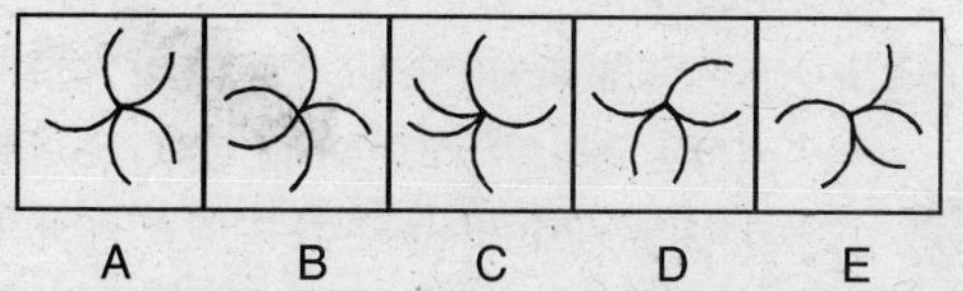

25. 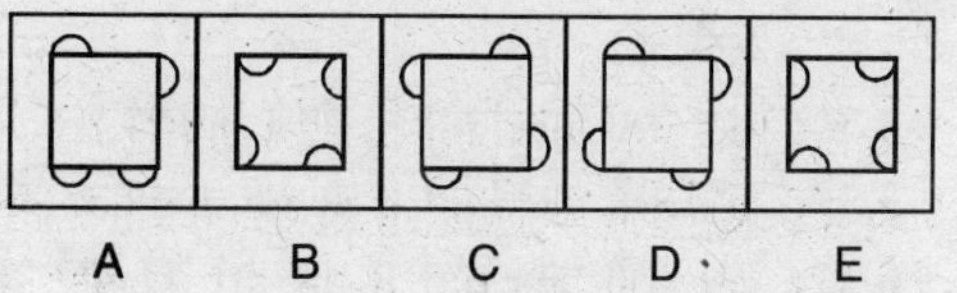

26. 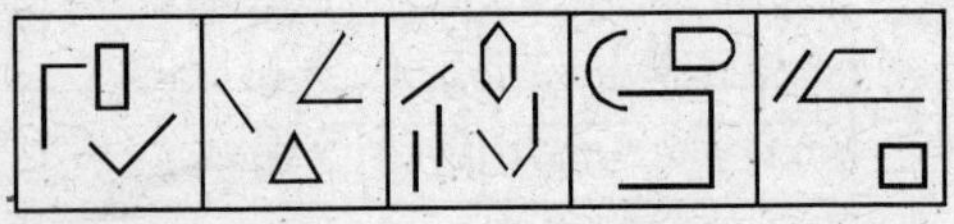
A B C D E

27. 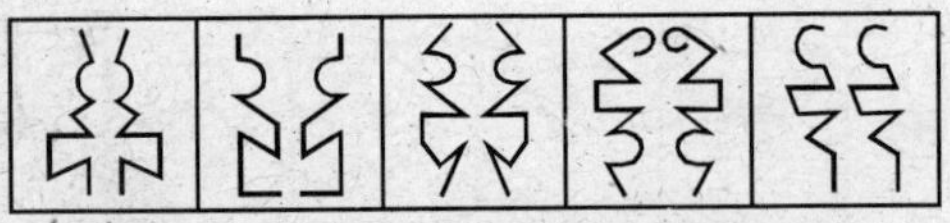
A B C D E

28. 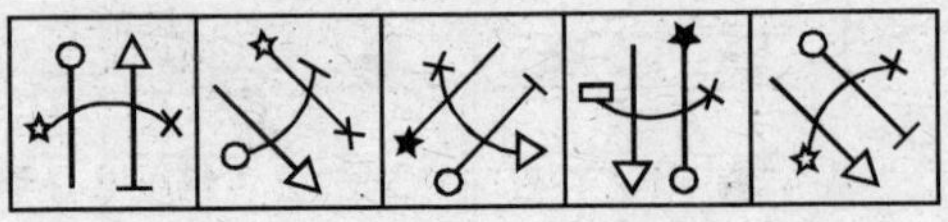
A B C D E

29. 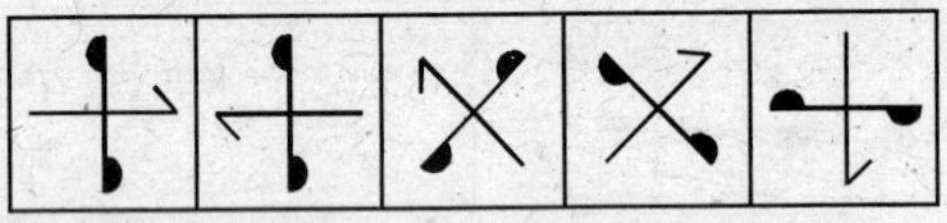
A B C D E

30. 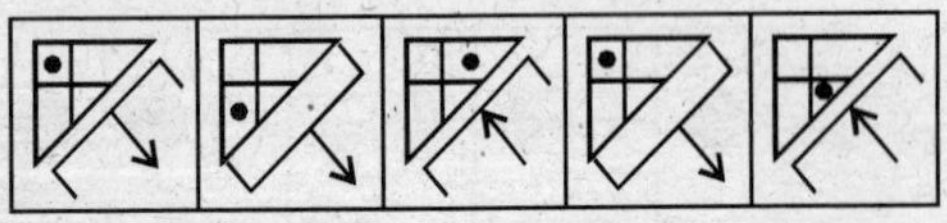
A B C D E

31. 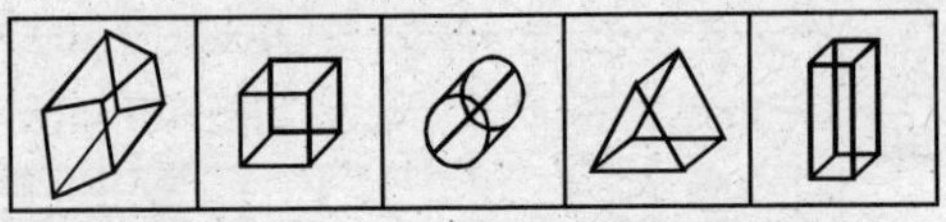
A B C D E

32. 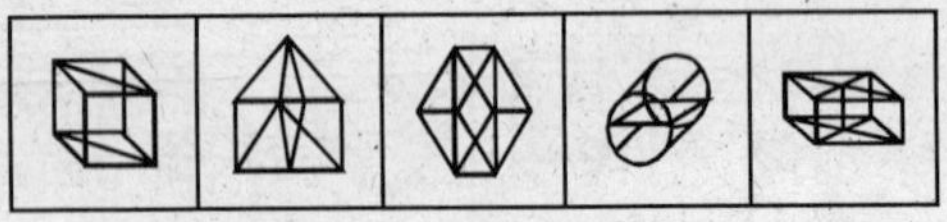
A B C D E

33. 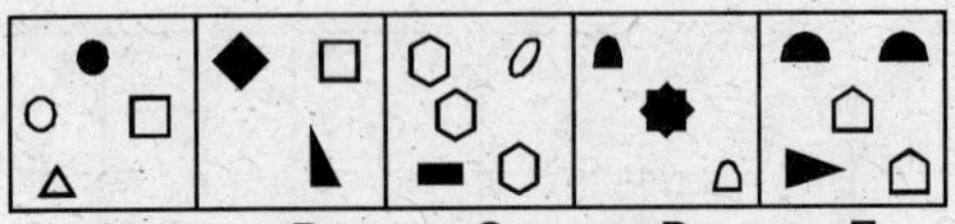
A B C D E

34. 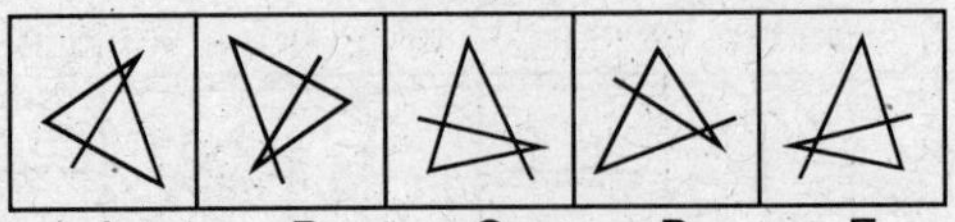
A B C D E

35. 
A B C D E

36. 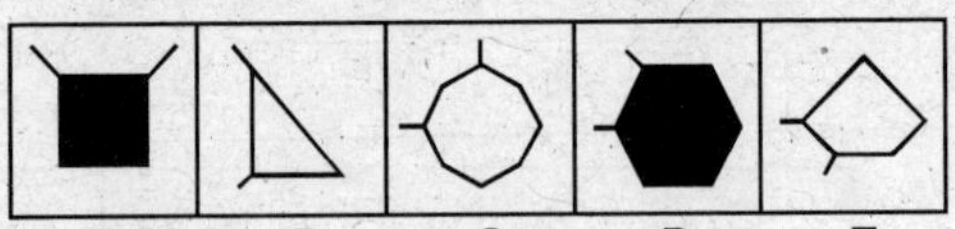
A B C D E

37. 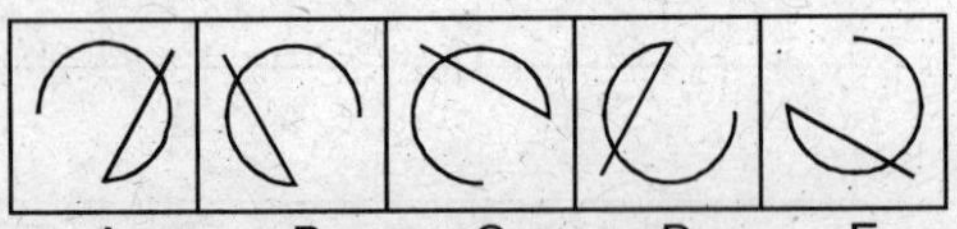
A B C D E

38. 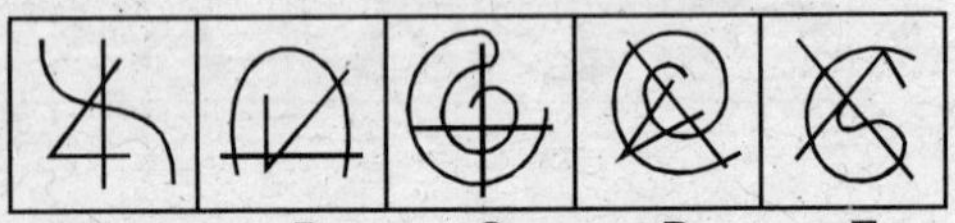
A B C D E

39. 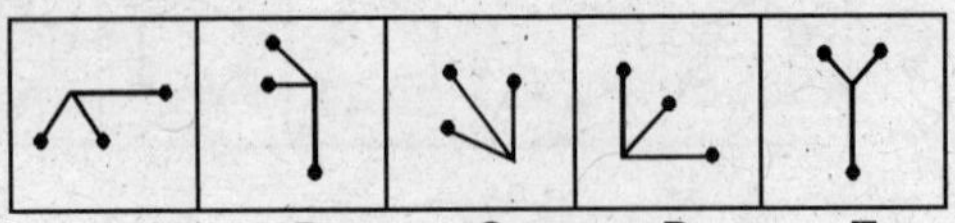
A B C D E

40. 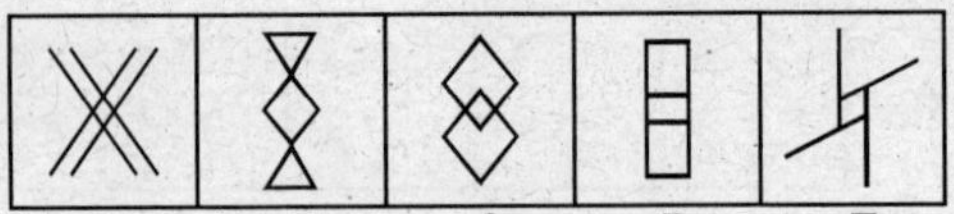
A B C D E

व्याख्यात्मक उत्तरमाला

1. D : केवल इसी आकृति में मानवाकृति के हाथ और पाँव को निर्मित करने वाली सभी रेखाएं नीचे की ओर खींची गई हैं।

2. C : शेष सभी आकृतियों में अवयवों का केवल एक समुच्चय ही सदृश है। इस आकृति में अवयवों के दो समुच्चय सदृश है।

3. B : केवल इसी आकृति में चार तीर एक ही दिशा को इंगित करते हैं और एक तीर विपरीत दिशा को इंगित करता है। शेष आकृतियों में दो तीर एक ही दिशा को इंगित करते हैं और दो तीर उसकी विपरीत दिशा को इंगित करते हैं।

4. E : शेष सभी आकृतियों में सदृश अवयव हैं।

5. D : शेष सभी आकृतियों में दो रेखाएं समांतर हैं।

6. C : शेष सभी आकृतियों में वृत्त तीर की बाईं ओर है।

7. C : शेष सभी आकृतियों में एक रेखा से एक ही ओर दो अवयव जुड़े हैं और दूसरी रेखा से दोनों ओर एक-एक अवयव (अर्थात् उससे भी दो अवयव) जुड़े हैं। इस आकृति में दोनों रेखाओं से एक ही ओर दो-दो अवयव जुड़े हैं।

8. D : केवल इसी आकृति में छायांकित खंडों के बीच स्थित तीन में से एक खंड चिह्नांकित नहीं है।

9. E : शेष सभी आकृतियों में षड्भुज के भीतर और बाहर के अवयव समान दूरी पर अवस्थित हैं। इस आकृति में षड्भुज के बाहर सबसे ऊपर स्थित अवयव गलत स्थान पर अवस्थित है (इसे उसी रेखा के दूसरे कोने के निकट होना चाहिए)।

10. D : शेष सभी आकृतियों में दो अवयवों का मुख एक ही दिशा में और शेष दो अवयवों का मुख एक-दूसरे की विपरीत दिशा में अवस्थित है।

11. E : केवल इसी आकृति में दो प्रकार के अवयव समान संख्या में हैं।

12. C : शेष सभी आकृतियों में सभी अवयवों की विकर्णी रेखा दाएं सिरे से खींची गई है।

13. A : शेष सभी आकृतियों में चार में से एक अवयव में एक खुला भाग है।

14. C : शेष सभी आकृतियों में तीर छोटे छायांकित वृत्त की बाईं ओर है।

15. B : शेष सभी आकृतियों में दो में से एक रेखा पर स्थित तीन वक्रों में से दो वक्र एक ही दिशा में और सन्निकट हैं।

16. A : शेष सभी आकृतियों में छायांकित घिरा हुआ अवयव ऊपर स्थित छोटे आकार के अवयव के समान है।

17. A : केवल इसी आकृति में छायांकित भाग के सामने का भाग मुख्य डिजाइन से अलग है।

18. D : केवल इसी आकृति में छायांकित अवयर्व रेखा की एक ही ओर हैं।

19. B : केवल इसी आकृति में डिजाइन के छायांकित और रेखांकित भाग एक-दूसरे के सन्निकट हैं।

20. E : केवल इसी आकृति में दो सदृश अवयवों के दो समुच्चय हैं।

21. E : केवल इसी आकृति में समांतर रेखाओं का खंड दाईं ओर है।

22. D : शेष सभी आकृतियों में वर्ग की भुजाओं पर अवयवों की संख्या में वामावर्त एक की वृद्धि होती है।

23. B : केवल इसी आकृति में वर्ग की एक भुजा पर दो चाप एक ही दिशा में हैं।

24. E : शेष सभी आकृतियों में तीन चाप दक्षिणावर्त दिशा (घड़ी की सूई की दिशा) में और दो चाप वामावर्त दिशा (घड़ी की सूई की विपरीत दिशा) में हैं।

25. A : शेष सभी आकृतियों में अर्धवृत्त वर्ग की भुजाओं पर समान दूरियों पर अवस्थित हैं। इस आकृति में दो अर्धवृत्त वर्ग की एक ही भुजा पर अवस्थित हैं।

26. E : शेष सभी आकृतियों में मुख्य डिजाइन आकृति में निहित खंडित रेखाखंडो को मिलाकर बनाया गया है।

27. E : केवल इसी आकृति में दो अवयव एक दूसरे के आमने-सामने नहीं हैं।

28. D : इस आकृति में अन्य सभी आकृतियों के समान छोटे रेखाखंड के बजाय एक वर्ग है।

29. E : केवल इसी आकृति में छायांकित भाग दक्षिणावर्त व्यवस्थित हैं। शेष सभी आकृतियों में छायांकित भाग वामावर्त व्यवस्थित हैं।

30. A : केवल इसी आकृति में आधार रेखा के कोनों पर छोटी रेखाएं और तीर एक ही दिशा में खींचे गए हैं।

31. D : शेष सभी आकृतियों में कम-से-कम दो समांतर पृष्ठ हैं।

32. E : केवल इसी आकृति को दो बार प्रतिच्छेदित किया गया है।

33. E : शेष सभी आकृतियों में या तो एक छायांकित या फिर एक रिक्त डिजाइन है।

34. C : शेष सभी आकृतियों को घुमा कर एक-दूसरी आकृतियां प्राप्त की जा सकती हैं। यह आकृति अन्य सभी आकृतियों का उलटा प्रतिबिंब है।

35. B : शेष सभी आकृतियां छह सरल रेखाओं से निर्मित हैं।

36. C : शेष सभी आकृतियों में रेखाएं सन्निकट कोनों से आगे बढ़ाई गई हैं।

37. B : शेष सभी आकृतियों को घुमा कर एक-दूसरी आकृतियाँ प्राप्त की जा सकती हैं। यह आकृति अन्य आकृतियों का उलटा प्रतिबिंब है।

38. C : केवल इसी आकृति में कोई न्यून कोण नहीं है।

39. D : केवल इसी आकृति में छोटे छायांकित वृत्त एक सरल रेखा में व्यवस्थित हैं।

40. D : केवल इसी आकृति के मध्य में समचतुर्भुजाकार अवयव निहित नहीं है।

अध्याय 16

जल प्रतिबिम्ब

जल प्रतिबिम्ब : वस्तु का जो प्रतिबिम्ब जल में दिखाई पड़ता है उसे जल प्रतिबिम्ब कहते हैं। जल प्रतिबिम्ब वस्तु का उलटा रूप है जो ऊपर-नीचे घुमाने पर प्राप्त होता है। घटनाओं की बेहतर समझ के लिए अंग्रेजी वर्णमाला, संख्याओं और कुछ वस्तुओं (आकृतियों) के जल प्रतिबिम्ब दिए जा रहे हैं।

अंग्रेजी वर्णमाला के बड़े अक्षरों के जल प्रतिबिम्ब

अक्षर	A	B	C	D	E	F	G	H	I
जल प्रतिबिम्ब	∀	B	C	D	E	Ⅎ	⅁	H	I
अक्षर	J	K	L	M	N	O	P	Q	R
जल प्रतिबिम्ब	ɾ	K	Γ	W	И	O	b	Ό	ᴚ
अक्षर	S	T	U	V	W	X	Y	Z	.
जल प्रतिबिम्ब	Ƨ	⊥	∩	Λ	M	X	⅄	ᘔ	

अंग्रेजी वर्णमाला के छोटे अक्षरों के जल प्रतिबिम्ब

अक्षर	a	b	c	d	e	f	g	h	i
जल प्रतिबिम्ब	ɑ̱	p	c	q	ɘ	ʈ	ɓ	ɥ	!
अक्षर	j	k	l	m	n	o	p	q	r
जल प्रतिबिम्ब	ſ	ʞ	l	ɯ	u	o	b	d	ʟ
अक्षर	s	t	u	v	w	x	y	z	-
जल प्रतिबिम्ब	ƨ	ʇ	n	ʌ	ʍ	x	ʎ	ƨ	-

संख्याओं के जल प्रतिबिम्ब

संख्याएँ	0	1	2	3	4	5	6	7	8	9
जल प्रतिबिम्ब	0	⇂	Ƨ	3	ᔭ	ᔕ	9	ㄥ	8	6

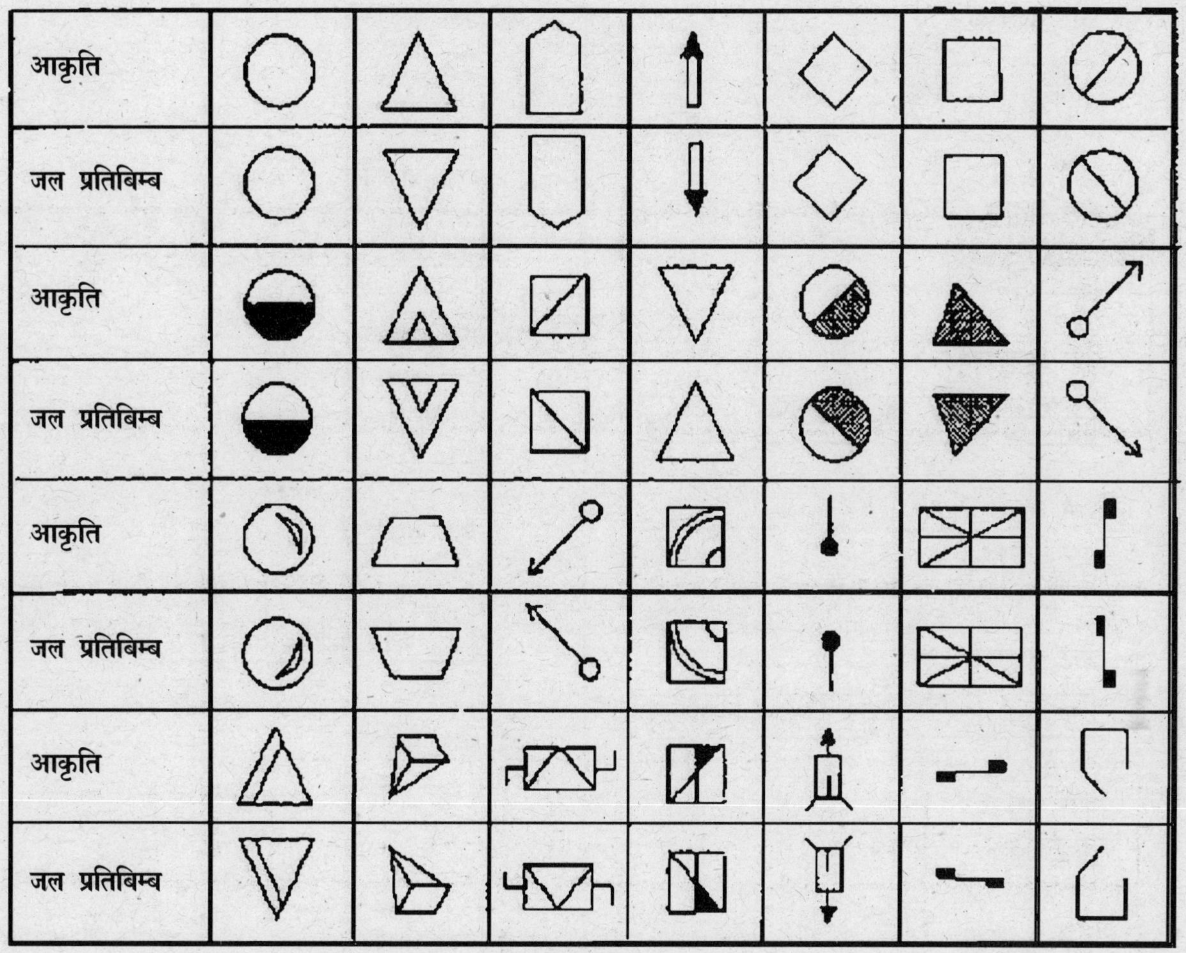

प्रश्नमाला

निर्देश (प्रश्न 1 से 20 तक): नीचे दिए गए प्रत्येक प्रश्न में आपको प्रश्न आकृति का जल प्रतिबिम्ब दिए गए विकल्पों में से ढूँढ़ना है।

1. प्रश्न आकृति

P

उत्तर आकृतियाँ

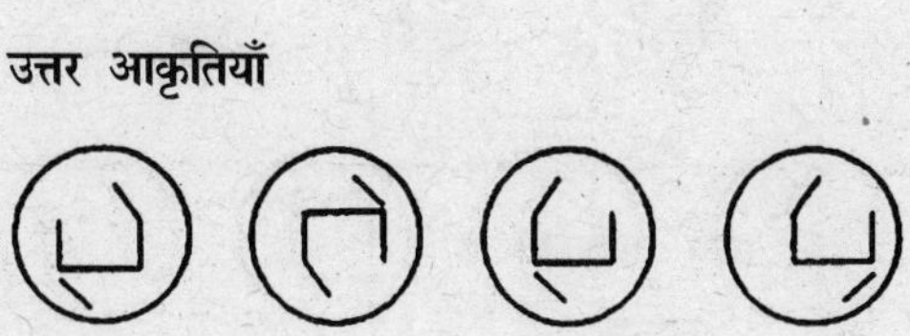

A B C D

2. प्रश्न आकृति

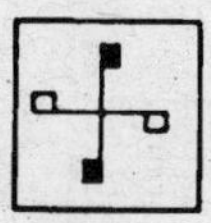

P

उत्तर आकृतियाँ

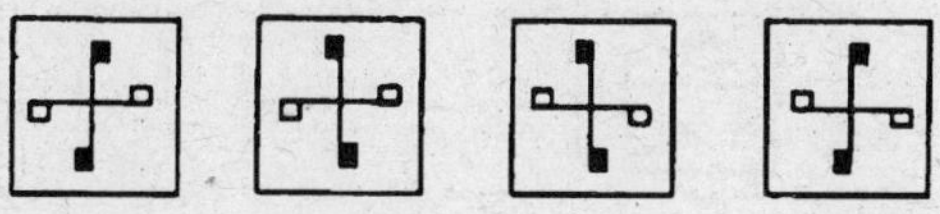

A B C D

3. प्रश्न आकृति

P

उत्तर आकृतियाँ

A B C D

4. प्रश्न आकृति

P

उत्तर आकृतियाँ

A B C D

5. प्रश्न आकृति

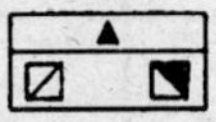

P

उत्तर आकृतियाँ

A B C D

6. प्रश्न आकृति

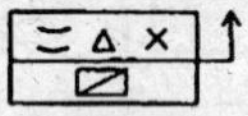

P

उत्तर आकृतियाँ

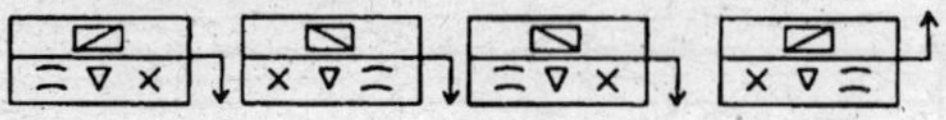

A B C D

7. प्रश्न आकृति

P

उत्तर आकृतियाँ

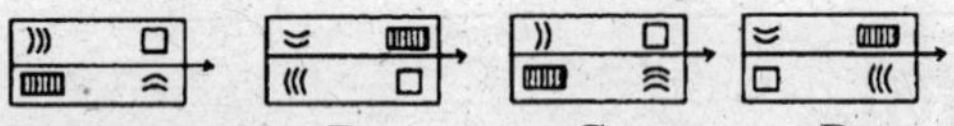

A B C D

8. प्रश्न आकृति

P

उत्तर आकृतियाँ

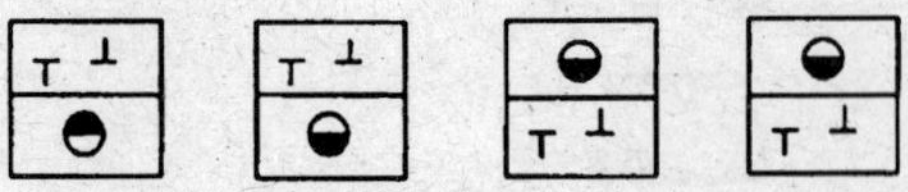

A B C D

9. प्रश्न आकृति

P

उत्तर आकृतियाँ

A B C D

10. प्रश्न आकृति

P

उत्तर आकृतियाँ

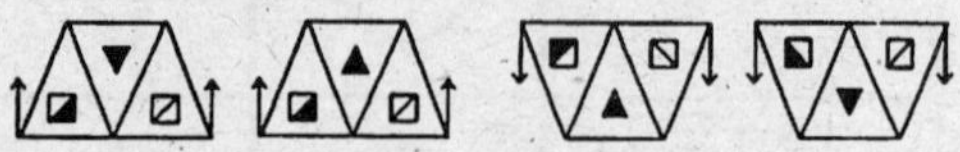

A B C D

11. प्रश्न आकृति

P

उत्तर आकृतियाँ

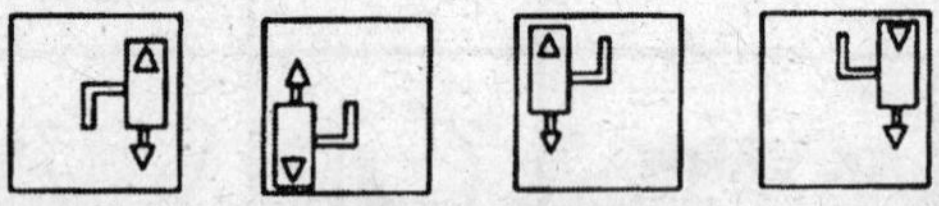

A B C D

12. प्रश्न आकृति

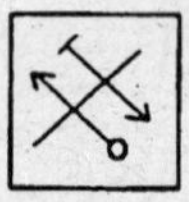

P

उत्तर आकृतियाँ

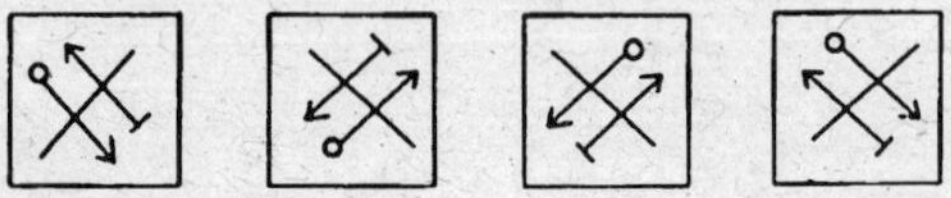

A B C D

13. प्रश्न आकृति

P

उत्तर आकृतियाँ

A B C D

14. प्रश्न आकृति

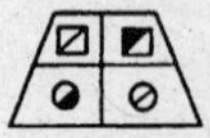

P

उत्तर आकृतियाँ

A B C D

15. प्रश्न आकृति

P

उत्तर आकृतियाँ

A B C D

16. प्रश्न आकृति

P

उत्तर आकृतियाँ

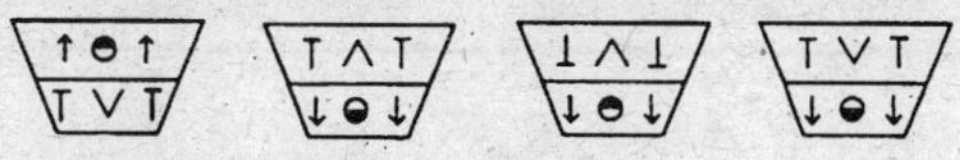

A B C D

17. प्रश्न आकृति

P

उत्तर आकृतियाँ

A B C D

18. प्रश्न आकृति

P

उत्तर आकृतियाँ

A B C D

19. प्रश्न आकृति

P

उत्तर आकृतियाँ

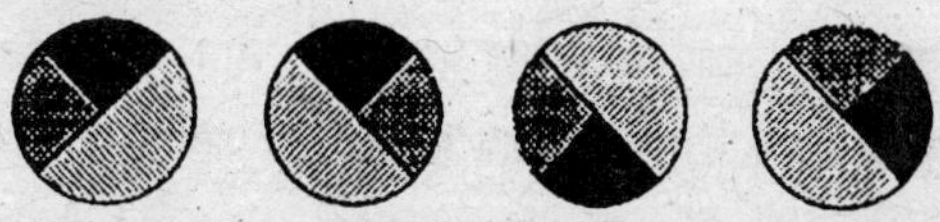

A B C D

20. प्रश्न आकृति

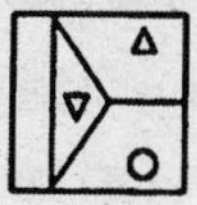

P

उत्तर आकृतियाँ

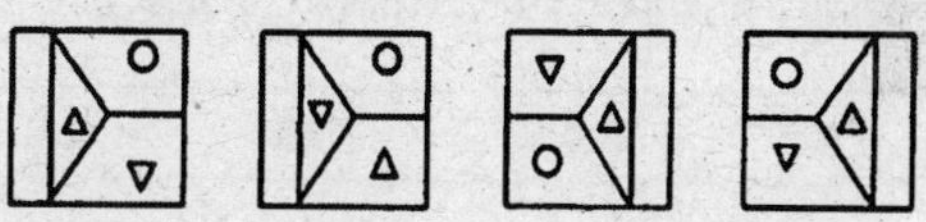

A B C D

उत्तरमाला

1	2	3	4	5	6	7	8	9	10
C	B	A	B	C	C	A	B	B	A
11	**12**	**13**	**14**	**15**	**16**	**17**	**18**	**19**	**20**
A	C	B	A	D	B	C	A	D	A

अध्याय

17 दर्पण प्रतिबिम्ब

इस प्रकार के प्रश्न संख्याओं, अक्षरों और आकृतियों के दर्पण प्रतिबिंबों पर आधारित होते हैं। इस कोटि के प्रश्नों को हल करते समय यह आवश्यक है कि अभ्यर्थी प्रश्नगत दर्पण प्रतिबिंबों को समझ सकने में पूर्णतः सक्षम हों, चाहे ये प्रतिबिंब क्षैतिज तल पर निर्मित होते हों या ऊर्ध्वाधर तल पर। नीचे दिए गए चार्ट और सूचना का सावधानीपूर्वक अध्ययन करें। अक्षरों और संख्याओं के दर्पण प्रतिबिंबों को समझ पाना अन्य आकृतियों के दर्पण प्रतिबिंबों को समझ पाने की तुलना में अधिक सरल होता है जिसका एकमात्र कारण है कि आकृति अनेकानेक रूपों में निर्मित की जा सकती है और सभी आकृतियों के संबंध में चर्चा नहीं की जा सकती।

संख्याओं के क्षैतिज दर्पण प्रतिबिंब (क्ष.द.प्र.)

संख्या	क्ष.द.प्र.	संख्या	क्ष.द.प्र.
0	0	5	ट
1	I	6	ϭ
2	ƨ	7	Ꞁ
3	Ɛ	8	8
4	ᔨ	9	९

टिप्पणी: 0 और 8 के क्षैतिज दर्पण प्रतिबिंबों में कोई परिवर्तन नहीं होता।

संख्याओं के ऊर्ध्वाधर दर्पण प्रतिबिंब (ऊ.द.प्र.)

संख्याः	0	1	2	3	4	5	6	7	8	9
ऊ.द.प्र.	0	I	ᘔ	3	ᔭ	ƨ	ϱ	⅃	8	6

टिप्पणी : 0, 3 और 8 के ऊर्ध्वाधर दर्पण प्रतिबिंबों में कोई परिवर्तन नहीं होता। यदि इन्हें विशिष्ट शैली में लिखा जाए तो इन संख्याओं के दर्पण प्रतिबिंबों के संबंध में सावधानी बरतने की आवश्यकता है। उदाहरण के लिए, 3 का ऊर्ध्वाधर दर्पण प्रतिबिंब 3 होगा या 8 का ऊर्ध्वाधर दर्पण प्रतिबिंब 8 होगा।

अंग्रेजी के बड़े अक्षरों का क्षैतिज दर्पण प्रतिबिंब

अक्षर	क्ष.द.प्र.	अक्षर	क्ष.द.प्र.	अक्षर	क्ष.द.प्र.
A	A	J	Ⴑ	S	Ƨ
B	ꓭ	K	ꓘ	T	T
C	Ɔ	L	⅃	U	U
D	ꓷ	M	M	V	V
E	Ǝ	N	И	W	W
F	ꟻ	O	O	X	X
G	ວ	P	ꟼ	Y	Y
H	H	Q	Ϙ	Z	ꙃ
I	I	R	Я		

टिप्पणी: A, H, I, M, O, T, U, V, W, X और Y के क्षैतिज दर्पण प्रतिबिंब में कोई परिवर्तन नहीं होता।

यदि उन्हें विशिष्ट शैली में लिखा जाए तो इनके दर्पण प्रतिबिंबों के संबंध में सावधानी बरतने की आवश्यकता है। उदाहरण के लिए, A का क्षैतिज दपर्ण प्रतिबिंब A होगा X का क्षैतिज दर्पण प्रतिबिंब X होगा।

अंग्रेजी के बड़े अक्षरों का ऊर्ध्वाधर दर्पण प्रतिबिंब

अक्षर	A	B	C	D	E	F	G	H	I	J	K	L	M
ऊ.द.प्र.	∀	B	C	D	E	Ⅎ	⅁	H	I	ſ	K	Γ	W
अक्षर	N	O	P	Q	R	S	T	U	V	W	X	Y	Z
ऊ.द.प्र.	И	O	b	Ò	ꓤ	S	⊥	∩	Λ	M	X	⅄	Z

टिप्पणी: C, D, E, H, I, K, O और X के ऊर्ध्वाधर दर्पण प्रतिबिंबों में कोई परिवर्तन नहीं होता।

अंग्रेजी के छोटे अक्षरों का क्षैतिज दर्पण प्रतिबिंब

अक्षर	क्ष.द.प्र.	अक्षर	क्ष.द.प्र.	अक्षर	क्ष.द.प्र.
a	ɒ	j	į	s	ƨ
b	d	k	ʞ	t	ƚ
c	ɔ	l	l	u	u
d	b	m	m	v	v
e	ɘ	n	n	w	w
f	ʇ	o	o	x	x
g	ϱ	p	q	y	γ
h	ʜ	q	p	z	ꙁ
i	i	r	ɿ		

टिप्पणी: o, v, w और x के क्षैतिज दर्पण प्रतिबिंबों में कोई परिवर्तन नहीं होता।

अंग्रेजी के छोटे अक्षरों का ऊर्ध्वाधर दर्पण प्रतिबिंब

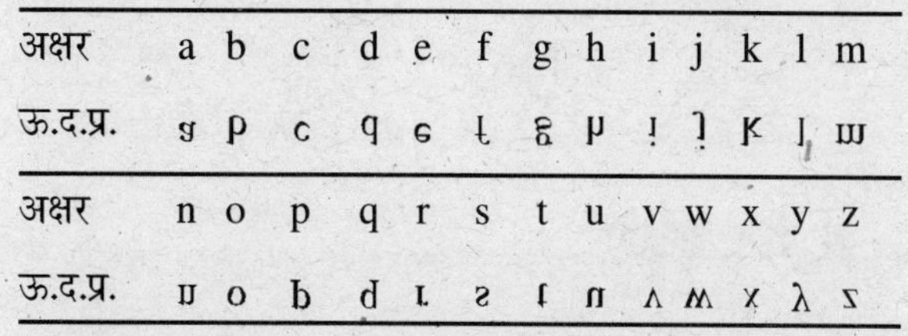

टिप्पणीः c, o और x के ऊर्ध्वाधर दर्पण प्रतिबिंबों में कोई परिवर्तन नहीं होता। इस संबंध में अक्षर i एक अपवाद है यदि इसे सीधी ऊध र्वाधर रेखा द्वारा लिखा जाए तभी इसका ऊर्ध्वाधर दर्पण प्रतिबिंब अपरिवर्तित रहता है।

कुछ ज्यामितीय आकृतियों (ज्या.आ.) का क्षैतिज दर्पण प्रतिबिंब (क्ष.द.प्र.)

ज्या. आ. क्ष.द.प्र.   ज्या. आ. क्ष.द.प्र.

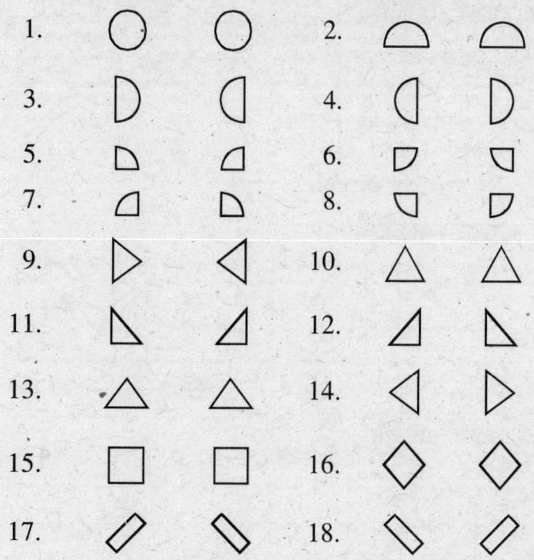

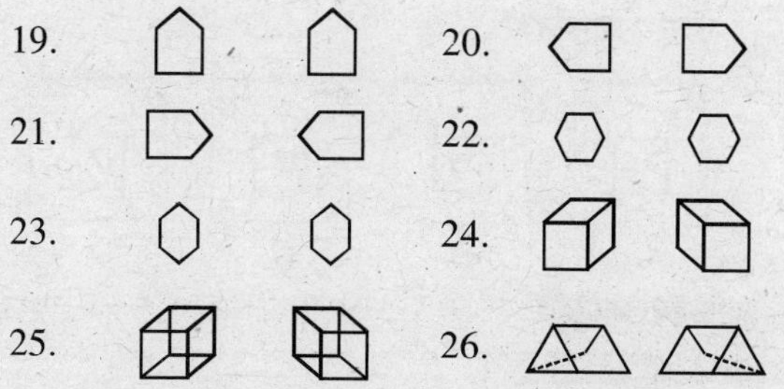

कुछ ज्यामितीय आकृतियों का ऊर्ध्वाधर दर्पण प्रतिबिंब

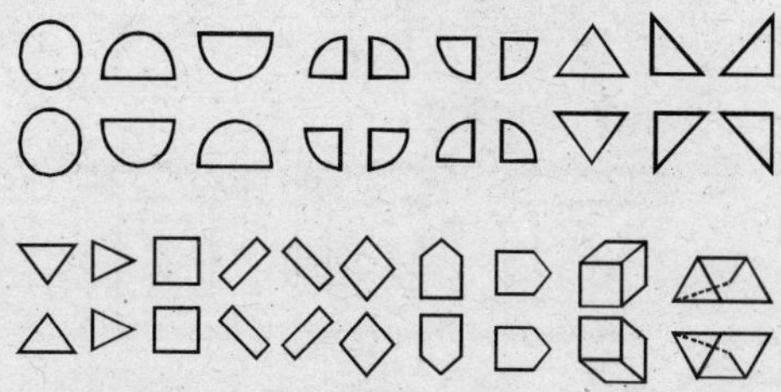

कुछ चिह्नों एवं प्रतीकों का क्षैतिज और ऊर्ध्वाधर दर्पण प्रतिबिंब

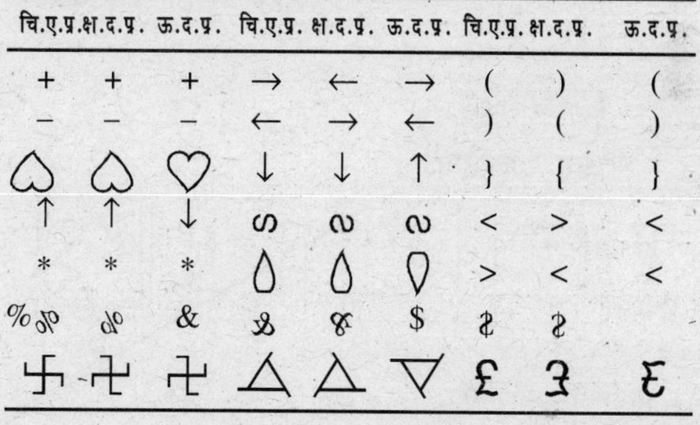

टिप्पणीः अभ्यर्थी यह ध्यान में रखें कि इस कोटि के प्रश्न संख्याओं या अक्षरों या आकृतियों या चिह्नों (या प्रतीकों) या इन सभी के संयोजन पर भी आधारित हो सकते हैं।

प्रश्नमाला

निर्देशः (प्रश्न 31 से 50): *नीचे के प्रत्येक प्रश्न में बताइए कि कौन-सी उत्तर आकृति दी गई प्रश्न आकृति का दर्पण प्रतिबिंब है जबकि दर्पण प्रत्येक आकृति में दर्शाई गई रेखा की स्थिति में रखा जाता है।*

1. प्रश्न आकृति

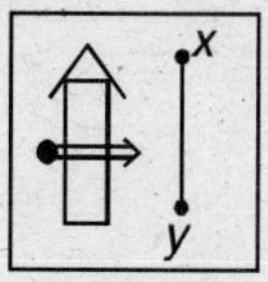

उत्तर आकृतियां

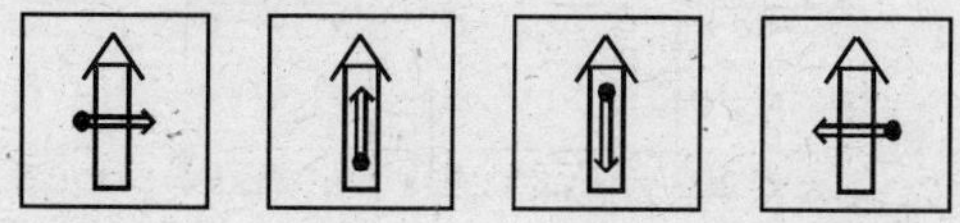

A B C D

2. प्रश्न आकृति

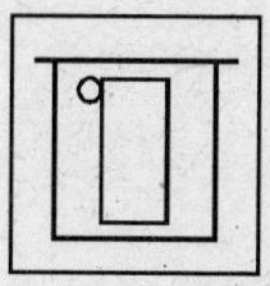

उत्तर आकृतियां

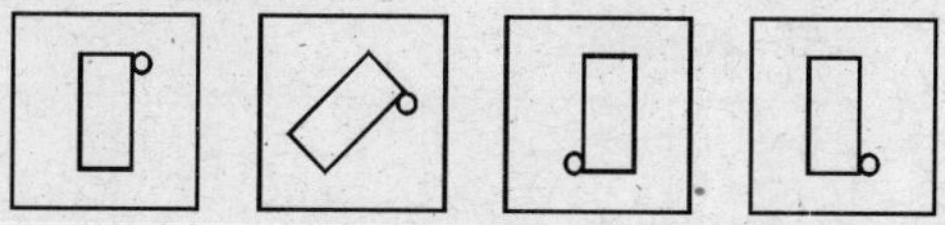

A B C D

3. प्रश्न आकृति

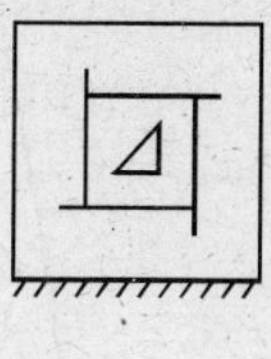

उत्तर आकृतियां

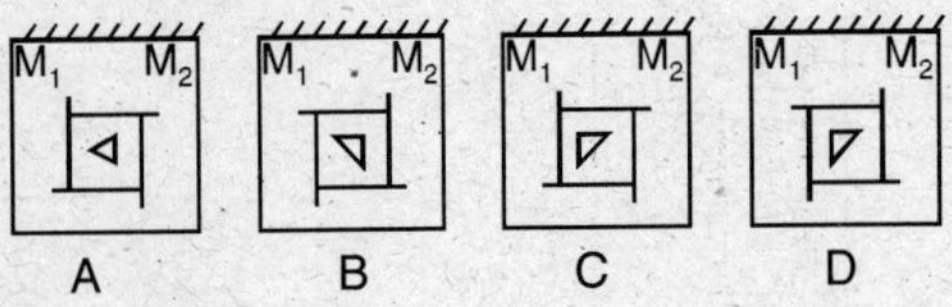

4. प्रश्न आकृति

उत्तर आकृतियां

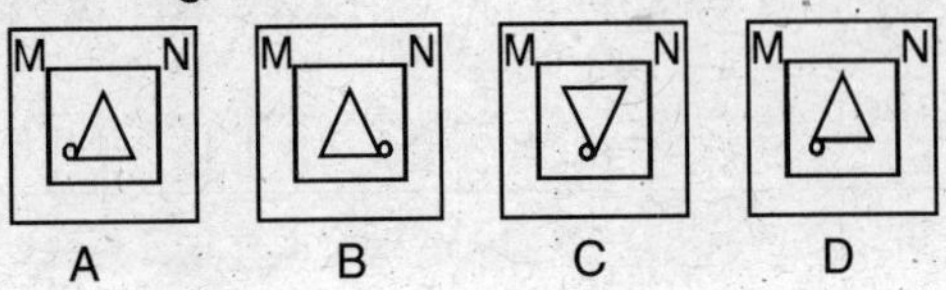

5. प्रश्न आकृति

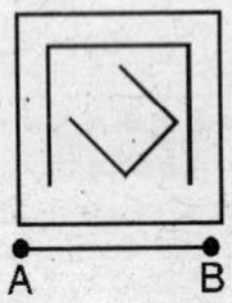

उत्तर आकृतियां

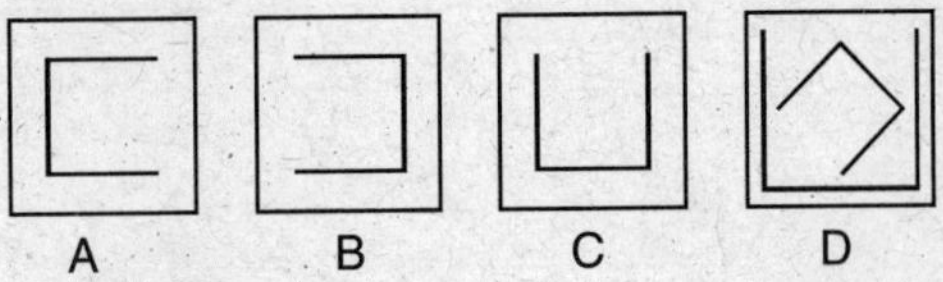

6. प्रश्न आकृति

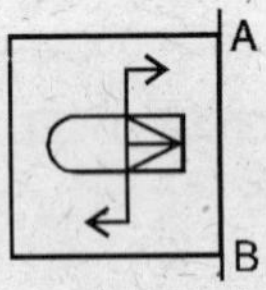

उत्तर आकृतियां

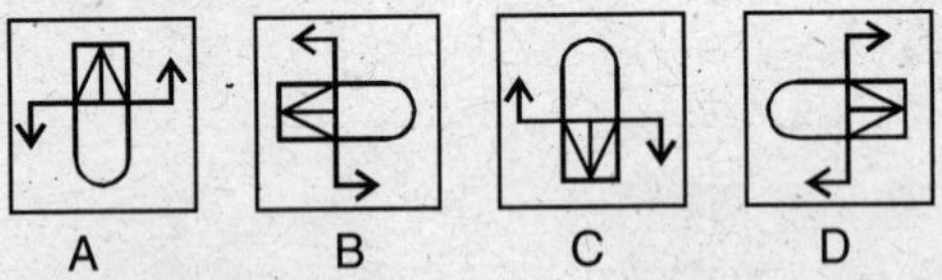

7. प्रश्न आकृति

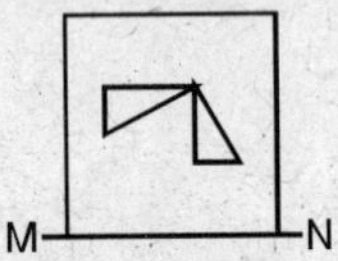

उत्तर आकृतियां

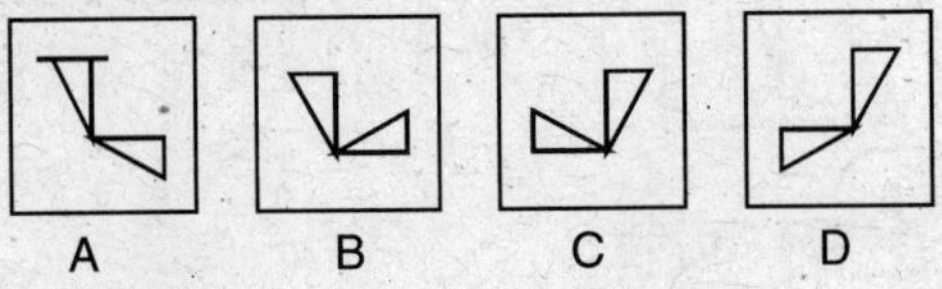

8. प्रश्न आकृति

उत्तर आकृतियां

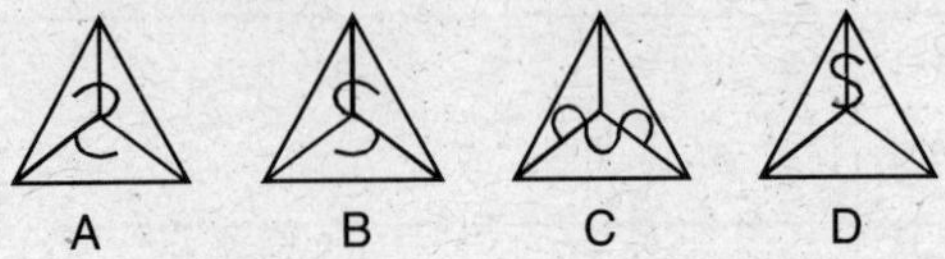

9. प्रश्न आकृति

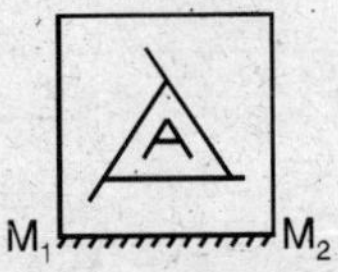

उत्तर आकृतियां

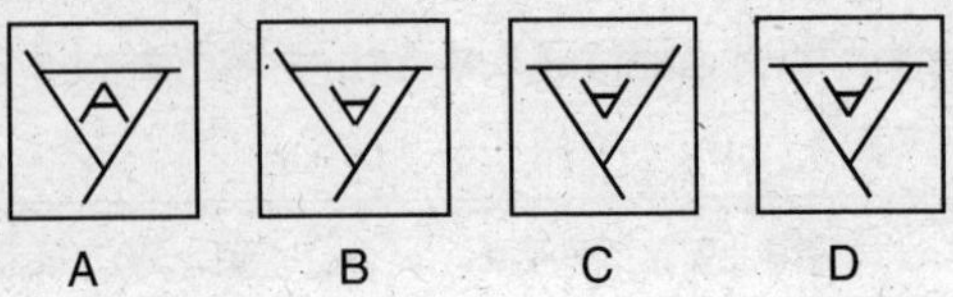

10. प्रश्न आकृति

उत्तर आकृतियां

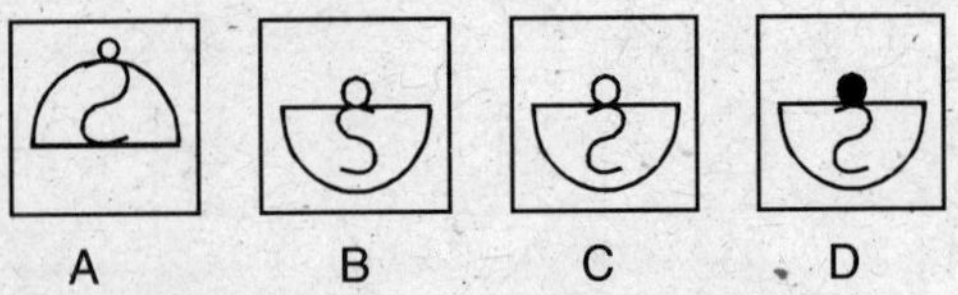

11. प्रश्न आकृति

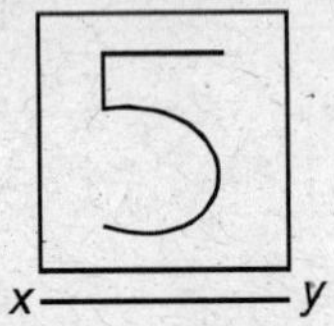

उत्तर आकृतियां

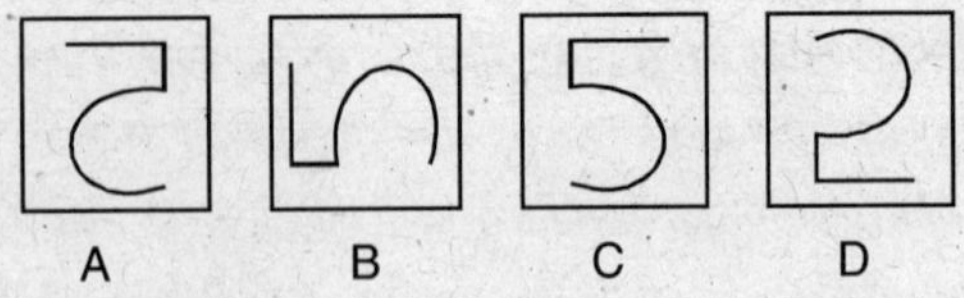

12. प्रश्न आकृति

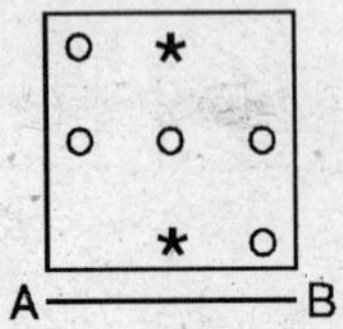

उत्तर आकृतियां

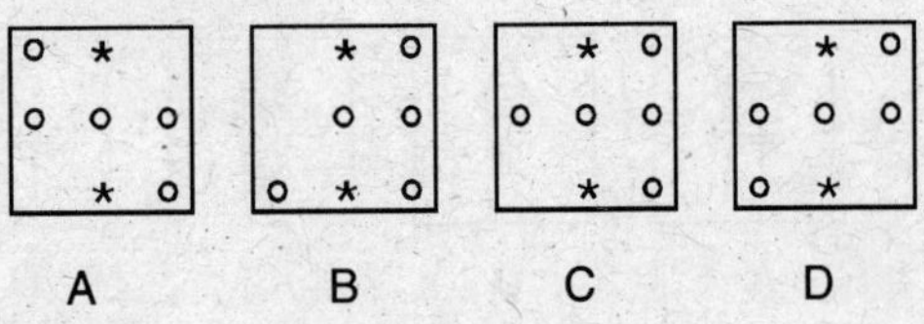

13. प्रश्न आकृति

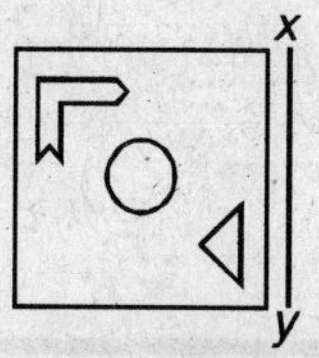

उत्तर आकृतियां

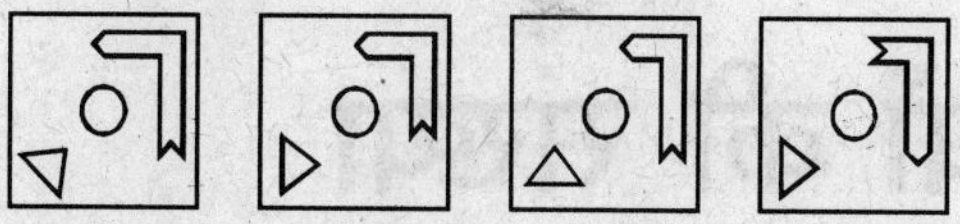

A B C D

14. प्रश्न आकृति

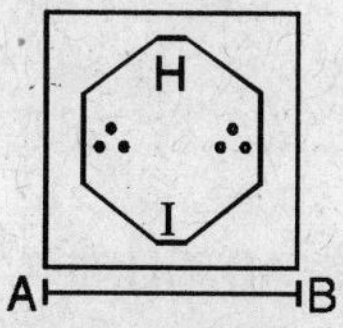

उत्तर आकृतियां

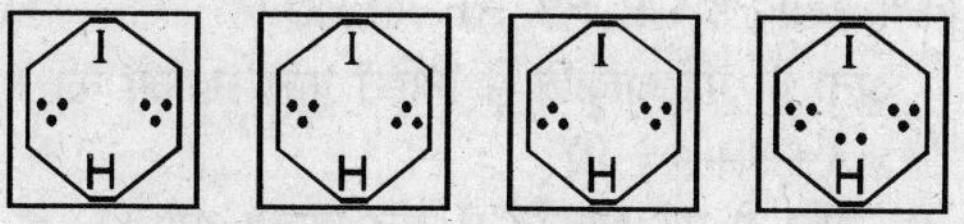

A B C D

15. प्रश्न आकृति

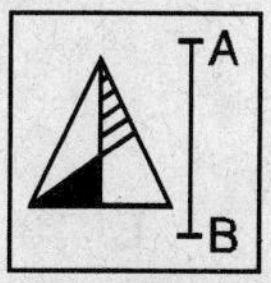

उत्तर आकृतियां

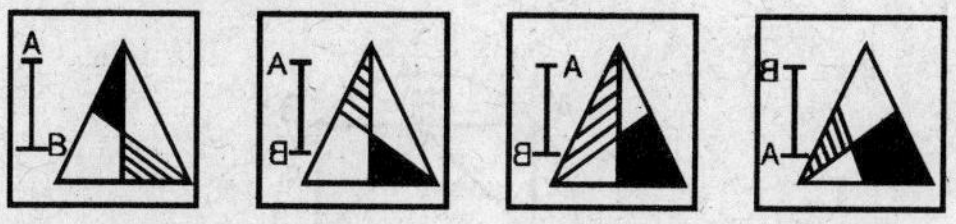

A B C D

16. प्रश्न आकृति

उत्तर आकृतियां

A B C D

17. प्रश्न आकृति

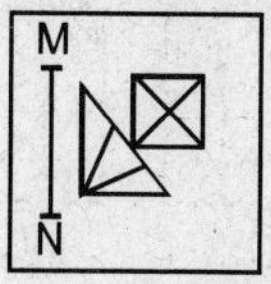

उत्तर आकृतियां

A B C D

18. प्रश्न आकृति

उत्तर आकृतियां

A B C D

19. प्रश्न आकृति

उत्तर आकृतियां

A B C D

20. प्रश्न आकृति

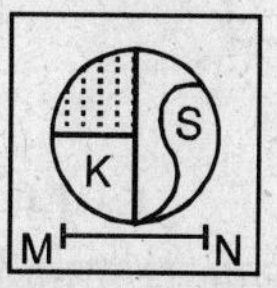

उत्तर आकृतियां

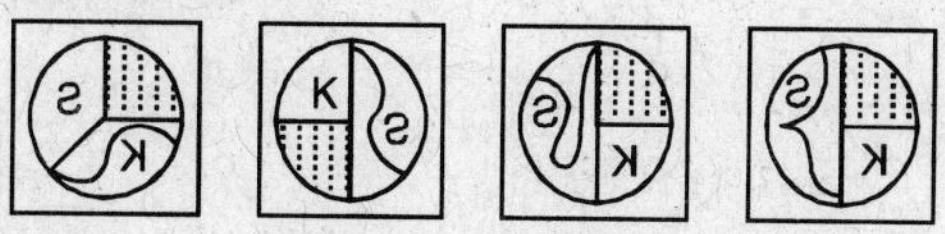

A B C D

उत्तरमाला

1	2	3	4	5	6	7	8	9	10
D	C	B	C	D	B	C	A	B	C
11	12	13	14	15	16	17	18	19	20
D	A	B	A	B	C	C	D	A	B

अध्याय

18 आकृतियों की संख्या

इस प्रकार के प्रश्नों में किसी दी गई जटिल आकृति में निहित ज्यामितीय आकृतियों की संख्या ज्ञात करनी होती है। अभ्यर्थियों के लिए यह अनिवार्य है कि वे प्रश्न आकृति का अत्यंत सावधानीपूर्वक प्रेक्षण करें और तत्पश्चात् उसमें निहित ज्यामितीय आकृतियों को गिनें। एक बड़ी और उलझी हुई आकृति में से उसमें निहित आकृति/डिजाइन को ज्ञात करने के लिए सूक्ष्म बुद्धि और तीक्ष्ण विश्लेषणात्मक क्षमता अपेक्षित होती है तथा साथ ही यह भी आवश्यक है कि अभ्यर्थियों को सभी ज्यामितीय आकृतियों की संरचना का स्पष्ट ज्ञान हो।

हल किए गए प्रश्न

1. नीचे दी गई आकृति को निर्मित करने में कितनी सरल रेखाओं का प्रयोग किया गया है?

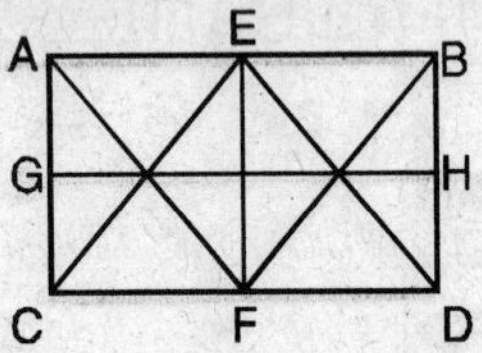

A. 8 B. 6
C. 10 D. 12 E. 14

उत्तर C : प्रयुक्त रेखाओं की कुल संख्या की गणना निम्नवत् की गई है:

आकृति में कुल 3 क्षैतिज रेखाएं हैं: AB, GH और CD, इसमें कुल 3 ऊर्ध्वाधर रेखाएं हैं: AC, EF और BD, आकृति में निहित 4 विकर्णी रेखाएं हैं: CE, FB, AF और ED।

अतः दी गई आकृति में निहित कुल रेखाओं की संख्या है: = 3 + 3 + 4 = 10

2. नीचे दी गई आकृति में कुल कितने वर्ग हैं?

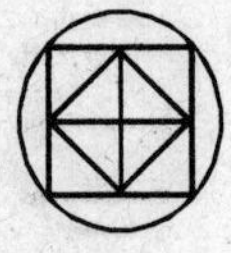

A. 4 B. 6
C. 8 D. 5 E. 10

उत्तर B : आकृति में निहित वर्गों की गणना निम्नवत की जाती है।

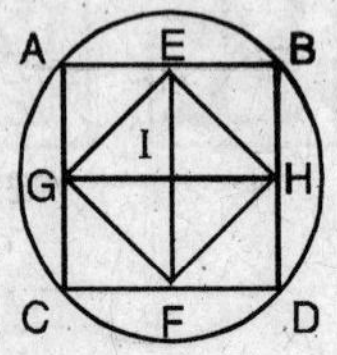

आकृति में एक मुख्य वर्ग ABCD है जो EF और GH रेखाओं द्वारा चार भागों में विभाजित है। इस प्रकार सभी 5 वर्ग हैं: ABCD, AEGI, GICF, EBIH और IHFD। बीच में स्थित वर्ग EGHF है। अतः दी गई आकृति में निहित वर्गों की कुल संख्या = 5 + 1 = 6

प्रश्नमाला

1. नीचे दी गई आकृति में कुल कितने त्रिभुज हैं?

A. 24 B. 27
C. 25 D. 26
E. 22

2. इस आकृति में कुल कितने समांतर चतुर्भुज हैं?

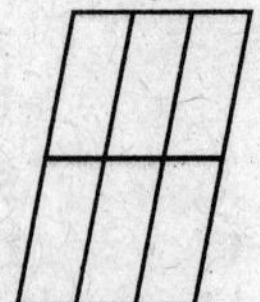

A. 9 B. 13
C. 15 D. 18
E. 20

3. इस आकृति में कुल कितने त्रिभुज हैं?

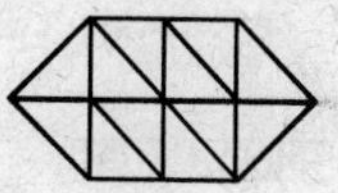

A. 16
B. 17
C. 18
D. 19
E. 15

4. इस आकृति में आयतों की कुल कितनी संख्या है?

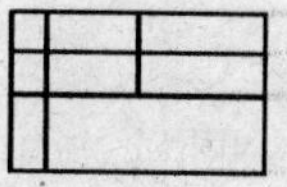

A. 21
B. 24
C. 23
D. 25
E. 20

5. इस आकृति में कुल कितने वर्ग छिपे हैं?

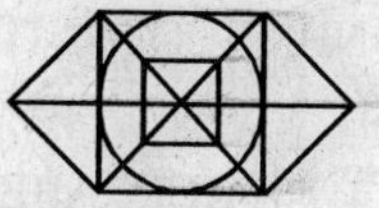

A. 7
B. 8
C. 9
D. 10
E. 6

6. इस आकृति में निहित त्रिभुजों की संख्या कितनी है?

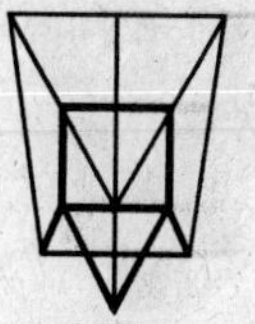

A. 19
B. 16
C. 21
D. 15
E. 12

7. नीचे दी गई आकृति में कुल कितने वर्ग निहित हैं?

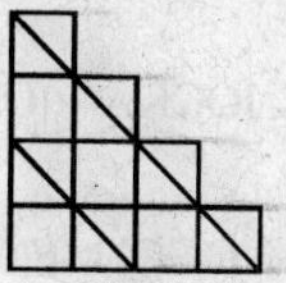

A. 10
B. 11
C. 13
D. 14
E. 12

8. इस आकृति में वर्गों की कुल कितनी संख्या है?

A. 6
B. 5
C. 2
D. 3
E. 4

9. नीचे दी गई आकृति में कितने त्रिभुज हैं?

A. 28
B. 36
C. 24
D. 32
E. 20

10. नीचे दी गई आकृति में कुल कितने वर्ग हैं?

A. 15
B. 11
C. 8
D. 3
E. 10

11. नीचे की आकृति में वर्गों की कुल कितनी संख्या है?

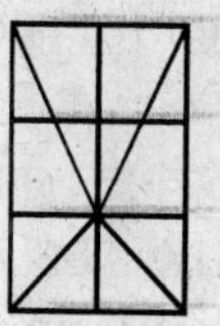

A. 6
B. 10
C. 8
D. 12
E. 14

12. नीचे की आकृति में कितने षड्भुज हैं?

A. 1
B. 2
C. 4
D. 5
E. 3

13. इस आकृति में कुल कितने समांतर चतुर्भुज हैं?

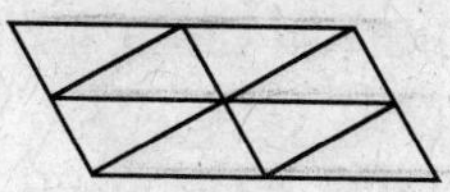

A. 11
B. 12
C. 9
D. 10
E. 14

14. नीचे दी गई आकृति में कुल कितने वर्ग हैं?

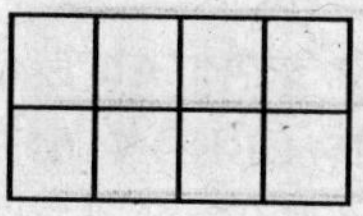

A. 8
B. 10
C. 11
D. 12
E. 13

15. नीचे दी गई आकृति में कुल कितने वृत्त हैं?

A. 5
B. 6
C. 8
D. 9
E. 7

व्याख्यात्मक उत्तरमाला

1. B :

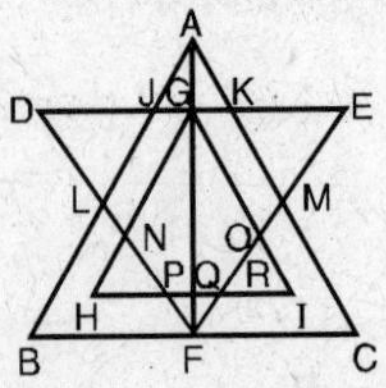

आकृति को निर्मित करने वाले मुख्य त्रिभुज हैं: ABC, DEF और GHI, अर्थात् 3 त्रिभुज। आकृति में निहित सरलता पूर्वक दिखाई पड़ने वाले त्रिभुज हैं: AJG, AGK, KEM, DJL, NHP, PQF, QFR और ORI, अर्थात् 8 त्रिभुज।
समद्विभाजक रेखा AF द्वारा निर्मित त्रिभुज हैं: ABF, AFC, GHQ, GQI, DGF और GFE, अर्थात् 6 त्रिभुज। तीनों मुख्य त्रिभुजों के बीच बनने वाले त्रिभुज हैं: AJK, ALF, AMF, DGN, DGF, LBF, MFC, GEO, GNF और GOF, अर्थात् 10 त्रिभुज। अतः दी गई आकृति में निहित त्रिभुजों की कुल संख्या है: = 3 + 8 + 6 + 10 = 27

2. D :

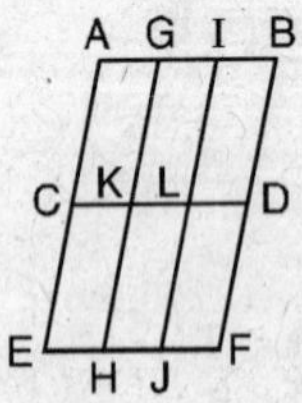

मुख्य समांतर चतुर्भुज ABEF है अर्थात् 1 समांतर चतुर्भुज। CD रेखा द्वारा दो समान भागों में विभाजित किए जाने पर मुख्य आकृति के भीतर ABCD और CDEF, ये 2 समांतर चतुर्भुज निर्मित होते हैं।
दो अन्य रेखाएं **GH और IJ खींची** जाने पर AGEH, GIJH और IBJF, ये **3 समांतर चतुर्भुज** निर्मित होते हैं।
आकृति में **स्पष्टः** और सरलतापूर्वक दिखाई पड़ने वाले AGCK, CK**EH, GIKL, K**LHJ, IBLD और LDJF में 6 समांतर चतुर्भुज **निहित हैं।**
आकृति में निहित **अन्य समां**तर चतुर्भुज AICL, CLEJ, GBKD, KDHF, **AIEJ** और GBHF ये 6 समांतर चतुर्भुज हैं।
अतः दी गई आकृति में निहित समांतर चतुर्भुजों की मूल संख्या हैं: 1 + 2 + 3 + 6 + 6 = 18

3. A :

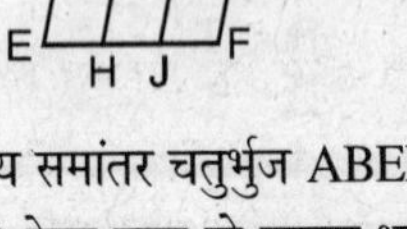

आकृति में सर्वाधिक सरलतापूर्वक दृष्टिगोचर होनेवाले त्रिभुज हैं: ADE, DEI, AEF, ABF, EIJ, EFJ, BFG, BCG, FJK, FGK, CGH और GHK, अर्थात् 12 त्रिभुज।
समद्विभाजित त्रिभुज हैं: ADI और CHK अर्थात् 2 त्रिभुज।
AIK और ACK अन्य **त्रिभुज हैं,** अर्थात 2 त्रिभुज।

अतः आकृति में निहित त्रिभुजों की कुल संख्या
= 12 + 2 + 2 = 16

4. C :

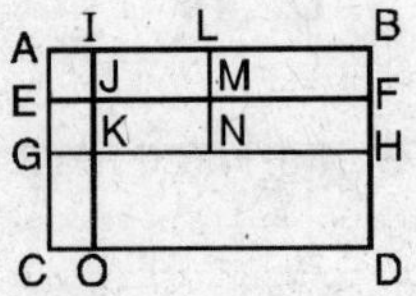

मुख्य आयत है ABCD अर्थात् 1 आयत।
आकृति में सर्वाधिक सरलतापूर्वक दृष्टिगोचर होने वाले आयत हैं: AIEJ, ILJM, LBMF, EJGK, JMKN, MFNH, GKCO और KHOD अर्थात् 8 आयत।
जिन आयतों के दो भाग हैं वे हैं: ALEM, IBJF, EMGN, JFKH, AIGK, IKLN, LDNH, EJCO और GHCD, अर्थात् 9 आयत।
जिन आयतों के 3 भाग हैं वे हैं: AICO, ABEF और EFGH अर्थात् 3 आयत।
जिन आयतों के 4 भाग हैं वे है: GLGN और IBKH, अर्थात् 2 आयत।
अतः आकृति में निहित आयतों की कुल संख्या
= 1 + 8 + 9 + 3 + 2 = 23

5. D :

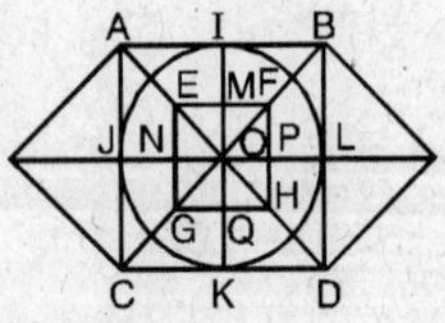

आकृति में निहित मुख्य वर्ग हैं : ABCD और EFGH, अर्थात् 2 वर्ग।
सरलतम बाह्य वर्ग हैं। AIJO, IBOL, JOCK, और OLKD, अर्थात् 4 वर्ग।
सरलतम आंतरिक वर्ग हैं: EMNO, NOGQ, MFOP और OPQH, अर्थात् 4 वर्ग।
आकृति में अन्य कोई वर्ग निहित नहीं हैं।
अतः उपर्युक्त आकृति में निहित वर्गों की कुल संख्या
= 2 + 4 + 4 = 10

6. B :

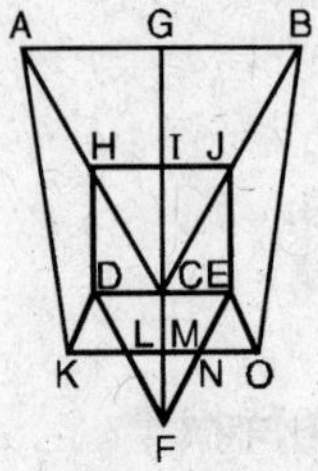

आकृति में निहित मुख्य त्रिभुज हैं: ABC, DEF, LNF, और HJC आर्थात् 4 त्रिभुज।
सरलतम त्रिभुज हैं: HIC, IJC, HDC, JCE, DKL, **LMF, MFN और NOE अर्थात् 8 त्रिभुज।**

आकृति में निहित अन्य त्रिभुज हैं: AGC, GBC, DCF और CEF अर्थात् 4 त्रिभुज

अतः त्रिभुजों की कुल संख्या = 4 + 8 + 4 = 16

7. C :

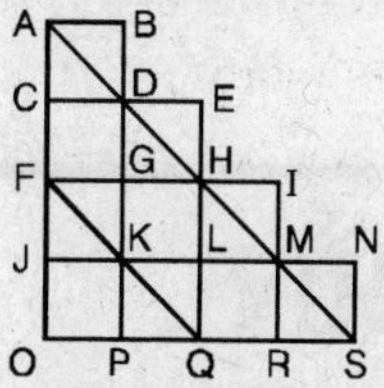

आकृति में निहित सरलतम वर्ग हैं: ABCD, CDFG, DEGH, FGJK, GHKL, HILM, JKOP, KLPQ, LMQR और MNRS अर्थात् – 10 वर्ग

आकृति में निहित अन्य वर्ग हैं: CEJL, FHOQ और GIPR अर्थात् – 3 त्रिभुज

∴ आकृति में निहित कुल वर्ग = 10 + 3 = 13

8. A :

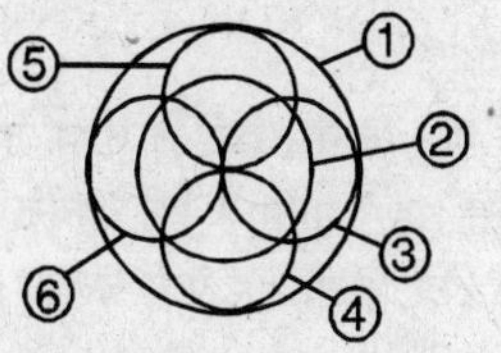

आकृति में दो मुख्य वृत्त हैं और चार छोटे वृत्त हैं और ये सभी एक-दूसरे को प्रतिच्छेदित कर रहे हैं।

∴ आकृति में निहित कुल वृत्त = 2 + 4 = 6

9. D :

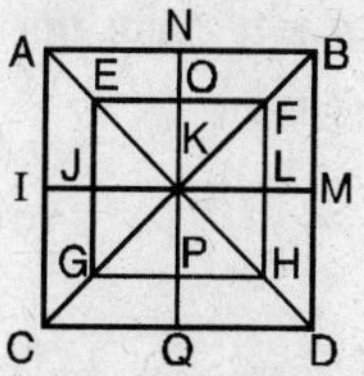

आकृति में निहित बड़े त्रिभुज हैं: ABC, BCD, ABD और ACD, अर्थात् 4 त्रिभुज

छोटे त्रिभुज हैं: EFH, EGH, EFG और FGH अर्थात् 4 त्रिभुज।

सरलतम त्रिभुज हैं: EJK, EOK, OFK, JKG, FKL, KLH, KGP और KPH, अर्थात् 8 त्रिभुज।

समद्विभाजित त्रिभुज हैं, AKC, ABK, CKD, KBD, EKG, EKF, KHG, KHF, अर्थात् 8 त्रिभुज।

अन्य त्रिभुज है: ANK, NKB, KBM, KMD, KQD, KQC, KCI, IKA, अर्थात् 8 त्रिभुज

∴ आकृति में निहित कुल त्रिभुज
= 4 + 4 + 8 + 8 + 8 = 32

11. C :

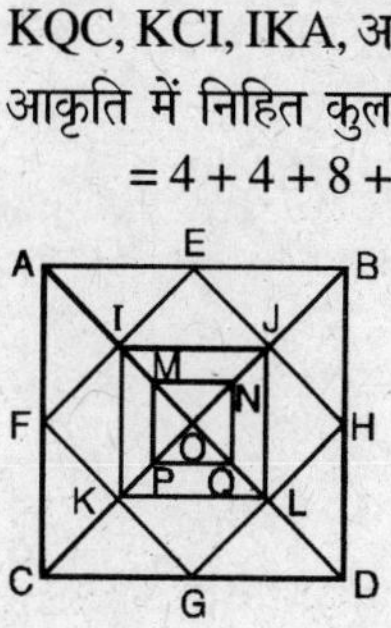

आकृति में निहित मुख्य वर्ग हैं: ABCD, IJKL, MNPQ और EFHG, अर्थात् 4 वर्ग।

अन्य वर्ग हैं: EIJO, IFKO, JOLH और OKGL, अर्थात् 4 वर्ग।

∴ आकृति में निहित वर्गों की कुल संख्या = 4 + 4 = 8

12. C :

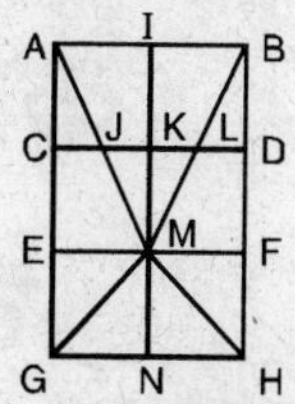

उपर्युक्त आकृति में निहित सरलतम वर्ग हैं: AICK, CKEM, EMGN, IBKD, KDMF और MFNH अर्थात् 6 वर्ग

आकृति में निहित अन्य वर्ग हैं: ABEF और CDGH, अर्थात् 2 वर्ग।

∴ आकृति में निहित वर्गों की कुल संख्या = 6 + 2 = 8

14. C :

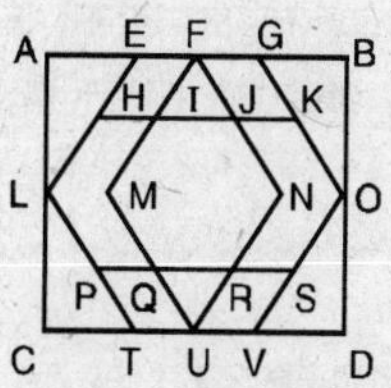

आकृति में निहित सबसे बड़ा षड्भुज है: EG – GO – GV – VT – TL – LE, अर्थात् 1 षड्भुज

छोटे षड्भुज हैं: IJNRQMI (IJ – JN – NR – RQ – QM – MI), HJNRPLH (HJ – JN – NR – RP – PL – LH) और IKOSQMI (IK – KO – OS – SQ – QM – MI), अर्थात् 3 षड्भुज

∴ आकृति में निहित षड्भुजों की कुल संख्या
= 1 + 3 = 4

(षड्भुज में समान लंबाई की छह भुजाएं निहित होती हैं)

15. A :

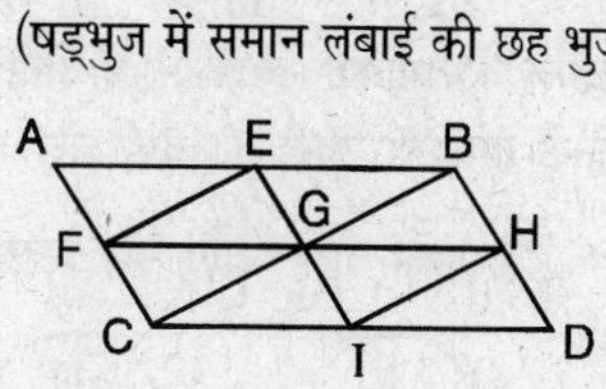

मुख्य समांतर चतुर्भुज हैं: ABCD, अर्थात् 1 समांतर चतुर्भुज।

सरलतम समांतर चतुर्भुज हैं: AEFG, FGCI, EBGH, GHID, FECG और GBIH, अर्थात् 6 समांतर चतुर्भुज।

आकृति में निहित अन्य समांतर चतुर्भुज हैं: ABFH, FHCD, AECI और EBID अर्थात् 4 समांतर चतुर्भुज।

∴ आकृति में निहित समांतर चतुर्भुजों की कुल संख्या
= 1 + 6 + 4 = 11

अध्याय
19 कागज को मोड़ने और काटने संबंधी प्रश्न

इस प्रकार के प्रश्न विभिन्न आकृतियों और आकारों के कागज के टुकड़ों पर आधारित होते हैं जिन्हें एक खास तरीके से मोड़ा जाता है और फिर काटा या पंच (छिद्रित) किया जाता है। दी गई उत्तर आकृतियों में से एक उत्तर-आकृति या तो यह दर्शाती है कि कागज को मोड़ने, काटने (या छिद्रित करने) और तत्पश्चात् उसे खोलने के बाद वह किस आकृति जैसा दिखाई देगा या फिर उससे यह पता चलता है कि किस तरीके से वह कागज मोड़ा और काटा (या छिद्रित किया) गया था।

हल किए गए प्रश्न

1. एक पारदर्शी कागज के वर्गाकार टुकड़े को उस ढंग से मोड़ा जाता है जैसा कि उस पर बिंदुकित रेखा द्वारा दर्शाया गया है। दी गई उत्तर आकृतियों में से उस आकृति को ज्ञात कीजिए जिसके समान वह कागज मोड़े जाने पर दिखाई देगा।

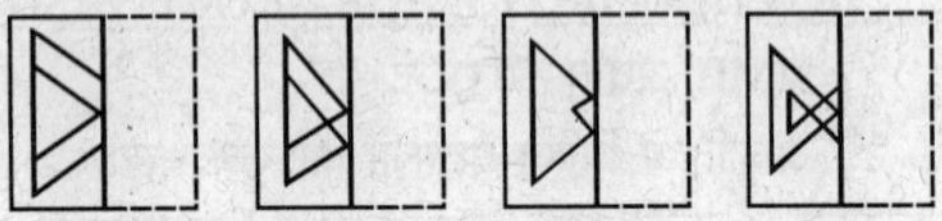

(*a*) (*b*) (*c*) (*d*)

उत्तर (*b*) **:** कागज के वर्गाकार टुकड़े को बीचोबीच मोड़ा जाता है। यह एक सममित प्रतिरूप है और उत्तर आकृति '(*b*)' सही उत्तर है जो कागज के वर्गाकार टुकड़े की बाईं ओर के आधे भाग के समान दिखाई देता है।

2. एक कागज के टुकड़े को नीचे दर्शाए गए अनुसार मोड़ा और छिद्रित किया जाता है। खोले जाने पर वह कैसा दिखाई देगा?

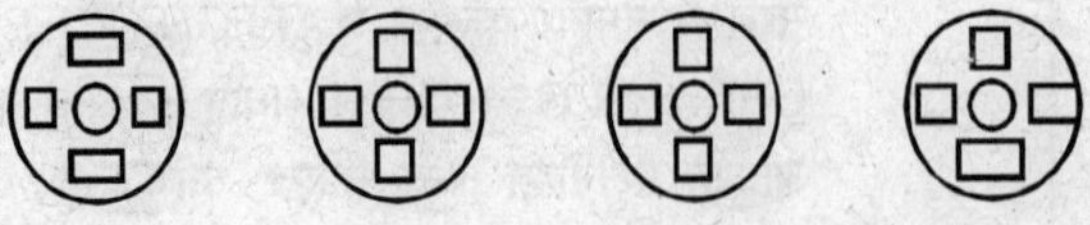

(*a*) (*b*) (*c*) (*d*)

उत्तर (*a*) **:** कागज को खोले जाने पर चरणशः निम्नवत् आकृतियाँ प्राप्त होंगीः

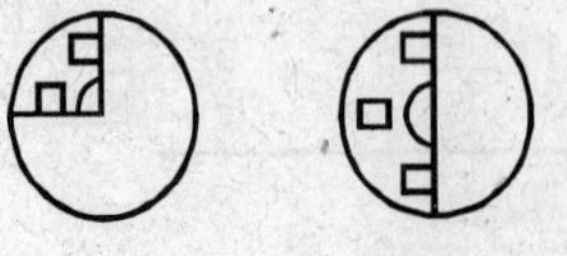

प्रश्नमाला

निर्देश (प्र.सं. 1–10): *नीचे के प्रत्येक प्रश्न में एक पारदर्शी कागज के वर्गाकार टुकड़े को उस ढंग से मोड़ा जाता है जैसा कि उस पर बिंदुकित रेखा द्वारा दर्शाया गया है। दी गई उत्तर आकृतियों में से उस आकृति को ज्ञात कीजिए जिसके समान वह कागज मोड़े जाने पर दिखाई देगा।*

1.

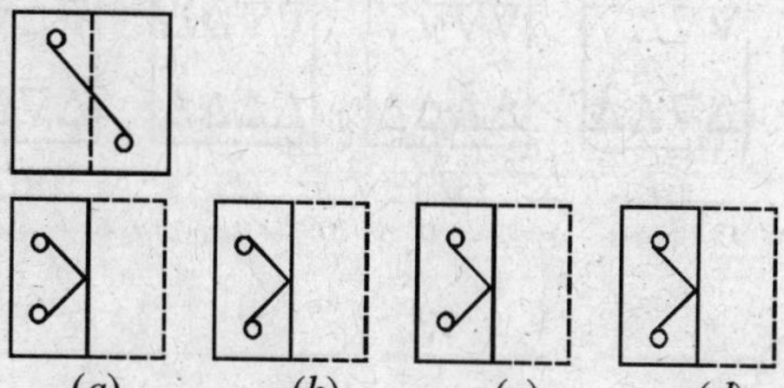

(*a*) (*b*) (*c*) (*d*)

2.

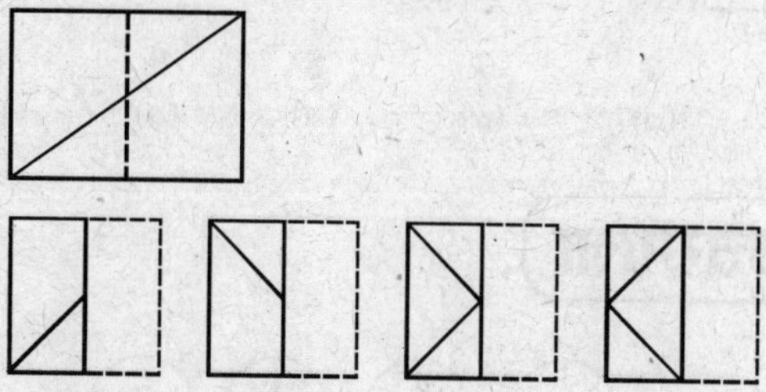

(*a*) (*b*) (*c*) (*d*)

3.

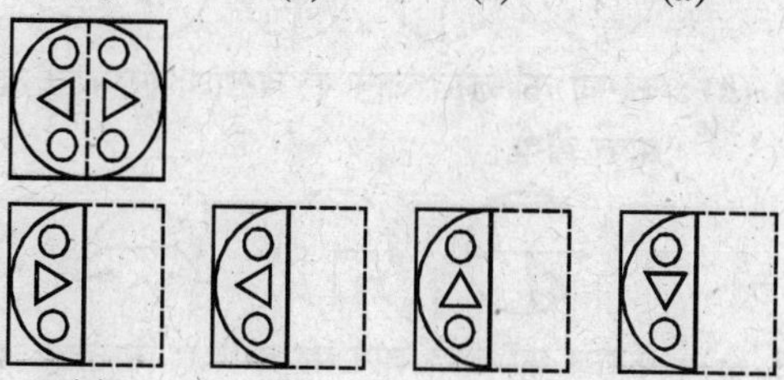

(*a*) (*b*) (*c*) (*d*)

4.

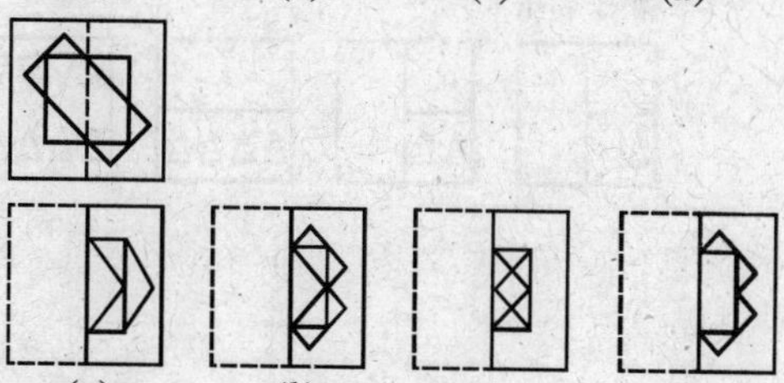

(*a*) (*b*) (*c*) (*d*)

5.

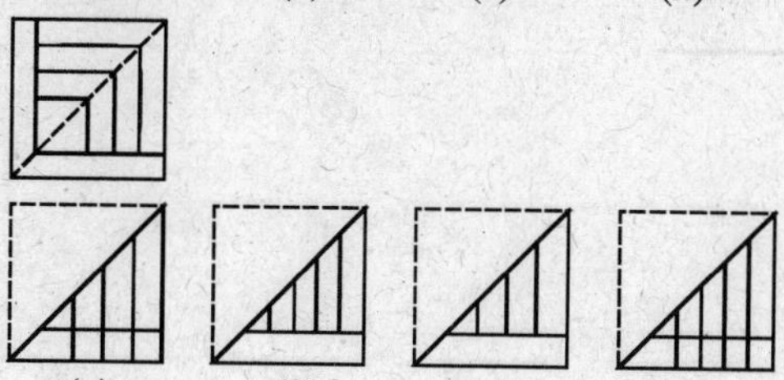

(*a*) (*b*) (*c*) (*d*)

6.

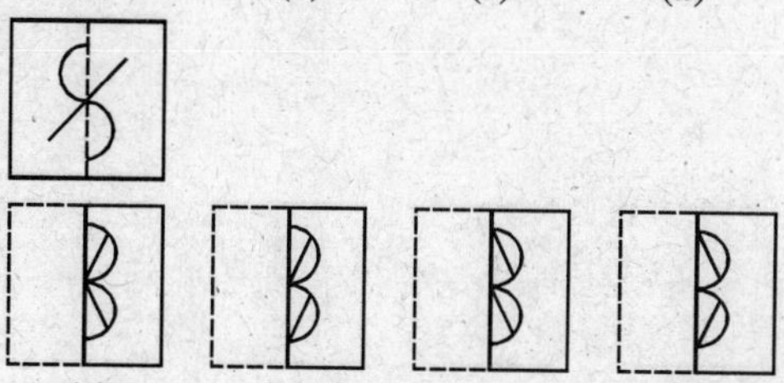

(*a*) (*b*) (*c*) (*d*)

7.

(*a*) (*b*) (*c*) (*d*)

8.

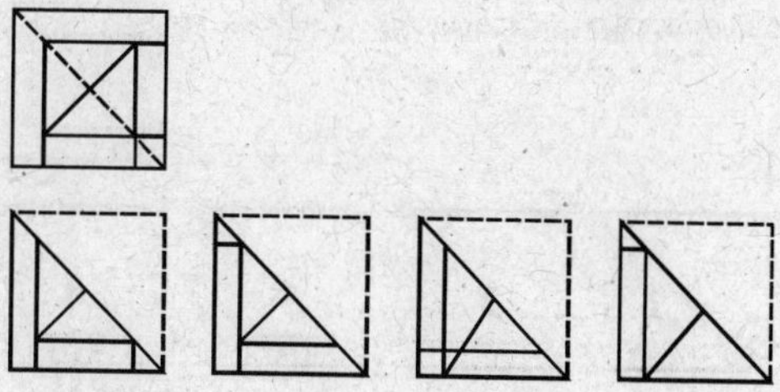

(*a*) (*b*) (*c*) (*d*)

9.

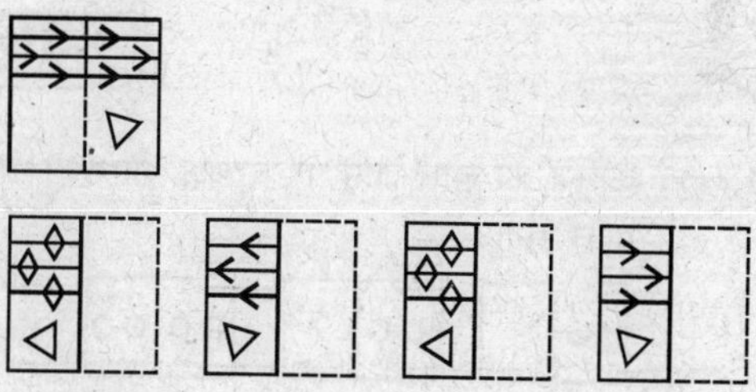

(*a*) (*b*) (*c*) (*d*)

10.

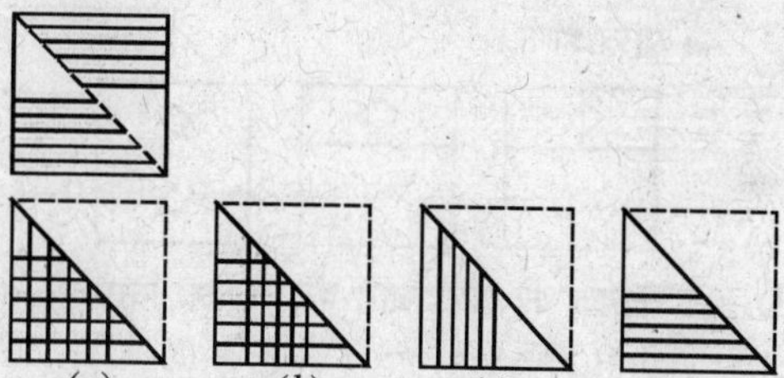

(*a*) (*b*) (*c*) (*d*)

निर्देश (प्र.सं. 11–15): *नीचे के प्रत्येक प्रश्न में कागज के एक टुकड़े को उस ढंग से मोड़ा जाता है जैसा कि दी गई आकृतियों में दिखाया गया है और तब उसमें छेद किए जाते हैं। दी गई उत्तर आकृतियों में से उस आकृति को ज्ञात कीजिए जिसके समान वह मुड़ा और छेद किया हुआ कागज खोले जाने पर दिखाई देगा।*

11.

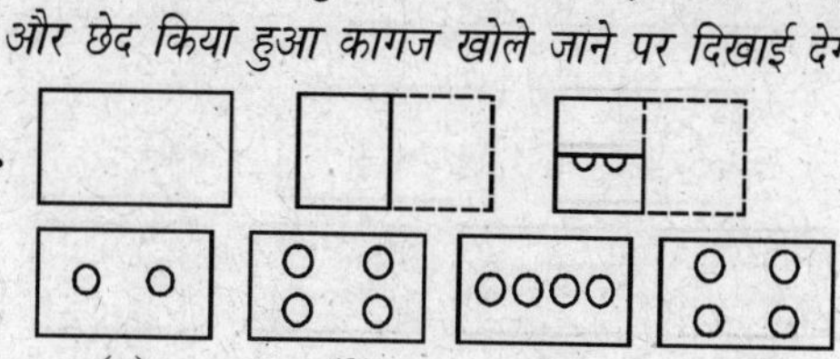

(*a*) (*b*) (*c*) (*d*)

12.

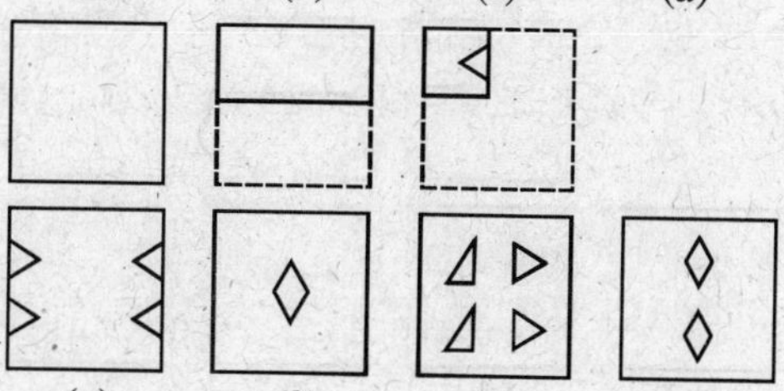

(*a*) (*b*) (*c*) (*d*)

13.

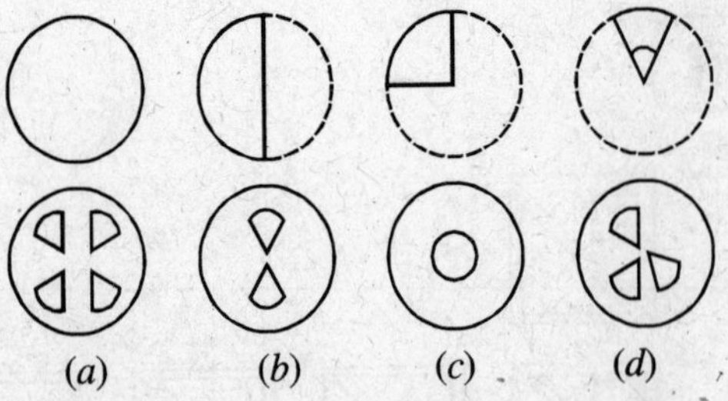

14.

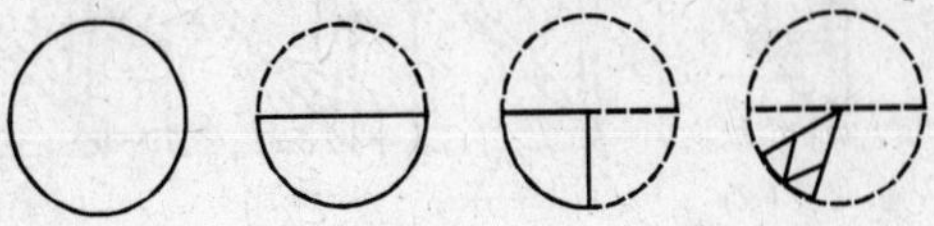

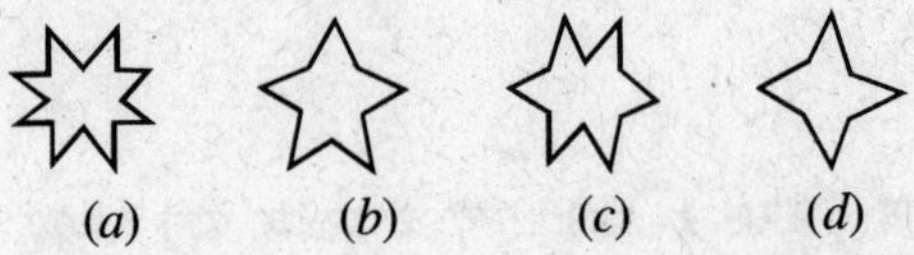

15.

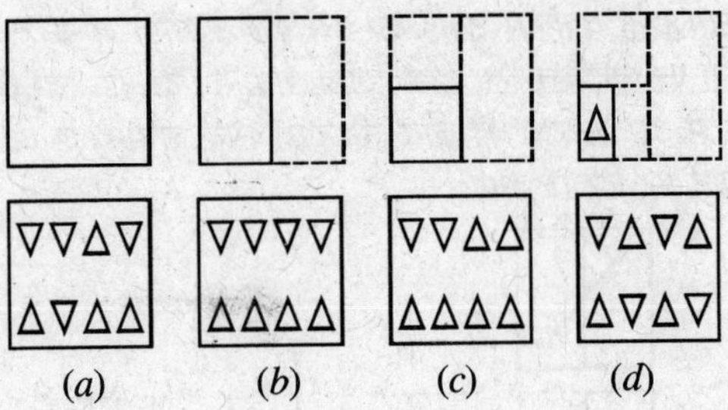

उत्तरमाला

1	2	3	4	5	6	7	8	9	10
(*d*)	(*c*)	(*b*)	(*b*)	(*c*)	(*a*)	(*a*)	(*a*)	(*a*)	(*a*)

व्याख्यात्मक उत्तरमाला

11. (*c*) : कागज को खोले जाने पर चरणशः निम्नवत् आकृतियां प्राप्त होंगी।

12. (*d*) : कागज को खोले जाने पर चरणशः निम्नवत् आकृतियां प्राप्त होंगी।

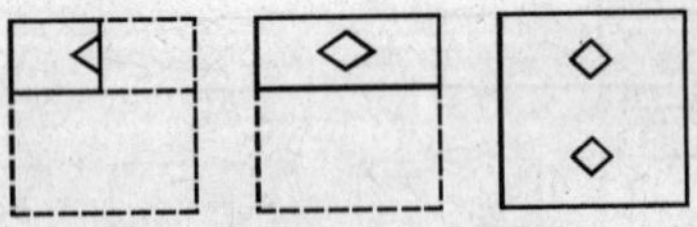

13. (*c*) : कागज को खोले जाने पर चरणशः निम्नवत् आकृतियां प्राप्त होंगी।

14. (*a*) : कागज को खोले जाने पर चरणशः निम्नवत् आकृतियां प्राप्त होंगी।

15. (*b*) : कागज को खोले जाने पर चरणशः निम्नवत् आकृतियां प्राप्त होंगी।

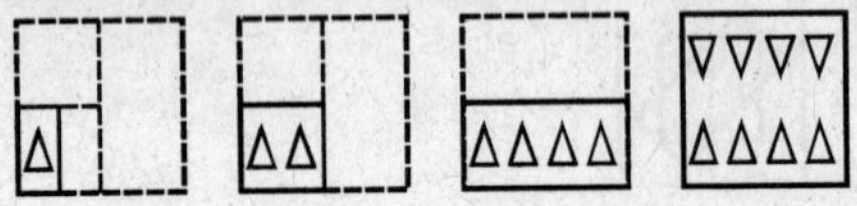

संख्यात्मक अभियोग्यता
(Numerical Ability)

1 संख्या पद्धति (Number System)

एक संख्या हमें बताती है कि दी हुई मात्रा में कितनी इकाईयाँ हैं। अतः यह एक या एक से अधिक इकाईयों को प्रदर्शित करती है या एक ही प्रकार की एक या अधिक भिन्न वस्तुओं को प्रकट करती है। जैसे : एक मेज, पाँच कुर्सियाँ, आठ किताबें, दस बक्से इत्यादि।

- **अंक का शुद्ध मान (Face Value of digits) :** किसी संख्या में किसी अंक का शुद्ध मान उस अंक का अपना मान होता है चाहे वह अंक किसी भी स्थान पर हो। जैसे : 25946 में 9 का शुद्ध मान 9 है और 4 का शुद्ध मान 4 है।
- **स्थानीय मान (Place Value) :** किसी संख्या में कोई अंक जिस स्थान पर होता है वह उस अंक का स्थानीय मान कहलाता है। जैसे : 26950 में 9 का स्थानीय मान 900 है तथा 6 का स्थानीय मान 6000 है।
- **संख्या (Number) :** विभिन्न अंकों को इकाई, दहाई, सैकड़ा, हजार ..... के स्थान पर रखने से जो पद प्राप्त होता है, वह संख्या कहलाती है।
- **प्राकृत संख्या (Natural Numbers) :** जिन संख्याओं से गिनती की क्रिया की जाती है उन्हें प्राकृत संख्या कहते हैं। इनमें शून्य (0) शामिल नहीं है। प्राकृत संख्या अनन्त होती है। जैसे : 1, 2, 3, 4. 5, 6, 7 .....
- **पूर्ण संख्या (Whole Numbers) :** प्राकृत संख्याओं में 0 (शून्य) को शामिल करने के बाद संख्याओं का जो समुच्चय या परिवार बनता है, उन्हें पूर्ण संख्याएँ कहते हैं। जैसे : 0, 1, 2, 3, 4, 5, ... इत्यादि।
- **पूर्णांक संख्याएँ (Integer Numbers) :** जब पूर्ण संख्याओं को धनात्मक और ऋणात्मक चिह्नों के द्वारा दर्शाया जाता है तो इनसे बना समुच्चय पूर्णांक संख्याएँ कहलाता है। जैसे : ..... –4, –3, –2, –1, 0, 1, 2, 3, 4, ...
- **भाज्य संख्याएँ या यौगिक संख्याएँ (Composite Numbers):** वे प्राकृत संख्याएँ जो 1 व अपने अलावा किसी अन्य संख्या से भी विभाजित हो सकें अर्थात् जिनके आसानी से अन्य अभाज्य गुणनखण्ड (टुकड़े) हो सकें, भाज्य संख्याएँ कहलाती हैं। जैसे : 4, 6, 8, 10, 12, 14, 15, ...
- **रूढ़ संख्याएँ या अभाज्य संख्याएँ (Prime Numbers) :** वे प्राकृत संख्याएँ जो केवल स्वयं से या 1 से विभाजित हों अन्य से नहीं अर्थात् जिनके अभाज्य गुणनखण्ड (टुकड़े) नहीं हो सकते, अभाज्य संख्याएँ कहलाती हैं। जैसे : 2, 3, 5, 7, 11, 13, 17 ......

  सबसे छोटी अभाज्य संख्या 2 है।

  2 एकमात्र एक ऐसी अभाज्य संख्या है जो सम संख्या भी है।

  1 न तो भाज्य संख्या है न ही अभाज्य संख्या है।

  1 से 25 तक अभाज्य संख्याएँ = 9

  1 से 50 तक अभाज्य संख्याएँ = 15

  1 से 75 तक अभाज्य संख्याएँ = 21

  1 से 100 तक अभाज्य संख्याएँ = 25
- **असहभाज्य संख्याएँ (Co-Prime Numbers) :** जब दो प्राकृत संख्याओं का म.स. 1 हो तो वे दोनों संख्याएँ असहभाज्य संख्याएँ कहलाती हैं। जैसे : (2, 5), (3, 7), (4, 9), ... इत्यादि।
- **सम-संख्याएँ (Even Numbers) :** वे संख्याएँ जो दो से भाज्य हों सम संख्याएँ कहलाती हैं। अर्थात् जिनके अन्त में 0, 2, 4, 6 व 8 हो। जैसे : 2, 4, 6, 8, 10, 12, ... इत्यादि।
- **विषम संख्याएँ (Odd Numbers) :** ऐसी संख्याएँ जो 2 से पूरी तरह विभाजित न हों विषम संख्याएँ कहलाती हैं।

  जैसे : 1, 3, 5, 7, ... इत्यादि।
- **परिमेय संख्याएँ (Rational Numbers) :** एक पूर्णांक को दूसरे पूर्णांक (0 को छोड़कर) से भाग देने पर जो लघुत्तम प्राप्त हो उन्हें परिमेय संख्या कहते हैं अर्थात् जिनको p/q के रूप में लिख सकें। यहाँ $q \neq 0$

  अर्थात् common factor (गुणनखण्ड) नहीं हो।
- दशमलव भिन्न वाली संख्याओं में दशमलव के बाद वाली संख्याओं की गिनती हो सके या दशमलव के बाद वाली संख्याओं की पुनरावृत्ति हो रही हो, परिमेय संख्याएँ होंगी।

  जैसे : 1, 2, 3, 4, $\frac{1}{2}$, 3, 7, $\frac{2}{5}$ ...... इत्यादि।
- **अपरिमेय संख्याएँ (Irrational Numbers) :** ऐसी संख्याएँ जिनको $\frac{p}{q}$ के रूप में न लिख सकें, अपरिमेय संख्या कहलाती हैं। अर्थात् जिनका कोई निश्चित अन्त न हो। e एवं π अपरिमेय संख्या हैं।
- ऐसी संख्याएँ प्रायः पूर्ण वर्ग संख्याएँ नहीं होती हैं।

- परिमेय संख्याओं के समुच्चय में सभी प्राकृत, पूर्ण, पूर्णांक संख्याएँ शामिल हैं।
- दो परिमेय संख्याओं का गुणनफल या योग हमेशा एक परिमेय संख्या होती है।
- एक परिमेय संख्या तथा एक अपरिमेय संख्या का गुणनफल या योग हमेशा एक अपरिमेय संख्या होती है।
- **पूर्ववर्ती संख्या** : दी गई संख्या से ठीक पहले की (छोटी) संख्या : जैसे 752 की पूर्ववर्ती संख्या 751 है।
- **अनुवर्ती संख्या** : दी गई संख्या से ठीक बाद की (बड़ी) संख्या जैसे : 16543 की अनुवर्ती संख्या 16544 है।

संख्याओं की भाजकता का नियम

संख्याओं में 2, 3, 4, 5, 6, 7, 8, 10 और 11 विभाज्यता की जाँच :

(*i*) **2 से विभाज्यता** : ऐसी संख्याएँ जिनके इकाई स्थान पर 0, 2, 4, 6 अथवा 8 हो, वे संख्याएँ 2 से पूर्णतः विभाजित होती हैं। जैसे : 130, 242, 356, 40328 आदि।

(*ii*) **3 से विभाज्यता** : ऐसी संख्याएँ जिनके अंकों का योग 3 से विभाज्य हो, वे संख्याएँ 3 से पूर्णतः विभाज्य होंगी। जैसे : 312, 213, 456 आदि संख्याओं में अंकों का योगफल क्रमशः $(3+1+2=6)$, $(2+1+3=6)$, $(4+5+6=15)$ है जोकि 3 से विभाजित है। अतः दी हुई संख्याएँ भी 3 से विभाजित होंगी।

(*iii*) **4 से विभाज्यता** : यदि किसी संख्या के अन्तिम दो अंक 4 से पूर्णतः विभाजित हों, तो वह संख्या 4 से पूर्णतः विभाज्य होगी। जैसे : 1132, 1312, 1400, 1348 आदि संख्याओं के इकाई और दहाई अंकों से बनी संख्याएँ क्रमशः 32, 12, 00, 48 हैं जो कि 4 से पूर्णतः विभाजित हैं। अतः दी हुई संख्याएँ भी 4 से पूर्णतः विभाजित होंगी।

(*iv*) **5 से विभाज्यता** : जिन संख्याओं के इकाई के स्थान पर आने वाला अंक 0 अथवा 5 हो, तो ऐसी संख्याएँ 5 से पूर्णतः विभाजित होंगी। जैसे : 100, 235, 45325 आदि।

(*v*) **6 से विभाज्यता** : यदि किसी सम संख्या के अंकों का योगफल 3 से विभाजित हो, तो वह संख्या 6 से भी पूर्णतः विभाजित होगी। जैसे : 312, 450, 510 आदि सम संख्याओं के अंकों का योगफल क्रमशः $(3+1+2=6)$, $(4+5+0=9)$, $(5+1+0=6)$ है जो कि 3 से विभाजित होते हैं। अतः दी हुई संख्याएँ भी 6 से पूर्णतः विभाजित होंगी।

(*vi*) **7 से विभाज्यता** : दी गई संख्या के इकाई के अंक को दोगुना करके शेष संख्या में से घटाते जाते हैं। यदि शेष संख्या 7 से कट जाए तो वह 7 से भाज्य होगी। जैसे : 16807, में से 7 का दोगुना 14 घटाने पर

$$1680 - 7 \times 2 = 1666$$
$$166 - 6 \times 2 = 154$$
$$15 - 4 \times 2 = 7$$

अतः यह 7 से पूर्णतः भाज्य है।

* यदि कोई संख्या समान अंकों की पुनरावृत्ति से 6 अंकों तक हो तो वह संख्या 3, 7, 9, 11, 13, 37 से विभाजित होगी। जैसे : 333333

(*vii*) **8 से विभाज्यता** : वे संख्याएँ जिनके अन्तिम तीन अंक 8 से विभाज्य हों अथवा अन्तिम तीनों अंक 0 हों, तो वे संख्याएँ 8 से पूर्णतः विभाजित होंगी। जैसे : 1000, 2136, 12648 आदि।

(*viii*) **9 से विभाज्यता** : ऐसी संख्याएँ जिनके अंकों का योग 9 से पूर्णतः विभाजित हो वे संख्याएँ 9 से पूर्णतः विभाजित होंगी। जैसे : 23409, 454554, 66636 आदि संख्याओं के अंकों का योगफल क्रमशः $(2+3+4+0+9=18)$, $(4+5+4+5+5+4=27)$, $(6+6+6+3+6=27)$ है जोकि 9 से पूर्णतः विभाजित होंगी।

(*ix*) **10 से विभाज्यता** : यदि किसी संख्या का अन्तिम अंक 0 हो, तो वह संख्या 10 से पूर्णतः विभाजित होगी। जैसे : 50, 80, 1310, 1480 आदि।

(*x*) **11 से विभाज्यता** : ऐसी संख्याएँ जिनके सम तथा विषम स्थानों के अंकों के योगफलों का अन्तर 0 अथवा 11 का गुणज हो, तो वे संख्याएँ 11 से पूर्णतः विभाजित होंगी। जैसे : 909183, 540045, 184712 आदि संख्याओं के सम तथा विषम स्थान पर आने वाले अंकों का अन्तर क्रमशः $[(9+9+8)-(0+1+3)=22]$, $[(5+0+4)-(4+0+5)=0]$, $[(8+7+2)-(1+4+1)=11]$ है जोकि 11 का गुणज है। अतः दी हुई संख्याएँ 11 से पूर्णतः विभाजित होंगी।

कुछ महत्वपूर्ण सूत्र

1. n प्राकृत संख्याओं का योग $= \dfrac{n(n+1)}{2}$

जैसे : 1 से 1000 तक प्राकृत संख्याओं का योग

$$= \frac{1000 \times (1000+1)}{2} = \frac{1000 \times 1001}{2} = 500500.$$

2. लगातार n सम संख्याओं का योग $= n(n+1)$

3. लगातार n विषम संख्याओं का योग $= n^2$

4. n प्राकृत संख्याओं के वर्गों का योग $= \dfrac{n(n+1)(2n+1)}{6}$

5. n विषम वर्ग संख्याओं का योग $= \dfrac{n(4n^2-1)}{3}$

6. n प्राकृत संख्याओं के घनों का योग $= \left[\dfrac{n(n+1)}{2}\right]^2$

7. समान्तर श्रेणी (A.P.) का nवाँ पद

$$T_n = a + (n-1)d$$

यहाँ $a =$ प्रथम पद तथा $d =$ सार्व अंतर

समान्तर श्रेणी के n पदों का योग

$$= \frac{\text{पदों की संख्या (पहला पद + अंतिम पद)}}{2}$$

8. गुणोत्तर श्रेणी (G.P.) का nवां पद

$$T_n = ar^{n-1}$$

यहाँ a = प्रथम पद तथा r = सार्व अनुपात

गुणोत्तर श्रेणी के n पदों का योग

$$= \frac{a(r^n - 1)}{(r-1)} \text{ \{जब } r > 1 \text{ हो\}}$$

$$= \frac{a(1 - r^n)}{(1-r)} \text{ \{जब } r < 1 \text{ हो\}}$$

वितत् संख्याएँ

यदि एक संख्या, दूसरे की परिवर्ती हो तो वे संख्याएँ वितत् संख्याएँ कहलाती हैं। जैसे : 4, 5, 6, 7 व 8 वितत् संख्याएँ हैं जबकि 4, 6, 7 व 8 वितत् संख्याएँ नहीं हैं। 2, 4, 6, 8 व 10 वितत् समसंख्याएँ हैं तथा 11, 13, 17, 19 व 23 वितत् अभाज्य संख्याएँ हैं।

वितत् संख्याओं के गुण

(*i*) दो वितत् संख्याओं का गुणनफल 2 से विभाजित होता है।

जैसे : $\begin{bmatrix} 2 \times 3 = 6 \\ 3 \times 4 = 12 \\ 4 \times 5 = 20 \\ \ldots\ldots \end{bmatrix}$

अतः 6, 12, 20....आदि 2 से विभाजित होते हैं।

(*ii*) तीन वितत् संख्याओं का गुणनफल 6 से विभाजित होता है।

जैसे : $\begin{bmatrix} 1 \times 2 \times 3 = 6 \\ 2 \times 3 \times 4 = 24 \\ 3 \times 4 \times 5 = 60 \\ \ldots\ldots \\ \ldots\ldots \end{bmatrix}$

अतः 6, 24, 60....आदि 6 से विभाजित होते हैं।

(*iii*) चार वितत् संख्याओं का गुणनफल 24 से विभाजित होता है।

जैसे : $\begin{bmatrix} 1 \times 2 \times 3 \times 4 \times 5 = 120 \times 1 \\ 2 \times 3 \times 4 \times 5 \times 6 = 120 \times 6 \\ 3 \times 4 \times 5 \times 6 \times 7 = 120 \times 21 \\ \ldots\ldots \\ \ldots\ldots \end{bmatrix}$

अतः 24, 120, 36....आदि 24 से विभाजित होते हैं।

(*iv*) पाँच वितत् संख्याओं का गुणनफल 120 से विभाजित होता है।

जैसे : $\begin{bmatrix} 1 \times 2 \times 3 \times 4 \times 5 = 120 \times 1 \\ 2 \times 3 \times 4 \times 5 \times 6 = 120 \times 6 \\ 3 \times 4 \times 5 \times 6 \times 7 = 120 \times 21 \\ \ldots\ldots \\ \ldots\ldots \end{bmatrix}$

अतः $120 \times 1, 120 \times 6, 120 \times 21$.......आदि 120 से विभाजित होते हैं।

(*v*) दो वितत् विषम संख्याओं के वर्गों का अन्तर सदैव 8 से विभाजित होता है।

जैसे : $\begin{bmatrix} 3^2 - 1^2 = 9 - 1 = 8 = 8 \times 1 \\ 5^2 - 3^2 = 25 - 9 = 16 = 8 \times 2 \\ 7^2 - 5^2 = 49 - 25 = 24 = 8 \times 3 \\ \ldots\ldots \\ \ldots\ldots \end{bmatrix}$

जोकि 8 से विभाजित होता है।

(*vi*) दो वितत् संख्याओं का योग उनके वर्गों के अन्तर के बराबर होता है।

जैसे : $\begin{bmatrix} 2 + 3 = 5 = 3^2 - 2^2 = 5 \\ 3 + 4 = 7 = 4^2 - 3^2 = 7 \\ 4 + 5 = 9 = 5^2 - 4^2 = 9 \\ \ldots\ldots \\ \ldots\ldots \end{bmatrix}$

(*vii*) दो वितत् सम या विषम संख्याओं के गुणनफल में 1 जोड़ दें तो प्राप्त संख्या एक पूर्ण वर्ग संख्या होगी।

जैसे : $\begin{bmatrix} 2 \times 4 + 1 = 9 = 3^2 \\ 3 \times 5 + 1 = 16 = 4^2 \\ 4 \times 6 + 1 = 25 = 5^2 \\ \ldots\ldots \\ \ldots\ldots \end{bmatrix}$

(*viii*) तीन वितत् संख्याओं के घनों का योग संख्याओं के अपने योग से विभाजित होता है।

जैसे :

$$\begin{bmatrix} 2^3 + 3^3 + 4^3 = 8 + 27 + 64 = 99 = (2 + 3 + 4) \times 11 \\ 4^3 + 5^3 + 6^3 = 64 + 125 + 216 = 405 = (4 + 5 + 6) \times 27 \\ \ldots\ldots \\ \ldots\ldots \end{bmatrix}$$

(*ix*) प्रत्येक वर्ग संख्या 3 की गुणज होगी या 3 की गुणज से 1 अधिक होगी।

जैसे : $\begin{bmatrix} 3^2 = 9 = 3 \times 3 \\ 4^2 = 16 = 3 \times 5 + 1 \\ 5^2 = 25 = 3 \times 8 + 1 \\ \ldots\ldots \\ \ldots\ldots \end{bmatrix}$

(*x*) यदि किसी संख्या के विषम स्थानों और सम स्थानों के अंकों के योग का अन्तर 0 अथवा 11 का गुणज हो तो वह संख्या 11 से विभाजित होती है।

जैसे : 1569942 एक संख्या है।

∴ विषम स्थानों के अंकों का योग

$= 1 + 6 + 9 + 2 = 18$

तथा सम स्थानों के अंकों का योग

$= 5 + 9 + 4 = 18$

∴ विषम तथा सम स्थानों के अंकों के योग का अन्तर

$= 18 - 18 = 0$

∴ संख्या 1569942, 11 से विभाजित होती है।

महत्वपूर्ण तथ्य

संख्या पद्धति में एक अंक वाली संख्याएँ = 9

संख्या पद्धति में दो अंकों वाली संख्याएँ = 90

संख्या पद्धति में तीन अंकों वाली संख्याएँ = 900

संख्या पद्धति में चार अंकों वाली संख्याएँ = 9000

1 से 100 तक की संख्याओं में कुल शून्यों की संख्या = 11

(*a*) (*i*) 'शून्य' न तो धनात्मक और न ही ऋणात्मक पूर्णांक है।

(*ii*) धनात्मक पूर्णांकों में सबसे छोटा पूर्णांक '+1' तथा ऋणात्मक पूर्णांकों में सबसे बड़ा पूर्णांक '–1' है।

(*b*) किसी पूर्ण वर्ग संख्या के इकाई स्थान पर 0, 1, 4, 5, 6 व 9 अंकों में से कोई भी अंक हो सकता है।

(*c*) किसी भी संख्या के घन के इकाई स्थान पर 0, 1, 2, 3, 4, 5, 6, 7, 8 व 9 अंकों में से कोई भी अंक हो सकता है।

(*d*) $1 + 2 + 3 + 4 + 5 + \ldots.. n$ पदों तक का योग $= \frac{n(n+1)}{2}$ जहाँ n पदों की संख्या है।

(*e*) 'शून्य' का किसी भी संख्या में जातीय मान तथा स्थानीय मान दोनों ही शून्य होते हैं।

साधित उदाहरण

1. 137 रूढ़ संख्या है या नहीं?

हल : सबसे पहले 137 से ठीक बड़ी वर्ग संख्या देखते हैं जो 144 है यह 12 की वर्ग संख्या है।

अब 12 से छोटी सभी अभाज्य संख्याएँ देखते हैं जो क्रमशः 2, 3, 5, 7, 11 हैं। इन संख्याओं में से किसी से भी 137 भाज्य नहीं हैं अतः 137 अभाज्य (रूढ़) संख्या है।

2. $517^{26} \times 313^{17} \times 402^{58}$ में इकाई का अंक क्या होगा?

हल : इस प्रकार के प्रश्नों में ध्यान रखें कि हम इसको पूरी तरह तो हल नहीं कर सकते क्योंकि प्रक्रिया बहुत लम्बी हो जाएगी। इसलिए दी गई घात में हमेशा 4 का भाग देते हैं और जितना शेष बचे उसे उस संख्या के इकाई अंक के ऊपर लगाकर हल करते हैं।

जैसे–$517^{26}, \frac{26}{4}$ शेष $2 = 7^2$

$313^{17}, \frac{17}{4}$ शेष $1 = 3^1$ $402^{58}, \frac{58}{4}$ शेष $2 = 2^2$

अतः $7^2 \times 3^1 \times 2^2$ या $49 \times 3 \times 4 = 108$

अतः इकाई का अंक 8 होगा।

3. यदि किसी संख्या को 119 से भाग दिया जाए तो 19 शेष बचता है यदि उसी संख्या को 17 से भाग दिया जाए तो बताओ कितना शेष बचेगा?

हल : इस प्रकार के प्रश्नों में ध्यान रखें कि यदि दी गई संख्या से पहला भाजक पूर्णतः भाज्य है तो पहले शेषफल में ही दी गई संख्या का भाग दे देंगे और जो शेष बचेगा वही हमारा उत्तर होगा। यहाँ 119, 17 से पूर्णतः भाज्य है तो 19 में 17 से भाग देने पर 2 शेष बचेगा। इसलिए उत्तर 2 होगा।

4. $14^{15} \times 13^{18} \times 5^8$ में कुल कितने अभाज्य (रूढ़) गुणनखण्ड हैं?

हल : सबसे पहले आधार वाली संख्याओं को पूर्णतः अभाज्य संख्याएँ बनाते हैं।

$(2 \times 7)^{15} \times 13^{18} \times 5^8 = 2^{15} \times 7^{15} \times 13^{18} \times 5^8$

अतः कुल अभाज्य गुणनखण्ड $15 + 15 + 18 + 8 = 56$ हैं।

5. 19^{35} में 18 से भाग दें तो कितना शेष बचेगा?

हल : इस प्रकार के प्रश्नों में जो शेषफल बचता है तो उसकी भी एक निश्चित अन्तराल के बाद पुनरावृत्ति होती है।

$19^1 = 19$, इसमें 18 का भाग देने पर शेष = 1

$19^2 = 361$, इसमें 18 का भाग देने पर शेष = 1

$19^3 = 6859$, इसमें 18 का भाग देने पर शेष = 1

चूँकि यहाँ घात विषम है तो विषम वाली स्थिति में शेष 1 होगा।

इसको हम इस प्रकार भी हल कर सकते हैं :

$(18 + 1)^{35}$ में 18 का भाग दें तो शेष 1 ही बचेगा।

6. $49^{15} - 1$ किस संख्या से पूर्णतः भाज्य है?

हल : $49^1 - 1 = 48$ यह 48 के किसी भी गुणनखण्ड (2, 3, 4, 6, 8) से विभाजित हो सकता है।

7. दो अंकों की संख्या और उसे उलटने से बनी नई संख्या के अंकों का योग हमेशा 11 से विभाजित होगा।

जैसे : किसी दो अंकों की संख्या के दोनों अंकों की स्थिति अदल-बदल जाती है तो प्राप्त संख्या के अंकों का योग 66 हो जाता है तो बताओ उस संख्या के अंकों का योग क्या है?

हल : माना वह संख्या $10a + b$ है।

अंकों की स्थिति बदलने पर संख्या $= 10b + a$

अतः संख्या के अंकों का योग

$$10a + b + 10b + a = 66$$
$$11a + 11b = 66$$
$$a + b = \frac{66}{11}$$
$$a + b = 6$$

अर्थात् अंकों का योग 11 से विभाजित होगा।

वस्तुनिष्ठ प्रश्न

1. 49587 में 5 के स्थानीय मान और जातीय मान में कितना अन्तर है?
A. 495 B. 500
C. 5 D. 260
E. 261

2. $1^2+2^2+3^2+4^2+5^2+6^2+7^2+8^2$ का मान होगा:
A. 703 B. 204
C. 215 D. 804
E. 208

3. $1^3+2^3+3^3+4^3+5^3+6^3$ का मान होगा:
A. 240 B. 441
C. 305 D. 144
E. 145

4. गुणनफल $743 \times 512 \times 417 \times 215$ में इकाई का अंक क्या है?
A. 0 B. 2
C. 3 D. 5
E. 6

5. $7^{71} \times 6^{63} \times 3^{65}$ के गुणनफल में मात्रक अंक कितना होगा?
A. 1 B. 2
C. 3 D. 4
E. 5

6. $25^{6251}+36^{528}+73^{54}$ व्यंजक के मात्रकों का अंक कितना है?
A. 6 B. 5
C. 4 D. 0
E. 8

7. $17^{14} \times 15^{12} \times 14^{18}$ में कुल कितने अभाज्य गुणनखण्ड हैं?
A. 65 B. 74
C. 70 D. 84
E. 78

8. एक भिन्न का अंश 250% बढ़ा दिया जाए और हर भी 300% बढ़ा दिया जाए, तो वह भिन्न $\frac{7}{19}$ हो जाएगी, तो मूल भिन्न क्या थी?
A. $\frac{8}{19}$ B. $\frac{5}{9}$
C. $\frac{9}{5}$ D. $\frac{19}{7}$
E. इनमें से कोई नहीं

9. दो अंकों का योग 25 तथा अन्तर 13 है, तो इन अंकों का गुणनफल होगा:
A. 325 B. 315
C. 104 D. 114
E. 115

10. किसी संख्या को जब 221 से विभाजित करते हैं तो 64 शेष बचता है। यदि उस अंक को 13 से विभाजित करें, तो कितना शेष बचेगा?
A. 0 B. 1
C. 11 D. 12
E. 3

11. निम्नलिखित में * के स्थान पर क्या आएगा?

```
      8   3   5
      4   *   8
  +   9   *   4
  -------------
     22   *   7
```

A. 0 B. 4
C. 6 D. 9
E. 5

12. एक लड़के से किसी निश्चित संख्या को 25 से गुणा करने को कहा परन्तु उसने गलती से 52 से गुणा कर दिया, तो उसका प्राप्तांक सही उत्तर से 324 अधिक आया, तो बताओ वह संख्या क्या है?
A. 12 B. 15
C. 25 D. 52
E. 55

13. यदि $\frac{x}{16}=\frac{196}{x}$ हो, तो x का मान बताओ:
A. 56 B. 28
C. 24 D. 26
E. इनमें से कोई नहीं

14. संख्या $17^{1999}+11^{1999}-7^{1999}$ में इकाई के स्थान पर अंक होगा:
A. 7 B. 1
C. 5 D. 3
E. 6

15. अगर किसी संख्या का $\frac{2}{3}$ का 25%, 30 है तो वह संख्या क्या है?
A. 180 B. 90
C. 60 D. 120
E. 210

16. एक संख्या का वर्ग उस संख्या के दुगने से 8 अधिक है, तो वह संख्या है:
A. 7 B. 6
C. 5 D. 4
E. 3

17. प्रत्येक खंभा 15 मीटर की दूरी पर है, तो बताओ 315 मीटर के पुल को बनाने के लिए कितने खम्भों की आवश्यकता होगी?
A. 24 B. 22
C. 25 D. 23
E. 21

18. एक परीक्षा में एक छात्र को किसी संख्या का $\frac{3}{14}$ ज्ञात करने को कहा परन्तु उसने गलती से उसका $\frac{3}{4}$ निकाल दिया तो उसका उत्तर सही उत्तर से 150 अधिक आया तो बताओ वह संख्या क्या है?
A. 180 B. 240

C. 280 D. 290
E. इनमें से कोई नहीं

19. तीन अंकों वाली एक संख्या $2a3$ को दूसरी संख्या 326 में जोड़ने से तीन अंकों वाली संख्या $5b9$ प्राप्त होती है, यदि $5b9$, 9 से विभाजित हो जाती है, तो बताओ $5a - 2b$ का मान क्या होगा?
A. 2 B. 5
C. 7 D. 9
E. 3

20. यदि $\frac{x}{y} = \frac{5}{2}$ हो, तो $\frac{4x+2y}{4x-2y}$ का मान क्या होगा?
A. 4.5 B. 1.5
C. 0 D. 5
E. 2.5

21. $\left(1-\frac{1}{2}\right)\left(1-\frac{1}{3}\right)\left(1-\frac{1}{4}\right)\left(1-\frac{1}{5}\right)...\left(1-\frac{1}{n}\right) = ?$
A. $\frac{1}{n}$ B. $\frac{2}{n}$
C. $\frac{n}{1}$ D. $\frac{n}{3}$
E. इनमें से कोई नहीं

22. $(127^{127} + 97^{127})$ तथा $(12^{97} + 97^{97})$ का एक उभयनिष्ठ गुणनखण्ड ज्ञात करोः
A. 124 B. 224
C. 202 D. 125
E. इनमें से कोई नहीं

23. दो संख्याओं के वर्गों का योग 386 है। यदि एक संख्या 5 हो, तो दूसरी संख्या क्या है?
A. 18 B. 19
C. 15 D. 20
E. 25

24. किसी संख्या को 9 से भाग देने पर शेषफल 8 रहता है इससे प्राप्त भागफल को 11 से भाग देने पर शेषफल 9 रहता है। अब इस प्रकार प्राप्त भागफल को 13 से भाग देने पर शेषफल 8 रहता है। यदि संख्या और उत्तरोत्तर भागफलों को क्रमशः 13, 11 और 9 से भाग दें तो प्राप्त शेषफल ज्ञात करो?
A. 8, 2, 8 B. 10, 1, 6
C. 8, 9, 8 D. 8, 8, 9
E. इनमें से कोई नहीं

25. दो संख्याओं का गुणनफल 9375 है तथा बड़ी संख्या को छोटी संख्या से भाग देने पर भागफल 15 है, तो संख्याओं का योग होगा :
A. 395 B. 380
C. 400 D. 425
E. 405

26. किसी प्राकृत संख्या के वर्ग के तिगुने में से उस संख्या के चार गुने को घटाने पर प्राप्त संख्या उस संख्या से 50 अधिक है, तो वह संख्या है?
A. 4 B. 5
C. 10 D. 6
E. 7

27. $a * b = a + b + ab$ हो, तो $3 * 4 - 2 * 3$ बराबर है :
A. 6 B. 8
C. 10 D. 12
E. 14

28. किसी संख्या को दोगुना करके और उसमें 20 जोड़कर वही उत्तर प्राप्त हो, जो उस संख्या को 8 से गुणा करके और गुणनफल में से 4 घटाकर प्राप्त होती है, तो वह संख्या है :
A. 2 B. 3
C. 4 D. 6
E. 8

29. वह कौन-सी संख्या है जिसको अपने में ही 20 बार जोड़ने से परिणाम 861 आता है?
A. 40 B. 41
C. 82 D. 85
E. इनमें से कोई नहीं

30. वह छोटी से छोटी संख्या क्या है जिसे 7 से गुणा करने पर गुणनफल में केवल 9-9 के अंक हों?
A. 142857 B. 54735
C. 127347 D. 124768
E. इनमें से कोई नहीं

31. एक संख्या को 4 से भाग देने पर भागफल तथा शेषफल का योग 8 है तथा उनके वर्गों का योग 34 है, तो वह संख्या क्या है?
A. 26 B. 23
C. 73 D. 86
E. 75

32. दो अंकों की संख्या एवं उस संख्या के दोनों अंकों के योग के बीच का अनुपात 4 : 1 है, यदि इकाई स्थान पर स्थित अंक, दहाई स्थान पर स्थित अंक से 3 ज्यादा हो, तो वह संख्या क्या है?
A. 37 B. 25
C. 36 D. 63
E. 65

33. यदि a, b धनपूर्ण संख्याएँ हैं तथा $7a + 5b$, 19 से विभाज्य है, तो निम्न में से कौन-सा 19 से विभाज्य है?
A. $7a - 5b$ B. $14a + 2b$
C. $9a + 20b$ D. $13a + 6b$
E. इनमें से कोई नहीं

34. 1 से 100 तक की संख्या को लिखने में कितने अंकों की आवश्यकता होगी?
A. 180 B. 500
C. 192 D. 170
E. 190

35. दो संख्याओं का गुणनफल 1092 है और उनका योग उनके अन्तर से 42 अधिक है, तो बड़ी वाली संख्या कौन-सी है?
A. 48 B. 44
C. 52 D. 54
E. 60

36. किसी संख्या को 5 से भाग देने पर 3 शेष रहता है। यदि उसी संख्या के वर्ग को 5 से भाग दिया जाए, तो शेष क्या होगा?
A. 1 B. 2
C. 3 D. 4
E. 5

37. प्रथम विषम संख्या 1 है, द्वितीय विषम संख्या 3 है तथा इसी प्रकार आगे बढ़ते रहते हैं, तो 200वीं संख्या होगी:
A. 399 B. 421
C. 357 D. 599
E. इनमें से कोई नहीं

38. राम ने अपनी धनराशि का एक चौथाई श्याम को दे दिया। श्याम ने राम से प्राप्त धनराशि का दो पंचमांश अनिल को दे दिया। यदि अनिल को श्याम से कुल ₹ 360 रुपये प्राप्त हुए, तो राम के पास शुरू में कितनी धनराशि थी?
A. ₹ 900 B. ₹ 3900
C. ₹ 3600 D. ₹ 2600
E. इनमें से कोई नहीं

39. दो अंकों की एक संख्या में इकाई के अंक के स्थान पर 3 है तथा संख्या के अंकों का योग उस संख्या का $\frac{1}{7}$ है। तो वह संख्या कौन-सी है?
A. 83 B. 73
C. 63 D. 53
E. 43

40. एक आदमी ने 100 अंगूर 5 दिन में खाए। उसने प्रत्येक दिन उससे पहले दिन की तुलना में 6 अंगूर अधिक खाए। उसने पहले दिन कितने अंगूर खाए?
A. 8 B. 12
C. 54 D. 76
E. 44

उत्तरमाला

1	2	3	4	5	6	7	8	9	10
A	B	B	A	D	D	B	A	D	D
11	**12**	**13**	**14**	**15**	**16**	**17**	**18**	**19**	**20**
C	A	A	B	A	D	B	C	A	B
21	**22**	**23**	**24**	**25**	**26**	**27**	**28**	**29**	**30**
A	B	B	B	C	B	B	C	B	A
31	**32**	**33**	**34**	**35**	**36**	**37**	**38**	**39**	**40**
B	C	C	C	C	D	A	C	C	A

कुछ चुने हुए प्रश्नों के व्याख्यात्मक उत्तर

1. 5 का स्थानीय मान = 500 और जातीय मान 5
अन्तर = 500 – 5 = 495.

3. n घन संख्याओं का योग

$$= \left[\frac{n(n+1)}{2}\right]^2 = \left[\frac{6\times7}{2}\right]^2 = 441.$$

9. पहली संख्या $= \frac{25+13}{2} = \frac{38}{2} = 19$

दूसरी संख्या $= \frac{25-13}{2} = \frac{12}{2} = 6$

गुणनफल $= 19 \times 6 = 114.$

10. $\frac{64}{13} = 4$, शेष = 12.

13.
$$\frac{x}{16} = \frac{196}{x}$$
$$x^2 = 16 \times 196$$
$$x = \sqrt{16\times196}$$
$$x = 4 \times 14 = 56.$$

16.
$$x^2 - 2x = 8$$
$$x^2 - 2x - 8 = 0$$
$$x^2 - 4x + 2x - 8 = 0$$
$$x(x-4) + 2(x-4) = 0$$
अतः $x = 4.$

17. कुल खम्भे $= \frac{315}{15} = 21$

अर्थात् $21 + 1 = 22.$

20.
$$\frac{4x+2y}{4x-2y} = \frac{4(5)+2(2)}{4(5)-2(2)}$$
$$= \frac{20+4}{20-4} = \frac{24}{16} = 1.5.$$

23. माना दूसरी संख्या x है।
$$x^2 + (5)^2 = 386$$
$$x^2 = 386 - 25$$
$$x^2 = 361$$
$$x = 19.$$

26. माना वह संख्या x है।

$$3x^2 - 4x = x + 50$$
$$3x^2 - 5x - 50 = 0$$
$$3x^2 - 15x + 10x - 50 = 0$$
$$3x(x-5) + 10(x-5) = 0$$
$$(x-5)(3x+10) = 0$$
$$x = 5.$$

27. $a * b = a + b + ab$

तो $3 * 4 = 3 + 4 + (3)(4)$

$= 7 + 12 = 19$

तथा $2 * 3 = 2 + 3 + (2)(3)$

$= 5 + 6 = 11$

$3 * 4 - 2 * 3$

$19 - 11 = 8.$

31. माना भागफल $= x$

शेषफल $= (8 - x)$

$$(x)^2 + (8-x)^2 = 34$$
$$x^2 + 64 - 16x + x^2 = 34$$
$$2x^2 - 16x + 30 = 0$$
$$x^2 - 8x + 15 = 0$$
$$(x-3)(x-5) = 0$$

$\Rightarrow$ $x = 3$ या 5

तो संख्या = भाजक × भागफल + शेषफल

$= 4 \times 5 + 3 = 23.$

33. यदि $a = 2$ तथा $b = 1$ हो तो

$7(2) + 5(1) = 19$

19 से पूर्णतः विभाज्य है

विकल्प (C) से, $9(2) + 20(1) = 38$ जो 19 से पूर्णतः विभाज्य है।

35. $x + y - (x - y) = 42$

$$2y = 42$$
$$y = 21$$

दोनों का गुणनफल $xy = 1092$

$$21x = 1092$$
$$x = 52.$$

38.

राम	श्याम	अनिल
x	$\frac{x}{4}$	$\frac{2}{5} \times \frac{x}{4}$

$$\frac{x}{10} = 360$$

$x =$ ₹ 3600.

40. $x + x + 6 + x + 12 + x + 18 + x + 24 = 100$

$$5x + 60 = 100$$
$$5x = 40$$
$$x = 8.$$

❍❍❍

2 घातांक एवं करणी (Indices & Surds)

घातांक (Indices)

जब किसी संख्या के गुणनों को संख्या के ऊपर दिया जाए, तो वह उस संख्या का घातांक कहलाता है।

यदि x कोई संख्या तथा n कोई पूर्णांक $(n > 0)$ है, तो x^n का अर्थ है कि x को n बार गुणा किया है।

अर्थात् $x^n = x \times x \times x \times x \times \ldots.$ n बार

पद x^n में x को आधार तथा n को घातांक कहा जाता है।

घातांक के नियम

(i) $a^m \times a^n \times a^k = a^{m+n+k}$

जैसे : $2^3 \times 2^2 \times 2^4 = 2^{3+2+4}$ या 2^9

(ii) $\frac{a^m}{a^n}$ या $a^m \div a^n = a^{m-n}$

जैसे : $\frac{5^7}{5^3} = 5^{7-3}$ या 5^4

(iii) $(a^m)^n = a^{mn}$ जैसे : $(3^3)^2 = 3^{3\times 2}$ या 3^6

(iv) $a^1 = a$, जैसे : $5^1 = 5$

(v) $a^0 = 1$. (जिसकी घात शून्य हो तो उसका मान 1 होगा।) जैसे : $3^0 = 1$

(vi) घातांक वाली संख्या को ऊपर या नीचे बदलने पर उसकी घात के चिह्न (–, +) बदल जाते हैं।

$\frac{1}{a^{-n}} = a^n$ जैसे : $\frac{1}{5^{-2}} = 5^2$

(vii) $(ab)^n = a^n \,.\, b^n$

(viii) $\left(\frac{a}{b}\right)^n = \frac{a^n}{b^n}$

करणी (Surds)

यदि किसी संख्या का मूल (root) पूरी तरह से नहीं निकाला जा सके तो उसे करणी कहते हैं।

जैसे : $\sqrt[3]{4}, \sqrt[4]{5}$, यदि $\sqrt[n]{a}$ एक करणी हो, तो n को करणीघात एवं a को करणीगत कहते हैं।

प्रत्येक करणी एक अपरिमेय संख्या होती है परन्तु प्रत्येक अपरिमेय संख्या एक करणी नहीं हो सकती।

करणी के नियम

(i) $a\sqrt{x} + b\sqrt{x} + c\sqrt{x} = \sqrt{x}(a+b+c)$

जैसे : $5\sqrt{3} + 4\sqrt{3} + 2\sqrt{3} = \sqrt{3}(5+4+2)$

या $\sqrt{3}(11)$ या $11\sqrt{3}$

(ii) $\sqrt{a} \times \sqrt{b} \times \sqrt{c} = \sqrt{a \times b \times c}$

जैसे : $\sqrt{5} \times \sqrt{3} \times \sqrt{6} = \sqrt{5 \times 3 \times 6} = \sqrt{90}$

(iii) $\sqrt[n]{a} = a^{\frac{1}{n}}$ जैसे : $\sqrt{3} = 3^{\frac{1}{2}}, \sqrt[3]{5} = 5^{\frac{1}{3}}$

(iv) $\left(\sqrt[n]{a}\right)^n = \left(a^{\frac{1}{n}}\right)^n = a$

(v) $\sqrt[n]{\frac{a}{b}} = \frac{\sqrt[n]{a}}{\sqrt[n]{b}}$ जैसे : $\sqrt[3]{\frac{49}{15}} = \frac{\sqrt[3]{49}}{\sqrt[3]{15}}$

(vi) $\sqrt[m]{\sqrt[n]{a}} = \sqrt[mn]{a}$ जैसे : $\sqrt[3]{\sqrt[2]{45}} = \sqrt[3\times 2]{45}$ या $\sqrt[6]{45}$

इस प्रकार के प्रश्नों को हल करने के लिए निम्न मानों को याद रखें :

$\sqrt{2} = 1.414$ $\quad\sqrt{3} = 1.732$ $\quad\sqrt{5} = 2.236$

$\sqrt{6} = 2.449$ $\quad\sqrt{7} = 2.645$ $\quad\sqrt{8} = 2.828$

साधित उदाहरण

1. $2^3 \times 2^4 \times 2^{-5}$ का मान कितना होगा?

हल : $\because 2^3 \times 2^4 \times 2^{-5} = 2^{3+4-5} = 2^2 = 4$

$[\because x^a \times x^b \times x^c = x^{a+b+c}]$

2. $\left[\left(x^{-2/3}\right)^{-5/3}\right]^{9/10}$ का मान कितना होगा?

हल : $\because \left[\left(x^{-2/3}\right)^{-5/3}\right]^{9/10} = x^{\frac{-2}{3}\times\frac{-5}{3}\times\frac{9}{10}}$

$$= x^{\frac{10\times 9}{9\times 10}} = x^{+1} = x.$$

3. यदि $\sqrt{0.04\times 0.4\times a} = 0.4\times 0.04\times\sqrt{b}$ हो, तो $\frac{a}{b}$ का मान क्या होगा?

हल : $\because \sqrt{0.04\times 0.4\times a} = 0.4\times 0.04\times\sqrt{b}$

$$\Rightarrow \left(\sqrt{0.04\times 0.4\times a}\right)^2 = \left(0.4\times 0.04\times\sqrt{b}\right)^2$$

$$\Rightarrow 0.04\times 0.4\times a = (0.4)^2\times(0.04)^2\times b$$

$$\Rightarrow \frac{a}{b} = \frac{(0.4)^2\times(0.04)^2}{(0.04)\times(0.4)}$$

$$= 0.4\times 0.04 = 0.016.$$

अतः $\frac{a}{b}$ का मान = 0.016 होगा।

4. $\sqrt{\frac{4}{3}}-\sqrt{\frac{3}{4}}$ का मान ज्ञात करो।

हल : $\because \sqrt{\frac{4}{3}} = \sqrt{\frac{2\times 2}{3}} = \frac{2}{\sqrt{3}}$

तथा $\sqrt{\frac{3}{4}} = \sqrt{\frac{3}{2\times 2}} = \frac{\sqrt{3}}{2}$

$$\therefore \sqrt{\frac{4}{3}}-\sqrt{\frac{3}{4}} = \frac{2}{\sqrt{3}}-\frac{\sqrt{3}}{2}$$

$$= \frac{4-\sqrt{3}\times\sqrt{3}}{2\sqrt{3}} = \frac{4-3}{2\sqrt{3}} = \frac{1}{2\sqrt{3}}.$$

5. यदि $(243)^{0.12}\times(243)^{0.08} = x$ हो, तो x का मान कितना होगा?

हल : $\because (243)^{0.12}\times(243)^{0.08} = (243)^{0.12+0.08}$

$$(243)^{0.2} = (243)^{\frac{2}{10}} = (243)^{\frac{1}{5}}$$

$$= \left(3^5\right)^{\frac{1}{5}} = 3^{5\times\frac{1}{5}} = 3$$

अतः x का मान 3 के बराबर होगा।

6. यदि $\sqrt{5} = 2.24$ हो, तो $\frac{3\sqrt{5}}{2\sqrt{5}-0.18}$ का मान कितना होगा?

हल : $\because \sqrt{5} = 2.24$

$$\therefore \frac{3\sqrt{5}}{2\sqrt{5}-0.18} = \frac{3\times 2.24}{2\times 2.24-0.18}$$

$$= \frac{6.72}{4.48-0.18}$$

$$= \frac{6.72}{4.30} = 1.562$$

अतः $\frac{3\sqrt{5}}{2\sqrt{5}-0.18}$ का मान = 1.562 होगा।

7. यदि $\sqrt{1+\frac{27}{169}} = 1+\frac{x}{13}$ हो, तो x का मान क्या होगा?

हल : $\because \sqrt{1+\frac{27}{169}} = 1+\frac{x}{13}$

$$\therefore \sqrt{\frac{169+27}{169}} = 1+\frac{x}{13}$$

$$\therefore \sqrt{\frac{196}{169}} = 1+\frac{x}{13}$$

$$\therefore \frac{14}{13} = 1+\frac{x}{13}$$

$$\therefore \frac{x}{13} = \frac{14}{13}-1 = \frac{1}{13}$$

$$\therefore x = \frac{1}{13}\times 13 = 1$$

अतः x का मान = 1 होगा।

8. यदि $\frac{x}{y} = \frac{3}{4}$ हो, तो $\frac{6}{7}+\left(\frac{y-x}{y+x}\right)$ का मान कितना होगा?

हल : $\because \frac{x}{y} = \frac{3}{4}$ (दिया हुआ है)

$$\therefore \frac{y-x}{y+x} = \frac{4-3}{4+3} = \frac{1}{7}$$

$$\therefore \frac{6}{7}+\left(\frac{y-x}{y+x}\right) = \frac{6}{7}+\frac{1}{7} = \frac{7}{7} = 1$$

अतः $\frac{6}{7}+\left(\frac{y-x}{y+x}\right)$ का मान = 1 होगा।

9. यदि $\sqrt{6} = 2.4517$ हो, तो $\frac{\sqrt{3}-\sqrt{2}}{\sqrt{3}+\sqrt{2}}$ का दशमलव के तीन स्थान तक सही मान क्या होगा?

हल : $\because \frac{\sqrt{3}-\sqrt{2}}{\sqrt{3}+\sqrt{2}} = \frac{\sqrt{3}-\sqrt{2}}{\sqrt{3}+\sqrt{2}}\times\frac{\sqrt{3}-\sqrt{2}}{\sqrt{3}-\sqrt{2}}$

$$= \frac{3+2-2\sqrt{6}}{3-2} = \frac{5-2\sqrt{6}}{1} = 5-2\sqrt{6}$$

$$= 5-2\times 2.4517 = 5-4.9034 = .0966$$

$\therefore$ दशमलव के तीन स्थान तक सही मान = .097 होगा।

वस्तुनिष्ठ प्रश्न

1. $\left(\frac{8}{125}\right)^{\frac{-4}{3}} = ?$

A. $\frac{625}{16}$ B. $\frac{625}{8}$
C. $\frac{625}{32}$ D. $\frac{16}{625}$
E. इनमें से कोई नहीं

2. $(4)^{0.5} \times (0.5)^4$ का मान है:

A. 1 B. 0.1250
C. $\frac{1}{16}$ D. $\frac{1}{32}$
E. इनमें से कोई नहीं

3. $(-3)^2 + 3^{-2} - 3^2 = ?$

A. –9 B. 3
C. 3^{-2} D. 2
E. इनमें से कोई नहीं

4. यदि $\frac{(x^3)^3 \times x^5}{x^4} = x^n$ हो, तो n का मान है:

A. 10 B. 7
C. 9 D. 5
E. इनमें से कोई नहीं

5. $16^{(-2)^{(-2)}}$ बराबर है:

A. 16^4 B. $\frac{1}{256}$
C. 16 D. 2
E. 4

6. $\frac{\sqrt{80}-\sqrt{112}}{\sqrt{45}-\sqrt{63}} = ?$

A. $\frac{3}{4}$ B. $1\frac{3}{4}$
C. $1\frac{1}{3}$ D. $1\frac{7}{9}$
E. इनमें से कोई नहीं

7. $\left(\sqrt{72}-\sqrt{18}\right) \div \sqrt{12}$ का मान होगा:

A. $\sqrt{6}$ B. $\frac{\sqrt{3}}{2}$
C. $\frac{\sqrt{2}}{3}$ D. $\frac{\sqrt{6}}{2}$
E. इनमें से कोई नहीं

8. यदि $27^{2x-1} = (243)^3$ हो, तो x का मान होगा :

A. 6 B. 9
C. 7 D. 3
E. 11

9. $\sqrt{2^n} = 64$ हो, तो n का मान है :

A. 2 B. 4
C. 6 D. 12
E. 8

10. वह संख्या जिसे $\left(\sqrt{3}+\sqrt{2}\right)$ के साथ गुणा करने पर $\left(\sqrt{12}+\sqrt{18}\right)$ प्राप्त होता है, है :

A. $3\sqrt{2}-2\sqrt{3}$ B. $3\sqrt{2}+2\sqrt{3}$
C. $\sqrt{6}$ D. $2\sqrt{3}-3\sqrt{2}$
E. इनमें से कोई नहीं

11. यदि $a = \frac{\sqrt{3}}{2}$ हो, तो $\sqrt{1+a}+\sqrt{1-a}$ का मान होगा :

A. $\sqrt{3}$ B. $\frac{\sqrt{3}}{2}$
C. $2+\sqrt{3}$ D. $2-\sqrt{3}$
E. इनमें से कोई नहीं

12. यदि $\frac{4^n \times 4^8 - 4^{(n+1)}}{4 \times 4^{n+7}} = x$ हो, तो $x \times 4^7$ का मान होगा :

A. $(4^7 - 1)$ B. $(4^6 - 1)$
C. $(4^5 - 1)$ D. $(4^{10} - 1)$
E. इनमें से कोई नहीं

13. यदि $\sqrt[3]{3} \times 3^3 \div 3^{\frac{-3}{2}} = 3^{a+1}$ हो, तो a का मान कितना होगा?

A. $\frac{23}{6}$ B. $\frac{27}{6}$
C. $\frac{29}{6}$ D. $\frac{25}{6}$
E. इनमें से कोई नहीं

14. यदि $2^{x+6} = 8^{x+1}$ हो, तो x का मान है :

A. $\frac{3}{2}$ B. $\frac{5}{2}$
C. $\frac{7}{2}$ D. $\frac{9}{2}$
E. इनमें से कोई नहीं

15. यदि $2^{2x-y} = 16$ और $2^{x+y} = 32$, तो xy का मान है :

A. 2 B. 4
C. 6 D. 8
E. 10

16. $\sqrt[4]{3}, \sqrt[6]{10}, \sqrt[12]{25}$ को अवरोही क्रम में लिखोः

A. $\sqrt[4]{3} > \sqrt[6]{10} > \sqrt[12]{25}$

B. $\sqrt[6]{10} > \sqrt[4]{3} > \sqrt[12]{25}$

C. $\sqrt[12]{25} > \sqrt[6]{10} > \sqrt[4]{3}$

D. $\sqrt[12]{25} > \sqrt[4]{3} > \sqrt[6]{10}$

E. इनमें से कोई नहीं

17. निम्नलिखित में से कौन-सा एक सही है?

A. $\sqrt{2} < \sqrt[3]{3} < \sqrt[6]{3}$ B. $\sqrt[6]{6} < \sqrt[3]{3} < \sqrt{2}$

C. $\sqrt{2} < \sqrt[6]{6} < \sqrt[3]{3}$ D. $\sqrt[6]{6} < \sqrt{2} < \sqrt[3]{3}$

E. इनमें से कोई नहीं

18. यदि $5^{\sqrt{x}} + 12^{\sqrt{x}} = 13^{\sqrt{x}}$ हो, तो x का मान होगा :

A. $\frac{25}{4}$ B. 4

C. 9 D. 16

E. 20

19. $(\sqrt{16}-\sqrt{15}), (\sqrt{9}-\sqrt{8}), (\sqrt{4}-\sqrt{3})$ में कौन-सा मान बड़ा है?

A. $(\sqrt{4}-\sqrt{3})$ B. $(\sqrt{9}-\sqrt{8})$

C. $(\sqrt{16}-\sqrt{15})$ D. सभी बराबर है।

E. इनमें से कोई नहीं

20. $\left[\frac{3\sqrt{2}}{\sqrt{3}+\sqrt{6}} - \frac{4\sqrt{3}}{\sqrt{6}+\sqrt{2}} + \frac{\sqrt{6}}{\sqrt{2}+\sqrt{3}}\right]$ का सरलीकृत मान है :

A. $\sqrt{6}$ B. $\sqrt{3}$

C. $\sqrt{2}$ D. 0

E. इनमें से कोई नहीं

21. यदि $P = 999$ हो, तो $\sqrt[3]{P(P^2+3P+3)+1}$ का मान होगा :

A. 1000 B. 999

C. 998 D. 1002

E. 1001

22. निम्नलिखित में से कौन सबसे बड़ा है?

A. $3^{2^{2^2}}$ B. $\left[\left\{(3)^2\right\}^2\right]^2$

C. 3^{222} D. 3222

E. इनमें से कोई नहीं

23. यदि $x = \frac{\sqrt{3}+1}{\sqrt{3}-1}$ और $y = \frac{\sqrt{3}-1}{\sqrt{3}+1}$ हो, तो $x^2 + y^2$ का मान है :

A. 14 B. 15

C. 13 D. 10

E. 11

24. $\left[2^{2^3} - (2^3)^2 - 192\right] = ?$

A. 0 B. 4

C. 2 D. 6

E. 8

25. यदि $x = 3 + \sqrt{8}$ हो, तो $x^2 + \frac{1}{x^2}$ का मान होगा :

A. 38 B. 36

C. 34 D. 35

E. 37

26. $\sqrt[3]{\sqrt{4}+\sqrt{36}}$ का मान होगा :

A. 2 B. 1

C. 3 D. 4

E. 5

27. $\frac{1}{3-\sqrt{8}} - \frac{1}{\sqrt{8}-\sqrt{7}} + \frac{1}{\sqrt{7}-\sqrt{6}} - \frac{1}{\sqrt{6}-\sqrt{5}} + \frac{1}{\sqrt{5}-2}$

का मान कितना होगा?

A. 5 B. 4

C. 3 D. 2

E. 6

28. यदि $\sqrt{12} = 3.46$ हो, तो $16\sqrt{\frac{3}{4}} - 9\sqrt{\frac{4}{3}}$ का मान है :

A. 3.46 B. 10.38

C. 13.84 D. 24.22

E. इनमें से कोई नहीं

29. $\sqrt[3]{2} \times \sqrt[4]{2} \times \sqrt[12]{32}$ का मान है :

A. 16 B. 8

C. 4 D. 2

E. 32

30. यदि $x = 0.5, y = 0.2$ हो, तो $\sqrt{0.6} \times (3y)^x$ का मान क्या होगा?

A. 1.0 B. 0.5

C. 0.6 D. 1.1

E. 0.7

निर्देश (प्र.सं. 31-70): *निम्नलिखित प्रश्नों में (?) के स्थान पर क्या आयेगा?*

31. (34.5 × 14 × 42) + 2.8 = ?

A. 7445 B. 7425

C. 7245 D. 7435

E. इनमें से कोई नहीं

32. –676.76 + 1237.87 + 897.34 – ? = 1294.25

A. 168.2 B. 164.2

C. 154.2 D. 164.8

E. इनमें से कोई नहीं

33. $\{4624 \div (564 - 428)\}$ का $\frac{3}{8} = ?$

A. 11.75 B. 12.57
C. 21.75 D. 12.75
E. इनमें से कोई नहीं

34. $\frac{6 \times 136 \div 81 + 132}{628 \div 16 - 26.25} = ?$

A. 18 B. 17
C. 28 D. 19
E. इनमें से कोई नहीं

35. $(216)^4 \div (36)^4 \times 6^5 = (6)^?$

A. 8 B. 9
C. 7 D. 10
E. 11

36. $456 \div 24 \times 38 - 958 + 364 = ?$

A. 228 B. 124
C. 128 D. 138
E. 145

37. $3\frac{6}{17} \div 2\frac{7}{34} - 1\frac{9}{25} = (?)^2$

A. $\frac{2}{5}$ B. $\frac{3}{5}$
C. $\frac{5}{2}$ D. $\frac{5}{3}$
E. $\frac{4}{7}$

38. $(973 \div 14) \div 5 \times 11 = ?$

A. 152.2 B. 152.9
C. 159.2 D. 195.2
E. इनमें से कोई नहीं

39. $\frac{\sqrt{4356} \times \sqrt{?}}{\sqrt{6084}} = 11$

A. 196 B. 125
C. 169 D. 225
E. 81

40. $(43)^2 + 841 = (?)^2 + 1465$

A. 15 B. 65
C. 45 D. 35
E. 25

41. $4\frac{1}{2} + \left(1 + 2\frac{8}{9}\right) - 3\frac{1}{13} = ?$

A. $\frac{23}{13}$ B. $\frac{13}{23}$
C. $\frac{25}{13}$ D. $\frac{25}{26}$
E. इनमें से कोई नहीं

42. $\left\{(441)^{\frac{1}{2}} \times 207 \times (343)^{\frac{1}{3}}\right\} \div \left\{(14)^2 \times (529)^{\frac{1}{2}}\right\} = ?$

A. 5.75 B. 6.75
C. 7.75 D. 6.25
E. 6.50

43. $(1097.63 + 2197.36 - 2607.24) \div 3.5 = ?$

A. 196.5 B. 186.5
C. 196.75 D. 200.5
D. 136.5

44. $\left\{\sqrt{7744} \times 11^2\right\} \div 2^3 = (?)^3$

A. 121 B. 11
C. 9 D. 12
E. 17

45. $3\frac{3}{8} \times 6\frac{5}{12} - 2\frac{3}{16} \times 3\frac{1}{2} = ?$

A. 16 B. 12
C. 14 D. 18
E. 17

46. $\frac{12}{13} + \frac{1}{26} + 1\frac{1}{13} = ?$

A. $1\frac{1}{26}$ B. $2\frac{1}{26}$
C. $1\frac{3}{26}$ D. $\frac{11}{26}$
E. इनमें से कोई नहीं

47. $4 \times 566 \div 5 + 24.2 - 36 = (?)^2$

A. 20 B. 21
C. 22 D. 23
E. 25

48. $5252 + 2525 = ? \times 25$

A. 310.8 B. 311.8
C. 311.08 D. 312.8
E. 312.08

49. $8 \times ? = 4888 \div 4$

A. 150.75 B. 125.75
C. 125.05 D. 152.75
E. इनमें से कोई नहीं

50. $39254 + 5217 - 2286 = ? \times 50$

A. 813.7 B. 843.7
C. 834.7 D. 943.77
E. इनमें से कोई नहीं

51. $(62.5 \times 14 \times 5) \div 25 + 41 = (?)^3$

A. 4 B. 5
C. 9 D. 8
E. 6

52. $(23 \times 23 \times 23 \times 23 \times 23 \times 23)^5 \times (23 \times 23)^2 \div (23)^2 = (23)^?$
A. 32 B. 30
C. 9 D. 7
E. 11

53. 510 का 27% + ? = 266.3
A. 182.6 B. 122.6
C. 123.6 D. 128.6
E. इनमें से कोई नहीं

54. $2\sqrt{2}\times3\sqrt{3}\times7\sqrt{2}\times4\sqrt{3}=?$
A. 1080 B. 1008
C. 1800 D. $40\sqrt{3}$
E. $168\sqrt{6}$

55. 222 का $\frac{3}{5}$ का $\frac{4}{9}$ का $\frac{5}{8}=?$
A. 42 B. 43
C. 39 D. 37
E. इनमें से कोई नहीं

56. 6.2 × 5.5 × 4.5 = ?
A. 154.35 B. 145.54
C. 155.54 D. 135.45
E. इनमें से कोई नहीं

57. $7\frac{1}{7}-3\frac{1}{14}+2\frac{2}{7}=?$
A. $6\frac{5}{14}$ B. $4\frac{5}{14}$
C. $2\frac{3}{14}$ D. $7\frac{11}{14}$
E. इनमें से कोई नहीं

58. $\frac{1}{5}\times\frac{5}{7}\div\frac{6}{7}=?$
A. $\frac{1}{5}$ B. $\frac{3}{5}$
C. $\frac{1}{6}$ D. $\frac{2}{7}$
E. इनमें से कोई नहीं

59. 2615 – 4361 + 2881 = ? × 20
A 65.75 B. 58.75
C. 54.25 D. 64.25
E. इनमें से कोई नहीं

60. 3.5 × (48 ÷ 1.5) = ?
A. 111 B. 112
C. 121 D. 122
E. इनमें से कोई नहीं

61. 705 का 16.8% = ?
A. 116.88 B. 109.66
C. 118.44 D. 121.22
E. इनमें से कोई नहीं

62. 190 का 13% + ? = 111
A. 68.7 B. 93.3
C. 24.7 D. 71.3
E. इनमें से कोई नहीं

63. 628.88 – 410.25 + 153.05 = ?
A. 371.68 B. 56.58
C. 317.68 D. 65.58
E. इनमें से कोई नहीं

64. $(5 \times 5 \times 5 \times 5 \times 5 \times 5)^2 \times (5 \times 5 \times 5 \times 5)^8 \div (5 \times 5)^3 = (25)^?$
A. 22 B. 13
C. 17 D. 19
E. इनमें से कोई नहीं

65. $\sqrt{?}-12=\sqrt{1296}$
A. $\sqrt{2304}$ B. $(48)^2$
C. $\sqrt{48}$ D. 48
E. इनमें से कोई नहीं

66. 8282 + 2828 = ? × 40
A. 277.75 B. 257.75
C. 277.25 D. 257.25
E. इनमें से कोई नहीं

67. 420 का 5% × 150 का ?% = 252
A. 12 B. 5
C. 6 D. 8
E. इनमें से कोई नहीं

68. 25 ÷ 0.5 – 0.5 = ?
A. 25 B. 0
C. 36.5 D. 49.5
E. इनमें से कोई नहीं

69. 5 × ? = 2862 ÷ 3
A. 4770 B. 195.4
C. 4077 D. 170.6
E. इनमें से कोई नहीं

70. 8080 ÷ 80 ÷ 8 = ?
A. 880 B. 12.625
C. 808 D. 16.225
E. इनमें से कोई नहीं

निर्देश (प्र.सं. 71 से 75): *निम्नलिखित प्रश्नों में प्रश्नचिह्न (?) के स्थान पर **लगभग** क्या मूल्य आयेगा? (नोटः तथ्यतः मूल्य की गणना अपेक्षित नहीं है।)*

71. 9125 ÷ 90 ÷ 9 = ?
A. 27 B. 3

C. 7 D. 21
E. 11

72. $6666.009 - 585.999 - 79.989 = ?$
A. 5000 B. 5500
C. 6500 D. 4500
E. 6000

73. $11.003 \times 10.998 + 111.010 = ?$
A. 255 B. 195
C. 230 D. 270
E. 210

74. $(14.5)^2 = ?$
A. 235 B. 190
C. 250 D. 185
E. 210

75. $765.0003 \div 44.999 = ?$
A. 17 B. 11
C. 6 D. 22
E. 30

उत्तरमाला

1	2	3	4	5	6	7	8	9	10
A	B	C	A	D	C	D	D	D	C
11	**12**	**13**	**14**	**15**	**16**	**17**	**18**	**19**	**20**
A	A	A	A	C	B	D	B	A	D
21	**22**	**23**	**24**	**25**	**26**	**27**	**28**	**29**	**30**
A	C	A	A	C	A	A	A	D	C
31	**32**	**33**	**34**	**35**	**36**	**37**	**38**	**39**	**40**
E	A	D	C	C	C	B	B	C	D
41	**42**	**43**	**44**	**45**	**46**	**47**	**48**	**49**	**50**
A	C	D	B	B	B	B	C	D	B
51	**52**	**53**	**54**	**55**	**56**	**57**	**58**	**59**	**60**
E	A	D	B	D	E	A	C	E	B
61	**62**	**63**	**64**	**65**	**66**	**67**	**68**	**69**	**70**
C	E	A	D	B	A	D	D	E	B
71	**72**	**73**	**74**	**75**					
E	E	C	E	A					

कुछ चुने हुए प्रश्नों के व्याख्यात्मक उत्तर

3. $(-3)^2 + 3^{-2} - 3^2 = 9 + 3^{-2} - 9 = 3^{-2}.$

4. $\dfrac{(x^3)^3 \times x^5}{x^4}$

$$= x^{9+5-4}$$
$$= x^{10}$$

अतः $n = 10.$

5. $16^{(-2)^{(-2)}} = 16^{\left(-\frac{1}{2}\right)^2} = 16^{\frac{1}{4}}$

$$= \left(2^4\right)^{\frac{1}{4}} = 2.$$

8. $27^{2x-1} = (243)^3$

$$(3^3)^{2x-1} = (3^5)^3$$
$$3^{6x-3} = 3^{15}$$
$$6x - 3 = 15$$
$$6x = 18$$
$$x = 3.$$

9. $\sqrt{2^n} = 64 \Rightarrow 2^{\frac{n}{2}} = 2^6$

$$\frac{n}{2} = \frac{6}{1}$$

$\Rightarrow$ $n = 12.$

10. अभीष्ट संख्या $= \dfrac{\sqrt{12}+\sqrt{18}}{\sqrt{3}+\sqrt{2}}$

$$= \frac{\sqrt{2\times2\times3}+\sqrt{3\times3}}{\sqrt{3}+\sqrt{2}}$$

$$= \frac{2\sqrt{3}+3\sqrt{2}}{\sqrt{3}+\sqrt{2}} \times \frac{\sqrt{3}-\sqrt{2}}{\sqrt{3}-\sqrt{2}}$$

$$= 6 + 3\sqrt{6} - 2\sqrt{6} - 6 = \sqrt{6}.$$

13. $\sqrt[3]{3}\times 3^3 \div 3^{\frac{-3}{2}} = 3^{a+1}$

$3^{\frac{1}{3}}\times 3^3\times 3^{\frac{3}{2}} = 3^{a+1}$

$3^{\frac{29}{6}} = 3^{a+1}$

$a+1 = \frac{29}{6} \Rightarrow a = \frac{23}{6}.$

18. $5^{\sqrt{x}}+12^{\sqrt{x}} = 13^{\sqrt{x}}$

यहाँ $\sqrt{x} = 4$ होगा

क्योंकि $5^2+12^2 = 13^2.$

19. इस प्रकार के प्रश्नों में जो छोटा दिखाई देता है वह ही अधिक होगा।

22. $3^{2^{2^2}} = 3^{2^4} = 3^{16}$

$\left[\left\{(3)^2\right\}^2\right]^2 = 3^8$

अतः 3^{16}, 3^8, 3^{222} व 3222 में सबसे बड़ा 3^{222} है।

24. $\left[2^{2^3}-(2^3)^2-192\right]$

$= 2^8-2^6-192$

$= 256-64-192 = 0$

यहाँ ध्यान रखना है—जब घातों के मध्य कोई कोष्ठक नहीं हो तो घात समझेंगे, यदि घातों के मध्य कोष्ठक है तो गुणा करेंगे।

26. $\sqrt[3]{\sqrt{4}+\sqrt{36}} = \sqrt[3]{2+6} = \sqrt[3]{8} = 2.$

29. $\sqrt[3]{2}\times\sqrt[4]{2}\times\sqrt[12]{32}$

$= 2^{\frac{1}{3}}\times 2^{\frac{1}{4}}\times 32^{\frac{1}{12}} = 2^{\frac{1}{3}+\frac{1}{4}+\frac{5}{12}} = 2^1 = 2.$

46. $\frac{12}{13}+\frac{1}{26}+\frac{14}{13} = x$

$\Rightarrow \frac{24+1+28}{26} = x \Rightarrow \frac{53}{26} = x$

$\Rightarrow x = \frac{53}{26} = 2\frac{1}{26}$

47. $4\times 566\div 5+24.2-36 = x^2$

$\Rightarrow \frac{4\times 566}{5}+\frac{242}{10}-36 = x^2$

$\Rightarrow \frac{2264}{5}+\frac{242}{10}-36 = x^2$

$\Rightarrow \frac{4528+242-360}{10} = x^2$

$\Rightarrow \frac{4770-360}{10} = x^2$

$\Rightarrow \frac{4410}{10} = x^2$

$\Rightarrow 441 = x^2$

$\Rightarrow x = \sqrt{441} = 21.$

48. $5252+2525 = x\times 25$

$\Rightarrow 7777 = x\times 25$

$\Rightarrow x = \frac{7777\times 4}{25\times 4}$

$= \frac{31108}{100} = 311.08$

49. $8\times x = 4888\div 4$

$8x = 1222$

$x = \frac{1222}{8} = 152.75$

50. $39254+5217-2286 = x\times 50$

$\Rightarrow 44471-2286 = 50x$

$\Rightarrow 42185 = 50x$

$\Rightarrow x = \frac{42185}{50}$

$= \frac{8437}{10} = 843.7$

51. $(62.5\times 14\times 5)\div 25+41 = x^3$

$\Rightarrow \left(\frac{625}{10}\times 70\right)\div 25+41 = x^3$

$\Rightarrow \frac{625\times 7}{25}+41 = x^3$

$\Rightarrow 25\times 7+41 = x^3$

$\Rightarrow 175+41 = x^3$

$\Rightarrow 216 = x^3$

$\Rightarrow x = \sqrt[3]{216} = 6$

52. $(23\times 23\times 23\times 23\times 23\times 23)^5\times(23\times 23)^2\div(23)^2 = 23^x$

$\Rightarrow \left(23^6\right)^5\times\left(23^2\right)^2\div\left(23\right)^2 = 23^x$

$\Rightarrow 23^{30+4-2} = 23^x$

$\Rightarrow 23^{32} = 23^x \Rightarrow x = 32$

53. 510 का $27\%+x = 266.3$

$\Rightarrow 510\times\frac{27}{100}+x = 266.3$

$\Rightarrow 137.7+x = 266.3$

$\Rightarrow x = 266.3-137.7 = 128.6$

54. $2\sqrt{2}\times 3\sqrt{3}\times 7\sqrt{2}\times 4\sqrt{3} = x$

$\Rightarrow \left(2\sqrt{2}\times 7\sqrt{2}\right)\times\left(3\sqrt{3}\times 4\sqrt{3}\right) = x$

$\Rightarrow 28\times 36 = x \Rightarrow x = 1008$

55. 222 का $\frac{3}{5}$ का $\frac{4}{9}$ का $\frac{5}{8} = x$

$\Rightarrow 222\times\frac{3}{5}\times\frac{4}{9}\times\frac{5}{8}=x$

$\Rightarrow \frac{111}{3}=x \Rightarrow x=37$

56. ? = 6.2 × 5.5 × 4.5 = 153.45.

57. $? = 7+\frac{1}{7}-3-\frac{1}{14}+2+\frac{2}{7}$

$= (9-3)+\left(\frac{1}{7}-\frac{1}{14}+\frac{2}{7}\right)$

$= 6+\left(\frac{2-1+4}{14}\right)=6+\frac{5}{14}=6\frac{5}{14}$

58. $? = \frac{1}{5}\times\frac{5}{7}\times\frac{7}{6}=\frac{1}{6}$

59. 2615 − 4361 + 2881 = ? × 20

$\Rightarrow$ 1135 = ? × 20

$\therefore \quad ? = \frac{1135}{20}=56.75$

60. $? = 3.5\times\left(\frac{48}{1.5}\right) = 3.5\times 32 = 112$

61. $? = \frac{705\times16.8}{100}=118.44$

62. $\frac{190\times13}{100}+?=111$

$\Rightarrow$ 24.70 + ? = 111

$\Rightarrow$? = 111 − 24.70 = 86.3

63. ? = 628.88 − 410.25 + 153.05 = 371.68.

64. $\left((25)^3\right)^2\times(25^2)^8\div(25)^3=(25)^?$

$\Rightarrow 25^6\times25^{16}\div25^3=(25)^?$

$\Rightarrow 25^{6+16-3}=25^? \Rightarrow 25^{19}=25^?$

$\Rightarrow ? = 19$

65. $\sqrt{?}-12=\sqrt{1296}$

$\Rightarrow \sqrt{?}-12=36$

$\Rightarrow \sqrt{?}=36+12=48$

$\therefore ? = 48\times48=(48)^2$

66. 8282 + 2828 = ? × 40

$\Rightarrow$ 11110 = ? × 40

$\Rightarrow ? = \frac{11110}{40}=277.75$

67. $\frac{420\times5}{100}\times\frac{150\times?}{100}=252$

$\Rightarrow$ 31.5 × ? = 252

$\Rightarrow ? = \frac{252}{31.5}=8$

68. $? = \frac{25}{0.5}-0.5=50-0.5=49.5$

69. $5\times?=\frac{2862}{3}=954$

$\Rightarrow ? = \frac{954}{5}=190.8$

70. $? = \frac{8080}{80\times8}=12.625$

71. $? = \frac{9125}{90\times9}=11$

72. ? ≈ 6666 − 586 − 80 ≈ 6000

73. ? ≈ 11 × 11 + 111

≈ 121 + 111 ≈ 232 ≈ 230

74. $? = (14.5)^2 \approx 210 < 225 = (15)^2$

75. ? = 765 ÷ 45 ≈ 17

○○○

3 सरलीकरण (Simplification)

यदि किसी प्रश्न में जोड़, घटाव, गुणा, भाग अर्थात् सारी क्रियाएं एक साथ हों, तो उन्हें एक निश्चित क्रम के अनुसार हल करते हैं।

V	—	Vinculum (बार)
B	—	Brackets
O	—	Of (का)
D	—	Division
M	—	Multiplication
A	—	Addition
S	—	Subtraction

अर्थात् सबसे पहले (—) बार, फिर Brackets (कोष्ठक), फिर of (का, की), Division (भाग), Multiplication (गुणा), Addition (जोड़), अन्त में Sabtraction (घटाव) को हल करते हैं।

साधित उदाहरण

1. यदि $\sqrt{?}+640\div16=7\times10-13$ हो, तो प्रश्नचिह्न (?) के स्थान पर मान क्या आएगा?

हल : $\because \quad \sqrt{?}+640\div16=\sqrt{?}+\frac{640}{16}=\sqrt{?}+40$

तथा $\quad 7\times10-13=70-13=57$

['BODMAS' शब्द के अनुसार],

$\therefore \quad \sqrt{?}+640\div16=7\times10-13$

$\Rightarrow \quad \sqrt{?}+40=57$

$\therefore \quad \sqrt{?}=57-40=17$

$\Rightarrow \quad ?=17\times17=289$

अतः प्रश्नचिह्न (?) के स्थान पर मान = 289 आएगा।

2. $6\frac{1}{2}+3\frac{1}{4}\div2\frac{3}{5}\times\frac{4}{5}=?$ हो, तो प्रश्नसूचक (?) के स्थान पर मान कितना होगा?

हल : 'BODMAS' शब्द के अनुसार सबसे पहले 'भाग', फिर 'गुणा' और उसके बाद जोड़ होगा।

$$\therefore 6\frac{1}{2}+3\frac{1}{4}\div2\frac{3}{5}\times\frac{4}{5}=\frac{13}{2}+\frac{13}{4}\div\frac{13}{5}\times\frac{4}{5}$$

$$=\frac{13}{2}+\frac{13/4}{13/5}\times\frac{4}{5}=\frac{13}{2}+\frac{5}{4}\times\frac{4}{5}=\frac{13}{2}+1=\frac{15}{2}=7\frac{1}{2}.$$

अतः प्रश्न सूचक (?) के स्थान पर मान

$=7\frac{1}{2}$ होगा।

3. $\left(1\frac{3}{5}-\frac{2}{3}\div\frac{12}{13}+\frac{7}{5}\times\frac{1}{3}\right)$ किसके बराबर होगा?

हल : $\because 1\frac{3}{5}-\frac{2}{3}\div\frac{12}{13}+\frac{7}{5}\times\frac{1}{3}$

$$=\frac{8}{5}-\frac{2}{3}\div\frac{12}{13}+\frac{7}{5}\times\frac{1}{3}=\frac{8}{5}-\frac{2/3}{12/13}+\frac{7}{5}\times\frac{1}{3}$$

$$=\frac{8}{5}-\frac{13}{18}+\frac{7}{5}\times\frac{1}{3}=\frac{144-65+42}{90}$$

$$=\frac{121}{90}=1\frac{31}{90}.$$

4. $5+4\times2\div8\times4-3$ का मान क्या होगा?

हल : $5+4\times2\div8\times4-3=5+4\times\frac{2}{8}\times4-3=5+4-3=6$

अतः $5+4\times2\div8\times4-3$ का मान 6 होगा।

5. $1\frac{3}{4}-\left[3\frac{1}{8}\div\left\{6-\left(2\frac{3}{4}-\frac{11}{12}\right)\right\}\right]$ को सरल करो।

हल : $\frac{7}{4}-\left[\frac{25}{8}\div\left\{6-\left(\frac{11}{4}-\frac{11}{12}\right)\right\}\right]$

$$=\frac{7}{4}-\left[\frac{25}{8}\div\left\{6-\frac{11}{6}\right\}\right]=\frac{7}{4}-\left[\frac{25}{8}\div\frac{25}{6}\right]$$

$$=\frac{7}{4}-\left[\frac{25}{8}\times\frac{6}{25}\right]=\frac{7}{4}-\frac{3}{4}=\frac{4}{4}=1.$$

ध्यान रखें यदि किसी कोष्ठक से पहले ऋण का चिह्न है, तो अन्दर वाली संख्याओं के चिह्न बदल जाते हैं।

वस्तुनिष्ठ प्रश्न

1. $2-\{3-(4-\overline{3-2})\}$ का मान क्या होगा?

A. 3 B. 0
C. 1 D. 2
E.

2. $\dfrac{1}{3-\dfrac{1}{2-\dfrac{1}{7}}}$ को सरल करें?

A. $\dfrac{15}{17}$ B. $\dfrac{13}{32}$
C. $\dfrac{4}{11}$ D. $\dfrac{3}{7}$
E. इनमें से कोई नहीं

3. $\dfrac{9}{20}-\left[\dfrac{1}{5}+\left\{\dfrac{1}{4}+\left(\dfrac{5}{6}-\overline{\dfrac{1}{3}+\dfrac{1}{2}}\right)\right\}\right]$ का मान क्या होगा?

A. 0 B. 1
C. 2 D. 3
E. 5

4. $\dfrac{\frac{1}{5}\div\frac{1}{5}\text{ का }\frac{1}{5}}{\frac{1}{5}\text{ का }\frac{1}{5}\div\frac{1}{5}}$ का मान क्या होगा?

A. 5 B. 10
C. 15 D. 25
E. 20

5. 100 भुजाओं वाले बहुभुज में कितने विकर्ण पाए जाते हैं?

A. 100 B. 98
C. 4850 D. 4950
E. इनमें से कोई नहीं

6. व्यंजक $\dfrac{(5\sqrt{3}+\sqrt{50})(5-\sqrt{24})}{\sqrt{75}-5\sqrt{2}}$ का सरलीकरण रूप है :

A. $2\sqrt{6}-5$ B. $\sqrt{3}-\sqrt{2}$
C. $\sqrt{6}-\sqrt{5}$ D. $\sqrt{2}$
E. इनमें से कोई नहीं

7. यदि $\dfrac{4^5+4^5+4^5}{3^5+3^5}\times\dfrac{6^5+6^5+6^5+6^5}{2^5+2^5+2^5}=2^n$ हो, तो n का मान होगा :

A. 12 B. 11
C. 10 D. 9
E. 13

8. $(16^{0.16}\times 2^{0.36})$ किसके बराबर है?

A. 64 B. 16
C. 2 D. $\dfrac{1}{2}$
E. इनमें से कोई नहीं

9. एक खम्भे का एक तिहाई भाग कीचड़ में तथा एक चौथाई भाग जल में तथा शेष 5 मीटर भाग ऊपर है, तो बताओ खम्भे की कुल ऊँचाई कितनी है?

A. 10 मी. B. 12 मी.
C. 15 मी. D. 14 मी.
E. इनमें से कोई नहीं

10. एक रेलगाड़ी यात्रियों से भरी हुई है पहले स्टेशन पर एक-तिहाई यात्री उतर जाते हैं तथा 96 यात्री गाड़ी में चढ़ जाते हैं। दूसरे स्टेशन पर आधे यात्री उतर जाते हैं तथा 12 नए यात्री चढ़ जाते हैं। यदि इस समय कुल यात्रियों की संख्या 240 हो, तो प्रारम्भ में गाड़ी में कितने यात्री थे?

A. 540 B. 600
C. 444 D. 430
E. 455

11. $\dfrac{\sqrt{5}+\sqrt{3}}{\sqrt{5}-\sqrt{3}}$ को सरल करो।

A. $8+\sqrt{15}$ B. $4+2\sqrt{15}$
C. $5+2\sqrt{15}$ D. $4+\sqrt{15}$
E. इनमें से कोई नहीं

12. एक दूध-विक्रेता के पास एक छोटा ड्रम है जो दूध से आधा भरा है। एक अन्य दोगुनी क्षमता वाला बड़ा ड्रम है जो दूध से चौथाई भरा हुआ है। वह दोनों ड्रमों में इतना पानी डालता है कि वे पूरे भर जाते है। वह इन दोनों ड्रमों को एक टब में खाली कर देता है। तो उस टब में दूध का भाग कितना होगा?

A. $\dfrac{1}{2}$ B. $\dfrac{1}{3}$
C. $\dfrac{1}{4}$ D. $\dfrac{3}{8}$
E. इनमें से कोई नहीं

13. एक विद्यार्थी ने किसी संख्या को $\dfrac{5}{3}$ से गुणा करने की बजाय इसे $\dfrac{3}{5}$ से गुणा कर दिया, तो परिकलन में त्रुटि प्रतिशत कितना है?

A. 44% B. 64%
C. 30% D. 36%
E. 68%

14. $\dfrac{5.32\times 56\times +5.32\times 44}{(7.66)^2-(2.34)^2}$ का मान कितना होगा?

A. 7.2 B. 8.5
C. 10 D. 12
E. 9.5

15. एक व्यक्ति को अपनी आय का $\frac{1}{4}$ भाग खाने पर, $\frac{2}{3}$ भाग घर के किराये पर खर्च करने के बाद ₹ 630 शेष बचते हैं, तो उसके घर का किराया कितना है?
A. ₹ 5040 B. ₹ 3520
C. ₹ 4890 D. ₹ 4458
E. इनमें से कोई नहीं

16. किन्हीं तीन क्रमागत विषम प्राकृत संख्याओं का योग 147 हो, तो बीच वाली संख्या क्या होगी?
A. 47 B. 48
C. 49 D. 50
E. 51

17. 30 पेन तथा 75 पेंसिल कुल मिलाकर ₹ 510 में खरीदे गए। यदि एक पेंसिल का औसत मूल्य ₹ 2 था, तो एक पेन का औसत मूल्य कितना था?
A. ₹ 9 B. ₹ 10
C. ₹ 11 D. ₹ 12
E. इनमें से कोई नहीं

18. यदि किसी संख्या का तिगुना, उस संख्या के $\frac{3}{5}$ से 60 अधिक हो, तो वह संख्या है :
A. 25 B. 35
C. 45 D. 60
E. 65

19. हम 45 को चार संख्याओं के योग के रूप में इस प्रकार लिखते हैं कि पहली संख्या में 2 जोड़ने पर, दूसरी संख्या में 2 घटाने पर तथा तीसरी संख्या को 2 से गुणा करने पर और चौथी संख्या को 2 से भाग देने पर हमें वही परिणाम प्राप्त होता है, तो ये चारों संख्याएँ हैं :
A. 1, 8, 15, 21 B. 12, 8, 20, 5
C. 8, 12, 10, 15 D. 2, 12, 5, 26
E. इनमें से कोई नहीं

20. किसी टैंक के $\frac{1}{3}$ भरे होने पर उसमें 80 लीटर पानी आता है, तो इसके आधा भरे होने पर उसमें कितना पानी होगा?
A. 240 लीटर B. 120 लीटर
C. 100 लीटर D. 200 लीटर
E. 110 लीटर

21. $1 - [5 - \{2 + (-5 + 6 - 2)\}]$ बराबर है :
A. –4 B. 2
C. 0 D. –2
E. 4

22. $\dfrac{\frac{5}{3}\times\frac{17}{5} \text{ का } \frac{7}{51} - \frac{1}{3}}{\frac{2}{9}\times\frac{28}{5} \text{ का } \frac{5}{7} - \frac{2}{3}}$ को सरल करो।
A. 8 B. 4
C. 2 D. $\frac{1}{4}$
E. इनमें से कोई नहीं

23. विद्यार्थियों की अधिकतम संख्या ज्ञात कीजिए जिसमें 1001 पेन और 910 पेंसिलें इस प्रकार बाँटे जाए कि प्रत्येक को मिले पेनों की संख्या बराबर हो एवं प्रत्येक को मिले पेंसिलों की संख्या बराबर हो?
A. 91 B. 1001
C. 910 D. 1911
E. इनमें से कोई नहीं

24. 72 + 63 + 54 + ... श्रेणी में शून्य का पद स्थान कौन-सा होगा?
A. 8वां B. 9वां
C. 10वां D. 11वां
E. इनमें से कोई नहीं

25. $3^{x-5} \times 27^{2x-3}$ का मान क्या होगा, यदि $x = 2$ है?
A. 729 B. 81
C. 1 D. 27
E. 29

26. 566 को किस संख्या से भाग दिया जाए कि भागफल 15 और शेष 11 प्राप्त हो?
A. 37 B. 27
C. 29 D. 39
E. 21

27. $\left(2-\frac{1}{2}\right)\left(3-\frac{1}{3}\right)\left(4-\frac{1}{4}\right)\left(5-\frac{1}{5}\right)$ को सरल करने पर प्राप्त होगा :
A. 28 B. 24
C. 64 D. 72
E. 54

28. एक स्कूल के 450 विद्यार्थियों में से 325 फुटबॉल खेलते हैं। 175 क्रिकेट खेलते हैं तथा 50 ऐसे हैं जो न फुटबॉल खेलते हैं और न क्रिकेट। कितने विद्यार्थी फुटबॉल तथा क्रिकेट दोनों खेलते हैं?
A. 50 B. 75
C. 100 D. 225
E. 125

29. दो संख्याएं इस प्रकार हैं कि पहली संख्या के दोगुने का और दूसरी संख्या के तिगुने का योग 36 और पहली संख्या के तिगुने का और दूसरी संख्या के दोगुने का योग 39 है, तो कौन-सी संख्या छोटी है?
A. 9 B. 6
C. 7 D. 3
E. 11

30. रेल के एक आधे टिकट की कीमत पूरे किराये से आधी है किन्तु आधे टिकट पर आरक्षण प्रभार पूरे टिकट जितना ही है। दो स्टेशनों के बीच एक आरक्षित प्रथम श्रेणी टिकट ₹ 525 का है और एक पूरे और एक आधे आरक्षित प्रथम श्रेणी टिकट की कीमत ₹ 850 है, तो आरक्षण प्रभार कितना है?

A. ₹ 210 B. ₹ 125
C. ₹ 250 D. ₹ 145
E. इनमें से कोई नहीं

31. बाल दिवस पर 540 बच्चों में मिठाइयाँ समान रूप से बांटी जानी थी। किन्तु उस विशेष दिन 120 बच्चे अनुपस्थित थे। अतः प्रत्येक बच्चे को 4 मिठाइयाँ अतिरिक्त मिलीं। यदि सभी बच्चे उपस्थित होते, तो प्रत्येक छात्र को कितनी मिठाई मिलती?

A. 14 B. 16
C. 18 D. 12
E. 10

32. एक गणितीय समस्या को हल करते समय, समिधा ने एक संख्या में से 25 घटाने के बाद वर्ग करने की बजाय, उसने संख्या का वर्ग करने के बाद 25 घटा दिया। लेकिन उसका उत्तर सही था। तो वह संख्या क्या है?

A. 48 B. 13
C. 38 D. 17
E. इनमें से कोई नहीं

33. तीन संख्याएँ 2 : 3 : 4 के अनुपात में हैं। सबसे बड़ी और सबसे छोटी संख्या का योग, दूसरी संख्या और 54 के योग के बराबर है। तो सबसे बड़ी संख्या कौन-सी है?

A. 54 B. 74
C. 82 D. 72
E. 84

34. $\frac{(998)^2-(997)^2-45}{(98)^2-(97)^2}$ का मान कितना होगा?

A. 1995 B. 195
C. 95 D. 10
E. इनमें से कोई नहीं

35. $\left(\frac{1}{1\times3}+\frac{1}{3\times5}+\frac{1}{5\times7}+\frac{1}{7\times9}+....\frac{1}{19\times21}\right)$ का मान है :

A. $\frac{20}{21}$ B. $\frac{10}{21}$
C. $\frac{21}{40}$ D. $\frac{21}{20}$

E. इनमें से कोई नहीं

36. $999\frac{999}{1000}\times7$ का मान है :

A. $6993\frac{7}{1000}$ B. $7000\frac{7}{1000}$
C. $6633\frac{7}{1000}$ D. $6999\frac{993}{1000}$
E. इनमें से कोई नहीं

37. किसी कक्षा का पहला पीरियड 10:30 बजे आरम्भ होता है तथा चौथा पीरियड 13:45 बजे समाप्त होता है। यदि प्रत्येक पीरियड की समयावधि समान हो तथा प्रत्येक पीरियड के अन्त में विद्यार्थियों को 5 मिनट का विश्राम दिया गया हो, तो प्रत्येक पीरियड की समयावधि है :

A. 35 मिनट B. 42 मिनट
C. 45 मिनट D. 40 मिनट
E. इनमें से कोई नहीं

38. 450 छात्रों को कुछ टॉफियाँ वितरित की जाती है। परन्तु 150 छात्र कम आने से प्रत्येक छात्र को 3 टॉफियाँ अधिक मिलती हैं, तो बताओ पहले प्रत्येक छात्र को कितनी टॉफियाँ दी जाती?

A. 7 B. 6
C. 8 D. 9
E. 5

39. कुछ दोस्तों ने पिकनिक पर जाने की योजना बनाई तथा कुल खर्च ₹ 108 निश्चित किया। परन्तु उनमें से तीन दोस्त पिकनिक पर नहीं जा सके, तो प्रत्येक दोस्त को ₹ 3 अतिरिक्त देने पड़े तो, बताओ शुरू में कितने दोस्तों ने योजना बनाई?

A. 10 B. 12
C. 9 D. 15
E. 11

40. किसी परीक्षा में सही हल पर 3 अंक प्राप्त होते हैं परन्तु गलत हल पर 2 अंक काटे जाते हैं। एक छात्र ने 50 प्रश्न हल करके 75 अंक प्राप्त किए तो सही हल प्रश्नों की संख्या है :

A. 30 B. 35
C. 40 D. 45
E. 50

उत्तरमाला

1	2	3	4	5	6	7	8	9	10
D	B	A	D	C	A	B	C	B	A
11	**12**	**13**	**14**	**15**	**16**	**17**	**18**	**19**	**20**
D	B	B	C	A	C	D	A	B	B
21	**22**	**23**	**24**	**25**	**26**	**27**	**28**	**29**	**30**
A	C	A	B	C	A	D	C	B	B
31	**32**	**33**	**34**	**35**	**36**	**37**	**38**	**39**	**40**
A	B	D	D	B	D	C	B	B	B

कुछ चुने हुए प्रश्नों के व्याख्यात्मक उत्तर

1. $2-\left\{3-\left(4-\overline{3-2}\right)\right\}$

$2-\{3-(4-1)\}$

$2-\{3-3\}=2.$

4. $\dfrac{\frac{1}{5}\div\frac{1}{5}\text{ का }\frac{1}{5}}{\frac{1}{5}\text{ का }\frac{1}{5}\div\frac{1}{5}}=\dfrac{\frac{1}{5}\div\frac{1}{25}}{\frac{1}{25}\div\frac{1}{5}}=\dfrac{\frac{1}{5}\times\frac{25}{1}}{\frac{1}{25}\times\frac{5}{1}}=\dfrac{\frac{5}{1}}{\frac{1}{5}}=5\times5=25.$

5. किसी समबाहु में विकर्णों की संख्या

$=\dfrac{n(n-3)}{2}=\dfrac{100\times97}{2}=4850.$

7. $\dfrac{4^5+4^5+4^5}{3^5+3^5}\times\dfrac{6^5+6^5+6^5+6^5}{2^5+2^5+2^5}$

$=\dfrac{3\times4^5}{2\times3^5}\times\dfrac{4\times6^5}{3\times2^5}=2^{11}$

$=2n=211$ या $n=11.$

9. माना पेड़ की कुल ऊँचाई $=x$ मी.

$$x=\frac{x}{3}+\frac{x}{4}+5$$

$$12x=4x+3x+60$$

$$x=12\text{ मी.}$$

13. माना वह संख्या $=x$

सही $=\dfrac{5x}{3}$, गलत $=\dfrac{3x}{5}$, त्रुटि $=\dfrac{16x}{15}$

% त्रुटि $=\dfrac{16x}{15}\times\dfrac{3}{5x}\times100=64\%.$

14. $\dfrac{5.32\times56+5.32\times44}{(7.66)^2-(2.34)^2}$

$=\dfrac{5.32(56+44)}{(7.66+2.34)(7.66-2.34)}=\dfrac{5.32(100)}{10\times5.32}=10.$

17. यदि 1 पेन का औसत मूल्य $=x$ रुपये हो, तो

$30x+75\times2=510$

$\Rightarrow\quad 30x=510-150=360$

$\Rightarrow\quad x=\dfrac{360}{30}=₹12.$

18. माना वह संख्या x है

$3x-\dfrac{3x}{5}=60$

$15x-3x=300$

$12x=300\quad\Rightarrow x=25$

20. $\dfrac{1}{3}:80::\dfrac{1}{2}:x\Rightarrow\dfrac{x}{3}=40\Rightarrow x=120$ लीटर

21. $1-[5-\{2+(-5+6-2)2\}]$

$1-\{5-2\{2-2\}\}$

$1-[5]=-4.$

23.

$$\begin{array}{r} 910\overline{)1001}(1 \\ \underline{910} \\ 91)910(10 \\ \underline{91} \\ 0 \end{array}$$

अतः इनका म.स. $=91$ ही हमारा उत्तर होगा।

25. $3^{x-5}\times27^{2x-3}$ यदि $x=2$ हो, तो

$3^{2-5}\times(3^3)^{2(2)-3}$

$3^{-3}\times(3^3)^1=3^{-3}\times3^3=3^0$ या 1.

27. $\left(2-\frac{1}{2}\right)\left(3-\frac{1}{3}\right)\left(4-\frac{1}{4}\right)\left(5-\frac{1}{5}\right)$

$=\dfrac{3}{2}\times\dfrac{8}{3}\times\dfrac{15}{4}\times\dfrac{24}{5}=72.$

31. माना पहले प्रत्येक को x मिठाई मिलती थी।

$540x-420x=420\times4$

$120x=420\times4$

$x=14.$

33. $4x+2x=3x+54$

$3x=54$

$x=18$

सबसे बड़ी संख्या $=4\times18=72.$

38. माना प्रत्येक छात्र को x टॉफी दी जाती थीं

$450x=300\,(x+3)$

$450x=300x+900$

$150x=900$

$x=6.$

39. $\dfrac{108}{12}=₹9$

$\Rightarrow\dfrac{108}{9}=₹12.$

❍❍❍

4 महत्तम समापवर्तक एवं लघुत्तम समापवर्त्य (HCF and LCM)

गुणनखण्ड

जब कोई संख्या किसी दूसरी संख्या को पूरा-पूरा विभाजित करे तो वह संख्या दूसरी संख्या का गुणनखंड कहलाती है।

जैसे–संख्या 15, 3 और 5 से पूरी-पूरी विभाजित हो जाती है। अतः 3 और 5, 15 के गुणनखंड हैं।

महत्तम समापवर्तक (म.स.)

किन्हीं दो अथवा दो से अधिक संख्याओं का म.स. वह बड़ी से बड़ी संख्या है जो उन संख्याओं को पूर्णतया विभाजित कर दे।

अपवर्तक (Divisor) : ऐसी संख्या जिसका किसी बड़ी संख्या में भाग चला जाए वह अपवर्तक कहलाती है।

जैसे–27 के अपवर्तक 1, 3, 9 व 27 हैं।

सह-अभाज्य संख्याएँ–ऐसी दो संख्याएँ जिनका म.स. 1 हो, सह-अभाज्य संख्याएँ कहलाती हैं।

जैसे–(4, 7), (16, 19)

लघुत्तम समापवर्त्य (ल.स.)

वह छोटी से छोटी संख्या जो दी गई प्रत्येक संख्या द्वारा पूर्णतया विभक्त हो सके।

अपवर्त्य (गुणज) (Multiple)–ऐसी संख्या जो किसी की गुणज हो अर्थात् उसमें किसी संख्या का भाग चला जाए। जैसे–20 के अपवर्त्य–40, 60, 80

म.स. ज्ञात करना–जिन संख्याओं का म.स. निकालना हो, तो पहले उनमें सबसे छोटी संख्या का उससे ठीक बड़ी संख्या में भाग देते हैं और जितना शेष बचता जाता है उसका भाजक में भाग देते चले जाते हैं और जिस संख्या का पूर्ण भाग चला जाए, तो वही हमारा म.स. होगा। यदि तीसरी संख्या और हो तो प्राप्त संख्या का उस संख्या में भाग देंगे और वही प्रक्रिया दोहरायेंगे।

साधित उदाहरण

1. 280 व 735 का महत्तम समापवर्तक ज्ञात कीजिए।

हल :

```
280) 735 (2
     560
     ----
     175) 280 (1
          175
          ----
          105) 175 (1
               105
               ----
                70) 105 (1
                     70
                    ----
                    35) 70 (2
                        70
                        ----
                         ×
```

अतः 280 व 735 का म.स. 35 है।

दूसरी विधि : $280 = 2 \times 2 \times 2 \times \underline{5 \times 7}$

$735 = 3 \times \underline{5 \times 7} \times 7$

यहां दोनों में उभयनिष्ठ (common) 5 व 7 हैं, अतः म.स. $5 \times 7 = 35$ होगा।

2. 12, 30, 44 व 56 का ल.स. निकालिए।

हल :

2	12,	30,	44,	56
2	6,	15,	22,	28
2	3,	15,	11,	14
3	3,	15	11,	7
5	1,	5,	11,	7
7	1	1,	11,	7
11	1,	1,	11,	1
	1,	1,	1,	1

$2 \times 2 \times 2 \times 3 \times 5 \times 7 \times 11 = 9240.$

दूसरी विधि–गुणनखण्ड विधि

$12 = 2 \times 2 \times 3$

$30 = 2 \times 3 \times 5$

$44 = 2 \times 2 \times 11$

$56 = \underline{2 \times 2 \times 2} \times 7$

अभीष्ट ल.स. $= 2 \times 2 \times 2 \times 3 \times 5 \times 7 \times 11 = 9240.$

* यहां ध्यान रखना है कि ल.स. में अधिकतम व म.स. में कम से कम संख्याएं लेते हैं।

3. $\frac{3}{4}, \frac{6}{5}, \frac{9}{10}$ का म.स. निकालो।

हल : जब भिन्नों का म.स. निकालना हो, तो अंशों का म.स. तथा हरों का ल.स. निकालते है।

$\frac{3}{4}, \frac{6}{5}, \frac{9}{10}$ का म.स.

अतः 3, 6, 9 का म.स. = 3 तथा 4, 5, 10 का ल. स. = 20

अतः इनका म.स. = $\frac{3}{20}$ होगा।

नोट : यदि यहां. ल.स. निकालना हो, तो अंशों का ल.स. तथा हरों का म.स. निकालेंगे।

4. दो संख्याओं का ल.स. 60 तथा म.स. 5 है। यदि एक संख्या 30 हो, तो बताओ दूसरी संख्या क्या है?

हल : पहली संख्या × दूसरी संख्या = ल.स. × म.स.

$$\boxed{\text{दूसरी संख्या} = \frac{\text{ल.स.} \times \text{म.स.}}{\text{पहली संख्या}}} = \frac{60 \times 5}{30} = 10.$$

5. दो संख्याओं का योग 216 है और उनका म.स. 27 है, तो वे संख्याएँ बताओ।

हल : माना वे संख्याएँ $27x$ तथा $27y$ हैं।

$$27x + 27y = 216$$

$$x + y = \frac{216}{27}$$

$$x + y = 8$$

अतः x तथा y के सह-अभाज्य गुणनखण्ड (1, 7) व (3, 5) हैं।

संख्याएँ $27 \times 1, 27 \times 7 = 27$ व 189 उत्तर

या $27 \times 3, 27 \times 5 = 81$ व 135 उत्तर

6. वह बड़ी से बड़ी संख्या ज्ञात करो जिससे 526 तथा 1307 में भाग देने पर क्रमशः 6 तथा 7 शेष बचे।

हल : $(526 - 6) = 520, 1307 - 7 = 1300$

520 तथा 1300 का म.स. 260 है।

अतः इनका म.स. ही अभीष्ट संख्या होगी।

नोट : इस प्रकार के प्रश्नों में ध्यान रखें कि जब बड़ी से बड़ी संख्या कहा जाए तो म.स. तथा छोटी से छोटी संख्या कहा जाए तो ल. स. निकालते हैं।

7. चार घंटियां 6, 8, 12 और 18 सेकेण्डों के अन्तर पर बजती हैं। यदि वे 12 बजे एक साथ बजना प्रारम्भ करती हैं, तो बताएँ कि वे कब एक साथ बजेंगी और 6 मिनट में कितनी बार बजेंगी।

हल : घंटियां पुनः एक साथ बजने के लिए 6, 8, 12 व 18 का ल.स. निकालते हैं।

2	6,	8,	12,	18
2	3,	4,	6,	9
2	3,	2,	3,	9
3	3,	1,	3,	9
3	1,	1,	1,	3
	1,	1,	1,	1

ल.स. $2 \times 2 \times 2 \times 3 \times 3 = 72$ सेकेण्ड

वे 72 सेकेण्ड या 1 मिनट 12 सेकेण्ड के बाद पुनः एक साथ बजेंगी।

अर्थात् $12.00.00 + 00.01.12 = 12.01.12$ बजे।

हर 6 मिनट बाद वें घंटियाँ एक साथ बजेंगी।

$= \frac{360}{72} = 5$ बार अर्थात् $5 + 1 = 6$ बार।

वस्तुनिष्ठ प्रश्न

1. $(2^2 \times 3^5 \times 5^2), (2^3 \times 3^2 \times 5^3)$ तथा $(2^3 \times 3 \times 5^4)$ का ल.स. हैः

A. $2^3 \times 3^5 \times 5^4$ B. $2^2 \times 3^2 \times 5^4$
C. $2 \times 3^5 \times 5^2$ D. $2^3 \times 3^5 \times 5^2$
E. इनमें से कोई नहीं

2. 111, 185 व 481 का म.स. होगाः

A. 3 B. 5
C. 37 D. 39
E. 41

3. $\frac{2}{5}, \frac{3}{10}, \frac{4}{15}$ का लघुत्तम समापवर्तक ज्ञात करो।

A. $\frac{12}{15}$ B. $\frac{1}{30}$
C. $\frac{12}{5}$ D. $\frac{1}{20}$
E. इनमें से कोई नहीं

4. $\frac{30}{12}, 2\frac{1}{4}, \frac{15}{8}$ का म.स. बताओ :

A. $\frac{1}{8}$ B. $\frac{3}{5}$
C. $\frac{4}{7}$ D. $\frac{1}{5}$
E. इनमें से कोई नहीं

5. $8^{-7}, 8^{-3}, 8^{-11}, 8^{-13}$ का म.स. होगा :

A. 8^{-13} B. 8^{-11}
C. 8^{-7} D. 8^{-3}
E. इनमें से कोई नहीं

6. दो संख्याओं के महत्तम समापवर्तक तथा लघुत्तम समापवर्त्य क्रमशः 25 तथा 500 है। पहली संख्या को 2 से भाग देने पर भागफल 50 प्राप्त होता है, तो दूसरी संख्या क्या है?
A. 125 B. 100
C. 75 D. 50
E. 25

7. दो संख्याओं के म.स. तथा ल.स. क्रमशः 12 तथा 336 हैं, यदि उनमें से एक संख्या 84 है, तो दूसरी होगी :
A. 36 B. 48
C. 72 D. 96
E. 98

8. वह छोटी से छोटी संख्या क्या है जिसमें 12, 15, 20 या 54 से भाग देने पर प्रत्येक स्थिति में 4 शेष बचे?
A. 450 B. 454
C. 540 D. 544
E. 545

9. तीन खेत हैं जिनका क्षेत्रफल क्रमशः 165, 195 व 285 वर्ग मी. है। इनमें बराबर-बराबर नाप की फूल की क्यारियाँ बनानी है। यदि प्रत्येक क्यारी की चौड़ाई 3 मी. हो, तो उनकी अधिकतम लम्बाई क्या होगी?
A. 15 मी. B. 5 मी.
C. 8 मी. D. 10 मी.
E. इनमें से कोई नहीं

10. चार घंटियाँ 18, 24, 30 तथा 36 सेकण्ड के अन्तराल पर बजती हैं तो बताओ वे 18 मिनट में कुल कितनी बार बजेंगी:
A. 5 B. 4
C. 3 D. 6
E. 7

11. वह बड़ी से बड़ी संख्या क्या है जिसका 25, 73 तथा 97 में भाग देने पर प्रत्येक दशा में समान शेष बचता है?
A. 24 B. 23
C. 8 D. 6
E. 3

12. वह सबसे बड़ी संख्या जिसमें 43, 91 तथा 183 को भाग देने पर प्रत्येक दशा में समान शेष रहे, होगी।
A. 9 B. 8
C. 4 D. 3
E. 5

13. वह बड़ी से बड़ी संख्या कौन-सी है जिससे 522, 1276 और 1624 पूर्णतः विभाजित हो जाते हैं:
A. 29 B. 58
C. 4 D. 56
E. इनमें से कोई नहीं

14. तीन अलग-अलग बर्तनों में दूध की मात्रा 145, 203 तथा 377 लीटर है। एक माप की अधिकतम क्षमता क्या है जिससे तीनों बर्तनों में रखे दूध की मात्रा को पूरा-पूरा मापा जा सके :
A. 31 B. 29
C. 27 D. 39
E. 41

15. दो संख्याओं का लघुत्तम समापवर्त्य उनके महत्तम समापवर्तक का चार गुना है। साथ ही उन दोनों का योगफल 125 है। यदि एक संख्या 100 हो, तो दूसरी संख्या कितनी होगी?
A. 5 B. 25
C. 100 D. 125
E. 175

16. एक फूल वाले के पास 250 गुलाब और 200 चमेली के फूल हैं। उससे कहा गया कि वह या तो केवल चमेली या केवल गुलाब की माला बनाए और उसमें उतनी ही संख्या में फूल हों जिससे फूलों की एक भी संख्या शेष नहीं बचे:
A. 25 B. 50
C. 40 D. 60
E. 30

17. दो संख्याओं के ल.स. तथा म.स. का गुणनफल 24 है। यदि संख्याओं का अन्तर 2 हो, तो उनमें से बड़ी संख्या होगी :
A. 3 B. 4
C. 6 D. 8
E. 5

18. दो संख्याओं का योग 216 है तथा उनका म.स. 27 है, तो ऐसी संख्याओं के कितने जोड़े होंगे:
A. 1 B. 2
C. 3 D. 0
E. 4

19. दो आदमी एक ही स्थान से एक साथ एक ही दिशा में एक वृत्तीय चक्कर लगाने में उनमें से एक 10 मिनट तथा दूसरा 15 मिनट लेता है, तो वे कितने समय बाद परस्पर मिलेंगे:
A. 30 मिनट B. 33 मिनट
C. 40 मिनट D. 45 मिनट
E. इनमें से कोई नहीं

20. 12 के दो गुणजों का लघुत्तम समापवर्त्य 1056 है। यदि एक संख्या 132 है, तो दूसरी संख्या है :
A. 12 B. 72
C. 96 D. 132
E. इनमें से कोई नहीं

21. वह लघुत्तम संख्या क्या है जो 5, 6, 7 तथा 8 से भाग देने पर शेषफल 3 छोड़ती है परन्तु 9 से भाग देने पर कोई शेषफल नहीं छोड़ती है:
A. 1677 B. 1683
C. 2523 D. 3363
E. इनमें से कोई नहीं

22. चार अंकों की सबसे बड़ी संख्या कौन-सी है जिसमें 12, 16 तथा 24 से भाग देने पर क्रमशः 2, 6 तथा 14 शेष बचते हैं :
A. 9974 B. 9970
C. 9807 D. 9998
E. इनमें से कोई नहीं

23. दो संख्याएँ 3 : 4 के अनुपात में हैं। उनके म.स. तथा ल.स. का गुणनफल 2028 है, तो संख्याओं का योगफल होगा :

A. 68 B. 72
C. 86 D. 91
E. 71

24. A तथा B एक वृत्ताकार मार्ग, जिसकी परिधि 35 कि.मी. है पर चलते हैं। वे एक ही स्थान से एक ही समय एक ही दिशा में रवाना होते हैं। A की गति 4 कि.मी./घंटा है और B की गति 5 कि.मी. प्रति घंटा है। कम से कम कितने समय बाद वे पुनः आपस में मिलेंगे?

A. 15 घंटे B. 21 घंटे
C. 35 घंटे D. 42 घंटे
E. इनमें से कोई नहीं

25. यदि N सबसे छोटा पूर्ण वर्ग है जो 10, 12 और 25 द्वारा पूरी तरह विभाजित है, तो N को 25 से भाग करने पर मिलने वाला भागफल है :

A. 16 B. 25
C. 36 D. 64
E. 32

26. गिट्टियों के ढेर को 32-32 के समूहों में लगाया गया तो 10 गिट्टियाँ बच गईं। जब 40-40 के समूहों में लगाया गया तो 18 गिट्टियाँ बच गईं और जब 72-72 के समूहों में लगाया गया, तो 50 गिट्टियाँ बच गईं। ढेर में गिट्टियों की न्यूनतम संख्या है:

A. 1450 B. 1440
C. 1418 D. 1412
E. 1416

27. अंग्रेजी, गणित तथा विज्ञान की पुस्तकों के तीन सैटों जिनमें क्रमशः 336, 240 तथा 96 पुस्तकें हैं, को इस प्रकार ढेरों में व्यवस्थित करना है कि सब पुस्तकें विषयानुसार लग जाएँ तथा प्रत्येक ढेर में लगाई गई पुस्तकों की ऊँचाई समान हो। ढेरों की कुल संख्या होगी:

A. 14 B. 21
C. 22 D. 48
E. 26

उत्तरमाला

1	2	3	4	5	6	7	8	9	10
A	C	C	A	A	A	B	D	B	B
11	**12**	**13**	**14**	**15**	**16**	**17**	**18**	**19**	**20**
A	C	B	B	B	B	C	B	A	C
21	**22**	**23**	**24**	**25**	**26**	**27**			
B	A	D	C	C	C	A			

कुछ चुने हुए प्रश्नों के व्याख्यात्मक उत्तर

1. $2^2 \times 3^5 \times 5^2, 2^3 \times 3^2 \times 5^3$ तथा $2^3 \times 3 \times 5^4$ का ल.स. $2^3 \times 3^5 \times 5^4$.

4. $\frac{30}{12}, \frac{9}{4}, \frac{15}{8}$

तो अंशों (30, 9, 15) का म.स. = 3

हरों (12, 4, 8) का ल.स. = 24

अतः इनका म.स. = $\frac{3}{24}$ या $\frac{1}{8}$ होगा।

5. यहाँ सबसे छोटी उभयनिष्ठ (Common) संख्या 8^{-13} है।

7. पहली संख्या × दूसरी संख्या = म.स. × ल.स.

$$\text{दूसरी संख्या} = \frac{12 \times 336}{84} = 48.$$

8. 12, 15, 20, 54 का ल.स. = 540

अतः अभीष्ट संख्या = 540 + 4 = 544.

9. 165, 185, 285 का म.स. 15 है।

क्यारी की अधिकतम लम्बाई $= \frac{15}{3} = 5$ मी.

11. इनका अन्तर

$$(73 - 25) = 48$$
$$(97 - 25) = 72$$
$$(97 - 73) = 24$$

48, 72, 24 का म.स. ही वह संख्या है।

अतः वह संख्या = 24 है।

12. (91 – 43), (183 – 91), (183 – 43)

= 48, 92, 140 का म.स. = 4.

14. 145, 203, 377 का म.स. 29 है।

अतः वही अभीष्ट माप होगी।

16. 250 व 200 का म.स. = 50.

18. माना वे संख्याएँ $27x$ व $27y$ हैं।

$$27x + 27y = 216$$
$$27(x + y) = 216$$
$$x + y = 8$$

अतः इसके सह-अभाज्य गुणनखण्ड = (1, 7), (3, 5).

19. 10 व 15 का ल.स. = 30.

20. दूसरी संख्या $= \dfrac{\text{ल.स.}}{\text{पहली संख्या}}$

$= \dfrac{1056}{132} = 8$

परन्तु 12 का गुणज है तो $8 \times 12 = 96$.

23. वे संख्याएँ $3x$ व $4x$ हैं

इनका म.स. $= x$

तथा ल.स. $= 12x$

$12x \times x = 2028$

$x^2 = 169$

$x = 13$

तो संख्याएँ = 39 व 52 हैं

तो $39 + 52 = 91$.

25. 10, 12 व 25 का ल.स. = 300

परन्तु पूर्ण वर्ग संख्या है तो $300 \times 3 = 900$

900 में 25 का भाग देने पर प्राप्त भागफल = 36.

❍❍❍

5 प्रतिशतता (Percentage)

वह भिन्न जिसका हर 100 होता है, प्रतिशत कहलाता है तथा उस भिन्न के अंश को प्रतिशत दर कहते हैं। इसे प्रायः % चिह्न द्वारा लिखा जाता है।

जैसे—$\frac{20}{100} = 20\%$ और इसे 20 प्रतिशत पढ़ा जाता है अर्थात् प्रत्येक 100 पर 20।

कुछ आवश्यक नियम

(*i*) साधारण भिन्न या दशमलव भिन्न को प्रतिशत भिन्न में बदलने के लिए उस भिन्न में 100 से गुणा करते हैं।

(*ii*) किसी वस्तु के भाव में $x\%$ वृद्धि हो जाने पर, इस मद पर खर्च न बढ़े इसके लिए वस्तु की खपत में कमी

$$= \frac{x}{(100 + x)} \times 100\%.$$

(*iii*) किसी वस्तु के भाव में $x\%$ कमी हो जाने पर, इस मद पर खर्च कम न हो, इसके लिए वस्तु की खपत में वृद्धि

$$= \frac{x}{(100 - x)} \times 100\%.$$

साधित उदाहरण

1. वह राशि कौन-सी है जो ₹ 540 से 30% कम है?

हल : यहाँ ₹ 540 से 30% कम का अर्थ :

$$= 540 \times \frac{70}{100} = 378.$$

2. राम के पास ₹ 8000 थे। उसने कुल धन का 30% खर्च कर दिया, तो बताओ उसके पास अब कितना धन शेष बचा?

हल : माना कुल धन = ₹ 100

खर्च = 30%

तो शेष = 100 – 30 = ₹ 70

तो शेष = $\frac{70}{100} \times 8000$ = ₹ 5600.

3. किसी संख्या के 25% में से 25 घटाने पर 25 शेष बचते हैं, तो वह संख्या क्या है?

हल : इस प्रकार के प्रश्नों में जब तीनों संख्याएं समान हों, तो उसका उत्तर हमेशा = 200 होगा।

दूसरी विधि—

माना वह संख्या = x है

$$\text{तो} \quad \frac{25}{100}x - 25 = 25$$

$$25x - 2500 = 2500$$

$$25x = 2500 + 2500$$

$$25x = 5000$$

$$x = \frac{5000}{25} = 200.$$

4. किसी कक्षा में 30% छात्र संस्कृत में तथा 25% छात्र अंग्रेजी में अनुत्तीर्ण हुए। यदि दोनों विषयों में 10% छात्र अनुत्तीर्ण हुए हों, तो बताओ दोनों विषयों में कुल कितने प्रतिशत छात्र अनुत्तीर्ण हुए?

हल : संस्कृत में अनुत्तीर्ण = 30%

अंग्रेजी में अनुत्तीर्ण = 25%

दोनों विषयों में अनुत्तीर्ण = 10%

नोट : इसके लिए शर्त है कि तीनों समान होनी चाहिए।

तो अनुत्तीर्ण = (A + B – C)

= 30 + 25 – 10

= 45%

यदि वह इसी प्रश्न में पूछता है कि दोनों विषयों में कुल कितने % छात्र उत्तीर्ण हुए, तो उस अवस्था में हम इसे 100 में से घटाते

100 – 45 = 55% उत्तीर्ण

5. किसी चुनाव में दो प्रत्याशी थे जिनमें एक प्रत्याशी को 65% मत प्राप्त हुए और वह 2100 मतों से विजयी हो गया, तो बताओ चुनाव में कुल कितने मत पड़े?

हल : विजयी उम्मीदवार को मत = 65%

हारने वाले उम्मीदवार को मत = 100 – 65 = 35%

तो विजयी उम्मीदवार को अधिक मत मिले

$$= 65 - 35 = 30\%$$

अर्थात् 30% या 2100 मत

$$\text{रामबाण विधि से कुल मत} = \frac{100}{30} \times 2100$$

$$= 7000 \text{ मत}$$

6. 400 ग्राम वाले नमक के घोल में 30% नमक है। इसमें कितना नमक और मिलाया जाए ताकि घोल में नमक की मात्रा 44% हो जाए?

हल : शेष/कुल में % मात्रा

$$= \frac{\text{दी गई मात्रा} \times \%}{\text{दी गई मात्रा} \pm \text{डाली/निकाली गई मात्रा}}$$

नोट : जब घोल में किसी मात्रा को डालते हैं तो % के स्थान पर उसका उल्टा % लिखते हैं जैसे इसमें नमक मिला रहे हैं तो % के स्थान पर पानी का % लिखते हैं।

$$\frac{56}{1} = \frac{400 \times 70}{400 + x}$$

$$400 + x = 500$$

$$x = 100 \text{ ग्राम}$$

वस्तुनिष्ठ प्रश्न

1. 1200 का कितने प्रतिशत 900 है?

A. 65% B. $33\frac{1}{3}\%$
C. 75% D. 80%
E. 78%

2. 1 प्रतिशत का आधा क्या होगा?

A. 0.5 B. 0.05
C. 0.005 D. 0.0005
E. इनमें से कोई नहीं

3. राम का वेतन ₹ 800 से बढ़कर ₹ 1000 हो गया, तो बताओ उसके वेतन में कितने प्रतिशत की वृद्धि हुई?

A. 20% B. 25%
C. 30% D. 40%
E. 35%

4. किसी संख्या में से 15 घटाने पर उस संख्या में 20% की कमी हो जाती है, तो उस संख्या का 60% क्या है?

A. 80 B. 60
C. 45 D. 75
E. 65

5. एक व्यक्ति सुबह 6 से सायं 8 बजे तक कार्य करता है, तो बताओ वह कुल कितने प्रतिशत (दिन में) आराम करता है?

A. $\frac{7}{24}\%$ B. $\frac{1}{3}\%$
C. 25% D. $41\frac{2}{3}\%$
E. इनमें से कोई नहीं

6. चीनी के भाव में 25% वृद्धि हो जाने से कोई गृहणी अपनी खपत में कितने % कमी करे ताकि खर्च पर कोई प्रभाव न पड़े?

A. 20% B. 25%
C. 30% D. 40%
E. 45%

7. एक वस्तु की कीमत 10% घटा दी जाती है। इसे मूल कीमत पर लाने के लिए नई कीमत में कितने प्रतिशत की वृद्धि की जाएगी?

A. 10% B. $9\frac{1}{11}\%$
C. $11\frac{1}{9}\%$ D. 11%
E. इनमें से कोई नहीं

8. राम का वेतन श्याम के वेतन से 60% अधिक है, तो बताओ श्याम का वेतन राम के वेतन से कितना % कम है?

A. 60% B. 38%
C. 37.5% D. 40%
E. 39%

9. किसी सिनेमा हॉल की टिकट दर में 20% कमी करने के बाद दर्शकों की संख्या में 30% की वृद्धि हो जाती है, तो बताओ अब सिनेमा हॉल की आय पर क्या प्रभाव पड़ेगा?

A. 2% कमी B. 4% वृद्धि
C. 4% कमी D. 10% वृद्धि
E. इनमें से कोई नहीं

10. किसी नगर की 4 वर्ष की उत्तरोत्तर जनगणना में क्रमशः 20% की वृद्धि, 20% की वृद्धि, 20% की कमी, 20% की कमी हो जाती है, तो 4 वर्षों में जनसंख्या में निवल परिवर्तन का प्रतिशत लगभग है :

A. –7.84% B. +7.84%
C. 0% D. –16%
E. इनमें से कोई नहीं

11. एक कार चालक को अपनी गति कितने प्रतिशत बढ़ानी चाहिए ताकि वह निश्चित दूरी को तय करने में 20% समय बचा सके?

A. 20% B. 25%
C. 30% D. 28%
E. इनमें से कोई नहीं

12. राम ने किसी परीक्षा में 25% अंक प्राप्त किए जो उत्तीर्णांक से 20 अंक कम थे। उसी परीक्षा में श्याम ने 35% अंक प्राप्त किए जो उत्तीर्णांक से 18 अधिक थे। तो बताओ परीक्षा का पूर्णांक क्या है?

A. 480 B. 380

C. 200 D. 600
E. इनमें से कोई नहीं

13. किसी परीक्षा में 65% छात्र नागरिक शास्त्र में, 60% छात्र इतिहास में और 40% दोनों विषयों में पास हुए। यदि 90 छात्र इतिहास व नागरिक शास्त्र दोनों विषयों में फेल हुए, तो परीक्षार्थियों की कुल संख्या क्या है?

A. 600 B. 650
C. 700 D. 750
E. 800

14. दूध तथा जल के 40 लीटर मिश्रण में 10% जल है। इसमें कितना जल और मिलाना चाहिए कि नए मिश्रण में जल 20% हो जाए?

A. 10 ली. B. 7 ली.
C. 5 ली. D. 4 ली.
E. इनमें से कोई नहीं

15. एक तरबूज का वजन 10 किग्रा. है जिसमें 90% पानी है। चार दिन के बाद कुछ पानी का वाष्पीकरण हो गया तथा अब उसमें 70% पानी शेष बचा, तो बताओ कितने किग्रा. पानी का वाष्पीकरण हुआ?

A. $3\frac{1}{7}$ किग्रा. B. $4\frac{2}{3}$ किग्रा.
C. $8\frac{1}{3}$ किग्रा. D. $6\frac{2}{3}$ किग्रा.
E. इनमें से कोई नहीं

16. किसी वस्तु का वर्तमान मूल्य ₹ 73920 है। यदि इसके मूल्य में पहले वर्ष 10% की वृद्धि, दूसरे वर्ष 20% की कमी तथा तीसरे वर्ष 20% की वृद्धि हुई हो, तो 3 वर्ष पूर्व का मूल्य क्या था?

A. ₹ 40000 B. ₹ 70000
C. ₹ 76000 D. ₹ 80000
E. इनमें से कोई नहीं

17. राम ने अपनी आय का 4% किसी चैरिटी को दानस्वरूप दिया तथा शेष का 10% एक बैंक में जमा करा दिया। अब यदि उसके पास ₹ 8640 बचे हों, तो उसकी आय है :

A. ₹ 12,500 B. ₹ 12,000
C. ₹ 10,500 D. ₹ 10,000
E. इनमें से कोई नहीं

18. कृष्णामूर्ति प्रतिमास ₹ 15000 कमाता है और इसका 80% व्यय करता है। वेतन में संशोधन के कारण उसकी मासिक आय में 20% की वृद्धि हुई, किन्तु वस्तुओं के मूल्य बढ़ जाने से उसे अब 20% अधिक व्यय करना पड़ता है। उसकी नयी बचत है :

A. ₹ 3400 B. ₹ 3000
C. ₹ 3600 D. ₹ 4000
E. इनमें से कोई नहीं

19. गेहूँ के मूल्य में 20% की कमी होने से ललिता ₹ 320 में 5 किलोग्राम अधिक गेहूँ खरीद सकती है। गेहूँ का आरंभिक मूल्य (₹ प्रति किलोग्राम में) था :

A. ₹ 16 B. ₹ 18
C. ₹ 20 D. ₹ 21
E. ₹ 22

20. चावल के मूल्य में 25% की कमी होने पर कोई व्यक्ति ₹ 600 में 10 किलोग्राम अधिक चावल खरीद सकता है। चावल का प्रति किलोग्राम घटा हुआ मूल्य है :

A. ₹ 30 B. ₹ 25
C. ₹ 20 D. ₹ 15
E. ₹ 28

21. किसी वस्तु के मूल्य में 50% की वृद्धि हो जाए, तो इसकी खपत में कितने भाग की कमी की जाए ताकि इसकी खपत पर होने वाला व्यय पहले जितना ही रहे?

A. $\frac{1}{4}$ B. $\frac{1}{3}$
C. $\frac{1}{2}$ D. $\frac{2}{3}$
E. इनमें से कोई नहीं

22. रमा के व्यय तथा बचत में 5 : 3 का अनुपात है। यदि उसकी आय में 12% तथा व्यय में 15% की वृद्धि हो जाए, तो उसकी बचत में कितने प्रतिशत की वृद्धि होगी?

A. 12% B. 7%
C. 8% D. 13%
E. 15%

23. चीनी के भाव में 40% की वृद्धि हो जाती है। तो बताओ कोई गृहणी अपनी खपत में कितने प्रतिशत की कमी करे कि उसके खर्च पर केवल 12% की वृद्धि हो?

A. 30% B. 20%
C. 40% D. 12%
E. 22%

24. ग्लिसरिन के 50 लीटर के एक नमूने में 20% मिलावट पाई गई। इसमें कितनी शुद्ध ग्लिसरिन मिलाई जाए ताकि अशुद्धता 5% रह जाए?

A. 100 लीटर B. 150 लीटर
C. 140 लीटर D. 200 लीटर
E. इनमें से कोई नहीं

25. एक संख्या में पहले 20% तथा पुनः 20% की वृद्धि की गई, तो बढ़ी हुई संख्या में कितने प्रतिशत की कमी की जाए ताकि पुनः वही संख्या आ जाए?

A. $30\frac{5}{9}\%$ B. $19\frac{11}{31}\%$
C. 40% D. 44%
E. इनमें से कोई नहीं

26. प्रवीण ने किसी परीक्षा में 30% अंक प्राप्त किए परन्तु वह 25 अंक से फेल हो गया। उसी परीक्षा में सौरव ने 45% अंक प्राप्त किए जो उत्तीर्णांक से 20 अंक अधिक थे। तो बताओ परीक्षा का उत्तीर्णांक प्रतिशत क्या है?

A. 52% B. 35%

C. $28\frac{2}{3}\%$ D. $38\frac{1}{3}\%$

E. इनमें से कोई नहीं

27. किसी चुनाव में 10% मतदाताओं ने अपने मत नहीं डाले। इस चुनाव में केवल दो ही प्रत्याशी थे। जीतने वाले प्रत्याशी ने कुल मतों के 54% मत प्राप्त किए और वह 1440 मतों से जीत गया। तो बताओ चुनाव में कुल कितने मत पड़े?

A. 5000 B. 8000

C. 10000 D. 7000

E. 11000

28. यदि $(x - y)$ का 50% = $(x + y)$ का 30% है, तो x का कितने प्रतिशत y है?

A. 25% B. 40%

C. 300% D. 400%

E. इनमें से कोई नहीं

29. चीनी के मूल्य में पहले 20% की वृद्धि और फिर 10% की कमी की गई। यदि घटा हुआ मूल्य ₹ 10.80 प्रति कि.ग्रा. हो, तो 8 किग्रा. चीनी का वास्तविक/आरंभिक मूल्य ज्ञात करो :

A. ₹ 75 B. ₹ 48

C. ₹ 70 D. ₹ 80

E. इनमें से कोई नहीं

30. यदि किसी भिन्न का अंश 20% बढ़ा दिया जाए और हर को 10% घटा दिया जाए, तो भिन्न का मान $\frac{16}{21}$ हो जाता है। तो मूल भिन्न है :

A. $\frac{4}{7}$ B. $\frac{5}{7}$

C. $\frac{2}{5}$ D. $\frac{3}{5}$

E. इनमें से कोई नहीं

उत्तरमाला

1	2	3	4	5	6	7	8	9	10
C	C	B	C	D	A	C	C	B	A
11	**12**	**13**	**14**	**15**	**16**	**17**	**18**	**19**	**20**
B	B	A	C	D	B	D	C	A	D
21	**22**	**23**	**24**	**25**	**26**	**27**	**28**	**29**	**30**
B	B	B	B	A	D	B	A	D	A

कुछ चुने हुए प्रश्नों के व्याख्यात्मक उत्तर

2. 1% का $\frac{1}{2}, \frac{1}{100} \times \frac{1}{2} = \frac{1}{200} = 0.005.$

3. वेतन में वृद्धि = 1000 – 800 = ₹ 200

$$\% \text{ वृद्धि} = \frac{200}{800} \times 100 = 25\%.$$

5. कार्य करता है 6 से 8 बजे तक अर्थात् 14 घण्टे, तो आराम करेगा

$$= 24 - 14 = 10 \text{ घण्टे}$$

$$= \frac{10}{24} \times 100 = 41\frac{2}{3}\%.$$

6. % कमी करने के लिए $= \frac{\text{वृद्धि}}{100 + \text{वृद्धि}} \times 100$

$$= \frac{25}{125} \times 100 = 20\%.$$

9. $\% \text{ प्रभाव} = \frac{(100 \pm A)(100 \pm B)}{100}$

$$\frac{80 \times 130}{100} = 104\%$$

$$= \text{वृद्धि } 4\%.$$

11. प्रतिशत गति बढ़ाने के लिए

$$= \frac{\text{कमी}}{(100 - \text{कमी})} \times 100$$

$$= \frac{20}{100 - 20} \times 100$$

$$= \frac{20}{80} \times 100 = 25\%.$$

12. कुल पूर्णांक $= \frac{\text{अंकों का अन्तर}}{\% \text{ का अन्तर}} \times 100$

$$= \frac{(20 + 18)}{(35 - 25)} \times 100$$

$$= \frac{38}{10} \times 100 = 380 \text{ अंक}$$

14. नए मिश्रण में जल की % मात्रा

$$= \frac{\text{दी गई मात्रा} \times \%}{\text{दी गई मात्रा} + \text{डाली मात्रा}}$$

$$80 = \frac{40 \times 90}{40 + x}$$

$$40 + x = 45$$

$$x = 45 - 40 = 5 \text{ लीटर}$$

नोट : इस प्रकार के प्रश्नों में ध्यान रखें कि जो चीज डाल रहे हैं उसके विपरीत चीज का प्रतिशत लिखते हैं जैसे इस प्रश्न में पानी डाल रहे हैं तो प्रतिशत दूध का लिखा है।

16. अन्तिम मूल्य

$$= \text{प्रारम्भिक मूल्य} \times \left(1 \pm \frac{R_1}{100}\right)\left(1 \pm \frac{R_2}{100}\right)\left(1 \pm \frac{R_3}{100}\right)...$$

$$x \times \frac{110}{100} \times \frac{80}{100} \times \frac{120}{100} = 73920$$

$$x = 70000.$$

17. $$x \times \frac{96}{100} \times \frac{90}{100} = 8640$$

$$x = 10000.$$

19. $$\text{गेहूँ का आरंभिक मूल्य} = \frac{\text{कमी}}{100 - \text{कमी}} \times \frac{₹}{\text{कि.ग्रा.}}$$

$$= \frac{20}{80} \times \frac{320}{5} = ₹\, 16.$$

20. $$\text{प्रारम्भिक मूल्य} = \frac{\text{कमी}}{100 - \text{कमी}} \times \frac{₹}{\text{कि.ग्रा.}}$$

$$= \frac{25}{75} \times \frac{600}{10}$$

$$= ₹\, 20 \text{ प्रति कि.ग्रा.}$$

$$\text{घटा हुआ मूल्य} = 20 \times \frac{75}{100}$$

$$= ₹\, 15 \text{ प्रति कि.ग्रा.}$$

21. $$\frac{50}{150} = \frac{1}{3} \text{ भाग}$$

यहाँ % नहीं पूछा गया है बल्कि उसका हिस्सा पूछा गया है।

24. $$\text{नई प्रतिशत मात्रा} = \frac{\text{दी गई मात्रा} \times \%}{\text{दी गई मात्रा} + \text{डाली गई मात्रा}}$$

$$5 = \frac{50 \times 20}{50 + x}$$

$$50 + x = 200$$

$$x = 200 - 50 = 150 \text{ लीटर}$$

25. $$\text{कुल वृद्धि} = \frac{120 \times 120}{100} - 100$$

$$= 44\%$$

$$\text{कमी \% के लिए} = \frac{\text{वृद्धि}}{(100 + \text{वृद्धि})} \times 100$$

$$= \frac{44}{144} \times 100$$

$$= 30\frac{5}{9}\%.$$

29. $$\frac{(100 + A)(100 - B)}{100}$$

$$= \frac{120 \times 90}{100} = 108$$

$$\text{वास्तविक/आरंभिक मूल्य} = \frac{100}{108} \times 10.80$$

$$= ₹\, 10 \text{ प्रति कि.ग्रा.}$$

$$8 \text{ कि.ग्रा. का मूल्य} = 10 \times 8 = ₹\, 80.$$

30. $$\frac{120x}{90y} = \frac{16}{21}$$

$$\frac{x}{y} = \frac{4}{7}.$$

○○○

6 लाभ-हानि (Profit & Loss)

- **क्रय मूल्य :** कोई भी वस्तु जिस मूल्य पर खरीदी जाती है, वह उसका क्रय मूल्य कहलाता है।
- **विक्रय मूल्य :** कोई भी वस्तु जिस मूल्य पर बेची जाती है, वह उसका विक्रय मूल्य कहलाता है।
- **लाभ :** जब किसी वस्तु का विक्रय मूल्य, वस्तु के क्रय मूल्य से अधिक होता है, तो उस वस्तु पर लाभ होता है।

$$\text{लाभ} = \text{विक्रय मूल्य} - \text{क्रय मूल्य}$$

$$\text{प्रतिशत लाभ} = \frac{\text{लाभ}\times 100}{\text{क्रय-मूल्य}}$$

- **हानि :** जब किसी वस्तु का क्रय मूल्य, वस्तु के विक्रय मूल्य से अधिक होता है, तो उस वस्तु पर हानि प्राप्त होती है।

$$\text{हानि} = \text{क्रय मूल्य} - \text{विक्रय मूल्य}$$

$$\text{प्रतिशत हानि} = \frac{\text{हानि}\times 100}{\text{क्रय-मूल्य}}$$

आवश्यक नियम

(*i*) जब किसी वस्तु का क्रय-मूल्य और प्रतिशत लाभ दिया गया हो, तब

$$\text{विक्रय मूल्य} = \text{क्रय मूल्य}\left(1+\frac{\text{लाभ}\,\%}{100}\right)$$

(*ii*) जब किसी वस्तु का क्रय मूल्य और प्रतिशत हानि दी गई हो, तब

$$\text{विक्रय मूल्य} = \text{क्रय मूल्य}\left(1-\frac{\text{हानि}\,\%}{100}\right)$$

(*iii*) जब किसी वस्तु का विक्रय मूल्य और प्रतिशत लाभ दिया गया हो, तब

$$\text{क्रय मूल्य} = \text{विक्रय मूल्य}\left(\frac{1}{1+\frac{\text{लाभ}\,\%}{100}}\right)$$

(*iv*) जब किसी वस्तु का विक्रय मूल्य और प्रतिशत हानि दी गई हो, तब

$$\text{क्रय मूल्य} = \text{विक्रय मूल्य}\left(\frac{1}{1-\frac{\text{हानि}\,\%}{100}}\right)$$

(*v*) जब दो वस्तुएँ एक ही मूल्य पर बेची जाएँ, एक वस्तु पर निश्चित प्रतिशत लाभ तथा दूसरी वस्तु पर उतने ही प्रतिशत हानि हो, तो उस स्थिति में हमेशा हानि होगी।

$$\text{अर्थात् प्रतिशत हानि} = \left(\frac{\text{हानि}\,\% \times \text{लाभ}\,\%}{100}\right)$$

नोट : लाभ अथवा हानि हमेशा क्रय मूल्य पर ज्ञात किए जाते हैं।

साधित उदाहरण

1. कोई वस्तु ₹ 800 में खरीदकर ₹ 900 में बेच दी गई, तो लाभ प्रतिशत बताओ।

हल : क्रय मूल्य = ₹ 800, विक्रय मूल्य = ₹ 900

$$\text{लाभ} = \text{विक्रय मूल्य} - \text{क्रय मूल्य}$$
$$= 900 - 800 = ₹\ 100$$

$$\text{लाभ}\ \% = \frac{\text{लाभ}}{\text{क्रय मूल्य}}\times 100$$

$$= \frac{100}{800}\times 100 = 12\frac{1}{2}\%.$$

2. किसी वस्तु को 15% की हानि से बेचने पर ₹ 2550 प्राप्त होते हैं, तो बताओ 20% लाभ प्राप्त करने के लिए उसे कितने में बेचना चाहिए?

हल : माना कि क्रय मूल्य = ₹ 100

वास्तविक विक्रय मूल्य = ₹ 2550

हानि पर विक्रय मूल्य = 85%

लाभ पर विक्रय मूल्य = 120%

रामबाण विधि से यहाँ विक्रय मूल्य दो हैं परन्तु ध्यान रखना है कि निकालने वाले विक्रय मूल्य को ही ऊपर लिखेंगे–

$$\frac{120}{85}\times 2550 = ₹\ 3600$$

दूसरी विधि–

$85 : 2550 : : 120 : x$

समानुपात के नियम से–

$$85 \times x = 2550 \times 120$$

$$x = \frac{2550 \times 120}{85} = 3600.$$

3. किसी वस्तु को 20% हानि की अपेक्षा 20% लाभ पर बेचने से ₹ 270 अधिक मिलते हैं, तो बताओ उसका क्रय मूल्य क्या है?

हल : प्रश्नानुसार–

$$\frac{120x}{100} - \frac{80x}{100} = ₹\ 270$$

$$120x - 80x = ₹\ 27000$$

$$40x = ₹\ 27000$$

$$x = ₹\ 675.$$

4. किसी वस्तु को 10% लाभ की अपेक्षा 25% लाभ पर बेचने से ₹ 105 अधिक मिलते हैं, तो उसका क्रय मूल्य क्या है?

हल : $$\text{क्रय मूल्य} = \frac{\text{राशि का अन्तर}}{A \pm B} \times 100$$

$$= \frac{105}{25-10} \times 100$$

$$= \frac{105}{15} \times 100 = ₹\ 700.$$

5. 18 वस्तुओं का क्रय मूल्य 20 वस्तुओं के विक्रय मूल्य के बराबर है, तो लाभ/हानि % बताओ।

हल : 18 व 20 का ल.स. = 180

$$\text{क्रय मूल्य} = \frac{180}{18} = ₹\ 10$$

$$\text{विक्रय मूल्य} = \frac{180}{20} = ₹\ 9$$

$$\text{हानि} = 10 - 9 = ₹\ 1$$

$$\text{हानि\%} = \frac{\text{हानि}}{\text{क्रय मूल्य}} \times 100$$

$$\frac{1}{10} \times 100 = 10\%\ \text{हानि}$$

6. एक बेईमान दुकानदार 1 कि.ग्रा. के स्थान पर केवल 800 ग्राम ही तोलता है और वस्तु को क्रय मूल्य पर ही बेचने का दावा करता है, तो लाभ प्रतिशत बताओ।

हल : $$\text{लाभ \%} = \frac{\text{खरीदी वस्तु} - \text{बेची वस्तु}}{\text{बेची वस्तु}} \times 100$$

अथवा $$\text{लाभ} = \frac{\text{त्रुटि}}{\text{वास्तविक तौल}} \times 100$$

$$= \frac{1000-800}{800} \times 100$$

$$= 25\%\ \text{लाभ}$$

7. किसी वस्तु को ₹ 540 में बेचने पर उतनी ही हानि होती है जितना उसको ₹ 750 में बेचने पर लाभ, तो वस्तु का क्रय मूल्य बताओ।

हल : माना वस्तु का क्रय मूल्य = ₹ x

$$\text{हानि} = \text{क्रय मूल्य} - \text{विक्रय मूल्य}$$

$$= (x - 540)$$

$$\text{लाभ} = \text{विक्रय मूल्य} - \text{क्रय मूल्य}$$

लाभ व हानि दोनों बराबर हैं, तो

$$x - 540 = 750 - x$$

$$2x = 750 + 540$$

$$x = ₹\ 645$$

इस प्रकार के प्रश्नों में जब लाभ व हानि समान हों, तो शीघ्र हल करने के लिए दोनों के योग का आधा कर देते हैं।

$$\text{क्रय मूल्य} - \frac{540+750}{2} = \frac{1290}{2} = ₹\ 645$$

वस्तुनिष्ठ प्रश्न

1. किसी वस्तु का विक्रय मूल्य उसके क्रय मूल्य का $\frac{8}{5}$ गुणा है, तो लाभ प्रतिशत होगा:

A. 120% B. 160%
C. 40% D. 60%
E. 45%

2. किसी रेडियो को 25% हानि पर बेचने से ₹ 510 प्राप्त होते हैं, तो बताओ 25% लाभ प्राप्त करने के लिए उसे कितने में बेचना चाहिए?

A. ₹ 900 B. ₹ 850
C. ₹ 750 D. ₹ 805
E. ₹ 755

3. एक साइकिल को ₹ 2,850 में बेचने से एक दुकानदार को 14% का लाभ होता है, यदि लाभ कम करके 8% रखा जाए, तो विक्रय मूल्य होगा:

A. ₹ 2,600 B. ₹ 2,700
C. ₹ 2,800 D. ₹ 3,000
E. इनमें से कोई नहीं

4. विकास ने ₹ 12,000 का सामान खरीदा उसे दुकान तक लाने में ₹ 2,000 का अतिरिक्त खर्च पड़ा। यदि कुल सामानों की संख्या 700 है और उसे विकास ने ₹ 23 प्रति सामान की दर से बेच दिया, तो उसे कितना लाभ हुआ?

A. ₹ 1610 B. ₹ 1400
C. ₹ 2100 D. ₹ 3010
E. इनमें से कोई नहीं

5. राघव ने 20 लीटर दूध ₹ 15 प्रति लीटर की दर से तथा ₹ 12 प्रति लीटर की दर से 60 लीटर दूध खरीदा। दोनों को 30 लीटर पानी में मिला दिया। फिर उसे लगभग किस भाव से बेचे कि उसे 20% का लाभ हो?

A. ₹ 15 प्रति लीटर B. ₹ 18 प्रति लीटर
C. ₹ 12 प्रति लीटर D. ₹ 11.12 प्रति लीटर
E. इनमें से कोई नहीं

6. किसी व्यक्ति ने एक घोड़ा 15% के लाभ से बेच दिया। यदि उसने इसे 25% कम से खरीदा होता तथा ₹ 60 कम में बेचा होता, तो उसे 32% का लाभ होता। घोड़े का क्रय मूल्य था?

A. ₹ 370 B. ₹ 372
C. ₹ 375 D. ₹ 378
E. इनमें से कोई नहीं

7. सुरेश ने एक घड़ी 20% की हानि पर रवि को, रवि ने 20% लाभ पर किशन को, किशन ने 20% की हानि पर अमर को बेच दी। यदि अमर ने उसके ₹ 768 दिए हों, तो बताओ वह घड़ी सुरेश ने कितने में खरीदी?

A. ₹ 812 B. ₹ 1000
C. ₹ 978 D. ₹ 979
E. इनमें से कोई नहीं

8. A किसी वस्तु को B को 25% लाभ से, B उसी वस्तु को C को 20% लाभ से तथा C उसी वस्तु को D को 10% लाभ से बेचता है। यदि D ने उसके लिए ₹ 330 दिए हों, तो A ने उसे कितने में खरीदा था?

A. ₹ 200 B. ₹ 250
C. ₹ 275 D. ₹ 290
E. ₹ 280

9. एक बेईमान दुकानदार अपने सामान को लागत मूल्य पर बेचने का दावा करता है फिर भी वजन कम तौलकर 25% लाभ अर्जित करता है, तो बताओ उसने 1 कि.ग्रा. बाट के स्थान पर किस बाट का प्रयोग किया?

A. 750 ग्राम B. 800 ग्राम
C. 825 ग्राम D. 850 ग्राम
E. 865 ग्राम

10. एक बेईमान दुकानदार सामान खरीदते समय 10% की गड़बड़ी करता है तथा सामान बेचते समय भी 10% की गड़बड़ी करता है, तो बताओ उसे पूरे सौदे में कितने प्रतिशत लाभ होगा?

A. 44% B. 21%
C. 1% D. 11%
E. 12%

11. आंचल ने कुछ टॉफी ₹ 2 में 3 की दर से तथा कुछ टॉफी ₹ 4 में 5 की दर से खरीदी। इन सबको उसने ₹ 5 में 6 की दर से बेच दिया, तो लाभ/हानि प्रतिशत बताओ?

A. $32\frac{2}{3}$% हानि B. $13\frac{1}{11}$% लाभ
C. $47\frac{2}{13}$% हानि D. $13\frac{2}{11}$% लाभ
E. इनमें से कोई नहीं

12. 12 संतरे प्रति ₹ की दर से बेचने पर किसी को 20% हानि होती है, तो 20% लाभ प्राप्त करने के लिए उसे संतरों को प्रति ₹ किस दर से बेचना चाहिए?

A. ₹ 5 B. ₹ 8
C. ₹ 10 D. ₹ 12
E. ₹ 15

13. 100 वस्तुओं में से आधी वस्तुओं को 20% के लाभ से तथा शेष को 40% के लाभ से बेचा गया। यदि सभी वस्तुओं को 25% के लाभ से बेचा गया होता, तो लाभ पहले लाभ की तुलना में ₹ 100 कम मिलता। प्रत्येक वस्तु का क्रय मूल्य था :

A. ₹ 10 B. ₹ 15
C. ₹ 20 D. ₹ 30
E. ₹ 10

14. किसी वस्तु के विक्रय मूल्य के आधार पर की गई गणना के अनुसार हानि 25% पाई जाती है। क्रय मूल्य के आधार पर हानि का प्रतिशत होगा :

A. 18 B. 20
C. 22 D. 25
E. 26

15. एक व्यक्ति ने एक घोड़ा 15% लाभ पर बेचा। यदि उसने इसे 25% कम मूल्य पर खरीदा होता तथा ₹ 600 कम में बेचा होता, तो उसे 32% लाभ हुआ होता। घोड़े का क्रय मूल्य बताओ?

A. ₹ 3750 B. ₹ 3250
C. ₹ 2750 D. ₹ 2250
E. ₹ 2850

16. एक व्यापारी किसी उपभोक्ता वस्तु को 10% के लाभ पर बेचता है। यदि उसने इसे 10% कम पर खरीदा होता तथा ₹ 2 कम पर बेचा होता, तो उसे $16\frac{2}{3}$% लाभ हुआ होता, तो उपभोक्ता वस्तु का क्रय मूल्य है:

A. ₹ 32 B. ₹ 36
C. ₹ 40 D. ₹ 48
E. ₹ 45

17. कुछ टॉफियाँ ₹ 10 में 11 के भाव से तथा उतनी ही टॉफियाँ ₹ 10 में 9 के भाव से खरीदी गईं। यदि कुल भण्डार को ₹ 1 प्रति टॉफी के भाव से बेचा गया हो, तो पूरे सौदे में लाभ अथवा हानि बताइए?

A. 1% की हानि B. 2% का लाभ
C. न लाभ, न हानि D. 3% का लाभ
E. इनमें से कोई नहीं

18. रमेश ने 20 कि.ग्रा. चीनी ₹ 18.50 कि.ग्रा. की दर से तथा 35 कि.ग्रा. चीनी ₹ 14.20 रु. कि.ग्रा. की दर से खरीदी। दोनों को मिलाकर वह प्रति कि.ग्रा. किस दर से बेचे कि उसे 21% लाभ हो?

A. ₹ 16.80 B. ₹ 19.07
C. ₹ 15.30 D. ₹ 17.80
E. इनमें से कोई नहीं

19. सूरज ने दो घोड़े ₹ 5000 में खरीदे। उसने पहला घोड़ा 12% हानि पर और दूसरा 8% लाभ पर बेचा। यदि उसे इस सौदे में कोई लाभ और न कोई हानि हुई हो, तो दोनों घोड़ों का अलग-अलग क्रय मूल्य क्या है?

A. ₹ 1760, ₹ 3240
B. ₹ 3240, ₹ 2000
C. ₹ 3000, ₹ 2000
D. ₹ 3200, ₹ 1760
E. इनमें से कोई नहीं

20. एक दुकानदार ने दो प्रकार के चावल ₹ 15 प्रति कि.ग्रा. तथा ₹ 18 प्रति कि.ग्रा. की दर से खरीदकर 4 : 5 में मिला दिए और उन्हें ₹ 20 प्रति कि.ग्रा. की दर से बेच दिया, तो लाभ प्रतिशत बताओ?

A. 20% B. 25%
C. 30% D. 40%
E. 45%

21. किसी व्यक्ति ने एक टी.वी. ₹ 9400 में बेचा तो उसे कुछ हानि हुई। जब उसने उसी प्रकार का दूसरा टी.वी. ₹ 10600 में बेचा, तो उसका लाभ पिछली हानि से दुगुना था। टी.वी. का क्रय मूल्य था :

A. ₹ 9800 B. ₹ 10000
C. ₹ 10200 D. ₹ 10400
E. इनमें से कोई नहीं

22. ₹ 1,50,000 मूल्य वाली एक कार x द्वारा y को 5% के लाभ पर बेची गई। y ने x को वापिस वही कार 2% की हानि पर बेच दी तो पूरे सौदे में हुआः

A. x को ₹ 4350 का लाभ
B. x को ₹ 4350 का घाटा
C. x को ₹ 3150 का लाभ
D. x को ₹ 3150 का घाटा
E. इनमें से कोई नहीं

23. एक आदमी तीन मकान खरीदता है, दूसरा पहले से दुगुनी कीमत पर और तीसरा दूसरे से दुगुनी कीमत पर। वह पहला और दूसरा मकान 20% के लाभ पर बेचता है, किन्तु तीसरे पर उसे 10% की हानि उठानी पड़ती है। तो कुल मिलाकर उसे हुआः

A. 3% से कम लाभ B. 3% की हानि
C. 3% से अधिक लाभ D. 3% से कम हानि
E. इनमें से कोई नहीं

24. एक कलम 5% हानि पर और एक पुस्तक 15% लाभ पर बेचकर करीम ₹ 7 लाभ कमाता है। यदि वह कलम 5% लाभ पर और पुस्तक 10% पर बेचे, तो उसे ₹ 13 का लाभ होता है, तो पुस्तक की वास्तविक कीमत क्या है?

A. ₹ 80 B. ₹ 90
C. ₹ 100 D. ₹ 120
E. इनमें से कोई नहीं

उत्तरमाला

1	2	3	4	5	6	7	8	9	10
D	B	B	C	D	C	B	A	B	B
11	**12**	**13**	**14**	**15**	**16**	**17**	**18**	**19**	**20**
B	B	C	B	A	C	A	B	C	A
21	**22**	**23**	**24**						
A	A	A	A						

कुछ चुने हुए प्रश्नों के व्याख्यात्मक उत्तर

1. माना क्रय मूल्य = ₹ x

$$\text{विक्रय मूल्य} = ₹\ \frac{8x}{5}$$

$$\text{लाभ} = \frac{8x}{5} - x = ₹\ \frac{3x}{5}$$

$$\text{लाभ \%} = \frac{3x}{5} \times \frac{1}{x} \times 100 = 60\%.$$

3. $$\text{दूसरा विक्रय मूल्य} = \frac{2850 \times 108}{114}$$

$$= ₹\ 2700.$$

4. $$\text{क्रय मूल्य} = 12000 + 2000$$

$$= ₹\ 14000$$

$$\text{विक्रय मूल्य} = 700 \times 23$$

$$= ₹\ 16100$$

$$\text{लाभ} = 16100 - 14000$$

$$= ₹\ 2100.$$

6. $$\text{\% प्रभाव} = \frac{(100 \pm A)(100 \pm B)}{100}$$

$$= \frac{75 \times 132}{100} = 99\%.$$

115% 99%

16% = 60

तो $$= \frac{60}{16} \times 100 = ₹\ 375.$$

8. $x \times \frac{125}{100} \times \frac{120}{100} \times \frac{110}{100} = 330$

$x = ₹\, 200.$

10. वह दोनों बार ही बेईमानी करता है अर्थात् लाभ कमाता है, तो पूरे सौदे में–

$$\text{लाभ } \% = \frac{(100 + A)(100 + B)}{100}$$

$$= \frac{110 \times 110}{100}$$

$$= 121 - 100 = 21\%.$$

12. $$\text{विक्रय मूल्य} = \frac{100 \pm A}{100 \pm B} \times \text{मात्रा}$$

$$= \frac{80}{120} \times 12 = 8.$$

13. माना प्रत्येक वस्तु का क्रय मूल्य = ₹ x

कुल क्रय मूल्य = ₹ 100 x

$$\left(50x\frac{20}{100} + 50x \times \frac{40}{100}\right) - 100x \times \frac{25}{100} = 100$$

$$10x + 20x - 25x = 100$$

$$5x = 100$$

$$x = ₹\, 20$$

16. पहली स्थिति में लाभ = 10%

$$\text{दूसरी शर्त पर} = \frac{(100 \pm A)(100 \pm B)}{100}$$

$$\text{दूसरी स्थिति में} = \frac{90 \times 350}{100 \times 3} = 105$$

अर्थात् लाभ = 5%

$$\text{क्रय मूल्य} = \frac{\text{राशि का अन्तर}}{A \pm B} \times 100$$

$$= \frac{2}{10 - 5} \times 100 = ₹\, 40.$$

18. 20 कि.ग्रा. का ₹ 18.50 प्रति कि.ग्रा. से क्रय मूल्य

$= 18.50 \times 20 = ₹\, 370$

35 कि.ग्रा. का ₹ 14.20 प्रति कि.ग्रा. से क्रय मूल्य

$= 14.20 \times 35 = ₹\, 497$

कुल क्रय मूल्य = 370 + 497 = ₹ 867

21% लाभ पर प्रति कि.ग्रा. भाव

$$= \frac{121}{100} \times \frac{867}{55}$$

= ₹ 19.07 प्रति कि.ग्रा.

20. चावल खरीदे 4 : 5

अर्थात् $4x$ व $5x$ कि.ग्रा.

क्रय मूल्य = $15 \times 4x = ₹\, 60x$

दूसरा क्रय मूल्य = $18 \times 5x = ₹\, 90x$

कुल क्रय मूल्य = ₹ $150x$

कुल चावल = $4x + 5x = 9x$ कि.ग्रा.

विक्रय मूल्य = $20 \times 9x = ₹\, 180x$

लाभ = $180x - 150x$

= ₹ $30x$

$$\text{लाभ } \% = \frac{30x}{150x} \times 100 = 20\%.$$

22. $$x \text{ का विक्रय मूल्य} = 150000 \times \frac{105}{100}$$

= ₹ 157500

y का विक्रय मूल्य = x का क्रय मूल्य

$$= 157500 \times \frac{98}{100}$$

= ₹ 154350

x का लाभ = 154350 − 150000

= ₹ 4350.

24. माना पुस्तक का क्रय मूल्य = ₹ x

कलम का क्रय मूल्य = ₹ y

$15\%\ x - 5\%\ y = 7$ ...(*i*)

$10\%\ x + 5\%\ y = 13$ ...(*ii*)

समीकरण (*i*) व (*ii*) से–

$25\%\ x = 20$

$$x = \frac{20}{25} \times 100 = ₹\, 80.$$

○○○

7 साधारण एवं चक्रवृद्धि ब्याज (Simple & Compound Interest)

मूलधन (Principal)

उधार दी गई या ली गई राशि मूलधन कहलाती है।

साधारण ब्याज (Simple Interest)

जब कोई व्यक्ति, किसी व्यक्ति से कोई राशि उधार लेता है, तो उस राशि के अतिरिक्त वह जो धन (राशि) लौटाता है वही साधारण ब्याज कहलाता है।

मिश्रधन (Amount)

ब्याज सहित लौटाई गई राशि या मूलधन ही सम्मिलित रूप से मिश्रधन कहलाता है।

- जब दो तिथियों के बीच समय निकालना हो, तो उधार देने वाली तिथि को न जोड़कर केवल चुकाने वाली तिथि को ही जोड़ते हैं। जैसे—15 मार्च, 2005 को राशि उधार दी गई तथा 20 नवम्बर, 2005 को राशि लौटाई तो समय =

  मार्च + अप्रैल + मई + जून + जुलाई + अगस्त + सितम्बर + अक्टूबर + नवम्बर

  $16 + 30 + 31 + 30 + 31 + 31 + 30 + 31 + 20 = 250$ दिन

  वर्ष बनाने के लिए 365 का भाग देते हैं।

  अर्थात् $= \frac{250}{365} = \frac{50}{73}$ वर्ष

कभी-कभी कुछ परीक्षाओं में ब्याज का सूत्र पूछते हैं, तो साधारण ब्याज = मूलधन × समय × दर

नोट : सूत्र में कभी-भी नीचे 100 नहीं लगा होता है क्योंकि दर के अनुसार ही नीचे 100 लगाते हैं। परन्तु जब ब्याज की शर्त वार्षिक है और दर प्रति सैकड़ा पर हो, तो—

$$\text{साधारण ब्याज} = \frac{\text{मूलधन} \times \text{समय} \times \text{दर}}{100}$$

$$\text{मूलधन} = \frac{\text{ब्याज} \times 100}{\text{समय} \times \text{दर}}$$

$$\text{समय} = \frac{\text{ब्याज} \times 100}{\text{मूलधन} \times \text{दर}}$$

$$\text{दर} = \frac{\text{ब्याज} \times 100}{\text{मूलधन} \times \text{समय}}$$

चक्रवृद्धि ब्याज (Compound Interest)

जब कोई राशि किसी निश्चित समय के लिए उधार दी जाती है तो प्राप्त ब्याज तथा मूलधन के योग (मिश्रधन) को अगली अवधि के लिए मूलधन मानकर पुनः वही प्रक्रिया दोहराते हैं। इस प्रकार प्राप्त ब्याज को चक्रवृद्धि ब्याज कहते हैं। अर्थात् प्राप्त ब्याज को मूल राशि में जोड़कर पुनः ब्याज पर ब्याज ही चक्रवृद्धि ब्याज कहलाता है।

$$\text{मिश्रधन} = \text{मूलधन} \times \left(1 + \frac{\text{दर}}{100}\right)^{\text{समय}}$$

$$\text{चक्रवृद्धि ब्याज} = \text{मूलधन} \times \left(1 + \frac{\text{दर}}{100}\right)^{\text{समय}} - \text{मूलधन}$$

$$\text{चक्रवृद्धि ब्याज} = \text{मिश्रधन} - \text{मूलधन}$$

राशि कई प्रकार की शर्तों पर उधार देते हैं—

(*i*) वार्षिक दर (*ii*) अर्द्धवार्षिक दर (*iii*) त्रैमासिक दर

(*i*) वार्षिक दर : वार्षिक दर का अर्थ होता है कि उधार दी गई राशि का एक वर्ष में हिसाब करके प्राप्त ब्याज को मूलधन में जोड़ते हैं।

(*ii*) अर्द्धवार्षिक दर : इसका अर्थ है कि वर्ष में दो बार हिसाब करके प्राप्त ब्याज को मूलधन में जोड़ते हैं।

- जब ब्याज की शर्त अर्द्धवार्षिक हो, तो दर को आधा तथा समय को दुगुना कर देते हैं।

(*iii*) त्रैमासिक दर : इसका अर्थ है कि राशि का एक वर्ष में 4 बार (3-3 माह के बाद) हिसाब करके प्राप्त ब्याज को मूलधन में जोड़ते हैं।

- जब ब्याज की शर्त त्रैमासिक हो तो दर को चौथाई व समय को चौगुना कर देते हैं।
- किसी भी राशि पर 1 वर्ष का चक्रवृद्धि ब्याज व साधारण ब्याज का अन्तर शून्य होता है।

साधित उदाहरण

1. किस राशि का 15% साधारण ब्याज की दर से 8 मास का साधारण ब्याज ₹ 54 हो जाएगा?

हल : मूलधन = ?

$$\text{समय} = \frac{8}{12} = \frac{2}{3} \text{ वर्ष}$$

दर = 15%

ब्याज = ₹ 54

$$\text{मूलधन} = \frac{\text{ब्याज} \times 100}{\text{समय} \times \text{दर}}$$

$$= \frac{54 \times 100 \times 3}{15 \times 2} = ₹ 540.$$

2. ₹ 6500 की राशि पर कितने समय में $6\frac{1}{2}\%$ वार्षिक साधारण ब्याज की दर से ₹ 845 साधारण ब्याज प्राप्त होगा?

हल : मूलधन = ₹ 6500

$$\text{दर} = 6\frac{1}{2}\% \text{ या } \frac{13}{2}\%$$

ब्याज = ₹ 845

$$\text{समय} = \frac{\text{ब्याज} \times 100}{\text{मूलधन} \times \text{दर}} = \frac{845 \times 100 \times 2}{6500 \times 13} = 2 \text{ वर्ष}$$

3. कोई राशि 10% की दर से कितने समय में तिगुनी हो जाएगी?

हल : माना वह राशि = ₹ x

ब्याज = $3x - x$ = ₹ $2x$

समय = ?

$$\text{समय} = \frac{\text{ब्याज} \times 100}{\text{मूलधन} \times \text{दर}} = \frac{2x \times 100}{x \times 10} = 20 \text{ वर्ष में}$$

नोट : यहाँ x के स्थान पर हम 100 भी मानकर हल कर सकते हैं।

4. कोई राशि साधारण ब्याज की दर से 3 वर्ष में ₹ 4800 हो जाती है तथा 5 वर्ष में ₹ 5600 हो जाती है, तो वह राशि बताओ।

हल : 3 वर्ष का मिश्रधन = ₹ 4800

5 वर्ष का मिश्रधन = ₹ 5600

2 वर्ष का ब्याज = ₹ 800

$$\text{तो 3 वर्ष का ब्याज} = \frac{800}{2} \times 3 = ₹1200$$

अतः मूलधन = मिश्रधन – ब्याज

= 4800 – 1200 = ₹ 3600

नोट : यहाँ 3 वर्ष के बजाय 5 वर्ष का ब्याज निकालकर भी हल कर सकते हैं।

5. कोई राशि समान दर व समान समय पर उधार दी जाती है। यदि साधारण ब्याज, मूलधन का $\frac{4}{9}$ हो जाता है, तो साधारण ब्याज की दर बताओ।

हल : माना मूलधन = ₹ x (यहाँ हम मूलधन 100 भी मान सकते हैं)

दर = R%, समय = R वर्ष

$$\text{ब्याज} = ₹ \frac{4x}{9}$$

$$\text{साधारण ब्याज} = \frac{\text{मूलधन} \times \text{समय} \times \text{दर}}{100}$$

$$\frac{4x}{9} = \frac{x \times R \times R}{100}$$

$$\frac{4}{9} = \frac{R^2}{100}$$

$$9R^2 = 400$$

$$R^2 = \frac{400}{9} \quad \Rightarrow R = \sqrt{\frac{400}{9}}$$

$$R = \frac{20}{3} \text{ या } 6\frac{2}{3}\%$$

6. ₹ 5680 की राशि 10% चक्रवृद्धि ब्याज की दर से $1\frac{1}{2}$ वर्ष के लिए उधार दी जाती है। यदि ब्याज की शर्त अर्द्धवार्षिक हो, तो चक्रवृद्धि ब्याज बताओ।

हल : मूलधन = ₹ 5680

$$\text{समय} = 1\frac{1}{2} \text{ वर्ष} = 3 \text{ वर्ष}$$ [ऐसा समझते हैं]

दर = 10% = 5%

[जब ब्याज की शर्त अर्द्धवार्षिक हो, तो दर को आधा, समय को दोगुना करते हैं।]

ब्याज की शर्त = अर्द्धवार्षिक

चक्रवृद्धि ब्याज

$$= \text{मूलधन} \times \left(1 + \frac{\text{दर}}{100}\right)^{\text{समय}} - \text{मूलधन}$$

$$= 5680 \times \frac{105}{100} \times \frac{105}{100} \times \frac{105}{100} - 5680$$

= 6575.31 – 5680 = ₹ 895.31.

7. कोई राशि 10% की दर से उधार दी जाती है और 3 वर्ष के अंत में ₹ 1331 प्राप्त होते हैं, तो बताओ उधार दी गई राशि क्या है?

हल : मूलधन = x दर = 10%

समय = 3 वर्ष मिश्रधन = ₹ 1331

$$\text{मिश्रधन} = \text{मूलधन} \times \left(1 + \frac{\text{दर}}{100}\right)^{\text{समय}}$$

$$x \times \left(1 + \frac{10}{100}\right)^3 = ₹ 1331$$

$$x \times \frac{110}{100} \times \frac{110}{100} \times \frac{110}{100} = ₹ 1331 \Rightarrow x = ₹ 1000.$$

8. ₹ 6000 की राशि 10% चक्रवृद्धि ब्याज की दर से ₹ 7986 हो जाती है, तो वह समयावधि बताओ।

हल : मूलधन = ₹ 6000, दर = 10%, समय = ? वर्ष

मिश्रधन = ₹ 7986

$$\text{मिश्रधन} = \text{मूलधन} \times \left(1+\frac{\text{दर}}{100}\right)^{\text{समय}}$$

$$6000 \times \left(\frac{110}{100}\right)^{T} = 7986$$

$$\left(\frac{11}{10}\right)^{T} = \frac{7986}{6000} \Rightarrow \left(\frac{11}{10}\right)^{T} = \frac{1331}{1000}$$

$$\left(\frac{11}{10}\right)^{T} = \left(\frac{11}{10}\right)^{3}$$

T = 3 वर्ष

नोट : जब दो आधार समान हों, तो उनकी घात भी बराबर होती है।

9. कोई राशि 4 वर्ष में 2 गुनी हो जाती है, तो बताओ वह कितने वर्ष में 16 गुनी हो जाएगी।

हल : 4 वर्ष में 2 गुनी या 2^1

? वर्ष में 16 गुनी या 2^4

Trick: $$\text{समय} = \frac{\text{बाद वाली घात}}{\text{पहली घात}} \times t_1$$

$$= \frac{4}{1} \times 4 = 16 \text{ वर्ष}$$

वस्तुनिष्ठ प्रश्न

1. ₹ 1500 की राशि किस साधारण ब्याज की दर से उधार दी जाए ताकि 3 वर्ष में उसका साधारण ब्याज ₹ 180 हो जाए?

A. 3% B. 4%
C. 5% D. 6%
E. 7%

2. एक धनराशि 2 वर्षों में बढ़कर ₹ 6000 हो जाती है। यदि उतने समय के लिए उस धनराशि पर ₹ 1000 ब्याज प्राप्त होता है, तो सामान्य ब्याज दर ज्ञात करें?

A. 5% B. 10%
C. 20% D. 25%
E. 30%

3. कोई राशि 8% की दर से कितने समय में तिगुनी हो जाएगी?

A. 20 वर्ष B. 25 वर्ष
C. 30 वर्ष D. 40 वर्ष
E. इनमें से कोई नहीं

4. साधारण ब्याज की $6\frac{1}{4}\%$ वार्षिक दर से कोई धनराशि कितने वर्षों में स्वयं की दोगुनी हो जाएगी?

A. 24 B. 20
C. 16 D. 12
E. 14

5. साधारण ब्याज की किसी दर से कोई धनराशि 10 वर्ष में स्वयं की दुगुनी हो जाती है। वह राशि स्वयं की तिगुनी कितने समय में हो जाएगी?

A. 15 वर्ष B. 18 वर्ष
C. 20 वर्ष D. 30 वर्ष
E. इनमें से कोई नहीं

6. किसी राशि पर साधारण ब्याज मूलधन का $\frac{1}{4}$ है और वर्षों की संख्या प्रतिशत दर के बराबर है। प्रतिशत दर है :

A. 2.5 B. 5
C. 7.5 D. 10
E. 8

7. किसी धनराशि पर वार्षिक ब्याज की दर से साधारण ब्याज, मूलधन का $\frac{25}{16}$ है। यदि दर प्रतिशत तथा वर्षों में समय को निरूपित करने वाली संख्याएँ बराबर हों, तो ब्याज की दर है :

A. 8% B. $11\frac{1}{2}\%$
C. $12\frac{1}{2}\%$ D. $12\frac{1}{4}\%$
E. इनमें से कोई नहीं

8. कोई राशि 4% की दर से 3 वर्ष के लिए उधार दी जाती है। यदि यही राशि इसी समय पर 2% अधिक दर पर उधार दी जाती, तो साधारण ब्याज ₹ 360 अधिक प्राप्त होता, बताओ वह राशि क्या है?

A. ₹ 6000 B. ₹ 8000
C. ₹ 9000 D. ₹ 10000
E. इनमें से कोई नहीं

9. साधारण ब्याज पर उधार दी गई कोई धनराशि 2 वर्ष में ₹ 880 तथा 3 वर्ष में ₹ 920 हो जाती है। वह धनराशि (₹ में) है:

A. ₹ 700 B. ₹ 760
C. ₹ 784 D. ₹ 800
E. इनमें से कोई नहीं

10. 4 वर्ष के बाद 6% साधारण ब्याज की दर से मूलधन व साधारण ब्याज का अन्तर ₹ 228 है, तो बताओ मूलधन की राशि क्या है?

A. ₹ 300 B. ₹ 400
C. ₹ 500 D. ₹ 600
E. इनमें से कोई नहीं

11. किसी व्यक्ति ने ₹ 25,000 की राशि का कुछ भाग 4% की दर से तथा कुछ भाग 9% की दर से उधार दिया। उसे 2 वर्ष के अन्त में कुल ₹ 3,000 ब्याज प्राप्त हुआ, तो बताओ 4% की दर से उसने कितनी राशि उधार दी?

A. ₹ 15000 B. ₹ 16000
C. ₹ 10000 D. ₹ 9000
E. इनमें से कोई नहीं

12. एक आदमी ने ₹ 6000 में से कुछ 5% की दर से तथा शेष 4% की दर से, साधारण ब्याज पर उधार दिया। यदि कुल वार्षिक ब्याज ₹ 2560 हो, तो 4% की दर से उधार दी गई धनराशि कितनी थी?

A. ₹ 4000 B. ₹ 44000
C. ₹ 30000 D. ₹ 45000
E. इनमें से कोई नहीं

13. सुभाष ने ₹ 6800 उधार के रूप में लिए जिनका ब्याज सहित दो समान वार्षिक किश्तों में भुगतान किया जाना है। यदि वार्षिक रूप से संयोजित ब्याज की दर $12\frac{1}{2}\%$ है, तो प्रत्येक किश्त की राशि होगी :

A. ₹ 3200 B. ₹ 4150
C. ₹ 4050 D. ₹ 4000
E. इनमें से कोई नहीं

14. किसी धन पर 4% वार्षिक की दर से 8 मास का साधारण ब्याज, उसी धनराशि पर 5% वार्षिक की दर से 15 मास के साधारण ब्याज से ₹ 129 कम है, तो वह धन राशि क्या है?

A. ₹ 2580 B. ₹ 2400
C. ₹ 2529 D. ₹ 3600
E. इनमें से कोई नहीं

15. कोई धनराशि साधारण ब्याज की दर से 2 वर्षों में ₹ 756 हो जाती है तथा $3\frac{1}{2}$ वर्षों में ₹ 873 हो जाती है, तो वार्षिक ब्याज की दर क्या है?

A. 10% B. 11%
C. 12% D. 13%
E. 15%

16. A, ₹ 800, 12% वार्षिक साधारण ब्याज की दर पर उधार लेता है तथा B, ₹ 910, 10% वार्षिक साधारण ब्याज की दर पर उधार लेता है। कितने वर्ष बाद उनके ऋण के मिश्रधन बराबर हो जाएंगे?

A. 18 वर्ष B. 20 वर्ष
C. 22 वर्ष D. 24 वर्ष
E. इनमें से कोई नहीं

17. ₹ 500 की एक धनराशि 12% वार्षिक साधारण ब्याज की दर से निवेशित की जाती है तथा एक अन्य धनराशि 10% वार्षिक साधारण ब्याज की दर से निवेशित की जाती है। यदि दोनों धनराशियों पर प्राप्त कुल ब्याज ₹ 480 है, तो अन्य धन राशि क्या है?

A. ₹ 450 B. ₹ 4200
C. ₹ 6000 D. ₹ 550
E. इनमें से कोई नहीं

18. किसी राशि पर 5% वार्षिक की दर से 3 वर्षों और 4 वर्षों में प्राप्त साधारण ब्याजों में ₹ 42 का अन्तर है, तो वह राशि क्या है?

A. ₹ 210 B. ₹ 750
C. ₹ 280 D. ₹ 840
E. इनमें से कोई नहीं

19. ₹ 1600 का $7\frac{1}{2}\%$ वार्षिक ब्याज की दर से 2 वर्ष 4 माह का साधारण ब्याज क्या होगा?

A. ₹ 280 B. ₹ 290
C. ₹ 275 D. ₹ 285
E. इनमें से कोई नहीं

20. साधारण ब्याज पर कोई राशि 2 वर्ष में ₹ 1062 तथा $3\frac{1}{2}$ वर्ष में ₹ 1183.50 हो जाती है, ब्याज की वार्षिक दर है :

A. 7% B. 6%
C. 9% D. 5%
E. 10%

21. ₹ 12000 की राशि 10% वार्षिक चक्रवृद्धि ब्याज की दर से उधार दी जाती है, तो बताओ 3 वर्ष का मिश्रधन क्या होगा?

A. ₹ 14748 B. ₹ 16000
C. ₹ 15972 D. ₹ 16500
E. इनमें से कोई नहीं

22. अर्द्धवार्षिक रूप में संयोजित, ₹ 6250 का 12% वार्षिक की दर से एक वर्ष का चक्रवृद्धि ब्याज क्या होगा?

A. ₹ 772.50 B. ₹ 772
C. ₹ 672.50 D. ₹ 672
E. इनमें से कोई नहीं

23. ₹ 4500 की राशि 16% चक्रवृद्धि ब्याज की दर से 9 माह के लिए उधार दी जाती है। यदि ब्याज की शर्त त्रैमासिक हो, तो मिश्रधन की राशि बताओ?

A. ₹ 5061.88 B. ₹ 4947.60
C. ₹ 6032.40 D. ₹ 4945.30
E. इनमें से कोई नहीं

24. कोई राशि 4 वर्ष में 3 गुनी हो जाती है, तो बताओ वह कितने वर्ष में स्वयं की 9 गुनी हो जाएगी?

A. 6 वर्ष B. 8 वर्ष
C. 12 वर्ष D. 10 वर्ष
E. 11 वर्ष

25. ₹ 6400 की राशि 5% वार्षिक की दर से 2 वर्ष के लिए उधार दी जाती है, तो चक्रवृद्धि ब्याज व सरल ब्याज का अन्तर क्या होगा?

A. ₹ 20 B. ₹ 16
C. ₹ 8 D. ₹ 64
E. ₹ 12

26. कोई राशि 15% की दर से 2 वर्ष के लिए उधार दी जाती है, तो चक्रवृद्धि ब्याज व सरल ब्याज का अन्तर ₹ 540 प्राप्त होता है, तो वह राशि बताओ :

A. ₹ 24000 B. ₹ 20000
C. ₹ 26000 D. ₹ 20500
E. इनमें से कोई नहीं

27. कोई राशि 10% की दर से 3 वर्ष के लिए उधार दी जाती है, तो चक्रवृद्धि ब्याज व सरल ब्याज का अन्तर ₹ 279 प्राप्त होता है, तो वह राशि क्या है?
A. ₹ 8000 B. ₹ 9000
C. ₹ 10000 D. ₹ 11000
E. ₹ 10500

28. चक्रवृद्धि ब्याज पर उधार दी गई कोई धनराशि 2 वर्ष में ₹ 1460 तथा 3 वर्ष में ₹ 1606 होती है। ब्याज की वार्षिक दर क्या होगी?
A. 12% B. 11%
C. 10.5% D. 10%
E. 11.5%

29. किसी धन का 2 वर्ष का साधारण ब्याज ₹ 160 और उसी धन का उसी दर से चक्रवृद्धि ब्याज ₹ 164 हो, तो ब्याज की दर क्या है?
A. 5% B. 8%
C. 10% D. 12%
E. 10.5%

30. किसी धन का 10% की दर से 2 वर्ष का साधारण ब्याज ₹ 600 है, तो बताओ उसी राशि का उसी दर से 2 वर्ष का चक्रवृद्धि ब्याज क्या होगा?
A. ₹ 630 B. ₹ 650
C. ₹ 660 D. ₹ 700
E. ₹ 760

31. यदि किसी राशि का 12% वार्षिक की दर से हर छह महीने बाद जोड़े जोने वाले चक्रवृद्धि ब्याज और साधारण ब्याज का 1 वर्ष का अन्तर ₹ 36 हो, तो वह राशि है:
A. ₹ 10000 B. ₹ 12000
C. ₹ 15000 D. ₹ 9000
E. ₹ 11000

32. किसी धनराशि का 4% वार्षिक की दर से 2 वर्ष का साधारण ब्याज ₹ 80 है। उसी धनराशि का उतनी ही समयावधि का चक्रवृद्धि ब्याज कितना होगा?
A. ₹ 82.60 B. ₹ 82.20
C. ₹ 81.80 D. ₹ 81.60
E. ₹ 80.80

33. एक भवन निर्माता ने ₹ 2550 उधार लिए, जो उसे 4% वार्षिक चक्रवृद्धि ब्याज की दर पर दो वर्षों के अन्तराल से दो बराबर की वार्षिक किश्तों में लौटाने थे। तब प्रत्येक किश्त की राशि क्या होगी?
A. ₹ 1352 B. ₹ 1377
C. ₹ 1275 D. ₹ 1283
E. ₹ 1280

34. एक धन पर 4% की दर से प्रथम वर्ष का चक्रवृद्धि ब्याज ₹ 25 है, तो उसी धन पर उसी दर से 2 वर्ष का चक्रवृद्धि ब्याज क्या होगा?
A. ₹ 50 B. ₹ 51
C. ₹ 52 D. ₹ 54
E. ₹ 55

35. अर्द्ध-वार्षिक रूप में संयोजित चक्रवृद्धि ब्याज की 10% वार्षिक दर से ₹ 800 की धनराशि कितने वर्षों में ₹ 926.10 होगी?
A. $1\frac{1}{2}$ B. $1\frac{2}{3}$
C. $2\frac{1}{3}$ D. $2\frac{1}{2}$
E. इनमें से कोई नहीं

उत्तरमाला

1	2	3	4	5	6	7	8	9	10
B	B	B	C	D	B	C	A	D	A
11	**12**	**13**	**14**	**15**	**16**	**17**	**18**	**19**	**20**
A	B	A	D	D	A	B	D	A	C
21	**22**	**23**	**24**	**25**	**26**	**27**	**28**	**29**	**30**
C	A	A	B	B	A	B	D	A	A
31	**32**	**33**	**34**	**35**					
A	D	A	B	A					

कुछ चुने हुए प्रश्नों के व्याख्यात्मक उत्तर

1. $\text{दर} = \frac{\text{ब्याज} \times 100}{\text{मूलधन} \times \text{समय}} = \frac{180 \times 100}{1500 \times 3} = 4\%.$

3. $\text{समय} = \frac{(n_2 - 1)}{\text{दर}} \times 100$

Trick: $= \frac{(3-1)}{8} \times 100$

$= \frac{2}{8} \times 100 = 25 \text{ वर्ष}$

4. $\text{समय} = \frac{n-1}{R} \times 100$

$\text{अभीष्ट समय} = \frac{(2-1) \times 100}{6.25} = 16 \text{ वर्ष}$

5. 10 वर्ष – 2 गुनी n_1

$$? = 3 \text{ गुनी } n_2$$

$$\text{समय} = \frac{n_2 - 1}{n_1 - 1} \times t$$

$$\frac{3-1}{2-1} \times 10 = 20 \text{ वर्ष}$$

7. दर % व समय के संख्यात्मक मान बराबर हों, तो दर निकालने के लिए–

$$\text{दर} = \sqrt{\text{ब्याज} \times 100} = \sqrt{100 \times \frac{25}{16}} = 12\frac{1}{2}\%.$$

8. $$\text{मूलधन} = \frac{\text{ब्याज का अन्तर} \times 100}{\text{दर का अन्तर} \times \text{समय}}$$

हम इसको इस प्रकार भी समझ सकते हैं कि जितना समय या दर बढ़ेगी/घटेगी। उतना ही ब्याज बढ़ेगा/घटेगा।

$$= \frac{360 \times 100}{2 \times 3} = ₹\ 6000$$

9. एक वर्ष का ब्याज = 920 – 880 = ₹ 40

∴ दो वर्ष का ब्याज = ₹ 80

= x = ₹ (880 – 80)

= ₹ 800.

11. कुल राशि = ₹ 25000

पूरी राशि पर 2 वर्ष में कुल ब्याज = ₹ 3000

$$\text{दर} = \frac{\text{ब्याज} \times 100}{\text{मूलधन} \times \text{समय}} = \frac{3000 \times 100}{25000 \times 2} = 6\%$$

पहला   दूसरा

4%   9%

6%

3 : 2

अनुपातों का योग = 3 + 2 = 5

4% की दर पर उधार राशि

$$= \frac{3}{5} \times 25000$$

= ₹ 15000.

12. $$\text{दर} = \frac{2560}{60000} \times 100 = \frac{64}{15}\%$$

5%   4%

$\frac{64}{15}\%$

$\frac{4}{15}\%$ $\frac{11}{15}\%$

या 4 : 11

$$4\% \text{ की दर पर उधार राशि} = \frac{11}{15} \times 60000$$

= ₹ 44000.

13. दो किश्तों की राशि

100 + 12.5 × 1 = ₹ 112.5

100 + 12.5 × 0 = ₹ 100

= ₹ 212.5

212.5 = ₹ 6800

तो $$100 = \frac{6800}{212.5} \times 100$$

= ₹ 3200.

16. $$\frac{800 \times 12 \times x}{100} + 800 = \frac{910 \times 10 \times x}{100} + 910$$

$$96x + 800 = 91x + 910$$

$$5x = 110$$

$$x = 22.$$

17. $$\frac{500 \times 12 \times 1}{100} + \frac{x \times 10 \times 1}{100} = ₹\ 480$$

$$60 + \frac{x}{10} = ₹\ 480$$

$$x = ₹\ 4200.$$

19. $$\frac{1600 \times 15 \times 7}{100 \times 2 \times 3} \left\{2.\frac{4}{12} = 2\frac{1}{3} \text{ या } \frac{7}{3}\right\} = ₹\ 280.$$

20. 2 वर्ष   1062

$3\frac{1}{2}$ वर्ष   1183.50

(3717)   (2367)

$$\text{दर} = \frac{\text{मिश्रधनों का अन्तर}}{\text{वज्रगुणन का अन्तर}} \times 100$$

$$= \frac{121.5}{1350} \times 100 = 9\%.$$

21. $$\text{मिश्रधन} = \text{मूलधन} \times \left(1 + \frac{\text{दर}}{100}\right)^{\text{समय}}$$

$$= 12000 \times \frac{110}{100} \times \frac{110}{100} \times \frac{110}{100}$$

= ₹ 15972.

22. $$6250 \times \frac{106}{100} \times \frac{106}{100} = ₹\ 7022.50$$

ब्याज = ₹ 772.50.

24. 4 वर्ष में 3 गुनी = 3^1

? = 9 गुनी 3^2

$$\text{समय} = \frac{\text{बाद वाली घात}}{\text{पहली घात}} \times t$$

$$= \frac{2}{1} \times 4 = 8 \text{ वर्ष}$$

26. यहाँ समय 2 वर्ष देकर चक्रवृद्धि ब्याज व सरल ब्याज का अन्तर है, तो–

$$\text{अन्तर} = \text{मूलधन} \times \left(\frac{\text{दर}}{100}\right)^2$$

$$540 = x\left(\frac{15}{100}\right)^2$$

$$540 = x \times \frac{9}{400}$$

$$x = ₹\ 24000.$$

28. 2 वर्ष का मिश्रधन = ₹ 1460

3 वर्ष का मिश्रधन = ₹ 1606

$$\text{दर} = \left(\frac{A_2}{A_1} - 1\right) \times 100$$

$$= \left(\frac{1606}{1460} - 1\right) \times 100$$

$$= \frac{146}{1460} \times 100 = 10\%.$$

30.

$$\frac{200+R}{200} = \frac{\text{चक्रवृद्धि ब्याज}}{\text{सरल ब्याज}}$$

$$\frac{200+R}{200} = \frac{x}{600}$$

$$\frac{210}{200} = \frac{x}{600}$$

$$x = ₹\ 630.$$

32.

$$\frac{\text{चक्रवृद्धि ब्याज}}{\text{सरल ब्याज}} = \frac{200+R}{200}$$

$$\frac{x}{80} = \frac{204}{200}$$

$$x = ₹\ 81.60.$$

35. $\because$ $926.10 = 800\left(1 + \frac{5}{100}\right)^n$

$\Rightarrow$ $\frac{926.1}{800} = \left(\frac{21}{20}\right)^n$

$\Rightarrow$ $\left(\frac{21}{20}\right)^3 = \left(\frac{21}{20}\right)^n$

$\therefore$ $n = 3$ छमाही

$= \frac{3}{2}$ वर्ष $= 1\frac{1}{2}$ वर्ष

○○○

8 अनुपात एवं समानुपात (Ratio & Proportion)

अनुपात

अनुपात सदैव दो सजातीय राशियों में होता है। एक राशि का, दूसरी में भाग देने पर अनुपात प्राप्त होता है। जैसे यदि a राशि को b राशि से भाग दिया जाये तब $\frac{a}{b}$ को a तथा b का अनुपात कहते हैं। इसे निम्न प्रकार लिखते हैं।

$$\frac{a}{b} = a : b$$

अतः अनुपात $a : b$ में a को प्रथम पद तथा b को द्वितीय पद कहा जाता है। यदि किसी अनुपात के प्रत्येक पद को 0 को छोड़कर किसी निश्चित संख्या से गुणा या भाग करते हैं तो वह अनुपात अपरिवर्तित रहता है।

समानुपात

जब दो अनुपात बराबर होते हैं तो वे समानुपात कहलाते हैं। जैसे–

$a : b = c : d$

$\Rightarrow a : b :: c : d$

इसमें a और d को बाह्य पद तथा b और c को मध्य पद कहते हैं।

अतः $a : b :: c : d \Rightarrow a \times d = b \times c$

अर्थात् बाह्य पदों का गुणनफल = मध्य पदों का गुणनपफल

मध्यानुपाती

यदि दो पदों a और b का मध्यानुपाती x हो तब, $x = \sqrt{ab}$ होगा।

तृतीयानुपाती

यदि दो पदों a और b का तृतीयानुपाती x हो तब,

$$a : b :: b : x \Rightarrow a \times x = b \times b \Rightarrow x = \frac{b^2}{a}$$

चतुर्थानुपाती

यदि तीन पदों a, b तथा c का चतुर्थानुपाती x हो तब,

$$a : b :: c : x \Rightarrow a \times x = b \times c \Rightarrow x = \frac{bc}{a}$$

समानुपाती भाग

यदि किसी पद x को $a : b$ में समान रूप में बांटना है तो

$$\text{पहला भाग} = \left(\frac{a}{a+b}\right) \times x$$

$$\text{दूसरा भाग} = \left(\frac{b}{a+b}\right) \times x$$

इसी प्रकार यदि राशि x को $a : b : c$ में समान रूप में बांटना है तब,

$$\text{पहला भाग} = \left(\frac{a}{a+b+c}\right) \times x$$

$$\text{दूसरा भाग} = \left(\frac{b}{a+b+c}\right) \times x$$

$$\text{तथा तीसरा भाग} = \left(\frac{c}{a+b+c}\right) \times x$$

आवश्यक नियम

(i) $\frac{a}{b} > \frac{c}{d} \Rightarrow (a : b) > (c : d)$

(ii) $\frac{a}{b} = \frac{c}{d} \Rightarrow \frac{a+b}{a-b} = \frac{c+d}{c-d}$

(iii) $\frac{a}{b} = \frac{c}{d} \Rightarrow \frac{a-b}{a+b} = \frac{c-d}{c+d}$

साधित उदाहरण

1. $18 : 12 : 21 : x$ में x का मान बताओ।

हल : समानुपात से –

बाह्य पदों का गुणनफल = मध्य पदों का गुणनफल

$$18 \times x = 12 \times 21$$

$$x = \frac{12 \times 21}{18} = 14.$$

2. दो संख्याओं के मध्य 2 : 3 का अनुपात है। दोनों का गुणनफल 54 हो तो वे संख्याएँ क्या हैं?

हल : पहली दूसरी

2 : 3

$$2x \times 3x = 54$$
$$6x^2 = 54$$
$$x = 3$$

पहली संख्या = 6, दूसरी संख्या = 9

नोट : इस प्रकार के प्रश्नों में ध्यान रखना है कि वह योग, अन्तर, गुणन के लिए कहता है तो हम भी वही प्रक्रिया करते हैं।

3. तीन संख्याओं के मध्य 2 : 3 : 4 का अनुपात है और इनके वर्गों का योग 1044 हो तो पहली संख्या क्या है?

हल : पहली दूसरी तीसरी

2 : 3 : 4

$$(2x)^2 + (3x)^2 + (4x)^2 = 1044$$
$$4x^2 + 9x^2 + 16x^2 = 1044$$
$$29x^2 = 1044$$
$$x^2 = \frac{1044}{29}$$
$$x^2 = 36$$
$$x = 6$$

पहली संख्या = $2 \times 6 = 12$.

4. एक मिश्रण में दूध व पानी का अनुपात 3 : 5 है यदि इसमें 5 लीटर दूध और डाल दिया जाए तो दूध व पानी के मध्य 2 : 3 का अनुपात हो जाता है, तो बताओ प्रारम्भ में दूध की मात्रा क्या थी?

हल : दूध : पानी

3 : 5

$$\frac{3x+5}{5x} = \frac{2}{3}$$
$$10x = 9x + 15$$
$$10x - 9x = 15$$
$$x = 15$$

प्रारम्भ में दूध = $3 \times 15 = 45$ लीटर

5. एक कार्यालय में कर्मचारियों की संख्या में 11 : 8 में कमी कर दी जाती है और प्रत्येक कर्मचारी के वेतन में 12 : 17 में वृद्धि कर दी जाती है तो उसके खर्च में ₹ 2400 की वृद्धि हो जाती है तो बताओ प्रारम्भ में कर्मचारियों का कुल वेतन कितना था?

हल :

	पहले	अब
कर्मचारी	$11x$	$8x$
वेतन	$12y$	$17y$
कुल वेतन =	$132xy$	$136xy$

खर्च में वृद्धि = $136xy - 132xy = 2400$

$$4xy = 2400$$
$$xy = 600$$

पहले वेतन = $132 \times 600 =$ ₹ 79,200.

6. ₹ 395 को ABC में इस प्रकार बांटिये कि B को A से 25% अधिक तथा C से 20% अधिक प्राप्त हो, तो A का भाग क्या होगा?

हल : माना C का भाग = 100

तो B का भाग = 120

तो A का भाग = $x \times \frac{125}{100} = 120 \Rightarrow 96$

A : B : C

96 : 120 : 100

24 : 30 : 25

अनुपातों का योग = 24 + 30 + 25 = 7

A का हिस्सा = $\frac{24}{79} \times 395 =$ ₹ 120.

वस्तुनिष्ठ प्रश्न

1. यदि $8 : x : : 48 : 36$ हो तो x का मान है:

A. 6 B. 7
C. 8 D. 9
E. 11

2. यदि $m : n = 3 : 2$ हो तो $(4m + 5n) : (4m - 5n)$ किसके बराबर होगा?

A. 4 : 9 B. 9 : 4
C. 11 : 1 D. 9 : 1
E. इनमें से कोई नहीं

3. यदि $x : y = 2 : 1$ हो तो $(5x^2 - 13xy + 6y^2)$ किसके बराबर होगा?

A. $\frac{3}{4}$ B. $\frac{4}{3}$
C. 0 D. $\frac{55}{4}$
E. इनमें से कोई नहीं

4. 3 : 5, 5 : 2, 7 : 3 का मिश्रानुपात क्या होगा?

A. 2 : 7 B. 7 : 2
C. 5 : 3 D. 3 : 7
E. इनमें से कोई नहीं

5. A : B : C = 2 : 3 : 4 हो तो $\frac{A}{B} : \frac{B}{C} : \frac{C}{A}$ बराबर है:

A. 8 : 9 : 16 B. 8 : 9 : 12
C. 8 : 9 : 24 D. 4 : 9 : 16
E. इनमें से कोई नहीं

6. यदि $a : b = 2 : 3$ तथा $b : c = 4 : 5$ हो तो $a^2 : b^2 : bc$ ज्ञात कीजिए:

A. 4 : 9 : 45 B. 16 : 36 : 20

C. 16 : 36 : 45 D. 45 : 36 : 20
E. इनमें से कोई नहीं

7. दो संख्याओं में 2 : 3 का अनुपात है। यदि प्रत्येक संख्या में 5 जोड़ दिया जाए तो उनमें 5 : 7 का अनुपात हो जाता है, तो बड़ी संख्या बताओ:
A. 20 B. 40
C. 30 D. 60
E. 25

8. 340 को A, B तथा C में इस प्रकार बाँटे कि A तथा B के हिस्सों का अनुपात 1 : 2 और B तथा C के हिस्सों का अनुपात 3 : 4 हो:
A. 60, 120, 160 B. 50, 100, 190
C. 65, 130, 145 D. 55, 110, 225
E. इनमें से कोई नहीं

9. दो संख्याएं 2 : 3 के अनुपात में हैं और उनका गुणनफल 96 है। उन संख्याओं का योगफल है:
A. 5 B. 20
C. 101 D. 102
E. 103

10. A, B तथा C के मासिक वेतन 2 : 3 : 5 के अनुपात में हैं। यदि C का मासिक वेतन A के मासिक वेतन से ₹ 12000 अधिक हो, तो B का वार्षिक वेतन होगा :
A. ₹ 1,20,000 B. ₹ 1,44,000
C. ₹ 1,80,000 D. ₹ 2,40,000
E. इनमें से कोई नहीं

11. एक महिला के पर्स में 25 पैसे और 50 पैसे के सिक्के हैं। उसके पास कुल 120 सिक्के हैं और कुल राशि ₹ 50 है तो उसके पर्स में प्रत्येक प्रकार के सिक्कों की संख्या क्रमशः है :
A. 40, 80 B. 70, 50
C. 90, 30 D. 60, 60
E. इनमें से कोई नहीं

12. राम और श्याम की आय का अनुपात 3 : 4 है तथा उनके व्ययों का अनुपात 2 : 3 है। यदि इनमें से प्रत्येक ₹ 1500 की बचत करता हो तो राम की आय क्या है?
A. ₹ 3000 B. ₹ 4500
C. ₹ 6000 D. ₹ 5000
E. इनमें से कोई नहीं

13. शशांक तथा समीर के वेतन का अनुपात 3 : 2 है तथा उनके खर्च का अनुपात 5 : 3 है। यदि दोनों में से प्रत्येक ने ₹ 1000 बचाया हो, तो उनकी क्रमशः आय क्या है?
A. ₹ 2000, ₹ 3000 B. ₹ 1500, ₹ 1000
C. ₹ 1000, ₹ 2000 D. ₹ 6000, ₹ 4000
E. इनमें से कोई नहीं

14. किसी मिश्रण में स्पिरिट और पानी 3 : 2 के अनुपात में है। यदि इसमें पानी से स्पिरिट 3 लीटर अधिक हो, तो इस मिश्रण में स्पिरिट की कितनी मात्रा है?
A. 10 लीटर B. 12 लीटर
C. 8 लीटर D. 9 लीटर
E. 11 लीटर

15. किसी मिश्रण में दूध व पानी का अनुपात 7 : 6 है। इसमें 10 लीटर दूध और डाल दिया जाए तो अब दूध व पानी का अनुपात 5 : 4 हो जाता है, तो बताओ प्रारम्भ में मिश्रण की कुल मात्रा कितनी थी?
A. 260 लीटर B. 82 लीटर
C. 149 लीटर D. 80 लीटर
E. इनमें से कोई नहीं

16. एक विद्यालय में लड़कों का $\frac{1}{6}$ भाग तथा लड़कियों का $\frac{1}{4}$ भाग भ्रमण के लिए गया। विद्यालय में कुल 540 विद्यार्थी हैं। यदि लड़के तथा लड़कियों का अनुपात 5 : 4 हो तो कुल कितने विद्यार्थी भ्रमण के लिए गए?
A. 110 B. 140
C. 240 D. 125
E. 130

17. एक स्कूल में लड़कों और लड़कियों का अनुपात क्रमशः 4 : 5 है। जब 100 लड़कियां स्कूल छोड़ देती हैं तो अनुपात क्रमशः 6 : 7 हो जाता है, तो स्कूल में लड़कों की संख्या बताओ :
A. 1300 B. 1200
C. 2700 D. 1600
E. 2500

18. दूध तथा पानी के 40 लीटर मिश्रण में दूध का पानी से अनुपात 7 : 1 है। दूध तथा पानी का अनुपात 3 : 1 करने के लिए मिश्रण में पानी की कितनी मात्रा मिलानी होगी?
A. 6 B. $6\frac{1}{2}$
C. $6\frac{2}{3}$ D. $6\frac{3}{4}$
E. इनमें से कोई नहीं

19. किसी एक संख्या के 5% और दूसरी संख्या के 4% का योग, पहली संख्या के 6% और दूसरी संख्या के 8% के योग का $\frac{2}{3}$ है, तो पहली संख्या का दूसरी संख्या से अनुपात क्या है?
A. 2 : 3 B. 3 : 2
C. 3 : 4 D. 4 : 3
E. इनमें से कोई नहीं

20. 15 : 19 के अनुपात की दोनों संख्याओं में से कौन-सी संख्या घटाई जाए ताकि यह अनुपात 3 : 4 हो जाए?
A. 9 B. 6
C. 5 D. 3
E. 7

21. एक बॉक्स में 1 रु., 50 पैसे तथा 25 पैसे वाले सिक्के 8 : 5 : 3 के अनुपात में हैं। यदि बॉक्स में कुल धनराशि ₹ 112.50 हो, तो 50 पैसे के सिक्कों की संख्या क्या है?
A. 80 B. 50
C. 30 D. 42
E. 35

22. ₹ 33630 की राशि को A, B तथा C में इस प्रकार विभाजित किया जाता है कि A द्वारा प्राप्त धनराशि का B की धनराशि से अनुपात 3 : 7 है तथा B की धनराशि का C की धनराशि से अनुपात 6 : 5 है। B द्वारा प्राप्त की गई धनराशि है:

A. ₹ 14868 B. ₹ 16257
C. ₹ 13290 D. ₹ 12390
E. इनमें से कोई नहीं

23. बराबर धारिताओं के तीन बर्तन हैं। पहले बर्तन में गंधक के अम्ल और पानी का अनुपात 3 : 2 है। दूसरे बर्तन में यह अनुपात 7 : 3 है तथा तीसरे बर्तन में यह 11 : 4 है। यदि इन सभी को मिला दिया जाए, तो इस मिश्रण में गंधक के अम्ल तथा पानी का अनुपात क्या होगा?

A. 61 : 29 B. 61 : 28
C. 60 : 29 D. 59 : 29
E. इनमें से कोई नहीं

24. A, B और C की आय 7 : 9 : 12 के अनुपात में है तथा उसके व्यय 8 : 9 : 15 के अनुपात में है। यदि A अपनी आय का $\frac{1}{4}$ बचाता है तो A, B, C की बचतों का अनुपात है:

A. 56 : 99 : 69 B. 69 : 56 : 99
C. 99 : 56 : 69 D. 99 : 69 : 56
E. इनमें से कोई नहीं

25. दो क्रमागत वर्षों की मेरी आय में 2 : 3 का अनुपात है और व्यय में 5 : 9 का अनुपात है। यदि मेरी आय दूसरे वर्ष में ₹ 45000 हो और पहले वर्ष में मेरा व्यय ₹ 25000 हो, तो दो वर्षों में कुल बचत कितनी है?

A. ₹ 5000 B. ₹ 10000
C. ₹ 15000 D. ₹ 12000
E. इनमें से कोई नहीं

उत्तरमाला

1	2	3	4	5	6	7	8	9	10
A	C	C	B	C	C	C	A	B	B
11	**12**	**13**	**14**	**15**	**16**	**17**	**18**	**19**	**20**
A	B	D	D	A	A	B	C	D	D
21	**22**	**23**	**24**	**25**					
B	A	A	A	A					

कुछ चुने हुए प्रश्नों के व्याख्यात्मक उत्तर

1. $8 : x :: 48 : 36$

$$48 \times x = 8 \times 36$$
$$x = \frac{8 \times 36}{48} = 6.$$

2. $m : n = 3 : 2$

या $\frac{m}{n} = \frac{3}{2}$

तो $(4m + 5n) : (4m - 5n)$

$(12 + 10) : (12 - 10)$

$22 : 2$

$11 : 1.$

4. मिश्रानुपात $= \frac{3}{5} \times \frac{5}{2} \times \frac{7}{3} = \frac{7}{2}$ या 7 : 2.

5. $A : B : C = 2 : 3 : 4$

$$\frac{A}{B} : \frac{B}{C} : \frac{C}{A}$$
$$\frac{2}{3} : \frac{3}{4} : \frac{4}{2}$$

सरलानुपात = 8 : 9 : 24.

8.

A	:	B	:	C
1	:	2		
		3	:	4
3	:	6	:	8

अनुपातों का योग = 3 + 6 + 8 = 17

A का हिस्सा $= \frac{3}{17} \times 340 =$ ₹60

B का हिस्सा $= \frac{6}{17} \times 340 =$ ₹120

C का हिस्सा $= \frac{8}{17} \times 340 =$ ₹160.

9. माना संख्याएं $2x$ और $3x$ है।

$\therefore \quad 2x \times 3x = 96$

$\Rightarrow \quad 6x^2 = 96$

$\therefore \quad x = 4$

$\therefore$ संख्याओं का योगफल = 8 + 12 = 20.

10. $5 - 2 = 12000$

$\therefore \quad 3 = 12000$

= B के अनुपात की राशि

$\therefore$ B का वार्षिक वेतन $= 12 \times 12000$

$= ₹\ 144000.$

12. राम और श्याम की आय का अनुपात $= 3x, 4x$

व्यय का अनुपात $= 2x, 3y$

बचत $3x - 2y = ₹\ 1500$ ...(*i*)

$4x - 3y = ₹\ 1500$ ...(*ii*)

समीकरण (*i*) को 3 व समीकरण (*ii*) को 2 से गुणा करने पर–

$9x - 6y = ₹\ 4500$

$8x - 6y = ₹\ 3000$

$-\quad +\quad -$ घटाने पर

$x = ₹\ 1500$

राम की आय $= 3x$

या $3\times 1500 = ₹\ 4500.$

14. माना, मिश्रण में स्प्रिट व पानी की मात्रा $= 3x, 2x$

$3x - 2x = 3$

$x = 3$

$\therefore$ स्प्रिट की मात्रा $= 3 \times 3 = 9$ लीटर

15. दूध : पानी

7 : 6

$$\frac{7x+10}{6x} = \frac{5}{4}$$

$30x = 28x + 40$

$2x = 40$

$x = 20$

मिश्रण की कुल मात्रा $= 13x$

या $13 \times 20 = 260$ लीटर

17. लड़के लड़कियां

$4x$ $5x$

$$\frac{4x}{5x-100} = \frac{6}{7}$$

$x = 300$

तो लड़के = 1200.

19. (x का 5% + y का 4%)

$= \frac{2}{3}$(x का 6% + y का 8%)

$$\left(\frac{5x}{100}+\frac{4y}{100}\right) = \frac{2}{3}\left(\frac{6x}{100}+\frac{8y}{100}\right)$$

$$5x + 4y = \frac{12x+16y}{3}$$

$15x + 12y = 12x + 16y$

$15x - 12x = 16y - 12y$

$3x = 4y$

$\frac{x}{y} = \frac{4}{3}$ या 4 : 3.

21. 1 रु. 50 पैसे 25 पैसे

8 : 5 : 3

$$8x\times1+5x\times\frac{1}{2}+3x\times\frac{1}{4} = ₹\ 112.50$$

$$8x+\frac{5x}{2}+\frac{3x}{4} = ₹\ 112.50$$

$32x + 10x + 3x = ₹\ 450.00$

$45x = 450$

$x = 10.$

50 पैसे के सिक्कों की संख्या $= 5 \times 10 = 50.$

22. A : B B : C

3 : 7 6 : 5

A : B : C

3 : 7

6 : 5

18 : 42 : 35

अनुपातों का योग $= 18 + 42 + 35 = 95$

B द्वारा प्राप्त की गई धन राशि $= \frac{42}{95}\times 33630$

$= ₹\ 14868.$

○○○

9 समय, कार्य, मजदूरी (Time, Work, Wages)

समय, कार्य और मजदूरी से संबंधित समस्याओं को हल करने के लिए निम्नलिखित बातों का ध्यान रखना आवश्यक होता है–

(*i*) यदि कोई आदमी किसी कार्य को n दिनों में पूरा करता है तो वह एक दिन में उस कार्य का $\frac{1}{n}$ भाग ही पूरा करता है।

(*ii*) यदि कोई आदमी एक दिन में $\frac{1}{n}$ काम करता हो तो उसे पूरा काम समाप्त करने में n दिन लगेंगे।

(*iii*) यदि किसी व्यक्ति A की अन्य व्यक्ति B से कार्य करने की क्षमता दो गुनी हो तो किसी कार्य को समाप्त करने में A, B से आधा समय लेगा।

(*iv*) किसी कार्य को करते समय आदमियों की संख्या जिस अनुपात में बढ़ाई या घटाई जाती है, कार्य को समाप्त करने में लगा समय उसी अनुपात में घट या बढ़ जाता है।

(*v*) मजदूरी से संबंधित समस्याओं को हल करते समय यह ध्यान रखना जरूरी है कि उनकी मजदूरी का बँटवारा उनके द्वारा किए गए कार्य के अनुपात में ही हो।

साधित उदाहरण

1. राम किसी कार्य को 12 दिन में तथा श्याम उसे 15 दिन में पूरा कर सकता है, तो बताओ वे दोनों मिलकर उसे कितने दिनों में पूरा कर लेंगे?

हल : राम करता है = 12 दिन में

तो 1 दिन में करेगा = $\frac{1}{12}$ भाग

श्याम करता है = 15 दिन में

तो 1 दिन में करेगा = $\frac{1}{15}$ भाग

दोनों मिलकर 1 दिन में करेंगे

$$= \frac{1}{12} + \frac{1}{15} = \frac{3}{20} \text{ भाग}$$

अर्थात् पूरा कार्य करेंगे = $\frac{20}{3} = 6\frac{2}{3}$ दिन में

2. रमेश व नरेश किसी कार्य को 6 दिन में पूरा कर सकते हैं। यदि अकेला रमेश उसे 10 दिन में पूरा कर सकता है, तो बताओ अकेला नरेश उसे कितने दिनों में पूरा करेगा?

हल : अकेला नरेश पूरा करेगा = $\frac{1}{6} - \frac{1}{10}$

$= \frac{1}{15}$ भाग या 15 दिन

3. A और B किसी कार्य को 4 दिन में, B तथा C उसे 6 दिन में तथा A और C उसे 8 दिन में पूरा कर सकते हैं, तो बताओ A, B व C उसे कितने दिनों में पूरा कर सकते हैं?

हल : $A + B = \frac{1}{4}$ भाग

$B + C = \frac{1}{6}$ भाग

$A + C = \frac{1}{8}$ भाग

$2(A + B + C) = \frac{1}{4} + \frac{1}{6} + \frac{1}{8} = \frac{13}{24}$ भाग

$A + B + C = \frac{13}{24} \times \frac{1}{2} = \frac{13}{48}$ भाग

अर्थात् $3\frac{9}{13}$ दिन में

4. राम किसी कार्य के $\frac{1}{3}$ भाग को 5 दिन में व हरि उस कार्य के $\frac{1}{4}$ भाग को 4 दिन में पूरा कर सकता है तो बताओ दोनों मिलकर उसे कितने दिन में पूरा कर सकते हैं?

हल : राम $\frac{1}{3}$ भाग करता है 5 दिन में

1 दिन में करेगा = $\frac{1}{3} \times \frac{1}{5} = \frac{1}{15}$ भाग

हरि $\frac{1}{4}$ भाग करता है 4 दिन में

1 दिन में करेगा = $\frac{1}{4} \times \frac{1}{4} = \frac{1}{16}$ भाग

दोनों मिलकर 1 दिन में करेंगे

$$= \frac{1}{15} + \frac{1}{16} = \frac{31}{240} \text{ भाग}$$

दोनों मिलकर पूरा काम = $7\frac{23}{31}$ दिन में करेंगे।

5. A तथा B मिलकर किसी कार्य को 3 दिन में पूरा कर सकते हैं। उन्होंने मिलकर कार्य करना आरम्भ किया। किन्तु 2 दिन पश्चात् B ने काम छोड़ दिया। यदि इस प्रकार शेष कार्य को पूरा होने में 2 दिन का समय लगा हो तो B अकेले उस कार्य को कितने दिन में पूरा कर सकता है?

हल : दोनों ने 2 दिन में कार्य किया = $\frac{1}{3} \times 2 = \frac{2}{3}$ भाग

शेष भाग = $1 - \frac{2}{3} = \frac{1}{3}$ भाग

शेष कार्य को A ने किया = $\frac{1}{3} \div \frac{1}{x} = 2$

$$\Rightarrow \quad \frac{1}{3} \times \frac{x}{1} = 2$$

$$x = 6 \text{ दिन}$$

तो B अकेला करेगा = $\frac{1}{3} - \frac{1}{6} = \frac{1}{6}$ भाग या 6 दिन

वस्तुनिष्ठ प्रश्न

1. A किसी कार्य को 8 दिन में, B उसी काम को 12 दिन में पूरा कर सकता है, तो बताओ दोनों मिलकर उसे कितने दिन में समाप्त कर सकते हैं?

A. 6 दिन
B. $4\frac{4}{5}$ दिन
C. $3\frac{4}{5}$ दिन
D. 8 दिन
E. इनमें से कोई नहीं

2. एक आदमी तथा एक महिला मिलकर किसी कार्य को 8 दिन में पूरा कर सकते हैं। अकेला आदमी उस कार्य को 10 दिन में पूरा कर सकता है। अकेली महिला उस कार्य को कितने दिन में पूरा कर सकेगी?

A. $\frac{140}{9}$
B. 30
C. 40
D. 42
E. 44

3. A, B तथा C मिलकर किसी कार्य को 30 मिनट में पूरा कर सकते हैं। A तथा B मिलकर उस कार्य को 50 मिनट में पूरा कर सकते हैं। C अकेला उस कार्य को कितने समय में पूरा कर सकेगा?

A. 60 मिनट
B. 75 मिनट
C. 80 मिनट
D. 150 मिनट
E. 100 मिनट

4. राम किसी कार्य का एक तिहाई भाग 3 दिन में तथा श्याम उसका एक चौथाई भाग 4 दिन में पूरा कर सकता है, तो बताओ दोनों मिलकर उसे कितने दिन में समाप्त कर सकते हैं?

A. $4\frac{15}{42}$ दिन
B. $5\frac{19}{25}$ दिन
C. $7\frac{13}{48}$ दिन
D. 6 दिन
E. इनमें से कोई नहीं

5. A किसी कार्य का $\frac{1}{3}$ भाग 5 दिन में तथा B उसी कार्य का $\frac{2}{5}$ भाग 10 दिन में पूरा करता है, तो दोनों A तथा B मिलकर उस कार्य को कितने दिन में पूरा करेंगे?

A. 10
B. $9\frac{3}{8}$
C. $8\frac{4}{5}$
D. $7\frac{1}{2}$
E. इनमें से कोई नहीं

6. A किसी कार्य के $\frac{2}{3}$ भाग को 4 दिन तथा B उसी कार्य के $\frac{3}{5}$ भाग को 6 दिन में पूरा कर सकता है। दोनों A तथा B मिलकर उस कार्य को कितने दिन में पूरा करेंगे?

A. 3
B. 2
C. $3\frac{3}{4}$
D. $2\frac{7}{8}$
E. इनमें से कोई नहीं

7. A तथा B मिलकर किसी कार्य को 18 दिन, B तथा C मिलकर 24 दिन और A तथा C मिलकर 36 दिन में पूरा कर सकते हैं। वे सब मिलकर उस कार्य को कितने दिन में पूरा करेंगे?

A. 16
B. 15
C. 12
D. 10
E. 17

8. A और B किसी कार्य को 15 दिन में, B तथा C उसे 20 दिन में तथा A और C उसे 30 दिन में पूरा कर सकते हैं, तो बताओ B अकेला उसे कितने दिन में पूरा कर सकता है?

A. 40 दिन
B. 30 दिन
C. 24 दिन
D. 12 दिन
E. इनमें से कोई नहीं

9. A और B एक काम को 10 दिन में पूरा कर सकते हैं। B और C उसी काम को 12 दिन में, C और A 15 दिन में पूरा कर सकते हैं। C अकेला उसे कितने दिन में पूरा करेगा?

A. 24 B. 30
C. 40 D. 60
E. 45

10. सोना व मोना किसी कार्य को क्रमशः 40 दिन व 50 दिन में पूरा कर सकती हैं। दोनों ने मिलकर कार्य शुरू किया। परन्तु 10 दिन के बाद मोना कार्य छोड़कर चली जाती है, तो बताओ अकेली सोना शेष कार्य को कितने दिन में समाप्त कर देगी?

A. 22 दिन B. 14 दिन
C. 16 दिन D. 18 दिन
E. इनमें से कोई नहीं

11. A किसी कार्य को 18 दिन में, B 20 दिन में तथा C 30 दिन में पूरा कर सकता है। B तथा C मिलकर कार्य को आरम्भ करते हैं किन्तु 2 दिन के बाद वे मजबूरन कार्य छोड़कर चले जाते हैं, शेष कार्य को अकेले पूरा करने में A कितना समय लेगा?

A. 10 दिन B. 12 दिन
C. 15 दिन D. 16 दिन
E. इनमें से कोई नहीं

12. मोहन किसी कार्य को 15 दिन में पूरा कर सकता है परन्तु सोहन उससे 20% अधिक तेजी से कार्य करता है तो बताओ सोहन उस कार्य को कितने दिनों में कर सकता है?

A. 8 दिन B. 10 दिन
C. $12\frac{1}{2}$ दिन D. 16 दिन
E. इनमें से कोई नहीं

13. P, Q तथा R किसी कार्य को क्रमशः 6 दिन, 9 दिन व 18 दिन में कर सकते हैं। तीनों को कुल कार्य के लिए ₹ 720 की मजदूरी मिलती है, तो बताओ Q की मजदूरी क्या है?

A. ₹ 480 B. ₹ 350
C. ₹ 120 D. ₹ 240
E. इनमें से कोई नहीं

14. A और B मिलकर किसी कार्य को 30 दिन में पूरा कर सकते हैं। उन्होंने मिलकर 20 दिन काम किया और इसके बाद B ने कार्य छोड़ दिया। A ने शेष कार्य को अगले 20 दिन में पूरा कर लिया तो A अकेला उसे कितने दिन में पूरा कर सकता था?

A. 50 B. 60
C. 48 D. 54
E. 65

15. एक काम 10 पुरुषों के एक दल द्वारा 12 दिनों में सम्पन्न किया जाता है, वही काम 10 स्त्रियों के दल द्वारा 6 दिनों में पूरा कर लिया जाता है। यदि दोनों मिलकर कार्य करें तो वही काम कितने दिनों में पूरा किया जा सकता है?

A. 4 B. 6
C. 9 D. 18
E. 3

16. A की कार्य क्षमता B से 20% कम है। यदि B उसे 16 दिन में कर सकता है, तो बताओ A उसे कितने दिनों में कर सकता है?

A. 5 दिन B. 20 दिन
C. 25 दिन D. 30 दिन
E. इनमें से कोई नहीं

17. गंगा तथा सरस्वती अलग-अलग किसी खेत की कटाई क्रमशः 8 तथा 12 घंटे में पूरी कर सकती हैं। यदि गंगा द्वारा पूर्वाह्न 9 बजे कटाई आरम्भ करते हुए वे बारी-बारी से एक-एक घंटे की समयावधि में कार्य करें, तो पूरा कटाई का कार्य कब पूरा होगा?

A. 6 बजे अपराह्न B. 6.30 बजे अपराह्न
C. 5 बजे अपराह्न D. 5.30 बजे अपराह्न
E. इनमें से कोई नहीं

18. 7 घंटे प्रतिदिन कार्य करते हुए A अकेला किसी कार्य को 6 दिन में तथा B अकेला 8 दिन में पूरा कर सकता है। 8 घंटे प्रतिदिन कार्य करते हुए वे दोनों मिलकर उस कार्य को कितने समय में पूरा करेंगे?

A. 3 दिन B. 4 दिन
C. 2.5 दिन D. 3.6 दिन
E. इनमें से कोई नहीं

19. A अकेला किसी कार्य को 6 दिन में तथा B अकेला उसे 8 दिन में पूरा कर सकता है। A और B ने मिलकर इस कार्य को ₹ 3200 में करने का ठेका लिया। C की सहायता से यह कार्य उन्होंने 3 दिन में पूरा कर लिया तो बताओ C को कितनी राशि दी जाएगी?

A. ₹ 375 B. ₹ 400
C. ₹ 600 D. ₹ 800
E. इनमें से कोई नहीं

20. राम, श्याम व सोहन किसी काम को क्रमशः 8 दिन, 16 दिन व 24 दिन में समाप्त कर सकते हैं। तीनों एक साथ काम करना प्रारम्भ करते हैं। राम काम समाप्ति तक कार्य करता है। श्याम काम समाप्ति से 4 दिन पहले तथा सोहन काम समाप्ति से 3 दिन पहले कार्य करना बन्द कर देता है। तो बताओ कार्य कुल कितने दिनों में समाप्त होगा?

A. 5 दिन B. 6 दिन
C. 8 दिन D. 7 दिन
E. इनमें से कोई नहीं

21. A किसी काम के $\frac{4}{5}$ भाग को 20 दिन में करता है। फिर वह B के साथ मिलकर शेष कार्य को 3 दिनों में पूरा करता है। तो B को उसे अकेले करने में कितना समय लगेगा?

A. $37\frac{1}{2}$ दिन B. 37 दिन
C. 40 दिन D. 23 दिन
E. इनमें से कोई नहीं

22. A और B किसी कार्य को क्रमशः 18 दिन और 24 दिन में कर सकते हैं। वे एक साथ 8 दिन मिलकर कार्य करते हैं। फिर A चला जाता है। तो बताओ शेष कार्य को B अकेला कितने दिन में पूरा करेगा?

A. $5\frac{1}{3}$ दिन B. $8\frac{1}{3}$ दिन
C. 6 दिन D. 10 दिन
E. इनमें से कोई नहीं

23. P किसी कार्य का $\frac{1}{4}$ भाग को 10 दिन में, Q उसी कार्य के 40% भाग को 15 दिन में, R उस कार्य के $\frac{1}{3}$ भाग को 13 दिन में तथा S उस कार्य के $\frac{1}{6}$ भाग को 7 दिन में पूरा कर सकता है। सबसे पहले उस कार्य को कौन पूरा कर सकेगा?
A. P B. Q
C. R D. S
E. इनमें से कोई नहीं

24. A तथा B एक कार्य को क्रमशः 45 तथा 40 दिन में पूरा कर सकते हैं। उन्होंने उस कार्य को साथ-साथ करना शुरू किया। परन्तु A ने कुछ दिन के पश्चात कार्य को छोड़ दिया तथा B ने बाकी बचे हुए कार्य को 23 दिन में पूरा किया। तो A ने कितने दिन के पश्चात उस कार्य को छोड़ा?
A. 6 B. 8
C. 9 D. 12
E. 11

25. 3 पुरुष और 2 महिलाएं एक काम को 15 दिन में कर सकते हैं। 2 पुरुष और 3 महिलाएं उसी काम को 18 दिन में कर सकते हैं। एक पुरुष और एक महिला को उस काम को करने में कितने दिन लगेंगे?
A. $20\frac{10}{11}$ दिन B. $30\frac{10}{11}$ दिन
C. $40\frac{10}{11}$ दिन D. $45\frac{10}{11}$ दिन
E. इनमें से कोई नहीं

उत्तरमाला

1	2	3	4	5	6	7	8	9	10
B	C	B	B	B	C	A	C	C	A
11	**12**	**13**	**14**	**15**	**16**	**17**	**18**	**19**	**20**
C	C	D	B	A	B	B	A	B	B
21	**22**	**23**	**24**	**25**					
A	A	B	C	C					

कुछ चुने हुए प्रश्नों के व्याख्यात्मक उत्तर

2. अकेली महिला द्वारा 1 दिन में किया गया काम

$$= \frac{1}{8} - \frac{1}{10} = \frac{5-4}{40} = \frac{1}{40}$$

∴ अकेली महिला 40 दिन में काम पूरा करेगी।

3. (A + B + C) द्वारा 1 मिनट में किया गया काम $= \frac{1}{30}$

(A + B) द्वारा 1 मिनट में किया गया काम $= \frac{1}{50}$

∴ C द्वारा 1 मिनट में किया गया काम

$$= \frac{1}{30} - \frac{1}{50} = \frac{5-3}{150}$$

$$= \frac{2}{150} = \frac{1}{75}$$

∴ C अकेले उस कार्य को 75 मिनट में पूरा करेगा।

5. A पूरे काम को करने में $5 \times 3 = 15$ दिन लेता है। तथा B पूरे काम को करने में $10 \times \frac{5}{2} = 25$ दिन लेता है।

∴ दोनों मिलकर काम करने में समय लेंगे।

$$= \frac{1}{15} + \frac{1}{25} = \frac{8}{75} \text{ भाग}$$

$$= \frac{75}{8} = 9\frac{3}{8} \text{ दिन}$$

6. A द्वारा कार्य करने में लिया गया समय

$$= \frac{4 \times 3}{2} = 6 \text{ दिन}$$

B द्वारा कार्य करने में लिया गया समय

$$= \frac{6 \times 5}{2} = 10 \text{ दिन}$$

∴ (A + B) द्वारा 1 दिन में किया कार्य

= (A + B) द्वारा 1 दिन में किया गया कार्य

$$= \frac{1}{6} + \frac{1}{10} = \frac{5+3}{30} = \frac{8}{30} = \frac{4}{15}$$

∴ A एवं B मिलकर उस काम को $\frac{15}{4} = 3\frac{3}{4}$ दिन में पूरा करेंगे।

8. $A+B$ करते हैं $= \frac{1}{15}$ भाग

$B+C$ करते हैं $= \frac{1}{20}$ भाग

$A+C$ करते हैं $= \frac{1}{30}$ भाग

$2(A+B+C)$ करेंगे $= \frac{1}{15}+\frac{1}{20}+\frac{1}{30}=\frac{3}{20}$ भाग

$A+B+C$ करेंगे $= \frac{3}{20}\times\frac{1}{2}=\frac{3}{40}$ भाग

अकेला B करेगा $= \frac{3}{40}-\frac{1}{30}$

$= \frac{5}{120}$ भाग या 24 दिन

10. दोनों का 10 दिन का कार्य $= \left(\frac{1}{40}+\frac{1}{50}\right)\times 10$

$= \frac{9}{20}$ भाग

शेष भाग $= 1-\frac{9}{20}=\frac{11}{20}$ भाग

शेष कार्य को सोना अकेली करेगी

$= \frac{11}{20}\div\frac{1}{40}$

या $\frac{11}{20}\times 40 = 22$ दिन

11. $\because$ B और C का 2 दिन का काम

$= \left(\frac{1}{20}+\frac{1}{30}\right)\times 2=\frac{10}{60}=\frac{1}{6}$

$\Rightarrow$ शेष कार्य $= 1-\frac{1}{6}=\frac{5}{6}$

$\therefore$ A को शेष काम पूरा करने में लगा समय

$= 18\times\frac{5}{6}=15$ दिन

12. मोहन करता है $= \frac{1}{15}$ भाग

20% अधिक दक्ष होने के कारण सोहन करेगा

$\frac{1}{15}\times\frac{120}{100}=\frac{2}{25}$ भाग या $12\frac{1}{2}$ दिन

14. $(A+B)$ का 20 दिन का कार्य $= \frac{1}{30}\times 20=\frac{2}{3}$ भाग

शेष भाग $= 1-\frac{2}{3}=\frac{1}{3}$ भाग

A, $\frac{1}{3}$ भाग करता है 20 दिन में

तो पूरा कार्य $= 20\times 3 = 60$ दिन में

15. 10 पुरुषों का दल कार्य करता है = 12 दिन में

तो 1 दिन में कार्य होगा $= \frac{1}{12}$ भाग

10 स्त्रियों के दल द्वारा कार्य होता है = 6 दिन में

तो 1 दिन में कार्य होगा $= \frac{1}{6}$ भाग

तो दोनों मिलकर 1 दिन में करेंगे

$= \frac{1}{12}+\frac{1}{6}=\frac{3}{12}$ भाग या 4 दिन में

16. B 1 दिन में करता है $= \frac{1}{16}$ भाग

तो A करेगा $= \frac{1}{16}\times\frac{80}{100}=\frac{1}{20}$ भाग या 20 दिन

18. A व B का 7 घंटे प्रतिदिन का कार्य

$= \frac{1}{6}+\frac{1}{8}=\frac{7}{24}$ भाग

तो 8 घंटे प्रतिदिन का कार्य $= \frac{7}{24}\times\frac{8}{7}$

$= \frac{1}{3}$ भाग या 3 दिन

22. $(A+B)$ का 8 दिन का कार्य

$= \left(\frac{1}{18}+\frac{1}{24}\right)\times 8 = \frac{7}{9}$ भाग

शेष भाग $= 1-\frac{7}{9}=\frac{2}{9}$ भाग

शेष भाग को B अकेला करेगा $= \frac{2}{9}\div\frac{1}{24}$

या $= \frac{2}{9}\times\frac{24}{1}=5\frac{1}{3}$ दिन

24. B ने 23 दिन में कार्य किया $= \frac{23}{40}$ भाग

शेष कार्य $= \frac{17}{40}$ भाग

$A+B = \frac{1}{45}+\frac{2}{40}=\frac{17}{360}$

$A+B$ ने कार्य किया $= \frac{17}{40}\div\frac{17}{360}=9$ दिन

○○○

10 चाल, समय एवं दूरी (Speed, Time and Distance)

आवश्यक नियम

- जब समान दूरी को x, y तथा z चालों से तय किया गया हो तो।
- जब दो चाल हों तो औसत चाल $= \dfrac{2xy}{x+y}$
- जब तीन चाल हों तो औसत चाल $= \dfrac{3xyz}{xy+yz+xz}$
- विपरीत दिशा में जाने पर सापेक्ष चाल के लिए चालों का योग करते हैं।
- एक ही दिशा में जाने पर सापेक्ष चाल के लिए चालों का अन्तर करते हैं।

रेल सम्बन्धी

1. जब कोई ट्रेन पटरी के पास खड़े किसी व्यक्ति या खम्भे को पार करती है तो दूरी के लिए ट्रेन की लम्बाई को लेते हैं।
2. जब कोई ट्रेन किसी प्लेटफॉर्म, पुल, सुरंग या किसी दूसरी ट्रेन को पार करती है तो कुल दूरी के लिए इस ट्रेन की लम्बाई में उन लम्बाईयों को जोड़ देते हैं।
3. जब कोई दो ट्रेन एक ही दिशा में जा रही है तो सापेक्ष चाल निकालने के लिए उनकी चालों का अन्तर करते हैं।
4. जब कोई दो ट्रेन विपरीत दिशा में जा रही हैं तो सापेक्ष चाल निकालने के लिए उनकी चालों का योग करते हैं।
5. जब कोई ट्रेन किसी दूसरी ट्रेन में बैठे व्यक्ति या ड्राईवर को पार करती है तो दूरी के लिए पार करने वाली ट्रेन की लम्बाई को लेते हैं। जबकि जिस ट्रेन में व्यक्ति बैठा हुआ है उसे स्थिर मानते हैं।
6. जब किमी. प्रति घंटा की चाल को मीटर/सेकण्ड में बदलते हैं तो $\dfrac{5}{18}$ से गुणा करते हैं।
7. जब मीटर/सेकण्ड की चाल को किमी./घंटा में बदलते हैं तो $\dfrac{18}{5}$ से गुणा करते हैं।
   - जब km/h को अर्थात् बड़ी इकाई को छोटी इकाई (m/sec.) में बदले तो छोटी संख्या $\left(\dfrac{5}{18}\right)$ से गुणा करेंगे।
   - जब m/sec. को अर्थात् छोटी इकाई को बड़ी इकाई (km/h) में बदले तो बड़ी संख्या $\left(\dfrac{18}{5}\right)$ से गुणा करेंगे।

नाव–धारा सम्बन्धी

- धारा की दिशा में चाल : जब नाव, नाविक (तैराक) नदी या धारा की दिशा में जा रहे हों तो वह दिशा, धारा की दिशा या अनुप्रवाह कहलाता है।
- जब नाव, नाविक (तैराक) नदी, धारा की दिशा में जा रहे हैं तो उसके वेग में वृद्धि होगी।
- अतः धारा की दिशा में चाल (x) = नाव + धारा
- धारा की विपरीत दिशा में चाल : जब कोई नाव, नाविक (तैराक) धारा के विपरीत दिशा में जा रहा है तो उसे धारा की विपरीत दिशा में चाल या ऊर्ध्वप्रवाह कहते हैं।
- जब कोई नाव, नाविक (तैराक) नदी/धारा की विपरीत दिशा में जा रहे हैं तो उसके वेग में कमी होगी।
- अतः धारा की विपरीत दिशा में चाल (y) = नाव – धारा
- यदि धारा की दिशा में चाल x km/h तथा धारा की विपरीत दिशा में चाल y km/h हो तो–

  नाव, नाविक (तैराक) या शान्त जल में चाल $= \dfrac{x+y}{2}$

  नदी/धारा की चाल $= \dfrac{x-y}{2}$
- जब हम नाव/धारा संबंधी प्रश्नों को हल करते हैं तो सबसे पहले हमारा ध्यान-धारा की दिशा में चाल, धारा की विपरीत दिशा में चाल पर ही मुख्यतः केन्द्रित होना चाहिए।

साधित उदाहरण

1. एक व्यक्ति 1 घंटे में 36 किमी. जाता है तो बताओ वह 1 सेकण्ड में कितना मीटर जाएगा?

हल : 1 घंटे में 36 किमी. का अर्थ है = 36 किमी./घंटा

$$= 36 \times \frac{5}{18} = 10 \text{ मी./से.}$$

अर्थात् 1 सेकण्ड में 10 मीटर जाएगा।

2. कार 4 घंटे में 144 किमी. जाती है तो बताओ वह 9 घंटे में कितनी दूरी तय करेगी?

हल : 4 घंटे में जाती है = 144 कि.मी.

$$1 \text{ घंटे में जाएगी} = \frac{144}{4} = 36 \text{ कि.मी.}$$

$$9 \text{ घंटे में जाएगी} = 36 \times 9 = 324 \text{ कि.मी.}$$

3. मोहन जब 4 किमी./घंटा की चाल से विद्यालय जाता है तो 6 मिनट देरी से पहुँचता है, जब 5 किमी./घंटा की चाल से विद्यालय जाता है तो 9 मिनट पहले पहुँच जाता है, तो घर से विद्यालय की दूरी क्या है?

हल : माना घर से विद्यालय की दूरी = x किमी.

पहली शर्त से पहुँचने में लगा

$$\text{वास्तविक समय} = \left(\frac{x}{4} - \frac{6}{60}\right) \text{घंटा}$$

दूसरी शर्त से पहुँचने में लगा

$$\text{वास्तविक समय} = \left(\frac{x}{5} + \frac{9}{60}\right) \text{घंटा}$$

$$\frac{x}{4} - \frac{6}{60} = \frac{x}{5} + \frac{9}{60}$$

$$3x = 15$$

$$x = 5 \text{ किमी.}$$

4. एक बस 900 किमी. की दूरी को समान चाल से तय करती है यदि बस चालक बस की चाल को 15 किमी./घंटा बढ़ा दे तो उसे दूसरी को तय करने में 3 घंटे कम लगते हैं। तो बताओ बस की प्रारम्भिक चाल क्या है?

हल : माना बस की प्रारम्भिक चाल = x किमी./घंटा

$$\text{पहले यात्रा में लगा समय} = \frac{900}{x} \text{ घंटा}$$

चाल बढ़ाने के बाद यात्रा में लगा समय

$$= \left(\frac{900}{x+15}\right) \text{घंटा}$$

प्रश्नानुसार

$$\frac{900}{x} - \left(\frac{900}{x+15}\right) = 3$$

$$900\left(\frac{1}{x} - \frac{1}{x+15}\right) = 3$$

$$\left(\frac{x+15-x}{x^2+15x}\right) = \frac{3}{900}$$

$$3x^2 + 45x = 13500$$

$$x^2 + 15x - 4500 = 0$$

$$x(x+75) - 60(x+75) = 0$$

$$x = -75 \text{ किमी./घंटा}$$

$$x = 60 \text{ किमी./घंटा}$$

5. दो बन्दूकें एक ही स्थान से 12 मिनट के अन्तराल पर छोड़ी गईं। लेकिन उसी स्थान की ओर आती हुई एक ट्रेन, जिसकी चाल 54 किमी./घंटा है, में बैठे हुए व्यक्ति को 20 मिनट के अन्तराल पर सुनाई पड़ती है। तो ध्वनि की चाल क्या है?

हल : ध्वनि 1 मिनट में जितनी दूरी तय करती है उतनी ही दूरी ट्रेन 20 मिनट में तय करती है

तो ट्रेन की चाल = 54 किमी./घंटा

या $54 \times \frac{5}{18} = 15$ मी./से.

समय = 20 मिनट या $20 \times 60 = 1200$ से.

तो ट्रेन ने 20 मिनट में दूरी तय की = चाल × समय

$= 15 \times 1200 = 18000$ मीटर

∵ ध्वनि की 1 मीटर की दूरी

= ट्रेन की 20 मिनट की दूरी

तो ध्वनि 1 मिनट में दूरी तय करेगी = 18000 मी.

$$\text{तो ध्वनि की चाल} = \frac{18000}{60} = 300 \text{ मी./से.}$$

6. एक रेलगाड़ी की चाल 72 किमी./घंटा है तो इसकी चाल मी.से. में बताओ।

हल : $\frac{72 \times 1000}{3600} = 20$ मी./से.

या $72 \times \frac{5}{18} = 20$ मी./से.

7. एक 300 मीटर लम्बी रेलगाड़ी 72 किमी./घंटा की चाल से जा रही है तो बताओ वह 200 मीटर लम्बे प्लेटफॉर्म को कितने समय में पार कर जाएगी?

हल : रेलगाड़ी की लम्बाई = 300 मीटर

प्लेटफॉर्म की लम्बाई = 200 मीटर

कुल दूरी = 300 + 200 = 500 मीटर

रेलगाड़ी की चाल = 72 किमी./घंटा

$$= 72 \times \frac{5}{18} = 20 \text{ मी./से.}$$

$$\text{समय} = \frac{\text{दूरी}}{\text{चाल}} = \frac{500}{20} = 25 \text{ सेकेण्ड}$$

8. 150 मीटर लम्बी रेलगाड़ी 54 किमी./घंटा की चाल से जा रही है उसके सामने से 100 मीटर लम्बी रेलगाड़ी 36 किमी./घंटा की चाल से आ रही है तो बताओ वे दोनों एक-दूसरे को कितने समय में पार जाएंगी?

हल : कुल दूरी = पहली ट्रेन + दूसरी ट्रेन

$= 150 + 100 = 250$ मी.

सापेक्ष चाल $= 54 + 36 = 90$ किमी./घंटा

[क्योंकि विपरीत दिशा में जा रही है]

$= 90 \times \frac{5}{18} = 25$ मी./सेकण्ड

समय $= \frac{\text{दूरी}}{\text{चाल}} = \frac{250}{25} = 10$ सेकण्ड

9. किसी व्यक्ति की धारा की दिशा में चाल 10 किमी./घंटा है तथा धारा की विपरीत दिशा में चाल 6 किमी./घंटा है तो शान्त जल में व्यक्ति की चाल क्या है?

हल : माना व्यक्ति की शान्त जल में चाल $= x$ किमी./घंटा

धारा की चाल $= y$ किमी./घंटा

दिशा में चाल $x + y = 10$ ...(*i*)

विपरीत दिशा में चाल $x - y = 6$ ...(*ii*)

समीकरण (*i*) व (*ii*) को जोड़ने पर

$2x = 16$

$x = 8$ किमी./घंटा

10. एक नाविक धारा की दिशा में 32 किमी. जाने में 4 घंटे लेता है। परन्तु धारा के विपरीत 30 किमी. जाने में 1 घंटा अतिरिक्त लेता है तो बताओ शान्त जल में नाविक की चाल क्या है?

हल : नाविक की धारा की दिशा में चाल

$x = \frac{32}{4} = 8$ किमी./घंटा

नाविक की धारा की विपरीत दिशा में चाल

$y = \frac{30}{5} = 6$ किमी./घंटा

11. एक नाव की शान्त जल में चाल 6 किमी./घंटा है तथा धारा की चाल 4 किमी./घंटा है। नाव किसी स्थान A से B तक जाने व आने में 7 घंटे 12 मिनट लेती है तो बताओ उन स्थानों (A व B) के बीच की दूरी क्या है।

हल : माना उन दोनों स्थानों के बीच की दूरी = x किमी.

धारा की दिशा में चाल $= 6 + 4 = 10$ किमी./घंटा

धारा की विपरीत दिशा में चाल $= 6 - 4 = 2$ किमी./घंटा

समय = 7 घंटे 12 मिनट

या $7 \times \frac{12}{60} = 7\frac{1}{5} = \frac{36}{5}$ घंटे

जाने व आने में लगा कुल समय

$\frac{x}{10} + \frac{x}{2} = \frac{36}{5}$

$\frac{x + 5x}{10} = \frac{36}{5}$

$6x = 72$

$x = 12$ किमी.

वस्तुनिष्ठ प्रश्न

1. मोहन 1 घंटे में 108 किमी. की दूरी तय करता है तो बताओ वह 1 सेकण्ड में कितनी दूरी तय करेगा?

A. 6 मीटर B. 8 मीटर
C. 30 मीटर D. 12 मीटर
E. 30 मीटर

2. एक हवाई जहाज किसी दूरी को 40 मिनट में तय करता है। उसकी औसत चाल 240 किमी./घंटा है। यदि उस दूरी को 30 मिनट में तय करना हो तो हवाई जहाज की चाल क्या होगी?

A. 260 किमी./घंटा B. 320 किमी./घंटा
C. 380 किमी./घंटा D. 280 किमी./घंटा
E. इनमें से कोई नहीं

3. हरि अपनी यात्रा की 60 किमी. की दूरी 30 किमी.प्रति घंटा की चाल से और 40 किमी. की दूरी 20 किमी. प्रति घंटा की चाल से तय करता है तो पूरी यात्रा में उसकी औसत चाल क्या है?

A. 20 किमी./घंटा B. 25 किमी./घंटा
C. 30 किमी./घंटा D. 35 किमी./घंटा
E. इनमें से कोई नहीं

4. A 3 किमी./घंटा की चाल से चलने पर अपने घर से अपने स्कूल 5 मिनट की देरी से पहुँचता है। यदि वह 4 किमी./घंटा की चाल से चले तो स्कूल समय से 5 मिनट पहले पहुँच जाता है। उसके घर से उसके स्कूल की दूरी है :

A. 1 किमी. B. 2 किमी.
C. 3 किमी. D. 4 किमी.
E. इनमें से कोई नहीं

5. अरुण जब 4 किमी. प्रति घंटा की चाल से विद्यालय जाता है तो 12 मिनट देरी से पहुँचता है। जब वह 5 किमी. प्रति घंटा की चाल से जाता है तो 6 मिनट देरी से पहुँचता है तो बताओ उसके घर से विद्यालय की दूरी क्या है?

A. 8 किमी. B. 5 किमी.
C. 4 किमी. D. 2 किमी.
E. इनमें से कोई नहीं

6. दो रेलगाड़ियों की चाल 6 : 7 के अनुपात में है। यदि दूसरी रेलगाड़ी 4 घंटे में 364 किमी. चले, तो पहली रेलगाड़ी की चाल है :

A. 60 किमी./घंटा B. 72 किमी./घंटा
C. 78 किमी./घंटा D. 84 किमी./घंटा
E. इनमें से कोई नहीं

7. मैं एक नियत दूरी तक पैदल चलता हूँ। लेकिन वापसी में वाहन से यात्रा करता हूँ। इस प्रकार कुल 37 मिनट लगते हैं। यदि मैं दोनों ओर से पैदल ही जाता हूँ तो मुझे 55 मिनट लगते हैं। तदनुसार दोनों ओर से वाहन से यात्रा करने में मुझे कितना समय लगेगा?

A. 9.5 मिनट B. 19 मिनट
C. 18 मिनट D. 20 मिनट
E. 22 मिनट

8. एक चोर ने रात्रि 9.00 बजे चोरी की और वह 8 किमी. प्रति घंटा की चाल से भागा। उसके 2 घंटे बाद सिपाही ने 10 किमी. प्रति घंटा की चाल से उसका पीछा किया तो बताओ वह सिपाही उस चोर को कितनी दूरी पर पकड़ लेगा?

A. 40 किमी. B. 50 किमी.
C. 80 किमी. D. 55 किमी.
E. 85 किमी.

9. एक कार को 40 मीटर की दूरी तय करने में जितना समय लगता है उतना ही समय मिलिन्द को 15 मीटर दौड़ने में लगता है। जितने समय में कार 2 किमी. की दूरी तय करेगी उतने ही समय में मिलिन्द कितनी दूरी तय करेगा?

A. 100 मी. B. 600 मी.
C. 650 मी. D. 750 मी.
E. 850 मी.

10. A, B तथा C एक ही स्थान से 12 किमी. लम्बाई वाले एक वृत्ताकार पथ पर एक साथ रवाना होते हैं। A, 4 किमी./घंटा, B 3 किमी./घंटा तथा C $\frac{3}{2}$ किमी./घंटा की चाल से चलता है। वे प्रस्थान बिन्दु पर एक साथ कितने समय बाद मिलेंगे?

A. 10 घंटे B. 12 घंटे
C. 15 घंटे D. 24 घंटे
E. 18 घंटे

11. रामू, श्यामू को 30 मीटर या 10 सेकण्ड से हारता है तो रामू द्वारा 1200 मीटर की दूरी की दौड़ को पूरा करने में कितना समय लगेगा?

A. 6 मिनट 30 सेकण्ड B. 6 मिनट 40 सेकण्ड
C. 5 मिनट 10 सेकण्ड D. 7 मिनट 40 सेकण्ड
E. इनमें से कोई नहीं

12. एक नाव की चाल 4 किमी./घंटा है तथा नदी की चाल 2 किमी./घंटा है। नाव किसी स्थान A से स्थान B तक जाने व आने में कुल कितना समय लेगी, यदि दोनों स्थानों के बीच की दूरी 8 किमी. हो?

A. 4 घंटे 10 मिनट B. 6 घंटे 15 मिनट
C. 6 घंटे 15 मिनट D. 5 घंटे 15 मिनट
E. इनमें से कोई नहीं

13. एक नाव 8 घंटे में धारा की विपरीत दिशा में 40 किमी. चलती है तथा 6 घंटे में धारा के अनुकूल 36 किमी. चलती है। तो शान्त जल में नाव की चाल क्या है?

A. 6.5 किमी./घंटा B. 5.5 किमी./घंटा
C. 6 किमी./घंटा D. 8 किमी./घंटा
E. इनमें से कोई नहीं

14. शांत जल में एक नाव की चाल 10 किमी./घंटा है। यह धारा प्रतिकूल 6 घंटे में 45 किमी. की दूरी तय करती है। धारा की चाल (किमी./घंटा में) है :

A. 2.5 B. 3
C. 3.5 D. 4
E. 4.5

15. एक नाविक धारा प्रवाह की दिशा में 18 किमी. जाने तथा धारा प्रवाह के विरुद्ध 12 किमी. जाने में समान समय लेता है। यदि धारा चाल 3 किमी./घंटा हो तो बताओ नाविक की चाल क्या है?

A. 10 किमी./घंटा B. 15 किमी./घंटा
C. 20 किमी./घंटा D. 12 किमी./घंटा
E. इनमें से कोई नहीं

16. एक आदमी धारा के विपरीत 15 मिनट में तीन-चौथाई किलोमीटर नाव खे सकता है, तथा उसी दूरी को वापस तय करने में उसे 10 मिनट लगते हैं। उसकी चाल का धारा की चाल से अनुपात है :

A. 3 : 5 B. 5 : 3
C. 1 : 5 D. 5 : 1
E. इनमें से कोई नहीं

17. किसी व्यक्ति को नाव द्वारा किसी गन्तव्य पर धारा के अनुकूल जाने तथा धारा के प्रतिकूल प्रस्थान बिन्दु पर लौटने में 5 घंटे लगते हैं। यदि शान्त जल में नाव की चाल तथा धारा की चाल क्रमशः 10 किमी./घंटा तथा 4 किमी./घंटा हो तो प्रस्थान बिन्दु से गन्तव्य की दूरी होगी :

A. 16 किमी. B. 18 किमी.
C. 21 किमी. D. 25 किमी.
E. 22 किमी.

18. एक नौका B से A तक ऊर्ध्वप्रवाह और A से B तक अनुप्रवाह 3 घंटे में चलती है। यदि स्थिर पानी में नौका की चाल 9 किमी./घंटा है और धारा की चाल 3 किमी./घंटा है, तो A और B के बीच दूरी है :

A. 12 किमी. B. 8 किमी.
C. 6 किमी. D. 4 किमी.
E. 10 किमी.

19. एक नाव धारा के प्रतिकूल 24 किलोमीटर तथा धारा के अनुदिश 36 किलोमीटर तथा धारा के अनुदिश 24 किलोमीटर की दूरी तय करने में $6\frac{1}{2}$ घंटे लेती है। धारा की चाल है :

A. 1 किमी./घंटा B. 2 किमी./घंटा
C. 1.5 किमी./घंटा D. 2.5 किमी./घंटा
E. इनमें से कोई नहीं

20. 300 मीटर लम्बी रेलगाड़ी 50 किमी./घंटा की चाल से जा रही है। उसके सामने से दूसरी ट्रेन 40 किमी./घंटे की चाल से आ रही है। दोनों ट्रेनें एक-दूसरे को 20 सेकण्ड में पार कर जाती हैं, तो दूसरे ट्रेन की लम्बाई क्या है?

A. 200 मीटर B. 300 मीटर
C. 400 मीटर D. 500 मीटर
E. 600 मीटर

21. 100 मीटर लम्बी रेलगाड़ी 40 किमी./घंटा की चाल से जा रही है। उसके सामने से 180 मीटर लम्बी रेलगाड़ी 32 किमी./घंटा की चाल से आ रही है, तो बताओ पहली ट्रेन के ड्राइवर को दूसरी ट्रेन कितने समय में पार कर जाएगी?

A. 8 सेकेण्ड B. 9 सेकेण्ड
C. 12 सेकेण्ड D. 14 सेकेण्ड
E. 11 सेकेण्ड

22. 80 मीटर तथा 120 मीटर लम्बी दो रेलगाड़ियाँ समान्तर रेल पटरियों पर एक ही दिशा में क्रमशः 25 किमी./घंटा तथा 35 किमी./घंटा की चाल से चल रही हैं। वे एक-दूसरे को पार करने में कितने सेकेण्ड लेंगी?

A. 48 B. 64
C. 70 D. 72
E. 73

23. दो रेलगाड़ी क्रमशः 70 किमी./घंटा तथा 52 किमी./घंटा की चाल से एक ही दिशा में जा रही है तो धीमी गति वाली ट्रेन में बैठा एक व्यक्ति अनुभव करता है कि तेज गति वाली ट्रेन उसे 22 सेकण्ड में पार कर जाती है, तो बताओ तेज गति वाली रेलगाड़ी की लम्बाई क्या है?

A. 100 मीटर B. 110 मीटर
C. 150 मीटर D. 200 मीटर
E. 175 मीटर

24. दो ट्रेन क्रमशः 90 किमी./घंटा तथा 54 किमी./घंटा की चाल से जा रही है तो तेज गति से चलने वाली ट्रेन कम गति से चलने वाली ट्रेन में बैठे एक व्यक्ति को 9 सेकण्ड में पार कर जाती है तो तेज गति से चलने वाली रेलगाड़ी की लम्बाई क्या है?

A. 80 मीटर B. 90 मीटर
C. 150 मीटर D. 200 मीटर
E. 160 मीटर

25. दो स्टेशनों P व Q के बीच की दूरी 497 किमी. है। एक ट्रेन स्टेशन P से प्रातः 9.00 बजे 65 किमी./घंटा की चाल से रवाना होती है। दूसरी ट्रेन स्टेशन Q से 10.00 बजे 43 किमी. प्रति घंटा की चाल से रवाना होती है तो बताओ दोनों ट्रेनें एक-दूसरे से कितने बजे मिलेंगी?

A. 1.00 बजे B. 12.00 बजे
C. 2.00 बजे D. 3.00 बजे
E. इनमें से कोई नहीं

उत्तरमाला

1	2	3	4	5	6	7	8	9	10
C	B	B	B	D	C	B	C	D	D
11	**12**	**13**	**14**	**15**	**16**	**17**	**18**	**19**	**20**
B	E	B	A	B	D	C	A	B	A
21	**22**	**23**	**24**	**25**					
B	D	B	B	C					

कुछ चुने हुए प्रश्नों के व्याख्यात्मक उत्तर

2. दूरी = चाल × समय = $\frac{240}{60}\times 40$ = 160 किमी.

अभीष्ट चाल = $\frac{160\times 60}{30}$ = 320 किमी./घंटा

3. 60 किमी. की दूरी को तय करने में लगा समय = $\frac{60}{30}$ = 2 घंटे

40 किमी. की दूरी को तय करने में लगा समय $\frac{40}{20}$ = 2 घंटे

कुल समय = 2 + 2 = 4 घंटे

कुल दूरी = 60 + 40 = 100 किमी.

चाल = $\frac{\text{दूरी}}{\text{समय}} = \frac{100}{4}$ = 25 किमी./घंटा

4. दूरी = $\frac{\text{चालों का गुणन}}{\text{चालों का अन्तर}}$ × समय का अन्तर

$= \frac{3\times 4}{4-3}\times\frac{(5+5)}{60} = \frac{12}{1}\times\frac{10}{60}$ = 2 किमी.

5. दूरी = $\frac{\text{चालों का गुणन}}{\text{चालों का अन्तर}}$ × समय का अन्तर

$= \frac{4\times 5}{(4-5)}\times\frac{(12-6)}{60}$

[यहाँ 12 मिनट देरी से व 6 मिनट देरी से है जबकि पिछले प्रश्न में देरी व पहले से था।]

$= \frac{20}{1}\times\frac{6}{60}$ = 2 किमी.

6. दूसरी रेलगाड़ी की चाल $= \frac{364}{4} = 91$ किमी./घंटा

$\therefore \quad 7x = 91$

$\Rightarrow \quad x = 13$

$\therefore \quad 6x = 6 \times 13 = 78$ किमी./घंटा

8. चोर ने 2 घंटे में दूरी तय की $= 8 \times 2 = 16$ किमी.

दोनों की सापेक्ष चाल $= 10 - 8 = 2$ किमी./घंटा

समय $= \frac{16}{2} = 8$ घंटे

सिपाही चोर को पकड़ेगा $= 11.00 + 8.00$

$= 19.00$ बजे या 7.00 बजे

दूरी $= 10 \times 8 = 80$ किमी.

10. समय $= \frac{12}{4} = 3$ घंटे,

$\frac{12}{3} = 4$ घंटे,

$\frac{12}{3} \times 2 = 8$ घंटे

3, 4 व 8 की ल.स. = 24 घंटे

11. रामू 30 मीटर दूरी तय करता है = 10 सेकण्ड में

तो 1200 मीटर की दूरी तय करेगा

$= \frac{10}{30} \times 1200 = 400$ सेकण्ड

या 6 मिनट 40 सेकण्ड।

12. धारा की दिशा में चाल $= 4 + 2 = 6$ किमी./घंटा

विपरीत दिशा में चाल $= 4 - 2 = 2$ किमी./घंटा

आने व जाने में कुल समय $= \frac{8}{6} + \frac{8}{2} = \frac{16}{3}$ घंटे

$= \frac{16}{3}$ या $5\frac{1}{3}$ घंटे या 5 घंटे 20 मिनट।

13. धारा के विपरीत दिशा में चाल $= \frac{40}{8} = 5$ किमी./घंटा

धारा की दिशा में चाल $= \frac{36}{6} = 6$ किमी./घंटा

शांत जल में नाव की चाल $= 5.5$ किमी./घंटा

14. धारा के प्रतिकूल नाव की चाल

$= \frac{\text{दूरी}}{\text{समय}} = \frac{45}{6} = \frac{15}{2} = 7.5$ किमी./घंटा

$\therefore$ धारा की चाल $= 10 - 7.5 = 2.5$ किमी./घंटा

17. धारा की दिशा में चाल $= 10 + 4 = 14$ किमी./घंटा

धारा की विपरीत दिशा में चाल $= 10 - 4 = 6$ किमी./घंटा

मान दूरी $= x$ किमी.

$\frac{x}{14} + \frac{x}{6} = 5$

$x = 21$ किमी.

18. नौका की दिशा में चाल $= 9 + 3 = 12$ किमी./घंटा

नौका की विपरीत दिशा में चाल $= 9 - 3 = 6$ किमी./घंटा

$\frac{x}{12} + \frac{x}{6} = 3,$

$x = 12$ किमी.

21. दूरी $= 180$ मी.

चाल $= 40 + 32 = 72$ किमी./घंटा

या $\quad 72 \times \frac{5}{18} = 20$ मी./सेकण्ड

समय = ?

समय $= \frac{180}{20} = 9$ सेकण्ड

नोट : इस प्रकार के प्रश्नों में दूरी के लिए हमेशा पार करने वाली ट्रेन की लम्बाई को लेते हैं।

23. दोनों की सापेक्ष चाल $= 70 - 52 = 18$ किमी./घंटा

या $\quad 18 \times \frac{5}{18} = 5$ मी./सेकण्ड

दूरी $= 5 \times 22$

$= 110$ मीटर

24. सापेक्ष चाल $= 90 - 54 = 36$ किमी./घंटा

$36 \times \frac{5}{18} = 10$ मी./सेकण्ड

समय = चाल × समय

$= 10 \times 9 = 90$ मीटर

25.

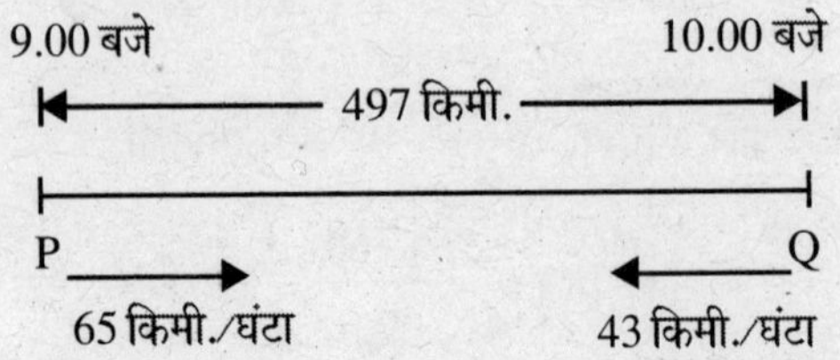

P की ओर से चलने वाली ट्रेन ने 1 घंटे में दूरी तय की

$= 1 \times 65 = 65$ किमी.

शेष दूरी $= 497 - 65 = 432$ किमी.

दोनों की सापेक्ष चाल $= 65 + 43 = 108$ किमी./घंटा

समय $= \frac{432}{108} = 4$ घंटे

दोनों ट्रेनें मिलेंगी $= 10.00 + 4.00$

$= 14.00$ बजे या 2.00 बजे

○○○

11 क्षेत्रमिति (Mensuration)

आयत (Rectangle)

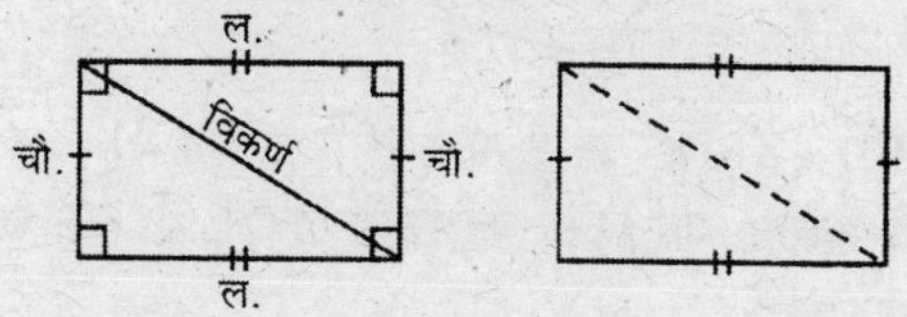

- आयत का क्षेत्रफल = लम्बाई × चौड़ाई
- आयत का परिमाप = 2(लम्बाई + चौड़ाई)
- आयत का विकर्ण = $\sqrt{(\text{लम्बाई})^2 + (\text{चौड़ाई})^2}$
- (आयत के विकर्ण बराबर होते हैं और एक-दूसरे को समद्विभाजित करते हैं।)

वर्ग (Square)

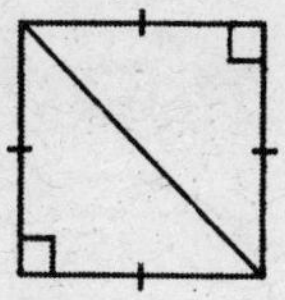

- वर्ग का क्षेत्रफल = $(\text{भुजा})^2$
- वर्ग का क्षेत्रफल = $\frac{(\text{विकर्ण})^2}{2}$
- (क्योंकि विकर्ण पर बने वर्ग का क्षेत्रफल मूल वर्ग के क्षेत्रफल का दुगुना होता है।)
- वर्ग का परिमाप = 4 × भुजा
- वर्ग का विकर्ण = $\sqrt{(\text{लम्बाई})^2 + (\text{चौड़ाई})^2}$

$$= \sqrt{(\text{भुजा})^2 + (\text{भुजा})^2}$$

$$= \sqrt{2(\text{भुजा})^2}$$

- (क्योंकि वर्ग की लम्बाई व चौड़ाई समान होती है।)

अतः वर्ग का विकर्ण = $\sqrt{2} \times$ भुजा

अर्थात् वर्ग का विकर्ण उसकी भुजा का $\sqrt{2}$ गुना होता है।

Note: वर्ग को आयत तो कह सकते हैं परन्तु आयत को वर्ग नहीं।

- आयताकार/वर्गाकार मैदान के बाहर या भीतर बने रास्ते का क्षेत्रफल $= 2x$ (लम्बाई + चौड़ाई $\pm 2x$) बाहर है तो (+) भीतर है तो (–)।

समकोण त्रिभुज (Right Angle Triangle)

- (इसमें एक कोण 90° का होता है।)

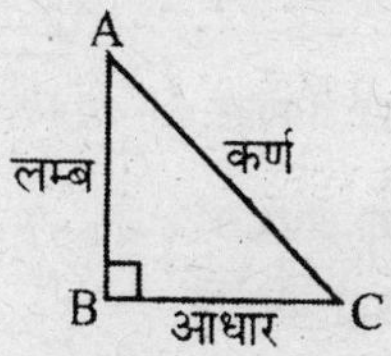

- समकोण त्रिभुज में सबसे बड़ी भुजा हमेशा कर्ण होती है। (अर्थात् त्रिभुज में जो कोण जितना बड़ा होता है उसके सामने वाली भुजा उतनी ही बड़ी होती है।)
- बौद्धायन सूत्र–

$$(\text{कर्ण})^2 = (\text{आधार})^2 + (\text{लम्ब})^2$$

$$(\text{आधार})^2 = (\text{कर्ण})^2 - (\text{लम्ब})^2$$

$$(\text{लम्ब})^2 = (\text{कर्ण})^2 - (\text{आधार})^2$$

- कई बार हम भूल जाते हैं कि इनके बीच (+) का चिह्न है या (–) का तो ध्यान रखें जब सबसे बड़ी भुजा (कर्ण) निकालें तभी (+) का चिह्न होगा अन्यथा (–) का चिह्न होगा।
- समकोण त्रिभुज का क्षेत्रफल = $\frac{1}{2} \times$ आधार × ऊँचाई

क्योंकि

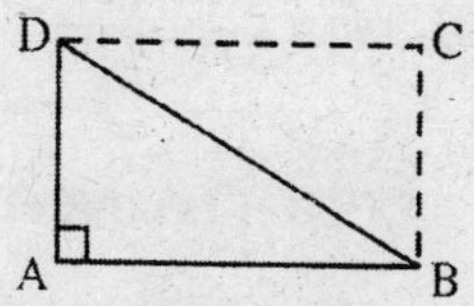

ABCD का क्षेत्रफल = आधार × ऊँचाई

- यदि किसी त्रिभुज और आयत के आधार एवं ऊँचाई एक ही हों तो त्रिभुज का क्षेत्रफल आयत के क्षेत्रफल का आधा होगा।

तो ΔBAD का क्षेत्रफल $= \frac{1}{2} \times$ आधार $\times$ ऊँचाई

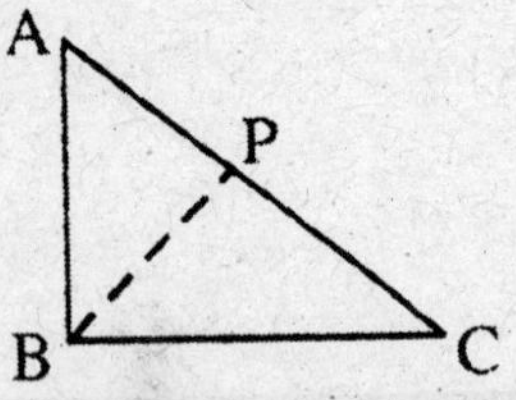

- शीर्ष लम्ब (BP) की लम्बाई $= \frac{\text{आधार} \times \text{लम्ब}}{\text{कर्ण}}$

समद्विबाहु त्रिभुज (Isosceles Triangle)

- (इसमें दो भुजाएं समान होती हैं।)

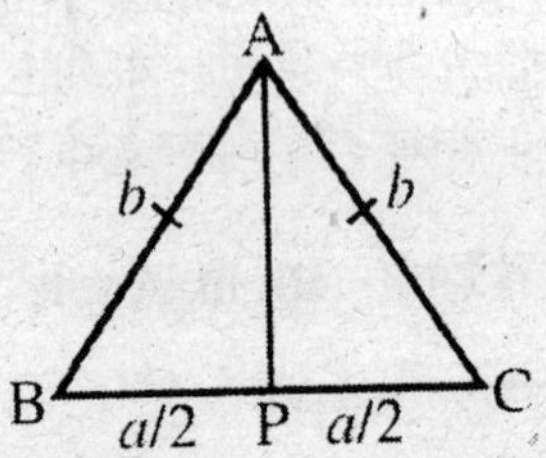

- समद्विबाहु त्रिभुज का क्षेत्रफल $= \frac{a}{4}\sqrt{4b^2 - a^2}$
- समद्विबाहु त्रिभुज का क्षेत्रफल $= s(s-b)\sqrt{s-a}$

  यहाँ $s =$ अर्द्ध परिमाप

  $b =$ समान भुजाएँ

समबाहु त्रिभुज (Equilateral Triangle)

- इसकी तीनों भुजाएँ समान है।

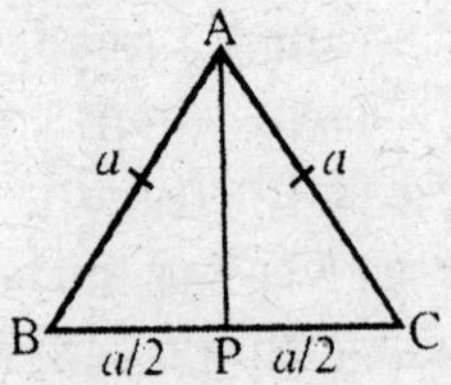

परिमिति $= 3 \times$ भुजा

- समबाहु त्रिभुज का क्षेत्रफल $= \frac{(\text{अर्न्तलम्बों के योग})^2}{\sqrt{3}}$
- समबाहु त्रिभुज का क्षेत्रफल $= \frac{(\text{ऊँचाई})^2}{\sqrt{3}}$

त्रिभुज (Triangle)

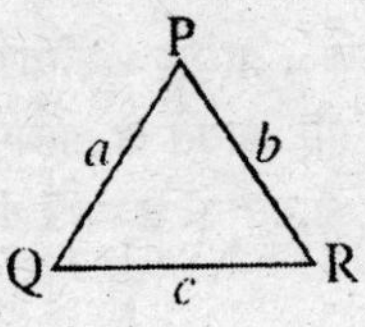

हीरो का सूत्र $(s) = \frac{a+b+c}{2}$

यहाँ $s =$ अर्द्ध परिमाप (Semi-Perimeter)

क्षेत्रफल $= \sqrt{s(s-a)(s-b)(s-c)}$

नोट : यह सूत्र तभी लगेगा जब त्रिभुज की तीनों भुजाएँ दी हुई हों।

चतुर्भुज (Quadrilateral)

- इसमें असमान भुजाएँ होती हैं और विकर्णों पर लम्ब नहीं डाले गए हों तोः

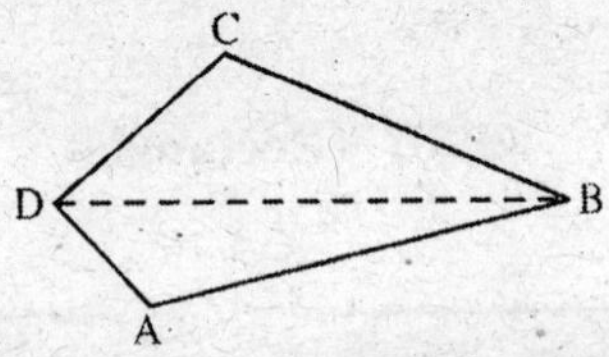

ΔABD + ΔBDC का क्षेत्रफल (हीरो के सूत्र से)

- **दूसरी अवस्था**–जब किसी चतुर्भुज में विकर्ण और उस पर लम्ब डाले गए हों तबः

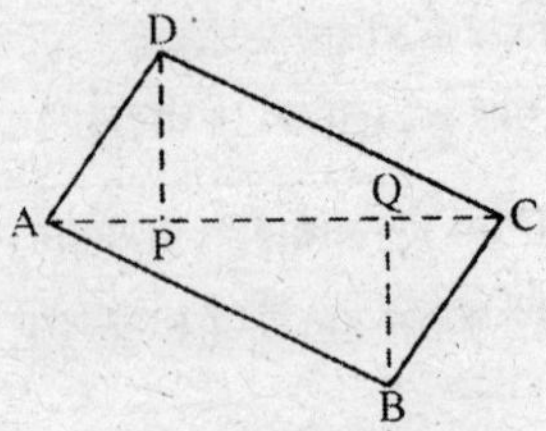

चतुर्भुज का क्षेत्रफल $= \frac{1}{2} \times$ विकर्ण $\times$ विकर्ण पर डाले गए लम्बों का योग

वृत्त (Circle)

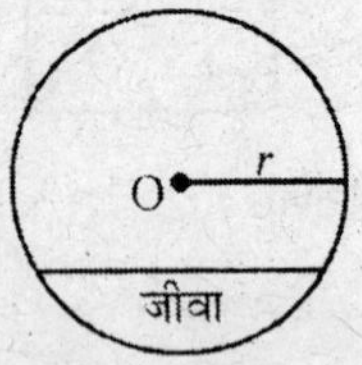

- व्यास (D), त्रिज्या का दुगुना होता है।
- व्यास वृत्त की सबसे बड़ी जीवा होती है।

  वृत्त की परिधि $= 2\pi r$

  वृत्त का क्षेत्रफल $= \pi r^2$

- यहाँ π एक ग्रीक शब्द है जो स्थिरांक है इसका मान $\frac{22}{7}$ होता है। इसकी खोज आर्यभट्ट ने की थी।

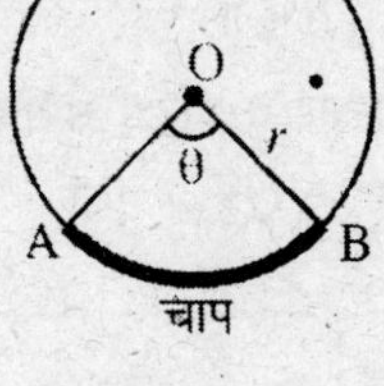

- चाप की लम्बाई $= 2\pi r \frac{\theta}{360°}$

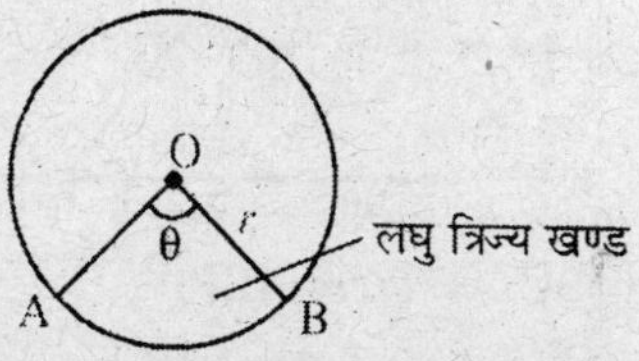

क्योंकि यहाँ चाप (AB), परिधि का छोटा-सा, θ कोण वाला टुकड़ा है।

- लघु त्रिज्य खण्ड (AOB) का क्षेत्रफल $= \pi r^2 \frac{\theta}{360°}$
- त्रिज्य खण्ड का क्षेत्रफल $= \frac{1}{2} lr$

  यहाँ l चाप की लम्बाई है।

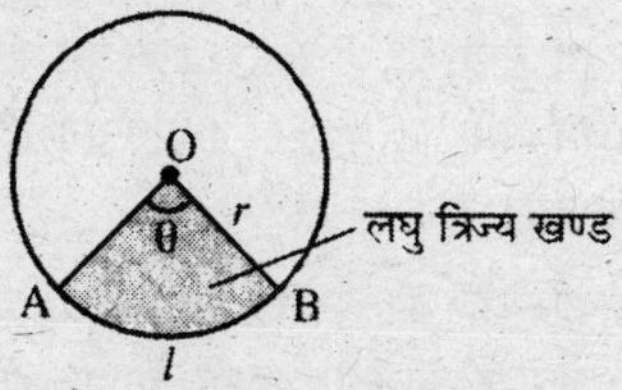

नोटः ऊपर वाले त्रिज्य खण्ड में दो त्रिज्याओं के मध्य θ कोण है जबकि नीचे वाली स्थिति में कोण नहीं चाप की लम्बाई है।

वृत्त खण्ड

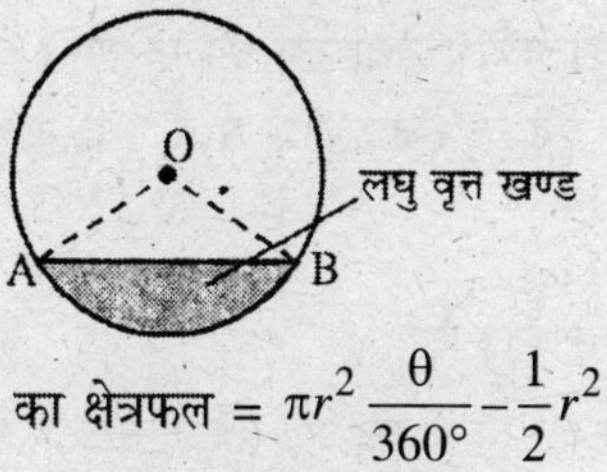

- लघु वृत्त खण्ड का क्षेत्रफल $= \pi r^2 \frac{\theta}{360°} - \frac{1}{2} r^2 \sin\theta$

वलय (Annullus)

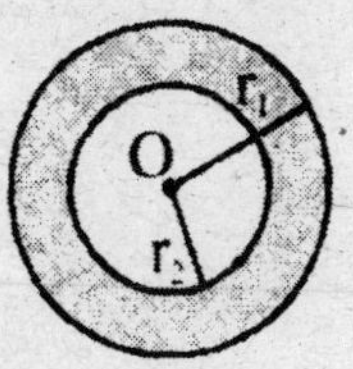

- वलय का परिमाप $= 2\pi (r_1 + r_2)$
- वलय का क्षेत्रफल $= \pi r_1^2 - \pi r_2^2 = \pi\left(r_1^2 - r_2^2\right)$
- समबाहु त्रिभुज में अन्तः वृत्त की त्रिज्या $= \frac{\text{भुजा}}{2\sqrt{3}}$

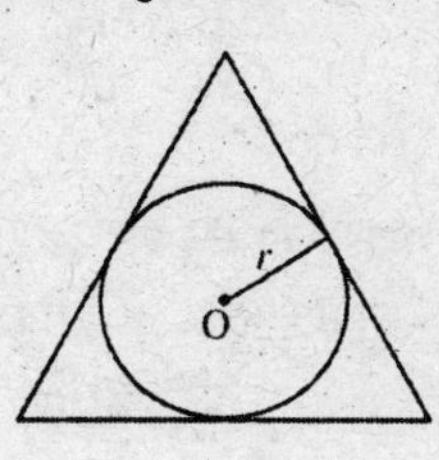

- समबाहु त्रिभुज में अन्तः वृत्त का क्षेत्रफल $= \frac{\pi}{12}(\text{भुजा})^2$
- समबाहु त्रिभुज में परिवृत्त की त्रिज्या $= \frac{\text{भुजा}}{\sqrt{3}}$

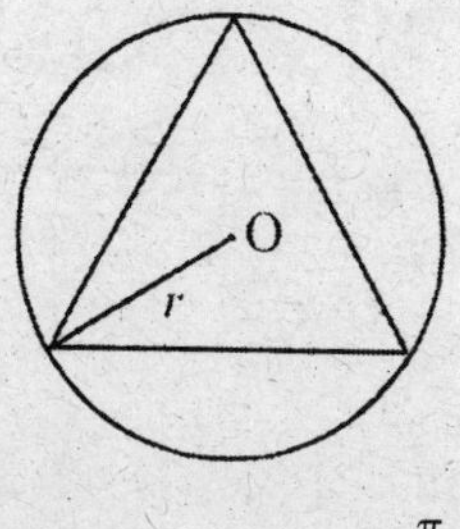

- समबाहु त्रिभुज में परिवृत्त का क्षेत्रफल $= \frac{\pi}{3}(\text{भुजा})^2$

मुख्य बिन्दु

- जब आयत का परिमाप और वर्ग का परिमाप समान हो तो वर्ग का क्षेत्रफल अधिक होगा।
- जब आयत, वृत्त, चतुर्भुज व त्रिभुज की परिमितियां समान हों तो इनमें वृत्त का क्षेत्रफल सबसे अधिक होगा।
- जब वृत्त की परिधि और वर्ग का परिमाप समान हो तो उनकी त्रिज्या व भुजाओं के मध्य 7 : 11 का अनुपात होगा।
- जब वृत्त की परिधि और वर्ग का परिमाप समान हो तो उनके क्षेत्रफलों के मध्य 14 : 11 का अनुपात होगा।
- वर्ग के विकर्ण पर बना वर्ग पहले वर्ग के क्षेत्रफल का दुगुना होगा।

उदाहरण

1. एक वर्गाकार मैदान की तिरछी माप अर्थात् एक किनारे से दूसरे किनारे की दूरी $30\sqrt{2}$ मीटर है, तो बताओ वर्गाकार मैदान का क्षेत्रफल क्या होगा?

हल :

$$\text{वर्ग की भुजा} = \frac{\text{विकर्ण}}{\sqrt{2}}$$

$$\text{भुजा} = \frac{30\sqrt{2}}{\sqrt{2}} = 30 \text{ मी.}$$

$$\text{वर्गाकार मैदान का क्षेत्रफल} = (\text{भुजा})^2$$

$$= (30)^2 = 900 \text{ वर्ग मी.}$$

दूसरी विधि–

$$\text{वर्गाकार मैदान का क्षेत्रफल} = \frac{(\text{विकर्ण})^2}{2} = \frac{(30\sqrt{2})^2}{2}$$

$$= \frac{900 \times 2}{2} = 900 \text{ वर्ग मी.}$$

2. एक समलम्ब चतुर्भुज में दो समान्तर भुजाएँ क्रमशः 10 मीटर व 14 मीटर हैं तथा समान्तर भुजाओं के मध्य की दूरी 3 मीटर है, तो उसका क्षेत्रफल व परिमाप बताओ।

हल : समलम्ब चतुर्भुज का क्षेत्रफल

$= \frac{1}{2} \times$ समान्तर भुजाओं का योग $\times$ बीच की दूरी

$= \frac{1}{2} \times (10+14) \times 3$

$= \frac{1}{2} \times 24 \times 3 = 36$ वर्ग मी.

परिमाप–

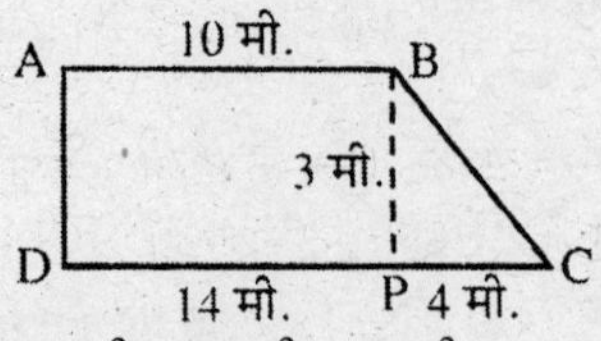

$(BC)^2 = (PC)^2 + (BP)^2$

$= (4)^2 + (3)^2 = 16 + 9 = 25 = 5$ मी.

तो, परिमाप = 3 + 14 + 5 + 10 = 32 मी.

वस्तुनिष्ठ प्रश्न

1. एक आयताकार मैदान की लम्बाई 80 मीटर है तथा इसके विकर्ण की माप 100 मीटर है तो बताओ मैदान का क्षेत्रफल कितना है?
A. 4000 वर्ग मी. B. 8000 वर्ग मी.
C. 4800 वर्ग मी. D. 5000 वर्ग मी.
E. इनमें से कोई नहीं

2. किसी वर्ग के एक विकर्ण की लम्बाई $15\sqrt{2}$ सेमी. है। इसका क्षेत्रफल होगाः
A. 112.5 सेमी.^{2} B. 450 सेमी.^{2}
C. $\frac{225\sqrt{2}}{2}$ सेमी.^{2} D. 225 सेमी.^{2}
E. इनमें से कोई नहीं

3. समलम्ब चतुर्भुज की समान्तर भुजाओं में से बड़ी भुजा की माप 10 सेमी. है और उनके मध्य की दूरी 4 सेमी. है। यदि समलम्ब चतुर्भुज का क्षेत्रफल 30 वर्ग सेमी. हो, तो बताओ दूसरी समान्तर भुजा की लम्बाई क्या है?
A. 6 सेमी. B. 8 सेमी.
C. 5 सेमी. D. 12 सेमी.
E. 7 सेमी.

4. एक आयताकार आकृति की लम्बाई उसकी चौड़ाई से 30 सेमी. अधिक है, यदि इसका क्षेत्रफल 2800 वर्ग सेमी. हो तो बताओ इसका परिमाप क्या होगा?
A. 220 सेमी. B. 80 सेमी.
C. 430 सेमी. D. 420 सेमी.
E. इनमें से कोई नहीं

5. यदि किसी आयत की लम्बाई को 10% अधिक तथा उसकी चौड़ाई को 10% कम कर दिया जाए, तो उसका क्षेत्रफलः
A. 1% कम हो जाएगा B. 1% अधिक हो जाएगा
C. 2% कम हो जाएगा D. अपरिवर्तित रहेगा
E. इनमें से कोई नहीं

6. 132 सेमी. लम्बे तार को वृत्ताकार आकृति में मोड़ दिया जाता है तो इसके द्वारा घिरे क्षेत्रफल का मान बताओः
A. 1386 वर्ग सेमी. B. 1496 वर्ग सेमी.
C. 1320 वर्ग सेमी. D. 1420 वर्ग सेमी.
E. इनमें से कोई नहीं

7. एक आयताकार क्षेत्र की लम्बाई तथा चौड़ाई क्रमशः 25 मी. तथा 15 मी. है। क्षेत्र के बीचोंबीच 5 मी. चौड़ा रास्ता लम्बाई व चौड़ाई के अनुदिश है, तो बताओ शेष क्षेत्र का क्षेत्रफल क्या होगा?
A. 200 वर्ग मी. B. 240 वर्ग मी.
C. 320 वर्ग मी. D. 220 वर्ग मी.
E. इनमें से कोई नहीं

8. एक वृत्त की परिधि तथा वर्ग की परिमिति बराबर हों तो वृत्त के क्षेत्रफल व वर्ग के क्षेत्रफल के मध्य क्या अनुपात होगा?
A. 11 : 14 B. 7 : 22
C. 14 : 11 D. 11 : 22
E. इनमें से कोई नहीं

9. किसी घड़ी की मिनट की सुई की लम्बाई 7 सेमी. है तो 15 मिनट में मिनट की सुई द्वारा तय किए गए क्षेत्र का क्षेत्रफल क्या होगा?
A. 55 सेमी.^{2} B. 40 सेमी.^{2}
C. 38.5 सेमी.^{2} D. 40.5 सेमी.^{2}
E. इनमें से कोई नहीं

10. एक आयत की लम्बाई में 40% की वृद्धि कर दी जाए तो बताओ उसके क्षेत्रफल पर क्या प्रभाव पड़ेगा?
A. 96% B. 30%
C. 40% D. 45%
E. इनमें से कोई नहीं

11. किसी पहिये की त्रिज्या 21 सेमी. है तो 528 मीटर की दूरी तय करने में इसको कितने चक्कर लगाने पड़ेंगे?
A. 400 B. 11
C. 200 D. 700
E. 205

12. एक आयताकार भूखण्ड का क्षेत्रफल 2400 वर्गमीटर है तथा उसकी भुजाएँ 3 : 2 के अनुपात में हैं, तो उसका परिमाप होगाः
A. 60 मी. B. 40 मी.

C. 100 मी. D. 200 मी.
E. 70 मी.

13. एक वर्ग और वृत्ताकार मैदान के परिमाप समान हैं। यदि वृत्ताकार मैदान का क्षेत्रफल 3850 वर्ग मीटर हो, तो वर्ग का क्षेत्रफल कितने वर्गमीटर होगा?

A. 4225 B. 3025
C. 2550 D. 2025
E. 2050

14. d व्यास वाले एक पाइप के द्वारा कोई पानी की टंकी 40 मिनट में खाली की जा सकती है, तो $2d$ व्यास वाले पाइप को उसे खाली करने में कितना समय लगेगा?

A. 5 मिनट B. 10 मिनट
C. 20 मिनट D. 80 मिनट
E. 25 मिनट

15. एक समान्तर चतुर्भुज का एक कोण बगल वाले कोण का 4/5 भाग है, तो समान्तर चतुर्भुज के कोणों का मान क्या होगा?

A. 80°, 90°, 80°, 110°
B. 80°, 100°, 80°, 100°
C. 45°, 135°, 45°, 135°
D. 45°, 90°, 90°, 135°
E. इनमें से कोई नहीं

16. एक कुएँ के ऊपर एक घिरनी लगी हुई है जिसकी त्रिज्या 3.5 सेमी. है। घिरनी से पानी के तल की गहराई 132 मीटर है। घिरनी के ऊपर एक रस्सी लगी हुई है। जिसके एक सिरे से एक बाल्टी बंधी हुई है। इस कुएँ से पानी निकालने के लिए घिरनी कितनी बार घूमेगी?

A. 6 B. 500
C. 600 D. 700
E. इनमें से कोई नहीं

17. किसी समकोण त्रिभुज की समकोण बनाने वाली भुजाएँ 5 : 12 के अनुपात में हैं। यदि त्रिभुज का क्षेत्रफल 270 सेमी^{2} है, तो कर्ण की लम्बाई क्या होगी?

A. 39 सेमी. B. 42 सेमी.
C. 45 सेमी. D. 51 सेमी.
E. 52 सेमी.

18. एक घड़ी की मिनट की सुई की लम्बाई 14 सेमी. है 8.00 am (पूर्वाह्न) से 8.45 am (पूर्वाह्न) तक जाने में घड़ी के फलक पर मिनट की सुई द्वारा कितना क्षेत्रफल आच्छादित किया जाएगा?

A. 512 वर्ग सेमी. B. 462 वर्ग सेमी.
C. 264 वर्ग सेमी. D. 196 वर्ग सेमी.
E. 238 वर्ग सेमी.

19. एक तार को एक वर्ग के आकार में मोड़ने पर आवृत्त क्षेत्र का क्षेत्रफल 121 सेमी.^{2} है। यदि उसी तार को एक वृत्त के आकार में मोड़ा जाए, तो वृत्त का क्षेत्रफल होगा:

A. 144 सेमी.^{2} B. 180 सेमी.^{2}
C. 154 सेमी.^{2} D. 176 सेमी.^{2}
E. इनमें से कोई नहीं

20. ABC एक 2 सेमी. भुजा वाला समत्रिबाहु त्रिभुज है। A, B, C को केन्द्र लेकर 1 सेमी. अर्द्धव्यास से तीन चाप खींचे गए हैं। तीनों चापों से घिरे हुए त्रिभुज के अन्तर्क्षेत्र का क्षेत्रफल क्या होगा?

A. $\left(3\sqrt{3}-\frac{\pi}{2}\right)$ सेमी.^{2} B. $\left(\sqrt{3}-\frac{3\pi}{2}\right)$ सेमी.^{2}
C. $\left(\sqrt{3}-\frac{\pi}{2}\right)$ सेमी.^{2} D. $\left(\frac{\pi}{2}-\sqrt{3}\right)$ सेमी.^{2}
E. इनमें से कोई नहीं

21. एक घास के मैदान में बछड़ा बँधा है। यदि बछड़े से बंधी रस्सी की लम्बाई 12 मीटर से बढ़ाकर 23 मीटर कर दी जाए, तो वह कितनी अतिरिक्त घास के क्षेत्र को चर सकेगा?

A. 1200 वर्ग मी. B. 1210 वर्ग मी.
C. 1225 वर्ग मी. D. 1250 वर्ग मी.
E. इनमें से कोई नहीं

22. एक प्लॉट की लम्बाई उसकी चौड़ाई की पाँच गुनी है। उस प्लॉट में एक खेल का मैदान है जिसका क्षेत्रफल 245 वर्ग मी. है जो पूरे प्लॉट का आधा है, तो प्लॉट की लम्बाई क्या है?

A. $5\sqrt{2}$ मी. B. $35\sqrt{2}$ मी.
C. $175\sqrt{2}$ मी. D. 490 मी.
E. इनमें से कोई नहीं

23. एक 8 सेमी. आधार वाले किसी त्रिभुज का क्षेत्रफल उतना ही है जितना कि एक 8 सेमी. त्रिज्या वाले वृत्त का, तो त्रिभुज का संगत शीर्ष लम्ब होगा:

A. 12π B. 20π
C. 16π D. 32π
E. 8π

24. एक वर्गाकार खेत को ₹ 135 प्रति हेक्टेयर की दर से जुताई करने पर ₹ 1215 लागत आती है तो इस खेत के चारों ओर 75 पैसे प्रति मीटर की दर से बाड़ लगाने पर क्या लागत आएगी?

A. ₹ 360 B. ₹ 810
C. ₹ 900 D. ₹ 1800
E. ₹ 210

25. एक वर्ग के रूप में मोड़ा गया तार 484 वर्ग सेमी. क्षेत्रफल घेरता है। यदि इस तार को एक वृत्त के रूप में मोड़ दिया जाए, तो उसके द्वारा घेरा गया क्षेत्रफल कितना होगा?

A. 484 वर्ग सेमी. B. 616 वर्ग सेमी.
C. 644 वर्ग सेमी. D. 744 वर्ग सेमी.
E. इनमें से कोई नहीं

26. एक समद्विबाहु त्रिभुजाकार भूखण्ड का ₹ 125 प्रति वर्ग मीटर की दर से कुल मूल्य ₹ 50000 है। यदि इसके आधार की लम्बाई 40 मी. हो, तो भूखण्ड की बराबर भुजाओं में से प्रत्येक की लम्बाई क्या है?

A. $22\sqrt{2}$ मी. B. $20\sqrt{2}$ मी.
C. $20\sqrt{3}$ मी. D. $22\sqrt{3}$ मी.
E. इनमें से कोई नहीं

27. किसी समबाहु त्रिभुज के अन्तर्भाग में स्थित किसी बिन्दु से, तीनों भुजाओं पर डाले गए लम्बों की लम्बाइयाँ क्रमशः 6 सेमी., 7 सेमी. तथा 8 सेमी. हैं, तो त्रिभुज की भुजा की लम्बाई क्या है?

A. 7 सेमी. B. 10.5 सेमी.

C. $14\sqrt{3}$ सेमी. D. $\frac{14\sqrt{3}}{3}$ सेमी.

E. इनमें से कोई नहीं

28. यदि एक वृत्तीय पहिया 11 किमी. की दूरी तय करने में 1000 परिक्रमण करता है, तो पहिए की त्रिज्या है:

A. 1.85 मी. B. 1.80 मी.

C. 1.75 मी. D. 1.70 मी.

E. इनमें से कोई नहीं

29. 4 सेमी. भुजा वाले एक वर्ग के चारों कोनों से 2 सेमी. त्रिज्या वाले वृत्त के चाप के आकार में चार टुकड़े काटकर अलग कर दिए गए हैं। तदनुसार शेष आकृति का क्षेत्रफल कितना है?

A. $(8-\pi)$ वर्ग सेमी. B. $(16-4\pi)$ वर्ग सेमी.

C. $(16-8\pi)$ वर्ग सेमी. D. $(4-2\pi)$ वर्ग सेमी.

E. इनमें से कोई नहीं

30. यदि किसी समबाहु त्रिभुज का अंतःकेन्द्र उस त्रिभुज के अंदर हो, और त्रिज्या 3 सेमी. हो, तो उस समबाहु त्रिभुज की भुजा कितनी लंबी होगी?

A. $9\sqrt{3}$ सेमी. B. $6\sqrt{3}$ सेमी.

C. $3\sqrt{3}$ सेमी. D. 6 सेमी.

E. इनमें से कोई नहीं

उत्तरमाला

1	2	3	4	5	6	7	8	9	10
C	D	C	A	A	A	A	C	C	C
11	**12**	**13**	**14**	**15**	**16**	**17**	**18**	**19**	**20**
A	D	B	B	B	C	A	B	C	C
21	**22**	**23**	**24**	**25**	**26**	**27**	**28**	**29**	**30**
B	B	C	C	B	B	C	C	B	B

कुछ चुने हुए प्रश्नों के व्याख्यात्मक उत्तर

1. (मैदान की चौड़ाई)^2 = (विकर्ण)^2 − (लम्बाई)^2

$= (100)^2 - (80)^2$

$= 10000 - 6400 = 3600$

चौड़ाई = 60 मी.

तो क्षेत्रफल = $80 \times 60 = 4800$ **वर्ग** मी.

2. क्षेत्रफल = $\frac{1}{2}\times$ (विकर्ण)^2

$= \frac{1}{2}\times 15\sqrt{2}\times 15\sqrt{2}$

= 225 वर्ग सेमी.

3. समलम्ब चतुर्भुज का क्षेत्रफल

$= \frac{1}{2}\times$ समान्तर भुजाओं का योग × उनके बीच की दूरी

$= \frac{1}{2}\times(x+10)\times 4 = 30$

$x + 10 = 15$

$x = 5$ मी.

5. क्षेत्रफल पर प्रभाव $= \frac{(100 \pm \text{A})(100 \pm \text{B})}{100}$

$= \frac{110\times 90}{100} = 99\% = 1\%$ कम

6. वृत्त की परिधि $= 2\pi r = 132$

$r = \frac{132}{2\pi}$ या $\frac{132}{2\times 22}\times 7 = 21$ सेमी.

वृत्त का क्षेत्रफल $= \pi r^2$

$\frac{22}{7}\times 21\times 21 = 1386$ वर्ग सेमी.

10. इस प्रकार के प्रश्नों में जब केवल एक भुजा में वृद्धि हो तथा दूसरी भुजा में कोई प्रभाव नहीं हो तो क्षेत्रफल में भी उतनी ही वृद्धि होगी।

क्षेत्रफल पर प्रभाव $= \frac{140\times 100}{100}$

= 140 या 40% वृद्धि

11. परिधि $= 2\pi r$

$2\times\frac{22}{7}\times 21 = 132$ सेमी.

132 सेमी. दूरी तय करने में लगाए चक्कर 1

52800 सेमी. की दूरी करने में लगाए चक्कर

$= \frac{52800}{132} = 400.$

14. $d : 40 :: 4d : x$ यहाँ व्युत्क्रमानुपाती होगा।

$$x = \frac{40}{4}$$

$$x = 10 \text{ मिनट}$$

16. घिरनी की परिधि $= 2\pi r$

$$d = 22 \text{ सेमी.}$$

132 मीटर या 13200 सेमी. दूरी को तय करने में लगे चक्कर =

$\frac{13200}{22} = 600$ चक्कर

21. $\pi r_1^2 - \pi r_2^2$

$= \pi(23)^2 - \pi(12)^2$

$= \pi\,(23^2 - 12^2)$

$= \frac{22}{7} \times 385 = 1210$ वर्ग मी.

22. प्लॉट का क्षेत्रफल $= 245 \times 2 = 490$ वर्ग मी.

माना चौड़ाई $= x$ मी.

तो लम्बाई $= 5x$ मी.

$$5x \times x = 490$$

$$x^2 = 98$$

तो $x = 7\sqrt{2}$

अतः लम्बाई $= 5 \times 7\sqrt{2} = 35\sqrt{2}$ मी.

23. $\frac{1}{2} \times$ आधार $\times$ ऊँचाई $= \pi r^2$

$\frac{1}{2} \times 8 \times$ ऊँचाई $= \pi \times 8 \times 8$

ऊँचाई $= 16\pi$ सेमी.

28. 11 किमी. = 1000 चक्कर

वृत्त की परिधि $= \frac{11000}{1000} = 11$ मी.

$$2\pi r = 11$$

$\Rightarrow$ $r = \frac{11}{2 \times 22} \times 7$

$= 1.75$ मी.

29.

वृत्त खण्डों का क्षेत्रफल $= \pi r^2 = 4\pi$ वर्ग सेमी.

वर्ग का क्षेत्रफल $= 4 \times 4 = 16$ वर्ग सेमी.

शेष आकृति का क्षेत्रफल $= (16 - 4\pi)$ वर्ग सेमी.

30. अंतःत्रिज्या $= \frac{\text{भुजा}}{2\sqrt{3}}$

$3 = \frac{\text{भुजा}}{2\sqrt{3}}$

भुजा $= 3 \times 2\sqrt{3} = 6\sqrt{3}$ सेमी.

❍❍❍

12 आयतन (Volume)

- **आयतन**–कोई वस्तु जितना स्थान घेरती है उसे उस वस्तु का आयतन कहते हैं।
- घन, घनाभ में 12 किनारें, 6 सतह (फलक) तथा 8 कोने होते हैं।
- किसी भी चीज के आयतन का मतलब होता है = आधार का क्षेत्रफल × ऊँचाई

घनाभं (Cubiod)

- घनाभ में 6 आयताकार सतह होती है।
- घनाभ का सम्पूर्ण पृष्ठीय क्षेत्रफल
  = 2 (लम्बाई × चौड़ाई + चौड़ाई × ऊँचाई + लम्बाई × ऊँचाई)
- घनाभ का विकर्ण = $\sqrt{(\text{लम्बाई})^2 + (\text{चौड़ाई})^2 + (\text{ऊँचाई})^2}$
- घनाभ का आयतन = लम्बाई × चौड़ाई × ऊँचाई

घन (Cube)

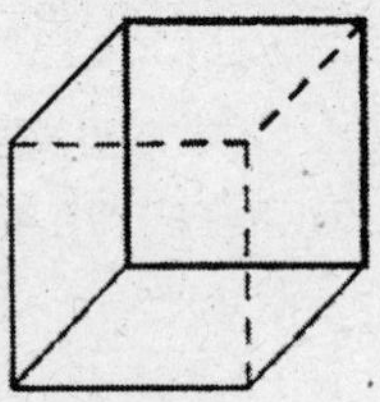

- घन में 6 वर्गाकार सतह होती है।
- घन का सम्पूर्ण पृष्ठीय क्षेत्रफल = 6 $(\text{भुजा})^2$
- घन का विकर्ण = $\sqrt{3}$ × भुजा
- घन का आयतन = $(\text{भुजा})^3$

बेलन (Cylinder)

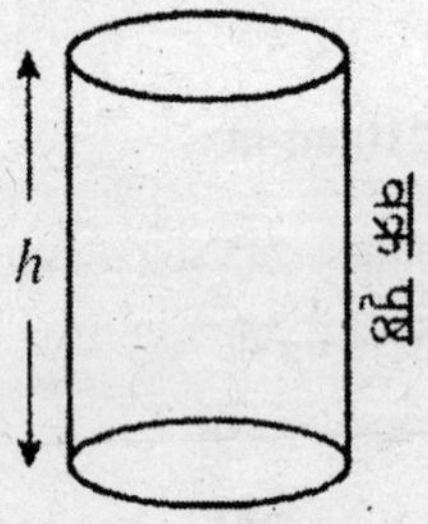

- बेलन के वक्रपृष्ठ का क्षेत्रफल = $2\pi rh$
- बेलन के सम्पूर्ण पृष्ठ का क्षेत्रफल = $2\pi r(h + r)$
- बेलन का आयतन = $\pi r^2 h$
- बेलन का आयतन = आधार का क्षेत्रफल × ऊँचाई

खोखला बेलन (Hollow Cylinder)

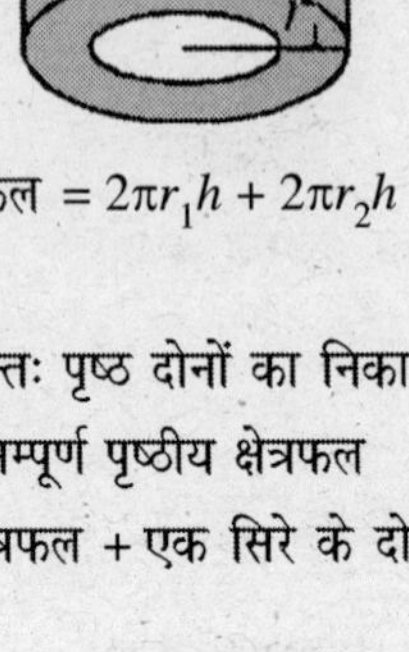

- वक्र पृष्ठ का क्षेत्रफल = $2\pi r_1 h + 2\pi r_2 h$
  = $2\pi h\,(r_1 + r_2)$
- क्योंकि बाह्य व अन्तः पृष्ठ दोनों का निकालना है।
- खोखले बेलन का सम्पूर्ण पृष्ठीय क्षेत्रफल
  = वक्रपृष्ठों का क्षेत्रफल + एक सिरे के दोनों वृत्तों का क्षेत्रफल का अन्तर
  = $2\pi h\,(r_1 + r_2) + 2\pi\,(r_1^2 - r_2^2)$ या $2\pi\,(r_1 + r_2)\,(h + r_1 - r_2)$

- खोखले बेलन का आयतन
  $= \pi r_1^2 h - \pi r_2^2 h$
  $= \pi h(r_1^2 - r_2^2)$

शंकु (Cone)

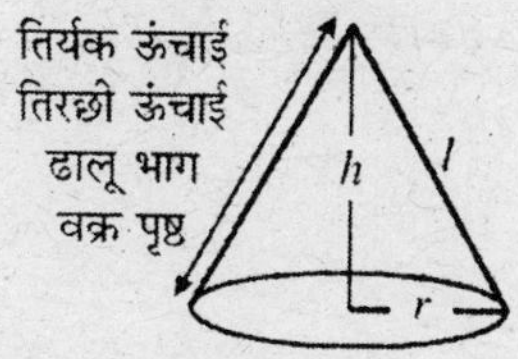

- शंकु के वक्र पृष्ठ का क्षेत्रफल $= \pi rl$
- शंकु के ढालू भाग की लम्बाई $(l)^2 = h^2 + r^2$
- शंकु का आयतन $= \frac{1}{3}\pi r^2 h$

छिन्नक (Frustrum)

- छिन्नक के वक्र पृष्ठ का क्षेत्रफल $= \pi(R + r)l$
- छिन्नक की लम्बाई $= l^2 = h^2 + (R - r)^2$
- छिन्नक का सम्पूर्ण पृष्ठ का क्षेत्रफल
  $= \pi[R^2 + r^2 + (R + r)l]$
- छिन्नक का आयतन $= \frac{\pi h}{3}(R^2 + r^2 + Rr)$

गोला (Sphere)

- गोले का सम्पूर्ण पृष्ठीय क्षेत्रफल $= 4\pi r^2$
- गोले का आयतन $= \frac{4}{3}\pi r^3$

अर्द्ध गोला (Hemisphere)

- अर्द्धगोले का सम्पूर्ण पृष्ठीय क्षेत्रफल $= 3\pi r^2$
- अर्द्धगोले का क्षेत्रफल $= 2\pi r^2$
- अर्द्धगोले का आयतन $= \frac{2}{3}\pi r^3$

प्रिज्म (Prism)

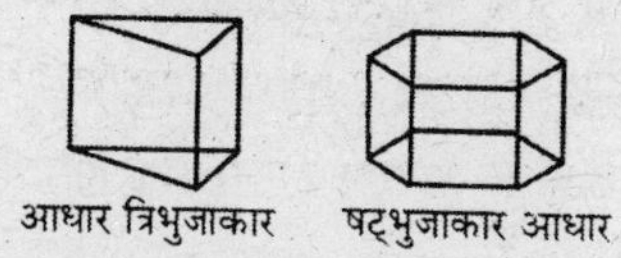

- प्रिज्म का पृष्ठीय क्षेत्रफल = आधार का परिमाप × ऊँचाई
- प्रिज्म का सम्पूर्ण पृष्ठीय क्षेत्रफल
  = 2(आधार का क्षेत्रफल) + पार्श्व सतहों का क्षेत्रफल
- प्रिज्म की लम्बाई $(l)^2 = h^2 + \frac{a^2}{12}$
- प्रिज्म का आयतन = आधार का क्षेत्रफल × ऊँचाई

पिरामिड (Pyramid)

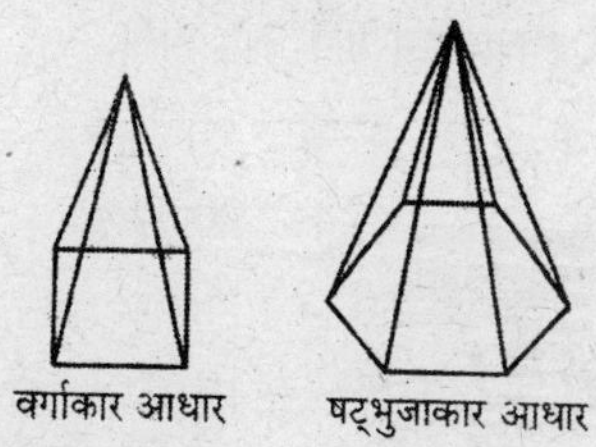

- पिरामिड का पृष्ठीय क्षेत्रफल
  $= \frac{1}{2}$ × आधार का परिमाप × तिरछी ऊँचाई
- पिरामिड का सम्पूर्ण पृष्ठीय क्षेत्रफल
  = आधार का क्षेत्रफल + पार्श्व सतहों का क्षेत्रफल
- पिरामिड का आयतन $= \frac{1}{3}$ × आधार का क्षेत्रफल × ऊँचाई

साधित उदाहरण

1. एक कमरे की लम्बाई 15 मीटर तथा चौड़ाई 8 मीटर तथा ऊँचाई 6 मीटर है तो इसमें रखे जा सकने वाले बाँस की अधिकतम लम्बाई क्या होगी?

हल : कमरे का विकर्ण

$= \sqrt{(\text{लम्बाई})^2 + (\text{चौड़ाई})^2 + (\text{ऊँचाई})^2}$

$= \sqrt{(15)^2 + (8)^2 + (6)^2}$

$= \sqrt{225 + 64 + 36} = \sqrt{325} = 18.02$ मीटर

2. यदि किसी लम्ब वृत्ताकार बेलन के आधार की त्रिज्या तथा उसकी ऊँचाई, दोनों में ही 20% की वृद्धि कर दी जाती है तो उसके आयतन में कितने प्रतिशत वृद्धि होगी?

हल : इस प्रकार के प्रश्नों में जब कभी आयतन पर प्रभाव पूछता है तो—

आयतन पर प्रभाव

$$= \frac{(100 \pm A)(100 \pm B)(100 \pm C)}{100 \times 100}$$

$$= \frac{120 \times 120 \times 120}{100 \times 100} = 172.8\%$$

तो % वृद्धि $= 172.8 - 100 = 72.8\%$.

क्योंकि पहले वाला आयतन हमेशा 100 होता है।

3. 5 सेमी. किनारे वाले एक घन को 1 सेमी. किनारे वाले घनों में काटा जाता है तो छोटे घन के सम्पूर्ण पृष्ठ का क्षेत्रफल व बड़े घन के सम्पूर्ण पृष्ठ के क्षेत्रफल के मध्य अनुपात होगा?

हल : $$\text{अनुपात} = \frac{\text{छोटे घन का सम्पूर्ण पृष्ठीय क्षेत्रफल}}{\text{बड़े घन का सम्पूर्ण पृष्ठीय क्षेत्रफल}}$$

$$= \frac{6 \times (1)^2}{6 \times (5)^2} = \frac{1}{25} \text{ या } 1 : 25.$$

वस्तुनिष्ठ प्रश्न

1. एक डिब्बे की माप $10 \times 8 \times 6$ मीटर है, तो इसके सम्पूर्ण पृष्ठ पर ₹ 2 प्रति वर्ग मीटर की दर से रंग कराने का खर्चा कितना होगा?

A. ₹ 600 B. ₹ 752
C. ₹ 800 D. ₹ 490
E. इनमें से कोई नहीं

2. एक घनाकार कमरे की माप 20 मीटर है, तो इसमें रखे जा सकने वाले बाँस की अधिकतम माप क्या होगी?

A. $20\sqrt{2}$ मी. B. $30\sqrt{3}$ मी.
C. 34.64 मी. D. 20.64 मी.
E. इनमें से कोई नहीं

3. एक घनाभ की माप 20 मीटर $\times$ 10 मीटर $\times$ 8 मीटर है, तो इसमें 4 मीटर माप के रखे जा सकने वाले डिब्बों की संख्या बताओः

A. 20 B. 25
C. 30 D. 35
E. 15

4. एक शंकु की ऊँचाई 15 मीटर तथा इसकी त्रिज्या 8 मीटर है, तो बताओ इसके चारों ओर लगाए जा सकने वाले कपड़े की माप कितनी होगी?

A. 472.03 वर्ग मी. B. 420 वर्ग मी.
C. 520 वर्ग मी. D. 427.43 वर्ग मी.
E. इनमें से कोई नहीं

5. 20 मीटर व्यास वाला एक कुआँ 14 मीटर की गहराई तक खोदा जाता है और इससे निकाली गई मिट्टी को चारों ओर 5 मीटर की चौड़ाई तक फैलाकर एक चबूतरा बना दिया जाता है, तो इस चबूतरे की ऊँचाई कितनी होगी?

A. 10 मी. B. 11 मी.
C. 11.2 मी. D. 11.5 मी.
E. 12.2 मी.

6. धातु की एक खोखली गेंद का बाहरी व्यास 10 सेमी. है तथा उसकी मोटाई 1 सेमी. है, तो इस गेंद का आयतन हैः

A. 340 सेमी.^{3} B. 255.62 सेमी.^{3}
C. 450 सेमी.^{3} D. 440 सेमी.^{3}
D. इनमें से कोई नहीं

7. एक शंक्वाकार टंकी की ऊँचाई 60 सेमी. है और उसके आधार का व्यास 64 सेमी. है। ₹ 35 प्रति वर्ग मीटर की दर से बाहर से पेंट कराने का खर्च क्या होगा?

A. ₹ 55 B. ₹ 52
C. ₹ 23.94 D. ₹ 39.24
E. इनमें से कोई नहीं

8. धातु के एक अर्द्ध गोले को पिघलाकर एक ऐसे शंकु के रूप में ढाला जाता है जिसके आधार की त्रिज्या वही है जो कि अर्द्ध गोले की थी, तो शंकु की ऊँचाई कितनी होगी?

A. 2R B. $\frac{2}{3}R$
C. $\sqrt{3}R$ D. 3R
E. इनमें से कोई नहीं

9. एक घन का विकर्ण $\sqrt{12}$ सेमी. है तो उसका आयतन क्या होगा?

A. 8 सेमी.^{3} B. 24 सेमी.^{3}
C. 12 सेमी.^{3} D. $3\sqrt{2}$ सेमी.^{3}
E. इनमें से कोई नहीं

10. एक शंकु के ढालू भाग में 20% की वृद्धि तथा त्रिज्या में 30% की कमी कर दी जाती है, तो शंकु के वक्र पृष्ठ के क्षेत्रफल पर क्या प्रभाव पड़ेगा?

A. 4% की कमी B. 4% की वृद्धि
C. 10% कमी C. 8% कमी
E. इनमें से कोई नहीं

11. 8 सेमी. ऊँचाई तथा 7 सेमी. आधार त्रिज्या वाले एक खोखले लम्ब वृत्तीय बेलन को एक आयत के रूप में खोला जाता है। इस आयत की लम्बाई व चौड़ाई क्रमशः हैः

A. 22 सेमी., 16 सेमी.
B. 44 सेमी., 8 सेमी.
C. 22 सेमी., 8 सेमी.
D. 44 सेमी., 16 सेमी.
E. इनमें से कोई नहीं

12. किसी ठोस गोलार्द्ध का सम्पूर्ण पृष्ठ 108π सेमी^{2} है। तो गोलार्द्ध का आयतन होगाः

A. 72π सेमी^{3} B. 144π सेमी^{3}
C. $108\sqrt{6}$ सेमी^{3} D. $54\sqrt{6}$ सेमी^{3}
E. इनमें से कोई नहीं

13. 8 सेमी. अर्द्ध व्यास वाले एक ठोस धातु के गोले को पिघलाकर 64 बराबर छोटे ठोस गोले बनाए गए हैं। इस गोले के पृष्ठीय क्षेत्रफल का एक छोटे गोले के पृष्ठीय क्षेत्रफल से अनुपात होगाः
A. 4 : 1 B. 1 : 16
C. 16 : 1 D. 1 : 4
E. इनमें से कोई नहीं

14. 3 डेसी मीटर अर्द्ध व्यास वाले एक ठोस धातु के गोले को पिघलाकर 1 मिली मीटर मोटाई की वृत्ताकार शीट बनायी गई है। इस प्रकार बनाई गई शीट का व्यास होगाः
A. 26 मी. B. 24 मी.
C. 12 मी. D. 6 मी.
E. 16 मी.

15. एक पिरामिड के आधार का क्षेत्रफल 66 वर्ग सेमी है और उसकी ऊँचाई 10 सेमी. है, तो उसका आयतन क्या होगा?
A. 220 घन सेमी. B. 660 घन सेमी.
C. 770 घन सेमी. D. 760 घन सेमी.
E. इनमें से कोई नहीं

16. किसी लम्बवृत्तीय शंकु के आधार का अर्द्ध-व्यास तथा उसकी ऊँचाई 5 : 12 के अनुपात में है। यदि शंकु का आयतन 100 घन सेमी हो, तो शंकु की तिर्यक ऊँचाई होगीः
A. 12 सेमी. B. 13 सेमी.
C. 15 सेमी. D. 17 सेमी.
E. 18 सेमी.

17. एक ठोस धातु वाले शंकु को गलाया जाता है तथा शंकु के समान आधार वाले एक ठोस बेलन में परिवर्तित किया गया है। यदि बेलन की ऊँचाई 7 सेमी. हो, तो शंकु की ऊँचाई थीः
A. 20 सेमी. B. 21 सेमी.
C. 28 सेमी. D. 24 सेमी.
E. 30 सेमी.

18. किसी धातु के एक ठोस बेलन के आधार का अर्द्ध-व्यास तथा उसकी ऊँचाई क्रमशः r सेमी. तथा 6 सेमी. है। इसे पिघलाकर उतने ही आधार के अर्द्धव्यास वाला एक ठोस शंकु बनाया जाता है। तो शंकु की ऊँचाई होगीः
A. 54 सेमी. B. 27 सेमी.
C. 18 सेमी. D. 9 सेमी.
E. 20 सेमी.

19. टंकी की आकृति उस घनाभ की है जिसकी लम्बाई 3 मी., चौड़ाई 1.4 मी. और गहराई 80 सेमी. है। यदि बहने वाले पानी की दर 100 घन सेमी./से. है, तो 5 मिनट के बाद टंकी में पानी की ऊँचाई होगीः
A. $79\frac{1}{7}$ सेमी. B. $79\frac{2}{7}$ सेमी.
C. $69\frac{1}{7}$ सेमी. D. $69\frac{2}{7}$ सेमी.
E. इनमें से कोई नहीं

20. एक कमरा 6 मी. लम्बा, 5 मी. चौड़ा तथा 4 मी. ऊँचा है। यदि इस कमरे की चारों दीवारों को 50 सेमी. चौड़े कागज से ढका जाए, तो उस कागज की लम्बाई कितनी होनी चाहिए?
A. 176 मी. B. 88 मी.
C. 170 मी. D. 80 मी.
E. इनमें से कोई नहीं

उत्तरमाला

1	2	3	4	5	6	7	8	9	10
B	C	B	D	C	B	C	A	A	E
11	**12**	**13**	**14**	**15**	**16**	**17**	**18**	**19**	**20**
B	B	C	C	A	B	B	C	B	A

कुछ चुने हुए प्रश्नों के व्याख्यात्मक उत्तर

1. डिब्बे का सम्पूर्ण पृष्ठीय क्षेत्रफल

$= 2$ (लम्बाई × चौड़ाई + चौड़ाई × ऊँचाई + लम्बाई × ऊँचाई)

$= 2(10 \times 8 + 8 \times 6 + 10 \times 6)$

$= 2(80 + 48 + 60)$

$= 2(188) = 376$ वर्ग मी.

₹ 2 प्रति वर्ग मी. से खर्चा $= 376 \times 2 =$ ₹ 752.

3. रखे जा सकने वाले डिब्बों की संख्या

$= \frac{\text{घनाभ का आयतन}}{\text{डिब्बे का आयत}} = \frac{20 \times 10 \times 8}{4 \times 4 \times 4} = 25.$

5. कुएँ से निकाली गई मिट्टी का आयतन $= \pi r^2 h$

$= \pi \times 10 \times 10 \times 14 = 1400\,\pi$ घन मी.

चबूतरे की मिट्टी का क्षेत्रफल $= \pi(r_1^2 - r_2^2)$

$= \pi(15^2 - 10^2) = 125\pi$

चबूतरे की ऊँचाई $= \frac{\text{आयतन}}{\text{क्षेत्रफल}} = \frac{1400\pi}{125\pi} = 11.2$ मी.

7. शंक्वाकार टंकी के वक्र पृष्ठ का क्षेत्रफल $= \pi rl$

$$l = \sqrt{h^2 + r^2} = \sqrt{60^2 + 32^2}$$

$$= \sqrt{3600 + 1024}$$

$$= \sqrt{4624} = 68 \text{ सेमी.}$$

₹ 35 प्रति वर्ग मीटर से खर्चा

$$= \frac{22}{7} \times 0.32 \times 0.68 \times 35$$

$$= 23.936 \text{ या ₹ } 23.94$$

8. शंकु की ऊँचाई $= \frac{\text{अर्द्ध गोले का आयतन}}{\frac{1}{3}\pi r^2}$

$$= \frac{\frac{2}{3} \times \pi \times R \times R \times R}{\frac{1}{3} \times \pi \times R \times R} = 2R$$

9. घन की भुजा $= \frac{\text{विकर्ण}}{\sqrt{3}}$

$$= \frac{\sqrt{12}}{\sqrt{3}} = \sqrt{4} = 2 \text{ सेमी.}$$

आयतन $= (2)^3 = 8$ घन सेमी.

10. क्षेत्रफल पर प्रभाव $= \frac{(100 \pm A)(100 \pm B)}{100}$

$$= \frac{120 \times 70}{100} = 84$$

कमी $= 100 - 84 = 16\%$.

11. आधार की त्रिज्या = 7 सेमी.

परिधि $= 2\pi r$

$$= 2 \times \frac{22}{7} \times 7 = 44 \text{ सेमी.}$$

नोटः बेलन के आधार की परिधि, आयत की लम्बाई का कार्य करती है।

यहाँ लम्बाई = 44 सेमी.

चौड़ाई = 8 सेमी.

12. गोलार्द्ध का क्षेत्रफल $= 3\pi r^2$

$$3\pi r^2 = 108\pi$$

$$r^2 = 36, r = 6 \text{ सेमी.}$$

तो गोलार्द्ध का आयतन $= \frac{2}{3}\pi r^3$

$$\frac{2}{3}\pi \times 6 \times 6 \times 6 = 144\pi \text{ सेमी}^3$$

15. आयतन $= \frac{1}{3}\pi r^2 h$

$$= \frac{1}{3} \times 66 \times 10 \quad (\because \pi r^2 = 66 \text{ वर्ग सेमी.})$$

$$= 220 \text{ घन सेमी.}$$

17. शंकु का आयतन = बेलन का आयतन

$$\frac{1}{3}\pi r^2 h = \pi r^2 h$$

$$\frac{1}{3}\pi r^2 h = \pi r^2 7$$

$$h = 3 \times 7 = 21 \text{ सेमी.}$$

18. शंकु का आयतन = बेलन का आयतन

$$\frac{1}{3}\pi r^2 h = \pi r^2 h$$

$$\frac{1}{3}\pi r^2 h = \pi r^2 \times 6$$

$$h = 18 \text{ सेमी.}$$

20. कमरे की चारों दीवारों का क्षेत्रफल

$= 2 \times$ ऊँचाई (लम्बाई + चौड़ाई)

लम्बाई $= \frac{88}{0.50} = 176$ मी.

○○○

13 त्रिकोणमिति (Trigonometry)

त्रिकोणमिति (Trigonometry)

गणित की वह शाखा जिसके अन्तर्गत त्रिभुज की भुजाओं तथा कोणों के विभिन्न फलनों का अध्ययन किया जाता है त्रिकोणमिति कहलाती है।

- किसी भी त्रिभुज में जो कोण जितना बड़ा होगा उसके ठीक सामने वाली भुजा उतनी ही बड़ी होगी। जैसे समकोण त्रिभुज में सबसे बड़ा कोण 90° होता है तो उसके ठीक सामने वाली भुजा (कर्ण) सबसे बड़ी भुजा होती हैं।
- समकोण त्रिभुज में θ या ϕ देकर के लम्ब निकालना हो तो θ या ϕ के ठीक सामने वाली भुजा हमेशा लम्ब होती है यहाँ θ या ϕ न्यूनकोण है।

  जैसे: (*i*) यहाँ θ के ठीक सामने वाली भुजा AB लम्ब है।

  (*ii*) यहाँ θ के ठीक सामने वाली भुजा BC लम्ब है।

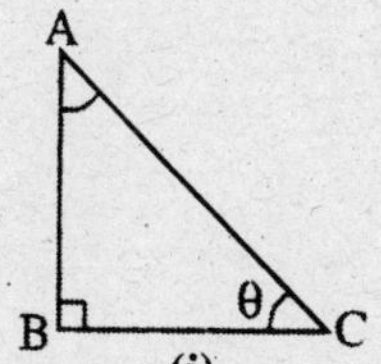

(i)

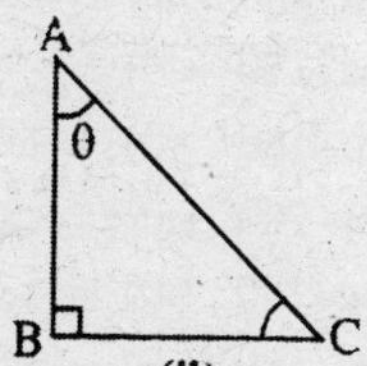

(ii)

- **त्रिकोणमितीय अनुपात (Trigonometric ratios):** इसमें त्रिभुज की दो भुजाओं के मध्य सम्बन्ध दिया हुआ होता है।

$$\frac{\sin\theta\cos\theta\tan\theta}{\text{cosec}\,\theta\sec\theta\cot\theta}\frac{\text{LAL}}{\text{KKA}} \text{ या } \frac{\text{PBP}}{\text{HHB}}$$

जैसे: $\sin\theta = \frac{\text{L (लम्ब)}}{\text{K (कर्ण)}}$, $\text{cosec}\,\theta = \frac{\text{K (कर्ण)}}{\text{A (आधार)}}$

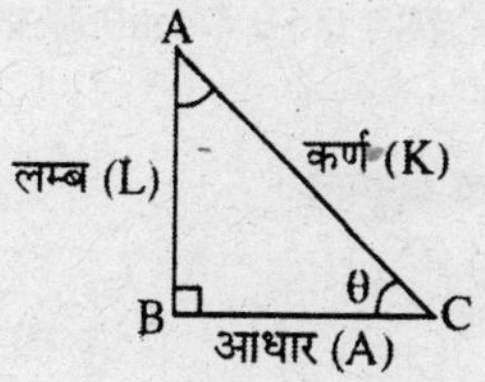

या

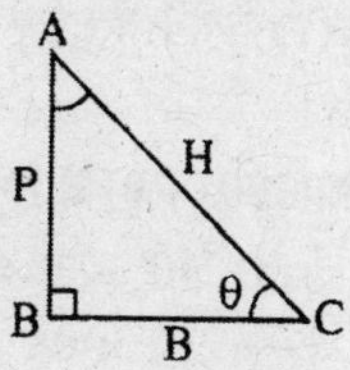

पाइथागोरस प्रमेय

$$\text{कर्ण}^2 = \text{आधार}^2 + \text{लम्ब}^2$$
$$\text{आधार}^2 = \text{कर्ण}^2 - \text{लम्ब}^2$$
$$\text{लम्ब}^2 = \text{कर्ण}^2 - \text{आधार}^2$$

त्रिकोणमितीय अनुपात

$$\frac{\sin\theta\cos\theta\tan\theta}{\text{cosec}\,\theta\sec\theta\cot\theta}$$

यहाँ $\sin\theta$, $\text{cosec}\,\theta$ का उल्टा,

$\cos\theta$, $\sec\theta$ का उल्टा

$\tan\theta$, $\cot\theta$ का उल्टा होता है।

(*i*) $\sin\theta\,\text{cosec}\,\theta = 1$

$$\sin\theta = \frac{1}{\text{cosec}\,\theta}, \text{cosec}\,\theta = \frac{1}{\sin\theta}$$

(*ii*) $\cos\theta.\sec\theta = 1$

$$\cos\theta = \frac{1}{\sec\theta}, \sec\theta = \frac{1}{\cos\theta}$$

(*iii*) $\tan\theta.\cot\theta = 1$

$$\tan\theta = \frac{1}{\cot\theta}, \cot\theta = \frac{1}{\tan\theta}$$

(*iv*) $\tan\theta = \frac{\sin\theta}{\cos\theta}, \cot\theta = \frac{\cos\theta}{\sin\theta}$

क्योंकि $\tan\theta$, $\cot\theta$ का उल्टा होता है।

(*v*) $\sin^2\theta + \cos^2\theta = 1, \sin^2\theta = 1 - \cos^2\theta$

(*vi*) $1 + \cot^2\theta = \text{cosec}^2\,\theta, \text{cosec}^2\,\theta - \cot^2\theta = 1$

(*vii*) $1 + \tan^2\theta = \sec^2\theta, \sec^2\theta - \tan^2\theta = 1$

कोणों पर आधरित θ का मान

कोण θ	0° 0	30° $\frac{\pi}{6}$	45° $\frac{\pi}{4}$	60° $\frac{\pi}{3}$	90° $\frac{\pi}{2}$
	$\sqrt{\frac{0}{4}}$	$\sqrt{\frac{1}{4}}$	$\sqrt{\frac{2}{4}}$	$\sqrt{\frac{3}{4}}$	$\sqrt{\frac{4}{4}}$
sin θ	0	$\frac{1}{2}$	$\frac{1}{\sqrt{2}}$	$\frac{\sqrt{3}}{2}$	1
cos θ	1	$\frac{\sqrt{3}}{2}$	$\frac{1}{\sqrt{2}}$	$\frac{1}{2}$	0
tan θ	0	$\frac{1}{\sqrt{3}}$	1	$\sqrt{3}$	∞
cot θ	∞	$\sqrt{3}$	1	$\frac{1}{\sqrt{3}}$	0
sec θ	1	$\frac{2}{\sqrt{3}}$	$\sqrt{2}$	2	∞
cosec θ	∞	2	$\sqrt{2}$	$\frac{2}{\sqrt{3}}$	1

- त्रिकोणमितीय अनुपातों को हम निम्न चार चतुर्थांशों द्वारा समझ सकते हैं:

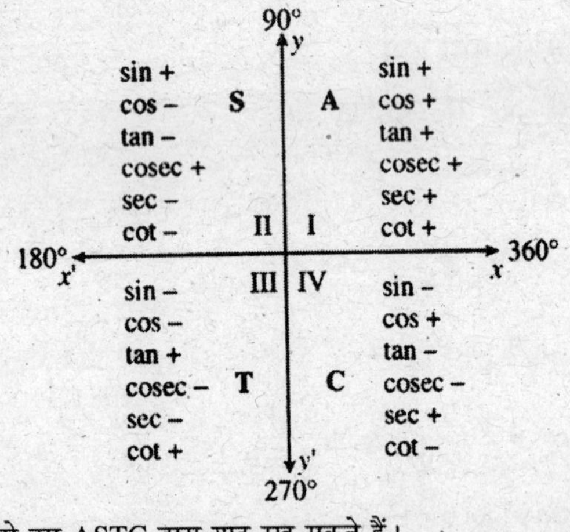

इसे हम ASTC द्वारा याद रख सकते हैं।

A (All) = प्रथम चतुर्थांश में सभी मान धनात्मक हैं।

S (sin θ) = द्वितीय चतुर्थांश में केवल sin तथा cosec ही धनात्मक हैं।

T (tan θ) = तृतीय चतुर्थांश में केवल tan तथा cot ही धनात्मक हैं।

C (cos θ) = चतुर्थ चतुर्थांश में केवल cos तथा sec धनात्मक हैं।

- **पूरक कोणों के त्रिकोणमितीय अनुपात :** जब दो कोणों का योग 90° हो तो उन्हें पूरक कोण कहते हैं।
- **कोण (90° – θ) के त्रिकोणमितीय अनुपात :**

$$\begin{bmatrix} (i)\ \sin(90-\theta)=\cos\theta \\ (ii)\ \cos(90-\theta)=\sin\theta \end{bmatrix}$$

$$\begin{bmatrix} (iii)\ \sec(90-\theta)=\operatorname{cosec}\theta \\ (iv)\ \operatorname{cosec}(90-\theta)=\sec\theta \end{bmatrix}$$

$$\begin{bmatrix} (v)\ \tan(90-\theta)=\cot\theta \\ (vi)\ \cot(90-\theta)=\tan\theta \end{bmatrix}$$

- **कोण (90° + θ) के त्रिकोणमितीय अनुपात :**

$$\begin{aligned} \sin(90^\circ+\theta) &= \cos\theta \\ \cos(90^\circ+\theta) &= -\sin\theta \\ \tan(90^\circ+\theta) &= -\cot\theta \\ \cot(90^\circ+\theta) &= -\tan\theta \\ \sec(90^\circ+\theta) &= -\operatorname{cosec}\theta \\ \operatorname{cosec}(90^\circ+\theta) &= \sec\theta \end{aligned}$$

यहाँ (C) चतुर्थ चतुर्थांश के अनुसार केवल cos व sec धनात्मक हैं।

- **कोण (180° – θ) के त्रिकोणमितीय अनुपात :**

$$\begin{aligned} \sin(180^\circ-\theta) &= \sin\theta \\ \cos(180^\circ-\theta) &= -\cos\theta \\ \tan(180^\circ-\theta) &= -\tan\theta \\ \cot(180^\circ-\theta) &= -\cot\theta \\ \sec(180^\circ-\theta) &= -\sec\theta \\ \operatorname{cosec}(180^\circ-\theta) &= \operatorname{cosec}\theta \end{aligned}$$

यहाँ (S) द्वितीय चतुर्थांश के अनुसार केवल sin θ व cosec θ ही धनात्मक हैं।

- **कोण (180° + θ) के त्रिकोणमितीय अनुपात :**

$$\begin{aligned} \sin(180^\circ+\theta) &= -\sin\theta \\ \cos(180^\circ+\theta) &= -\cos\theta \\ \tan(180^\circ+\theta) &= \tan\theta \\ \cot(180^\circ+\theta) &= \cot\theta \\ \sec(180^\circ+\theta) &= -\sec\theta \\ \operatorname{cosec}(180^\circ+\theta) &= \operatorname{cosec}\theta \end{aligned}$$

यहाँ (T) तृतीय चतुर्थांश के अनुसार केवल tan θ व cot θ ही धनात्मक होंगे।

- **कोण (270° – θ) के त्रिकोणमितीय अनुपात :**

$$\begin{aligned} \sin(270^\circ-\theta) &= -\cos\theta \\ \cos(270^\circ-\theta) &= -\sin\theta \\ \tan(270^\circ-\theta) &= \cot\theta \\ \cot(270^\circ-\theta) &= \tan\theta \\ \sec(270^\circ-\theta) &= -\operatorname{cosec}\theta \\ \operatorname{cosec}(270^\circ-\theta) &= -\sec\theta \end{aligned}$$

यहाँ (T) तृतीय चतुर्थांश के अनुसार केवल tan θ व cot θ ही धनात्मक होंगे।

- **कोण (270° + θ) के त्रिकोणमितीय अनुपात :**

$$\begin{aligned} \sin(270^\circ+\theta) &= -\cos\theta \\ \cos(270^\circ+\theta) &= \sin\theta \\ \tan(270^\circ+\theta) &= -\cot\theta \\ \cot(270^\circ+\theta) &= -\tan\theta \end{aligned}$$

$$\sec(270° + \theta) = \text{cosec}\,\theta$$
$$\text{cosec}(270° + \theta) = -\sec\theta$$

यहाँ (S) द्वितीय चतुर्थांश के अनुसार केवल $\sin\theta$ व $\text{cosec}\,\theta$ ही धनात्मक है।

- **कोण $(360° - \theta)$ के त्रिकोणमितीय अनुपात :**

$$\sin(360° - \theta) = -\sin\theta$$
$$\cos(360° - \theta) = \cos\theta$$
$$\tan(360° - \theta) = -\tan\theta$$
$$\cot(360° - \theta) = -\cot\theta$$
$$\sec(360° - \theta) = \sec\theta$$
$$\text{cosec}(360° - \theta) = -\text{cosec}\,\theta$$

यहाँ (C) चतुर्थ चतुर्थांश के अनुसार केवल $\cos\theta$ व $\sec\theta$ ही धनात्मक हैं।

- **कोण $(360° + \theta)$ के त्रिकोणमितीय अनुपात :**

$$\sin(360° + \theta) = \sin\theta$$
$$\cos(360° + \theta) = \cos\theta$$
$$\tan(360° + \theta) = \tan\theta$$
$$\cot(360° + \theta) = \cot\theta$$
$$\sec(360° + \theta) = \sec\theta$$
$$\text{cosec}(360° + \theta) = \text{cosec}\,\theta$$

यहाँ (A) प्रथम चतुर्थांश के अनुसार सभी धनात्मक हैं।

- **नोट**–यदि n कोई धन अथवा ऋण पूर्णांक हो तो $(n \times 360° + \theta)$ होगा। विषम गुणन यहाँ $\sin\theta, \cos\theta$ में व $\cos\theta, \sin\theta$ में तथा $\tan\theta, \cot\theta$ में व $\cot\theta, \tan\theta$ में परिवर्तित होते हैं।
- गुणांक विषम का अर्थ है :

$n = \frac{\pi}{2}, \frac{3\pi}{2}, \frac{5\pi}{2}$ इत्यादि

कुछ अन्य महत्वपूर्ण सूत्र

(*i*) $\sin 2A = 2\sin A \cdot \cos A = \dfrac{2\tan A}{1 + \tan^2 A}$

(*ii*) $\cos 2A = \cos^2 A - \sin^2 A$
$= 2\cos^2 A - 1$
$= 1 - 2\sin^2 A$
$= \dfrac{1 - \tan^2 A}{1 + \tan^2 A}$

(*iii*) $\sin(A + B) = \sin A.\cos B + \cos A.\sin B$

(*iv*) $\sin(A - B) = \sin A.\cos B - \cos A.\sin B$

(*v*) $\cos(A + B) = \cos A.\cos B - \sin A.\sin B$

(*vi*) $\cos(A - B) = \cos A.\cos B + \sin A.\sin B$

(*vii*) $\tan(A + B) = \dfrac{\tan A + \tan B}{1 - \tan A.\tan B}$

(*viii*) $\tan(A - B) = \dfrac{\tan A - \tan B}{1 + \tan A.\tan B}$

(*ix*) $\cot(A + B) = \dfrac{\cot A \cot B - 1}{\cot B + \cot A}$

(*x*) $\cot(A - B) = \dfrac{\cot A \cot B + 1}{\cot B - \cot A}$

(*xi*) $\tan 2A = \dfrac{2\tan A}{1 - \tan^2 A}$

ऊँचाई एवं दूरी

ऊँचाई एवं दूरी सम्बन्धी प्रश्नों को हल करते समय हमें निम्न बातों का ध्यान रखना चाहिए :

(*i*) सबसे पहले यह देखना है कि कौन-सी भुजा की माप दी हुई है और कौन-सी भुजा की माप निकालनी है।

(*ii*) इन दोनों भुजाओं का सम्बन्ध हम $\sin\theta, \cos\theta, \tan\theta$ से पता लगाते हैं।

(*iii*) वैसे Objective Questions को हल करते समय उन्नयन कोण (Angle of elevation) व अवनमन कोण (Angle of depression) को लेकर चिंतित नहीं होना चाहिए क्योंकि दोनों एकान्तर कोण (Z की स्थिति) में बने होते हैं तो इनके मान का कोई प्रभाव नहीं पड़ता है क्योंकि दोनों कोणों का मान समान होता है।

- **उन्नयन या उन्नतांश कोण (Angle of elevation)** : जब किसी वस्तु को धरातल से ऊपर की ओर देखा जाता है तो धरातल के साथ बने उठते हुए कोण को उन्नयन कोण कहते हैं।

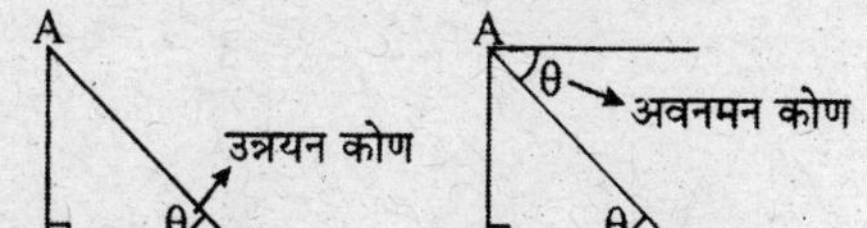

- **अवनमन या अवनति कोण (Angle of depression)** : जब किसी वस्तु का नीचे की ओर झुकते हुए कोण बन रहा हो तो उसे अवनमन कोण कहते हैं।

जो भुजा दी हुई है और जो भुजा निकालनी है उसके मध्य सम्बन्ध :

$$\frac{LAL}{KKA} = \frac{\sin\theta.\cos\theta.\tan\theta}{\text{cosec}\,\theta.\sec\theta.\cot\theta}$$

वस्तुनिष्ठ प्रश्न

1. $\sec^4\theta - \sec^2\theta$ किसके बराबर है?
A. $\tan^2\theta - \tan^4\theta$
B. $\tan^2\theta - \tan^4\theta$
C. $\cos^4\theta - \cos^2\theta$
D. $\cos^2\theta - \cos^4\theta$
E. इनमें से कोई नहीं

2. $\sin\theta = ?$

A. $\frac{\sqrt{1+\tan^2\theta}}{\tan\theta}$ B. $\frac{\tan\theta}{\sqrt{1+\tan^2\theta}}$

C. $\frac{\cot\theta}{\sqrt{1+\cot^2\theta}}$ D. $\frac{\sqrt{1+\cot^2\theta}}{\cot\theta}$

E. इनमें से कोई नहीं

3. $\tan\theta - \cot\theta = ?$

A. $\frac{2\sin^2\theta-1}{\sin\theta\cos\theta}$ B. $\frac{2\sin^2\theta-1}{\sin\theta\cos\theta}$

C. $\sec\theta$ D. $\cot\theta$

E. इनमें से कोई नहीं

4. $\sqrt{\sec^2\theta+\text{cosec}^2\theta}$ का मान है :

A. $\sin\theta \, . \cos\theta$ B. $\tan\theta+\cot\theta$

C. $\text{cosec}\,\theta+\sec\theta$ D. $\tan\theta \, . \cot\theta$

E. इनमें से कोई नहीं

5. $\sin^4 A+\cos^4 A = ?$

A. $\sec^2 A \, . \tan^2 A$ B. $1-2\sec^2 A. \tan^2 A$

C. $1-2\sin^2 A\cos^2 A$ D. $1+\tan^2 A \, . \sec^2 A$

E. इनमें से कोई नहीं

6. $\sin^2 30° + 2\cos 45° + 3\sin^3 90° = ?$

A. $13+4\sqrt{2}$ B. $\frac{4\sqrt{2}+3}{5}$

C. 0 D. $\frac{13+4\sqrt{2}}{4}$

E. इनमें से कोई नहीं

7. $\sin\frac{\pi}{6}+\cos\frac{\pi}{6}-\tan^3\frac{\pi}{4}$ का मान होगा:

A. 1 B. $\frac{\sqrt{3}-1}{\sqrt{3}+1}$

C. 0 D. $\frac{\sqrt{3}-1}{2}$

E. इनमें से कोई नहीं

8. $\cos 64° \cos 19° + \sin 64° \sin 19° = ?$

A. $\frac{\sqrt{2}}{3}$ B. $\frac{1}{\sqrt{2}}$

C. $2\sqrt{3}$ D. $2\sqrt{2}$

E. इनमें से कोई नहीं

9. $\tan 4°. \tan 43°. \tan 47°. \tan 86°$ का मान कितना होगा?

A. 0 B. 1

C. $\sqrt{3}$ D. $\frac{1}{\sqrt{3}}$

E. इनमें से कोई नहीं

10. $(\sin^2 1° + \sin^2 3° + \sin^2 5° + ... + \sin^2 85° + \sin^2 87° + \sin^2 89°)$ का मान कितना होगा?

A. $21\frac{1}{2}$ B. 22

C. $22\frac{1}{2}$ D. $23\frac{1}{2}$

E. इनमें से कोई नहीं

11. यदि $\sin\theta+\cos\theta=\sqrt{2}\cos(90-\theta)$ हो, तो $\cot\theta$ कितना होगा?

A. $\sqrt{2}+1$ B. 0

C. $\sqrt{2}$ D. $\sqrt{2}-1$

E. इनमें से कोई नहीं

12. $\sin(45+\theta)-\cos(45-\theta)$ किसके बराबर है?

A. $2\sin\theta$ B. 1

C. $2\cos\theta$ D. 0

E. इनमें से कोई नहीं

13. $\tan 75° - \cot 75°$ का मान होगा :

A. $2\sqrt{3}$ B. $3\sqrt{3}$

C. 0 D. 1

E. इनमें से कोई नहीं

14. यदि $\tan\theta=\sqrt{3}$ हो, तो $\sin 2\theta$ का मान बताओ।

A. $\frac{1}{\sqrt{3}}$ B. $\frac{2}{\sqrt{3}}$

C. $\frac{1}{\sqrt{2}}$ D. $\frac{\sqrt{3}}{2}$

E. इनमें से कोई नहीं

15. यदि $\tan\theta=\frac{4}{3}$ हो, तो $\frac{3\sin\theta+2\cos\theta}{3\sin\theta-2\cos\theta}$ का मान क्या होगा?

A. 0.5 B. –0.5

C. 3.0 D. –3.0

E. इनमें से कोई नहीं

16. यदि $b\tan\theta = a$ हो, तो $\frac{a\sin\theta-b\cos\theta}{a\sin\theta+b\cos\theta}$ का मान होगा :

A. $\frac{a-b}{a^2+b^2}$ B. $\frac{a+b}{a^2+b^2}$

C. $\frac{a^2+b^2}{a^2-b^2}$ D. $\frac{a^2-b^2}{a^2+b^2}$

E. इनमें से कोई नहीं

17. यदि α एक न्यूनकोण है और $\sin\alpha=\sqrt{\frac{x-1}{2x}}$ है, तो $\tan\alpha$ किसके बराबर है?

A. $\sqrt{\frac{x-1}{x+1}}$ B. $\sqrt{\frac{x+1}{x-1}}$

C. $\sqrt{x^2-1}$ D. $\sqrt{x^2+1}$

E. इनमें से कोई नहीं

18. यदि $\tan\theta = \frac{p}{q}$ है, तो $\frac{p\sec\theta - q\,\text{cosec}\,\theta}{p\sec\theta + \text{cosec}\,\theta}$ किसके बराबर है?

A. $\frac{p-q}{p+q}$ B. $\frac{q^2-p^2}{q^2+p^2}$

C. $\frac{p^2-q^2}{q^2+p^2}$ D. 1

E. इनमें से कोई नहीं

19. निम्नलिखित में से θ के कौन-से एक मान के द्वारा $\frac{\cos\theta}{1-\sin\theta} - \frac{\cos\theta}{1+\sin\theta} = 2$ सन्तुष्ट होता है?

A. $\frac{\pi}{2}$ B. $\frac{\pi}{3}$

C. $\frac{\pi}{4}$ D. $\frac{\pi}{6}$

E. इनमें से कोई नहीं

20. यदि $\sec\theta = \sqrt{2+\sqrt{2+\sqrt{2+\sqrt{......\infty}}}}$, तब $\cos\theta\,(1+2\cos\theta)$ का मान क्या है?

A. 0 B. –1

C. 1 D. 2

E. इनमें से कोई नहीं

21. यदि ΔABC का कोण B, 45° का हो, तो (1 + Cot A) (1 + cot C) किसके बराबर है?

A. –1 B. 0

C. 1 D. 2

E. इनमें से कोई नहीं

22. यदि $\tan 15° = 2-\sqrt{3}$ हो, तो $\tan 15° \cot 75° + \tan 75° \cot 15°$ का मान क्या होगा?

A. 14 B. 12

C. 10 D. 8

E. इनमें से कोई नहीं

23. यदि $x\sin^3\theta + y\cos^3\theta = \sin\theta\cos\theta,\ \theta \neq 0$ हो और $x\sin\theta - y\cos\theta = 0$ हो तो x^2+y^2 का मान क्या होगा?

A. $\sin\theta - \cos\theta$ B. $\sin\theta - \cos\theta$

C. 0 D. 1

E. इनमें से कोई नहीं

24. यदि $u_n = \cos\theta + \sin\theta$ हो तो $2u_6 - 3u_4 + 1$ का मान है :

A. 1 B. 4

C. 6 D. 0

E. इनमें से कोई नहीं

25. यदि $3\sin\theta + 5\cos\theta = 5$ हो तो $5\sin\theta - 3\cos\theta$ का मान होगा :

A. 3 B. –3

C. 3 और –3 D. न 3 होगा न (–3)

E. इनमें से कोई नहीं

26. एक वृक्ष की ऊँचाई 80 मीटर है, तो इसके आधार से कितनी दूर स्थित किसी बिन्दु का शिखर से उन्नयन कोण 45° होगा?

A. 40 मी. B. $80\sqrt{5}$ मी.

C. $\frac{80}{\sqrt{3}}$ मी. D. 80 मी.

E. इनमें से कोई नहीं

27. एक खम्भे की ऊँचाई 30 मीटर है इसके ऊपरी सिरे से एक तार बंधा हुआ है जो भूमि के साथ 30° का कोण बनाता है, तो बताओ तार की लम्बाई क्या होगी?

A. 30 मी. B. 60 मी.

C. 15 मी. D. $30\sqrt{2}$ मी.

E. इनमें से कोई नहीं

28. एक वायुयान पृथ्वी से 1500 मीटर की ऊँचाई पर उड़ रहा है यदि उस समय हवाई अड्डे से उसका उन्नयन कोण 60° हो, तो वायुयान की हवाई अड्डे से सीधी दूरी ज्ञात करो।

A. 1732 मी. B. 17.32 मी.

C. 1.732 मी. D. 173.2 मी.

E. इनमें से कोई नहीं

29. यदि 400 मी. ऊँचे एक बहुमंजिले भवन के शीर्ष का उन्नयन कोण समतल पर स्थित किसी बिन्दु A पर 45° हो तो भवन के शीर्ष व बिन्दु A के मध्य सीधी दूरी है :

A. 400 sin 45° मी. B. 400 tan 45° मी.

C. 400 cosec 45° मी. D. 400 cot 45° मी.

E. इनमें से कोई नहीं

30. एक सीढ़ी किसी दीवार के सहारे इस प्रकार टिकी है कि वह दीवार के शिखर को छू रही है। सीढ़ी का निचला सिरा दीवार से 1.5 मी. की दूरी पर है। सीढ़ी भूमितल के साथ 70° का कोण बनाती है। यदि tan 70° = 2.747 हो तो दीवार की ऊँचाई ज्ञात करो।

A. 4.12 मी. B. 5.07 मी.

C. 3.07 मी. D. 4.07 मी.

E. इनमें से कोई नहीं

31. जमीन पर एक बिन्दु से किसी चिमनी की चोटी का उन्नयन कोण 30° है। यदि चिमनी के आधार की ओर सीधा 100 फुट जाने पर उन्नति कोण 45° हो जाए, तो बताओ चिमनी की ऊँचाई क्या है?

A. 45 फुट B. 200 फुट

C. 100 फुट D. 136.6 फुट

E. 105 फुट

32. आंधी द्वारा टूटे हुए एक वृक्ष का ऊपरी भाग भूमि से 30° का कोण बनाता है। यदि पेड़ का शीर्ष भूमि पर जड़ से 40 मी. की दूरी पर गिरा हो तो वृक्ष की टूटने से पूर्व ऊँचाई ज्ञात करो।

A. 120 मी. B. 80 मी.

C. $40\sqrt{3}$ मी. D. $\frac{40}{\sqrt{3}}$ मी.

E. इनमें से कोई नहीं

33. एक वायुयान हवाई अड्डे से सीधी 1170 मीटर की ऊँचाई पर है। यदि $\sin\theta = \frac{12}{13}$ हो, तो हवाई अड्डे की क्षैतिज दूरी बताओ।

A. 405 मी. B. 450 मी.

C. 1080 मी. D. 1060 मी.

E. इनमें से कोई नहीं

34. यदि एक मीनार के ऊपर स्थित 3 मी. ऊँचाई वाले ध्वज दंड की परछाईं $\sqrt{3}$ मी. है, तो सूर्य का उन्नयन कोण कितना है?

A. 30° B. 45°

C. 60° D. 90°

E. इनमें से कोई नहीं

35. किसी पहाड़ के शीर्ष से कुछ दूरी पर स्थित मीनार के शीर्ष एवं पाद का अवनमन कोण क्रमशः 45° तथा 60° बनता है। यदि पहाड़ की ऊँचाई $150\sqrt{3}$ मीटर हो, तो मीनार की ऊँचाई बताओ।

A. 109.8 मी. B. 150 मी.

C. 120 मी. D. 140 मी.

E. इनमें से कोई नहीं

उत्तरमाला

1	2	3	4	5	6	7	8	9	10
B	B	A	B	C	D	D	B	B	C
11	**12**	**13**	**14**	**15**	**16**	**17**	**18**	**19**	**20**
D	D	A	D	C	D	A	C	C	C
21	**22**	**23**	**24**	**25**	**26**	**27**	**28**	**29**	**30**
D	A	D	D	C	D	B	A	C	A
31	**32**	**33**	**34**	**35**					
D	C	B	C	A					

कुछ चुने हुए प्रश्नों के व्याख्यात्मक उत्तर

1. $\sec^4\theta - \sec^2\theta$
$= \sec^2\theta(\sec^2\theta - 1)$
$= (1 + \tan^2\theta)(1 + \tan^2\theta - 1) = \tan^2\theta + \tan^4\theta).$

4. $\sqrt{\sec^2\theta + \operatorname{cosec}^2\theta}$
$= \sqrt{(1+\tan^2\theta)+(1+\cot^2\theta)}$
$= \sqrt{2+\tan^2\theta+\cot^2\theta}$
$= \sqrt{\tan^2\theta+\cot^2\theta+2\tan\theta\cot\theta}$
$= \sqrt{(\tan\theta+\cot\theta)^2} = \tan\theta+\cot\theta.$

5. $\sin^4 A + \cos^4 A = (\sin^2 A)^2 + (\cos^2 A)^2$
$= (\sin^2 A + \cos^2 A)^2 - 2\sin^2 A\cos^2 A$
$= 1 - 2\sin^2 A\cos^2 A.$

7. $\sin\frac{\pi}{6} + \cos\frac{\pi}{6} - \tan^3\frac{\pi}{4}$
यहाँ $\pi = 180°$ तो $\sin 30° + \cos 30° - \tan^3 45°$
$= \frac{1}{2} + \frac{\sqrt{3}}{2} - (1)^3 = \frac{\sqrt{3}-1}{2}.$

8. $\cos 64°\cos 19° + \sin 64°\sin 19° = ?$
$[\because \cos(A-B) = \cos A\cos B + \sin A\sin B]$
तो $\cos(A-B) = \cos(64° - 19°)$
$\cos 45° = \frac{1}{\sqrt{2}}.$

9. $\tan 4°.\tan 43°.\tan 47°.\tan 86°$
$= \tan 4°.\tan 86°.\tan 43°.\tan 47°$
$= \tan 4°.\tan(90-4°).\tan 43°.\tan(90°-43°)$
$= \tan 4°.\cot 4°.\tan 43°.\cot 43°$
$= 1 \times 1 = 1.$

12. $\sin(45+\theta) - \cos(45-\theta)$
$= \sin(90° - (45-\theta) - \cos(45-\theta)$
$[\cos(90°-\theta) = \sin\theta]$
$= \cos(45-\theta) - \cos(45-\theta) = 0.$

13. $\tan 75° = \tan(30° + 45°)$
$= \frac{\tan 30° + \tan 45°}{1 - \tan 30°.\tan 45°}$
$\left(\because \tan(A+B) = \frac{\tan A + \tan B}{1 - \tan A.\tan B}\right)$

$$= \frac{\frac{1}{\sqrt{3}}+1}{1-\frac{1}{\sqrt{3}}.1} = \frac{\frac{1+\sqrt{3}}{\sqrt{3}}}{\frac{\sqrt{3}-1}{\sqrt{3}}} = \frac{\sqrt{3}+1}{\sqrt{3}-1} \times \frac{\sqrt{3}+1}{\sqrt{3}+1}$$

$$= \frac{4+2\sqrt{3}}{2} \text{ या } 2+\sqrt{3}$$

तो $\cot 75° = \frac{1}{\tan 75°} = \frac{1}{2+\sqrt{3}}$

$$= \frac{1}{2+\sqrt{3}} \times \frac{2-\sqrt{3}}{2-\sqrt{3}} = 2-\sqrt{3}$$

अतः $\tan 75° - \cot 75° = 2+\sqrt{3}-\left(2-\sqrt{3}\right)$

$$= 2+\sqrt{3}-2+\sqrt{3}$$

$$= 2\sqrt{3}.$$

14. $\sin 2\theta = \frac{2\tan\theta}{1+\tan^2\theta}$

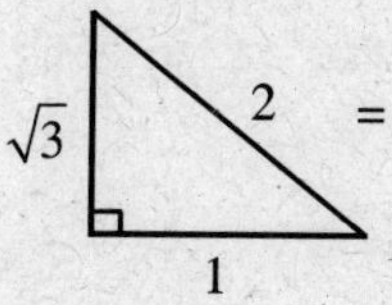

$$= \frac{2.\frac{\sqrt{3}}{1}}{1+\left(\frac{\sqrt{3}}{1}\right)^2} \quad \left(\because \tan\theta = \frac{L}{A} = \frac{\sqrt{3}}{1}\right)$$

$$= \frac{2.\sqrt{3}}{1+3} = \frac{2\sqrt{3}}{4} = \frac{\sqrt{3}}{2}.$$

19. $\frac{\cos\theta}{1-\sin\theta} - \frac{\cos\theta}{1+\sin\theta} = 2$

$$= \frac{\cos\theta+\sin\theta\cos\theta-\cos\theta+\cos\theta\sin\theta}{1-\sin^2\theta} = 2$$

$$2\sin\theta\cos\theta = 2\cos^2\theta$$

$$2\sin\theta = 2\cos\theta$$

$$\frac{\sin\theta}{\cos\theta} = 1$$

$$\tan\theta = 1$$

$$\tan\theta = \tan 45°$$

$$\theta = \frac{\pi}{4}.$$

20. माना $x = \sqrt{2+\sqrt{2+....\infty}}$

$x = 2$

$\sec\theta = 2, \sec\theta = \sec\frac{\pi}{3}$ तो $\theta = \frac{\pi}{3}$

$\cos\theta\,(1+2\cos\theta)$

$$= \cos\frac{\pi}{3}\left(1+2\cos\frac{\pi}{3}\right) = \frac{1}{2}\left(1+2\frac{1}{2}\right), \frac{2}{2} = 1.$$

26. $\tan\theta = \frac{L}{A}$

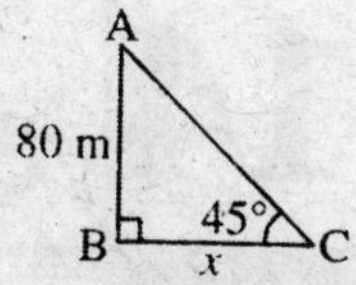

$\tan 45° = \frac{80}{x}$

$x = 80$ मी.

27. $\sin\theta = \frac{L}{K}$

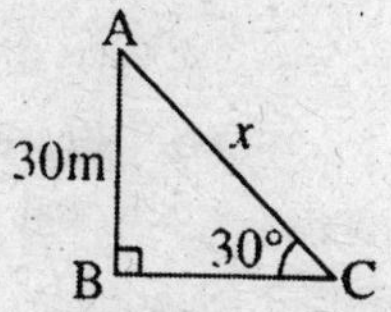

$\sin 30° = \frac{30}{x}$

$\frac{1}{2} = \frac{30}{x}$

$x = 60$ मी.

29. $\sin 45° = \frac{400}{l}$

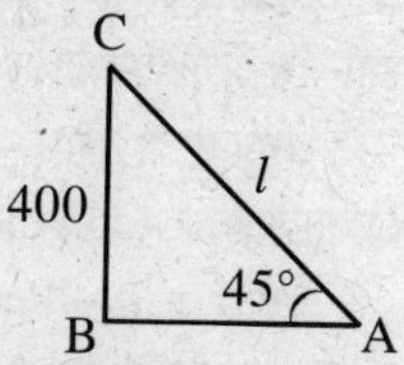

$l = \frac{400}{\sin 45°}$

$l = 400 \text{ cosec } 45°.$

30. $\tan\theta = \frac{L}{A}$

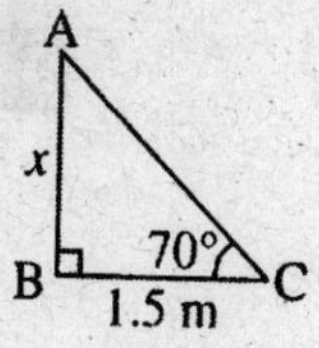

$\tan 70° = \frac{x}{1.5}$

$2.747 = \frac{x}{1.5}$

$x = 4.12$ मी.

33. $\sin\theta = \frac{12}{13}\frac{L}{K}$

तो $\text{कर्ण}^2 = \text{आधार}^2 + \text{लम्ब}^2$

$\text{आधार}^2 = \text{कर्ण}^2 - \text{लम्ब}^2$

$= (13)^2 - (12)^2$

$= 169 - 144 = 25$

आधार $= 5$

कर्ण व आधार में अनुपात सेः

$13 : 5 : : 1170 : x$

$$x = \frac{1170 \times 5}{13} = 450 \text{ मी.}$$

○○○

14 अनुक्रम (Sequence)

अनुक्रम (Squence): संख्याओं का एक समूह, जिसको किसी निश्चित क्रम में रखा गया हो और जो निश्चित नियमानुसार हो, एक अनुक्रम (Sequence) कहलाता है। समूह के अवयव अनुक्रम के पद कहे जाते हैं। जैसे: 1, 2, 4, 7, 11, ...

समान्तर श्रेणी (Arithmetic Series)

वह अनुक्रम, जिसके किसी दो क्रमागत पदों का अन्तर सदैव अचर हो, समान्तर श्रेणी कहलाता है।

अनुक्रम के प्रथम पद को प्रथम पद (first term) एवं पदों के अन्तर को सार्वअन्तर (common difference) कहते हैं।

जैसे : $a, a + d, a + 2d, ...$

अतः प्रथम पद $= a$, सार्वअन्तर $= d$ है।

श्रेणी का n वाँ पद $T_n = a + (n - 1)d$

श्रेणी का अन्तिम पद, $l = a + (n - 1)d$

श्रेणी के n पदों का योगफल, $S_n = \frac{n}{2}[2a+(n-1)d]$

$$= \frac{n}{2}(a+l)$$

महत्त्वपूर्ण परिणाम (Important Results)

(i) यदि किसी समान्तर श्रेणी के n पदों का योग S_n से निरूपित हो, तो श्रेणी का n वाँ पद $T_n = S_n - S_{n-1},\ n > 1$

(ii) किसी n पदों के समान्तर श्रेणी में अन्त से k वाँ पद $= l + (k - 1)(-d)$, जहाँ l अन्तिम पद और d सार्वअन्तर है।

(iii) समान्तर श्रेणी के प्रारंभ और अन्त से समान दूरी वाले पदों का योगफल अचर होता है।

(iv) सम पदों वाली समान्तर श्रेणी में दो मध्य पद $\frac{n}{2}$ वाँ तथा $\left(\frac{n}{2}+1\right)$ वाँ या $\frac{n+2}{2}$ वाँ पद होंगे।

(v) विषम पदों वाली समान्तर श्रेणी में एक मध्य पद $\frac{(n+1)}{2}$ वाँ पद होगा।

(vi) समान्तर श्रेणी में तीन पद क्रमशः $a - d, a, a + d$ होते हैं।

(vii) समान्तर श्रेणी में चार पद क्रमशः $a - 3d,\ a - d,\ a + d$, तथा $a + 3d$ होते हैं।

(viii) समान्तर श्रेणी में पाँच पद क्रमशः $a - 2d, a - d, a, a + d, a + 2d$ होते हैं।

समान्तर माध्य (Arithmetic Mean)

(i) दो राशियों a एवं b के बीच समान्तर माध्य $A = \frac{a+b}{2}$

(ii) यदि दो राशियों के बीच में n समान्तर माध्य पद हो, अर्थात् $a, A_1, A_2, A_3 .... A_n, b$

तो $A_1 = \frac{an+b}{n+1}$, $A_2 = \frac{a(n-1)+2b}{n+1}$,

$A_3 = \frac{a(n-2)+3b}{n+1}$, ..., $A_n = \frac{a+nb}{n+1}$ होंगे।

गुणोत्तर श्रेणी (Geometric Series)

यदि किसी अनुक्रम का कोई पद तथा इसके पूर्व पद का अनुपात् सदैव अचर हो, तब उसे गुणोत्तर श्रेणी कहते हैं। जैसे-- यदि $a_1, a_2, a_3, ..., a_n$ गुणोत्तर श्रेणी में हों, तो

$$\frac{a_2}{a_1} = \frac{a_3}{a_2} = \frac{a_4}{a_3} = ... = \frac{a_n}{a_{n-1}} = r$$

अचर पद अर्थात r को श्रेणी का सार्वनुपात कहते हैं। गुणोत्तर श्रेणी a, ar, ar^2, ar^3 ..... में

प्रथम पद $= a$ एवं सार्वनुपात $= r$

गुणोत्तर श्रेणी का n वाँ पद (n^{th} term of G.P.)

$T_n = ar^{n-1}$

यदि अन्तिम पद l हो, तब $l = ar^{n-1}$.

गुणोत्तर श्रेणी के n पदों का योगफल

$$S_n = \begin{cases} \frac{a(r^n-1)}{r-1}, & r > 1 \\ \frac{a(1-r^n)}{1-r} & r < 1 \end{cases}$$

गुणोत्तर श्रेणी के अनन्त पदों का योगफल

$S_\infty = \frac{a}{1-r}$ जहाँ $|r| < 1$.

महत्वपूर्ण परिणाम (Important Results)

(*i*) किसी गुणोत्तर श्रेणी के n पदों का योग S हो, तो श्रेणी का n वाँ पद $t_n = S_n - S_{n-1}$, $n > 1$ तथा प्रथम पद $t_1 = S_1$

(*ii*) गुणोत्तर श्रेणी के तीन क्रमागत पद $\frac{a}{r}, a, ar$

(*iii*) गुणोत्तर श्रेणी के चार क्रमागत पद $\frac{a}{r^3}, \frac{a}{r}, ar, ar^3$

(*iv*) गुणोत्तर श्रेणी के पाँच क्रमागत पद क्रमशः

$$\frac{a}{r^2}, \frac{a}{r}, a, ar, ar^2$$

गुणोत्तर माध्य (Geometric Mean)

दो राशियों a और b के मध्य गुणोत्तर माध्य

$$G = \sqrt{ab}$$

(*a*) यदि दो राशियों a और b के मध्य n गुणोत्तर माध्य हो अर्थात्

$a, G_1, G_2, G_3, \ldots\ldots\ldots G_n, b$

तो $G_1 = a\left(\frac{b}{a}\right)^{\frac{1}{n+1}}, G_2 = a\left(\frac{b}{a}\right)^{\frac{2}{n+1}}, \ldots\ldots\ldots,$

$$G_n = a\left(\frac{b}{a}\right)^{\frac{n}{n+1}}.$$

(*b*) दो राशियों a व b के बीच n गुणोत्तर माध्य पदों का गुणनफल उन राशियों के गुणोत्तर माध्य की n वीं घात के बराबर होता है।

$$G_1 G_2 G_3 \ldots\ldots G_n = (ab)^{\frac{n}{2}} = (G)^n.$$

हरात्मक श्रेणी (Harmonic Series)

वह श्रेणी जिसके पदों का व्युत्क्रम समान्तर श्रेणी में हो, हरात्मक श्रेणी कहलाती है।

यदि $a_1, a_2, \ldots\ldots, a_n$ हरात्मक श्रेणी में है, तब $\frac{1}{a_1}, \frac{1}{a_2}, \ldots\ldots, \frac{1}{a_n}$ समान्तर श्रेणी में होंगे।

हरात्मक श्रेणी में n वाँ पद (n^{th} term of H.P.)

$$H = \frac{2ab}{a+b} \text{ या } T_n = \frac{a_1 a_2}{a_2 + (n-1)(a_1 - a_2)}$$

दो राशियों के बीच हरात्मक माध्य : यदि a एवं b दो राशि हैं तथा H हरात्मक माध्य है, तो $H = \frac{2ab}{a+b}$

समान्तर माध्य, गुणोत्तर माध्य एवं हरात्मक माध्य में संबंध : यदि a एवं b दो वास्तविक संख्याएँ हैं तथा A, G, H क्रमशः स॰ मा॰, गुणो॰ मा॰ एवं ह॰ मा॰ हों तो,

$$G^2 = AH \text{ तथा } A > G > H$$

वस्तुनिष्ठ प्रश्न

निर्देश (प्र.सं. 1-5): *निम्नलिखित अंक श्रृंखलाओं में प्रश्नवाचक चिह्न (?) के स्थान पर क्या आयेगा?*

1. 960 839 758 709 ? 675
A. 698 B. 694
C. 684 D. 648
E. 680

2. 3 ? 14 55 274 1643
A. 5 B. 6
C. 7 D. 8
E. इनमें से कोई नहीं

3. 36 38.8 42.8 ? 54.4 62
A. 46 B. 48
C. 45 D. 48.2
E. 49.4

4. 37 ? 103 169 257 367
A. 49 B. 46
C. 56 D. 59
E. 69

5. 4 6 12 ? 90 315
A. 25 B. 27
C. 30 D. 45
E. इनमें से कोई नहीं

6. 2 4 16 96 768 ? 92160
A. 7680 B. 7580
C. 7608 D. 7090
E. 7860

7. 14 36 ? 300 894 2676 8022
A. 101 B. 102
C. 103 D. 104
E. इनमें से कोई नहीं

8. 5 8 13 20 ? 44 61
A. 29 B. 30
C. 31 D. 32
E. 37

9. 11 16 31 56 91 136 ?
A. 171 B. 181
C. 185 D. 191
E. 197

10. 3 4 12 45 196 ?
A. 985 B. 990
C. 995 D. 1000
E. 1005

11. 2 26 286 ? 18018 90090 270270
A. 3088 B. 2667
C. 3862 D. 2574
E. 208608

12. 358 356 352 344 328 296 ?
A. 232 B. 247
C. 225 D. 255
E. इनमें से कोई नहीं

13. 8 ? 30 105 472.5 2598.75 16891.875
A. 24 B. 10
C. 12 D. 16
E. इनमें से कोई नहीं

14. 3 4 ? 21 85 110 326
A. 7 B. 10
C. 12 D. 14
E. इनमें से कोई नहीं

15. 50000 10000 2500 500 125 ? 6.25
A. 75 B. 25
C. 50 D. 31.5
E. इनमें से कोई नहीं

16. 17 98 147 172 181 (?)
A. 180 B. 192
C. 184 D. 182
E. इनमें से कोई नहीं

17. 11 19 31 47 67 (?)
A. 80 B. 81
C. 86 D. 96
E. इनमें से कोई नहीं

18. 748 460 316 244 208 (?)
A. 180 B. 190
C. 172 D. 182
E. 150

19. 1 5 13 29 ? 125 253
A. 83 B. 69
C. 61 D. 65
E. 225

20. 45 57 81 117 165 ?
A. 235 B. 215
C. 205 D. 245
E. 225

21. 353 354 351 356 349 ?
A. 348 B. 358
C. 338 D. 385
E. 340

22. $\frac{1}{4}$ $\frac{1}{2}$ $\frac{3}{4}$ 1 $1\frac{1}{4}$ $1\frac{1}{2}$ $1\frac{3}{4}$?
A. 2 B. 4
C. 6 D. $1\frac{1}{5}$
E. $1\frac{2}{3}$

23. 17 18 26 53 117 ? 458
A. 342 B. 142
C. 257 D. 262
E. 242

24. 36 37 46 71 ? 201 322
A. 120 B. 107
C. 135 D. 96
E. इनमें से कोई नहीं

25. 12 20 100 ? 8900 88900 888900
A. 1000 B. 900
C. 800 D. 500
E. इनमें से कोई नहीं

26. 7 7 14 42 168 ? 5040
A. 672 B. 850
C. 740 D. 800
E. इनमें से कोई नहीं

27. 21 30 12 39 3 ? –6
A. 66 B. 12
C. 48 D. 75
E. इनमें से कोई नहीं

28. 10 24 52 ? 220 444 892
A. 104 B. 98
C. 112 D. 108
E. इनमें से कोई नहीं

29. 23 33 46 62 81 103 (?)
A. 126 B. 130
C. 133 D. 128
E. इनमें से कोई नहीं

30. 7 14 25 38 55 74 (?)
A. 97 B. 99
C. 107 D. 113
E. इनमें से कोई नहीं

31. 15 21 39 77 143 (?)
A. 243 B. 240
C. 253 D. 245
E. इनमें से कोई नहीं

32. 33 39 57 87 129 (?)
A. 83 B. 177
C. 189 D. 199
E. इनमें से कोई नहीं

33. 15 19 83 119 631 (?)
A. 731 B. 693
C. 712 D. 683
E. इनमें से कोई नहीं

34. 19 26 40 68 124 (?)
A. 246 B. 238
C. 236 D. 256
E. इनमें से कोई नहीं

35. 43 69 58 84 73 (?)
A. 62 B. 98
C. 109 D. 63
E. इनमें से कोई नहीं

36. 13 16 22 33 51 ?
A. 89 B. 78
C. 102 D. 69
E. इनमें से कोई नहीं

37. 39 52 78 117 169 ?
A. 246 B. 182
C. 234 D. 256
E. इनमें से कोई नहीं

38. 62 87 187 412 812 ?
A. 1012 B. 1437
C. 1337 D. 1457
E. इनमें से कोई नहीं

39. 7 8 24 105 361 ?
A. 986 B. 617
C. 486 D. 1657
E. इनमें से कोई नहीं

40. 656 432 320 264 236 ?
A. 222 B. 229
C. 232 D. 223
E. इनमें से कोई नहीं

41. 7413, 7422, 7440, ?, 7503, 7548
A. 7464 B. 7456
C. 7466 D. 7477
E. इनमें से कोई नहीं

42. 4, 16, 36, 64, 100 ?
A. 120 B. 180
C. 136 D. 144
E. इनमें से कोई नहीं

43. 12, 33, 96, ?, 852, 2553
A. 285 B. 288
C. 250 D. 384
E. इनमें से कोई नहीं

44. 70000, 14000, 2800, ?, 112, 22.4
A. 640 B. 420
C. 560 D. 540
E. इनमें से कोई नहीं

45. 102, 99, 104, 97, 106, ?
A. 96 B. 95
C. 100 D. 94
E. इनमें से कोई नहीं

निर्देश : (प्रश्न 46 से 70): *इस प्रश्न में एक संख्या शृंखला दी गयी है। शृंखला में एक गलत संख्या है जो शृंखला में फिट नहीं बैठती। गलत संख्या को पहचानिये :*

46. 0, 9, 64, 169, 576, 1225
A. 169 B. 1225
C. 576 D. 0
E. 64

47. 139, 150, 149, 174, 223, 304
A. 149 B. 150
C. 174 D. 304
E. 223

48. 40, 20, 24, 30, 60, 150
A. 150 B. 60
C. 20 D. 30
E. 24

49. 90, 72, 56, 40, 30, 20, 12
A. 90 B. 72
C. 56 D. 40
E. 20

50. 13, 16, 24, 39, 73, 98
A. 16 B. 73
C. 39 D. 98
E. 24

51. 5531 5506 5425 5304 5135 4910 4621
A. 5531 B. 5425
C. 4621 D. 5135
E. 5506

52. 6 7 9 13 26 37 69
A. 7 B. 26
C. 69 D. 37
E. 9

53. 1 3 10 36 152 760 4632
A. 3 B. 36
C. 4632 D. 760
E. 152

54. 4 3 9 34 96 219 435
A. 4 B. 9
C. 34 D. 435
E. 219

55. 157.5 45 15 6 3 2 1
A. 1 B. 2
C. 6 D. 157.5
E. 45

56. 7 12 40 222 1742 17390 208608
A. 7 B. 12
C. 40 D. 1742
E. 208608

57. 6 91 584 2935 11756 35277 70558
A. 91 B. 70558
C. 584 D. 2935
E. 35277

58. 9050 5675 3478 2147 1418 1077 950
A. 3478 B. 1418
C. 5675 D. 2147
E. 1077

59. 1 4 25 256 3125 46656 823543
A. 3125 B. 823543
C. 46656 D. 25
E. 256

60. 8424 4212 2106 1051 526.5 263.25 131.625
A. 131.625 B. 1051
C. 4212 D. 8424
E. 263.25

61. 12 114 600 2428 7272 14550
A. 2428 B. 7272

C. 600 D. 114
E. इनमें से कोई नहीं

62. 128 640 981 1199 1324 1388
A. 640 B. 1199
C. 1324 D. 1388
E. इनमें से कोई नहीं

63. 13 15 17 18 21 23
A. 17 B. 15
C. 21 D. 18
E. इनमें से कोई नहीं

64. 828 424 220 116 64 33
A. 220 B. 64
C. 33 D. 116
E. इनमें से कोई नहीं

65. 3.5 4 14 56 782 43904
A. 14 B. 56
C. 782 D. 43904
E. इनमें से कोई नहीं

66. 3601 3602 1803 604 154 36 12
A. 3602 B. 1803
C. 604 D. 154
E. 36

67. 4 12 42 196 1005 6066 42511
A. 12 B. 42
C. 1005 D. 196
E. 6066

68. 2 8 12 20 30 42 56
A. 8 B. 42
C. 30 D. 20
E. 12

69. 32 16 24 65 210 945 5197.5
A. 945 B. 16
C. 24 D. 210
E. 65

70. 7 13 25 49 97 194 385
A. 13 B. 49
C. 97 D. 194
E. 25

उत्तरमाला

1	2	3	4	5	6	7	8	9	10
A	B	C	C	C	A	B	C	D	E
11	**12**	**13**	**14**	**15**	**16**	**17**	**18**	**19**	**20**
D	A	C	C	B	D	E	B	C	E
21	**22**	**23**	**24**	**25**	**26**	**27**	**28**	**29**	**30**
B	A	E	A	B	E	C	D	D	A
31	**32**	**33**	**34**	**35**	**36**	**37**	**38**	**39**	**40**
D	A	A	C	E	B	C	B	A	A
41	**42**	**43**	**44**	**45**	**46**	**47**	**48**	**49**	**50**
E	D	A	C	B	A	B	E	D	B
51	**52**	**53**	**54**	**55**	**56**	**57**	**58**	**59**	**60**
A	B	D	D	A	D	C	E	D	B
61	**62**	**63**	**64**	**65**	**66**	**67**	**68**	**69**	**70**
A	E	D	B	C	D	B	A	E	D

कुछ चुने हुए प्रश्नों के व्याख्यात्मक उत्तर

6. 2 4 16 96 768 ? 92160

2×2 4×4 16×6 96×8 768×10 7680×12

अतः प्रश्न चिह्न (?) की जगह 7680 आएगा।

7. 14 36 ? 300 894 2676 8022

14×3−6 36×3−6 102×3−6 300×3−6 894×3−6 2676×3−6

अतः प्रश्न चिह्न (?) की जगह 102 आएगा।

8. 5 8 13 20 ? 44 61

5+3 8+5 13+7 20+11 31+13 44+17

सभी में सतत अभाज्य संख्याएँ 3, 5, 7, 11, 13, 17 जोड़ी गयी हैं।
अतः प्रश्न चिह्न (?) की जगह 31 आएगा।

9. 11 16 31 56 91 136 ?

11+5 16+15 31+25 56+35 91+45 136+55

सभी में 5, 15, 25, 35, 45 तथा 55 जोड़ा गया है।
अतः प्रश्न चिह्न (?) की जगह 191 आएगा।

10. 3 4 12 45 196 ?

$3\times1+1^2$ $4\times2+2^2$ $12\times3+3^2$ $45\times4+4^2$ $196\times5+5^2$

अतः प्रश्न चिह्न (?) की जगह 1005 आएगा।

11. संख्या शृंखला का पैटर्न है–

$2 \times 13 = 26$
$26 \times 11 = 286$
$286 \times 9 = \boxed{2574}$
$2574 \times 7 = 18018$
$18018 \times 5 = 90090$

12. संख्या शृंखला का पैटर्न है–

$358 - 2 = 356$
$356 - 4 = 352$
$352 - 8 = 344$
$344 - 16 = 328$
$328 - 32 = 296$
$296 - 64 = \boxed{232}$

13. संख्या शृंखला का पैटर्न है–

$8 \times 1.5 = \boxed{12}$
$12 \times 2.5 = 30$
$30 \times 3.5 = 105$
$105 \times 4.5 = 472.5$

14. संख्या शृंखला का पैटर्न है–

$3 + 1^2 = 4$
$4 + 2^3 = \boxed{12}$
$12 + 3^2 = 21$
$21 + 4^3 = 85$
$85 + 5^2 = 110$
$110 + 6^3 = 326$

15. संख्या शृंखला का पैटर्न है–

$50000 \div 5^2 = 10000$
$10000 \div 4 = 2500$
$2500 \div 5 = 500$
$500 \div 4 \div 125$
$125 \div 5 = \boxed{25}$
$25 \div 4 = 6.25$

16. दो लगातार पदों का अन्तर = 81, 49, 25, 9, 1
अर्थात $9^2, 7^2, 5^2, 3^2, 1^2$
स्पष्टतः अगला पद = 182

17. दो लगातार पदों का अन्तर = 8, 12, 16, 20, 24
∴ अतः अगला पद = 91.

18. दो लगातार पदों का अन्तर = 288, 144, 72, 36, $\frac{36}{2} = 18$
∴ अगला पद = 190.

19. दो लगातार संख्याओं के बीच अंतर = 4, 8, 16 $\boxed{32}$
∴ स्पष्टतः अगला अन्तर = 32
∴ अभीष्ट संख्या = 61

20. दो लगातार पदों के बीच अन्तर
= 12, 24 , 36 48, $\boxed{60}$
अगला अन्तर = 60
∴ अभीष्ट संख्या = 225.

22. स्पष्टतः अगला अन्तर = $\frac{1}{4}$

∴ अभीष्ट संख्या = $\frac{7}{4} + \frac{1}{4} = 2$

23. दो लगातार पदों के बीच अन्तर = 1, 8 , 27, 64, ...
यदि $(1)^3, (2)^3, (3)^3, (4)^3, \boxed{5^3}$
स्पष्टतः अगला अन्तर = $5^3 = 125$
∴ अभीष्ट संख्या = 242

29. 23 (+10) 33 (+13) 46 (+16) 62 (+19) 81 (+22) 103 (+25) (?)
अर्थात, ? = 103 + 25 = 128

30. 7 (+7) 14 (+11) 25 (+13) 38 (+17) 55 (+19) 74 (+23) (?)
अर्थात, ? = 74 + 23 = 97

31. दो लगातार संख्याओं के बीच अन्तर
= 6, 18, 38, 66
पुनः दो लगातार संख्याओं के बीच अन्तर
= 12, 20, 28, $\boxed{36}$
स्पष्टतः पूर्वपद में 66 + 36 = 102 जोड़ने पर अगला पद 245 होगा।

34. दो लगातार संख्याओं के बीच अन्तर
= 7, 14, 28, 56 $\boxed{112}$
स्पष्टतः अगला पद 124 + 112 = 236.

35. अन्तरः

$2^{nd} - 1^{st} = 26$
$4^{th} - 3^{rd} = 26$
$6^{th} - 5^{th} = 26$
∴ अगला पद = 99.

36. संख्या शृंखला का पैटर्न है:

$13 + 3 = 16$
$16 + (3 + 3) = 22$
$22 + (6 + 5) = 33$
$33 + (11 + 7) = 51$
$51 + (18 + 9) = 78$

38. संख्या शृंखला का पैटर्न है:

$62 + 5^2 = 62 + 25 = 87$
$87 + 10^2 = 87 + 100 = 187$
$187 + 15^2 = 187 + 225 = 412$
$412 + 20^2 = 412 + 400 = 812$
$812 + (25)^2 = 812 + 625 = 1437$

40. संख्या शृंखला का पैटर्न है:

$656 - 224 = 432$
$432 - 112 = 320$
$320 - 56 = 264$
$264 - 28 = 236$
$236 - 28 = 222$

41. दी गई संख्या शृंखला निम्नलिखित पद्धति पर आधारित है–
$7413 + 9 \times 1 = 7422$
$7422 + 9 \times 2 = 7440$
$7440 + 9 \times 3 = 7467$
$7467 + 9 \times 4 = 7503$

42. दी गई संख्या शृंखला निम्नलिखित पद्धति पर आधारित है–
$2^2, 4^2, 6^2, 8^2, 10^2, ?$
$\therefore ? = 12^2 = 144$

43. दी गई संख्या शृंखला निम्नलिखित पद्धति पर आधारित है–
$12 \times 3 - 3 = 33$
$33 \times 3 - 3 = 96$
$96 \times 3 - 3 = 285$
$285 \times 3 - 3 = 852$

44. दी गई संख्या शृंखला निम्नलिखित पद्धति पर आधारित है–
$70000 \div 5 = 14000;$
$14000 \div 5 = 2800;$
$2800 \div 5 = 560$
$560 \div 5 = 112;$
$112 \div 5 = 22.4;$

45. दी गई संख्या शृंखला निम्नलिखित पद्धति पर आधारित हैं–
$102 - 3 = 99;$
$99 + 5 = 104;$
$104 - 7 = 97;$
$97 + 9 = 106;$
$106 - 11 = 95$

47. 139 140 149 174 223 304
$+(1)^2 \quad +(3)^2 \quad +(5)^2 \quad +(7)^2 \quad +(9)^2$
अतः, इस शृंखला में गलत संख्या 150 हैं।

48. 24 को छोड़कर, अन्य संख्याएं 10 से विभाज्य हैं।

50. 13 16 24 39 63 98
+3 +8 +15 +24 +35
+5 +7 +9 +11
अतः दी गई शृंखला में गलत संख्या 73 है।

51. $4621 + (17)^2 = 4621 + 289 = 4910$
$4910 + (15)^2 = 4910 + 225 = 5135$
$5135 + (13)^2 = 5135 + 169 = 5304$
$5304 + (11)^2 = 5304 + 121 = 5425$
$5425 + (9)^2 = 5425 + 81 = 5506$
$5506 + (7)^2 = 5506 + 49 = 5555$ (5531)

52. $6 \times 2 - 5 = 12 - 5 = 7$
$7 \times 2 - 5 = 14 - 5 = 9$
$9 \times 2 - 5 = 18 - 5 = 13$
$13 \times 2 - 5 = 26 - 5 = 21$ (26)
$21 \times 2 - 5 = 42 - 5 = 37$
$37 \times 2 - 5 = 74 - 5 = 69$

55. $2 \times 1 = 2$ (1)
$2 \times \frac{3}{2} = 3$
$3 \times 2 = 6$
$6 \times \frac{5}{2} = 15$
$15 \times 3 = 45$
$45 \times \frac{7}{2} = 157.5$

62. दी हुई संख्या शृंखला निम्नलिखित पैटर्न पर आधारित है-
$640 = 128 + 8^3$
$981 \neq 640 + 7^3 = 983$
$1199 = 983 + 6^3$
$1324 = 1199 + 5^3$
$1388 = 1324 + 4^3$
स्पष्टतः, गलत संख्या 981 है।

63. दी हुई संख्या शृंखला की व्याख्या निम्नलिखित पैटर्न से की जा सकती है-
13 15 17 19 (18) 21 23
+2 +2 +2 +2 +2
इससे स्पष्ट है कि गलत संख्या 18 है।

64. दी हुई संख्या शृंखला की व्याख्या इस प्रकार की जा सकती है-
828 424 220 116 62 (64) 33
÷2+10 ÷2+8 ÷2+6 ÷2+4 ÷2+2
इससे स्पष्ट है कि गलत संख्या 64 है।

65. यह शृंखला इस प्रकार है-
$14 = 3.5 \times 4$
$56 = 14 \times 4$
$784 = 14 \times 56$ लेकिन दी हुई संख्या 782 है।
$43904 = 56 \times 784$
इससे साफ पता चलता है कि 782 ही गलत संख्या है।

66. $(15)^2 \times 27 = 225 \times 27 = 6075$

68.
2	8	12	20	30	42	56
$(1)^2+1$	$(2)^2+2$	$(3)^2+3$	$(4)^2+4$	$(5)^2+5$	$(6)^2+6$	$(7)^2+1$

अतः गलत संख्या = 8 है क्योंकि $(2)^2 + 2 = 6$ होना चाहिए।

70. 7, 13 25 49 97 194 385
(दी गई संख्या × 2) – 1 करने पर उसके बाद की संख्या मिलती है–
$7 \times 2 - 1 = 14 - 1 = 13$
$13 \times 2 - 1 = 26 - 1 = 25$
$25 \times 2 - 1 = 50 - 1 = 49$
$49 \times 2 - 1 = 98 - 1 = 97$
$97 \times 2 - 1 = 194 - 1 = 193$ (जोकि 194 दिया गया है)
$193 \times 2 - 1 = 386 - 1 = 385$
अतः गलत संख्या = 194

○○○

15 आंकड़ों का निर्वचन (Data Interpretation)

आयत चित्र (Histogram) : यह ऐसा सांख्यिकीय ग्राफ है जिसमें आयताकार स्तंभों की ऊंचाई द्वारा यह निरूपित या प्रदर्शित किया जाता है कि किसी प्रतिदर्श या प्रयोग में किसी परिणाम विशेष का प्रत्येक वर्ग कितनी बार आ रहा है। उदाहरण : नीचे की सारणी में किसी शहर में (15-50) आयु-वर्ग के प्रौढ़ व्यक्तियों की संख्या प्रदर्शित की गई है।

आयु वर्ग	व्यक्तियों की संख्या
15-20	200
20-25	350
25-30	475
30-35	600
35-40	750
40-45	900
45-50	100

उपर्युक्त आंकड़े का आयत-चित्र नीचे दिया गया है :

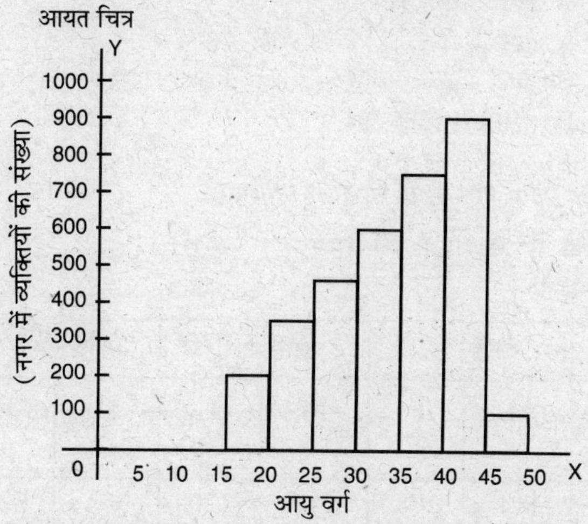

बारंबारता बहुभुज (Frequency Polygon) : समान वर्ग-अंतराल के आयत-चित्र में प्रत्येक दो क्रमागत आयतों की ऊपरी भुजाओं के मध्य बिंदुओं को एक रेखाखंड द्वारा मिलाने से प्राप्त आकृति को बारंबारता बहुभुज कहते हैं।

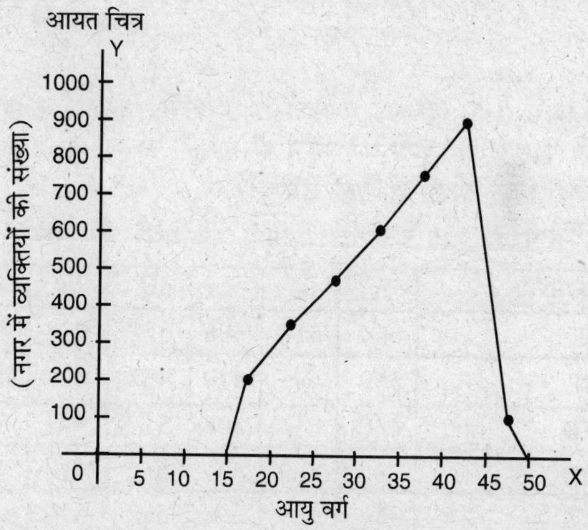

बारंबारता बहुभुज का क्षेत्रफल वही होता है जो उसके संगत आयत चित्र का है। उदाहरण : उपर्युक्त आंकड़े का बारंबारता बहुभुज चित्र में दर्शाया गया है।

दंड चार्ट (Bar Chart) : यह आंकड़ों का एक ऐसा ग्राफीय निरूपण है जिसमें आंकड़ों के किसी समुच्चय में दी गई राशियों की समानुपाती लंबाइयों के दंड बने होते हैं। इसका प्रयोग तब किया जाता है जबकि किसी एक अक्ष का कोई सांख्यिकीय पैमाना नहीं हो सकता। उदाहरण के लिए यदि किसी अक्ष द्वारा यह निरूपित किया जाना हो कि मिश्रित बीजों के एक पैकेट से फूलों की अलग-अलग कितनी क्यारियां बनाई जा सकती हैं।

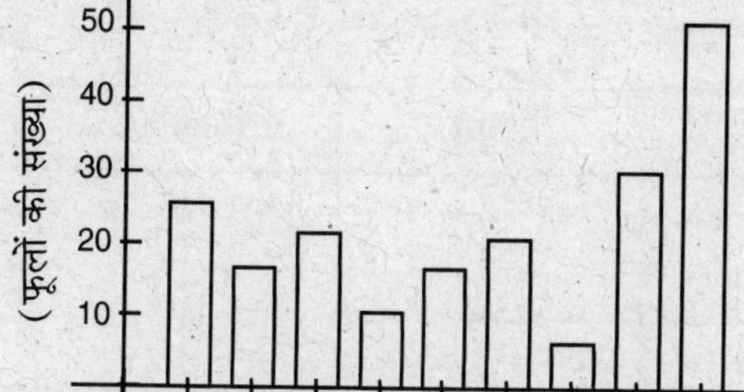

पाई चार्ट (Pie-chart) : इस प्रकार के आरेख में समानुपातों को किसी वृत्त के त्रिज्यखंडों (sectors) के रूप में प्रदर्शित किया जाता है। त्रिज्यखंडों के

सापेक्षिक क्षेत्रफल विभिन्न अनुपातों को निरूपित करते हैं। उदाहरण : यदि 100 सैनिकों में से 25 सैनिक टैंक का, 30 सैनिक युद्धपोतों का, 40 सैनिक वायुयानों का और शेष सैनिक बंदूकों का प्रयोग करते हों तो उपर्युक्त आंकड़े का पाई-चार्ट निम्नवत् होगा :

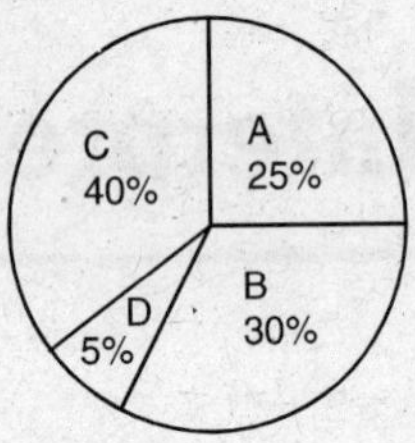

A टैंक का प्रयोग करने वाले सैनिक $= \frac{25 \times 360}{100} = 90°$

B युद्धपोतों का प्रयोग करने वाले सैनिक $= \frac{30 \times 360}{100} = 108°$

C वायुयानों का प्रयोग करने वाले सैनिक $= \frac{40 \times 360}{100} = 144°$

D बंदूकों का प्रयोग करने वाले सैनिक $= \frac{5 \times 360}{100} = 18°$

वस्तुनिष्ठ प्रश्न

निर्देश (प्र.सं. 1-5): *दी गई तालिका में 6 प्रिंटरों (मुद्रकों) के द्वारा 5 सप्ताह में छापे गये पृष्ठों की संख्या दी गई है। सारणी का ध्यानपूर्वक अध्ययन करके प्रश्नों के उत्तर दीजिए।*

6 मुद्रकों द्वारा 5 सप्ताह में छापे गये पृष्ठों की संख्या

मुद्रक/सप्ताह	A	B	C	D	E	F
पहला	664	618	628	552	638	419
दूसरा	569	441	519	438	621	437
तीसरा	440	614	503	527	541	742
चौथा	256	563	347	651	412	321
पाँचवां	717	429	598	582	519	693

1. पहले सप्ताह में सभी मुद्रकों द्वारा छापे गये पृष्ठों की औसत संख्या क्या है–

A. 586.5 B. 540
C. 545.4 D. 546.5
E. 548

2. सभी सप्ताहों में मुद्रक C द्वारा मुद्रित पृष्ठों की औसत संख्या क्या है?

A. 529 B. 519
C. 591 D. 592
E. 539

3. मुद्रित पृष्ठों की सर्वाधिक संख्या किस सप्ताह में है?

A. पहले B. दूसरे
C. तीसरे D. चौथे
E. पाँचवें

4. मुद्रक A और मुद्रक E के द्वारा दूसरे सप्ताह में मुद्रित पृष्ठों की संख्या के बीच अन्तर है–

A. 46 B. 42
C. 62 D. 52
E. इनमें से कोई नहीं

5. मुद्रक B तथा C के द्वारा सभी सप्ताहों में मुद्रित पृष्ठों की संख्या के बीच अन्तर है–

A. 65 B. 70
C. 66 D. 77
E. इनमें से कोई नहीं

निर्देशः (प्र.सं. 6 से 10): *निम्नलिखित सारणी का ध्यान से अध्ययन कर नीचे दिए गए प्रश्नों के उत्तर दीजिएः*

अलग-अलग शहर स्थित 6 अलग-अलग बैंकों में कर्मचारियों की संख्या

M = पुरुष, F = महिला

शहर	आगरा		दिल्ली		मुंबई		चेन्नई		पटना		कोलकाता	
बैंक का नाम	M	F	M	F	M	F	M	F	M	F	M	F
A	553	224	254	456	457	388	114	378	234	120	353	325
B	673	116	346	256	346	456	124	235	241	156	348	174
C	443	500	366	345	124	456	235	388	350	234	399	439
D	534	454	478	285	235	235	255	175	124	165	358	234
E	256	235	256	166	574	599	324	198	124	334	125	235
F	556	357	346	287	589	190	189	256	155	181	278	192

6. बैंक D में सभी शहरों से मिलाकर पुरुषों की संख्या और महिलाओं की संख्या के बीच क्या अनुपात है?
A. 496 : 387 B. 487 : 356
C. 422 : 385 D. 486 : 397
E. इनमें से कोई नहीं

7. बैंक A, C और E से मिलाकर पटना में पुरुषों की संख्या का महिलाओं की संख्या से क्रमशः अनुपात क्या है?
A. 175 : 173 B. 177 : 173
C. 177 : 172 D. 175 : 172
E. इनमें से कोई नहीं

8. कोलकाता में सभी बैंकों में मिलाकर पुरुषों की लगभग औसत संख्या क्या है?
A. 350 B. 310
C. 340 D. 380
E. 360

9. सभी बैंकों में मिलाकर दिल्ली में महिलाओं की संख्या उसी शहर में सभी बैंकों में मिलाकर पुरुषों की संख्या का लगभग कितना प्रतिशत है?
A. 88 B. 98
C. 78 D. 68
E. 58

10. आगरा में बैंक B में महिलाओं की संख्या उसी शहर में बैंक C की महिलाओं का कितना प्रतिशत है?
A. 33.2 B. 23.2
C. 13.2 D. 28.2
E. इनमें से कोई नहीं

निर्देशः (प्र.सं. 11 से 15): *निम्नलिखित ग्राफ का ध्यान से अध्ययन कर नीचे दिए गए प्रश्नों के उत्तर दीजिएः*

एक कंपनी के अलग-अलग विभागों में कर्मचारियों का प्रतिशत

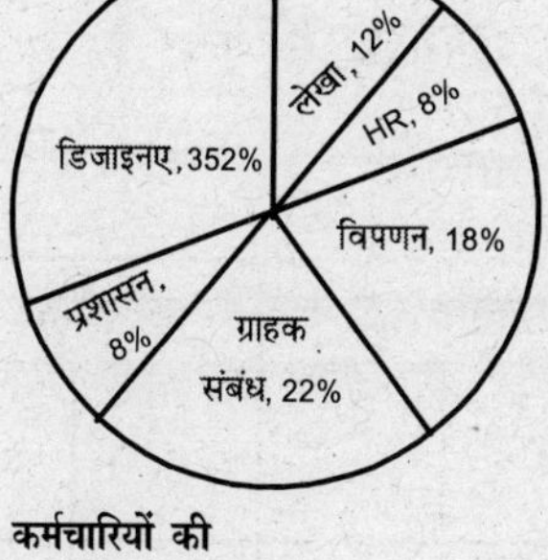

कर्मचारियों की कुल संख्या = 4500

इसी कंपनी में प्रत्येक विभाग में महिलाओं का प्रतिशत

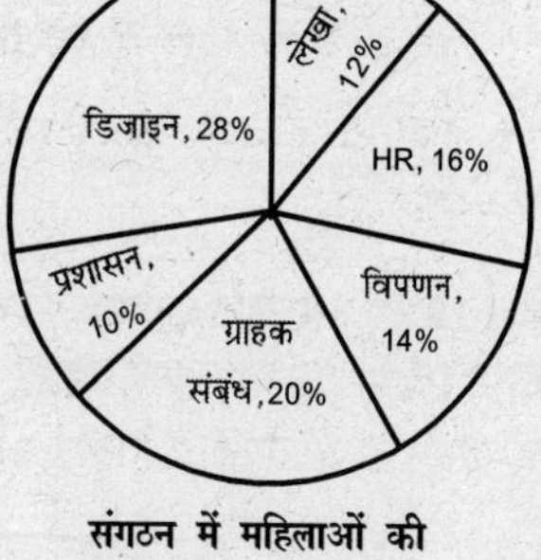

संगठन में महिलाओं की कुल संख्या = 2000

11. विपणन विभाग में महिलाओं की संख्या, विपणन व ग्राहक संबंध विभाग में मिलकर कर्मचारियों की कुल संख्या का लगभग कितना प्रतिशत है?
A. 26 B. 36
C. 6 D. 46
E. 16

12. संगठन में महिलाओं की कुल संख्या पुरुषों की कुल संख्या का कितना प्रतिशत है?
A. 90 B. 70
C. 80 D. 60
E. इनमें से कोई नहीं

13. HR विभाग में पुरुषों की संख्या का लेखा विभाग में पुरुषों की संख्या से क्रमशः अनुपात क्या है?
A. 3 : 17 B. 4 : 15
C. 2 : 15 D. 2 : 13
E. इनमें से कोई नहीं

14. डिजाइन, ग्राहक संबंध और HR विभाग में मिलकर पुरुषों की कुल संख्या क्या है?
A. 1550 B. 1510
C. 1540 D. 1580
E. इनमें से कोई नहीं

15. प्रशासन विभाग में कर्मचारियों की संख्या का उसी विभाग में पुरुषों की संख्या से क्रमशः अनुपात क्या है?
A. 9 : 4 B. 8 : 3
C. 7 : 2 D. 8 : 5
E. इनमें से कोई नहीं

निर्देश (प्र.सं. 16 से 20): *निम्नलिखित सारणी का ध्यान से अध्ययन कर नीचे दिए गए प्रश्नों के उत्तर दीजिएः*

विभिन्न शहरों में रह रहे ग्रेजुएटों और पोस्ट ग्रेजुएटों की संख्या

शहर	ग्रेजुएट	पोस्ट-ग्रेजुएट
A	10,200	8,000
B	25,250	18,000
C	15,150	10,500
D	20,200	16,250
E	24,000	20,000
F	16,500	18,450

16. शहर C में ग्रेजुएटों और पोस्ट ग्रेजुएटों की संख्या के बीच क्या अंतर है?
A. 4650 B. 4500
C. 4560 D. 4600
E. इनमें से कोई नहीं

17. सभी शहरों में मिलाकर पोस्ट ग्रेजुएटों की औसत संख्या क्या है?
A. 16,250 B. 15,500
C. 15,200 D. 16,000
E. इनमें से कोई नहीं

18. शहर A और B में मिलकर ग्रेजुएटों की संख्या का शहर A और E में मिलकर पोस्ट ग्रेजुएटों की संख्या से क्रमशः अनुपात क्या है?
A. 709 : 535 B. 709 : 560
C. 540 : 709 D. 769 : 709
E. इनमें से कोई नहीं

19. शहर A, D और F में मिलकर ग्रेजुएटों और पोस्ट ग्रेजुएटों की कुल संख्या कितनी है?

A. 84,500 B. 90,200
C. 88,500 D. 89,600
E. इनमें से कोई नहीं

20. शहर F में ग्रेजुएटों की संख्या इसी शहर में पोस्ट ग्रेजुएटों की संख्या का लगभग कितना प्रतिशत है?
A. 84 B. 92
C. 95 D. 83
E. 89

निर्देश (प्र.सं. 21 से 25): *निम्नलिखित ग्राफ का ध्यान से अध्ययन कर उसके नीचे दिए गए प्रश्नों के उत्तर दीजिए:*

विभिन्न वर्षों के दौरान एक कंपनी द्वारा अर्जित लाभ
(लाखों में अर्जित लाभ)

लाभ = आय – व्यय

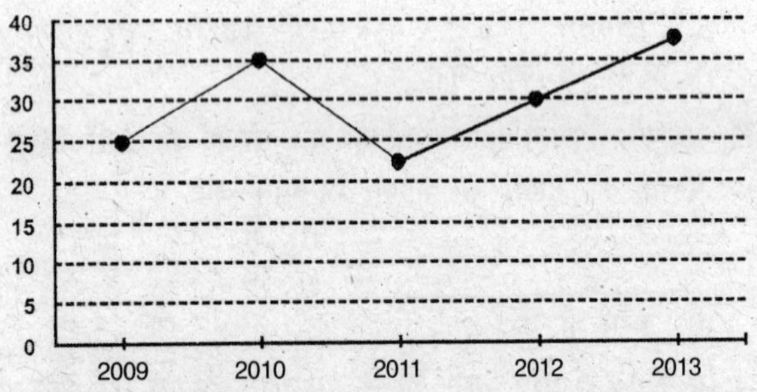

21. विगत वर्षों में कंपनी द्वारा अर्जित औसत लाभ कितना है?
A. ₹ 35 लाख B. ₹ 40 लाख
C. ₹ 25 लाख D. ₹ 30 लाख
E. इनमें से कोई नहीं

22. वर्ष 2013 में कंपनी का व्यय ₹ 28 लाख था तो उस वर्ष कंपनी की आय क्या थी?
A. ₹ 60 लाख B. ₹ 65.5 लाख
C. ₹ 68.5 लाख D. ₹ 70 लाख
E. इनमें से कोई नहीं

23. पिछले वर्ष की तुलना में वर्ष 2012 में कंपनी के लाभ में लगभग कितने प्रतिशत वृद्धि हुई है?
A. 38 B. 28
C. 26 D. 33
E. 36

24. कंपनी द्वारा वर्ष 2009 में अर्जित लाभ का वर्ष 2013 में अर्जित लाभ से क्रमशः अनुपात क्या है?
A. 3 : 4 B. 4 : 5
C. 2 : 3 D. 2 : 5
E. इनमें से कोई नहीं

25. वर्ष 2011 में कंपनी की आय ₹ 45 लाख थी तो उस वर्ष कंपनी का व्यय कितना था?
A. ₹ 22,00,000
B. ₹ 21,50,000
C. ₹ 20,00,000
D. निर्धारित नहीं किया जा सकता है
E. इनमें से कोई नहीं

निर्देश (प्र.सं. 26 से 29 तक): *बार चार्ट में सं. जेवियर कॉलेज के बी.कॉम. के प्रथम वर्ष के विद्यार्थियों द्वारा प्रयोग किए जाने वाले विभिन्न कंपनियों के स्मार्ट फोन की संख्या दर्शाई गई है। बार चार्ट का अध्ययन करें और दिए गए प्रश्नों के उत्तर दें।*

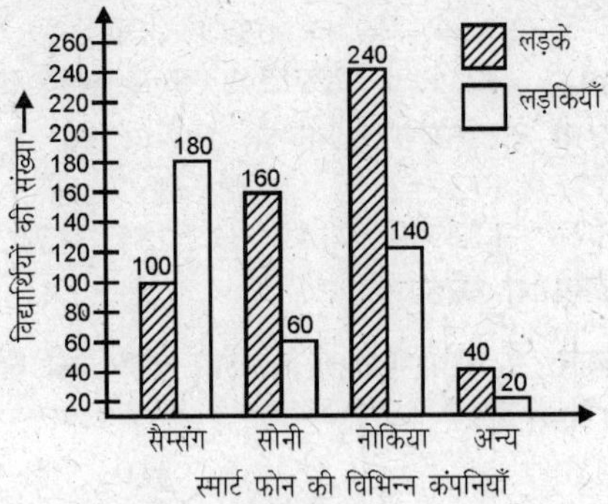

विभिन्न स्मार्ट फोन प्रयोग करने वाले विद्यार्थियों की संख्या दर्शाने वाला बार चार्ट

26. सैम्संग और सोनी के स्मार्ट फोन का मिलाकर प्रयोग करने वाले लड़के और लड़कियों का अनुपात है
A. 12 : 13 B. 13 : 12
C. 14 : 11 D. 11 : 14
E. इनमें से कोई नहीं

27. सैम्संग के स्मार्ट फोन का प्रयोग करने वाले लड़कों की प्रतिशतता कितनी है?
A. 16.52% B. 17.52%
C. 18.52% D. 15.52%
E. इनमें से कोई नहीं

28. नोकिया के स्मार्ट फोन का प्रयोग करने वाली लड़कियों की प्रतिशतता कितनी है?
A. 33.58% B. 32.58%
C. 30.58% D. 31.58%
E. इनमें से कोई नहीं

29. कुल मिलाकर सैम्संग का स्मार्ट फोन प्रयोग करने वाले विद्यार्थियों की कुल संख्या और कुल मिलाकर सोनी के स्मार्ट फोन का प्रयोग करने वाले विद्यार्थियों की संख्या में अन्तर है
A. 20 B. 60
C. 80 D. 40
E. 100

निर्देश (प्र.सं. 30 से 34 तक): *निम्नलिखित पाई-चार्ट में एक परिवार का भोजन, मकान किराया, वस्त्र, शिक्षा, ईंधन और विविध खर्च दर्शाया गया है। पाई-चार्ट का अध्ययन करें और उत्तर दें।*

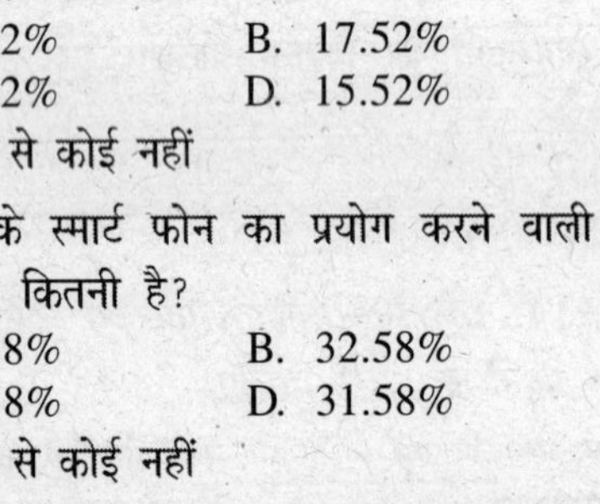

30. यदि भोजन पर खर्च ₹ 9000 है तो शिक्षा पर खर्च कितना है?
A. ₹ 5000 B. ₹ 5200
C. ₹ 5400 D. ₹ 6000
E. इनमें से कोई नहीं

31. ईंधन पर खर्च के क्षेत्र का केन्द्रीय कोण (डिग्री में) है
A. 50.4 B. 54
C. 57.6 D. 72
E. 80

32. यदि ईंधन पर खर्च ₹ 3000 है तो मकान किराया और शिक्षा खर्च को छोड़कर कुल खर्च है
A. ₹ 11600 B. ₹ 12000
C. ₹ 12400 D. ₹ 12500
E. इनमें से कोई नहीं

33. यदि भोजन पर खर्च की प्रतिशतता वस्त्र, शिक्षा और ईंधन के खर्च की कुल प्रतिशतता का x % है तो x किसके बराबर है?
A. 66 B. $66\frac{1}{3}$
C. $66\frac{2}{3}$ D. 67
E. इनमें से कोई नहीं

34. मकान किराया, वस्त्र और ईंधन पर खर्च की कुल प्रतिशतता भोजन पर खर्च की प्रतिशतता से कितनी अधिक है?
A. 16 B. 17
C. 18 D. 20
E. 25

निर्देश (प्र.सं. 35 से 38 तक): *निम्न सारणी में एक राज्य में 2009-2010 से 2013-2014 तक की अवधि में खाद्यान्नों की पैदावार को (दस लाख टनों में) दर्शाया गया है। इस सारणी का अध्ययन करके नीचे दिए गए प्रश्नों के उत्तर दीजिए।*

वर्ष	पैदावार (दस लाख टनों में)			
	गेहूँ	चावल	जौ	अन्य अनाज
2009-2010	680	270	250	430
2010-2011	800	420	440	300
2011-2012	680	350	320	460
2012-2013	720	400	380	500
2013-2014	820	560	410	690

35. 2009-2010 से 2013-2014 तक की अवधि में कुल पैदावार का x प्रतिशत गेहूँ की पैदावार है। तदनुसार x का मान लगभग कितना है?
A. 20.2 B. 12.6
C. 37.4 D. 37.8
E. इनमें से कोई नहीं

36. 2012-2013 में, जौ की पैदावार में पिछले वर्ष की तुलना में कितने प्रतिशत की वृद्धि हुई?
A. 7.90 B. 14.20
C. 17.85 D. 18.75
E. इनमें से कोई नहीं

37. इन वर्षों में चावल की औसत पैदावार तथा जौ की औसत पैदावार का अंतर कितना है?
A. 40 B. 50
C. 60 D. 80
E. 70

38. वर्ष 2013-2014 में किस अनाज की पैदावार पिछले वर्ष की तुलना में सबसे ज्यादा है?
A. गेहूँ B. चावल
C. जौ D. अन्य अनाज
E. इनमें से कोई नहीं

निर्देश (प्र.सं. 39 से 43 तक): *तीन भिन्न सुवास वाले अमादक पेयों X, Y तथा Z के छह वर्षों की अवधि के उत्पादन को निम्न लेखाचित्र में दर्शाया गया है। इसका अध्ययन करके नीचे दिए गए प्रश्नों के उत्तर दीजिए।*

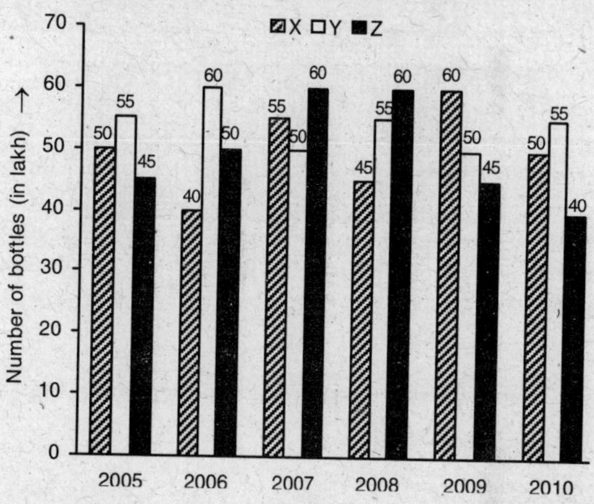

39. सुवास Y वाले पेय की, पिछले वर्ष की तुलना में उत्पादन में अधिकतम वृद्धि / कमी किस वर्ष में हुई?
A. 2006 B. 2007
C. 2008 D. 2009
E. 2010

40. दी गई अवधि में किस सुवास वाले पेय का औसत वार्षिक उत्पादन सबसे ज्यादा था?
A. केवल X B. केवल Y
C. केवल Z D. X तथा Z
E. इनमें से कोई नहीं

41. सुवास X का 2005 तथा 2006 को मिलाकर कुल उत्पादन, सुवास Z के 2007 तथा 2008 को मिलाकर कुल उत्पादन का कितने प्रतिशत है?
A. 96.67 B. 102.25
C. 115.57 D. 133.33
E. इनमें से कोई नहीं

42. सुवास X के 2005, 2006, 2007 के औसत उत्पादन तथा सुवास Y के 2008, 2009 तथा 2010 के औसत उत्पादन में कुल बोतलों का अंतर कितने लाख का है?
A. 5 B. 2.4
C. 0.5 D. 1.5
E. इनमें से कोई नहीं

43. सुवास Z के 2010 के उत्पादन में 2008 के उत्पादन की तुलना में लगभग कितनी कमी आई है?

A. 25% B. 33%
C. 22.5% D. 42%
E. इनमें से कोई नहीं

निर्देश (प्र.सं. 44 से 47): *नीचे दिए गये ग्राफ भारत में 2010 से 2013 तक के चावल के मूल्यों को दर्शाता है। सावधानीपूर्वक ग्राफ का अध्ययन कर प्रश्नों का उत्तर दीजिए।*

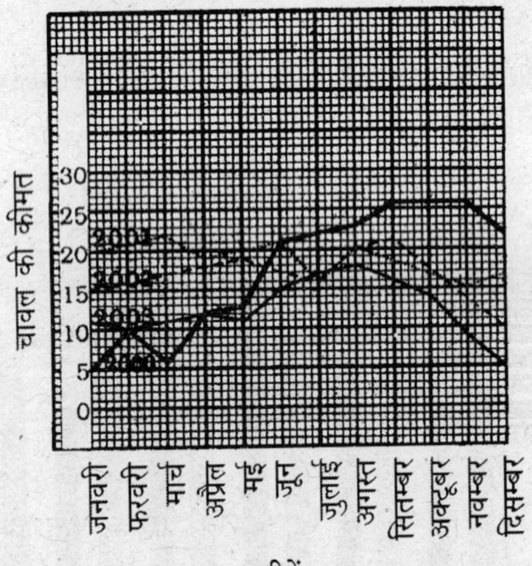

महीनें

44. मई महीने के लिए ग्राफ चावल के मूल्य सबसे कम वर्ष में दिखाता है:

A. 2010
B. 2011
C. 2012
D. 2013
E. इनमें से कोई नहीं

45. वर्ष के अधिकतम तथा न्यूनतम मूल्य का अन्तर उसके पराश के मूल्य के बराबर है। ग्राफ से पराश का मूल्य वर्ष में सबसे अधिक है:

A. 2010 B. 2011
C. 2012 D. 2013
E. इनमें से कोई नहीं

46. वर्ष 2010 तथा 2011 में चावल का मूल्य किस महीने में बराबर है?

A. सितम्बर B. अगस्त
C. जून D. नवम्बर
E. इनमें से कोई नहीं

47. किन्हीं दो वर्षों के बीच में मूल्य का अधिकतम अन्तर महीने में था:

A. जनवरी B. नवम्बर
C. मार्च D. दिसम्बर
E. इनमें से कोई नहीं

निर्देश (प्र.सं. 48 से 52): *निम्नलिखित ग्राफ को सावधानीपूर्वक अध्ययन कर प्रश्नों का उत्तर दीजिए।*

मोतियों का निर्यात करोड़ों रुपयों में

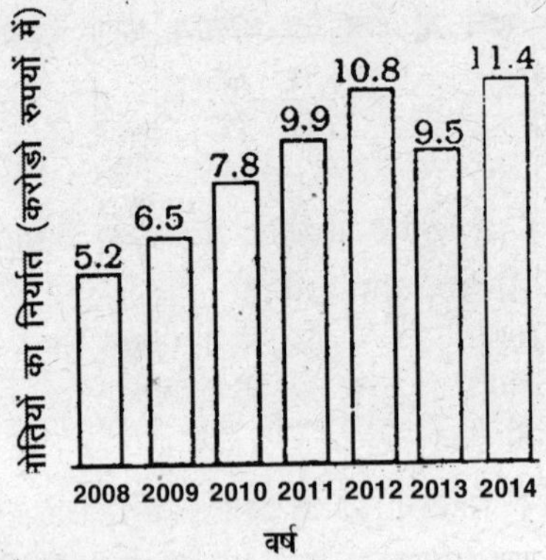

48. दिए गए वर्षों के मोतियों का औसत निर्यात (रुपये करोड़ों में) था:

A. 8.7 B. 8.73
C. 9.73 D. 8.85
E. इनमें से कोई नहीं

49. किस वर्ष उसके पिछले वर्ष की तुलना में मोतियों के निर्यात में प्रतिशत वृद्धि अधिकतम हुई थी?

A. 2009 B. 2014
C. 2012 D. 2011
E. 2013

50. दिए गये वर्षों में औसत निर्यात से कितने वर्ष का निर्यात अधिक था?

A. 2 B. 4
C. 5 D. 3
E. 6

51. किस लगातार दो वर्षों का मोतियों का औसत निर्यात ₹ 9 करोड़ के करीब था?

A. 2009 तथा 2010
B. 2010 तथा 2011
C. 2011 तथा 2012
D. 2012 तथा 2013
E. इनमें से कोई नहीं

52. 2013 से 2014 तक निर्यात में प्रतिशत वृद्धि क्या थी?

A. $16\frac{2}{3}\%$ B. 19%

C. 20% D. $33\frac{1}{3}\%$

E. इनमें से कोई नहीं

निर्देश (प्रश्न सं. 53 से 56): *नीचे दिया गया प्रविभाजित दंड-आरेख एक कॉलेज के बी.कॉम (B. Com.) के छात्रों के 3 वर्ष के परिणाम दर्शाता है। ग्राफ का अध्ययन कीजिए और उत्तर दीजिए।*

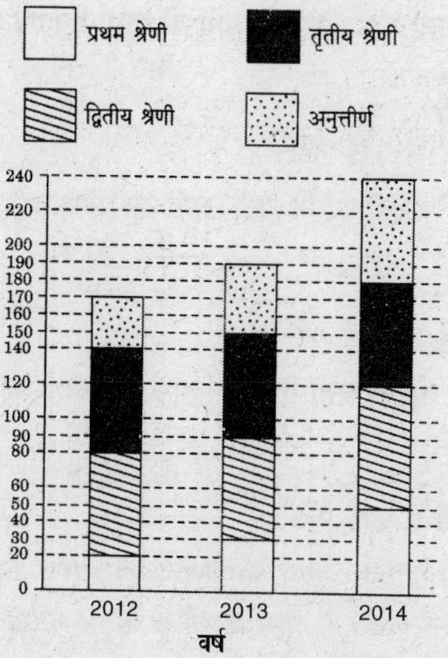

53. 2014 में उत्तीर्ण छात्रों का प्रतिशत क्या था?

A. 75% B. 78%

C. $33\frac{1}{3}\%$ D. $82\frac{6}{17}\%$

E. इनमें से कोई नहीं

54. 2012 में तृतीय श्रेणी में उत्तीर्ण छात्रों की संख्या कितनी थी?

A. 59 B. 120

C. 60 D. 140

E. 160

55. किस वर्ष में, बी.कॉम. का कॉलेज का परिणाम सर्वश्रेष्ठ रहा?

A. 2013 B. 2012

C. 2013 और 2014 D. 2014

E. इनमें से कोई नहीं

56. कितने प्रतिशत छात्र 2013 में प्रथम श्रेणी में उत्तीर्ण हुए?

A. $16\frac{2}{3}\%$ B. $12\frac{1}{2}\%$

C. $15\frac{15}{19}\%$ D. $11\frac{13}{17}\%$

E. इनमें से कोई नहीं

निर्देश (प्रश्न सं. 57 से 61): *नीचे दिए गए दंड-आरेख में वर्ष 2013 में कम्पनी के विभिन्न व्यय शीर्ष के अंतर्गत कुल व्यय के वितरण का प्रतिशत दर्शाया गया है। ग्राफ का अध्ययन कीजिए और उत्तर दीजिए।*

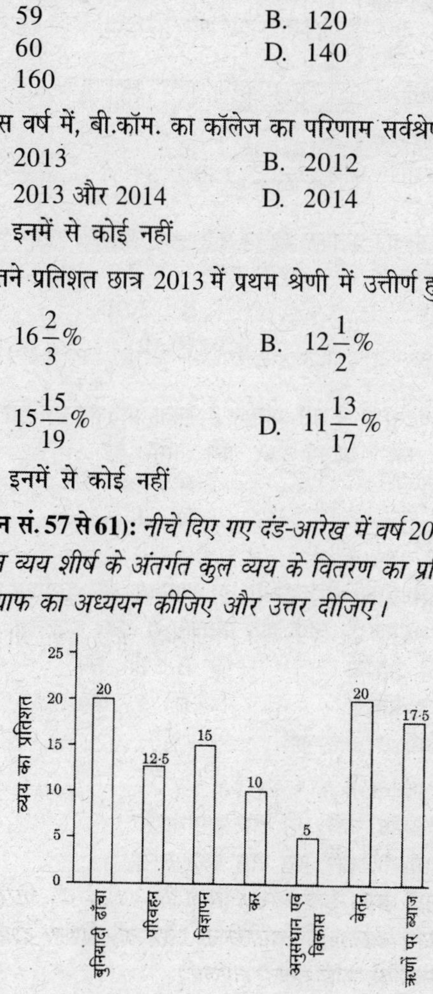

57. बुनियादी ढाँचा और परिवहन पर कुल व्यय तथा कर एवं ऋणों पर ब्याज पर कुल व्यय का अनुपात क्या है?

A. 9 : 7 B. 13 : 11

C. 5 : 4 D. 8 : 7

E. इनमें से कोई नहीं

58. यदि विज्ञापन पर व्यय ₹ 2.10 करोड़ है, तो परिवहन एवं कर पर व्यय के बीच कितना अंतर है?

A. ₹ 65 लाख B. ₹ 95 लाख

C. ₹ 25 लाख D. ₹ 35 लाख

E. इनमें से कोई नहीं

59. यदि कम्पनी के व्यय की कुल राशि अनुसंधान एवं विकास पर व्यय से N गुणा है, तो N का मान क्या है?

A. 20 B. 27

C. 5 D. 18

E. 32

60. यदि ऋणों पर ब्याज की राशि ₹ 2.45 करोड़ है, तो विज्ञापन, कर और अनुसंधान एवं विकास पर व्यय की कुल राशि कितनी होगी?

A. ₹ 5.4 करोड़ B. ₹ 7 करोड़

C. ₹ 2.4 करोड़ D. ₹ 4.2 करोड़

E. इनमें से कोई नहीं

61. ऋणों पर ब्याज पर व्यय परिवहन पर व्यय से कितने प्रतिशत अधिक है?

A. 20% B. 40%

C. 5% D. 10%

E. 50%

निर्देश (प्र.सं. 62 और 63) : *निम्न सारणी अध्ययन करके प्रश्नों का उत्तर दीजिए।*

	दिए गए संकाय के अंतर्गत योग्य घोषित उम्मीदवार का प्रतिशत					योग्य उम्मीदवारों की कुल संख्या
वर्ष	कला	विज्ञान	वाणिज्य	कृषि	इंजीनियरिंग	
2006	24	40	19	09	08	780
2007	15	42	18	13	12	650
2008	20	45	20	08	07	500
2009	15	45	16	14	10	620
2010	19	35	15	19	12	900
2011	18	42	14	12	14	850

62. इंजीनियरिंग के संकाय में 2009 से 2010 तक योग्य घोषित उम्मीदवारों की संख्या में कितनी वृद्धि हुई?

A. 28 B. 30

C. 46 D. 49

E. इनमें से कोई नहीं

63. विज्ञान के संकाय में योग्य घोषित उम्मीदवारों की संख्या किस वर्ष में न्यूनतम थी?

A. 2006 B. 2008

C. 2009 D. 2010

E. इनमें से कोई नहीं

निर्देश (प्र.सं. 64 और 65) : *निम्न लेखाचित्र का अध्ययन करके प्रश्नों का उत्तर दीजिए।*

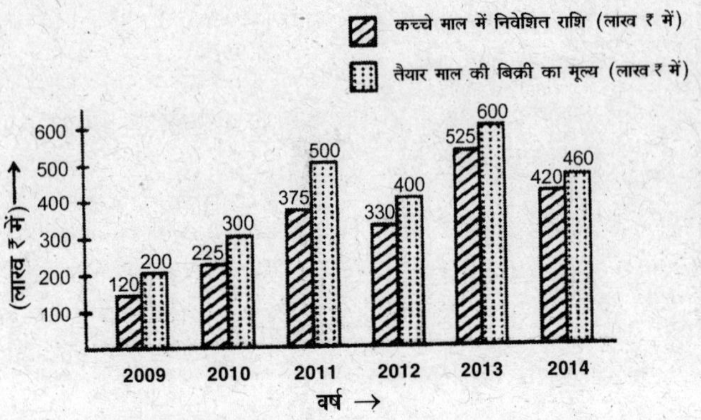

64. 2013 में तैयार माल की बिक्री का मूल्य, वर्ष 2011, 2012 तथा 2013 में कच्चे माल में निवेशित औसत राशि का कितने प्रतिशत था?

A. 33% B. 37%
C. 49% D. 52%
E. इनमें से कोई नहीं

65. वह वर्ष कौन-सा है, जिसमें कच्चे माल में निवेशित राशि तथा तैयार माल की बिक्री में मूल्य का अंतर सर्वाधिक था?

A. 2009 B. 2010
C. 2011 D. 2012
E. इनमें से कोई नहीं

निर्देश (66 से 70) : *निम्नलिखित वृत्तारेख में किसी एक वर्ष में 360 छात्रों की परीक्षा में उपलब्धि दिखाई गई है। वृत्तारेख का अध्ययन करें और प्रश्नों के उत्तर दें।*

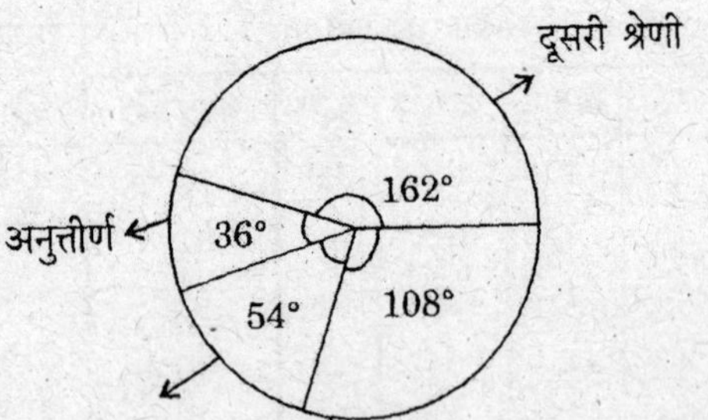

66. प्रथम श्रेणी में उत्तीर्ण छात्रों की संख्या है :

A. 45 B. 54
C. 64 D. 74
E. 84

67. दूसरी श्रेणी में उत्तीर्ण छात्रों की संख्या प्रथम श्रेणी में उत्तीर्ण छात्रों की संख्या से कितनी अधिक है?

A. 111 B. 112
C. 109 D. 108
E. इनमें से कोई नहीं

68. उत्तीर्ण छात्रों का अनुत्तीर्ण छात्रों के साथ अनुपात है :

A. 9 : 1 B. 5 : 1
C. 1 : 9 D. 2 : 7
E. इनमें से कोई नहीं

69. परीक्षा में अनुत्तीर्ण होने वाले छात्रों का प्रतिशत है :

A. 20% B. 36%
C. 10% D. 30%
E. इनमें से कोई नहीं

70. दूसरी या तीसरी श्रेणी में उत्तीर्ण होने वाले छात्रों की कुल संख्या है :

A. 162 B. 270
C. 108 D. 188
E. इनमें से कोई नहीं

निर्देश (प्र.सं. 71 से 75) : *निम्न अनुप्रस्थ पट्टी आरेख दुर्घटनाएँ दर्शाता है जिनमें दुपहिया सम्मिलित हैं, अन्य वाहनों के साथ। आरेख का अध्ययन करें और प्रश्नों के उत्तर दें।*

टकराए वाहन

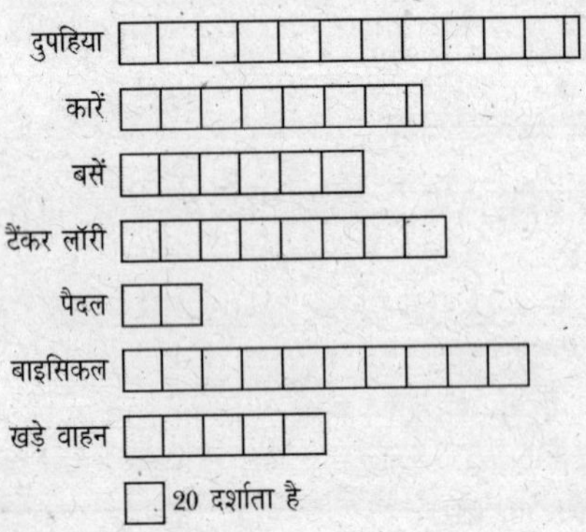

71. दुर्घटनाओं का प्रतिशत जिनमें पैदल और साइकल सवार शामिल हैं, है :

A. 60 B. 20.4
C. 24 D. 6
E. 36

72. जिन दुर्घटनाओं में बसें शामिल हैं उनका प्रतिशत उन दुर्घटनाओं से कितना कम है जिनमें टैंकर लॉरी शामिल हैं?

A. 40 B. 28
C. 6 D. 4
E. 2

73. जिन दुर्घटनाओं में दुपहिया एवं दुपहिया और दुपहिया एवं अन्य वाहन शामिल हैं उनके बीच प्रतिशत में अंतर है क्रमश :

A. 54, अधिक B. 54, कम
C. 77, अधिक D. 77, कम
E. इनमें से कोई नहीं

74. 60% दुर्घटनाओं के कारण हैं :

A. दुपहिया, कारें, बसें और खड़े वाहन
B. दुपहिया, कारें, बसें और टैंकर लॉरी
C. कारें, बसें, टैंकर लॉरी और पैदल
D. कारें, टैंकर लॉरी, बाइसिकल और खड़े वाहन
E. इनमें से कोई नहीं

75. यदि पट्टी आरेख की सूचना वृत्तारेख में दिखाई जाए और वृत्तारेख के एक खण्ड का कोण 36° हो, तो यह खण्ड दर्शाएगा दुर्घटना जिसमें शामिल हों :

A. बसें B. खड़े वाहन
C. पैदल D. बाइसिकल
E. इनमें से कोई नहीं

निर्देश (प्र.सं. 76 से 80 तक): *निम्न स्तम्भ-आलेख में एक कंपनी के लगातार छः वर्षों के उर्वरक उत्पादन को (लाख टनों में) दर्शाया गया है। इस आलेख का अध्ययन करके उत्तर दीजिए।*

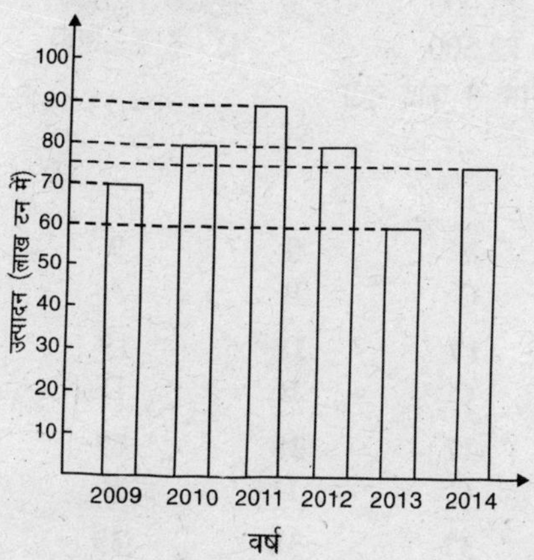

76. प्रथम तीन वर्षों के उर्वरकों के औसत उत्पादन तथा अंतिम तीन वर्षों के औसत उत्पादन का अंतर (लाख टनों में) कितना था?

A. $2\frac{1}{3}$ B. $8\frac{1}{3}$
C. $4\frac{1}{6}$ D. $3\frac{1}{3}$
E. इनमें से कोई नहीं

77. वर्ष 2009, 2011 तथा 2013 के उर्वरकों के कुल उत्पादन और शेष तीन वर्षों के कुल उत्पादन का अनुपात कितना था?

A. 44 : 45 B. 48 : 43
C. 44 : 47 D. 46 : 45
E. इनमें से कोई नहीं

78. वर्ष 2012 तथा 2014 के उर्वरकों का कुल उत्पादन, वर्ष 2011 तथा 2013 के कुल उत्पादन का $x\%$ है, तो x का मान कितना था?

A. $103\frac{1}{3}$ B. $79\frac{7}{17}$
C. $96\frac{24}{31}$ D. $125\frac{25}{27}$
E. इनमें से कोई नहीं

79. वह वर्ष कौन-सा है जिसमें उर्वरकों का उत्पादन, सभी छः वर्षों के औसत उत्पादन के लगभग बराबर था?

A. 2013 B. 2012
D. 2014

80. वह वर्ष कौन-सा था जिसमें पिछले वर्ष में उर्वरकों के उत्पादन की तुलना में अधिकतम प्रतिशत वृद्धि हुई थी?

A. 2010 B. 2011
C. 2013 D. 2014
E. इनमें से कोई नहीं

निर्देश (प्र.सं. 81 से 84 तक): *नीचे A, B, C, D, E पाँच नगरों के निवासियों की सिनेमा देखने सम्बन्धी आदतों के बारे में एक सर्वेक्षण के आँकड़े दिए गए हैं। उनमें पहले स्तंभ I में प्रत्येक नगर के उन दर्शकों के प्रतिशतों को दर्शाया गया है, जो प्रति सप्ताह दो से कम फिल्में देखते हैं। दूसरे स्तंभ II में उन दर्शकों की कुल संख्या को दर्शाया गया है, जो प्रति सप्ताह दो या अधिक फिल्में देखते हैं। अतः सारणी का अध्ययन करके उत्तर दीजिए।*

नगर	I	II
A	60	2400
B	20	3000
C	85	2400
D	55	2700
E	75	8000

81. नगर C में कितने दर्शक ऐसे हैं, जो प्रति सप्ताह दो से कम फिल्में देखते हैं?

A. 2040 B. 13600
C. 16000 D. 3600
E. इनमें से कोई नहीं

82. वह नगर कौन-सा है, जहाँ फिल्में देखने वालों की संख्या सबसे कम है?

A. नगर E B. नगर D
C. नगर B D. नगर C
E. इनमें से कोई नहीं

83. सर्वेक्षण में शामिल किसी भी नगर में फिल्में देखने वालों की सबसे अधिक संख्या कितनी है?

A. 36000 B. 32000
C. 6000 D. 16000
E. इनमें से कोई नहीं

84. वे दो नगर कौन-से हैं, जहाँ फिल्में देखने वालों की संख्या बराबर है?

A. C तथा E B. C तथा D
C. A तथा B D. D तथा A
E. इनमें से कोई नहीं

निर्देश : *यहाँ दिया गया पाई-चार्ट, किसी विशिष्ट वर्ष में, एक विद्यालय प्रशासन द्वारा विभिन्न खेलों पर व्यय की गयी धनराशि को प्रदर्शित करता है।*

*पाई-चार्ट का ध्यानपूर्वक अवलोकन कीजिए तथा इस पर आधारित प्रश्न-संख्या **85–87** के उत्तर दीजिए।*

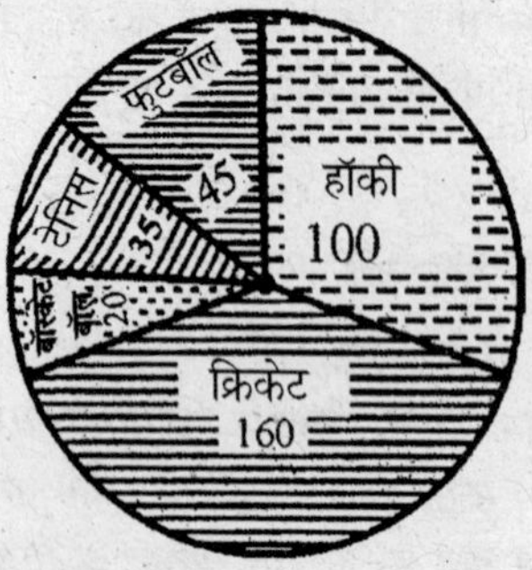

85. यदि फुटबॉल पर ₹ 9,000 व्यय किये गये, तो हॉकी पर फुटबॉल से कितनी अधिक धनराशि व्यय की गयी?
A. ₹ 11,000 B. ₹ 11,500
C. ₹ 12,000 D. ₹ 12,500
E. इनमें से कोई नहीं

86. यदि फुटबॉल पर ₹ 9,000 व्यय किये गये, तो क्रिकेट पर कितनी राशि व्यय की गयी?
A. ₹ 31,000 B. ₹ 31,500
C. ₹ 32,000 D. ₹ 32,500
E. इनमें से कोई नहीं

87. यदि फुटबॉल पर ₹ 9,000 व्यय किये गये, तो सभी खेलों पर कुल मिलाकर कितनी धनराशि व्यय की गयी?
A. ₹ 73,000 B. ₹ 72,800
C. ₹ 72,500 D. ₹ 7,2,000
E. इनमें से कोई नहीं

उत्तरमाला

1	2	3	4	5	6	7	8	9	10
D	C	B	C	E	A	C	B	A	B
11	**12**	**13**	**14**	**15**	**16**	**17**	**18**	**19**	**20**
E	C	E	A	E	A	C	B	D	E
21	**22**	**23**	**24**	**25**	**26**	**27**	**28**	**29**	**30**
D	B	D	C	E	B	C	D	B	C
31	**32**	**33**	**34**	**35**	**36**	**37**	**38**	**39**	**40**
B	C	C	B	C	D	A	D	B	B
41	**42**	**43**	**44**	**45**	**46**	**47**	**48**	**49**	**50**
D	A	B	D	A	C	D	B	A	B
51	**52**	**53**	**54**	**55**	**56**	**57**	**58**	**59**	**60**
B	C	A	C	B	C	B	D	A	D
61	**62**	**63**	**64**	**65**	**66**	**67**	**68**	**69**	**70**
B	C	B	C	C	B	D	A	C	B
71	**72**	**73**	**74**	**75**	**76**	**77**	**78**	**79**	**80**
C	D	B	A	B	B	C	A	D	D
81	**82**	**83**	**84**	**85**	**86**	**87**			
B	C	B	D	A	C	D			

कुछ चुने हुए प्रश्नों के व्याख्यात्मक उत्तर

11. महिलाओं की संख्या = 280
कुल कर्मचारियों की संख्या = 1800
अभीष्ट प्रतिशत = $\frac{280\times100}{1800} = 15.5\%$
= 16% (लगभग)

12. महिलाओं की संख्या = 2000
∴ पुरुषों की संख्या = 2500
अभीष्ट प्रतिशत = $\frac{2000\times100}{2500} = 80\%$

14. अभीष्ट संख्या = $\frac{2500\times62}{100} = 1550$

15. अभीष्ट अनुपात = $\frac{360}{200} = 9:5$

26. लड़कों की संख्या = 100 + 160 = 260
लड़कियों की संख्या = 180 + 60 = 240
अभीष्ट अनुपात = $\frac{260}{240} = \frac{13}{12}$ = 13 : 12.

27. कुल लड़कों की संख्या = 100 + 160 + 240 + 40 = 540
अभीष्ट % = $\frac{100}{540}\times100 = \frac{500}{27} = 18.52\%$.

28. लड़कियों की संख्या= 180 + 60 + 120 + 20 = 380
अभीष्ट प्रतिशतता = $\frac{120}{[illegible]}\times 10$[illegible]

29. विद्यार्थियों की संख्या में अन्तर
$= (100 + 180) - (160 + 60)$
$= 280 - 220 = 60$

30. ∵ भोजन पर खर्च (30%) = ₹ 9000

∴ शिक्षा पर खर्च (18%) = ₹ $\frac{9000}{30}\times 18$
= ₹ 300 × 18 = ₹ 5400

31. ईंधन पर खर्च के क्षेत्र का केन्द्रीय कोण (15%)

$= \frac{15}{100}\times 360° = \frac{3}{2}\times 36 = 54°.$

32. ईंधन पर खर्च (15%) = ₹ 3000
शिक्षा, मकान छोड़कर कुल पर खर्च (100 – 38)%

$= \frac{3000}{15}\times 62$ = ₹ 12400

33. भोजन पर खर्च की प्रतिशतता = वस्त्र + शिक्षा + ईंधन के खर्च की कुल प्रतिशतता का $x\%$

⇒ 30% = (18% + 15% + 12%) का $x\%$

$\Rightarrow \frac{30}{100} = \frac{45}{100}\times\frac{x}{100}$

$30 = 45\times\frac{x}{100}$

$\Rightarrow x = \frac{30\times 100}{45} = \frac{200}{3} = 66\frac{2}{3}.$

34. (मकान किराया + वस्त्र + ईंधन) पर खर्च की कुल प्रतिशतता – भोजन पर खर्च की प्रतिशतता
$= (20 + 12 + 15)\% - 30\%$
$= (47 - 30)\% = 17\%.$

35.

गेहूँ	चावल	जौ	अन्य अनाज
3700	2000	1800	2400

कुल पैदावार = 3700 + 2000 + 1800 + 2400
= 9900 लाख टन

प्रश्नानुसार,
9900 का $x\%$ = 3700

$\Rightarrow 9900\times\frac{x}{100} = 3700$

$\Rightarrow x = \frac{3700\times 100}{9900} = \frac{3700}{99} = 37.4$

36. 2012 – 2013 में जौ = 380
2011 – 2012 में जौ = 320
पैदावार में वृद्धि = 380 – 320 = 60

प्रतिशत वृद्धि = $\frac{60}{320}\times 100 = \frac{75}{4} = 18.75\%$

37. चावल का औसत = $\frac{2000}{5} = 400$

जौ का औसत = $\frac{1800}{5} = 360$

पैदावार का अन्तर = 400 – 360 = 40

38. गेहूँ = 820 – 720 = 100
चावल = 560 – 400 = 160
जौ = 410 – 380 = 30
अन्य अनाज = 690 – 500 = 190
स्पष्टतः अन्य अनाज की पैदावार पिछले वर्ष की तुलना में सबसे ज्यादा है।

40.
$$X = \frac{50+40+55+45+60+50}{6} = \frac{300}{6} = 50$$
$$Y = \frac{55+60+50+55+50+55}{6} = \frac{325}{6} = 54.1$$
$$Z = \frac{45+50+60+60+45+40}{6} = \frac{300}{6} = 50$$
स्पष्टतः Y का औसत वार्षिक उत्पादन सबसे ज्यादा था।

41. 2005 में X = 50
2006 में X = 40
कुल योग = 50 + 40 = 90
2007 में Z = 60
2008 में Z = 60
कुल योग = 60 + 60 = 120
90 का $x\%$ = 120

$\Rightarrow 90\times\frac{x}{100} = 120$

$\Rightarrow x = \frac{120\times 100}{90} = \frac{400}{3} = 133.33\%$

42.
$$X = \frac{50+40+55}{3} = \frac{145}{3}$$
$$Y = \frac{55+50+55}{3} = \frac{160}{3}$$
अन्तर = $\frac{160}{3} - \frac{145}{3} = \frac{15}{3} = 5$

43. 2008 में Z का उत्पादन = 60
2010 में Z का उत्पादन = 40
कमी = 60 – 40 = 20

प्रतिशत कमी = $\frac{20}{60}\times 100 = \frac{100}{3}$ = 33% (लगभग)

48. औसत

$$= \frac{5.2+6.5+7.8+9.9+10.8+9.5+11.4}{7}$$

$= \frac{61.1}{7}$ = ₹ 8.73 करोड़

49. 2009 में प्रतिशत वृद्धि = $\frac{(6.5-5.2)}{5.2}\times 100$

$= \frac{13}{52}\times 100 = 25\%$

2011 में प्रतिशत वृद्धि $= \frac{(9.9-7.8)}{7.8}\times 100$

$= \frac{2.1}{7.8}\times 100 = 9\%$

2012 प्रतिशत वृद्धि $= \frac{(10.8-9.9)}{9.9}\times 100$

$= \frac{.9}{9.9}\times 100 = 9\%$

2014 में प्रतिशत वृद्धि $= \frac{(11.4-9.5)}{9.5}\times 100$

$= \frac{1.9}{9.5}\times 100 = 20\%$

50. 2011, 2012, 2013, 2014
चार वर्ष दिए गए वर्षों में औसत निर्यात से ज्यादा हैं।

51. 2010 तथा 2011 में मोतियों का औसत निर्यात

$= \frac{7.8+9.9}{2} = \frac{17.7}{2} = 8.85$

₹ 9 करोड़ के लगभग

52. 2013 से 2014 तक निर्यात में प्रतिशत वृद्धि

$= \frac{(11.4-9.5)}{9.5}\times 100 = \frac{1.9}{9.5}\times 100$

$= \frac{19}{95}\times 100 = \frac{1}{5}\times 100 = 20\%$

53. 2014 में परीक्षार्थियों की संख्या = 240
उत्तीर्ण छात्रों की संख्या = 180
उत्तीर्ण छात्रों का प्रतिशत

$= \frac{180}{240}\times 100 = 75\%.$

54. 2012 में तृतीय श्रेणी में उत्तीर्ण छात्रों की संख्या
$= 140 - 80 = 60.$

55. 2012 में उत्तीर्ण छात्रों का प्रतिशत

$= \frac{140}{170}\times 100 = \frac{1400}{17} = 82.3\%.$

2013 में उत्तीर्ण छात्रों का प्रतिशत

$= \frac{150}{190}\times 100 = \frac{1500}{19} = 78.9\%.$

2014 में उत्तीर्ण छात्रों का प्रतिशत

$= \frac{180}{240}\times 100 = \frac{1800}{24} = 75\%.$

अतः 2006 में कॉलेज का परिणाम सर्वश्रेष्ठ रहा।

56. 2013 में प्रथम श्रेणी से उत्तीर्ण छात्रों का प्रतिशत

$= \frac{30}{190}\times 100 = \frac{300}{19} = 15\frac{15}{19}\%.$

57. अभीष्ट अनुपात

$= \frac{20+12.5}{10+17.5} = \frac{32.5}{27.5} = \frac{325}{275} = 13:11.$

58. विज्ञापन पर खर्च = 15%
परिवहन एवं कर पर व्यय में अन्तर

$= 12.5 - 10 = 2.5\%$

$\because$ 15% पर खर्च $= \frac{210}{100}\times 10000000$

$\therefore$ 1% पर खर्च = ₹ $\frac{21\times 1000000}{15}$

$\therefore$ 2.5% पर खर्च $= \frac{21\times 1000000}{15}\times\frac{25}{10}$

= ₹ 3500000 = ₹ 35 लाख

59. प्रश्नानुसार, $N\times 5 = 100$

$\Rightarrow \quad N = \frac{100}{5} = 20$

अतः N का मान 20 होगा।

60. ऋण पर खर्च = 17.5
विज्ञापन, कर तथा अनुसंधान एवं विकास पर खर्च
$15 + 10 + 5 = 30$
$\because 17.5 = 2.45$ करोड़

$\therefore \quad 30 = \frac{2.45}{17.5}\times 30 = \frac{245}{1750}\times 30$

$= \frac{21}{5} = 4.2$ करोड़

61. अभीष्ट प्रतिशत = 17.5 − 12.5 = 5%.

62. इंजीनियरिंग के संकाय में योग्य घोषित उम्मीदवारों की संख्या

2009 में $= \frac{620\times 10}{100} = 62$

2010 में $= \frac{900\times 12}{100} = 108$

उनका अंतर = 108 − 62 = 46.

63. विज्ञान की संकाय में योग्य घोषित उम्मीदवारों की संख्या

2006 में $= \frac{780\times 40}{100} = 78\times 4 = 312$

2007 में $= \frac{650\times 42}{100} = 6.5\times 42 = 273$

2008 में $= \frac{500\times 45}{100} = 5\times 45 = 225$

2009 में $= \frac{620\times 45}{100} = 6.2\times 45 = 279$

2010 में $= \frac{900\times 35}{100} = 9\times 35 = 315$

अतः न्यूनतम संख्या 2008 में थी।

64. 2013 में माल का बिक्री मूल्य = 600

2011, 2012 तथा 2013 में निवेशित राशि

$= 375 + 330 + 525 = 1230$

प्रतिशत $= \frac{600}{1230} \times 100 = 48.78 \cong 49\%$.

65. मूल्यों को अंतर

वर्ष 2009 में = 200 – 120 = ₹ 80 लाख

वर्ष 2010 में = 300 – 225 = ₹ 75 लाख

वर्ष 2011 में = 500 – 375 = ₹ 125 लाख

वर्ष 2012 में = 400 – 330 = ₹ 70 लाख

अतः सर्वाधिक अंतर वर्ष 1997 में दर्ज किया गया।

66. प्रथम श्रेणी में उत्तीर्ण छात्रों की संख्या $\frac{54}{360} \times 360 = 54$

67. प्रथम श्रेणी में उत्तीर्ण छात्रों की संख्या = 54

दूसरी श्रेणी में उत्तीर्ण छात्रों की संख्या

$= \frac{162}{360} \times 360 = 162$

अंतर = 162 – 54 = 108

68. उत्तीर्ण छात्रों की संख्या = 360 – 36 = 324

अनुत्तीर्ण छात्रों की संख्या $= \frac{36}{360} \times 360 = 36$

उत्तीर्ण छात्रों की संख्या का अनुत्तीर्ण छात्रों की संख्या का अनुपात

$= \frac{324}{36} = \frac{9}{1} = 9 : 1$

69. परीक्षा में अनुत्तीर्ण छात्रों की संख्या = 36

अनुत्तीर्ण छात्रों का प्रतिशत $= \frac{36}{360} \times 100 = 10$ प्रतिशत

70. तीसरी श्रेणी में उत्तीर्ण छात्रों की संख्या = 108

दूसरी श्रेणी में उत्तीर्ण छात्रों की संख्या = 162

दूसरी तथा तीसरी श्रेणी में उत्तीर्ण कुल छात्रों की संख्या

= 108 + 162 = 270

71. पैदल और साइकिल सवार में शामिल कुल दुर्घटनाओं की संख्या

$= 12 \times 20 = 240$

प्रतिशत दुर्घटना $= \frac{240}{1000} \times 100 = 24$ प्रतिशत

72. बस से दुर्घटनाएँ (%) $= \frac{120}{1000} \times 100 = 12$ प्रतिशत

टैंकर लॉरी से दुर्घटनाएँ (%) $= \frac{160}{1000} \times 100 = 16\%$

अंतर = 16 प्रतिशत – 12 प्रतिशत = 4 प्रतिशत

73. दुपहिया में दुर्घटनाओं की संख्या $= \frac{23}{2} \times 20 = 230$

प्रतिशत दुर्घटना $= \frac{230}{1000} \times 100 = 23$ प्रतिशत

अन्य वाहन से दुर्घटनाओं की संख्या = 1000 – 230 = 770

प्रतिशत दुर्घटना $= \frac{770}{1000} \times 100 = 77$ प्रतिशत

अन्तर = 77 प्रतिशत – 23 प्रतिशत

= 54 प्रतिशत कम

74. दुपहिया, कारें, बसें और खड़े वाहन से कुल प्रतिशत दुर्घटना

$= (23 + 15 + 12 + 10)\% = 60$ प्रतिशत

75. $\frac{36}{360} \times 1000 = 100$

यह खड़े वाहन की दुर्घटना को दर्शाएगा।

85. 45° का कोण बनता है जब खर्च 9000

$\therefore$ 1° का कोण बनता है जब खर्च $\frac{9000}{45}$

$\therefore$ 100° का कोण बनता है जब खर्च $\frac{9000}{45} \times 100 =$ ₹ 20,000

$\therefore$ अभीष्ट धन = ₹ 11,000

86. 45° का कोण बनता है जब खर्च 9000

$\therefore$ 160° का कोण बनता है जब खर्च $\frac{9000 \times 160}{45} =$ ₹ 32,000

❍❍❍

16 प्रायिकता (Probability)

किसी घटना की निश्चितता या अनिश्चितता की माप को संख्याओं में निरूपित करना ही प्रायिकता या सम्भाविता कहलाती है।

यादृच्छिक प्रयोग (Random Experiment):

ऐसा प्रयोग जिसके परिणामों के बारे में कोई भविष्यवाणी न की जा सके तो वह यादृच्छिक प्रयोग कहलाता है।

जैसे : एक सिक्के को उछालना या पासे को फेंकना। वैसे प्रायिकता से जुड़े अधिकांश प्रश्न यादृच्छिक प्रयोगों पर आधारित होते हैं।

प्रतिदर्श समष्टि (Sample Space):

किसी प्रयोग के बार-बार किये जाने पर प्राप्त परिणामों के समुच्चय को प्रतिदर्श समष्टि या प्रायिकता समष्टि कहते हैं।

इसका प्रत्येक अवयव एक घटना (event) कहलाता है। इसे S से तथा इसके अवयवों की संख्या को $n(S)$ से दर्शाते हैं।

जैसे: एक सिक्के को फेंका जाए तो

$$S = (H, T)$$

$$\because \quad n(S) = 2$$

यदि प्रतिदर्श समष्टि S हो तो किसी घटना E की प्रायिकता

$$P(E) = \frac{n(E)}{n(S)} \text{ या प्रायिकता } = \frac{\text{अनुकूल स्थिति}}{\text{कुल स्थिति}}$$

यहाँ, $n(E)$ = घटना है। $n(S)$ = अवयवों की संख्या

यहाँ ध्यान रखना है कि E कोई घटना है। जैसे : एक पासे को फेंका जाए तो E किसी एक अंक आने की घटना है जबकि (S) उसमें कुल अवयव (6 अंक) हैं। ताश की गड्डी में इक्का, बादशाह, बेगम तथा गुलाम को चित्र वाला पत्ता कहा जाता है।

उदाहरण 1 : एक पाँसा फेंकने पर 5 आने की प्रायिकता क्या होगी?

हलः यहाँ S = {1, 2, 3, 4, 5, 6}

अतः $n(S) = 6$ तथा E = {5}

$$\therefore P(E) = \frac{n(E)}{n(S)} = \frac{1}{6}$$

उदाहरण 2 : एक पाँसे को फेंकने पर 5 से कम अंक आने की प्रायिकता क्या है?

हलः यहाँ पर, $n(S) = 6,\ n(E) = 4$

$$\therefore P(E) = \frac{n(E)}{n(S)} = \frac{4}{6} = \frac{2}{3}$$

उदाहरण 3 : ताश की एक गड्डी में से एक पत्ता यादृच्छिक निकाला जाता है तो हुक्म का पत्ता आने की क्या संभावना है?

हलः ताश में कुल पत्ते = 52

तथा हुक्म के पत्ते की संख्या = 13

$$\therefore P(E) = \frac{n(E)}{n(S)} = \frac{13}{52} = \frac{1}{4}$$

उदाहरण 4 : एक थैले में 5 लाल, 4 सफेद एवं 3 काली गेंदे हैं तो एक लाल गेंद निकालने की प्रायिकता क्या होगी?

हलः कुल गेंद = 5 + 4 + 3 = 12

$$n(S) = {}^{12}C_1 = \frac{12!}{11!} = \frac{12\times 11!}{11!} = 12$$

$$n(E) = {}^{5}C_1 = \frac{5\,!}{4\,!} = \frac{5\times 4!}{4!} = 5$$

$$\therefore P(E) = \frac{n(E)}{n(S)} = \frac{5}{12}$$

उदाहरण 5 : एक सिक्के की उछाल में शीर्ष आने की प्रायिकता क्या है?

हलः यहाँ पर, $n(E) = 1,\ n(E) = 2$

$$\therefore P(E) = \frac{n(E)}{n(S)} = \frac{1}{2}$$

वस्तुनिष्ठ प्रश्न

1. एक पासे को दो बार उछाला जाता है तो उस पर आने वाले अंकों का योग 7 आने की क्या सम्भावना है?

A. $\frac{1}{6}$ B. $\frac{1}{4}$

C. $\frac{1}{3}$ D. $\frac{2}{5}$

E. इनमें से कोई नहीं

2. सीता 75% सत्य बोलती है जबकि गीता 80% सत्य बोलती है तो दोनों का विरोधाभास होने की प्रायिकता क्या है?

A. 45% B. 60%

C. 40% D. 35%

E. 50%

3. एक बक्से में 5 काली, 4 पीली तथा 3 नीली कलमें हैं। उसमें से 3 कलम को यादृच्छिक निकाला जाता है तो क्या सम्भावना है कि निकाली गई कलमें काले रंग की नहीं हैं?

A. $\frac{7}{44}$ B. $\frac{6}{33}$

C. $\frac{3}{44}$ D. $\frac{13}{220}$

E. इनमें से कोई नहीं

4. एक पासे को फेकने में यदि सम संख्या आती हो तो उसके 2 से अधिक होने की क्या प्रायिकता है?

A. 1/3 B. 5/6

C. 2/3 D. 1/6

E. इनमें से कोई नहीं

5. 15 बल्ब हैं जिनमें 5 दोषपूर्ण हैं इनमें से 3 बल्ब यादृच्छिक चुने जाते हैं तो क़ेवल एक बल्ब दोषपूर्ण होने की प्रायिकता क्या होगी?

A. $\frac{24}{91}$ B. $\frac{45}{91}$

C. $\frac{67}{91}$ D. $\frac{82}{91}$

E. इनमें से कोई नहीं

6. मनोज के पॉकेट में 4 दस रूपये, 5 पचास रुपये तथा 6 सौ रूपये के नोट हैं। यादृच्छिक रूप से यदि वह कोई भी दो नोट निकाले तो इस बात की क्या संभावना है कि दोनों नोट समान रूपये के निकलें?

A. $\frac{37}{105}$ B. $\frac{42}{105}$

C. $\frac{29}{105}$ D. $\frac{31}{105}$

E. इनमें से कोई नहीं

7. काठमाण्डू में होने वाले सार्क सम्मेलन में भारत के भाग नहीं लेने की सम्भावना 25% है जबकि बांग्लादेश के भाग नहीं लेने की सम्भावना 30% है। दोनों में से किसी के भाग नहीं लेने की क्या संभावना है?

A. $\frac{7}{40}$ B. $\frac{5}{40}$

C. $\frac{3}{40}$ D. $\frac{21}{40}$

E. इनमें से कोई नहीं

8. दो व्यक्तियों के एक ही दिन (तिथि का ध्यान रखते हुए) पैदा होने की प्रायिकता क्या है?

A. $\frac{1}{49}$ B. $\frac{1}{7}$

C. $\frac{2}{7}$ D. $\frac{1}{365}$

E. इनमें से कोई नहीं

9. 12 व्यक्तियों के जन्म दिन विभिन्न 12 महीनों में पड़ेंगे की प्रायिकता है:

A. $\frac{1}{12}$ B. $\frac{1}{12!}$

C. $\frac{12!}{12^{12}}$ D. $\frac{1}{12^{12}}$

E. इनमें से कोई नहीं

10. एक साधारण वर्ष में 53 सोमवार होने की प्रायिकता है:

A. $\frac{1}{7}$ B. $\frac{2}{7}$

C. $\frac{53}{365}$ D. $\frac{1}{365}$

E. इनमें से कोई नहीं

11. किसी अधिवर्ष (Leap year) में 53 रविवार होने की प्रायिकता क्या है?

A. $\frac{2}{7}$ B. $\frac{1}{7}$

C. $\frac{7}{365}$ D. $\frac{1}{365}$

E. इनमें से कोई नहीं

12. किसी थैली में 2 लाल, 3 हरी और 2 नीली गेंद हैं। 2 गेंदें यादृच्छिक रूप से निकाली जाती हैं। निकाली गई गेंदों में से किसी नीली गेंद के नहीं होने की प्रायिकता क्या है?

A. $\frac{5}{7}$ B. $\frac{10}{21}$

C. $\frac{2}{7}$ D. $\frac{11}{21}$

E. इनमें से कोई नहीं

13. एक थैले में 3 सफेद तथा 2 काली गोलियाँ हैं। यादृच्छया एक सफेद गोली निकालने की प्रायिकता क्या होगी?

A. 5 B. 3

C. 5/3 D. 3/5

E. इनमें से कोई नहीं

14. एक पासे को फेंकने पर 6 अंक के उपर आने की प्रायिकता क्या होगी?

A. 6 B. 7

C. $\frac{1}{6}$ D. $\frac{1}{7}$

E. इनमें से कोई नहीं

15. अक्षर B, G, I, N और R को पुनः व्यवस्थित किया जाए तो 'BRING' शब्द आने की क्या प्रायिकता होगी?

A. $\frac{1}{12}$ B. $\frac{1}{120}$

C. $\frac{1}{115}$ D. $\frac{1}{211}$

E. इनमें से कोई नहीं

16. ZENITH इन्स्टीट्यूट में 6 Maths, 4 English तथा 5 Reasoning के शिक्षक हैं। यादृच्छता के आधार पर किन्हीं चार शिक्षकों को चुनना है। कम से कम एक शिक्षक English का चुना जाए, इसकी क्या सम्भावना है?

A. $\frac{71}{91}$ B. $\frac{1123}{1365}$

C. $\frac{69}{96}$ D. $\frac{69}{91}$

E. इनमें से कोई नहीं

17. एक जोड़ी पासे फेंके जाते हैं। इसकी प्रायिकता ज्ञात कीजिए, जबकि उनका योग 8 या उससे बड़ा हो, अगर पहले पासे पर हमेशा 4 आता हो :

A. $\frac{3}{2}$ B. $\frac{1}{3}$

C. $\frac{1}{2}$ D. $\frac{5}{2}$

E. इनमें से कोई नहीं

18. 3 छात्र बैंक पोस्ट ऑफिस प्रवेश परीक्षा में शामिल होते हैं। उनकी नियुक्ति की प्रायिकता क्रमशः $1/3$, $1/4$ तथा $1/5$ है। कम से कम दो छात्रों के नियुक्ति की प्रायिकता ज्ञात कीजिए:

A. $\frac{1}{6}$ B. $\frac{1}{15}$

C. $\frac{2}{15}$ D. $\frac{4}{15}$

E. इनमें से कोई नहीं

19. किसी कक्षा में लड़कियों की संख्या 15 है। 3 लड़कियों की आँखे नीली हैं। यदि दो लड़कियों को यादृच्छिक रूप से चुना जाता है तो दोनों की आँखें नीली हों इसकी प्रायिकता क्या होगी?

A. $\frac{3}{35}$ B. $\frac{1}{35}$

C. $\frac{2}{35}$ D. $\frac{4}{35}$

E. इनमें से कोई नहीं

20. जसप्रीत कौर 75% मामलों में सत्य बोलती है तथा प्रीति कौर 60% मामलों में सत्य बोलती है। दोनों का विरोधाभास होने की सम्भाविता ज्ञात कीजिए।

A. 35% B. 40%

C. 45% D. 55%

E. 50%

21. A के 15 वर्ष और अधिक जीवित रहने की सम्भावना $\frac{7}{8}$ है तथा B के 15 वर्ष और अधिक जीवित रहने की संभावना $\frac{9}{10}$ है। दोनों के 15 वर्ष बाद जीवित रहने की संभावना कितनी है?

A. $\frac{1}{5}$ B. $\frac{1}{20}$

C. $\frac{63}{80}$ D. $\frac{1}{15}$

E. इनमें से कोई नहीं

22. तीन छात्रों को एक प्रश्न हल करने को कहा गया। इस प्रश्न को हल करने की इनकी प्रायिकता क्रमशः $\frac{1}{3}, \frac{2}{5}$ तथा $\frac{5}{12}$ है। इस प्रश्न के हल होने की प्रायिकता क्या है?

A. $\frac{1}{2}$ B. $\frac{1}{18}$

C. $\frac{2}{5}$ D. $\frac{23}{30}$

E. इनमें से कोई नहीं

23. एक व्यक्ति तथा उसकी पत्नी एक ही पद की दो रिक्तियों के लिए साक्षात्कार देते हैं। व्यक्ति तथा उसकी पत्नी के चयनित होने की

प्रायिकता क्रमशः $\frac{1}{7}$ तथा $\frac{1}{5}$ है। इन दोनों में से एक के चयनित होने की प्रायिकता क्या है?

A. $\frac{1}{5}$ B. $\frac{1}{7}$

C. $\frac{2}{7}$ D. $\frac{11}{35}$

E. इनमें से कोई नहीं

24. 4 पुरूषों तथा 2 स्त्रियों में से दो सदस्यों की कमेटी बनानी है। क्या प्रायिकता है कि इस कमेटी में एक स्त्री हो?

A. $\frac{1}{3}$ B. $\frac{1}{4}$

C. $\frac{7}{15}$ D. $\frac{8}{15}$

E. इनमें से कोई नहीं

25. यदि A तथा B दो स्वतंत्र घटनायें हों तथा P(A) = 0.15, P (A ∪ B) = 0.45 हो तो P(B) का मान क्या होगा?

A. $\frac{6}{13}$ B. $\frac{6}{17}$

C. $\frac{6}{19}$ D. $\frac{6}{23}$

E. इनमें से कोई नहीं

26. एक ही प्रकार के तीन पांसे एक साथ फेंके जाते हैं। क्या प्रायिकता है कि तीनों पर एक ही संख्या आये?

A. $\frac{1}{6}$ B. $\frac{1}{18}$

C. $\frac{1}{36}$ D. $\frac{3}{28}$

E. इनमें से कोई नहीं

27. एक व्यक्ति को 7 अंकों के फोन नम्बर के पहले चार अंक ठीक प्रकार से ज्ञात हैं परन्तु अन्त के तीन अंक याद नहीं हैं। पहले वह पहले चार अंक पूर्ण रूप से ठीक डायल करे, तो सही नम्बर डायल करने की प्रायिकता क्या है?

A. $\frac{1}{990}$ B. $\frac{1}{999}$

C. $\frac{1}{1000}$ D. $\frac{1}{1100}$

E. इनमें से कोई नहीं

28. एक पांसे को 6 बार फेंका जाता है। यदि एक विषम संख्या प्राप्त करना सफलता का सूचक हो, तो 5 बार सफलता प्राप्त करने की प्रायिकता क्या है?

A. $\frac{25}{36}$ B. $\frac{5}{6}$

C. $\frac{3}{32}$ D. $\frac{1}{10}$

E. इनमें से कोई नहीं

29. 6 सिक्के एक साथ उछाले जाते हैं। कम से कम एक बार पट (Tail) आने की प्रायिकता क्या है?

A. $\frac{1}{12}$ B. $\frac{63}{64}$

C. $\frac{53}{54}$ D. $\frac{71}{72}$

E. इनमें से कोई नहीं

30. एक डिब्बे में 100 पेंच हैं जिनमें से 10 दोषपूर्ण हैं। इनमें से तीन पेच यादृच्छिक उठा लिये जाते हैं। तीनों पेचों के दोषरहित होने की प्रायिकता क्या है?

A. 70.65% B. 71.65%

C. 72.65% D. 74.65%

E. इनमें से कोई नहीं

उत्तरमाला

1	2	3	4	5	6	7	8	9	10
A	D	A	C	B	D	C	B	C	A
11	**12**	**13**	**14**	**15**	**16**	**17**	**18**	**19**	**20**
A	B	D	C	B	D	C	A	B	C
21	**22**	**23**	**24**	**25**	**26**	**27**	**28**	**29**	**30**
C	B	C	D	B	C	C	C	B	C

कुछ चुने हुए प्रश्नों के व्याख्यात्मक उत्तर

1. कुल स्थिति $n(S) = 6^2 = 36$
अंकों का योग 7 होने की संभावित स्थिति
$$(1, 6), (6, 1), (2, 5), (5, 2), (3, 4), (4, 3) = 6$$
तो $P(E) = \frac{n(E)}{n(S)} = \frac{6}{36} = \frac{1}{6}$

2. सीता 75% सत्य बोलती है तो झूठ = 25%
गीता 80% सत्य बोलती है तो झूठ = 20%
अतः दोनों की विरोधाभास होने की प्रायिकता
$$= 75\% \times 20\% + 80\% \times 25\%$$
$$= \frac{75}{100}\times\frac{20}{100}+\frac{80}{100}\times\frac{25}{100}$$
$$= \frac{3}{4}\times\frac{1}{5}+\frac{4}{5}\times\frac{1}{4}$$
$$= \frac{3}{20}+\frac{1}{5}=\frac{3+4}{20}=\frac{7}{20}$$
या $\frac{7}{20}\times 100 = 35\%$

3. कुल कलम = 5 + 4 + 3 =12
अर्थात् $^{12}C_3 = 220$
यदि 3 कलम, 4 पीली तथा 3 नीली यानि 7 कलमों से निकाली जाए तो काले रंग की नहीं होगी।
$$n(S) = {^7C_3} = 35$$
तो $P(E) = \frac{35}{220} = \frac{7}{44}$

4. पासे के उपर सम संख्या आने की कुल घटना = (2, 4, 6)
उपर सम संख्या 2 से अधिक की घटना = (4, 6)
तो $P(E) = \frac{n(E)}{n(S)} = \frac{2}{3}$

5. दोषयुक्त बल्ब = 10
केवल एक दोषपूर्ण बल्ब का चुनाव $= \frac{^5C_1 \times {^{10}C_2}}{^{15}C_3}$
$$= \frac{5\times10\times9\times3\times2}{2\times15\times14\times13} = \frac{45}{91}$$

6. कुल नोटों की संख्या = (4 + 5 + 6) = 15
मनोज के पॉकेट में 15 नोटों में से 2 नोट निकालने के कुल तरीकों की संख्या
$$n(S) = {^{15}C_2} = 105$$
15 नोटों में से निकाले गये दो नोट एक ही प्रकार के हों उसकी संख्या $n(E) = {^4C_2} + {^5C_2} + {^6C_2} = 6 + 10 + 15 = 31$

अतः 15 नोटों में से खींचे गये दो नोट एक ही प्रकार के हों इसकी प्रायिकता $\frac{31}{105}$ होगी।

7. सार्क सम्मेलन में भारत के भाग नहीं लेने की संभावना
$$= 25\% = \frac{25}{100} = \frac{1}{4}$$
बांग्लादेश के भाग नहीं लेने की संभावना $= 30\% = \frac{30}{100} = \frac{3}{10}$
दोनों एक-दूसरे से स्वतंत्र हैं।
∴ इनकी संयुक्त प्रायिकता अर्थात् इन दोनों में से किसी के भाग नहीं लेने की प्रायिकता $= \frac{1}{4}\times\frac{3}{10} = \frac{3}{40}$

8. दिनों की संख्या = 7
A = दो व्यक्ति एक ही दिन पैदा होते हैं।
$n(A) = 7 \times 1$
$n(S) = 7 \times 7$
∴ $P(E) = \frac{7\times1}{7\times7} = \frac{1}{7}$

9. A = 12 व्यक्तियों के जन्मदिन अलग-अलग महीनों में
$n(A) = 12\times11\times10\times9\times8\times7\times6\times5\times4\times3\times2\times1 = 12!$
$n(S) = 12 \times 12 \times$ .... 12 बार $= 12^{12}$
∴ $P(A) = \frac{12!}{12^{12}}$

10. साधारण वर्ष में 365 दिन = 52 सप्ताह + 1 दिन
वह एक दिन हो सकता है:
(i) सोमवार (ii) मंगलवार
(iii) बुधवार (iv) बृहस्पतिवार
(v) शुक्रवार (vi) शनिवार
(vii) रविवार
∴ अभीष्ट प्रायिकता $= \frac{1}{7}$

11. अधिवर्ष में 366 दिन = 52 सप्ताह + 2 दिन
ये दो दिन हो सकते हैं :
(i) सोमवार, मंगलवार (ii) मंगलवार, बुधवार
(iii) बुधवार, बृहस्पतिवार (iv) बृहस्पतिवार, शुक्रवार
(v) शुक्रवार, शनिवार (vi) शनिवार, रविवार
(vii) रविवार, सोमवार
∴ अभीष्ट प्रायिकता $= \frac{2}{7}$

12. कुल गेंदों की संख्या = (2 + 3 + 2) = 7

$n(S) = {}^7C_2$

नीली गेंदों को छोड़कर शेष गेंदों की संख्या = (2 + 3) = 5

$n(E) = {}^5C_2$

$\therefore \quad P(E) = \frac{n(E)}{n(S)} = \frac{{}^5C_2}{{}^7C_2} = \frac{10}{21}$

13. कुल गोलियों की संख्या = (3 + 2) = 5

$n(S) = {}^5C_1 = 5$

$n(E) = {}^3C_1 = 3$

$\therefore \quad P(E) = \frac{n(E)}{n(S)} = \frac{3}{5}$

14. $\because$ पासे में 6 सतहें होती हैं।

$S = \{1, 2, 3, 4, 5, 6\}$

$n(S) = 6$

$n(E) = 1$ [सिर्फ 6 अंक]

$\therefore \quad P(E) = \frac{n(E)}{n(S)} = \frac{1}{6}$

15. B, G, I, N और R से बनाए गये शब्दों की संख्या $n(S) = {}^5P_5$

$= \underline{|5} = 120$

$\therefore$ अभीष्ट प्रायिकता $= \frac{1}{120}$

16. 'ZENITH' इन्स्टीट्यूट में कुल शिक्षकों की संख्या = (6 + 4 + 5) = 15

15 शिक्षकों में से 4 शिक्षकों को एक साथ चुनने के तरीकों की संख्या

$n(S) = {}^{15}C_4 = 1365$

15 शिक्षको में से चुने गये 4 शिक्षकों में से एक English को हो, इनकी संख्या

$n(E) = {}^{15}C_4 - {}^{11}C_4 = 1365 - 330 = 1035$

अतः अभीष्ट प्रायिकता $= \frac{1035}{1365} = \frac{69}{91}$ होगी।

17. $\because$ पहले पासे पर 4 आता है।

$\therefore$ प्रतिदर्श समष्टि S = {(4, 1), (4, 2), (4, 3), (4, 4), (4, 5), (4, 6)}

$\therefore \quad n(S) = 6$

इच्छित परिणाम = {(4, 4), (4, 5), (4, 6)}

$n(E) = 3$

$\therefore$ अभीष्ट प्रायिकता $= \frac{3}{6} = \frac{1}{2}$

18. अभीष्ट घटनाओं को हम विभिन्न चार तरीकों से दिखा सकते हैं :

(*i*) पहला छात्र नियुक्त नहीं होता है और दो छात्र नियुक्त होते हैं।

इसकी प्रायिकता $= \left(1 - \frac{1}{3}\right) \times \frac{1}{4} \times \frac{1}{5} = \frac{1}{30}$

(*ii*) दूसरा छात्र नियुक्त नहीं होता है और बाकी दो नियुक्त होते हैं।

इसकी प्रायिकता $= \frac{1}{3}\left(1 - \frac{1}{4}\right) \times \frac{1}{5} = \frac{1}{20}$

(*iii*) तीसरा छात्र नियुक्त नहीं होता है और बाकी दो नियुक्त होते हैं।

इसकी प्रायिकता $= \frac{1}{3} \times \frac{1}{4}\left(1 - \frac{1}{5}\right) = \frac{1}{15}$

(*iv*) तीनों छात्रों की नियुक्ति की प्रायिकता $= \frac{1}{3} \times \frac{1}{4} \times \frac{1}{5} = \frac{1}{60}$

अतः अभीष्ट प्रायिकता $= \frac{1}{30} + \frac{1}{20} + \frac{1}{15} + \frac{1}{60}$

$= \frac{2+3+4+1}{60} = \frac{10}{60} = \frac{1}{6}$

19. 15 लड़कियों में से 2 लड़कियों को चुनने के तरीकों की संख्या

$n(S) = {}^{15}C_2 = 105$

नीली आँखों वाली 3 लड़कियों में से 2 को चुनने के तरीकों की संख्या

$n(E) = {}^3C_2 = 3$

अतः अभीष्ट प्रायिकता $= \frac{3}{105} = \frac{1}{35}$

20. दोनों की बातों में विरोधाभास होने की प्रायिकता

$= 75\% \times 40\% + 60\% \times 25\%$

$= \frac{3}{4} \times \frac{2}{5} + \frac{3}{5} \times \frac{1}{4}$

$= \frac{3}{10} + \frac{3}{20} = \frac{6+3}{20} = \frac{9}{20}$

$= \frac{9}{20} \times 100 = 45\%$

21. अभीष्ट प्रायिकता $= \frac{7}{8} \times \frac{9}{10} = \frac{63}{80}$

22. प्रश्न हल होने की प्रायिकता $= \frac{1}{3} \times \frac{2}{5} \times \frac{5}{12} = \frac{1}{18}$

23. $P(A) = \frac{1}{7} \Rightarrow P(\bar{A}) = \left(1 - \frac{1}{7}\right) = \frac{6}{7}$

$P(B) = \frac{1}{5} \Rightarrow P(\bar{B}) = \left(1 - \frac{1}{5}\right) = \frac{4}{5}$

$\therefore$ अभीष्ट प्रायिकता

$= P(A\bar{B}) + P(\bar{A}B)$

$= \frac{1}{7} \times \frac{4}{5} + \frac{6}{7} \times \frac{1}{5}$

$= \frac{4}{35} + \frac{6}{35} = \frac{10}{35} = \frac{2}{7}$

24. अभीष्ट प्रायिकता = $\frac{^4C_1 \times {^2C_1}}{^6C_2} = \frac{4 \times 2}{15} = \frac{8}{15}$

25. $P(A \cup B) = P(A) + P(B) - P(A) \times P(B)$

$\Rightarrow 0.45 = 0.15 + x - 0.15 \times x$

$\Rightarrow 0.85\,x = 0.30$

$\Rightarrow x = \frac{0.30}{0.85} = \frac{30}{85} = \frac{6}{17}$

अतः $P(B) = \frac{6}{17}$

26. $n(S) = (6 \times 6 \times 6) = 216$

$E = \{(1, 1, 1), (2, 2, 2), (3, 3, 3), (4, 4, 4), (5, 5, 5), (6, 6, 6)\}$

$n(E) = 6$

$\Rightarrow P(E) = \frac{n(E)}{n(S)} = \frac{6}{216} = \frac{1}{36}$

27. अन्तिम तीन स्थानों को भरने के कुल तरीके

$= 10 \times 10 \times 10 = 1000$

अतः अभीष्ट प्रायिकता = $\frac{1}{1000}$

28. $P(S) = \frac{3}{6} = \frac{1}{2},\ P(\bar{S}) = 1 - \frac{1}{2} = \frac{1}{2}$

पाँच बार सफलता प्राप्त करने की प्रायिकता

$= P(SSSSS\bar{S}) + P(SSSS\bar{S}S) + P(SSS\bar{S}SS) + P(SS\bar{S}SSS) + P(S\bar{S}SSSS) + P(\bar{S}SSSSS)$

$= \left(\frac{1}{2} \times \frac{1}{2} \times \frac{1}{2} \times \frac{1}{2} \times \frac{1}{2} \times \frac{1}{2}\right) + \ldots\ldots$ छः बार

$= \left(\frac{1}{2}\right)^6 \times 6 = \frac{1}{2^6} \times 6 = \frac{3}{32}$

29. 6 सिक्के उछाले जाने पर सभी संभावनाओं की संख्या $= 2^6 = 64$

सभी सिक्के चित आने के तरीके = 1

कम से कम एक बार पट आने की प्रायिकता

= (1 – सभी चित आने की प्रायिकता)

$= 1 - \frac{1}{64} = \frac{63}{64}$

30. 100 में से 3 पेच चुनने के कुल तरीके $= {^{100}C_3}$

तीनों पेचों के दोष रहित होने के कुल तरीके $= {^{90}C_3}$

अभीष्ट प्रायिकता = $\frac{^{90}C_3}{^{100}C_3}$

$= \frac{90 \times 89 \times 88}{3 \times 2 \times 1} \times \frac{3 \times 2 \times 1}{100 \times 99 \times 98}$

$= \frac{178}{245}$

○○○